ポプラディアプラス

人物事典
Biographical Dictionary

学習資料集・索引[さくいん]

目次

● 時代別人物年表 …………………………………………… 8

● 人物カレンダー …………………………………………… 28

学習資料集

歴代の内閣総理大臣一覧 ………………………… 52

天皇系図 ……………………………………………… 58

藤原氏系図 …………………………………………… 60

源氏・平氏系図 ……………………………………… 62

征夷大将軍一覧
鎌倉幕府／室町幕府／江戸幕府 ………………… 64

江戸幕府大老・老中一覧 ………………………… 68

鎌倉幕府執権一覧 ………………………………… 70

室町幕府執事・管領一覧 ………………………… 71

日本の歴史地図 …………………………………… 72

アメリカ合衆国大統領一覧 ……………………… 74

主な国・地域の大統領・首相一覧 ……………… 80

ローマ教皇一覧 …………………………………… 84

世界の主な王朝と王・皇帝 ……………………… 88

世界の主な王朝地図 ……………………………… 96

ノーベル賞受賞者一覧 …………………………… 100

国民栄誉賞受賞者一覧 …………………………… 132

お札の肖像になった人物一覧 …………………… 134

切手の肖像になった人物一覧 …………………… 136

文化勲章受章者一覧 ……………………………… 138

芥川賞・直木賞受賞者一覧 ……………………… 148

オリンピック日本代表選手
メダル受賞者一覧 ………………………………… 154

日本と世界の名言 ………………………………… 166

人名別 小倉百人一首 …………………………… 170

索引

◆ ジャンル別索引 ………………………………………… 176

◆ 時代別索引 ……………………………………………… 239

◆ 地域別索引 ……………………………………………… 268

◆ 五十音順索引 …………………………………………… 293

協力者一覧 ………………………………………………… 364

『学習資料集・索引』について

この本は、日本と世界の人物4300人以上を掲載した、ポプラディアプラス『人物事典』の第5巻です。第1巻から第4巻に掲載した人物について、さらに理解を深めるための学習資料や、さまざまな方法でひける索引が収録されています。

時代別人物年表

紀元前から21世紀まで、世界と日本で、同じ時代に活躍した主な人物を年表形式でしめしています。

その人物が活躍したころ、ほかにどんな人物が生きていたのか、どんなできごとがおきていたのか、ひと目でわかります。

■ その人物の生きた時代を、棒グラフのようにあらわしています。

孔子 紀元前551?～紀元前479

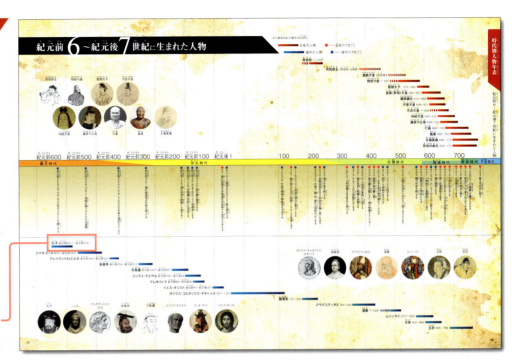

人物カレンダー

1年366日、それぞれの日に生まれた人物をカレンダー形式でしめしています。主な人物の誕生日や、別の年の同じ日付にどんなできごとがおきたのか、ひと目でわかります。掲載されている人物は第1巻から第4巻で調べることができます。

■ その日におきた日本と海外のできごと、および記念日・行事などを紹介しています。

● 1848 アメリカのカリフォルニアで金が発見され、ゴールドラッシュがはじまる。
● 1972 元日本兵の横井庄一がグアム島で奇跡的に発見される。

学習資料集

■一覧表

「歴代の内閣総理大臣」「アメリカ合衆国大統領」「ノーベル賞受賞者」などを、一覧表の形式でしめしています。人物を一覧してみることで時代の流れを感じたり、その人物の位置づけを理解したりできます。

■ Ｓマーク

大隈重信 Ｓ

名前が青い文字になっている人物、またはＳマークがついている人物は、第1巻から第4巻に項目として掲載されています。

■系図

「天皇」「藤原氏」「源氏・平氏」などの歴史の学習でよく登場する家系を、系図の形式でしめしています。系図をみることで時代の流れを感じたり、人物どうしの関係を理解したりできます。

■名前が青い文字になっている人物は、第1巻から第4巻に項目として掲載されています。

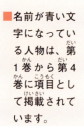

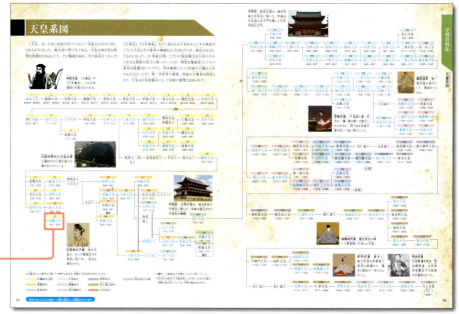

■地図

歴史の理解を助けるため、「日本の歴史地図」「世界の主な王朝地図」を掲載しています。地名の移りかわりや、地域の歴史の流れがわかります。

索引のつかい方

この本に収録されている索引は、「ジャンル別」「時代別」「地域別」「五十音順」の4種類があります。それぞれの索引の特色を生かし、つかい方をくふうすることで、学習をさらに発展させることができます。

■ 索引共通のきまり

「゛」（濁音）」や「゜」（半濁音）がつく場合は、清音（たとえば［は］）→濁音（［ば］）→半濁音（［ぱ］）の順にならべています。

「や、ゆ、よ」（拗音）と「っ」（促音）も、五十音順にふくめます。同じ字は、大きい字のあとにならべています。

「ー」（のばす音、長音）は、その前の文字の母音と同じように読むと考えて、ならべています。

外国語のV音をあらわすカタカナの「ヴ」は原則としてつかっていません。「ヴァ」「ヴィ」「ヴ」「ヴェ」「ヴォ」の音は、「バ」「ビ」「ブ」「ベ」「ボ」とあらわしています。

ジャンル別索引

第1巻から第4巻に項目として掲載されている**すべての人物**を、活躍したジャンル別にまとめ、五十音順にならべています。

ジャンルには、下記の32分類があります。

人物名は、第1巻から第4巻の見出し語と同じく、原則として「姓・名」の順であらわしています。

「ジャンル別索引」は、ジャンルを手がかりにして人物をさがす場合、また同じジャンルで活躍したほかの人物をさがす場合に便利です。

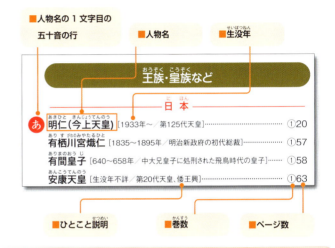

■ 人物のジャンル一覧

その人物が活躍した主なジャンルで分類しています。一人の人物が複数のジャンルにふくまれている場合があります。
※●は日本の人物、●は世界の人物があてはまるジャンルであることをあらわします。

■王族・皇族など
● (例)聖徳太子、天智天皇、ルイ16世

■貴族・豪族・武将など
● (例)足利尊氏、蘇我入鹿、平清盛、藤原道長

■戦国・安土桃山時代の大名・武将など
● (例)織田信長、真田幸村、伊達政宗、豊臣秀吉

■江戸時代の大名・武士など
● (例)大岡忠相、徳川家康、松平定信、水野忠邦

■幕末・明治維新で活躍した人物
● (例)勝海舟、西郷隆盛、坂本龍馬、吉田松陰

■古代ギリシャ・ローマの人物
● (例)アリストテレス、カエサル、ユリウス

■政治家・軍人・運動家
● ● (例)吉田茂、毛沢東、リンカン、エイブラハム

■宗教に関する人物
● ● (例)空海、イエス・キリスト、ムハンマド

■思想家・哲学者
● ● (例)西田幾多郎、ルソー、ジャン＝ジャック

■学者
● ● (例)湯川秀樹、ダーウィン、チャールズ

■作家
● ● (例)芥川龍之介、川端康成、魯迅

■絵本・児童文学作家
● ● (例)新美南吉、キャロル、ルイス

■詩人・歌人・俳人
● ● (例)藤原定家、松尾芭蕉、杜甫

■画家・書家
● ● (例)葛飾北斎、王羲之、ピカソ、パブロ

■音楽家
● ● (例)武満徹、ブラームス、ヨハネス

■写真家
● ● (例)木村伊兵衛、土門拳、キャパ、ロバート

■映画・演劇に関する人物
● ● (例)黒澤明、シェークスピア、ウィリアム

■漫画・アニメに関する人物
● ● (例)宮崎駿、シュルツ、チャールズ・M・

■伝統芸能・文化に関する人物
● (例)大山康晴、観阿弥、近松門左衛門

■華道家・茶道家
● (例)池坊専慶、今井宗久、千利休、古田織部

■彫刻家
● ● (例)運慶、高村光雲、ムーア、ヘンリー

■建築家
● ● (例)丹下健三、ガウディ、アントニ

■工芸作家
● ● (例)酒井田柿右衛門、正宗、ウェッジウッド、ジョサイア、ストラディバリ、アントニオ

■デザイナー
● ● (例)横尾忠則、シャネル、ガブリエル

■産業人
● ● (例)松下幸之助、カーネギー、アンドリュー

■教育家
● ● (例)新渡戸稲造、クーベルタン、ピエール・ド

■医学に関する人物
● ● (例)緒方洪庵、北里柴三郎、ナイチンゲール、フローレンス、パスツール、ルイ

■スポーツ選手
● ● (例)長嶋茂雄、ベーブ・ルース

■発明・発見に関する人物
● ● (例)高峰譲吉、エジソン、トーマス・アルバ

■探検・開拓に関する人物
● ● (例)植村直己、間宮林蔵、マルコ・ポーロ

■架空・伝説上の人物
● ● (例)アーサー王、ウィリアム・テル、徐福

■郷土の発展につくした人物
● (例)玉川兄弟、布田保之助、安井道頓

時代別索引

第1巻から第4巻に項目として掲載されている**日本の人物**を、活躍した時代別にまとめ、五十音順にならべています。

時代には、右記の12分類があります。

人物名は、第1巻から第4巻の見出し語と同じく、原則として「姓・名」の順であらわしています。

「時代別索引」は、時代を手がかりにして人物をさがす場合、また同じ時代に活躍したほかの人物をさがす場合に便利です。

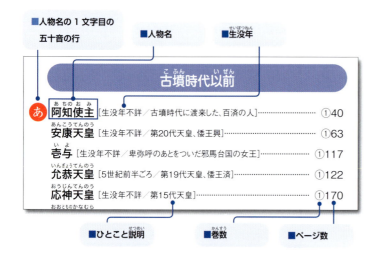

■時代区分一覧

その人物が活躍した主な時代で分類しています。みつからない場合は前後の時代区分でさがしてみてください。

- ■古墳時代以前
- ■飛鳥時代
- ■奈良時代
- ■平安時代
- ■鎌倉時代
- ■南北朝・室町時代
- ■戦国・安土桃山時代
- ■江戸時代
- ■幕末・明治維新
- ■明治時代
- ■大正時代〜昭和時代（終戦まで）
- ■昭和時代（戦後）〜現代

地域別索引

第1巻から第4巻に項目として掲載されている**世界の人物**を、活躍した（または出身の）地域別にまとめ、五十音順にならべています。

地域には、右記の15分類があります。

人物名は、第1巻から第4巻の見出し語と同じく、原則として「姓・名」の順であらわしています。

「地域別索引」は、地域を手がかりにして人物をさがす場合、また同じ地域で活躍したほかの人物をさがす場合に便利です。

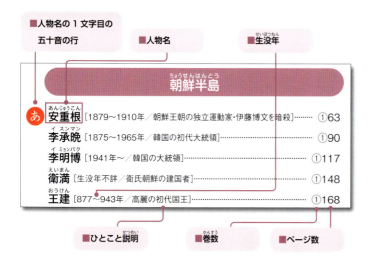

■地域区分一覧

この地域区分は、現代の地域名にあてはめた場合の目安です。地域名や国名は、時代によって変化します。

- ■朝鮮半島
- ■中国・モンゴル
- ■その他のアジア
- ■イギリス
- ■フランス
- ■ドイツ
- ■イタリア
- ■スペイン
- ■ポルトガル
- ■ロシア
- ■その他のヨーロッパ
- ■アフリカ
- ■アメリカ合衆国
- ■その他の南北中央アメリカ
- ■オセアニア

五十音順索引

　第1巻から第4巻に項目として掲載されている**すべての人物**を、五十音順にならべています。

　人物名は、第1巻から第4巻の見出し語と同じく、原則として「姓・名」の順でひきますが、外国人の場合はそれぞれの人物の正式名にしたがって「名・姓」の順でひくこともできます。

　「五十音順索引」は、名前がわかっている人物を、すばやく調べるときに便利です。

- ■**太字**　見出し語と同じ表記（原則として「姓・名」の順）。
- ■細字　それ以外の表記。または項目として掲載されていない人物名。

※それ以外の表記とは
　同じ人物の別の呼び名
　同じ人物の別の読み方
　「名・姓」の順の外国人の名　など

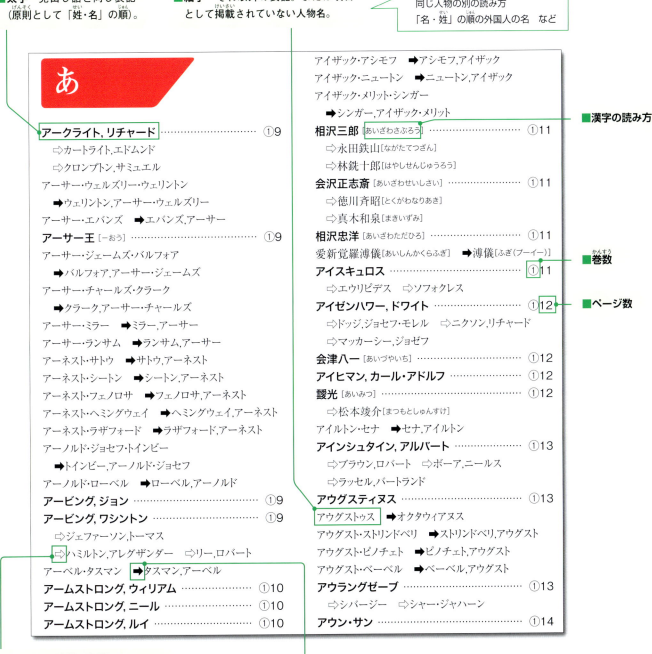

- ■漢字の読み方
- ■巻数
- ■ページ数

⇨の人物の項目の解説文に、調べたい人物の名前が掲載されています。この項目をあわせて調べれば、理解がより深まります。

➡の表記で索引を引くと、巻数とページ数がわかります。

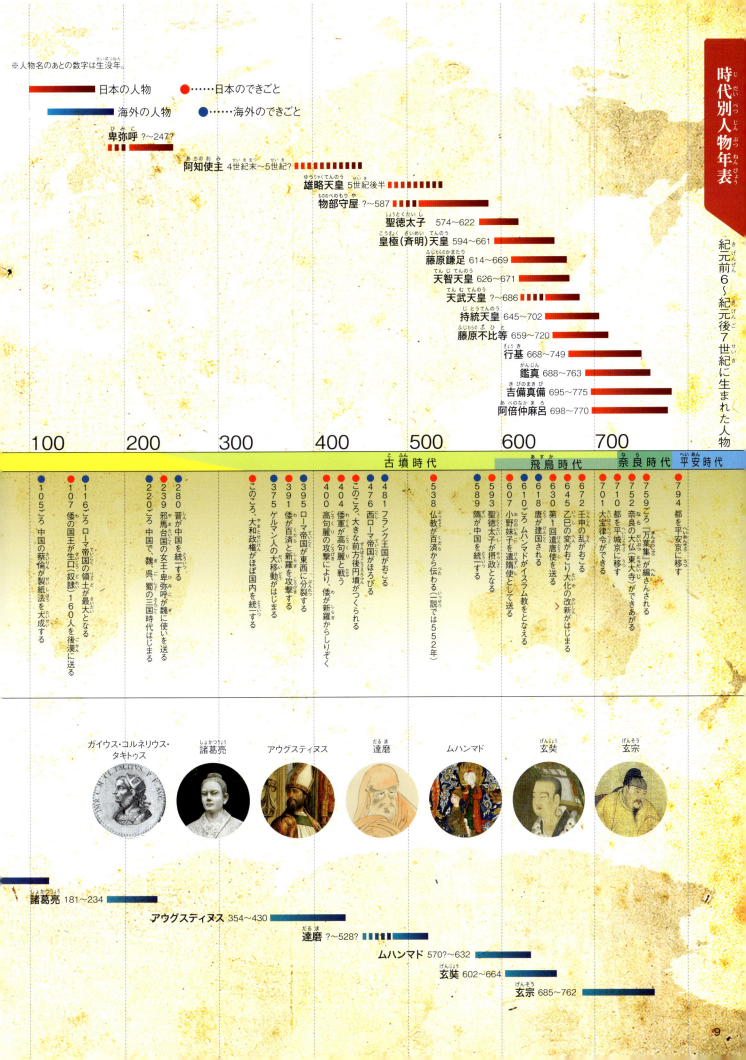

8～10世紀に生まれた人物

聖武天皇 701～756
光明皇后 701～760
藤原仲麻呂 706～764
和気清麻呂 733～799
桓武天皇 737～806
坂上田村麻呂 758～811
最澄 767～822
空海 774～835
嵯峨天皇 786～842
菅原道真 845～903
紀貫之 868?～945?

700　720　740　760　780　800　820　840　860　880

奈良時代

645 乙巳の変がおこり大化の改新がはじまる

672 壬申の乱がおこる

701 大宝律令ができる

710 都を平城京に移す

712 『古事記』が編さんされる

720 『日本書紀』が編さんされる

752 奈良の大仏（東大寺）ができあがる

753 唐僧・鑑真が渡来する

759ごろ 『万葉集』が編さんされる

794 都を平安京に移す

800 カール大帝が西ローマ皇帝位をさずけられる

806 最澄が天台宗を空海が真言宗をひらく

843 フランク王国が3つに分裂する

866 藤原良房が摂政となる

887 藤原基経が関白となる

894 遣唐使をやめる

李白 701～762
安禄山 705～757
顔真卿 709～785
杜甫 712～770
楊貴妃 719～756
カール大帝 742～814
ハールーン・アッラシード 763/766～809
白居易 772～846
アルフレッド大王 848?～899
布袋 ?～917?
□□ 860～933

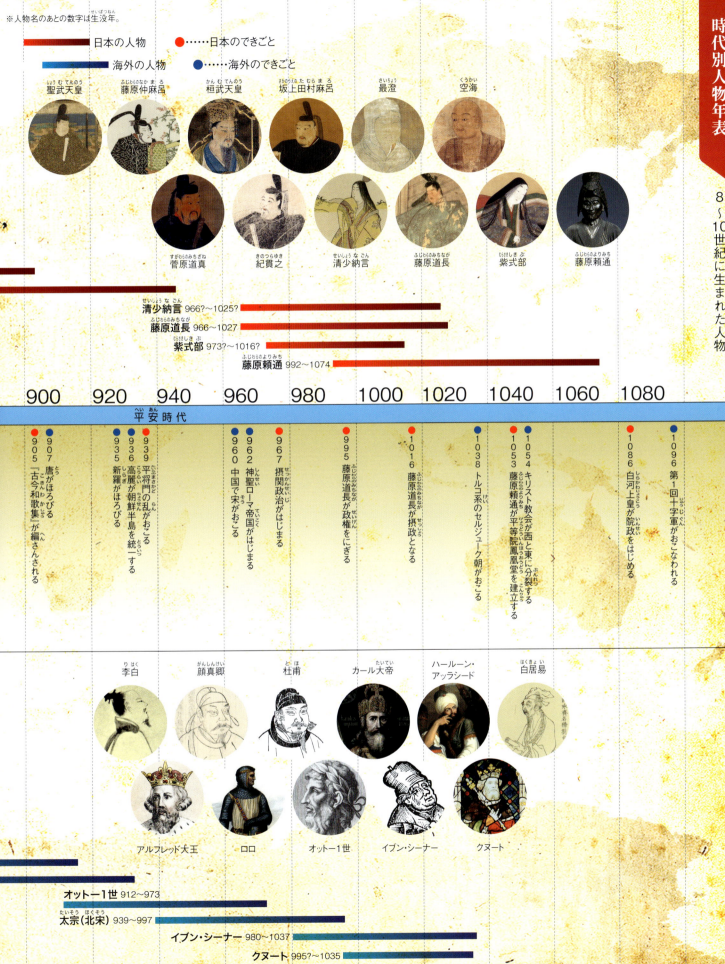

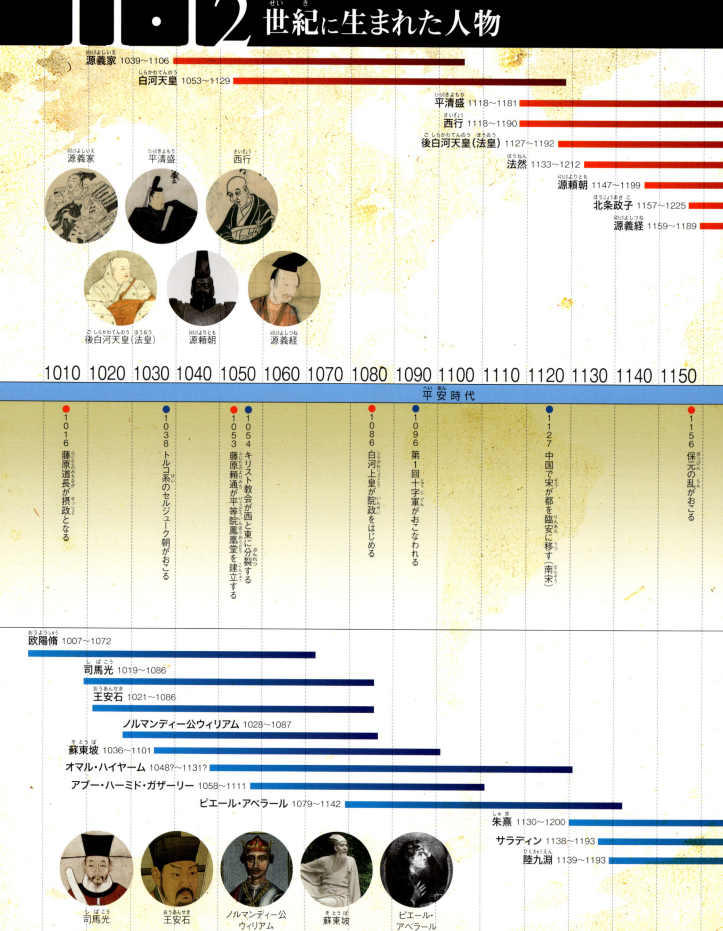

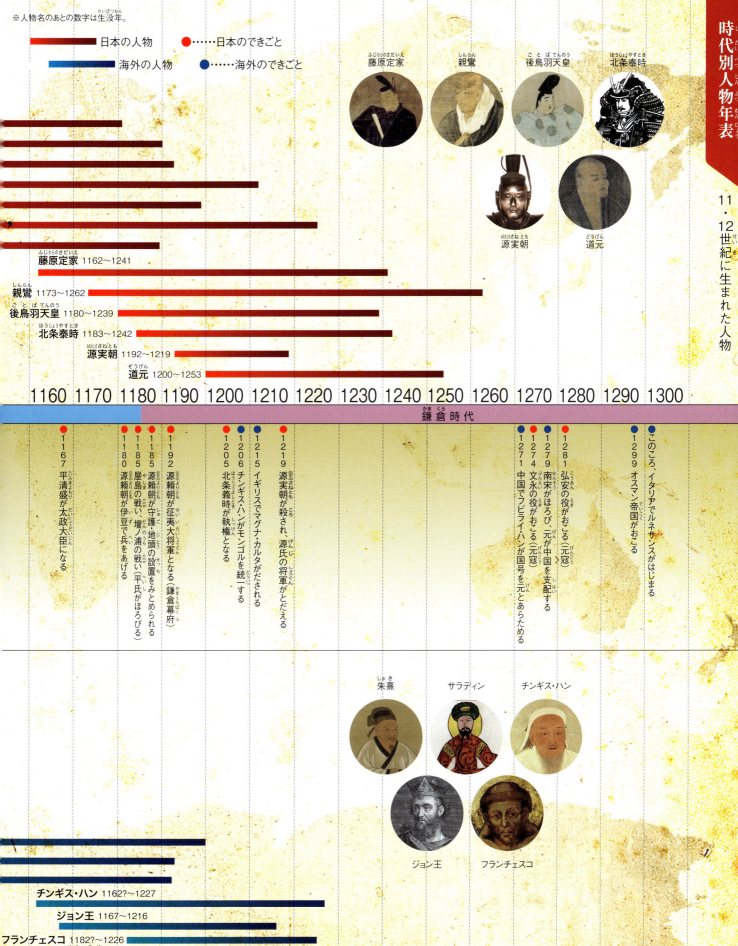

13・14世紀に生まれた人物

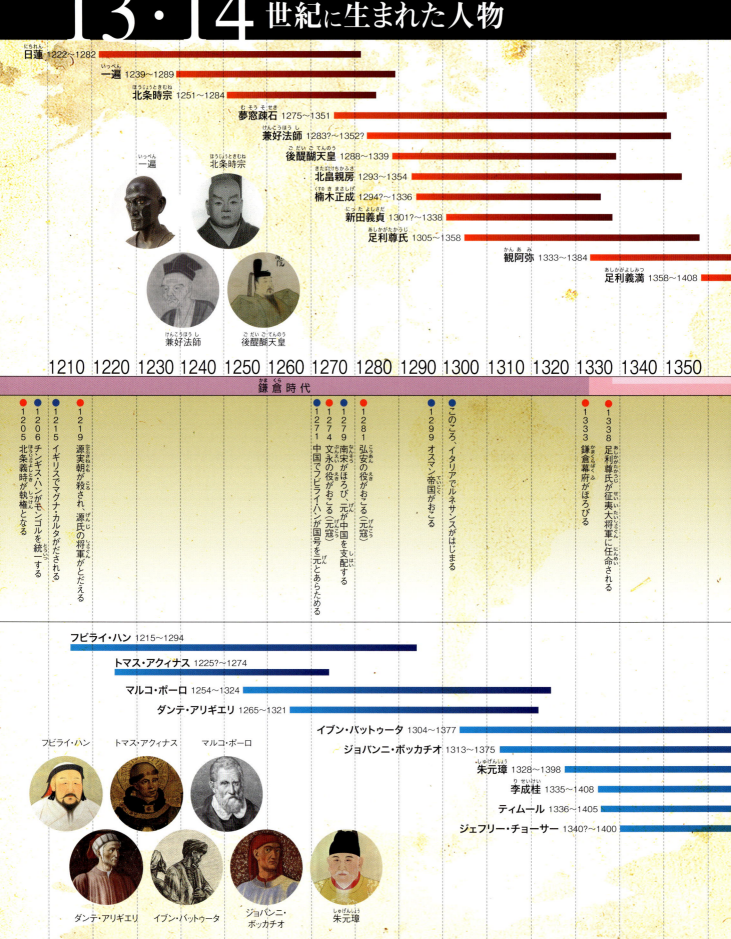

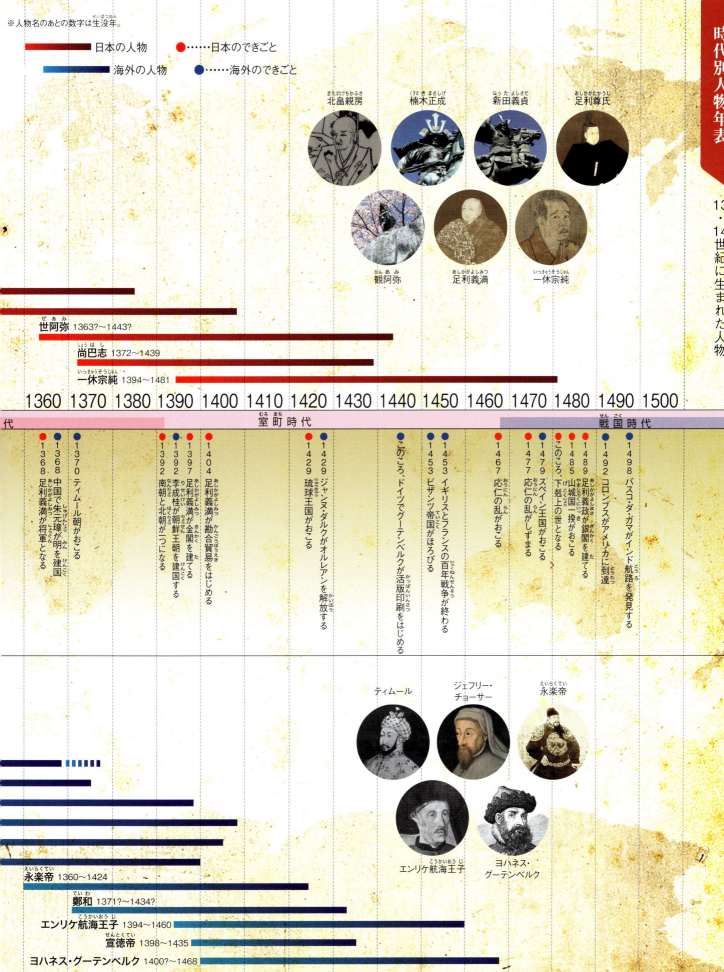

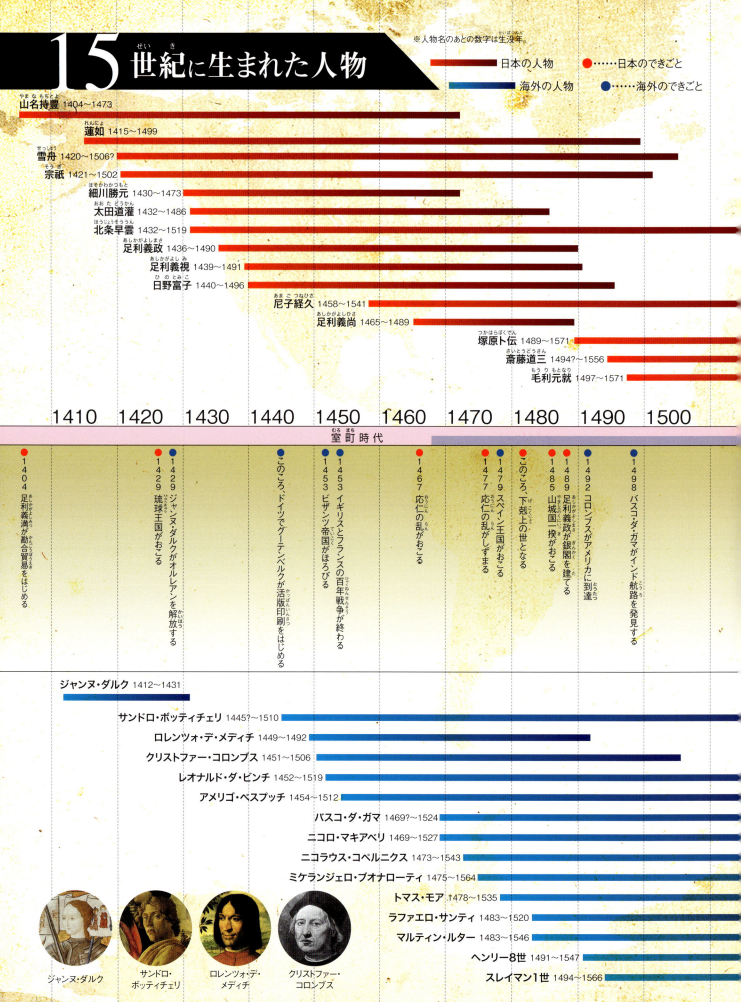

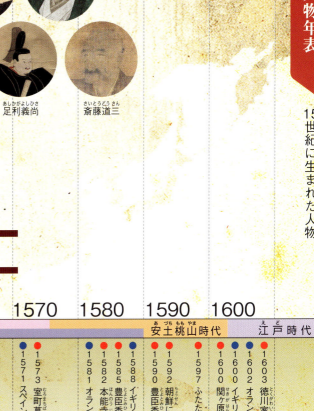

時代別人物年表

15世紀に生まれた人物

山名持豊 / 蓮如 / 雪舟 / 宗祇 / 細川勝元 / 太田道灌
北条早雲 / 足利義政 / 日野富子 / 尼子経久 / 足利義尚 / 斎藤道三

1510　1520　1530　1540　1550　1560　1570　1580　1590　1600

戦国時代 ／ **安土桃山時代** ／ **江戸時代**

- 1517 ドイツでルターの宗教改革がはじまる
- 1519 マゼラン一行が世界一周に出発する
- 1521 スペインがアステカ帝国をほろぼす
- 1526 インドでムガル朝がおこる
- 1533 スペインがインカ帝国をほろぼす
- 1543 ポルトガル人が種子島にきて、鉄砲を伝える
- 1543 コペルニクスが地動説を発表する
- 1549 ザビエルが日本にキリスト教を伝える
- 1553 武田信玄と上杉謙信が川中島で戦う
- 1558 エリザベス1世が即位する
- 1560 織田信長が桶狭間で今川義元をやぶる
- 1571 スペイン艦隊が地中海でオスマン海軍をやぶる
- 1573 室町幕府がほろびる
- 1581 オランダが独立宣言をする
- 1582 本能寺の変がおこる
- 1585 豊臣秀吉が関白となる
- 1588 イギリス海軍が、スペインの無敵艦隊をやぶる
- 1590 豊臣秀吉が全国を統一する
- 1592 朝鮮に出兵する（文禄の役）
- 1597 ふたたび朝鮮に出兵する（慶長の役）
- 1600 関ケ原の戦い（徳川家康が天下をとる）
- 1600 イギリスの東インド会社ができる
- 1602 オランダの東インド会社ができる
- 1603 徳川家康が江戸に幕府をひらく

レオナルド・ダ・ビンチ / アメリゴ・ベスプッチ / バスコ・ダ・ガマ / ニコロ・マキアベリ / ニコラウス・コペルニクス / ミケランジェロ・ブオナローティ / トマス・モア
ラファエロ・サンティ / マルティン・ルター / ヘンリー8世 / スレイマン1世

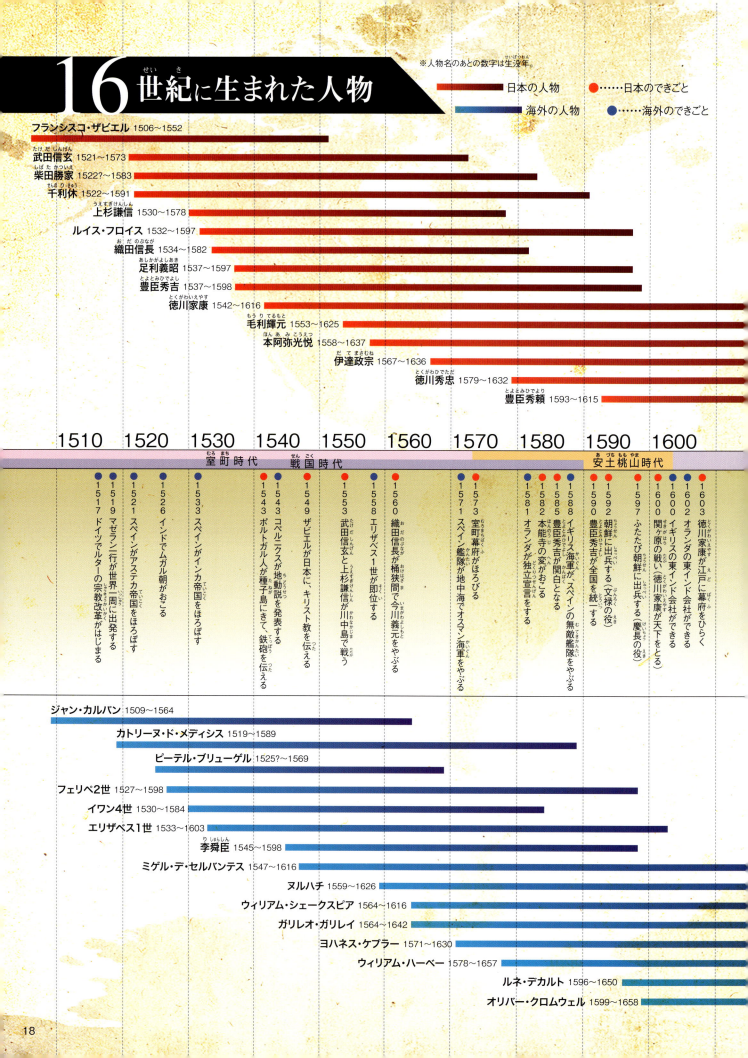

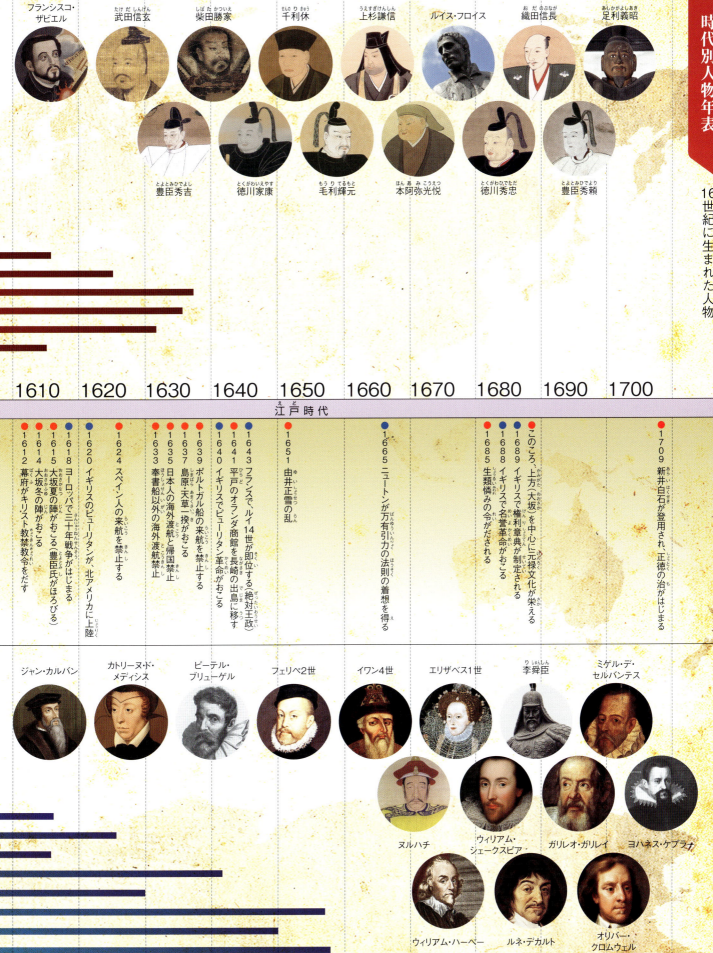

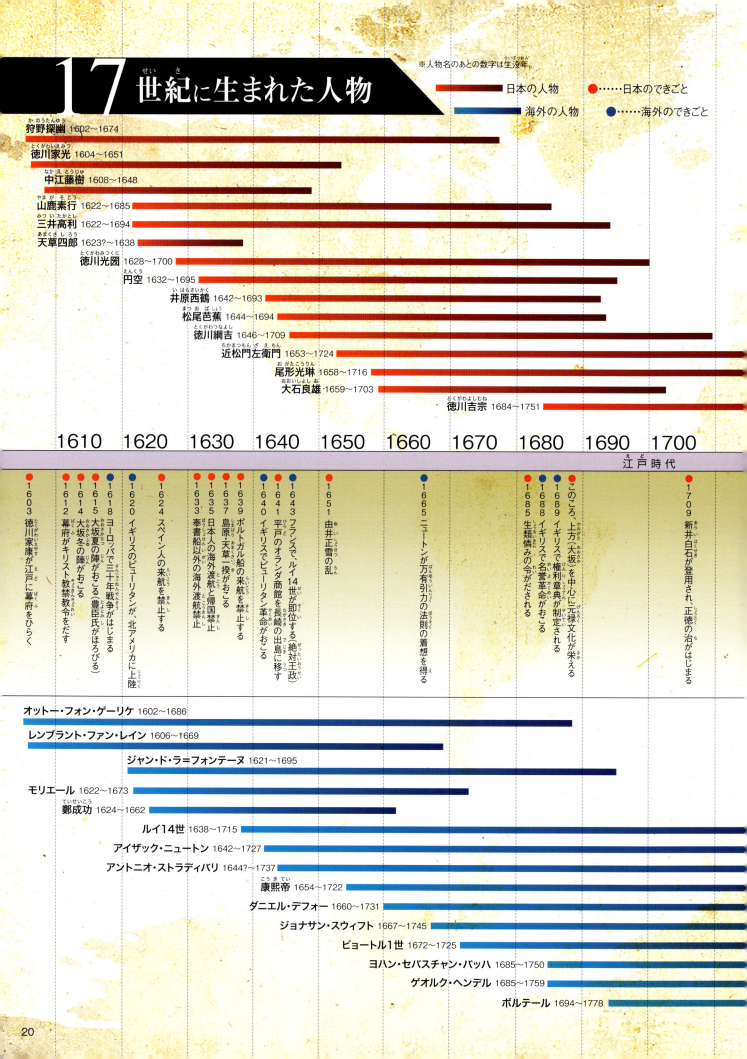

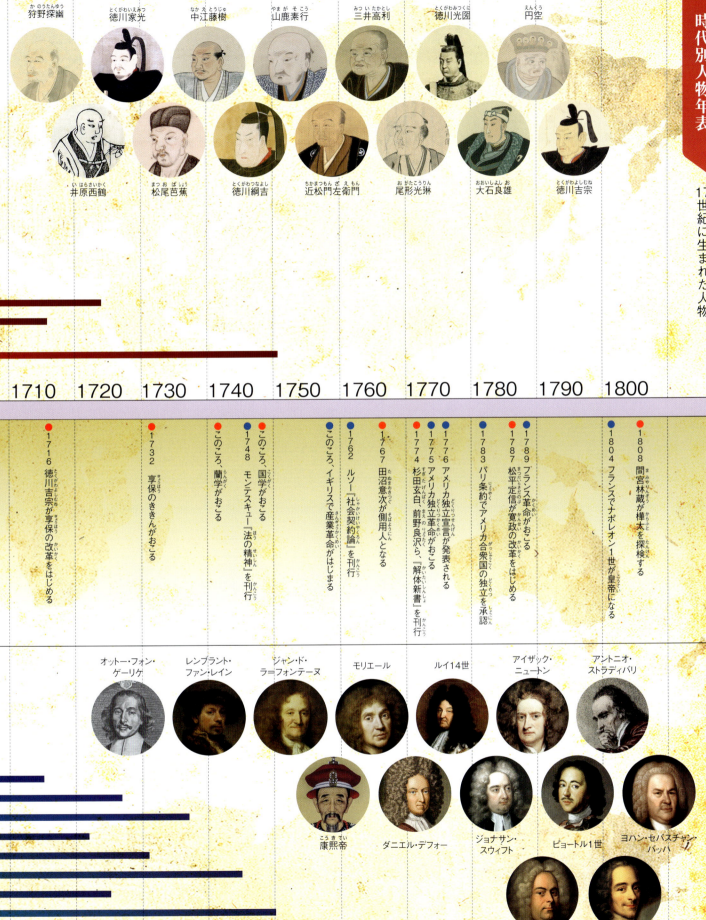

18 世紀に生まれた人物

※人物名のあとの数字は生没年。

■ 日本の人物　●……日本のできごと
■ 海外の人物　●……海外のできごと

日本の人物

- 与謝蕪村 1716〜1783
- 田沼意次 1719〜1788
- 平賀源内 1728〜1779
- 本居宣長 1730〜1801
- 杉田玄白 1733〜1817
- 伊能忠敬 1745〜1818
- 松平定信 1758〜1829
- 葛飾北斎 1760〜1849
- 小林一茶 1763〜1827
- 二宮尊徳 1787〜1856
- 水野忠邦 1794〜1851
- マシュー・カルブレイス・ペリー 1794〜1858
- フィリップ・フランツ・フォン・シーボルト 1796〜1866
- 歌川広重 1797〜1858
- 徳川斉昭 1800〜1860

1710　1720　1730　1740　1750　1760　1770　1780　1790　1800

江戸時代

できごと

- 1709　新井白石が登用され、正徳の治がはじまる
- 1716　徳川吉宗が享保の改革をはじめる
- 1732　享保のききんがおこる
- このころ、蘭学がおこる
- 1748　モンテスキュー『法の精神』を刊行
- このころ、国学がおこる
- このころ、イギリスで産業革命がはじまる
- 1762　ルソー『社会契約論』を刊行
- 1767　田沼意次が側用人となる
- 1774　杉田玄白・前野良沢ら、『解体新書』を刊行
- 1775　アメリカ独立革命がおこる
- 1776　アメリカ独立宣言が発表される
- 1783　パリ条約でアメリカ合衆国の独立を承認
- 1787　松平定信が寛政の改革をはじめる
- 1789　フランス革命がおこる
- 1804　フランスでナポレオン1世が皇帝になる
- 1808　間宮林蔵が樺太を探検する

海外の人物

- フリードリヒ2世 1712〜1786
- ジェームス・クック 1728〜1779
- エカチェリーナ2世 1729〜1796
- リチャード・アークライト 1732〜1792
- ジョージ・ワシントン 1732〜1799
- ジェームス・ワット 1736〜1819
- トーマス・ジェファーソン 1743〜1826
- フランシスコ・ホセ・デ・ゴヤ 1746〜1828
- ヨハン・ウォルフガング・フォン・ゲーテ 1749〜1832
- マリー・アントワネット 1755〜1793
- ウォルフガング・アマデウス・モーツァルト 1756〜1791
- マクシミリアン・ロベスピエール 1758〜1794
- ナポレオン1世 1769〜1821
- ルートウィヒ・ファン・ベートーベン 1770〜1827
- ジョージ・スティーブンソン 1781〜1848

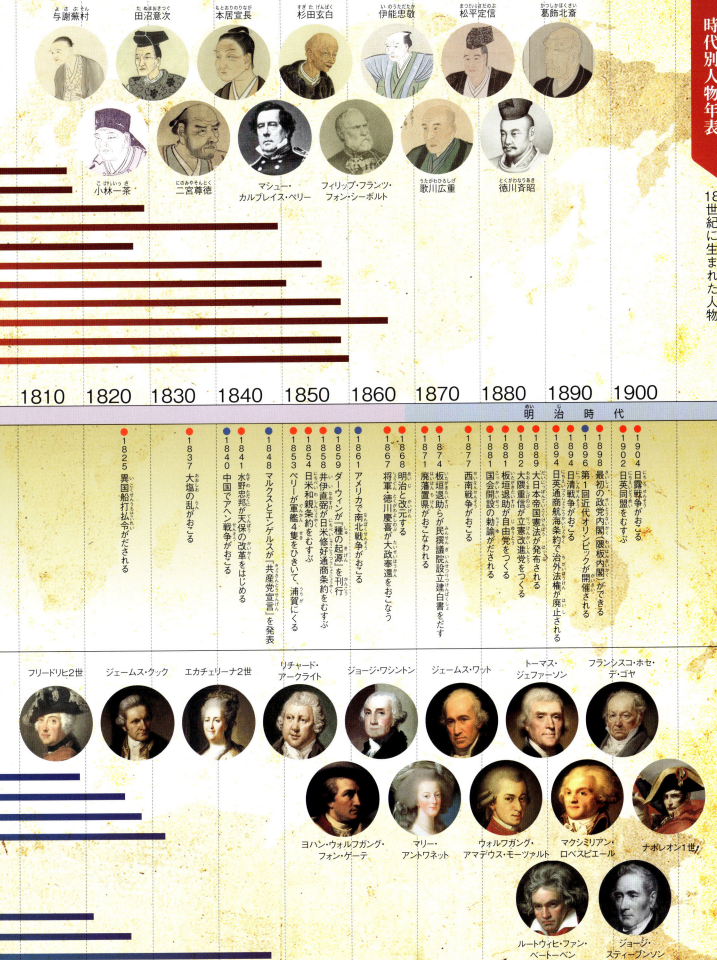

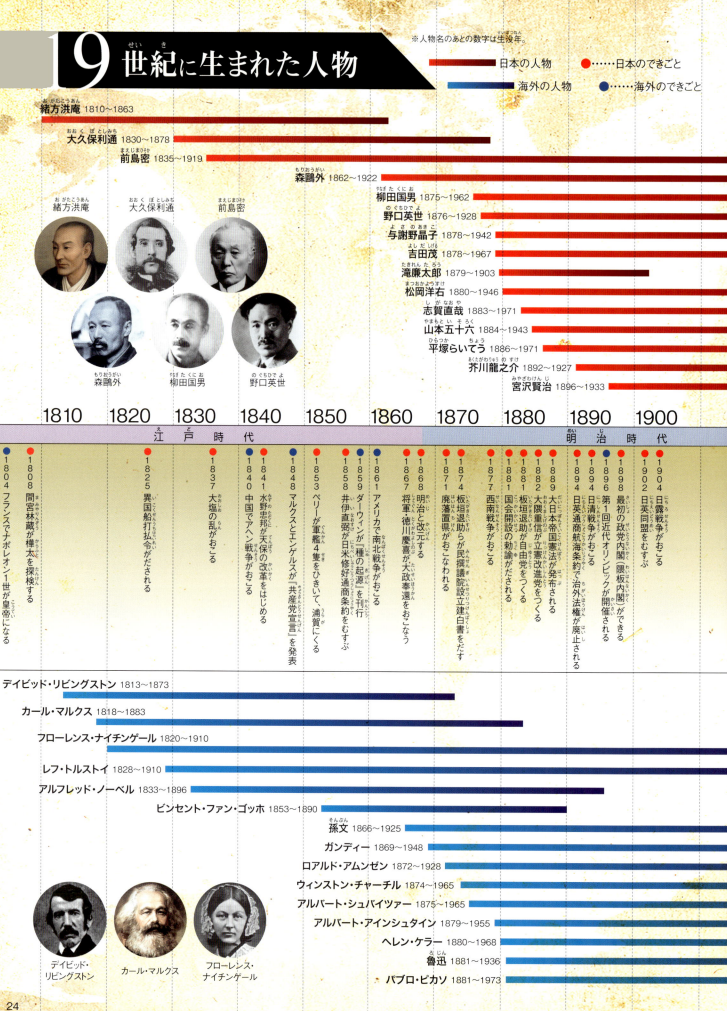

時代別人物年表

19世紀に生まれた人物

与謝野晶子　吉田茂　滝廉太郎　松岡洋右　志賀直哉

山本五十六　平塚らいてう　芥川龍之介　宮沢賢治

| 1910 | 1920 | 1930 | 1940 | 1950 | 1960 | 1970 | 1980 | 1990 | 2000 |

大正時代　　昭和時代　　平成時代

- 1914 第一次世界大戦がはじまる
- 1917 ロシア革命がおこる
- 1918 本格的な政党内閣（原敬内閣）ができる
- 1920 国際連盟が発足する
- 1920 国際連盟に加入する
- 1922 ソビエト連邦が成立する
- 1923 関東大震災がおこる
- 1931 満州事変がおこる
- 1936 二・二六事件がおこる
- 1937 盧溝橋事件がおこり、日中戦争が本格化
- 1939 第二次世界大戦がはじまる
- 1941 真珠湾を攻撃、太平洋戦争がはじまる
- 1945 広島・長崎に原子爆弾が投下される
- 1946 日本国憲法が公布される
- 1951 サンフランシスコ平和条約をむすぶ
- 1956 国際連合に加盟する
- 1961 ベルリンの壁がつくられる
- 1962 キューバ危機がおこる
- 1964 東京オリンピックが開催される
- 1969 人類がはじめて月面におりたつ
- 1970 日本万国博覧会が大阪で開催される
- 1972 沖縄が日本に返還される
- 1973 石油危機がおこる
- 1978 日中平和友好条約をむすぶ
- 1987 国鉄が民営化される（JR誕生）
- 1989 中国で天安門事件がおこる
- 1990 東西ドイツが統一する
- 1991 ソビエト連邦が解体する
- 1991 湾岸戦争がおこる
- 1993 ヨーロッパ連合（EU）が成立する
- 2001 アメリカ同時多発テロがおこる
- 2003 イラク戦争がおこる

レフ・トルストイ　アルフレッド・ノーベル　ビンセント・ファン・ゴッホ　孫文　ガンディー　ロアルド・アムンゼン　ウィンストン・チャーチル

アルバート・シュバイツァー　アルバート・アインシュタイン　ヘレン・ケラー

魯迅　パブロ・ピカソ

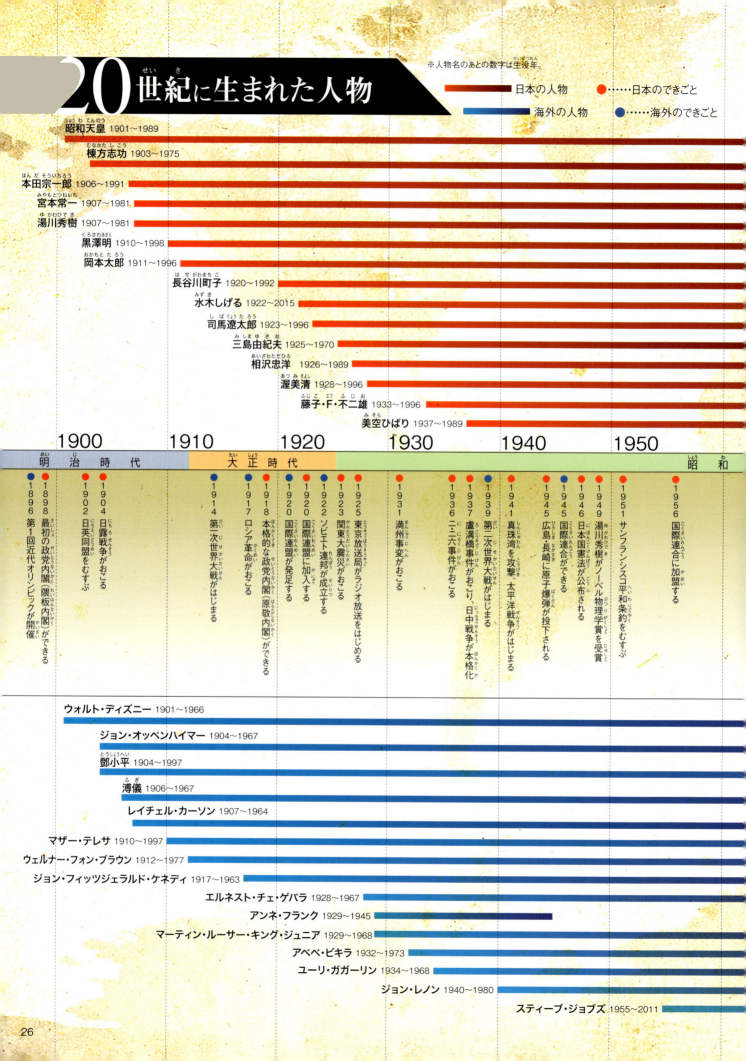

時代別人物年表

20世紀に生まれた人物

昭和天皇／棟方志功／本田宗一郎／宮本常一／湯川秀樹／黒澤明／岡本太郎／司馬遼太郎／三島由紀夫／相沢忠洋／藤子・F・不二雄／美空ひばり

1960　1970　1980　1990　2000　2010

平成時代

- 1961 ベルリンの壁がつくられる
- 1962 キューバ危機がおこる
- 1964 東京オリンピックが開催される
- 1966 中国で文化大革命がはじまる
- 1969 人類がはじめて月面におりたつ
- 1970 日本万国博覧会が大阪で開催される
- 1972 沖縄が日本に返還される
- 1973 石油危機がおこる
- 1978 日中平和友好条約をむすぶ
- 1987 国鉄が民営化される（JR誕生）
- 1989 中国で天安門事件がおこる
- 1990 東西ドイツが統一する
- 1991 湾岸戦争がおこる
- 1991 ソビエト連邦が解体する
- 1992 国連環境開発会議がひらかれる
- 1993 ヨーロッパ連合（EU）が成立する
- 1995 阪神淡路大震災がおこる
- 2001 アメリカ同時多発テロがおこる
- 2002 日朝首脳会談がおこなわれる（平壌宣言）
- 2003 イラク戦争がおこる
- 2008 世界金融危機（リーマン・ショック）がおこる
- 2011 東日本大震災がおこる

ジョン・オッペンハイマー／鄧小平／溥儀／レイチェル・カーソン／マザー・テレサ／ウェルナー・フォン・ブラウン／ジョン・フィッツジェラルド・ケネディ／エルネスト・チェ・ゲバラ／アンネ・フランク／マーティン・ルーサー・キング・ジュニア／アベベ・ビキラ／ユーリ・ガガーリン／ジョン・レノン／スティーブ・ジョブズ

1月に生まれた人物

※1月1～31日に生まれた人物。人物名のあとの数字は生没年。

- ●……日本のできごと
- ●……海外のできごと
- ●……記念日・行事など

1
杉原千畝 政治 1900～1986
ジェローム・デービッド・サリンジャー 文学 1919～2010

- ● 1946 昭和天皇が「人間宣言」を発表、みずから神聖性を否定。
- ● 2002 ヨーロッパ連合（EU）の統一通貨ユーロの使用開始。
- ● 一年の最初の日、元日。

2

アイザック・アシモフ 文学 1920～1992

- ● 1959 ソ連が無人月探査機ルナ1号打ち上げに成功。
- ● この日から2日間、大学対抗の箱根駅伝がおこなわれる。

3

ミヒャエル・シューマッハ スポーツ 1969～
ジョン・ロナルド・ロウェル・トールキン 絵本・児童 1892～1973

- ● 1851 アメリカにわたっていたジョン万次郎が帰国する。
- ● 1951 NHKが紅白音楽試合（現在の紅白歌合戦）をはじめて放送。

8

エルビス・プレスリー 音楽 1935～1977
堀口大学 詩・歌・俳句 1892～1981

- ● 1875 アメリカと日本のあいだで外国郵便（現在の国際郵便）がはじまる。
- ● 1989 元号が「昭和」から「平成」に。

9

シモーヌ・ド・ボーボワール 文学 1908～1986
リチャード・ニクソン 政治 1913～1994

- ● 1968 アラブ石油輸出国機構（OAPEC）設立。
- ● 1985 東京の両国に新国技館が完成。
- ● 2007 防衛庁から防衛省へ。

10

山村暮鳥 詩・歌・俳句 1884～1924

- ● 1863 イギリスの首都ロンドンで、世界初の地下鉄が開通する。
- ● 1920 国際連盟が発足する。本部はスイスのジュネーブ。
- ● 110番の日。

11
ちばてつや 漫画・アニメ 1939～
マンフレッド・リー（エラリー・クイーンの一人） 文学 1905～1971

- ● 1851 中国で洪秀全を指導者として太平天国の乱がおこる。
- ● 鏡開きの日。鏡餅を食べ、神様から幸福を分けてもらう。

16

伊藤整 文学 1905～1969

- ● 1890 「インフルエンザ」ということばがはじめて日本の新聞に登場する。
- ● 1912 日本人としてはじめて探検家の白瀬矗らが南極大陸に上陸。

17

大杉栄 政治 1885～1923

- ● 1991 多国籍軍がイラクを攻撃、湾岸戦争勃発。
- ● 1995 午前5時46分に阪神淡路大震災がおこる。

18

南部陽一郎 学問 1921～2015
アラン・アレクサンダー・ミルン 絵本・児童 1882～1956

- ● 1919 フランスのパリで、パリ講和会議がはじまる。
- ● 1924 東京市営（現在は都営）の乗合バスが営業開始。

19

森鷗外 文学 1862～1922
明石康 政治 1931～

- ● 1960 日米相互協力および安全保障条約（新安保条約）が調印される。
- ● 1970 米あまりがつづき、学校給食に米飯をだしてもよいことに。

24

ピエール・ボーマルシェ 映画・演劇 1732～1799

- ● 1848 アメリカのカリフォルニアで金が発見され、ゴールドラッシュがはじまる。
- ● 1972 元日本兵の横井庄一がグアム島で奇跡的に発見される。

25

北原白秋 詩・歌・俳句 1885～1942
ウィリアム・サマセット・モーム 文学 1874～1965

- ● 1924 第1回冬季オリンピックがフランスのシャモニーで開催。
- ● 1979 上越新幹線大清水トンネル開通。当時山岳トンネルでは世界最長。

26

ダグラス・マッカーサー 政治 1880～1964
盛田昭夫 産業 1921～1999

- ● 1886 北海道庁が設置される。
- ● 1948 毒物を使用した殺人強盗事件、帝銀事件がおきる。
- ● 文化財防火デー。1949年に法隆寺金堂の壁画が炎上したため。

27

ルイス・キャロル 絵本・児童 1832～1898
前田青邨 絵画 1885～1977

- ● 1926 イギリスで世界初のテレビ公開実験に成功。

人物カレンダー 1月

4

ルイ・ブライユ
発明・発見 1809～1852

ヤーコプ・グリム
（グリム兄弟・兄）
絵本・児童 1785～1863

- 1948 第二次世界大戦後はじめて一般の人が日米間の国際電話を利用できるようになる。

5

宮﨑駿
漫画・アニメ 1941～

三木清
思想・哲学 1897～1945

- 1769 イギリスのジェームス・ワットが蒸気機関の特許を取得する。
- 1955 日本初のシネラマ（ワイドスクリーン映画）公開。魚河岸初せり。

6

今西錦司
学問 1902～1992

立原正秋
文学 1926～1980

- 1912 ドイツの気象・地球物理学者ウェゲナーが大陸移動説を発表。
- 出初め式。各地の消防署が新年最初の消防の演習をおこなう。

7

前島密
政治 1835～1919

住井すゑ
文学 1902～1997

- 1950 日本初の1000円札が発行される。肖像は聖徳太子。
- 1968 アメリカ出身の高見山が大相撲初の外国人幕内力士に。

12

村上春樹
文学 1949～

- 1914 鹿児島の桜島が大噴火。この後、大隅半島と陸続きに。
- 1928 NHKが大相撲のラジオ実況中継を開始する。

13

田中一光
デザイン 1930～2002

- 1979 国公立大学で初の共通一次試験が実施される。

14

アルバート・シュバイツァー
医学 1875～1965

三島由紀夫
文学 1925～1970

- 1959 南極で、樺太イヌのタロとジロの生存が確認される。
- 1988 WHO事務局長に中嶋宏が就任。アジア人の事務局長は初。

15
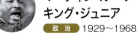
マーティン・ルーサー・キング・ジュニア
政治 1929～1968

ガマル・アブドゥール・ナセル
政治 1918～1970

- 1759 ロンドンに大英博物館が開館。
- 1939 東京高速鉄道（現在の東京メトロ）の新橋～渋谷間が開通する。

20

有吉佐和子
文学 1931～1984

- 1947 第二次世界大戦中に中止されていた学校給食を再開。
- 1979 太安万侶の墓誌（死者の姓名などをしるしたもの）が奈良市で発見。

21

伊藤野枝
政治 1895～1923

- 1793 国家に対する反逆罪で、フランス国王ルイ16世が処刑。
- 1954 世界初の原子力潜水艦「ノーチラス号」がアメリカで進水。

22

椋鳩十
絵本・児童 1905～1987

- 1860 フランスの博物学者アンリ・ムオーがアンコールワットを発見。
- 1886 日本初の電灯会社が設立、営業開始。

23

湯川秀樹
学問 1907～1981

フィリパ・ピアス
絵本・児童 1920～2006

- 1905 最後とされるニホンオオカミ射殺。
- 1949 日本国憲法施行後初の総選挙となる、第24回衆議院議員選挙がおこなわれる。

28

小松左京
文学 1931～2011

ヘンリー・スタンリー
探検・開拓 1841～1904

- 1979 NHKが南極の昭和基地から世界初の衛星中継放送をおこなう。
- 1986 アメリカのスペースシャトル、チャレンジャー号爆発。

29

毛利衛
探検・開拓 1948～
（JAXA/NASA）

神沢利子
絵本・児童 1924～

- 1957 日本の南極予備観測隊が南極近くのオングル島に上陸。
- 1980 中国から贈られたジャイアントパンダのホアンホアンが来日。

30

フランクリン・ローズベルト
政治 1882～1945

長谷川町子
漫画・アニメ 1920～1992

- 1933 ナチスの党首ヒトラーがドイツの首相に就任する。
- 1948 思想家であり、インド独立運動の指導者、ガンディーが暗殺される。

31

大江健三郎
文学 1935～

ノーマン・メイラー
文学 1923～2007

- 1958 アメリカ初の人工衛星エクスプローラ1号の打ち上げが成功。
- 1976 鹿児島市立病院で日本初の五つ子誕生。

2月に生まれた人物

※2月1〜29日に生まれた人物。人物名のあとの数字は生没年。

- ●……日本のできごと
- ●……海外のできごと
- ●……記念日・行事など

1
沢村栄治 スポーツ 1917〜1944
ジョン・フォード 映画・演劇 1894〜1973

- ● 1895 京都で日本初の路面電車が開業。日本の電車営業のはじまり。
- ● 1953 NHKがテレビ放送を開始。

2

ジェイムズ・ジョイス 文学 1882〜1941

- ● 1954 日本航空が日本初の国際線を運航開始。
- ● 1998 7けたの新郵便番号制度が導入される。

3

二葉亭四迷 文学 1864〜1909
フェリックス・メンデルスゾーン 音楽 1809〜1847

- ● 1966 ソ連の無人月探査機ルナ9号、世界初の月面への軟着陸成功。
- ● 1972 第11回冬季オリンピックが札幌で開幕。アジア初。
- ● 節分。

8

ジュール・ベルヌ 絵本・児童 1828〜1905

- ● 1887 日本の郵便事業のシンボル、郵便記号「〒」が誕生。
- ● 針供養の日。古くなった針をおさめ、裁縫上達を願う。

9
双葉山 スポーツ 1912〜1968
原敬 政治 1856〜1921
大隈良典 医学 1945〜

- ● 1936 日本初のプロ野球の試合が名古屋の鳴海球場でおこなわれる。
- ● 1956 衆議院で原水爆実験禁止要望決議案が可決される。

10

平塚らいてう 政治 1886〜1971
新井白石 江戸時代 1657〜1725
田河水泡 漫画・アニメ 1899〜1989

- ● 1904 日露戦争はじまる。
- ● 1911 銀座に日本初の洋式劇場、帝国劇場が完成する。

11

折口信夫 学問 1887〜1953
丸木俊 絵画 1912〜2000

- ● 1889 大日本帝国憲法発布。伊藤博文らがつくった日本初の近代的憲法。
- ● 1970 日本初の人工衛星おおすみ、打ち上げに成功。

16

安田靫彦 絵画 1884〜1978
大岡信 詩・歌・俳句 1931〜

- ● 1883 日本初の天気図が、東京気象台によりつくられる。
- ● 2005 地球温暖化防止のための京都議定書が発効。

17

島崎藤村 文学 1872〜1943

- ● 2002 『千と千尋の神隠し』がベルリン国際映画祭で金熊賞受賞。
- ● 2005 愛知県常滑市沖に中部国際空港が開港。

18
アーネスト・フェノロサ 思想・哲学 1853〜1908
アレッサンドロ・ボルタ 発明・発見 1745〜1827
高村光雲 彫刻 1852〜1934

- ● 1930 アメリカのアリゾナ州のローウェル天文台で冥王星が発見される。
- ● 2007 第1回東京マラソンが開催される。

19

スバンテ・アレニウス 学問 1859〜1927
長崎源之助 絵本・児童 1924〜2011

- ● 1877 日本が国連機関である万国郵便連合に加盟（1948年再加盟）。
- ● 1954 日本初のプロレス国際試合が蔵前国技館でおこなわれる。

24

ハリー・パークス 政治 1828〜1885
ウィルヘルム・グリム（グリム兄弟・弟）絵本・児童 1786〜1859

- ● 1933 日本が国際連盟臨時総会の議場から退場。その後正式に脱退。
- ● 1958 テレビ映画国産第1号の『月光仮面』の放送スタート。

25

ピエール・オーギュスト・ルノアール 絵画 1841〜1919

- ● 1902 東京ガスが、ガス炊飯かまどの特許を取得。
- ● 1904 長岡半太郎がイギリスの科学雑誌に原子構造の理論を発表する。

26

河東碧梧桐 詩・歌・俳句 1873〜1937
岡本太郎 絵画 1911〜1996

- ● 1815 ナポレオンが流刑されていたエルバ島を脱出。
- ● 1936 二・二六事件がおこる。

27

ジョン・スタインベック 文学 1902〜1968

- ● 1962 国産初の大型電子計算機を日本電気が発表する。

4

チャールズ・リンドバーグ
探検・開拓 1902～1974

フェルナン・レジェ
絵画 1881～1955

- 1907 足尾銅山で労働者の権利を求める暴動がおこる。
- 1966 全日空機が羽田空港沖の東京湾に墜落。ジェット機では日本で最初の事故。

5

美濃部亮吉
政治 1904～1984

- 1936 日本職業野球連盟が結成され、東京巨人軍など7チームが加盟。
- 1971 アポロ14号、月面に着陸。

6

やなせたかし
漫画・アニメ 1919～2013

ベーブ・ルース
スポーツ 1895～1948

- 1898 東京の築地～上野間を、日本ではじめて自動車が走る。
- 1972 札幌冬季オリンピックで日本の笠谷幸生が冬季初の金メダルを獲得。

7

チャールズ・ディケンズ
文学 1812～1870

益川敏英
学問 1940～

- 1984 スペースシャトル、チャレンジャー号の乗組員が宇宙遊泳に成功。
- 1998 長野冬季オリンピック開催。

人物カレンダー 2月

12

植村直己
探検・開拓 1941～1984?

直木三十五
文学 1891～1934

- 1941 イギリスで世界ではじめてペニシリンの臨床実験に成功。
- 1984 冒険家の植村直己が世界初の北アメリカ・マッキンリー山冬期単独登頂に成功する。

13

ウィリアム・ブラッドフォード・ショックレー
発明・発見 1910～1989

アウン・サン
政治 1915～1947

- 1875 明治政府により一般の人も姓をつけることが義務づけられる。
- 2000 コンピューター犯罪に対し、不正アクセス禁止法施行。

14

中川一政
絵画 1893～1991

- 1920 東京～箱根間を往復する箱根駅伝がはじめておこなわれる。
- 聖バレンタインデー。

15

井伏鱒二
文学 1898～1993

松谷みよ子
絵本・児童 1926～2015

- 1877 西郷隆盛が明治新政府に反乱をおこし、西南戦争がおこる。
- 1946 アメリカで世界初の電子計算機エニアックが完成。

20

志賀直哉
文学 1883～1971

長嶋茂雄
スポーツ 1936～

- 1928 普通選挙法による初の衆議院議員選挙が実施される。
- 1986 ソ連がミール宇宙ステーションを打ち上げる。
- 世界社会正義の日（国連）。

21

カール・チェルニー
音楽 1791～1857

木村義雄
伝統芸能 1905～1986

- 1804 イギリスの機械技術者トレビシックが蒸気機関車を製作。
- 1911 関税自主権をとりもどし、不平等条約が改正される。

22

高浜虚子
詩・歌・俳句 1874～1959

ジュール・ルナール
文学 1864～1910

- 1989 佐賀県で弥生時代の遺跡吉野ヶ里遺跡が発見される。
- 1999 携帯電話でインターネット接続できるiモードサービスが開始。

23

エーリヒ・ケストナー
絵本・児童 1899～1974

カール・ヤスパース
思想・哲学 1883～1969

- 1977 日本初の静止衛星きく2号打ち上げ。
- 2006 トリノオリンピックで、荒川静香が金メダル獲得。

28

ミシェル・ド・モンテーニュ
思想・哲学 1533～1592

- 1953 吉田茂首相が議会で「バカヤロー」と発言、衆議院解散へ。

29

ジョアッキーノ・ロッシーニ
音楽 1792～1868

赤川次郎
文学 1948～

- 1896 国内金融の統制をおこなう日本銀行本店が日本橋に完成する。

3月に生まれた人物

※3月1〜31日に生まれた人物。人物名のあとの数字は生没年。

● ……日本のできごと
● ……海外のできごと
● ……記念日・行事など

1
芥川龍之介
文学 1892〜1927

岡本かの子
文学 1889〜1939

● 1919 日本に植民地化された朝鮮で「三・一独立運動」おこる。
● 1954 南太平洋ビキニ環礁で、第五福竜丸事件がおこる。

2

ベルジフ・スメタナ
音楽 1824〜1884

ミハイル・ゴルバチョフ
政治 1931〜

● 1958 イギリスの探検隊が、世界ではじめて南極大陸横断に成功。
● 1981 中国残留孤児47人、初来日。

3

グラハム・ベル
発明・発見 1847〜1922

坪田譲治
文学 1890〜1982

● ひな祭り。ひな人形をかざり、女の子の幸せを願う日。

8

水上勉
文学 1919〜2004

水木しげる
漫画・アニメ 1922〜2015

● 1947 国際通貨基金（IMF）が業務を開始する。
● 国際女性の日（国連）。

9

ユーリ・ガガーリン
探検・開拓 1934〜1968

● 1894 明治天皇の銀婚式を祝い、日本初の記念切手が発行される。
● 1958 関門トンネルが開通する。世界初の自動車用海底道路。

10

パブロ・デ・サラサーテ
音楽 1844〜1908

石井桃子
絵本・児童 1907〜2008

● 1945 B29の爆撃による東京大空襲。死者約10万人。
● 1975 山陽新幹線が全面開通。東京〜博多間が7時間で行けるように。

11
大隈重信
政治 1838〜1922

石牟礼道子
文学 1927〜

● 2008 日本人宇宙飛行士の土井隆雄が乗ったスペースシャトル、エンデバー号が打ち上げに成功。
● 2011 東日本大震災発生。

16

小平邦彦
学問 1915〜1997

三浦哲郎
文学 1931〜2010

● 1934 はじめて国立公園が指定される。瀬戸内海、雲仙、霧島の3か所。

17

横光利一
文学 1898〜1947

ゴットリープ・ダイムラー
産業 1834〜1900

● 1959 日本初の少年週刊誌『少年マガジン』『少年サンデー』創刊。
● 1988 東京ドーム「ビッグ・エッグ」が完成する。

18

ルドルフ・ディーゼル
発明・発見 1858〜1913

ジョン・アップダイク
文学 1932〜2009

● 1964 トランジスターをつかった世界初の電卓が発表される。価格は50万円以上。
● 1965 ソ連のレオーノフ中佐、人類初の宇宙遊泳に成功。

19

デイビッド・リビングストン
探検・開拓 1813〜1873

● 1950 核兵器使用の絶対禁止をうったえる「ストックホルム・アピール」発表。
● 2003 アメリカ・イギリス軍がイラク攻撃を開始（イラク戦争）。

24

ウィリアム・モリス
デザイン 1834〜1896

● 1882 ドイツの細菌学者コッホが結核菌を発見。
● 1995 無人深海探査機かいこうがチャレンジャー海淵の最深部に到達。

25

バルトーク・ベラ
音楽 1881〜1945

● 2005 愛知県で国際博覧会「愛・地球博」（愛知万博）が開幕。

26

テネシー・ウィリアムズ
映画・演劇 1911〜1983

エルンスト・エンゲル
学問 1821〜1896

● 2010 こども手当法が参議院本会議で可決、成立。

27

ウィルヘルム・レントゲン
発明・発見 1845〜1923

遠藤周作
文学 1923〜1996

● 1933 日本が国際連盟の脱退を正式に通告する。
● 1982 韓国でプロ野球が開幕する。

人物カレンダー 3月

4

松岡洋右 （まつおかようすけ）
政治 1880〜1946

有島武郎 （ありしまたけお）
文学 1878〜1923

- 1951 第1回アジア競技大会がインドのニューデリーで開催。

5
周恩来 （しゅうおんらい）
政治 1898〜1976

ゲラルドゥス・メルカトル
学問 1512〜1594

- 1881 日本の開国後はじめて外国の元首来日。ハワイのカメハメハ7世。
- 1946 イギリスの前首相チャーチルが「鉄のカーテン」の演説。

6

大岡昇平 （おおおかしょうへい）
文学 1909〜1988

バレンティナ・テレシコワ
探検・開拓 1937〜

- 1930 アメリカのゼネラルフーズ社により世界初の冷凍食品発売。
- 1957 初の黒人国家ガーナが独立する。

7

安部公房 （あべこうぼう）
文学 1924〜1993

モーリス・ラベル
音楽 1875〜1937

- 1900 未成年者喫煙禁止法が公布。施行は同年4月1日から。
- 消防記念日。1948年のこの日、消防組織法が施行。

12

江崎玲於奈 （えさきれおな）
学問 1925〜

- 1947 アメリカが共産主義を封じこめる政策、トルーマン・ドクトリンを発表。
- 2011 九州新幹線の鹿児島ルートが全線開業。

13

高村光太郎 （たかむらこうたろう）
詩・歌・俳句 1883〜1956

ジェームス・ヘボン
教育 1815〜1911

- 1781 イギリスの天文学者ハーシェルが天王星を発見する。
- 1988 世界最長の海底トンネル、青函トンネルが青森〜北海道間に開業。

14

アルバート・アインシュタイン
学問 1879〜1955

- 1965 西表島で「生きた化石」イリオモテヤマネコが発見される。
- 1970 日本万国博覧会が大阪で開幕。183日間で6422万人が来場した。

15

アンドリュー・ジャクソン
政治 1767〜1845

- 2009 日本人宇宙飛行士の若田光一が乗ったスペースシャトル打ち上げ。日本人初の長期滞在。

20

ヘンリク・イプセン
映画・演劇 1828〜1906

ニコライ・ゴーゴリ
文学 1809〜1852

安野光雅 （あんのみつまさ）
絵画 1926〜

- 1882 上野恩賜公園に上野博物館（のちの東京帝室博物館、現在の東京国立博物館）と恩賜上野動物園がオープン。
- 1995 地下鉄サリン事件おこる。

21

ヨハン・セバスチャン・バッハ
音楽 1685〜1750

アイルトン・セナ
スポーツ 1960〜1994

- 1907 小学校令が改正。義務教育が4年から6年になる。
- 1972 奈良県明日香村の高松塚古墳で極彩色の壁画を発見。
- 国際人種差別撤廃デー（国連）。

22

中山晋平 （なかやましんぺい）
音楽 1887〜1952

- 1896 日本銀行の落成式がおこなわれる。
- 放送記念日。1925年、東京放送局のラジオ開局を記念して。

23

黒澤明 （くろさわあきら）
映画・演劇 1910〜1998

ロジェ・マルタン・デュ・ガール
文学 1881〜1958

- 1857 ニューヨークのデパートに世界初のエレベーターが設置される。
- 世界気象デー。1950年のこの日、世界気象機関条約が発効。

28

マクシム・ゴーリキー
文学 1868〜1936

- 1876 明治政府が廃刀令をだす。

29

ジョン・メージャー
政治 1943〜

- 1925 普通選挙法案が成立する。3年後、普通選挙が実現。
- 1952 文楽、歌舞伎、能など芸能11件が日本初の重要無形文化財に。

30

ビンセント・ファン・ゴッホ
絵画 1853〜1890

フランシスコ・ホセ・デ・ゴヤ
絵画 1746〜1828

- 1867 アメリカがロシアから720万ドルでアラスカを買いとる。
- 1958 東京の神宮外苑に、国立競技場が完成する。

31

ルネ・デカルト
思想・哲学 1596〜1650

フランツ・ヨーゼフ・ハイドン
音楽 1732〜1809

- 1889 パリのエッフェル塔が完成。
- 1947 教育勅語にかわり、教育基本法・学校教育法が公布される。

4月に生まれた人物

※4月1～30日に生まれた人物。人物名のあとの数字は生没年。

● ……日本のできごと
● ……海外のできごと
● ……記念日・行事など

1
オットー・フォン・ビスマルク
政治 1815～1898

- ● 1945 太平洋戦争で、アメリカ軍が沖縄島に上陸開始。
- ● 1964 観光目的の海外旅行が自由化される。
- ● エイプリルフール。

2

ハンス・クリスチャン・アンデルセン
文学 1805～1875

エミール・ゾラ
文学 1840～1902

- ● 1932 東京に上野駅が完成する。

3

長塚節
詩・歌・俳句 1879～1915

金田一春彦
学問 1913～2004

- ● 1997 山梨県の山梨リニア実験線でリニアモーターカーの走行試験がスタートする。

8

コフィ・アナン
政治 1938～

- ● 1820 ミロのビーナス、エーゲ海のミロス島で発見される。
- ● 2010 アメリカとロシアがプラハで新核軍縮条約に署名。

9

シャルル・ボードレール
詩・歌・俳句 1821～1867

広中平祐
学問 1931～

- ● 2007 日本学術会議が、冥王星の分類名を「準惑星」とよぶことをすすめる提言を発表。

10

ジョゼフ・ピュリッツァー
産業 1847～1911

マシュー・カルブレイス・ペリー
幕末 1794～1858

- ● 1959 皇太子明仁殿下（今上天皇）と美智子さまがご結婚。
- ● 1988 瀬戸大橋が開通する。

11

小林秀雄
文学 1902～1983

中村汀女
詩・歌・俳句 1900～1988

- ● 1921 世界共通の単位メートル法の採用を決める。
- ● 1986 ハレーすい星、地球の約6300万kmまで大接近。

16

チャーリー・チャップリン
映画・演劇 1889～1977

ウィルバー・ライト（ライト兄弟・兄）
発明・発見 1867～1912

- ● 1877 「青年よ大志をいだけ」のクラーク博士、アメリカに帰国する。

17

ジョン・ピアポント・モルガン
産業 1837～1913

- ● 1895 日本と清（現在の中国）が下関条約に調印し、日清戦争がおわる。
- ● 1970 アポロ13号が地球に帰還する。

18

フランツ・フォン・ズッペ
音楽 1819～1895

- ● 1942 第二次世界大戦で、日本本土がはじめて空襲を受ける。
- ● 1955 インドネシアのバンドンで第1回アジア・アフリカ会議がひらかれる。

19

デビッド・リカード
学問 1772～1823

- ● 1775 アメリカ独立革命がおこる。8年後アメリカ合衆国が誕生。
- ● 1971 ソ連による世界初の宇宙ステーション、サリュート1号が軌道に乗る。

24

ウィレム・デ・クーニング
絵画 1904～1997

- ● 1955 アジア・アフリカ会議で「平和十原則」が採択される。
- ● 1970 中国がはじめて人工衛星の打ち上げに成功。

25

グリエルモ・マルコーニ
産業 1874～1937

オリバー・クロムウェル
政治 1599～1658

ピョートル・イリイッチ・チャイコフスキー
音楽 1840～1893

- ● 1963 大阪駅前に日本初の横断歩道橋ができる。
- ● 1976 ベトナムで、南北統一のための総選挙がおこなわれる。

26
ウジェーヌ・ドラクロア
絵画 1798～1863

- ● 1986 ソ連（現在のウクライナ共和国）でチェルノブイリ原発事故がおきる。

27

サミュエル・モース
発明・発見 1791～1872

ウォーレス・ヒューム・カロザース
発明・発見 1896～1937

- ● 1946 連合国軍最高司令官総司令部（GHQ）の指示により日本ではじめて女性警察官62人が勤務。

人物カレンダー 4月

4

山本五十六
政治 1884～1943

中里介山
文学 1885～1944

- 1879 明治政府が琉球藩を廃止して、沖縄県の設置を宣言。

5

トーマス・ホッブズ
思想・哲学 1588～1679

ヘルベルト・フォン・カラヤン
音楽 1908～1989

- 1947 第1回統一地方選挙がおこなわれる。
- 1998 神戸市と淡路市をむすぶ明石海峡大橋が開通。

6

ラファエロ・サンティ
絵画 1483～1520

ジェームズ・ワトソン
発明・発見 1928～

- 1896 第1回オリンピックアテネ大会開催。
- 1919 ガンディー、インドの独立をめざし非暴力・不服従運動を開始。

7

小川未明
絵本・児童 1882～1961

小林誠
学問 1944～

- 1945 世界最大の戦艦、戦艦大和が沈没。
- 世界保健デー。世界保健機関（WHO）が発足した日。

12

井上日召
政治 1886～1967

- 1861 アメリカ南北戦争開始。
- 1961 ユーリ・ガガーリン、人類ではじめて宇宙を飛行する。
- 1973 国民の祝日法が改正され、「ふりかえ休日」が誕生する。

13

トーマス・ジェファーソン
政治 1743～1826

吉行淳之介
文学 1924～1994

- 1612 巌流島で宮本武蔵と佐々木小次郎が決闘する。

14

クリスティアーン・ホイヘンス
学問 1629～1695

- 1865 奴隷解放に力をそそいだリンカン大統領、銃で撃たれる（翌朝没）。
- 1912 世界最大の豪華客船タイタニック号が氷山に衝突、沈没。

15

戸川幸夫
文学 1912～2004

ニキータ・フルシチョフ
政治 1894～1971

- 1935 NHKが学校向けラジオ放送を開始する。
- 1937 「奇跡の人」とよばれた福祉活動家ヘレン・ケラーが来日する。

20

ジョアン・ミロ
絵画 1893～1983

アドルフ・ヒトラー
政治 1889～1945

- 1901 日本初の女子大、日本女子大学校が開校する。
- 1947 第1回参議院議員選挙が実施される。

21

フリードリヒ・フレーベル
教育 1782～1852

シャーロット・ブロンテ（ブロンテ姉妹・長姉）
文学 1816～1855

- 1934 渋谷駅前に忠犬ハチ公の銅像が建立される。
- 民放の日。1951年のこの日、民間放送局に免許があたえられる。

22

インマヌエル・カント
思想・哲学 1724～1804

ウラジーミル・イリイッチ・レーニン
政治 1870～1924

- 1946 漫画『サザエさん』が『夕刊フクニチ』で連載開始。
- 1981 カトリック修道女マザー・テレサが初来日。
- アースデイ。

23

セルゲイ・プロコフィエフ
音楽 1891～1953

ジョゼフ・ターナー
絵画 1775～1851

- 1966 日産自動車が「サニー」を発表。マイカー時代の幕明け。
- サン・ジョルディの日。好きな人に本を贈る日。
- 子ども読書の日。

28

佐伯祐三
絵画 1898～1928

原ゆたか
絵本・児童 1953～

- 1908 日本初のブラジル移民団が、神戸を出航する。

29

中原中也
詩・歌・俳句 1907～1937

ジュール・アンリ・ポアンカレ
発明・発見 1854～1912

- 1891 二宮忠八が模型飛行機を飛ばす日本初の実験に成功。
- 昭和の日。

30

カール・フリードリヒ・ガウス
学問 1777～1855

- 1789 ジョージ・ワシントンがアメリカ初代大統領に就任。
- 1975 ベトナム戦争が終わる。
- 1978 植村直己、世界ではじめて単独で北極点に到達。

5月に生まれた人物

※5月1〜31日に生まれた人物。人物名のあとの数字は生没年。

● ……日本のできごと
● ……海外のできごと
● ……記念日・行事など

1

浜口雄幸
政治 1870〜1931

北杜夫
文学 1927〜2011

- 1851 第1回万国博覧会、ロンドンで開催される。
- メーデー。世界の労働者の国際的な祭典。

2

ノバーリス
詩・歌・俳句 1772〜1801

- 1887 日本ではじめて鉛筆が生産される。

3

ニコロ・マキアベリ
思想・哲学 1469〜1527

- 1946 太平洋戦争などの戦争犯罪者を裁く極東国際軍事裁判はじまる。
- 憲法記念日。日本国憲法が施行された日。

8

ハリー・トルーマン
政治 1884〜1972

- 1986 イギリスのチャールズ皇太子とダイアナ妃が来日。
- 世界赤十字デー。

9

ジェームズ・バリー
文学 1860〜1937

- 1876 東京、上野公園が開園する。
- アイスクリームの日。

10
グスタフ・シュトレーゼマン
政治 1878〜1929

- バードデー（愛鳥週間は〜16日）。鳥たちのすみやすい環境をつくろう。

11

サルバドール・ダリ
絵画 1904〜1989

リチャード・ファインマン
学問 1918〜1988

- 1970 松浦輝夫と植村直己が日本人ではじめてエベレスト山登頂に成功。

16

溝口健二
映画・演劇 1898〜1956

- 1975 田部井淳子が、女性として世界ではじめてエベレストに登頂する。
- 1900 中国で毛沢東主席の指導による文化大革命はじまる。

17

エドワード・ジェンナー
医学 1749〜1823

安井曽太郎
絵画 1888〜1955

エリック・サティ
音楽 1866〜1925

- 1969 押しボタン式電話機、プッシュホンが発売される。
- 世界情報社会・電気通信の日（国連）。

18
バートランド・ラッセル
思想・哲学 1872〜1970

- 2010 国民投票法施行。
- 国際博物館の日。

19

ホー・チ・ミン
政治 1890〜1969

薄田泣菫
詩・歌・俳句 1877〜1945

西田幾多郎
思想・哲学 1870〜1945

- 1560 織田信長、桶狭間の戦いで今川義元を奇襲、義元敗死。

24

ミハイル・ショーロホフ
文学 1905〜1984

ビクトリア女王
王族・皇族 1819〜1901

ボブ・ディラン
音楽 1941〜

- 1949 満年齢が採用される。それまでは正月に1つ年をとる数え年。
- 1960 チリ沖地震の津波が日本の太平洋岸をおそう大惨事に。

25

チトー
政治 1892〜1980

浜田広介
絵本・児童 1893〜1973

- 1899 日本ではじめて食堂車が走る。山陽鉄道（現JR山陽本線）にて。

26

エドモン・ド・ゴンクール
（ゴンクール兄弟・兄）
文学 1822〜1896

- 1969 東名高速道路（東京都世田谷〜愛知県小牧間）、全線が開通する。
- 2008 アメリカの火星探査機フェニックスが火星に着陸。

27
ヘンリー・キッシンジャー
政治 1923〜

ジョルジュ・ルオー
絵画 1871〜1958

イブン・ハルドゥーン
学問 1332〜1406

- 1905 日本軍、日本海海戦でロシアのバルチック艦隊をやぶる。

人物カレンダー 5月

4

ブルーノ・タウト
建築 1880〜1938

田中角栄
政治 1918〜1993

- 1919 中国で五・四運動がおこる。
- 1974 堀江謙一、ヨット「マーメイド3世号」で単独無寄港世界一周に成功。

5

金田一京助
学問 1882〜1971

カール・マルクス
思想・哲学 1818〜1883
セーレン・キルケゴール
思想・哲学 1813〜1855

- 1925 普通選挙法が公布。25歳以上男子に選挙権があたえられる。
- 1928 人見絹枝、400m走で世界新記録樹立。

6

向井千秋
探検・開拓 1952〜
（JAXA/NASA）

ジグムント・フロイト
学問 1856〜1939

- 1970 三浦雄一郎が、世界ではじめてエベレストをスキーで滑降。
- 1994 イギリスとフランスをむすぶユーロトンネルが開通する。

7

ヨハネス・ブラームス
音楽 1833〜1897

美濃部達吉
学問 1873〜1948

- 1824 ベートーベンの『第九交響曲』、ウィーンで世界ではじめて演奏される。
- 1907 国産自動車が誕生。

12

フローレンス・ナイチンゲール
医学 1820〜1910

武者小路実篤
文学 1885〜1976
草野心平
詩・歌・俳句 1903〜1988

- 1984 放送衛星「ゆり2号」によるNHKのテレビ衛星放送がはじまる。

13

マリア・テレジア
王族・皇族 1717〜1780

アルフォンス・ドーデ
文学 1840〜1897

- 1968 ベトナム戦争の停戦にむけ、パリでベトナム和平会議がひらかれる。

14

斎藤茂吉
詩・歌・俳句 1882〜1953

- 1932 映画監督・喜劇俳優のチャーリー・チャップリンが来日する。
- 種痘記念日。1796年、ジェンナーがはじめて種痘を人に接種した日。

15

ピエール・キュリー
発明・発見 1859〜1906

市川房枝
政治 1893〜1981

- 1972 沖縄が27年ぶりにアメリカから日本に返還される。（沖縄返還）
- 1993 日本初のプロサッカーリーグ、Jリーグが開幕。

20

王貞治
スポーツ 1940〜

オノレ・ド・バルザック
文学 1799〜1850

- 1960 国会において、新日米安全保障条約が強行採決される。
- 1978 成田市に成田国際空港が開港。

21

アンドレイ・サハロフ
学問 1921〜1989

アンリ・ルソー
絵画 1844〜1910
アルブレヒト・デューラー
絵画 1471〜1528

- 1904 国際サッカー連盟が設立される。
- 1927 リンドバーグが大西洋無着陸横断に成功。

22

コナン・ドイル
文学 1859〜1930

リヒャルト・ワーグナー
音楽 1813〜1883

- 2012 東京スカイツリー開業。
- 国際生物多様性の日（国連）

23

オットー・リリエンタール
発明・発見 1848〜1896

カール・フォン・リンネ
学問 1707〜1778

- 1947 片山哲が日本社会党を中心とする連立内閣の首相となる。
- 1969 日本初の『公害白書』が発行される。

28

ウィリアム・ピット（子）
政治 1759〜1806

- 2002 日本経済団体連合会発足。初代会長はトヨタ自動車会長奥田碩。

29

ジョン・フィッツジェラルド・ケネディ
政治 1917〜1963

美空ひばり
音楽 1937〜1989

- 1953 イギリス登山隊が世界ではじめてエベレストの登頂に成功。

30

安岡章太郎
文学 1920〜2013

- 1950 文化財保護法が公布される。
- 2007 白鵬が第69代の横綱に正式決定される。モンゴル出身の横綱は2人目。

31

伊福部昭
音楽 1914〜2006

ウォルト・ホイットマン
詩・歌・俳句 1819〜1892

- 2008 日本人宇宙飛行士の星出彰彦が乗ったスペースシャトル、ディスカバリー号が打ち上げに成功。

6月に生まれた人物

※6月1〜30日に生まれた人物。人物名のあとの数字は生没年。

● ……日本のできごと
● ……海外のできごと
● ……記念日・行事など

1
佐多稲子（さたいねこ）
文学 1904〜1998

マリリン・モンロー
映画・演劇 1926〜1962

- 1910 明治政府による社会主義者への大弾圧事件、大逆事件がおこる。
- 1985 男女雇用機会均等法公布。

2
エドワード・エルガー
音楽 1857〜1934

- 1909 両国国技館が開館し、大相撲がはじめて屋内でおこなわれる。
- 1953 イギリスでエリザベス2世の戴冠式がおこなわれる。

3
佐佐木信綱（ささきのぶつな）
学問 1872〜1963

- 1991 雲仙普賢岳で火砕流発生、多くの犠牲者をだす。
- 1992 ブラジルのリオデジャネイロで国連環境開発会議（地球サミット）がひらかれる。

8
ロベルト・シューマン
音楽 1810〜1856

スハルト
政治 1921〜2008

- 1876 明治政府により全国の道路が国道、県道、里道に分けられる。
- 1985 瀬戸内海に、本州と四国をむすぶ大鳴門橋が完成する。

9
山田耕筰（やまだこうさく）
音楽 1886〜1965

ジョージ・スティーブンソン
発明・発見 1781〜1848

- 1952 日本とインドの平和条約がむすばれる。
- 1993 皇太子徳仁親王と雅子さまの結婚の儀がおこなわれる。

10
徳川光圀（とくがわみつくに）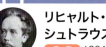
江戸時代 1628〜1700

ギュスターブ・クールベ
絵画 1819〜1877

- 1959 東京・上野恩賜公園に国立西洋美術館が開館。

11
リヒャルト・シュトラウス
音楽 1864〜1949

豊田喜一郎
産業 1894〜1952

- 1873 日本最初の銀行、第一国立銀行（現在のみずほ銀行）ができる。
- 1942 日本初の海底トンネル、関門トンネルに鉄道が開通する。

16
石森延男（いしもりのぶお）
文学 1897〜1987

ねじめ正一
文学 1948〜

- 1944 B29による日本への最初の爆撃がおこなわれる。
- 1963 ソ連のテレシコワが世界初の女性宇宙飛行士になる。

17
イーゴル・ストラビンスキー
音楽 1882〜1971

- 1877 大森貝塚を発見したアメリカの動物学者モースが来日。
- 1971 日本政府とアメリカで沖縄返還協定がむすばれる。
- 砂漠化および干ばつと闘う日（国連）

18
エドワード・モース
学問 1838〜1925

レーモン・ラディゲ
文学 1903〜1923

- 1815 ナポレオン1世がワーテルローの戦いにやぶれる。
- 1945 沖縄のひめゆり部隊に解散命令、学徒たちは集団自決。
- 1988 リクルート事件が発覚。

19
太宰治（だざいおさむ）
文学 1909〜1948

アウン・サン・スー・チー
政治 1945〜

- 1846 アメリカ、ニュージャージー州で世界ではじめて、野球の公式試合がおこなわれる。

24
加藤清正（かとうきよまさ）
戦国時代 1562〜1611

- 1024 イタリアの修道士グイードがドレミの音階を定める。
- UFOの日。1947年アメリカのワシントン州でなぞの飛行物体が目撃される。

25
アントニ・ガウディ
建築 1852〜1926

- 1882 日本初の馬車鉄道（新橋〜日本橋間）ができる。
- 1950 北朝鮮・中国と韓国・国連軍（主にアメリカ）とのあいだで朝鮮戦争おきる。

26
パール・バック
文学 1892〜1973

- 1945 サンフランシスコで国連憲章が調印される。
- 1983 参議院議員選挙の全国区で初の比例代表制選挙。
- 国際薬物乱用・不法取引防止デー（国連）

27
ヘレン・ケラー
教育 1880〜1968

小泉八雲（こいずみやくも）
文学 1850〜1904

- 1954 ソ連で世界初の工業用原子力発電所が運転を開始する。
- 1972 最高裁判所がはじめて日照権をみとめる。

人物カレンダー 6月

4

諸橋轍次 学問 1883〜1982

- 1928 関東軍の陰謀により、中華民国の元帥・張作霖爆殺。
- 1989 中国で天安門事件。民主化を求める市民約3700人が犠牲に。

5

アダム・スミス 学問 1723〜1790

ジョン・ケインズ 学問 1883〜1946

- 1783 モンゴルフィエ兄弟が世界初の熱気球無人飛行おこなう。
- 1882 嘉納治五郎が、東京の永昌寺に講道館をつくる。
- 世界環境デー（国連）。

6

ロバート・スコット 探検・開拓 1868〜1912

カール・フェルディナント・ブラウン 発明・発見 1850〜1918

- 1944 第二次世界大戦でノルマンディー上陸作戦開始。
- 1965 日本初のアマチュアサッカーリーグ、日本サッカーリーグが開幕。

7

ポール・ゴーガン 絵画 1848〜1903

- 1929 世界でいちばん小さい国、バチカン市国が誕生する。

12

アンネ・フランク 文学 1929〜1945

- 1959 日本で最初の野球専門博物館が開館。現在は東京ドーム内に移転。
- 1965 新潟水俣病の発生が発表される。

13

ウィリアム・バトラー・イェーツ 詩・歌・俳句 1865〜1939

伊調馨 スポーツ 1984〜

- 2010 小惑星探査機はやぶさ、大気圏突入。内部カプセルが地球に帰還。

14

川端康成 文学 1899〜1972

ドナルド・トランプ 政治 1946〜

山県有朋 政治 1838〜1922

- 1998 日本がワールドカップサッカー大会に初出場（フランス大会）。アルゼンチンと戦い0対1でやぶれる。

15

エドバルド・グリーグ 音楽 1843〜1907

- 1896 三陸沖地震が発生。津波などで約2万7000人の死者が出る。
- 1992 国連平和維持活動協力法（PKO協力法）が成立。

20

ジャック・オッフェンバック 音楽 1819〜1880

- 1887 日本ではじめて言文一致の小説、『浮雲』が出版。
- 1899 日本製映画がはじめて歌舞伎座で上映される。
- 世界難民の日（国連）。

21

相沢忠洋 学問 1926〜1989

ジャン＝ポール・サルトル 思想・哲学 1905〜1980

- 1900 警視庁により自動車の左側通行が決められる。
- 1951 日本の国際労働機関（ILO）への加盟が承認される。

22

エーリッヒ・マリア・レマルク 文学 1898〜1970

山本周五郎 文学 1903〜1967

- 1941 ドイツ軍が独ソ不可侵条約をやぶり、ソ連に侵攻する。
- 2013 富士山が世界遺産に登録決定。

23

岸田劉生 絵画 1891〜1929

三木露風 詩・歌・俳句 1889〜1964

- 1944 北海道の有珠山の噴火がはじまる。山腹に昭和新山ができる。
- 沖縄慰霊の日。沖縄戦で亡くなった人の霊をなぐさめ平和を祈る。

28

ジャン＝ジャック・ルソー 思想・哲学 1712〜1778

- 1914 ボスニアで第一次世界大戦のきっかけとなるサラエボ事件がおきる。
- 1919 第一次世界大戦の講和条約、ベルサイユ条約に調印。

29

アントワーヌ・ド・サン＝テグジュペリ 文学 1900〜1944

清岡卓行 詩・歌・俳句 1922〜2006

- 1990 フロンガスの使用を完全にやめることが決まる。

30

アーネスト・サトウ 政治 1843〜1929

- 1898 日本初の政党内閣が誕生。首相は大隈重信。
- 1966 ビートルズの日本公演初日。日本武道館に1万3000人の観客が集まる。

7月に生まれた人物

※7月1〜31日に生まれた人物。人物名のあとの数字は生没年。

● …… 日本のできごと
● …… 海外のできごと
● …… 記念日・行事など

1
ダイアナ妃 王族・皇族 1961〜1997

カール・ルイス スポーツ 1961〜

- 1997 イギリスの植民地だった香港が、中国へ返還される。

2
石川達三 文学 1905〜1985

ヘルマン・ヘッセ 詩・歌・俳句 1877〜1962

- 1863 生麦事件をきっかけに薩英戦争がおこる。
- 1900 世界初の実用飛行船、ツェッペリン号が初飛行に成功。

3

フランツ・カフカ 文学 1883〜1924

- 1549 宣教師フランシスコ・ザビエルが鹿児島に漂着（8月15日ともいわれる）。
- 1871 東京〜横浜間で郵便が開始される。

8

フェルディナント・フォン・ツェッペリン 政治 1838〜1917

ジョン・ロックフェラー 産業 1839〜1937

- 1588 豊臣秀吉が刀狩令をだす。
- 1994 日本人女性ではじめて向井千秋がスペースシャトルで宇宙へむかう。

9

オットリーノ・レスピーギ 音楽 1879〜1936

エリアス・ハウ 発明・発見 1819〜1867

- 1955 東京の水道橋に後楽園遊園地オープン。ジェットコースターの名をはじめて用いる。
- 2002 モロッコをのぞくアフリカ諸国がアフリカ連合（AU）を設立。

10

マルセル・プルースト 文学 1871〜1922

- 1821 伊能忠敬のてがけた日本地図、『大日本沿海輿地全図』完成。
- 1927 岩波文庫創刊。文庫本のはじまり。

11
ジョルジオ・アルマーニ デザイン 1934〜

- 1893 御木本幸吉が真珠の養殖に成功する。
- 世界人口デー（国連）。1987年のこの日、世界人口が50億を突破したといわれる。

16

ロアルド・アムンゼン 探検・開拓 1872〜1928

- 1945 アメリカのニューメキシコ州で世界初の原子爆弾の実験がおこなわれる。

17

竹山道雄 文学 1903〜1984

アンゲラ・メルケル 政治 1954〜

- 1868 江戸から東京と名前があらためられる。
- 1955 アメリカのロサンゼルス郊外にディズニーランドが開園。

18

ネルソン・マンデラ 政治 1918〜2013

- 1952 弥生時代の遺跡から発掘されたハスの種が育ち、2000年ぶりに開花。

19

エドガー・ドガ 絵画 1834〜1917

- 1864 長州藩の尊王攘夷派が、京都で禁門の変をおこす。
- 1960 日本ではじめての女性大臣、中山マサ厚生大臣誕生。

24

アレクサンドル・デュマ 文学 1802〜1870

谷崎潤一郎 文学 1886〜1965

- 1597 ルソン（現在のフィリピン）の総督が豊臣秀吉にゾウを贈る。
- 2011 地上デジタル放送へ完全移行。

25

津田真道 学問 1829〜1903

小磯良平 絵画 1903〜1988

- 1814 イギリスのスティーブンソンが蒸気機関車の試運転に成功。
- 1908 グルタミン酸ナトリウム主成分の調味料の特許を池田菊苗が取得。

26

小山内薫 映画・演劇 1881〜1928

バーナード・ショー 映画・演劇 1856〜1950

- 1825 『東海道四谷怪談』の歌舞伎が江戸ではじめて上演される。
- 1956 エジプトのナセル大統領がスエズ運河の国有化を宣言。

27

山本有三 文学 1887〜1974

- 1949 世界初の実用ジェット旅客機コメットがイギリスで初飛行に成功。
- 1953 朝鮮戦争の休戦協定が調印される。

4

中谷宇吉郎
学問 1900〜1962

スティーブン・フォスター
音楽 1826〜1864

- 1639 江戸幕府第3代将軍家光、ポルトガル船の出入りを禁止。鎖国完成。
- 1987 NHKが24時間の衛星放送を開始。

5
ジャン・コクトー
文学 1889〜1963

- 1886 東京電灯会社（現在の東京電力）が一般への電気供給を開始する。
- 1975 沢松和子が日本人女性初のウィンブルドンダブルス優勝。

6
ジョージ・ブッシュ（子）
政治 1946〜

- 1885 パスツール、狂犬病予防ワクチンを少年に接種。世界初。
- 1912 日本がオリンピックに初参加した第5回ストックホルム大会開催。

7
マルク・シャガール
絵画 1887〜1985

グスタフ・マーラー
音楽 1860〜1911

- 1937 盧溝橋事件おこる。日中戦争へ。
- 2008 北海道洞爺湖サミット開催。
- 七夕。

12

アメデオ・モディリアーニ
絵画 1884〜1920

- 1925 東京放送局（現在のNHK）がラジオ放送をはじめる。
- 1965 日本人初の小型ヨットによる大西洋横断に成功する。

13

青木繁
絵画 1882〜1911

森有礼
政治 1847〜1889

- 1886 兵庫県明石の東経135度の時刻を日本標準時と決める。

14
緒方洪庵
医学 1810〜1863

グスタフ・クリムト
絵画 1862〜1918

- 1871 政府が廃藩置県を申しわたす。
- 1977 日本ではじめての気象衛星ひまわり1号の打ち上げに成功。

15

レンブラント・ファン・レイン
絵画 1606〜1669

国木田独歩
文学 1871〜1908

- 1099 第1回十字軍がエルサレムを陥落させる。
- 1888 磐梯山が大噴火。
- 1983 任天堂がファミリーコンピュータを発売。大ヒットとなる。

20

エドモンド・ヒラリー
探検・開拓 1919〜2008

グレゴール・メンデル
学問 1822〜1884

- 1969 アポロ11号のアームストロング船長が人類初の月面に一歩をしるす。
- 1971 ハンバーガー店のマクドナルドの日本1号店が開店。

21

アーネスト・ヘミングウェイ
文学 1899〜1961

- 1944 太平洋戦争で日本軍が占領するグアム島にアメリカ軍が上陸。
- 1960 セイロン（現在のスリランカ）で世界初の女性首相誕生。

22

ヤヌシュ・コルチャック
絵本・児童 1878〜1942

- 2009 日本の陸地では46年ぶりの皆既日食が、吐噶喇列島などでおきる。

23

レイモンド・チャンドラー
文学 1888〜1959

- 1988 東京湾横須賀沖で海上自衛隊の潜水艦と釣り船衝突。
- 1997 ダイオキシン問題で全国の学校の焼却炉の廃止が決定される。

28

片山哲
政治 1887〜1978

- 1914 オーストリアがセルビアに宣戦布告し、第一次世界大戦がはじまる。
- 2005 ディスカバリー号、国際宇宙ステーションとドッキング。

29

ベニート・ムッソリーニ
政治 1883〜1945

- 1836 フランスのパリに凱旋門完成。

30

ヘンリー・フォード
産業 1863〜1947

新美南吉
絵本・児童 1913〜1943

- 1912 明治天皇崩御。
- 1986 東北自動車道（埼玉県川口市〜青森県青森市）全線開通。

31

柳田国男
学問 1875〜1962

ウィリアム・クラーク
教育 1826〜1886

- 1932 ナチスがドイツの第一党になる。
- 1982 大貫映子がドーバー海峡を泳ぎきる（日本人初公認）。

人物カレンダー 7月

8月に生まれた人物

※8月1〜31日に生まれた人物。人物名のあとの数字は生没年。

●……日本のできごと
●……海外のできごと
●……記念日・行事など

1

室生犀星
詩・歌・俳句 1889〜1962

- ●1894 日本が清（現在の中国）に宣戦布告する（日清戦争）。
- ●1924 兵庫県西宮市に、甲子園球場が完成する。

2

木下順二
映画・演劇 1914〜2006

中上健次
文学 1946〜1992

- ●1928 第9回オリンピックアムステルダム大会で、陸上三段跳びで織田幹雄が日本初の金メダル。
- ●1970 銀座、新宿、池袋などで歩行者天国が実施される。

3

伊達政宗
戦国時代 1567〜1636

- ●1872 学制が公布される。
- ●2009 裁判員制度による、全国初の裁判員裁判がはじまる。

8

エミリアーノ・サパタ
政治 1879〜1919

- ●1967 東南アジア諸国連合（ASEAN）が発足する。
- ●2008 北京オリンピック開催。204の国と地域が参加。

9

トーベ・ヤンソン
絵本・児童 1914〜2001

- ●1871 明治政府が、散髪脱刀令を公布する。
- ●1945 長崎に原子爆弾が投下される。
- ●世界の先住民の国際デー（国連）。

10

大久保利通
幕末 1830〜1878

- ●1935 第1回芥川賞・直木賞の受賞作が発表される。

11

吉川英治
文学 1892〜1962

- ●1338 足利尊氏が征夷大将軍に任命される。
- ●1936 オリンピック・ベルリン大会で水泳の前畑秀子が日本人女性初の金メダル。

16

ダイアナ・ウィン・ジョーンズ
絵本・児童 1934〜2011

- ●1898 日本初の近代的大型汽船常陸丸が完成。日露戦争で沈没。
- ●1938 ドイツからヒトラー・ユーゲント（ヒトラー青年団）が来日する。

17

江沢民
政治 1926〜

- ●1908 世界ではじめての動画映画がパリで上映される。
- ●1948 日本初のナイター、巨人対中部（現在の中日）戦が横浜で開催。

18

城山三郎
文学 1927〜2007

- ●1909 東京市がワシントンに、2000本のサクラを贈ることを決定。
- ●2000 三宅島の雄山が再噴火。その後、全島民に避難命令。

19

オービル・ライト
（ライト兄弟・弟）
発明・発見 1871〜1948

- ●1839 フランスで世界初の写真術ダゲレオタイプが公開される。
- ●1965 佐藤栄作が戦後はじめて日本の首相として公式に沖縄を訪問。

24

滝廉太郎
音楽 1879〜1903

若山牧水
詩・歌・俳句 1885〜1928

- ●1865 江戸幕府が蒸気機関による近代工場、横浜製鉄所をつくる。
- ●1968 フランスが南太平洋上空で水爆実験に成功。

25

レナード・バーンスタイン
音楽 1918〜1990

- ●1894 細菌学者、北里柴三郎がペスト菌を発見する。
- ●1931 羽田空港（東京国際空港）が開港する。

26

ギョーム・アポリネール
詩・歌・俳句 1880〜1918

アントワーヌ=ローラン・ラボアジエ
学問 1743〜1794

- ●1939 国産航空機ニッポン号が東京の羽田空港から世界一周の旅に出発。

27

宮沢賢治
文学 1896〜1933

マザー・テレサ
宗教 1910〜1997

- ●1957 茨城県東海村原子力発電所で臨界実験に成功、原子の火がともる。
- ●1993 東京湾のレインボーブリッジが開通する。

人物カレンダー 8月

4

ルイ・アームストロング
音楽 1901〜1971

バラク・オバマ
政治 1961〜

- 🔴 1944 アメリカ軍の空襲にそなえ、学童疎開がはじまる。
- 🔵 1944 アムステルダムでユダヤ人の少女アンネ・フランクがゲシュタポにとらえられる。

5

ギー・ド・モーパッサン
文学 1850〜1893

ニール・アームストロング
探検・開拓 1930〜2012

- 🔴 630 第1回の遣唐使が、中国の唐にむけて派遣される。
- 🔴 1864 四国連合艦隊、下関砲撃事件がおこる。

6

アレクサンダー・フレミング
医学 1881〜1955

- 🔴 1926 関東大震災後の住宅復興をめざし、初の公営鉄筋アパートが完成。
- 🔴 1945 広島に原子爆弾が投下される。

7

司馬遼太郎
文学 1923〜1996

アベベ・ビキラ
スポーツ 1932〜1973

- 🔴 1720 江戸に町火消のいろは四十七組が誕生する。

12

エルウィン・シュレーディンガー
発明・発見 1887〜1961

淡谷のり子
音楽 1907〜1999

- 🔴 1985 日航ジャンボ機が、群馬県御巣鷹山山中に墜落する。

13

フィデル・カストロ
政治 1926〜2016

アルフレッド・ヒッチコック
映画・演劇 1899〜1980

- 🔴 1924 甲子園ではじめて夏の全国中等学校野球大会（現在の高校野球）が開催される。
- 🔵 1961 ベルリンの壁が東西ベルリンの境界線上にできる。

14

アーネスト・シートン
文学 1860〜1946

- 🔴 1950 戦後の食糧難の日本で、学校パン給食がはじめられる。
- 🔴 2008 オリンピック北京大会で、北島康介が日本競泳史上初2大会連続2冠を達成。

15

ナポレオン1世
王族・皇族 1769〜1821

- 🔵 1914 太平洋と大西洋をむすぶ、パナマ運河が開通する。
- 🔵 1948 朝鮮半島の南側で、大韓民国が建国される。
- 🟡 終戦の日。

20

白川英樹
学問 1936〜

- 🔴 1124 藤原清衡により奥州平泉の中尊寺金色堂が完成。
- 🔴 1931 東京の銀座に自動三色信号機が登場する。

21

フィリップ2世
王族・皇族 1165〜1223

- 🔴 1862 神奈川県の生麦村（現在の横浜市）で生麦事件がおこる。
- 🔴 1877 第1回内国勧業博覧会が東京上野公園でひらかれる。

22
クロード・ドビュッシー
音楽 1862〜1918

- 🔵 1864 スイスのアンリ・デュナンの提唱により国際赤十字社が創立。

23

三好達治
詩・歌・俳句 1900〜1964

- 🔴 1792 東京の湯島に昌平坂学問所がつくられる。
- 🔴 1868 戊辰戦争で新政府軍にやぶれた会津藩の白虎隊が自害する。

28

ヨハン・ウォルフガング・フォン・ゲーテ
詩・歌・俳句 1749〜1832

レフ・トルストイ
文学 1828〜1910

- 🔴 1971 政府が外国為替の変動為替相場制を採用する。

29

チャーリー・パーカー
音楽 1920〜1955

- 🔴 1918 日本初のケーブルカーが奈良県生駒山に開業する。
- 🔵 1929 ツェッペリン飛行船が世界一周に成功する。

30

アーネスト・ラザフォード
学問 1871〜1937

- 🔴 1945 マッカーサー元帥が日本の戦後処理のため来日する。
- 🔴 1962 日本でつくられた旅客機YS11が初飛行に成功する。

31

ヘルマン・フォン・ヘルムホルツ
学問 1821〜1894

- 🔴 1964 東京の浜松町〜羽田空港間に、モノレールが完成。

43

9月に生まれた人物

※9月1～30日に生まれた人物。人物名のあとの数字は生没年。

● ……日本のできごと
● ……海外のできごと
● ……記念日・行事など

1
小澤征爾　音楽　1935～

- 1923　関東大震災がおきる。
- 1939　ドイツ軍がポーランドに侵攻、第二次世界大戦がはじまる。
- 2009　消費者庁発足。

2
リリウオカラニ　王族・皇族　1838～1917

- 1945　日本が太平洋戦争の降伏文書に調印する。

3
家永三郎　学問　1913～2002

フェルディナント・ポルシェ　発明・発見　1875～1951

- 1941　アウシュビッツ（オシフィエンチム）の強制収容所でユダヤ人の虐殺がはじまる。
- 1977　王貞治がホームラン世界新記録（通算756本）を達成。

8

アントニン・ドボルザーク　音楽　1841～1904

- 1868　元号が明治に改元され、一世一元の制をとる。
- 1951　サンフランシスコ平和条約、日米安全保障条約を調印。
- 国際識字デー（国連）。

9

アルマン・ジャン・デュ・プレシ・ド・リシュリュー　政治　1585～1642

カーネル・サンダース　産業　1890～1980

- 1948　朝鮮民主主義人民共和国（北朝鮮）が誕生。

10

スティーブン・ジェイ・グールド　学問　1941～2002

- 1912　日本ではじめての映画会社、日本活動写真（日活）が設立される。
- 1960　日本でテレビのカラー放送がはじまる。

11

オー・ヘンリー　文学　1862～1910

デビッド・ハーバート・ロレンス　文学　1885～1930

- 2001　アメリカ同時多発テロがおきる。犠牲者約3000人。

16

竹久夢二　絵画　1884～1934

緒方貞子　政治　1927～

- 1877　モースが大森貝塚を発掘する。
- オゾン層保護のための国際デー（国連）。

17

正岡子規　詩・歌・俳句　1867～1902

ベルンハルト・リーマン　学問　1826～1866

- 1996　野茂英雄がメジャーリーグで日本人初のノーヒット・ノーラン。
- 2002　北朝鮮が日本人拉致問題を認め謝罪。日朝平壌宣言に署名。

18

ジャン・ベルナール・フーコー　学問　1819～1868

- 1931　満州事変がおこる。
- 2009　宇宙ステーション補給機が国際宇宙ステーションとの結合に無事成功。

19

加藤周一　思想・哲学　1919～2008

ウィリアム・ゴールディング　文学　1911～1993

- 1921　世界初の高速道路アブスがドイツのベルリンに完成する。
- 1978　稲荷山古墳出土鉄剣にほられた115文字が解読される。

24

辻邦生　文学　1925～1999

筒井康隆　文学　1934～

- 1960　世界初のアメリカの原子力航空母艦エンタープライズ進水。
- 2000　オリンピック・シドニー大会女子マラソンで高橋尚子が金メダル獲得。

25

魯迅　文学　1881～1936

- 1936　沢村栄治が日本プロ野球史上初のノーヒット・ノーラン達成。
- 1985　藤ノ木古墳で石室と石棺が発掘される。

26

ジョージ・ガーシュイン　音楽　1898～1937

- 1954　洞爺丸台風が日本をおそう。青函連絡船洞爺丸が転覆。
- 1968　熊本水俣病が国に公害病と認定される。

27

戸坂潤　思想・哲学　1900～1945

ルイ13世　王族・皇族　1601～1643

- 1940　ベルリンで日独伊三国同盟がむすばれる。
- 1989　横浜ベイブリッジが開通。

人物カレンダー 9月

4
アントン・ブルックナー
音楽 1824〜1896

丹下健三
建築 1913〜2005

- 1951 サンフランシスコ講和会議が開催される。
- 1994 関西国際空港が開港する。

5

ルイ14世
王族・皇族 1638〜1715

利根川進
学問 1939〜

- 1905 ポーツマス条約がむすばれ、日露戦争が終結する。

6

ジョン・ドルトン
学問 1766〜1844

星新一
文学 1926〜1997

- 1986 社会党の土井たか子が日本ではじめての女性党首に。

7

エリザベス1世
王族・皇族 1533〜1603

- 1892 アメリカのニューオーリンズで世界初のグラブをつけたプロボクシング公式試合がおこなわれる。
- 1960 オリンピック・ローマ大会、男子体操団体で日本が初優勝。

12

フランソワ1世
王族・皇族 1494〜1547

相馬黒光
産業 1876〜1955

徳田球一
政治 1894〜1953

- 1940 フランス南西部ラスコーの洞窟で、壁画が発見される。
- 1992 全国の国公立学校で学校5日制スタート。

13

アルノルト・シェーンベルク
音楽 1874〜1951

大宅壮一
文学 1900〜1970

- 1975 警視庁にセキュリティー・ポリス（SP）が誕生。
- 1988 日本初のコンピューターウイルス侵入事件がおこる。

14

赤塚不二夫
漫画・アニメ 1935〜2008

- 1947 キャスリーン台風が関東・東北地方を直撃、大水害発生。
- 1960 イラク、イラン、クウェート、サウジアラビア、ベネズエラ5か国で石油輸出国機構（OPEC）設立。

15

アガサ・クリスティ
文学 1890〜1976

今村昌平
映画・演劇 1926〜2006

- 1945 東京・日比谷に連合国軍最高司令官総司令部（GHQ）本部がおかれる。
- 国際民主主義デー（国連）。

20

ラーマ5世
王族・皇族 1853〜1910

- 1957 国産ロケット1号機カッパーC型の打ち上げに成功。
- 1994 イチローが日本プロ野球史上初のシーズン200本安打達成。

21

スティーブン・キング
文学 1947〜

- 1901 シベリアの凍土からマンモスが発見される。

22

吉田茂
政治 1878〜1967

田部井淳子
探検・開拓 1939〜2016

- 1994 エチオピアで最古の猿人化石（ラミダス猿人）が発見される。

23

ジョン・コルトレーン
音楽 1926〜1967

- 1859 ヘボン式ローマ字の考案者、ジェームス・ヘボン来日。
- 1964 王貞治が1シーズンホームラン55本の日本新記録達成。

28

ジョサイア・コンドル
建築 1852〜1920

- 1906 第1回日本エスペラント大会が開催される。

29

鈴木三重吉
文学 1882〜1936

エンリコ・フェルミ
学問 1901〜1954

- 1972 田中角栄と周恩来が日中共同声明に調印し、国交正常化。
- 1988 ディスカバリー号打ち上げ。アメリカのスペースシャトル計画再開。

30

石原慎太郎
政治 1932〜

- 1906 アメリカのニューヨーク・セントラル鉄道が世界初の電気機関車導入。
- 1949 毛沢東が中華人民共和国の中央人民政府主席に就任。

10月に生まれた人物

※10月1〜31日に生まれた人物。人物名のあとの数字は生没年。

●……日本のできごと
●……海外のできごと
●……記念日・行事など

1

ジミー・カーター
政治 1924〜

グレアム・グリーン
文学 1904〜1991

- 1964 日本で最初の新幹線が営業を開始。
- 2007 日本郵政公社が民営・分社化される。

2

ガンディー
政治 1869〜1948

- 1943 学徒出陣が決定。
- 1985 関越自動車道（東京都練馬区〜新潟県長岡市）が全線開通。

3

下村湖人
文学 1884〜1955

タウンゼント・ハリス
幕末 1804〜1878

- 1906 国際無線電信会議で遭難信号「SOS」が採用される。
- 1990 東西ドイツが統一。

8

武満徹
音楽 1930〜1996

- 1974 「非核三原則」の佐藤栄作、ノーベル平和賞受賞。
- 1988 奈良県斑鳩町にある藤ノ木古墳内部の石棺がひらかれる。

9

ジョン・レノン
音楽 1940〜1980

カミーユ・サン＝サーンス
音楽 1835〜1921

- 1945 連合国軍最高司令官総司令部（GHQ）が新聞事前検閲を開始する。
- 世界郵便の日（国連）。

10
フリチョフ・ナンセン
探検・開拓 1861〜1930

ジュゼッペ・ベルディ
音楽 1813〜1901

- 1882 日本銀行が営業をはじめる。
- 1964 東京オリンピックが開幕。
- 1971 NHK総合テレビが全時間カラー放送になる。

11
榎本健一
映画・演劇 1904〜1970

- 1945 日本で戦後初の映画『そよかぜ』上演。主題歌『リンゴの唄』が大ヒット。

16

ノア・ウェブスター
学問 1758〜1843

オスカー・ワイルド
絵本・児童 1854〜1900

- 1793 フランスのルイ16世の王妃マリー・アントワネットが処刑される。
- 世界食糧デー。1945年のこの日、国連食糧農業機関が設立。

17

クロード・アンリ・ド・サン＝シモン
思想・哲学 1760〜1825

アーサー・ミラー
映画・演劇 1915〜2005

- 1887 横浜で日本初の近代的な水道がつかわれる。
- 貧困撲滅のための国際デー（国連）。

18

アンリ・ベルクソン
思想・哲学 1859〜1941

- 1881 日本初の全国政党をめざし、自由党結成大会が開催。
- 1958 フラフープが日本で発売、大ブームに。当初は1本270円。

19

チャールズ・メリル
産業 1885〜1956

オーギュスト・リュミエール（リュミエール兄弟・兄）
映画・演劇 1862〜1954

- 1956 日ソ共同宣言が署名される。日本とソ連が国交を回復。

24

アントニー・ファン・レーウェンフック
発明・発見 1632〜1723

- 1944 第二次世界大戦のレイテ沖海戦で、日本海軍がアメリカ軍に惨敗。
- 国連デー。1945年のこの日、国際連合が正式に発足した。

25

ヨハン・シュトラウス（子）
音楽 1825〜1899

パブロ・ピカソ
絵画 1881〜1973

- 1944 日本海軍の神風特攻隊がはじめて出撃する。
- 1971 中華人民共和国の国連参加が決定したため、中華民国が国際連合を脱退。

26

織田作之助
文学 1913〜1947

ヒラリー・クリントン
政治 1947〜

- 1909 伊藤博文、ハルビン駅で朝鮮人の安重根に暗殺される。
- 1961 全国一斉学力テストがはじめて実施。
- 原子力の日（日本）。

27

ジェームス・クック
探検・開拓 1728〜1779

アイザック・メリット・シンガー
発明・発見 1811〜1875

- 1931 陸上競技の三段とびと、走り幅とびで、日本初の世界新記録生まれる。

4

ジャン＝フランソワ・ミレー
絵画 1814〜1875

福井謙一
学問 1918〜1998

- 1963 東京・代々木に国立競技場が完成。

5
ドニ・ディドロ
思想・哲学 1713〜1784

- 1931 アメリカの飛行機ミス・ビードル号が世界初の太平洋無着陸飛行に成功。

6
トール・ヘイエルダール
探検・開拓 1914〜2002

ル・コルビュジエ
建築 1887〜1965

- 1889 アメリカの科学者エジソンが活動写真（映画）の実験に成功。

7
ニールス・ボーア
学問 1885〜1962

ウラジミール・プーチン
政治 1952〜

- 1960 日本の女子登山隊が、アジア女性ではじめてヒマラヤ登頂に成功。

12

佐々木高行
幕末 1830〜1910

近衛文麿
政治 1891〜1945

- 1881 国会開設の詔勅がだされる。
- 1949 戦後はじめてアメリカの野球チームが来日。

13

小林多喜二
文学 1903〜1933

マーガレット・サッチャー
政治 1925〜2013

- 1884 世界標準時をおくことが決定する。
- 1974 サリドマイド訴訟和解。

14

ドワイト・アイゼンハワー
政治 1890〜1969

- 1998 改正祝日法が成立、ハッピーマンデーがつくられる。
- 鉄道の日。1872年の今日、新橋〜横浜間に鉄道が開通した。

15
エバンジェリスタ・トリチェリ
発明・発見 1608〜1647

フリードリヒ・ニーチェ
思想・哲学 1844〜1900

エドウィン・ライシャワー
政治 1910〜1990

- 1899 日本初の常設水族館が東京の浅草公園に開館する。
- 2002 北朝鮮による拉致被害者5名が約24年ぶりに帰国する。

20

アルチュール・ランボー
詩・歌・俳句 1854〜1891

- 1890 帝国議会開設にともない、元老院廃止。

21

アルフレッド・ノーベル
発明・発見 1833〜1896

江戸川乱歩
文学 1894〜1965

- 1882 東京専門学校（現在の早稲田大学）が大隈重信などにより創立。
- 国際反戦デー。ベトナム戦争の大規模な反戦集会を記念して。

22

フランツ・リスト
音楽 1811〜1886

イチロー
スポーツ 1973〜

- 1938 アメリカでコピー機発明。「ゼログラフィー」と命名される。

23

土佐光起
絵画 1617〜1691

- 1964 日本女子バレーチーム、東京オリンピックで初の金メダル獲得。
- 電信電話記念日（日本）。

28

ビル・ゲイツ
産業 1955〜

フランシス・ベーコン（画家）
絵画 1909〜1992

- 1972 上野動物園に、日中国交正常化を記念して、2頭のパンダが到着。
- 速記記念日。1882年、日本ではじめて速記講習会が開催。

29

エドマンド・ハレー
学問 1656〜1742

- 1945 第1回宝くじが発売される。1等は賞金10万円だった。
- 1969 カラービデオテープレコーダーが発表される。

30
ポール・バレリー
詩・歌・俳句 1871〜1945

- 1890 教育勅語が発布される。

31

蒋介石
政治 1887〜1975

マリー・ローランサン
絵画 1885〜1956

- 1884 農民たちによる反乱、秩父事件がおきる。

人物カレンダー 10月

11月に生まれた人物

※11月1～30日に生まれた人物。人物名のあとの数字は生没年。

- 🔴……日本のできごと
- 🔵……海外のできごと
- 🟡……記念日・行事など

1

萩原朔太郎
[詩・歌・俳句] 1886～1942

- 🔴 1920 東京の代々木に明治神宮完成。
- 🔴 1974 気象観測システム、アメダスの運用が開始される。

2

マリー・アントワネット
[王族・皇族] 1755～1793

- 🔵 1920 アメリカのピッツバーグで世界初の定時ラジオ放送を開始。
- 🔴 1973 石油危機の影響でトイレットペーパー買いしめさわぎがおきる。通産省が品不足を否定。

3

山口誓子
[詩・歌・俳句] 1901～1994

アンドレ・マルロー
[文学] 1901～1976

手塚治虫
[漫画・アニメ] 1928～1989

- 🔴 1931 宮沢賢治が病床で詩『雨ニモマケズ』を書きはじめる。
- 🔴 1954 特撮怪獣映画『ゴジラ』が封切りされる。
- 🟡 文化の日。

8

マーガレット・ミッチェル
[文学] 1900～1949

- 🔵 1895 ドイツの物理学者レントゲンが、X線を発見する。
- 🔴 2005 ラムサール条約にもとづき、日本で新たに20か所の湿地が登録される。

9

野口英世
[学問] 1876～1928

イワン・ツルゲーネフ
[文学] 1818～1883

- 🔵 1989 東西ドイツの国境が開放。ベルリンの壁が市民の手でこわされる。
- 🟡 119番の日。1987年に消防庁が制定。

10

マルティン・ルター
[宗教] 1483～1546

- 🔴 1982 中央自動車道（東京都杉並区～愛知県小牧市）全線開通。

11

大庭みな子
[文学] 1930～2007

- 🔵 1931 アメリカの物理学者アリソンにより、新元素ハロゲン元素が発見される。
- 🟡 介護の日。
- 🟡 世界平和記念日。

16

中西悟堂
[学問] 1895～1984

まど・みちお
[詩・歌・俳句] 1909～2014

- 🔴 1945 第二次世界大戦後、はじめての大相撲がはじまる。

17

本田宗一郎
[産業] 1906～1991

イサム・ノグチ
[彫刻] 1904～1988

- 🔵 1869 スエズ運河が開通。
- 🔴 1990 長崎の雲仙普賢岳が約200年ぶりに噴火、大被害に。

18

ルイ・ジャック・ダゲール
[写真] 1787～1851

- 🔴 1901 福岡県の八幡製鉄所の開業式がおこなわれる。
- 🔴 1926 豊田自動織機製作所が設立される。

19

カール・マリア・フォン・ウェーバー
[音楽] 1786～1826

- 🔵 1863 ゲティスバーグでリンカンが演説をおこなう。
- 🔴 1993 環境基本法が公布される。

24

バルク・ド・スピノザ
[思想・哲学] 1632～1677

アンリ・ド・トゥールーズ・ロートレック
[絵画] 1864～1901

- 🔴 1944 マリアナ基地からのアメリカ軍爆撃機B29による空襲がはじまる。

25

アンドリュー・カーネギー
[産業] 1835～1919

カール・ベンツ
[産業] 1844～1929

- 🔴 1947 赤い羽根の共同募金がはじまる。

26

ウージェーヌ・イヨネスコ
[映画・演劇] 1912～1994

ジョージ・シーガル
[彫刻] 1924～2000

- 🔴 1906 南満州鉄道株式会社が設立される。日本の満州（中国東北部）進出をになう。
- 🔴 1935 日本ペンクラブ結成。初代会長は島崎藤村。

27

松下幸之助
[産業] 1894～1989

アンダース・セルシウス
[学問] 1701～1744

- 🔴 1877 日本初の鉄道の鉄橋が、多摩川下流の六郷川にかけられる。

人物カレンダー 11月

4

泉鏡花　文学　1873〜1939

- 1921　東京駅で原敬首相が暗殺される。
- 1980　プロ野球選手の王貞治が現役を引退する。ホームラン通算868本。

5

海音寺潮五郎　文学　1901〜1977

- 1922　エジプトの墓所、王家の谷でツタンカーメン王の墓発見。
- 1928　日本ではじめてNHKがラジオの実況中継をおこなう。

6

ジョン・フィリップ・スーザ　音楽　1854〜1932

- 1860　アメリカ16代大統領にリンカンが当選する。
- 1933　丸の内の東京中央郵便局が業務を開始する。

7

マリー・キュリー　発明・発見　1867〜1934

アルベール・カミュ　文学　1913〜1960

- 1936　帝国議会議事堂（現在の国会議事堂）の落成式。
- 1983　キトラ古墳をファイバースコープで探査し、彩色壁画が発見される。

12

オーギュスト・ロダン　彫刻　1840〜1917

孫文　政治　1866〜1925

- 1877　日本初の夕刊紙『東京毎夕新聞』が創刊される。
- 1980　アメリカのボイジャー1号が土星やその衛星の写真を地球へ送る。

13
ロバート・ルイス・スティーブンソン　文学　1850〜1894

- 1981　沖縄の山原地方で新種の鳥が発見され、ヤンバルクイナと命名。

14

ジャワハルラール・ネルー　政治　1889〜1964

クロード・モネ　絵画　1840〜1926

- 1908　アインシュタインが光量子説の初講演をおこなう。
- 1947　第二次世界大戦後はじめて日本人によって新すい星「本田すい星」が発見される。

15

原民喜　文学　1905〜1951

ウィリアム・ハーシェル　学問　1738〜1822

エルヴィン・ロンメル　政治　1891〜1944

- 1922　アメリカのロックフェラー研究所で白血球が発見される。
- 七五三。こどもの成長を願う儀式。

20

セルマ・ラーゲルレーブ　絵本・児童　1858〜1940

カール・フォン・フリッシュ　学問　1886〜1982

- 1898　日本初のテニスの試合（軟式）がおこなわれる。
- 1945　ナチスの戦犯を裁くニュルンベルク国際軍事裁判はじまる。
- 世界こどもの日（国連）。

21

ボルテール　思想・哲学　1694〜1778

ルネ・マグリット　絵画　1898〜1967

- 1783　モンゴルフィエ兄弟、熱気球による有人飛行に成功する。
- 1986　伊豆大島の三原山が大噴火。夜には島外避難命令が出た。

22

アンドレ・ジッド　文学　1869〜1951

シャルル・ド・ゴール　政治　1890〜1970

- 1497　バスコ・ダ・ガマが喜望峰を通過。
- 1963　アメリカ、テキサス州のダラスでケネディ大統領が暗殺される。

23
オットー1世　王族・皇族　912〜973

久米正雄　文学　1891〜1952

- 1945　第二次世界大戦後初のプロ野球の試合がおこなわれる。
- 勤労感謝の日。

28

寺田寅彦　文学　1878〜1935

フリードリヒ・エンゲルス　思想・哲学　1820〜1895

- 1883　東京・内幸町に鹿鳴館が開館する。
- 1928　高柳健次郎がブラウン管式テレビの公開実験をする。

29

ルイーザ・メイ・オルコット　文学　1832〜1888

クライブ・ステープルズ・ルイス　絵本・児童　1898〜1963

- 1890　第1回帝国議会が大日本帝国憲法にもとづき開会される。
- 1924　日本ではじめてベートーベンの『第九交響曲』が演奏される。

30

ジョナサン・スウィフト　文学　1667〜1745

ウィンストン・チャーチル　政治　1874〜1965

- 1892　北里柴三郎が伝染病研究所を設立する。
- 1977　東京・立川の米軍基地用の土地が32年ぶりに日本に返還される。

12月に生まれた人物

※12月1〜31日に生まれた人物。人物名のあとの数字は生没年。

- 🔴……日本のできごと
- 🔵……海外のできごと
- 🟡……記念日・行事など

1

藤子・F・不二雄
漫画・アニメ 1933〜1996

- 🔴 1873 はじめて郵便はがきと封筒（切手模様を印刷した封筒）が発行される。

2

マリア・カラス
音楽 1923〜1977

ジャンニ・ベルサーチ
デザイン 1946〜1997

- 🔵 1804 パリのノートルダム大聖堂で、ナポレオンの戴冠式がおこなわれる。
- 🔴 1990 記者の秋山豊寛が日本人ではじめて宇宙に出発する。

3

永井荷風
文学 1879〜1959

種田山頭火
詩・歌・俳句 1882〜1940

- 🔵 1989 アメリカのブッシュ大統領とソ連のゴルバチョフ書記長が、冷戦終結を宣言。

8

ジャン・シベリウス
音楽 1865〜1957

大石真
絵本・児童 1925〜1990

- 🔵 1941 日本がアメリカ、イギリスに宣戦布告。

9

ジョン・ミルトン
詩・歌・俳句 1608〜1674

- 🔴 1867 王政復古の大号令がだされる。武士の政治から天皇の政治へ。

10
寺山修司
映画・演劇 1935〜1983

- 🔴 1901 足尾鉱毒事件で、田中正造が明治天皇に直訴。
- 🔵 1901 ドイツのレントゲンら6名が第1回ノーベル賞受賞。

11

ロベルト・コッホ
医学 1843〜1910

アレクサンドル・ソルジェニーツィン
文学 1918〜2008

- 🔴 1967 佐藤栄作首相が非核三原則言明。
- 🔴 1997 京都議定書が採択される。

16

ルートウィヒ・ファン・ベートーベン
音楽 1770〜1827

アーサー・チャールズ・クラーク
文学 1917〜2008

- 🔴 1890 東京〜横浜間で、電話が開通。通話料は5分間で15銭。
- 🔴 1909 東京・山手線（新橋〜上野間）の運転がはじまる。

17

島木赤彦
詩・歌・俳句 1876〜1926

- 🔵 1903 ライト兄弟が世界ではじめて人を乗せた動力飛行に成功する。
- 🔴 1957 日本で最初のモノレールが上野動物園で開業。

18
パウル・クレー
絵画 1879〜1940

スティーブン・スピルバーグ
映画・演劇 1946〜

ヨシフ・スターリン
政治 1879〜1953

- 🔴 1914 東京中央停車場（現在の東京駅）が開業する。設計は辰野金吾によるもの。
- 🔴 1956 日本が国際連合に加盟。80番目の加盟国に。

19

埴谷雄高
思想・哲学 1910〜1997

蘇東坡
詩・歌・俳句 1036〜1101

フェリペ5世
王族・皇族 1683〜1746

- 🔴 1910 陸軍大尉徳川好敏が、飛行機で3km飛行に成功。
- 🔵 1984 イギリスと中国が、香港返還に関する共同声明に調印。

24

ジェームズ・ジュール
発明・発見 1818〜1889

- 🔴 1988 衆議院で消費税法案が成立。日本ではじめての大型間接税。

25

モーリス・ユトリロ
絵画 1883〜1955

アイザック・ニュートン
発明・発見 1642〜1727

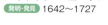

- 🔴 1897 志賀潔が赤痢菌を発見する。
- 🔴 1926 大正天皇崩御。元号は「昭和」に。
- 🟡 クリスマス。

26

毛沢東
政治 1893〜1976

菊池寛
文学 1888〜1948

- 🔵 1898 キュリー夫妻、ラジウムを発見する。
- 🔴 1934 日本初のプロ野球球団、大日本東京野球倶楽部（現在の読売ジャイアンツ）誕生。

27

ヨハネス・ケプラー
発明・発見 1571〜1630

- 🔵 1904 児童劇『ピーター・パン』、ロンドンで初演。
- 🔵 1979 アフガニスタンのクーデターにソ連軍が軍事介入する。

人物カレンダー 12月

4

フランシスコ・フランコ
政治 1892〜1975

- 1890 北里柴三郎が破傷風の血清療法を発見する。
- 1934 阿寒国立公園などが国立公園に指定される。

5

ウェルナー・ハイゼンベルク
学問 1901〜1976

ウォルト・ディズニー
映画・演劇 1901〜1966

- 1904 日露戦争で、乃木希典ひきいる日本軍が二〇三高地を占領。

6

仁科芳雄
学問 1890〜1951

- 1877 アメリカの発明家エジソンが蓄音機の実験に成功。
- 1913 アメリカのメジャーリーグが来日。慶應義塾大学と対戦する。

7

与謝野晶子
詩・歌・俳句 1878〜1942

- 1972 アポロ計画最後のアポロ17号、打ち上げられる。

12

エドバルド・ムンク
絵画 1863〜1944

フランク・シナトラ
音楽 1915〜1998

- 1901 イタリアのマルコーニにより世界初の大西洋横断無線通信が成功。
- 1979 実験中の国鉄のリニアモーターカーが時速504kmを記録。

13

ハインリヒ・ハイネ
詩・歌・俳句 1797〜1856

エルンスト・ウェルナー・フォン・ジーメンス
産業 1816〜1892

- 1937 日中戦争で、日本軍が中国の南京を占領。

14

ティコ・ブラーエ
学問 1546〜1601

- 1911 ノルウェーの探検家アムンゼン、南極点に到達する。
- 1975 国鉄最後の蒸気機関車（SL）が北海道で最後の運転。

15

谷川俊太郎
詩・歌・俳句 1931〜

アントワーヌ・アンリ・ベクレル
学問 1852〜1908

- 1959 第1回日本レコード大賞『黒い花びら』が受賞。
- 1965 人工衛星ジェミニ6号とジェミニ7号が宇宙でランデブーに成功。

20

北里柴三郎
医学 1852〜1931

山川均
政治 1880〜1958

- 1904 三越呉服店が日本初デパート宣言。
- 1999 マカオがポルトガルから中国へ返還される。

21

松本清張
文学 1909〜1992

ロバート・ブラウン
発明・発見 1773〜1858

ベンジャミン・ディズレーリ
政治 1804〜1881

- 1991 アルマティ宣言。ソ連解体、独立国家共同体（CIS）が創立。

22

ジャコーモ・プッチーニ
音楽 1858〜1924

- 1885 日本初の内閣誕生。初代内閣総理大臣は伊藤博文。
- 1938 「生きた化石」シーラカンス、南アフリカ北東海岸で発見。

23

リチャード・アークライト
発明・発見 1732〜1792

- 1958 東京の電波塔、東京タワーが営業開始。観光名所となる。
- 天皇誕生日。

28

堀辰雄
文学 1904〜1953

- 1888 日本で学校の健康診断がはじまる。
- 1925 大日本相撲協会（現在の日本相撲協会）が発足する。

29

松平容保
幕末 1835〜1893

- 1968 学生紛争により東京大学の入学試験が中止になる。

30

東条英機
政治 1884〜1948

開高健
文学 1930〜1989

- 1922 ソビエト社会主義共和国連邦が成立。
- 1927 日本初の地下鉄が浅草〜上野間に開通する。

31

林芙美子
文学 1903〜1951

ジョージ・マーシャル
政治 1880〜1959

アンリ・マティス
絵画 1869〜1954

- 1600 イギリスの商人が東インド会社設立。
- 1953 NHK「紅白歌合戦」のテレビ公開放送が開始。
- 大みそか。

歴代の内閣総理大臣一覧

　内閣総理大臣は、日本の行政機関である内閣の首長（代表）と憲法で定められている。現在の議院内閣制（内閣総理大臣とその他の国務大臣による組織）の形になったのは1947（昭和22）年の日本国憲法施行後からで、それ以前は1885（明治18）年に制定された内閣制度や、1889年の大日本帝国憲法にもとづいて任命をおこなっていた。

（出典：首相官邸サイト「内閣総理大臣一覧」）

第1・5・7・10代
伊藤博文 　山口県

在任期間
- [第1次] 1885（明治18）.12.22～1888（明治21）.4.30
- [第2次] 1892（明治25）.8.8～1896（明治29）.8.31
- [第3次] 1898（明治31）.1.12～1898（明治31）.6.30
- [第4次] 1900（明治33）.10.19～1901（明治34）.5.10

無所属・立憲政友会

第2代
黒田清隆 　鹿児島県

在任期間
1888（明治21）.4.30～1889（明治22）.10.25

無所属

第3・9代
山県有朋 　山口県

在任期間
- [第1次] 1889（明治22）.12.24～1891（明治24）.5.6
- [第2次] 1898（明治31）.11.8～1900（明治33）.10.19

無所属

第4・6代
松方正義 　鹿児島県

在任期間
- [第1次] 1891（明治24）.5.6～1892（明治25）.8.8
- [第2次] 1896（明治29）.9.18～1898（明治31）.1.12

無所属

第8・17代
大隈重信 　佐賀県

在任期間
- [第1次] 1898（明治31）.6.30～1898（明治31）.11.8
- [第2次] 1914（大正3）.4.16～1916（大正5）.10.9

憲政党

第11・13・15代
桂 太郎 　山口県

在任期間
- [第1次] 1901（明治34）.6.2～1906（明治39）.1.7
- [第2次] 1908（明治41）.7.14～1911（明治44）.8.30
- [第3次] 1912（大正元）.12.21～1913（大正2）.2.20

無所属

第12・14代
西園寺公望 　京都府

在任期間
- [第1次] 1906（明治39）.1.7～1908（明治41）.7.14
- [第2次] 1911（明治44）.8.30～1912（大正元）.12.21

立憲政友会

第16・22代
山本権兵衛 　鹿児島県

在任期間
- [第1次] 1913（大正2）.2.20～1914（大正3）.4.16
- [第2次] 1923（大正12）.9.2～1924（大正13）.1.7

無所属

第18代
寺内正毅 　山口県

在任期間
1916（大正5）.10.9～1918（大正7）.9.29

無所属

第19代
原 敬 　岩手県

在任期間
1918（大正7）.9.29～1921（大正10）.11.4

立憲政友会

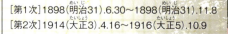
このリンクマークがついている人物は1～4巻に項目として掲載されています

※名前の右は出身地、写真の下は就任時に所属していた政党名です。

歴代の内閣総理大臣一覧 — 学習資料集

第20代 高橋是清　東京都
在任期間：1921(大正10).11.13〜1922(大正11).6.12
立憲政友会

第21代 加藤友三郎　広島県
在任期間：1922(大正11).6.12〜1923(大正12).8.24
無所属

第23代 清浦奎吾　熊本県
在任期間：1924(大正13).1.7〜1924(大正13).6.11
無所属

第24代 加藤高明　愛知県
在任期間：1924(大正13).6.11〜1926(大正15).1.28
憲政会

第25・28代 若槻礼次郎　島根県
在任期間：
[第1次]1926(大正15).1.30〜1927(昭和2).4.20
[第2次]1931(昭和6).4.14〜1931(昭和6).12.13
憲政会・立憲民政党

第26代 田中義一　山口県
在任期間：1927(昭和2).4.20〜1929(昭和4).7.2
立憲政友会

第27代 浜口雄幸　高知県
在任期間：1929(昭和4).7.2〜1931(昭和6).4.14
立憲民政党

第29代 犬養毅　岡山県
在任期間：1931(昭和6).12.13〜1932(昭和7).5.16
立憲政友会

第30代 斎藤実　岩手県
在任期間：1932(昭和7).5.26〜1934(昭和9).7.8
無所属

第31代 岡田啓介　福井県
在任期間：1934(昭和9).7.8〜1936(昭和11).3.9
無所属

第32代 広田弘毅　福岡県
在任期間：1936(昭和11).3.9〜1937(昭和12).2.2
無所属

第33代 林銑十郎　石川県
在任期間：1937(昭和12).2.2〜1937(昭和12).6.4
無所属

学習資料集 — 歴代の内閣総理大臣一覧

第34・38・39代　近衛文麿　東京都
在任期間
- [第1次]1937(昭和12).6.4～1939(昭和14).1.5
- [第2次]1940(昭和15).7.22～1941(昭和16).7.18
- [第3次]1941(昭和16).7.18～1941(昭和16).10.18

無所属・大政翼賛会

第42代　鈴木貫太郎　大阪府
在任期間
1945(昭和20).4.7～1945(昭和20).8.17

大政翼賛会

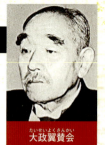

第35代　平沼騏一郎　岡山県
在任期間
1939(昭和14).1.5～1939(昭和14).8.30

無所属

第43代　東久邇宮稔彦王　京都府
在任期間
1945(昭和20).8.17～1945(昭和20).10.9

無所属

第36代　阿部信行　石川県
在任期間
1939(昭和14).8.30～1940(昭和15).1.16

無所属

第44代　幣原喜重郎　大阪府
在任期間
1945(昭和20).10.9～1946(昭和21).5.22

無所属

第37代　米内光政　岩手県
在任期間
1940(昭和15).1.16～1940(昭和15).7.22

無所属

第45・48・49・50・51代　吉田茂　東京都
在任期間
- [第1次]1946(昭和21).5.22～1947(昭和22).5.24
- [第2次]1948(昭和23).10.15～1949(昭和24).2.16
- [第3次]1949(昭和24).2.16～1952(昭和27).10.30
- [第4次]1952(昭和27).10.30～1953(昭和28).5.21
- [第5次]1953(昭和28).5.21～1954(昭和29).12.10

日本自由党・民主自由党・自由党

第40代　東条英機　東京都
在任期間
1941(昭和16).10.18～1944(昭和19).7.22

大政翼賛会

第46代　片山哲　和歌山県
在任期間
1947(昭和22).5.24～1948(昭和23).3.10

日本社会党

第41代　小磯国昭　栃木県
在任期間
1944(昭和19).7.22～1945(昭和20).4.7

大政翼賛会

第47代　芦田均　京都府
在任期間
1948(昭和23).3.10～1948(昭和23).10.15

民主党

 …このリンクマークがついている人物は1～4巻に項目として掲載されています　※名前の右は出身地、写真の下は就任時に所属していた政党名です。

第52・53・54代
鳩山一郎
東京都

在任期間

[第1次]1954(昭和29).12.10〜1955(昭和30).3.19
[第2次]1955(昭和30).3.19〜1955(昭和30).11.22
[第3次]1955(昭和30).11.22〜1956(昭和31).12.23

日本民主党・自由民主党

第66代
三木武夫
徳島県

在任期間

1974(昭和49).12.9〜1976(昭和51).12.24

自由民主党

第55代
石橋湛山
東京都

在任期間

1956(昭和31).12.23〜1957(昭和32).2.25

自由民主党

第67代
福田赳夫
群馬県

在任期間

1976(昭和51).12.24〜1978(昭和53).12.7

自由民主党

第56・57代
岸信介
山口県

在任期間

[第1次]1957(昭和32).2.25〜1958(昭和33).6.12
[第2次]1958(昭和33).6.12〜1960(昭和35).7.19

自由民主党

第68・69代
大平正芳
香川県

在任期間

[第1次]1978(昭和53).12.7〜1979(昭和54).11.9
[第2次]1979(昭和54).11.9〜1980(昭和55).6.12

自由民主党

第58・59・60代
池田勇人
広島県

在任期間

[第1次]1960(昭和35).7.19〜1960(昭和35).12.8
[第2次]1960(昭和35).12.8〜1963(昭和38).12.9
[第3次]1963(昭和38).12.9〜1964(昭和39).11.9

自由民主党

第70代
鈴木善幸
岩手県

在任期間

1980(昭和55).7.17〜1982(昭和57).11.27

自由民主党

第61・62・63代
佐藤栄作
山口県

在任期間

[第1次]1964(昭和39).11.9〜1967(昭和42).2.17
[第2次]1967(昭和42).2.17〜1970(昭和45).1.14
[第3次]1970(昭和45).1.14〜1972(昭和47).7.7

自由民主党

第71・72・73代
中曽根康弘
群馬県

在任期間

[第1次]1982(昭和57).11.27〜1983(昭和58).12.27
[第2次]1983(昭和58).12.27〜1986(昭和61).7.22
[第3次]1986(昭和61).7.22〜1987(昭和62).11.6

自由民主党

第64・65代
田中角栄
新潟県

在任期間

[第1次]1972(昭和47).7.7〜1972(昭和47).12.22
[第2次]1972(昭和47).12.22〜1974(昭和49).12.9

自由民主党

第74代
竹下登
島根県

在任期間

1987(昭和62).11.6〜1989(平成元).6.3

自由民主党

学習資料集 歴代の内閣総理大臣一覧

歴代の内閣総理大臣一覧

第75代 宇野宗佑　滋賀県
在任期間
1989(平成元).6.3～1989(平成元).8.10
自由民主党

第76・77代 海部俊樹　愛知県
在任期間
[第1次]1989(平成元).8.10～1990(平成2).2.28
[第2次]1990(平成2).2.28～1991(平成3).11.5
自由民主党

第78代 宮沢喜一　広島県
在任期間
1991(平成3).11.5～1993(平成5).8.9
自由民主党

第79代 細川護熙　東京都
在任期間
1993(平成5).8.9～1994(平成6).4.28
日本新党

第80代 羽田孜　東京都
在任期間
1994(平成6).4.28～1994(平成6).6.30
新生党

第81代 村山富市　大分県
在任期間
1994(平成6).6.30～1996(平成8).1.11
日本社会党

第82・83代 橋本龍太郎　東京都
在任期間
[第1次]1996(平成8).1.11～1996(平成8).11.7
[第2次]1996(平成8).11.7～1998(平成10).7.30
自由民主党

第84代 小渕恵三　群馬県
在任期間
1998(平成10).7.30～2000(平成12).4.5
自由民主党

第85・86代 森喜朗　石川県
在任期間
[第1次]2000(平成12).4.5～2000(平成12).7.4
[第2次]2000(平成12).7.4～2001(平成13).4.26
自由民主党

第87・88・89代 小泉純一郎　神奈川県
在任期間
[第1次]2001(平成13).4.26～2003(平成15).11.19
[第2次]2003(平成15).11.19～2005(平成17).9.21
[第3次]2005(平成17).9.21～2006(平成18).9.26
自由民主党

第90・96・97代 安倍晋三　東京都
在任期間
[第1次]2006(平成18).9.26～2007(平成19).9.26
[第2次]2012(平成24).12.26～2014(平成26).12.24
[第3次]2014(平成26).12.24～
自由民主党

第91代 福田康夫　群馬県
在任期間
2007(平成19).9.26～2008(平成20).9.24
自由民主党

学習資料集

⊘…このリンクマークがついている人物は1～4巻に項目として掲載されています
※名前の右は出身地、写真の下は就任時に所属していた政党名です。

第92代 麻生太郎 — 福岡県
在任期間 2008(平成20).9.24～2009(平成21).9.16
自由民主党

第94代 菅 直人 — 山口県
在任期間 2010(平成22).6.8～2011(平成23).9.2
民主党

第93代 鳩山由紀夫 — 東京都
在任期間 2009(平成21).9.16～2010(平成22).6.8
民主党

第95代 野田佳彦 — 千葉県
在任期間 2011(平成23).9.2～2012(平成24).12.26
民主党

学習資料集

歴代の内閣総理大臣一覧

歴代内閣総理大臣在任日数ランキング

(1) 通算在任日数の長い内閣総理大臣

	氏名	日数	代・在任期間
1	桂 太郎	2886日	[11代] 1901(明治34).6.2～1906(明治39).1.7 [13代] 1908(明治41).7.14～1911(明治44).8.30 [15代] 1912(大正元).12.21～1913(大正2).2.20
2	佐藤栄作	2798日	[61代] 1964(昭和39).11.9～1967(昭和42).2.17 [62代] 1967(昭和42).2.17～1970(昭和45).1.14 [63代] 1970(昭和45).1.14～1972(昭和47).7.7
3	伊藤博文	2720日	[初代] 1885(明治18).12.22～1888(明治21).4.30 [5代] 1892(明治25).8.8～1896(明治29).8.31 [7代] 1898(明治31).1.12～1898(明治31).6.30 [10代] 1900(明治33).10.19～1901(明治34).5.10
4	吉田 茂	2616日	[45代] 1946(昭和21).5.22～1947(昭和22).5.24 [48代] 1948(昭和23).10.15～1949(昭和24).2.16 [49代] 1949(昭和24).2.16～1952(昭和27).10.30 [50代] 1952(昭和27).10.30～1953(昭和28).5.21 [51代] 1953(昭和28).5.21～1954(昭和29).12.10
5	小泉純一郎	1980日	[87代] 2001(平成13).4.26～2003(平成15).11.19 [88代] 2003(平成15).11.19～2005(平成17).9.21 [89代] 2005(平成17).9.21～2006(平成18).9.26
6	安倍晋三	1818日	[90代] 2006(平成18).9.26～2007(平成19).9.26 [96代] 2012(平成24).12.26～2014(平成26).12.24 [97代] 2014(平成26).12.24～2016(平成28)12.15現在
7	中曽根康弘	1806日	[71代] 1982(昭和57).11.27～1983(昭和58).12.27 [72代] 1983(昭和58).12.27～1986(昭和61).7.22 [73代] 1986(昭和61).7.22～1987(昭和62).11.6
8	池田勇人	1575日	[58代] 1960(昭和35).7.19～1960(昭和35).12.8 [59代] 1960(昭和35).12.8～1963(昭和38).12.9 [60代] 1963(昭和38).12.9～1964(昭和39).11.9
9	西園寺公望	1400日	[12代] 1906(明治39).1.7～1908(明治41).7.14 [14代] 1911(明治44).8.30～1912(大正元).12.21
10	岸 信介	1241日	[56代] 1957(昭和32).2.25～1958(昭和33).6.12 [57代] 1958(昭和33).6.12～1960(昭和35).7.19

(2) 通算在任日数の短い内閣総理大臣

	氏名	日数	代・在任期間
1	東久邇宮稔彦王	54日	[43代] 1945(昭和20).8.17～1945(昭和20).10.9
2	羽田 孜	64日	[80代] 1994(平成6).4.28～1994(平成6).6.30
3	石橋湛山	65日	[55代] 1956(昭和31).12.23～1957(昭和32).2.25
4	宇野宗佑	69日	[75代] 1989(平成元).6.3～1989(平成元).8.10
5	林 銑十郎	123日	[33代] 1937(昭和12).2.2～1937(昭和12).6.4
6	鈴木貫太郎	133日	[42代] 1945(昭和20).4.7～1945(昭和20).8.17
7	阿部信行	140日	[36代] 1939(昭和14).8.30～1940(昭和15).1.16
8	犬養 毅	156日	[29代] 1931(昭和6).12.13～1932(昭和7).5.16
9	清浦奎吾	157日	[23代] 1924(大正13).1.7～1924(大正13).6.11
10	米内光政	189日	[37代] 1940(昭和15).1.16～1940(昭和15).7.22

天皇系図

「天皇」は、日本に国家が形づくられた7世紀なかばから用いられるようになった、統治者の呼び名である。天皇は神を祭る神聖な役割をかねることで、その権威を高め、代々家系をつないだ。

『古事記』『日本書紀』などに語られる天皇を中心とする神話が、こうした天皇とその家系の権威を広く行きわたらせ、統治は安定したものになった。11世紀以降、しだいに政治権力は天皇の手から有力な貴族や武士に移っていったが、神聖な権威者としてその家系は保護されつづけた。明治維新によって国家の主権は天皇のもとにもどったが、第二次世界大戦後、国家の主権者は国民となり、天皇は日本国憲法によって国家の象徴と定められた。

神武天皇　『古事記』や『日本書紀』では日本建国の天皇と伝えられる。

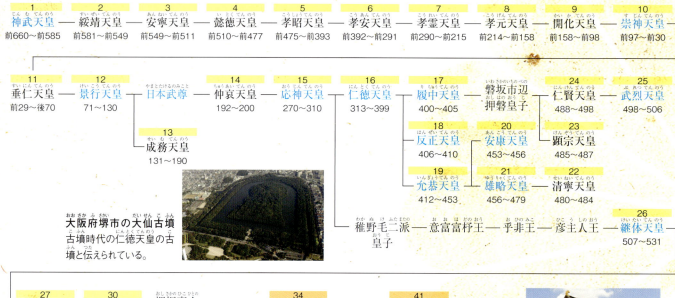

大阪府堺市の大仙古墳　古墳時代の仁徳天皇の古墳と伝えられている。

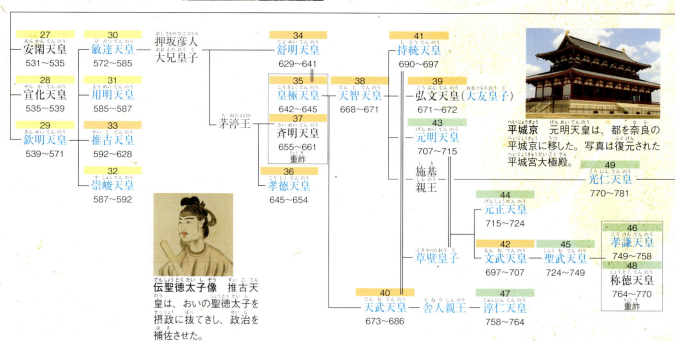

伝聖徳太子像　推古天皇は、おいの聖徳太子を摂政に抜てきし、政治を補佐させた。

平城京　元明天皇は、都を奈良の平城京に移した。写真は復元された平城宮大極殿。

※天皇名の上の数字は代数、下の数字は在位年、色帯は下記の時代をあらわします。

- 古墳時代以前
- 飛鳥時代
- 奈良時代
- 平安時代
- 鎌倉時代
- 南北朝時代
- 室町時代
- 安土桃山時代
- 江戸時代
- 明治時代以降

※重祚…一度退位した天皇が、ふたたび位につくこと。
※在位年は宮内庁「天皇系図」によります。古代の天皇の実際の在位年については、不明の場合もあります。

青字になっている人物は1〜4巻に項目として掲載されています

藤原氏系図

　藤原氏の歴史は、7世紀に、大化の改新で大きな役割を果たした中臣鎌足が、天智天皇から「藤原」の姓をあたえられてはじまった。鎌足の子孫は、天皇家との結婚などによって権力を得て、南家、北家、式家、京家の四家といわれる名門となった。中でも北家が平安時代に摂政、関白をはじめとする重要な役職を独占し、その繁栄は、平安時代中期の藤原道長のころにもっとも華やかなものになった。

　その後、武士の時代になっても、天皇を中心とする貴族社会では、北家がさらに分家した五摂家（近衛家、鷹司家、九条家、二条家、一条家）が摂政、関白の座を占めた。

　また、北家の道長の子の長家からは、御子左家とよばれる家系が、代々和歌などの文芸を伝えた。

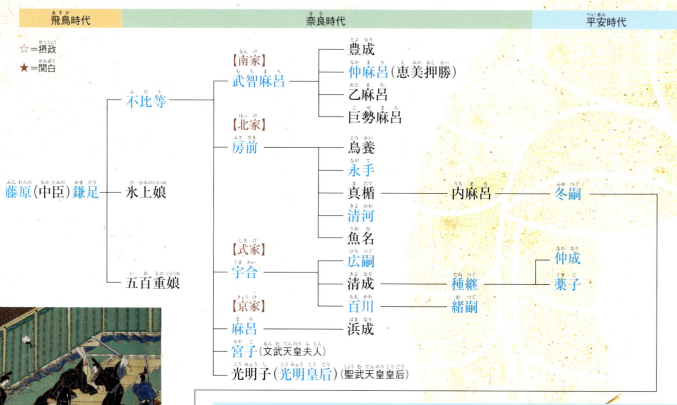

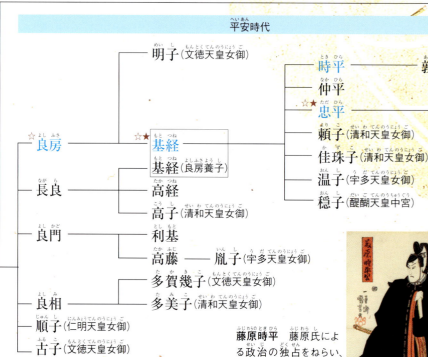

乙巳の変　藤原鎌足は中大兄皇子（天智天皇）とともに、蘇我氏をたおしたあと、大化の改新とよばれる政治改革をおこなった。

※［　］は、藤原氏分流の家系。藤原の姓を用いる場合と、［　］の姓を用いる場合があります。1〜4巻では、＊印の人物名については、［　］の姓を見出しにしています。＊＊の人物は、僧侶の名です。そのほかの人物はすべて藤原の姓を見出しにしています。

※夫人（「ぶにん」とも読む）、皇后、中宮は、天皇のきさきの位。時代によって、使われ方が異なる。女御は、それ以外に天皇に仕える女性。

藤原時平　藤原氏による政治の独占をねらい、政敵・菅原道真を大宰府に左遷した。

青字になっている人物は1〜4巻に項目として掲載されています

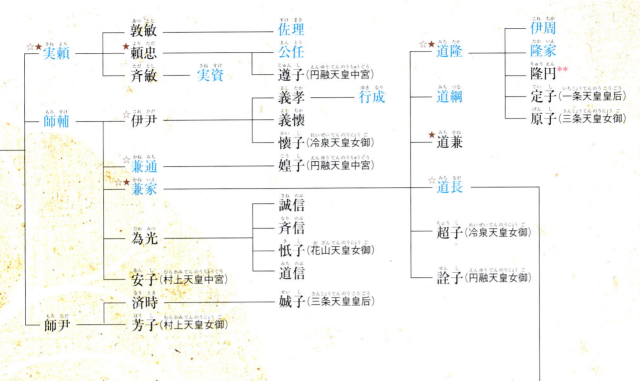
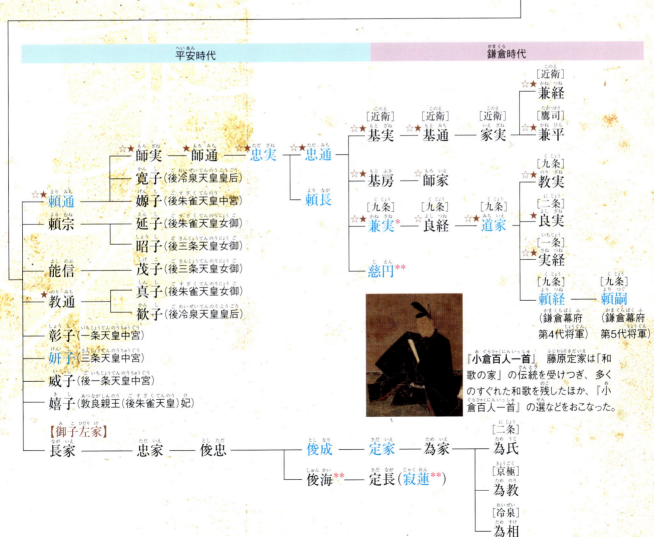

『小倉百人一首』 藤原定家は「和歌の家」の伝統を受けつぎ、多くのすぐれた和歌を残したほか、『小倉百人一首』の選などをおこなった。

源氏・平氏系図

　源氏・平氏の「源」「平」の姓は、天皇の皇子が、天皇家をはなれて貴族の身分になる際に、天皇からあたえられたものである。源氏では清和天皇の皇子の一族、平氏では桓武天皇の皇子の一族などが知られている。平安時代には、源氏・平氏とも、藤原氏の繁栄によって政治の中心から遠ざかっていた。しかし、平安時代末期から平氏が勢力をまして権力を独占、しだいに力をたくわえた源氏がそれに対抗し、『平家物語』にえがかれた源氏と平氏の争いがおきた。

源頼光 頼光は、大江山の鬼退治など、武勇伝を数多くのこしている。

源氏系図

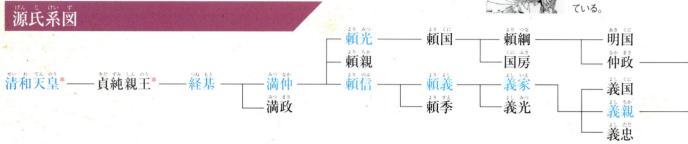

平氏系図

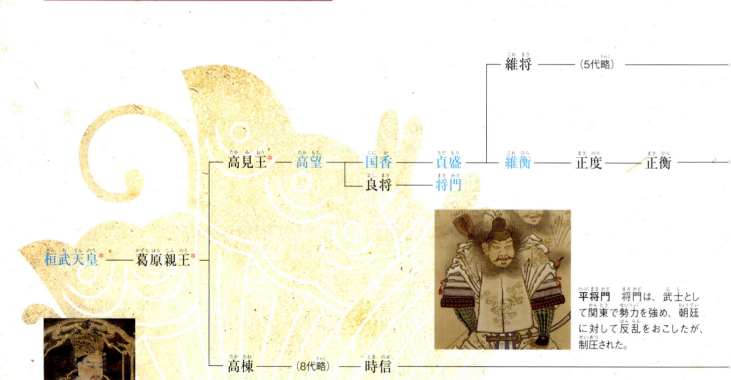

平将門 将門は、武士として関東で勢力を強め、朝廷に対して反乱をおこしたが、制圧された。

桓武天皇 平氏は桓武天皇の皇子である葛原親王の子らに平の姓があたえられたのがはじまり。

※［北条］とある人物の姓は、北条です。［阿野］とある人物の姓は、阿野です。＊の人物は、皇族または僧侶の名です。そのほかの人物の姓は、源または平です。
※中宮は、天皇のきさきの位。女御は、きさき以外で天皇に仕える女性。

青字になっている人物は1〜4巻に項目として掲載されています

源氏・平氏系図

学習資料集

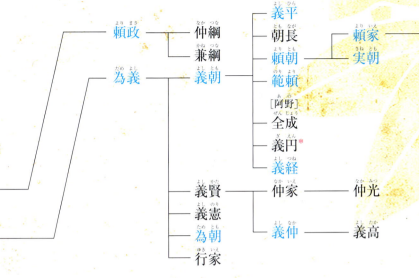

源頼朝 平家をほろぼすと、弟である義経を討ち、鎌倉幕府の初代将軍となった。

源義経 牛若丸とよばれたこども時代から数多くの伝説がのこる。平家との戦いで功績をあげたが、その後、兄・頼朝と対立して東北に逃げ、討ち死にした。

源義仲 奇抜で大胆な作戦で、平家との戦いで功績をあげたが、その後、源頼朝に攻められて討ち死にした。木曽義仲ともいう。

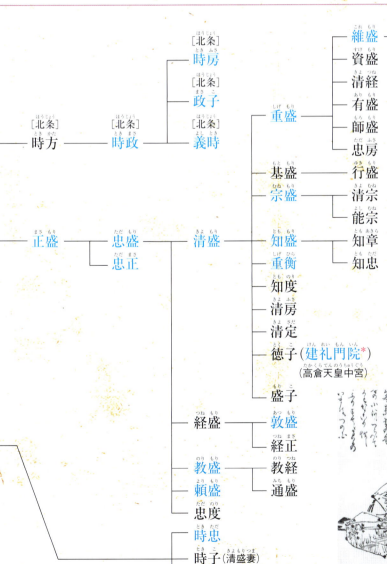

平維盛 富士川の戦いで源氏との戦いにのぞんだ際に、水鳥の羽音を敵軍の音とかんちがいして、逃げだしてしまった。

平清盛 平安時代末期、武力を背景に権力を独占した平氏一族の中心に立ったが、源氏との戦いの最中に病気で亡くなり、以後、平氏の勢いは急速におとろえた。

平敦盛 一の谷の戦いで源氏にやぶれ、海へのがれようとしたとき熊谷直実によびとめられて引き返し組み打ちののち、首をとられた。笛の名手で、『平家物語』などで知られる。

征夷大将軍一覧

　「征夷大将軍」は、古代、都の支配に抵抗する東北地方の人々（蝦夷）を制圧するために任命された職名で、坂上田村麻呂などが知られている。臨時の職で、だれも任命されていなかった時期もあったが、武士の時代に入ってこの職が復活した。

　1192年、鎌倉幕府の長の源頼朝が征夷大将軍に任命され、以後、鎌倉幕府、室町幕府、江戸幕府の長が、朝廷によって征夷大将軍に任命された。これら幕府の長は、通常「将軍」とよばれる。

征夷大将軍一覧

鎌倉幕府 将軍
1192～1333年

第4代
藤原（九条）頼経　生没年：1218～1256年
在位期間　1226～1244年

藤原摂家（摂政・関白をつとめる家がら）・九条家の出身。幼いころに鎌倉にむかえられ、将軍となったが、政治は北条氏がおこない、北条氏によって引退させられた。

第1代
源頼朝　生没年：1147～1199年
在位期間　1192～1199年

1180年に平氏を打倒するために挙兵し、1185年に平氏をほろぼした。1192年に征夷大将軍となり、鎌倉幕府を確立した。

第5代
藤原（九条）頼嗣　生没年：1239～1256年
在位期間　1244～1252年

藤原摂家・九条家の出身。父頼経にかわって将軍となったが、鎌倉から追放された。

第2代
源頼家　生没年：1182～1204年
在位期間　1202～1203年

父・頼朝のあとをついで将軍となったが、母方の親戚である北条氏によって引退させられ、のちに殺害された。

第6代
宗尊親王　生没年：1242～1274年
在位期間　1252～1266年

後嵯峨天皇の皇子。幼いころに将軍としてむかえられたが、謀反のうたがいをかけられて鎌倉を追放された。

第3代
源実朝　生没年：1192～1219年
在位期間　1203～1219年

兄・頼家にかわって将軍となったが、頼家の子・公暁によって殺害された。

第7代
惟康親王　生没年：1264～1326年
在位期間　1266～1289年

宗尊親王の皇子。父・宗尊親王にかわって3歳で将軍職についたが、26歳のとき、北条氏により鎌倉を追放された。

このリンクマークがついている人物は1～4巻に項目として掲載されています

第8代
久明親王
生没年：1276〜1328年
在位期間　1289〜1308年

後深草天皇の皇子。実際の政治は北条氏がおこなった。

第9代
守邦親王
生没年：1301〜1333年
在位期間　1308〜1333年

久明親王の皇子。政治の実権がない形式的将軍だったが、鎌倉幕府の滅亡によって将軍をしりぞいた。

征夷大将軍一覧
室町幕府 将軍
1338〜1573年

第1代
足利尊氏
生没年：1305〜1358年
在位期間　1338〜1358年

鎌倉幕府をたおそうとした後醍醐天皇の側につき、鎌倉幕府をたおした。その後、後醍醐天皇と対立し、1336年、京都に幕府をひらいた。

第2代
足利義詮
生没年：1330〜1367年
在位期間　1358〜1367年

父・尊氏のあとをついで将軍となり、足利一族内での対立や、幕府内での争いの対応にあたった。

第3代
足利義満
生没年：1358〜1408年
在位期間　1368〜1394年

父・義詮の死で将軍職をつぎ、京都室町に将軍邸を建てた。対立する南北朝を統一し、明との貿易をおこない、金閣を建設するなど、幕府の全盛期を築いた。

第4代
足利義持
生没年：1386〜1428年
在位期間　1394〜1423年

父・義満から将軍職をゆずられたが、幼少のため義満が実権をにぎった。義満の死後、日明貿易を中止した。子の義量に将軍職をゆずったが、義量が亡くなると、政治をみた。

第5代
足利義量
生没年：1407〜1425年
在位期間　1423〜1425年

父・義持から将軍職をゆずられたが、実権は義持がにぎった。在職3年で病死した。

第6代
足利義教
生没年：1394〜1441年
在位期間　1429〜1441年

第3代将軍義満の子。僧侶だったが、兄・義持の死後、足利家をついで将軍となった。しかし専制政治をおこなったので守護の赤松満祐に殺された。

第7代
足利義勝
生没年：1434〜1443年
在位期間　1442〜1443年

8歳で、父・義教のあとをついで将軍となったが、翌年病死した。

学習資料集 征夷大将軍一覧

第8代 足利義政
生没年：1436〜1490年
在位期間　1449〜1473年

弟の義視を後継としたが、正妻日野富子とのあいだに義尚が生まれると、義尚を後継にしようとしたため、応仁の乱がおきた。引退後は、銀閣を建てた。

第9代 足利義尚
生没年：1465〜1489年
在位期間　1473〜1489年

応仁の乱の最中に父・義政から将軍職をゆずられた。日野富子の後見の下、政治をおこなった。その後近江の守護六角氏を討つために出陣中亡くなった。

第10代 足利義稙
生没年：1466〜1523年
在位期間　1490〜1493年、1508〜1521年

応仁の乱の一因となった足利義視の子。義尚の死後、将軍職をついだが、有力武家の細川氏に将軍職をやめさせられた。その後、大内氏により復職したが、細川氏と対立し逃亡、ふたたび将軍職を失った。

第11代 足利義澄
生没年：1480〜1511年
在位期間　1494〜1508年

義稙のいとこ。細川氏の反乱によって、義稙にかわって将軍職についたが、実権は細川氏がにぎり、その後、大内氏におされた義稙によって将軍職をうばい返された。

第12代 足利義晴
生没年：1511〜1550年
在位期間　1521〜1546年

義澄の子。義稙が細川氏と対立して逃亡すると、将軍職についたが、実権は細川氏がにぎった。

第13代 足利義輝
生没年：1536〜1565年
在位期間　1546〜1565年

父・義晴のあとをついで将軍となり、将軍家の権威をとりもどそうとしたが、武将の松永久秀らによって殺された。

第14代 足利義栄
生没年：1538〜1568年
在位期間　1568年

義澄の孫。いとこの義輝が暗殺されたため、将軍職をついだが、織田信長のあとおしを受けた義輝の弟・義昭と対立し、まもなく病死した。

第15代 足利義昭
生没年：1537〜1597年
在位期間　1568〜1573年

義輝の弟。織田信長のあとおしで、前将軍・義栄をしりぞけたが、のち、信長と対立して京都を追放され、室町幕府最後の将軍となった。

征夷大将軍一覧

江戸幕府 将軍
1603〜1867年

第1代 徳川家康
生没年：1542〜1616年
在位期間　1603〜1605年

織田信長と組んで有力大名となり、信長の死後は豊臣秀吉にしたがったが、秀吉の死後、関ヶ原の戦いで勝利して征夷大将軍となり、江戸に幕府をひらいた。

このリンクマークがついている人物は1〜4巻に項目として掲載されています

征夷大将軍一覧　学習資料集

第2代 徳川秀忠
生没年：1579〜1632年
在位期間：1605〜1623年

父・家康に将軍職をゆずられ、家康の死後、大名や朝廷に対する統制を強め徳川幕府の基礎を築いた。

第3代 徳川家光
生没年：1604〜1651年
在位期間：1623〜1651年

秀忠の子。参勤交代制を定め、いわゆる鎖国状態を完成させ、徳川幕府の体制を確立した。

第4代 徳川家綱
生没年：1641〜1680年
在位期間：1651〜1680年

家光の子。保科正之、酒井忠清、松平信綱らの補佐によって、幕府を安定させた。

第5代 徳川綱吉
生没年：1646〜1709年
在位期間：1680〜1709年

家光の子。兄・家綱の死後、将軍職をついだ。儒学を奨励し、文化を発展させたが、生類憐れみの令で犬公方とよばれ世間の批判をあびた。

第6代 徳川家宣
生没年：1662〜1712年
在位期間：1709〜1712年

家光の孫で、綱吉の養子となり、将軍職をついだ。新井白石らの補佐を受け、正徳の治とよばれる堅実な政治をおこなった。

第7代 徳川家継
生没年：1709〜1716年
在位期間：1713〜1716年

父・家宣の死により、5歳で将軍職につき、新井白石らの補佐を受け、家宣の政治をひきついだが、8歳で死去した。

第8代 徳川吉宗
生没年：1684〜1751年
在位期間：1716〜1745年

御三家の一つ、紀州徳川家の出身。家継の死により、将軍職についた。みずから倹約や開拓を奨励して経済を立て直し、「享保の改革」を進めた。

第9代 徳川家重
生没年：1711〜1761年
在位期間：1745〜1760年

吉宗の子。生来虚弱だったので吉宗が後見し、のちに側用人大岡忠光の補佐によって、安定した政治をおこなった。

第10代 徳川家治
生没年：1737〜1786年
在位期間：1760〜1786年

家重の子。老中田沼意次を重用し積極的な経済政策を進めた。しかし天明のききんにより、百姓一揆や打ちこわしがおこった。

第11代 徳川家斉
生没年：1773〜1841年
在位期間：1787〜1837年

徳川家の一族、一橋家の出身で、家治の養子となり、将軍職をついだ。老中・松平定信に堅実な政治（寛政の改革）をおこなわせた。

第12代
徳川家慶
生没年:1793〜1853年
在位期間 1837〜1853年

家斉の子。家斉の死後、老中・水野忠邦に風紀を正す政治（天保の改革）をおこなわせた。ペリー来航の直後に死去した。

第14代
徳川家茂
生没年:1846〜1866年
在位期間 1858〜1866年

御三家の一つ、紀州徳川家の出身。家定にあとつぎがいなかったため、将軍職をついだ。朝廷との協調のため、孝明天皇の妹・和宮と結婚し公武合体政策を進めた。

第13代
徳川家定
生没年:1824〜1858年
在位期間 1853〜1858年

家慶の子。生来病弱で、政治は老中・阿部正弘が補佐し、ペリー来航後、日米和親条約をむすんだ。子がいなかったので、将軍あとつぎ問題がおこった。

第15代
徳川慶喜
生没年:1837〜1913年
在位期間 1866〜1867年

徳川家の一族、一橋家をついだのち、家茂の後見をへて、将軍職をついだ。開国をめぐる国内の争いに直面し、政権を朝廷に返還する大政奉還をおこなった。

江戸幕府大老・老中一覧

江戸幕府では、将軍につかえる武士の最高職として老中がおかれ、政治を指導した。定員は4〜5名で、一人1月交代でつとめた。また、老中の上に臨時で大老がおかれることもあり、重要な政策の決定などにかかわった。定員は通常1名。

これらの制度は、第3代将軍・家光のころ、正式に定められたとされる。（　）内は在職期間。

大老

酒井忠世*(1636年)
土井利勝(1638〜1644年)
酒井忠勝*(1638〜1656年)
酒井忠清(1666〜1680年)
井伊直澄(1668〜1676年)
堀田正俊(1681〜1684年)
井伊直興(1697〜1700年、1711〜1714年)
柳沢吉保**(1706〜1709年)
井伊直幸(1784〜1787年)
井伊直亮(1835〜1841年)
井伊直弼(1858〜1860年)
酒井忠績(1865年)

（　年）内の数字＝在職期間。
＊＝大老職が正式に制定されていなかったともされる。
＊＊＝役職は側用人で、正式な大老ではなかったともされる。

老中

大久保忠隣(1593〜1614年)
本多忠勝(1593〜1609年)
本多正信(1599〜1615年)
内藤清成(1599〜1606年)
青山忠成(1599〜1606年)
榊原康政(1600〜1606年)
大久保長安(1603〜1613年)
成瀬正成(1600〜1616年)
安藤直次(1600〜1616年)
村越直吉(1600〜1614年)
本多正純(1600〜1622年)
青山成重(1608〜1613年)
酒井忠利(1609〜1627年)
土井利勝(1610〜1638年)
酒井忠世(1610〜1634年)
安藤重信(1611〜1621年)

内藤清次(1616〜1617年)
青山忠俊(1616〜1623年)
井上正就(1617〜1628年)
永井尚政(1622〜1633年)
内藤忠重(1623〜1653年)
稲葉正勝(1623〜1634年)
阿部正次(1623〜1626年)
酒井忠勝(1624〜1638年)
森川重俊(1628〜1632年)
青山幸成(1628〜1643年)
松平信綱(1632〜1633*年、1633〜1662年)
堀田正盛(1633〜1635*年、1635〜1638年)
阿部忠秋(1633〜1635*年、1635〜1666年)
阿部重次(1638〜1651年)
松平乗寿(1642〜1654年)
酒井忠清(1653〜1666年)
稲葉正則(1657〜1681年)

学習資料集 — 江戸幕府大老・老中一覧

久世広之（1663〜1679年）
板倉重矩（1665〜1668年、1670〜1673年）
土屋数直（1665〜1679年）
阿部正能（1673〜1676年）
大久保忠朝（1677〜1698年）
土井利房（1679〜1681年）
堀田正俊（1679〜1681年）
板倉重種（1680〜1681年）
阿部正武（1681〜1704年）
戸田忠昌（1681〜1699年）
松平信之（1685〜1686年）
土屋政直（1687〜1718年）
柳沢保明（柳沢吉保）＊（1694〜1706年）
小笠原長重（1697〜1705年、1709〜1710年）
秋元喬知（1699〜1714年）
稲葉正往（1701〜1707年）
本多正永（1704年、1709〜1711年）
大久保忠増（1705〜1713年）
井上正岑（1705〜1722年）
間部詮房＊（1709〜1716年）
阿部正喬（1711〜1717年）
久世重之（1713〜1720年）
松平信庸（1714〜1716年）
戸田忠真（1714〜1729年）
水野忠之（1717〜1730年）
安藤信友（1722〜1732年）
松平乗邑（1723〜1745年）
松平忠周（1724〜1728年）
大久保常春（1728年）
酒井忠音（1728〜1735年）
松平信祝（1730〜1744年）
松平輝貞（1730〜1745年）
本多忠良（1734〜1735年、1735〜1746年）
土岐頼稔（1742〜1744年）
酒井忠恭（1744〜1749年）
松平乗賢（1745〜1746年）
堀田正亮（1745〜1761年）
西尾忠尚（1746〜1747年、1751〜1760年）
本多正珍（1746〜1758年）
松平武元（1747〜1779年）
酒井忠寄（1749〜1764年）

松平輝高（1758〜1760年、1761〜1781年）
井上正経（1760〜1763年）
秋元凉朝（1760〜1764年）
松平康福（1763〜1788年）
阿部正右（1765〜1769年）
田沼意次（1769〜1772年、1772〜1786年）
板倉勝清（1769〜1780年）
阿部正允（1769〜1780年）
久世広明（1781〜1785年）
水野忠友（1781〜1785年、1785〜1788年）
牧野貞長（1784〜1790年）
鳥居忠意（1786〜1793年）
阿部正倫（1787〜1788年）
松平定信（1787〜1793年）
松平信明（1788〜1803年、1806〜1817年）
松平乗完（1789〜1793年）
本多忠籌＊（1790〜1798年）
戸田氏教（1790〜1806年）
太田資愛（1793〜1801年）
安藤信成（1793〜1802年）
牧野忠精（1801〜1816年）
土井利厚（1802〜1822年）
青山忠裕（1804〜1835年）
酒井忠進（1815〜1818年）
水野忠成（1817〜1818年、1818〜1834年）
阿部正精（1817〜1823年）
大久保忠真（1818〜1837年）
松平乗寛（1822〜1839年）
松平輝延（1823〜1825年）
植村家長＊（1825〜1826年）
松平康任（1826〜1835年）
水野忠邦（1834〜1843年）
本庄宗発（1835〜1836年）
脇坂安董（1836年、1836〜1841年）
太田資始（1837〜1841年、1858〜1859年、1862〜1863年）
松平信順（1837年）
土井利位（1839〜1844年）
堀田正篤（堀田正睦）（1841〜1843年、1855〜1858年）
真田幸貫（1841〜1844年）

阿部正弘（1843〜1857年）
牧野忠雅（1843〜1857年）
堀親寚＊（1843〜1845年）
青山忠良（1844〜1848年）
戸田忠温（1845〜1851年）
松平乗全（1848〜1855年、1858〜1860年）
松平忠優（1848〜1855年）
久世広周（1851〜1858年、1860〜1862年）
内藤信親（1853〜1862年）
脇坂安宅（1857〜1860年、1862年）
松平忠固（1857〜1858年）
間部詮勝（1858〜1859年）
安藤信正（1860〜1862年）
本多忠民（1860〜1862年、1864〜1865年）
松平信義（1860〜1863年）
水野忠精（1862〜1866年）
板倉勝静（1862〜1864年、1865〜1868年）
井上正直（1862〜1864年、1865〜1867年）
小笠原長行（1862〜1863年、1865年、1865〜1866年、1866〜1868年）
酒井忠績（1862〜1864年）
有馬道純（1862〜1864年）
牧野忠恭（1862〜1865年）
稲葉正邦（1864〜1865年、1866〜1868年）
阿部正外（1864〜1865年）
諏訪忠誠（1864年、1864〜1865年）
本庄宗秀（1864〜1866年）
松前崇広（1864年、1864〜1865年）
松平康英（1865年、1865〜1868年）
松平乗謨（1866〜1868年）
水野忠誠（1866年）
稲葉正巳（1866〜1868年）
松平定昭（1867年）
松平正質（1867〜1868年）
酒井忠惇（1867〜1868年）
立花種恭＊（1868年）

（　年）内の数字＝在職期間。
＊＝定員外で老中の職務についた老中格。

鎌倉幕府執権一覧

　鎌倉幕府で、将軍を補佐して、政治を統括した最高職を執権という。第3代将軍源実朝のときに北条時政が就任して以降、北条氏が世襲した。

北条時政　在位期間：1203～1205年
鎌倉幕府をひらいた源頼朝を補佐した。頼朝の死後は、第2代将軍を退位させるなど、初代執権として実権をにぎった。

北条義時　在位期間：1205～1224年
姉の北条政子とともに、幕府内での北条氏の権力を確立した。承久の乱で朝廷側に勝利した。

北条泰時　在位期間：1224～1242年
武家の法律である御成敗式目を定め、評定衆を設置し合議制を導入するなど、幕府体制を整備した。

北条経時　在位期間：1242～1246年
父の死により、祖父・泰時から執権をひきついだ。

北条時頼　在位期間：1246～1256年
引付衆の設置で裁判制度を整備した。北条氏の権力の独占体制を完成させた。

北条長時　在位期間：1256～1264年
時頼退任時に、時頼の子の時宗が年少だったために、執権に就任した。

北条政村　在位期間：1264～1268年
3代泰時の異母弟。長時死去のため、年少の時宗が成長するまで、執権をつとめた。

北条時宗　在位期間：1268～1284年
元（蒙古）の従属要求を拒否して、元の襲来を撃退（文永・弘安の役）、国防を強化した。

北条貞時　在位期間：1284～1301年
幕府内で力をつけていた武士を排除し、北条氏の権力を安定させた。

北条師時　在位期間：1301～1311年
執権就任後も、義理の父である貞時が政権をにぎった。

北条宗宣　在位期間：1311～1312年
約半年の短い期間、執権をつとめた。歌人として知られる。

北条熙時　在位期間：1312～1315年
執権就任後も、後見役の長崎高綱・高資が政権をとった。

北条基時　在位期間：1315～1316年
執権辞任後、1333年新田義貞ら倒幕軍と戦ったが、鎌倉で一族とともに自刃した。

北条高時　在位期間：1316～1326年
14歳で執権に就任したため、実権は義理の父である安達時顕がにぎり、政治が乱れた。

北条貞顕　在位期間：1326年
高時退任のため執権に就任したが、高時の弟である泰家らの圧力によりすぐに退任した。

北条守時　在位期間：1326～1333年
執権就任後も、北条家の当主であった高時が実権をにぎった。

 …… このリンクマークがついている人物は1～4巻に項目として掲載されています

室町幕府執事・管領一覧

室町幕府では、将軍の補佐役として、執事がおかれた。執事は、足利氏一族の細川氏、斯波氏、畠山氏の３氏が交替でつとめるようになると、管領ともよばれるようになった。

執事

高師直より斯波義将までの将軍の補佐役を執事という。

名前	在位期間
高師直	1336〜1349年
高師世	1349〜1349年
高師直	1349〜1351年
仁木頼章	1351〜1358年
細川清氏	1358〜1361年
斯波義将	1362〜1366年

執事・管領

細川頼之以降の将軍の補佐役を執事とも管領ともいった。

名前	在位期間
細川頼之	1367〜1379年
斯波義将	1379〜1391年
細川頼元	1391〜1393年
斯波義将	1393〜1398年
畠山基国	1398〜1405年
斯波義重（義教）	1405〜1409年
斯波義将	1409年
斯波義淳	1409〜1410年
畠山満家	1410〜1412年
細川満元	1412〜1421年

名前	在位期間
畠山満家	1421〜1429年
斯波義淳	1429〜1432年
細川持之	1432〜1442年
畠山持国	1442〜1445年
細川勝元	1445〜1449年
畠山持国	1449〜1452年
細川勝元	1452〜1464年
畠山政長	1464〜1467年
斯波義廉	1467〜1468年
細川勝元	1468〜1473年
畠山政長	1473年
畠山政長	1477〜1486年
細川政元	1486年
細川政元	1487〜?年
細川政元	1490年
細川政元	1494〜1507年
細川高国	1508〜1525年
細川稙国	1525年
畠山義堯	1526〜?年
細川晴元	1536〜?年
細川氏綱	1552〜1563年

青字になっている人物は１〜４巻に項目として掲載されています

日本の歴史地図

現在の日本に都道府県があるのと同様に、かつての日本は「国」や「藩」によって地域が分けられていた。このような地域分けによって、その土地に即した地方政治がおこなわれ、独自の産業や文化が発達した。現在でも、当時つかわれていた国名や藩の名称は、さまざまな特産品や芸能などとともに伝わり、親しまれている。

旧国名地図（五畿七道）

古代の日本人は、『古事記』『日本書紀』の時代にはすでに、国内の各地域を「国」に分けて考えていた。律令制の政治のしくみが整うと、それらは「五畿七道」という行政区分として確立された。「五畿」とは、都に近い畿内5国をいう。「七道」とは、西海道・南海道・山陽道・山陰道・北陸道・東海道・東山道の7つの大きな地域のことで、七道それぞれの中に複数の国があった（なお、これらの旧国名とは扱いが異なるが、歴史上、北海道は蝦夷地、沖縄は琉球と呼ばれた）。

■ 旧国名・藩名・現都道府県の対応表

表中にあげた藩は、江戸時代末期に、石高5万石以上だった藩。

道	旧国名	主な藩（大名・藩主）	現在地名
西海道	対馬	対馬藩（宗）	長崎県
	壱岐		
	筑前	福岡藩（黒田）、秋月藩（黒田）	福岡県
	筑後	久留米藩（有馬）、柳川藩（立花）	
	豊前	小倉藩（小笠原）、中津藩（奥平）	福岡県、大分県
	豊後	岡藩（中川）、臼杵藩（稲葉）	大分県
	肥前	佐賀藩（鍋島）、小城藩（鍋島）、島原藩（松平）、平戸藩（松浦）、唐津藩（小笠原）、蓮池藩（鍋島）	佐賀県、長崎県
	肥後	熊本藩（細川）	熊本県
	日向	延岡藩（内藤）、飫肥藩（伊東）	宮崎県
	大隅	鹿児島藩（島津）	鹿児島県
	薩摩		
南海道	紀伊	和歌山藩（徳川）	和歌山県、三重県
	淡路		兵庫県
	阿波	徳島藩（蜂須賀）	徳島県
	讃岐	高松藩（松平）、丸亀藩（京極）	香川県
	伊予	伊予松山藩（松平）、宇和島藩（伊達）、大洲藩（加藤）	愛媛県
	土佐	土佐藩（山内）	高知県
五畿	山城	淀藩（稲葉）	京都府

道	旧国名	主な藩（大名・藩主）	現在地名
五畿	大和	大和郡山藩（柳沢）	奈良県
	河内		大阪府
	和泉	岸和田藩（岡部）	
	摂津		大阪府、兵庫県
山陽道	播磨	姫路藩（酒井）、明石藩（松平）、龍野藩（脇坂）	兵庫県
	美作	津山藩（松平）	
	備前	岡山藩（池田）	岡山県
	備中	備中松山藩（板倉）	
	備後	福山藩（阿部）	広島県
	安芸	広島藩（浅野）	
	周防	岩国藩（吉川）	山口県
	長門	萩藩（毛利）、長府藩（毛利）	
山陰道	丹波	丹波亀山藩（松平）、篠山藩（青山）	京都府、兵庫県
	丹後	宮津藩（松平）	京都府
	但馬	出石藩（仙石）	兵庫県
	因幡	鳥取藩（池田）	鳥取県
	伯耆		
	出雲	松江藩（松平）	島根県
	石見	浜田藩（松平）	
	隠岐		

赤字：徳川家の近親である親藩大名の藩　　緑字：関ヶ原の戦い以前から徳川につかえた譜代大名の藩　　黒字：関ヶ原の戦い以降徳川につかえた外様大名の藩

諸藩地図 江戸時代末の藩配置

江戸時代には、有力な武家である大名が、幕府から特定の地域を領地としてあたえられ支配をまかされた。この領地を藩といい、藩をおさめた大名を藩主という。江戸時代の約250年間に、300近い藩が存在した。藩の規模は、その藩で収穫できる米の量（石高）によってあらわされた。100万石をこえる金沢藩（加賀藩）のような大きい藩もあったが、1万石、2万石の小さな藩のほうが多かった。藩の石高は、藩をおさめる大名の勢力をあらわすものでもあった（なお、藩という呼び方は、江戸時代には正式名称としては用いられていなかった）。

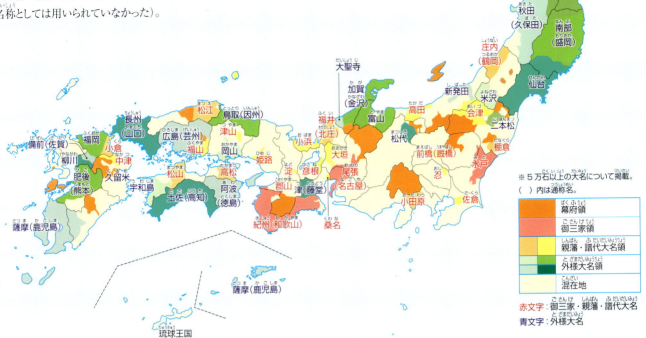

日本の歴史地図

道	旧国名	主な藩（大名・藩主）	現在地名
北陸道	若狭	小浜藩（酒井）	福井県
	越前	福井藩（松平）、丸岡藩（有馬）	
	加賀	金沢藩（前田）、大聖寺藩（前田）	石川県
	能登	金沢藩（前田）	
	越中	富山藩（前田）	富山県
	越後	高田藩（榊原）、新発田藩（溝口）、長岡藩（牧野）、村上藩（内藤）	新潟県
	佐渡		
東海道	伊賀		
	伊勢	津藩（藤堂）、桑名藩（松平）、伊勢亀山藩（石川）、久居藩（藤堂）	三重県
	志摩		
	尾張	名古屋藩（徳川）	愛知県
	三河	西尾藩（松平）、岡崎藩（本多）、三河吉田藩（松平）	
	遠江	浜松藩（井上）、掛川藩（太田）	静岡県
	駿河	沼津藩（水野）	
	伊豆		
	甲斐		山梨県
	相模	小田原藩（大久保）	神奈川県

道	旧国名	主な藩（大名・藩主）	現在地名
東海道	武蔵	忍藩（松平・河内松平）、川越藩（松平）	埼玉県、東京都、神奈川県
	常陸	笠間藩（牧野）、土浦藩（土屋）、水戸藩（徳川）	茨城県
	下総	古河藩（土井）、佐倉藩（堀田）	千葉県、茨城県
	上総		千葉県
	安房		
	近江	彦根藩（井伊）、膳所藩（本多）	滋賀県
	美濃	大垣藩（戸田）	岐阜県
	飛騨		
東山道	信濃	松代藩（真田）、松本藩（松平）、上田藩（松平）	長野県
	上野	高崎藩（松平・大河内）、館林藩（秋元）、前橋藩（松平）	群馬県
	下野	宇都宮藩（戸田）	栃木県
	陸奥	弘前藩（津軽）、盛岡藩（南部）、仙台藩（伊達）、会津藩（松平）、二本松藩（丹羽）、相馬中村藩（相馬）、棚倉藩（松平・阿部）、三春藩（秋田）	青森県、秋田県、岩手県、宮城県、福島県、
	出羽	秋田藩（佐竹）、新庄藩（戸沢）、山形藩（水野）、米沢藩（上杉）、庄内藩（酒井）	秋田県、山形県

アメリカ合衆国大統領一覧

アメリカ合衆国の大統領は、国家の代表者、行政のリーダーであり、さらに軍隊の最高司令官もかねる。大統領は民主選挙によってえらばれる。まず、予備選挙によって、各党の大統領候補者がえらばれる。本選挙では、有権者の投票によってえらばれた選挙人が大統領をえらぶという、間接選挙がおこなわれる。大統領の任期は1期4年で、最長2期までつとめることができる。世界有数の大国であるアメリカの大統領は、世界情勢にも大きな影響力をもち、注目される存在である。

第1代 ジョージ・ワシントン
在任期間
[1期] 1789年4月30日〜1793年3月4日
[2期] 1793年3月4日〜1797年3月4日
無所属

第5代 ジェームス・モンロー
在任期間
[8期] 1817年3月4日〜1821年3月4日
[9期] 1821年3月4日〜1825年3月4日
民主共和党

第2代 ジョン・アダムズ
在任期間
[3期] 1797年3月4日〜1801年3月4日
連邦党

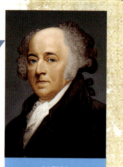

第6代 ジョン・クィンシー・アダムズ
在任期間
[10期] 1825年3月4日〜1829年3月4日
民主共和党

第3代 トーマス・ジェファーソン
在任期間
[4期] 1801年3月4日〜1805年3月4日
[5期] 1805年3月4日〜1809年3月4日
民主共和党

第7代 アンドリュー・ジャクソン
在任期間
[11期] 1829年3月4日〜1833年3月4日
[12期] 1833年3月4日〜1837年3月4日
民主党

第4代 ジェームズ・マディソン
在任期間
[6期] 1809年3月4日〜1813年3月4日
[7期] 1813年3月4日〜1817年3月4日
民主共和党

第8代 マーティン・バン・ビューレン
在任期間
[13期] 1837年3月4日〜1841年3月4日
民主党

第9代
ウィリアム・ハリソン
在任期間

[14期] 1841年3月4日～1841年4月4日

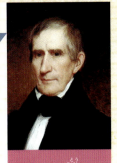
ホイッグ党

第10代
ジョン・タイラー
在任期間

[14期] 1841年4月4日～1845年3月4日
※1841年9月13日以降は無所属。

ホイッグ党

第11代
ジェームズ・ポーク
在任期間

[15期] 1845年3月4日～1849年3月4日

民主党

第12代
ザカリー・テイラー
在任期間

[16期] 1849年3月4日～1850年7月9日

ホイッグ党

第13代
ミラード・フィルモア
在任期間

[16期] 1850年7月9日～1853年3月4日

ホイッグ党

第14代
フランクリン・ピアース
在任期間

[17期] 1853年3月4日～1857年3月4日

民主党

第15代
ジェームズ・ブキャナン
在任期間

[18期] 1857年3月4日～1861年3月4日

民主党

第16代
エイブラハム・リンカン
在任期間

[19期] 1861年3月4日～1865年3月4日
[20期] 1865年3月4日～1865年4月15日

共和党

第17代
アンドリュー・ジョンソン
在任期間

[20期] 1865年4月15日～1869年3月4日

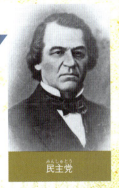
民主党

第18代
ユリシーズ・グラント
在任期間

[21期] 1869年3月4日～1873年3月4日
[22期] 1873年3月4日～1877年3月4日

共和党

学習資料集

アメリカ合衆国大統領一覧

学習資料集 アメリカ合衆国大統領一覧

第19代 ラザフォード・ヘイズ
在任期間
[23期] 1877年3月4日～1881年3月4日
共和党

第20代 ジェームズ・ガーフィールド
在任期間
[24期] 1881年3月4日～1881年9月19日
共和党

第21代 チェスター・アーサー
在任期間
[24期] 1881年9月19日～1885年3月4日
共和党

第22代 グロバー・クリーブランド
在任期間
[25期] 1885年3月4日～1889年3月4日
民主党

第23代 ベンジャミン・ハリソン
在任期間
[26期] 1889年3月4日～1893年3月4日
共和党

第24代 グロバー・クリーブランド
在任期間
[27期] 1893年3月4日～1897年3月4日
民主党

第25代 ウィリアム・マッキンリー
在任期間
[28期] 1897年3月4日～1901年3月4日
[29期] 1901年3月4日～1901年9月14日
共和党

第26代 セオドア・ローズベルト
在任期間
[29期] 1901年9月14日～1905年3月4日
[30期] 1905年3月4日～1909年3月4日
共和党

第27代 ウィリアム・タフト
在任期間
[31期] 1909年3月4日～1913年3月4日
共和党

第28代 ウッドロー・ウィルソン
在任期間
[32期] 1913年3月4日～1917年3月4日
[33期] 1917年3月4日～1921年3月4日
民主党

…このリンクマークがついている人物は1～4巻に項目として掲載されています　　※1～4巻で調べる場合は、姓からひいてください。　　※写真の下は在任時の所属政党です。

第29代
ウォレン・ハーディング
在任期間

[34期]1921年3月4日〜1923年8月2日

共和党

第30代
カルビン・クーリッジ
在任期間

[34期]1923年8月2日〜1925年3月4日
[35期]1925年3月4日〜1929年3月4日

共和党

第31代
ハーバート・フーバー
在任期間

[36期]1929年3月4日〜1933年3月4日

共和党

第32代
フランクリン・ローズベルト
在任期間

[37期]1933年3月4日〜1937年1月20日
[38期]1937年1月20日〜1941年1月20日
[39期]1941年1月20日〜1945年1月20日
[40期]1945年1月20日〜1945年4月12日

※ 大統領の任期は、1951年の憲法改正によって、原則2期8年までと明確に制限されたが、フランクリン・ローズベルトは、この憲法改正の前に4選された。

民主党

第33代
ハリー・トルーマン
在任期間

[40期]1945年4月12日〜1949年1月20日
[41期]1949年1月20日〜1953年1月20日

民主党

第34代
ドワイト・アイゼンハワー
在任期間

[42期]1953年1月20日〜1957年1月20日
[43期]1957年1月20日〜1961年1月20日

共和党

第35代
ジョン・フィッツジェラルド・ケネディ
在任期間

[44期]1961年1月20日〜1963年11月22日

民主党

第36代
リンドン・ジョンソン
在任期間

[44期]1963年11月22日〜1965年1月20日
[45期]1965年1月20日〜1969年1月20日

民主党

第37代
リチャード・ニクソン
在任期間

[46期]1969年1月20日〜1973年1月20日
[47期]1973年1月20日〜1974年8月9日

共和党

第38代
ジェラルド・ルドルフ・フォード
在任期間

[47期]1974年8月9日〜1977年1月20日

共和党

アメリカ合衆国大統領一覧

学習資料集

学習資料集 アメリカ合衆国大統領一覧

第39代 ジミー・カーター
在任期間
[48期]1977年1月20日～1981年1月20日
民主党

第40代 ロナルド・レーガン
在任期間
[49期]1981年1月20日～1985年1月20日
[50期]1985年1月20日～1989年1月20日
共和党

第41代 ジョージ・ブッシュ(父)
在任期間
[51期]1989年1月20日～1993年1月20日
共和党

第42代 ビル・クリントン
在任期間
[52期]1993年1月20日～1997年1月20日
[53期]1997年1月20日～2001年1月20日
民主党

第43代 ジョージ・ブッシュ(子)
在任期間
[54期]2001年1月20日～2005年1月20日
[55期]2005年1月20日～2009年1月20日
共和党

第44代 バラク・オバマ
在任期間
[56期]2009年1月20日～2013年1月20日
[57期]2013年1月20日～2017年1月20日
民主党

第45代 ドナルド・トランプ
在任期間
[58期]2017年1月20日～
共和党

…このリンクマークがついている人物は1～4巻に項目として掲載されています　※1～4巻で調べる場合は、姓からひいてください。　※写真の下は在任時の所属政党です。

国連事務総長一覧

　国連事務総長は、国際連合（国連）の組織運営のリーダーであり、国際平和や安定の維持をめざす国連の理念を象徴する存在である。国連のおこなうさまざまな活動に対して意見を提出できる権限をもっている。事務総長の選出には、安全保障理事会による推薦が必要で、総会で任命されて決定する。任期は1期5年で、何期でもつとめることができる。

第1代　トリグブ・リー
在任期間　1946年2月1日～1952年11月10日

ノルウェー

第2代　ダグ・ハマーショルド🔗
在任期間　1953年4月10日～1961年9月18日

スウェーデン

第3代　ウ・タント🔗
在任期間　1961年11月～事務総長代行、1962年1月1日～1971年12月31日

ビルマ（現ミャンマー）

第4代　クルト・ワルトハイム
在任期間　1972年1月1日～1981年12月31日

オーストリア

第5代　ハビエル・ペレス・デ＝クエヤル
在任期間　1982年1月1日～1991年12月31日

ペルー

第6代　ブトロス・ブトロス＝ガーリ
在任期間　1992年1月1日～1996年12月31日

エジプト

第7代　コフィ・アナン🔗
在任期間　1997年1月1日～2006年12月31日

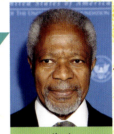

ガーナ

第8代　潘基文（パン ギ ムン）🔗
在任期間　2007年1月1日～2016年12月31日

韓国

第9代　アントニオ・グテレス🔗
在任期間　2017年1月1日～

ポルトガル

　このリンクマークがついている人物は1～4巻に項目として掲載されています

※1～4巻で調べる場合は、姓からひいてください。　※写真の下は出身国です。

主な国・地域の大統領・首相一覧

国家の代表者には、大統領や首相がいる。
一般に大統領は国家の代表者であり、首相は国家の行政の最高機関の長である。

アメリカ合衆国のように大統領しかいない国、日本のように首相しかいない国がある一方、大統領と首相の両方がいる国もあり、国によって役割や権限にちがいがある。

イギリス

1688年の名誉革命後、世界に先がけて議会が王権より優位に位置づけられ、代表制民主主義による政治がおこなわれた。一覧には、現在の政治体制がほぼ完成した1911年の議会法成立以降の首相をしめす。

首相	在任年	政党
デイビッド・ロイド・ジョージ	1916～1922	自由党
アンドリュー・ボナー・ロー	1922～1923	保守党
スタンリー・ボールドウィン	1923～1924	保守党
ラムジー・マクドナルド	1924	労働党
スタンリー・ボールドウィン	1924～1929	保守党
ラムジー・マクドナルド	1929～1935	労働党
スタンリー・ボールドウィン	1935～1937	保守党
ネビル・チェンバレン	1937～1940	保守党
ウィンストン・チャーチル	1940～1945	保守党
クレメント・アトリー	1945～1951	労働党
ウィンストン・チャーチル	1951～1955	保守党
アンソニー・イーデン	1955～1957	保守党
ハロルド・マクミラン	1957～1963	保守党
アレック・ダグラス＝ヒューム	1963～1964	保守党
ハロルド・ウィルソン	1964～1970	労働党
エドワード・ヒース	1970～1974	保守党
ハロルド・ウィルソン	1974～1976	労働党
ジェームズ・キャラハン	1976～1979	労働党
マーガレット・サッチャー	1979～1990	保守党
ジョン・メージャー	1990～1997	保守党
トニー・ブレア	1997～2007	労働党
ゴードン・ブラウン	2007～2010	労働党
デービッド・キャメロン	2010～2016	保守党
テリーザ・メイ	2016～	保守党

フランス

王政、帝政が崩壊し、共和制が定着した第三共和政以降の大統領をしめす。フランスには大統領と首相がいるが、大統領は国民による選挙でえらばれ、大きな権限をもつ。首相は大統領から指名されるが、大統領の独裁を抑制できる権限をもつ。

大統領	在任年	政党
アドルフ・ティエール	1871～1873	共和派
マリー・マクマオン	1873～1879	王党派
フランソワ・グレビ	1879～1887	共和派
マリー・カルノー	1887～1894	共和派
ジャン・カジミール＝ペリエ	1894～1895	共和派
フェリックス・フォール	1895～1899	共和派
エミール・ルーベ	1899～1906	共和派
アルマンド・ファリエール	1906～1913	共和派
レイモンド・ポアンカレ	1913～1920	保守派（進歩派）
ポール・デシャネル	1920	共和派
アレクサンドル・ミルラン	1920～1924	無所属
ガストン・ドゥメルグ	1924～1931	急進派
ポール・ドゥーメル	1931～1932	保守派
アルベール・ルブラン	1932～1940	共和派
フィリップ・ペタン（ドイツ支配政府国家元首）	1940～1944	
シャルル・ド＝ゴール（臨時政府首相）	1944～1946	無所属
フェリックス・グーアン（臨時政府首相）	1946	労働者インターナショナルフランス支部
ジョルジュ・ビドー（臨時政府首相）	1946	人民共和派
レオン・ブルム（臨時政府首相）	1946～1947	社会党
バンサン・オリオール	1947～1954	労働者インターナショナル支部
ルネ・コティ	1954～1959	全国独立主義者農民センター
シャルル・ド・ゴール	1959～1969	フランス国民連合
ジョルジュ・ポンピドゥー	1969～1974	新共和連合
バレリー・ジスカール・デスタン	1974～1981	独立共和派
フランソワ・ミッテラン	1981～1995	社会党
ジャック・シラク	1995～2007	共和国連合
ニコラ・サルコジ	2007～2012	国民運動連合
フランソワ・オランド	2012～	社会党

ドイツ

帝政ドイツの宰相と、ナチス時代をへて、第二次世界大戦後に分裂した東西ドイツそれぞれの首相、1990年に統合された統一ドイツの首相をしめす。現在のドイツには大統領と首相がいるが、議会の支持でえらばれる首相が政治をおこない、大統領は国民の代表者として儀式などで公務をおこなう。

ドイツ帝国

宰相	在任年
オットー・フォン・ビスマルク	1871～1890
ゲオルク・カプリービ	1890～1894
クロードウィヒ・ホーエンローエ	1894～1900
ベルンハルト・フォン・ビューロー	1900～1909
テオバルト・フォン・ベートマン・ホルウェーク	1909～1917
ゲオルク・ミヒャエリス	1917

青字になっている人物は1～4巻に項目として掲載されています ※1～4巻で調べる場合は、姓からひいてください。

イギリス首相	フランス大統領	ドイツ首相	イタリア首相

テリーザ・メイ	フランソワ・オランド	アンゲラ・メルケル	マッテオ・レンツィ

主な国・地域の大統領・首相一覧

宰相	在任年
ゲオルク・フォン・ヘルトリング	1917〜1918
マックス・フォン・バーデン	1918

ワイマール共和国

首相	在任年	政党
フィリップ・シャイデマン	1919	ドイツ社会民主党
グスタフ・バウアー	1919〜1920	ドイツ社会民主党
ヘルマン・ミュラー	1920	ドイツ社会民主党
コンスタンティン・フェーレンバッハ	1920〜1921	中央党
ヨーゼフ・ウィルト	1921〜1922	中央党
ウィルヘルム・クーノ	1922〜1923	無所属
グスタフ・シュトレーゼマン	1923	ドイツ人民党
ウィルヘルム・マルクス	1923〜1924	中央党
ハンス・ルター	1925〜1926	無所属
ウィルヘルム・マルクス	1926〜1928	中央党
ヘルマン・ミュラー	1928〜1930	ドイツ社会民主党
ハインリッヒ・ブリューニング	1930〜1932	中央党
フランツ・フォン・パーペン	1932	無所属
クルト・フォン・シュライヒャー	1932〜1933	無所属

ナチスドイツ政府

首相	在任年	政党
アドルフ・ヒトラー	1933〜1945	ナチス
ヨゼフ・ゲッベルス	1945	ナチス

ドイツ連邦共和国(西ドイツ)

首相	在任年	政党
コンラート・アデナウアー	1949〜1963	キリスト教民主同盟
ルートウィヒ・エアハルト	1963〜1966	キリスト教民主同盟
クルト・ゲオルク・キージンガー	1966〜1969	キリスト教民主同盟
ウィリー・ブラント	1969〜1974	ドイツ社会民主党
ヘルムート・シュミット	1974〜1982	ドイツ社会民主党
ヘルムート・コール	1982〜1990	キリスト教民主同盟

ドイツ民主共和国(東ドイツ)

首相	在任年
オットー・グローテウォール	1949〜1964
ウィリー・シュトーフ	1964〜1973
ホルスト・ジンダーマン	1973〜1976
ウィリー・シュトーフ	1976〜1989

首相	在任年
ハンス・モドロウ	1989〜1990
ロタール・デ・メジエル	1990

ドイツ連邦共和国(東西統一ドイツ)

首相	在任年	政党
ヘルムート・コール	1990〜1998	キリスト教民主同盟
ゲルハルト・シュレーダー	1998〜2005	ドイツ社会民主党
アンゲラ・メルケル	2005〜	キリスト教民主同盟

イタリア

ファシスト党の独裁政権が崩壊した第二次世界大戦終戦以降の首相をしめす。イタリアには大統領と首相がいるが、大統領が議会の支持によってえらばれ、大統領によって指名された首相が政治をおこなう。

首相	在任年	政党
アルチーデ・デ・ガスペリ	1945〜1953	キリスト教民主主義
ジュゼッペ・ペッラ	1953〜1954	キリスト教民主主義
アミントレ・ファンファーニ	1954	キリスト教民主主義
マリオ・シェルバ	1954〜1955	キリスト教民主主義
アントニオ・セニ	1955〜1957	キリスト教民主主義
アドネ・ツォリー	1957〜1958	キリスト教民主主義
アミントレ・ファンファーニ	1958〜1959	キリスト教民主主義
アントニオ・セニ	1959〜1960	キリスト教民主主義
フェルナンド・タンブローニ	1960	キリスト教民主主義
アミントレ・ファンファーニ	1960〜1963	キリスト教民主主義
ジョバンニ・レオーネ	1963	キリスト教民主主義
アルド・モロ	1963〜1968	キリスト教民主主義
ジョバンニ・レオーネ	1968	キリスト教民主主義
マリアーノ・ルモール	1968〜1970	キリスト教民主主義
エミリオ・コロンボ	1970〜1972	キリスト教民主主義
ジュリオ・アンドレオッティ	1972〜1973	キリスト教民主主義
マリアーノ・ルモール	1973〜1974	キリスト教民主主義
アルド・モロ	1974〜1976	キリスト教民主主義
ジュリオ・アンドレオッティ	1976〜1979	キリスト教民主主義
フランチェスコ・コッシガ	1979〜1980	キリスト教民主主義
アルナルド・フォルラーニ	1980〜1981	キリスト教民主主義
ジョバンニ・スパドリーニ	1981〜1982	イタリア共和党
アミントレ・ファンファーニ	1982〜1983	キリスト教民主主義
ベッティノ・クラクシ	1983〜1987	イタリア社会党
アミントレ・ファンファーニ	1987	キリスト教民主主義

首相	在任年	政党
ジョバンニ・ゴリア	1987～1988	キリスト教民主主義
チリアーコ・デ・ミータ	1988～1989	キリスト教民主主義
ジュリオ・アンドレオッティ	1989～1992	キリスト教民主主義
ジュリアーノ・アマート	1992～1993	イタリア社会党
カルロ・チャンピ	1993～1994	無所属
シルビオ・ベルルスコーニ	1994	フォルツァ・イタリア
ランベルト・ディーニ	1995～1996	無所属
ロマーノ・プローディ	1996～1998	オリーブの木
マッシモ・ダレーマ	1998～2000	オリーブの木
ジュリアーノ・アマート	2000～2001	イタリア社会党
シルビオ・ベルルスコーニ	2001～2006	フォルツァ・イタリア
ロマーノ・プローディ	2006～2008	オリーブの木
シルビオ・ベルルスコーニ	2008～2011	フォルツァ・イタリア
マリオ・モンティ	2011～2013	無所属
エンリコ・レッタ	2013～2014	民主党
マッテオ・レンツィ	2014～	民主党

カナダ

1949年にカナダとして独立国家となった以降の首相をしめす。

首相	在任年	政党
ルイ・サン＝ローラン	1948～1957	カナダ自由党
ジョン・ジーフェンベーカー	1957～1963	進歩保守党
レスター・ピアソン	1963～1968	カナダ自由党
ピエール・トルドー	1968～1979	カナダ自由党
チャールズ・クラーク	1979～1980	進歩保守党
ピエール・トルドー	1980～1984	カナダ自由党
ジョン・ターナー	1984	カナダ自由党
マーティン・マルルーニー	1984～1993	進歩保守党
キム・キャンベル	1993	進歩保守党
ジャン・クレティエン	1993～2003	カナダ自由党
ポール・マーティン	2003～2006	カナダ自由党
スティーブン・ハーパー	2006～2015	カナダ保守党
ジャスティン・トルドー	2015～	カナダ自由党

ロシア

ソビエト連邦時代の指導者（全ロシア中央執行委員会議長、ソ連邦中央執行委員会議長、ソ連邦最高会議幹部会議長、ソ連邦共産党中央委員会書記長）と、ロシアとなってからの大統領をしめす。ロシアには大統領と首相がいるが、国民の選挙によってえらばれる大統領に大きな権限があり、首相は実務的な仕事をおこなう。

── ソビエト連邦 ──

全ロシア中央執行委員会（ソ連邦中央執行委員会）議長	在任年
レフ・カーメネフ	1917
ヤーコフ・スベルドロフ	1917～1919
ミハイル・カリーニン	1919～1938

ソ連邦最高会議幹部会議長	在任年
ミハイル・カリーニン	1938～1946
ニコライ・シベルニク	1946～1953
クリメント・ボロシーロフ	1953～1960
レオニード・ブレジネフ	1960～1964
アナスタフ・ミコヤン	1964～1965
ニコライ・ポドゴルヌイ	1965～1977
レオニード・ブレジネフ	1977～1982
バシリー・グズネツォフ（代行）	1982～1983
ユーリ・アンドロポフ	1983～1984
バシリー・グズネツォフ（代行）	1984
コンスタンティン・チェルネンコ	1984～1985
バシリー・グズネツォフ（代行）	1985
アンドレイ・グロムイコ	1985～1988
ミハイル・ゴルバチョフ	1988～1990
アナトリー・ルキヤノフ	1990～1991
ミハイル・ゴルバチョフ（大統領）	1990～1991

ソ連邦共産党中央委員会書記長（第一書記）	在任年
ヨシフ・スターリン	1922～1953
ゲオルギー・マレンコフ	1953
ニキータ・フルシチョフ	1953～1964
レオニード・ブレジネフ	1964～1982
ユーリ・アンドロポフ	1982～1984
コンスタンティン・チェルネンコ	1984～1985
ミハイル・ゴルバチョフ	1985～1991

── ロシア連邦 ──

大統領	在任年
ボリス・エリツィン	1991～1999
ウラジーミル・プーチン	1999～2008
ドミトリー・メドベージェフ	2008～2012
ウラジーミル・プーチン	2012～

中国

1949年の中華人民共和国（中国）成立以降の中国の首脳として、中国共産党中央委員会の主席（総書記）、元首である国家主席、内閣総理大臣に相当する首相（国務院総理）の3役職をしめす。

中国共産党中央委員会主席（総書記）	在任年
毛沢東（主席）	1949～1976
華国鋒（主席）	1976～1981
胡耀邦（主席）	1981～1982
胡耀邦（総書記）	1982～1987
趙紫陽（総書記）	1987～1989
江沢民（総書記）	1989～2002
胡錦濤（総書記）	2002～2012
習近平（総書記）	2012～

青字になっている人物は1〜4巻に項目として掲載されています　※1〜4巻で調べる場合は、姓からひいてください。

カナダ首相	ロシア大統領	中国国家主席	韓国大統領
ジャスティン・トルドー	ウラジーミル・プーチン	習近平	朴槿恵

学習資料集

主な国・地域の大統領・首相一覧

国家主席	在任年
毛沢東	1954～1959
劉少奇	1959～1968
李先念	1983～1988
楊尚昆	1988～1993
江沢民	1993～2003
胡錦濤	2003～2013
習近平	2013～

首相	在任年
周恩来	1949～1976
華国鋒	1976～1980
趙紫陽	1980～1987
李鵬	1988～1998
朱鎔基	1998～2003
温家宝	2003～2013
李克強	2013～

台湾

1949年に中国から国民政府を台湾に移して以降の、台湾総統をしめす。

総統	在任年	政党
蒋介石	1950～1975	国民党
厳家淦	1975～1978	国民党
蒋経国	1978～1988	国民党
李登輝	1988～2000	国民党
陳水扁	2000～2008	民進党
馬英九	2008～2016	国民党
蔡英文	2016～	民進党

韓国

1948年の大韓民国（韓国）成立後の大統領をしめす。韓国には大統領と首相がいるが、国民の選挙によってえらばれる大統領に大きな権限があり、首相は実務的な仕事をおこなう。

大統領	在任年	政党
李承晩	1948～1960	韓国民主党→自由党
尹潽善	1960～1962	韓国民主党→新民党
朴正熙（代行）	1962～1963	軍政
朴正熙	1963～1979	民主共和党
崔圭夏（代行）	1979	—
崔圭夏	1979～1980	無所属
全斗煥	1980～1988	民主正義党
盧泰愚	1988～1993	民主正義党→民主自由党
金泳三	1993～1998	新韓国党
金大中	1998～2003	新政治国民会議→新千年民主党
盧武鉉	2003～2008	新千年民主党→ウリ党
李明博	2008～2013	ハンナラ党
朴槿恵	2013～	セヌリ党

北朝鮮

1948年の朝鮮民主主義人民共和国（北朝鮮）成立後の最高指導者をしめす。最高指導者の役職は、代ごとにかわっている。

最高指導者	在任年	役職
金日成	1948～1994	朝鮮民主主義人民共和国首相・人民軍最高司令官・労働党総書記・国家主席
金正日	1994～2011	党総書記・国防委員長
金正恩	2011～	党第一書記・国防委員会第一委員長

EU

1993年のEU成立以降、2009年までは加盟国の代表者が半年ごとの当番制でヨーロッパ理事会の議長をつとめ、これがEUの代表であった。2009年以降は、ヨーロッパ理事会に常任議長職がおかれ、これがEUの代表となり、一般にEU大統領とよばれる。ここでは2009年以降の常任議長（大統領ともよばれる）をしめす。

常任議長（大統領）	在任年	国
ヘルマン・ファン・ロンパイ	2009～2014	ベルギー
ドナルド・トゥスク	2014～	ポーランド

83

ローマ教皇一覧

ローマ教皇は、ローマ・カトリック教会の最高権威者。ローマ法王ともいう。

イエス・キリストの死後、その代理として神につかえ、教えを広める者として、初代聖ペテロ以降、代々ひきつがれている。教皇が亡くなると、枢機卿とよばれる聖職者による選挙（コンクラーベ）で、新しい教皇がえらばれる。教皇は、ローマ・カトリックの本拠地で、世界でもっとも小さい国家・バチカンの元首でもある。

（出典：カトリック中央協議会「教皇関連情報」をもとに編集）

代位	教皇名	英語名	在位期間
第1代	聖ペテロ	St. Peter	?～64?年
第2代	聖リヌス	St. Linus	68～79年
第3代	聖アナクレトゥス	St. Anacletus	80～92年
第4代	聖クレメンス1世	St. Clement I	92?～99?年
第5代	聖エウァリストゥス	St. Evaristus	99?～108年
第6代	聖アレクサンデル1世	St. Alexander I	108?～116?年
第7代	聖シクストゥス1世	St. Sixtus I	117?～126?年
第8代	聖テレスフォルス	St. Telesphorus	127?～137?年
第9代	聖ヒギヌス	St. Hyginus	138～142?年
第10代	聖ピウス1世	St. Pius I	142?～157?年
第11代	聖アニケトゥス	St. Anicetus	157?～168?年
第12代	聖ソテル	St. Soter	168?～177?年
第13代	聖エレウテルス	St. Eleutherius	177?～185?年
第14代	聖ウィクトル1世	St. Victor I	186?～197?年
第15代	聖ゼフィリヌス	St. Zephyrinus	198～217?年
第16代	聖カリストゥス1世	St. Callistus I	218～222年
第17代	聖ウルバヌス1世	St. Urban I	222～230年
第18代	聖ポンティアヌス	St. Pontian	230～235年
第19代	聖アンテルス	St. Anterus	235～236年
第20代	聖ファビアヌス	St. Fabian	236～250年
第21代	聖コルネリウス	St. Cornelius	251～253年
第22代	聖ルキウス1世	St. Lucius I	253～254年
第23代	聖ステファヌス1世	St. Stephen I	254～257年
第24代	聖シクストゥス2世	St. Sixtus II	257～258年
第25代	聖ディオニュシウス	St. Dionysius	259～268年
第26代	聖フェリクス1世	St. Felix I	269～274年
第27代	聖エウティキアヌス	St. Eutychian	275～283年
第28代	聖カイウス	St. Caius	283～296年
第29代	聖マルケリヌス	St. Marcellinus	296～304年
第30代	聖マルケルス1世	St. Marcellus I	306～309年
第31代	聖エウセビウス	St. Eusebius	309～309年
第32代	聖ミルティアデス	St. Miltiades	311～314年
第33代	聖シルウェステル1世	St. Sylvester I	314～335年
第34代	聖マルクス	St. Mark	336～336年
第35代	聖ユリウス1世	St. Julius I	337～352年
第36代	聖リベリウス	St. Liberius	352～366年
第37代	聖ダマスス1世	St. Damasus I	366～384年
第38代	聖シリキウス	St. Siricius	384～399年
第39代	聖アナスタシウス1世	St. Anastasius I	399～401年
第40代	聖インノケンティウス1世	St. Innocent I	401～417年
第41代	聖ゾシムス	St. Zosimus	417～418年
第42代	聖ボニファティウス1世	St. Boniface I	418～422年
第43代	聖ケレスティヌス1世	St. Celestine I	422～432年
第44代	聖シクストゥス3世	St. Sixtus III	432～440年
第45代	聖レオ1世	St. Leo I	440～461年
第46代	聖ヒラルス	St. Hilarius	461～468年
第47代	聖シンプリキウス	St. Simplicius	468～483年
第48代	聖フェリクス3世	St. Felix III	483～492年
第49代	聖ゲラシウス1世	St. Gelasius I	492～496年
第50代	アナスタシウス2世	Anastasius II	496～498年
第51代	聖シンマクス	St. Symmachus	498～514年
第52代	聖ホルミスダス	St. Hormisdas	514～523年
第53代	聖ヨハネス1世	St. John I	523～526年
第54代	聖フェリクス4世	St. Felix IV	526～530年
第55代	ボニファティウス2世	Boniface II	530～532年
第56代	聖ヨハネス2世	St. John II	533～535年
第57代	聖アガペトゥス1世	St. Agapetus	535～536年
第58代	聖シルウェリウス	St. Silverius	536～537年

青字になっている人物は1～4巻に項目として掲載されています

※教皇名に「聖」がついている人物は、聖人（殉教した者、または特別な信仰心があるとされる者）です。「福者」は聖人に準じます。　※第92代ステファヌス2世を教皇にふくめない場合もあります。

代位	教皇名	英語名	在位期間	代位	教皇名	英語名	在位期間
第59代	ウィギリウス	Vigilius	537～555年	第95代	ステファヌス4世	Stephen IV	768～772年
第60代	ペラギウス1世	Pelagius I	556～561年	第96代	ハドリアヌス1世	Adrian	772～795年
第61代	ヨハネス3世	John III	561～574年	第97代	聖レオ3世	St. Leo III	795～816年
第62代	ベネディクトゥス1世	Benedict I	575～579年	第98代	ステファヌス5世	Stephen V	816～817年
第63代	ペラギウス2世	Pelagius II	579～590年	第99代	聖パスカリス1世	St. Paschal I	817～824年
第64代	聖グレゴリウス1世	St. Gregory I	590～604年	第100代	エウゲニウス2世	Eugene II	824～827年
第65代	サビニアヌス	Sabinian	604～606年	第101代	ウァレンティヌス	Valentine	827～827年
第66代	ボニファティウス3世	Boniface III	607～607年	第102代	グレゴリウス4世	Gregory IV	827～844年
第67代	聖ボニファティウス4世	St. Boniface IV	608～615年	第103代	セルギウス2世	Sergius II	844～847年
第68代	聖デウスデディトゥス	St. Deusdedit I	615～618年	第104代	聖レオ4世	St. Leo IV	847～855年
第69代	ボニファティウス5世	Boniface V	619～625年	第105代	ベネディクトゥス3世	Benedict III	855～858年
第70代	ホノリウス1世	Honorius I	625～638年	第106代	聖ニコラウス1世	St. Nicholas I	858～867年
第71代	セウェリヌス	Severinus	638～640年	第107代	ハドリアヌス2世	Adrian II	867～872年
第72代	ヨハネス4世	John IV	640～642年	第108代	ヨハネス8世	John VIII	872～882年
第73代	テオドルス1世	Theodore I	642～649年	第109代	マリヌス1世	Marinus I	882～884年
第74代	聖マルティヌス1世	St. Martin I	649～655年	第110代	聖ハドリアヌス3世	St. Adrian III	884～885年
第75代	聖エウゲニウス1世	St. Eugene I	654～657年	第111代	ステファヌス6世	Stephen VI	885～891年
第76代	聖ウィタリアヌス	St. Vitalian	657～672年	第112代	フォルモスス	Formosus	891～896年
第77代	アデオダトゥス	Adeodatus	672～676年	第113代	ボニファティウス6世	Boniface VI	896～896年
第78代	ドヌス	Donus	676～678年	第114代	ステファヌス7世	Stephen VII	896～897年
第79代	聖アガト	St. Agatho	678～681年	第115代	ロマヌス	Romanus	897～897年
第80代	聖レオ2世	St. Leo II	681～683年	第116代	テオドルス2世	Theodore II	897～897年
第81代	聖ベネディクトゥス2世	St. Benedict II	684～685年	第117代	ヨハネス9世	John IX	897～900年
第82代	ヨハネス5世	John V	685～686年	第118代	ベネディクトゥス4世	Benedict IV	900～903年
第83代	コノン	Conon	686～687年	第119代	レオ5世	Leo V	903～903年
第84代	聖セルギウス1世	St. Sergius I	687～701年	第120代	セルギウス3世	Sergius III	904～911年
第85代	ヨハネス6世	John VI	701～705年	第121代	アナスタシウス3世	Anastasius III	911～913年
第86代	ヨハネス7世	John VII	705～707年	第122代	ランド	Lando	913～914年
第87代	シシニウス	Sisinnius	708～708年	第123代	ヨハネス10世	John X	914～928年
第88代	コンスタンティヌス1世	Constantine I	708～715年	第124代	レオ6世	Leo VI	928～928年
第89代	聖グレゴリウス2世	St. Gregory II	715～731年	第125代	ステファヌス8世	Stephen VIII	929～931年
第90代	聖グレゴリウス3世	St. Gregory III	731～741年	第126代	ヨハネス11世	John XI	931～936年
第91代	聖ザカリアス	St. Zachary	741～752年	第127代	レオ7世	Leo VII	936～939年
第92代	ステファヌス2世	Stephen II	752～752年	第128代	ステファヌス9世	Stephen IX	939～942年
第93代	ステファヌス3世	Stephen III	752～757年	第129代	マリヌス2世	Marinus II	942～946年
第94代	聖パウルス1世	St. Paul I	757～767年	第130代	アガペトゥス2世	Agapetus II	946～955年

学習資料集

ローマ教皇一覧

学習資料集 ローマ教皇一覧

代位	教皇名	英語名	在位期間
第131代	ヨハネス12世	John XII	955〜964年
第132代	レオ8世	Leo VIII	963〜965年
第133代	ベネディクトゥス5世	Benedict V	964〜964年
第134代	ヨハネス13世	John XIII	965〜972年
第135代	ベネディクトゥス6世	Benedict VI	972〜974年
第136代	ベネディクトゥス7世	Benedict VII	974〜983年
第137代	ヨハネス14世	John XIV	983〜984年
第138代	ヨハネス15世	John XV	985〜996年
第139代	グレゴリウス5世	Gregory V	996〜999年
第140代	シルウェステル2世	Sylvester II	999〜1003年
第141代	ヨハネス17世	John XVII	1003〜1003年
第142代	ヨハネス18世	John XVIII	1004〜1009年
第143代	セルギウス4世	Sergius IV	1009〜1012年
第144代	ベネディクトゥス8世	Benedict VIII	1012〜1024年
第145代	ヨハネス19世	John XIX	1024〜1032年
第146代	ベネディクトゥス9世	Benedict IX	1032〜1044年
第147代	シルウェステル3世	Sylvester III	1045〜1045年
第148代	ベネディクトゥス9世(2度目)	Benedict IX	1045〜1045年
第149代	グレゴリウス6世	Gregory VI	1045〜1046年
第150代	クレメンス2世	Clement II	1046〜1047年
第151代	ベネディクトゥス9世(3度目)	Benedict IX	1047〜1048年
第152代	ダマスス2世	Damasus II	1048〜1048年
第153代	聖レオ9世	St. Leo IX	1049〜1054年
第154代	ウィクトル2世	Victor II	1055〜1057年
第155代	ステファヌス10世	Stephen X	1057〜1058年
第156代	ニコラウス2世	Nicholas II	1058〜1061年
第157代	アレクサンデル2世	Alexander II	1061〜1073年
第158代	聖グレゴリウス7世	St. Gregory VII	1073〜1085年
第159代	福者ウィクトル3世	Blessed Victor III	1086〜1087年
第160代	福者ウルバヌス2世	Blessed Urban II	1088〜1099年
第161代	パスカリス2世	Paschal II	1099〜1118年
第162代	ゲラシウス2世	Gelasius II	1118〜1119年
第163代	カリストゥス2世	Callistus II	1119〜1124年
第164代	ホノリウス2世	Honorius II	1124〜1130年
第165代	インノケンティウス2世	Innocent II	1130〜1143年
第166代	ケレスティヌス2世	Celestine II	1143〜1144年
第167代	ルキウス2世	Lucius II	1144〜1145年
第168代	福者エウゲニウス3世	Blessed Eugene III	1145〜1153年
第169代	アナスタシウス4世	Anastasius IV	1153〜1154年
第170代	ハドリアヌス4世	Adrian IV	1154〜1159年
第171代	アレクサンデル3世	Alexander III	1159〜1181年
第172代	ルキウス3世	Lucius III	1181〜1185年
第173代	ウルバヌス3世	Urban III	1185〜1187年
第174代	グレゴリウス8世	Gregory VIII	1187〜1187年
第175代	クレメンス3世	Clement III	1187〜1191年
第176代	ケレスティヌス3世	Celestine III	1191〜1198年
第177代	インノケンティウス3世	Innocent III	1198〜1216年
第178代	ホノリウス3世	Honorius III	1216〜1227年
第179代	グレゴリウス9世	Gregory IX	1227〜1241年
第180代	ケレスティヌス4世	Celestine IV	1241〜1241年
第181代	インノケンティウス4世	Innocent IV	1243〜1254年
第182代	アレクサンデル4世	Alexander IV	1254〜1261年
第183代	ウルバヌス4世	Urban IV	1261〜1264年
第184代	クレメンス4世	Clement IV	1265〜1268年
第185代	福者グレゴリウス10世	Blessed Gregory X	1271〜1276年
第186代	福者インノケンティウス5世	Blessed Innocent V	1276〜1276年
第187代	ハドリアヌス5世	Adrian V	1276〜1276年
第188代	ヨハネス21世	John XXI	1276〜1277年
第189代	ニコラウス3世	Nicholas III	1277〜1280年
第190代	マルティヌス4世	Martin IV	1281〜1285年
第191代	ホノリウス4世	Honorius IV	1285〜1287年
第192代	ニコラウス4世	Nicholas IV	1288〜1292年
第193代	聖ケレスティヌス5世	St. Celestine V	1294〜1294年
第194代	ボニファティウス8世	Boniface VIII	1294〜1303年
第195代	福者ベネディクトゥス11世	Blessed Benedict XI	1303〜1304年
第196代	クレメンス5世	Clement V	1305〜1314年
第197代	ヨハネス22世	John XXII	1316〜1334年
第198代	ベネディクトゥス12世	Benedict XII	1334〜1342年
第199代	クレメンス6世	Clement VI	1342〜1352年
第200代	インノケンティウス6世	Innocent VI	1352〜1362年
第201代	福者ウルバヌス5世	Blessed Urban V	1362〜1370年
第202代	グレゴリウス11世	Gregory XI	1370〜1378年

青字になっている人物は1〜4巻に項目として掲載されています

※教皇名に「聖」がついている人物は、聖人(殉教した者、または特別な信仰心があるとされる者)です。「福者」は聖人に準じます。

代位	教皇名	英語名	在位期間
第203代	ウルバヌス6世	Urban VI	1378～1389年
第204代	ボニファティウス9世	Boniface IX	1389～1404年
第205代	インノケンティウス7世	Innocent VII	1404～1406年
第206代	グレゴリウス12世	Gregory XII	1406～1415年
第207代	マルティヌス5世	Martin V	1417～1431年
第208代	エウゲニウス4世	Eugene IV	1431～1447年
第209代	ニコラウス5世	Nicholas V	1447～1455年
第210代	カリストゥス3世	Callistus III	1455～1458年
第211代	ピウス2世	Pius II	1458～1464年
第212代	パウルス2世	Paul II	1464～1471年
第213代	シクストゥス4世	Sixtus IV	1471～1484年
第214代	インノケンティウス8世	Innocent VIII	1484～1492年
第215代	アレクサンデル6世	Alexander VI	1492～1503年
第216代	ピウス3世	Pius III	1503～1503年
第217代	ユリウス2世	Julius II	1503～1513年
第218代	レオ10世	Leo X	1513～1521年
第219代	ハドリアヌス6世	Adrian VI	1522～1523年
第220代	クレメンス7世	Clement VII	1523～1534年
第221代	パウルス3世	Paul III	1534～1549年
第222代	ユリウス3世	Julius III	1550～1555年
第223代	マルケルス2世	Marcellus II	1555～1555年
第224代	パウルス4世	Paul IV	1555～1559年
第225代	ピウス4世	Pius IV	1559～1565年
第226代	聖ピウス5世	St. Pius V	1566～1572年
第227代	グレゴリウス13世	Gregory XIII	1572～1585年
第228代	シクストゥス5世	Sixtus V	1585～1590年
第229代	ウルバヌス7世	Urban VII	1590～1590年
第230代	グレゴリウス14世	Gregory XIV	1590～1591年
第231代	インノケンティウス9世	Innocent IX	1591～1591年
第232代	クレメンス8世	Clement VIII	1592～1605年
第233代	レオ11世	Leo XI	1605～1605年
第234代	パウルス5世	Paul V	1605～1621年
第235代	グレゴリウス15世	Gregory XV	1621～1623年
第236代	ウルバヌス8世	Urban VIII	1623～1644年
第237代	インノケンティウス10世	Innocent X	1644～1655年
第238代	アレクサンデル7世	Alexander VII	1655～1667年

代位	教皇名	英語名	在位期間
第239代	クレメンス9世	Clement IX	1667～1669年
第240代	クレメンス10世	Clement X	1670～1676年
第241代	福者インノケンティウス11世	Blessed Innocent XI	1676～1689年
第242代	アレクサンデル8世	Alexander VIII	1689～1691年
第243代	インノケンティウス12世	Innocent XII	1691～1700年
第244代	クレメンス11世	Clement XI	1700～1721年
第245代	インノケンティウス13世	Innocent XIII	1721～1724年
第246代	ベネディクトゥス13世	Benedict XIII	1724～1730年
第247代	クレメンス12世	Clement XII	1730～1740年
第248代	ベネディクトゥス14世	Benedict XIV	1740～1758年
第249代	クレメンス13世	Clement XIII	1758～1769年
第250代	クレメンス14世	Clement XIV	1769～1774年
第251代	ピウス6世	Pius VI	1775～1799年
第252代	ピウス7世	Pius VII	1800～1823年
第253代	レオ12世	Leo XII	1823～1829年
第254代	ピウス8世	Pius VIII	1829～1830年
第255代	グレゴリウス16世	Gregory XVI	1831～1846年
第256代	福者ピウス9世	Blessed Pius IX	1846～1878年
第257代	レオ13世	Leo XIII	1878～1903年
第258代	聖ピウス10世	St. Pius X	1903～1914年
第259代	ベネディクトゥス15世	Benedict XV	1914～1922年
第260代	ピウス11世	Pius XI	1922～1939年
第261代	ピウス12世	Pius XII	1939～1958年
第262代	聖ヨハネス23世	St. John XXIII	1958～1963年
第263代	福者パウルス6世	Blessed Paul VI	1963～1978年
第264代	ヨハネス・パウルス1世	John Paul I	1978～1978年
第265代	聖ヨハネス・パウルス2世 （ヨハネ・パウロ2世）	St. John Paul II	1978～2005年
第266代	ベネディクトゥス16世	Benedict XVI	2005～2013年
第267代	フランシスコ	Francis	2013年～

※1378～1417年には、教会大分裂（大シスマ）とよばれる
ローマ教皇が複数ならびたつ時代がありました。
ここでは、現在の教会史が正統とみなす教皇をしめしました。

学習資料集

ローマ教皇一覧

世界の主な王朝と王・皇帝

日本には、過去、天皇を中心として政治をおこなうしくみがあったが、そのような政治の場のことを「王朝」という。世界には、日本以外にも、アジア、中東、アフリカ、ヨーロッパなどに多くの王朝があった。長い歴史をもつ王朝が多く、現在までのその国や地域の成り立ちにも深いかかわりをもっている。王朝の頂点には王・皇帝など統治者がいて、政治をおこない、国を支配した。

中国の王朝

中国の王朝は、伝説の時代ともいわれる夏の王朝からはじまり、新しい王朝が生まれてはほろびることをくりかえしながら、民主化によって清朝が消滅するまでのおよそ4000年近くのあいだ、存在しつづけた。はじめて皇帝を名のったのは秦の始皇帝であった。

年	王朝		主な王・皇帝	主なできごと・人物
	夏		禹王：黄河の整備に成功して、夏を建国し、王となったと伝えられる。 桀王：夏王朝の最後の王。横暴な政治をおこない、殷にほろぼされた。	禹王
紀元前18世紀ごろ	殷		湯王：夏をほろぼし殷王朝をおこした王。 紂王：殷王朝の最後の王。道楽にふけり、国民の生活を犠牲にして、周にほろぼされた。	
紀元前11世紀ごろ	西周		文王：武王の父。周王朝の基礎をつくった。 武王：殷をほろぼして、西周の王となった。 周公：武王の弟。兄とその後継者を補佐した。 平王：西周最後の王。戦にやぶれ、都を東に移した。	
紀元前770年	東周	春秋時代	桓公：斉の王。家臣のつかい方がすぐれており、乱世を制した。 文公：晋の王。国内の有力者をまとめて、周王室の再建に成功した。 夫差：呉の王。越の王・勾践に勝利したが、のちに勾践にほろぼされた。 勾践：越の王。呉の夫差の捕虜となっていたが、解放され、のちに呉をたおした。	孔子 周王朝の力が弱まり、周国内で内乱がつづいた。儒教の祖、孔子の活躍。
紀元前403年		戦国時代	晋が、韓・魏・趙の3国に分裂し、秦・楚・燕・斉の4国とあわせて7国のあいだで争いがつづく。	墨子、孟子など、多くの思想家が活躍した。
紀元前221年	秦		始皇帝：秦の初代皇帝。戦国の世を制して、はじめて中国を統一した。 →2代胡亥→3代子嬰→漢の劉邦にやぶれた。	万里の長城の建築。
紀元前202年	前漢		高祖(劉邦)：前漢の初代皇帝。秦をほろぼして漢を建国した。 →2代恵帝→3代少帝恭→4代少帝弘→5代文帝→6代景帝 →7代武帝：儒教を重視して国内の政治を整備し、匈奴を撃退するなど、国を強化した。 →8代昭帝→9代廃帝(賀)→10代宣帝→11代元帝→12代成帝→13代哀帝→14代平帝→15代孺子嬰	司馬遷『史記』完成。
紀元後8年	新		王莽：新の建国者。漢の皇帝一族の出身。数年間実権をにぎったが、その後、漢王朝が復活した。	
25年	後漢		光武帝(劉秀)：後漢の初代皇帝。前漢の皇帝の家系。新をたおして漢王朝を復活させた。 →2代明帝→3代章帝→4代和帝→5代殤帝→6代安帝→7代少帝→8代順帝→9代冲帝→10代質帝 →11代桓帝→12代霊帝→13代廃帝(弘農王)→14代献帝	仏教の伝来。 紙の発明。 赤壁の戦い。

青字になっている人物は1〜4巻に項目として掲載されています

世界の主な王朝と王・皇帝

学習資料集

年代	王朝	内容

220年

三国時代 魏・呉・蜀

【魏】曹操：魏の建国者。赤壁の戦いで呉・蜀連合軍にやぶられた。
→文帝(曹丕)：魏の初代皇帝。曹操の子。漢の献帝から皇帝の位をゆずられた。
→2代明帝→3代廃帝(芳)→4代廃帝(髦)→5代元帝
【呉】大帝(孫権)：呉の初代皇帝。蜀と連合して、魏をやぶった。
→2代廃帝(亮)→3代景帝→4代烏程侯(皓)
【蜀】昭烈帝(劉備)：蜀の初代皇帝。前漢の皇帝の家系。呉と連合して魏をやぶった。
→2代後主(禅)

曹操

265年

西晋

武帝(司馬炎)：晋の初代皇帝。晋を建国した。
→2代恵帝→3代懐帝→4代愍帝

陳寿『三国志』完成。

317年

東晋 / 五胡十六国

【東晋】元帝(司馬睿)：晋の皇帝の家系。北方民族の勢力におされて都を東に移し、東晋の初代皇帝となった。→2代明帝→3代成帝→4代康帝→5代穆帝→6代哀帝→7代廃帝(奕)→8代簡文帝→9代孝武帝→10代安帝→11代恭帝
【五胡十六国】華北(中国北部)に五胡(匈奴など5つの周辺民族)による13の国と漢族による3つの国が建てられた。

420年

南北朝時代 [北朝] 魏・斉・周 [南朝] 宋・斉・梁・陳

《北朝》【北魏】道武帝：北魏の初代皇帝。北方民族の拓跋氏の出身。華北(中国北部)を統一して魏を建国した。→2代明元帝→3代太武帝→4代文成帝→5代献文帝→6代孝文帝→7代宣武帝→8代孝明帝→9代孝荘帝→10代長広王曄→11代節閔帝→12代廃帝(朗)→13代孝武帝
【東魏】孝静帝：魏の分裂によって、東魏を建国した初代皇帝。13代孝武帝のおい。
のち、東魏は北斉となった。
《西魏》文帝：魏の分裂によって、西魏を建国した初代皇帝。7代宣武帝のおい。
→2代廃帝(欽)
→3代恭帝：西魏の3代皇帝。西魏は北周となった。
《南朝》【宋】武帝(劉裕)：宋の初代皇帝。東晋から王朝をゆずられて宋を建国した。
【斉】高帝(蕭道成)：斉の初代皇帝。宋をうばって斉を建国した。
【梁】武帝(蕭衍)：梁の初代皇帝。斉をうばって梁を建国した。
【陳】武帝(陳覇先)：陳の初代皇帝。梁をうばって陳を建国した。

仏教や道教がさかんになった。書画などの六朝文化が開花。

589年

隋

文帝(楊堅)：隋の初代皇帝。北朝の周をうばい隋を建国し、さらに南朝の陳をたおして中国を統一した。
→2代煬帝：朝鮮半島への遠征をおこなった。
→3代恭帝(侑)

科挙(官僚の採用試験)制度の開始。

618年

唐

高祖(李淵)：唐の初代皇帝。隋の3代恭帝から王朝をゆずられ、唐を建国した。
→2代太宗(李世民)：法律による国の支配体制をととのえた。
→3代高宗：妻・則天武后が即位して、国名を「周」とあらためたが、退位後、「唐」にもどされた。
→4代中宗→5代睿宗
→6代玄宗：妃・楊貴妃に夢中になり、政治をおろそかにして内乱をまねいた。
→7代粛宗→8代代宗→9代徳宗→10代順宗→11代憲宗→12代穆宗→13代敬宗
→14代文宗→15代武宗→16代宣宗→17代懿宗→18代僖宗→19代昭宗→20代哀宗

玄宗

漢詩など、文芸の全盛期。

907年

五代十国 / 北宋

【五代】華北(中国北部)に5つの王朝(後梁・後唐・後晋・後漢・後周)が次々におこった。
朱全忠：唐をほろぼして後梁を建国した。
【十国】華北以外の華南、華中に10国がおこった。
【北宋】太祖(趙匡胤)：北宋の初代皇帝。五代の後周の将軍で、北宋を建国した。
→2代太宗→3代真宗→4代仁宗→5代英宗→6代神宗→7代哲宗→8代徽宗→9代欽宗

1127年

金 / 南宋

【金】完顔阿骨打：金の初代皇帝。中国東北部に金を建国。北宋をほろぼし華北を領有した。
→2代太宗→3代熙宗→4代海陵王→5代世宗→6代章宗→7代衛紹王→8代宣宗
→9代哀宗：モンゴル帝国にほろぼされた。
【南宋】高宗：南宋の初代皇帝。北宋の8代徽宗の子。金に攻めこまれて南に移り、以降、南宋とした。
→2代孝宗→3代光宗→4代寧宗→5代理宗→6代度宗→7代恭帝→8代端宗
→9代帝昺：元にほろぼされた。

朱子学の大成。
モンゴル帝国の強大化。

1271年

元

【モンゴル帝国】チンギス・ハン：初代皇帝。アジアとロシアの一部をおさめた。
→2代オゴタイ・ハン→3代グユク・ハン→4代モンケ・ハン
【元】フビライ・ハン：元の初代皇帝。モンゴル帝国の5代皇帝だったが、都を現在の北京に移し、南宋をほろぼして、中国を統一した。
→2代成宗→3代武宗→4代仁宗→5代英宗→6代泰定帝→7代天順帝→8代明宗→9代文宗→10代寧宗
→11代順帝：内乱と明からの攻撃により、モンゴル地方に撤退。以降、北元とする。

マルコ・ポーロ来訪。
戯曲の流行。

89

年	王朝	主な王・皇帝	主なできごと・人物
1368年	明	朱元璋（洪武帝）：明の初代皇帝。農家の出身で、皇帝となり、元を追いはらって中国を統一した。 →2代恵帝（建文帝） →3代成祖（永楽帝）：モンゴルやベトナムに遠征した。 →4代仁宗（洪熙帝）→5代宣宗（宣徳帝）→6代英宗（正統帝）→7代代宗（景帝） →8代英宗（天順帝）→9代憲宗（成化帝）→10代孝宗（弘治帝）→11代武宗（正徳帝） →12代世宗（嘉靖帝）→13代穆宗（隆慶帝）→14代神宗（万暦帝）→15代光宗（泰昌帝） →16代熹宗（天啓帝）→17代毅宗（崇禎帝）	陽明学がさかんになる。
1644年	清	ヌルハチ：清の初代皇帝。満州・女真族の愛新覚羅氏の出身で、女真族を統一し、後金を建国した。 →2代ホンタイジ：後金を清とあらためた。 →3代世祖（順治帝）：明がほろびると、中国に進出し、中国の支配体制を確立。 →4代聖祖（康熙帝）→5代世宗（雍正帝）→6代高宗（乾隆帝）→7代仁宗（嘉慶帝） →8代宣宗（道光帝）→9代文宗（咸豊帝）→10代穆宗（同治帝）→11代徳宗（光緒帝） →12代宣統帝（溥儀）：清王朝、また中国王朝の最後の皇帝。辛亥革命で退位した。	アヘン戦争。 日清戦争。 辛亥革命。
1911年			

朝鮮の王朝

　朝鮮には、伝説の時代といわれる檀君朝鮮のころから小国家ごとに君主が存在したが、4世紀の三国時代をへて、676年に新羅が朝鮮半島を統一。その後、高麗王朝、朝鮮王朝とつづいた。

年	王朝	主な王・皇帝	主なできごと・人物
	古朝鮮	檀君：朝鮮神話の開国の王。朝鮮民族の始祖とされる。 衛満：紀元前190年ごろ衛氏朝鮮を建国。 紀元前108年、漢の武帝が楽浪郡など4郡をおく。 3世紀ごろ、朝鮮半島中南部に三韓（馬韓、弁韓、辰韓）が分立。	
300年ごろ	三国時代	朝鮮半島北部に勢力をのばした高句麗が313年、楽浪郡などをほろぼす。 4世紀なかば、半島南西部におこった百済が馬韓を統一。 4世紀なかば、半島南東部におこった新羅が辰韓を統一。 【高句麗】広開土王：400年ごろ、高句麗を最盛期へみちびいた。 【百済】聖明王：538年、日本に仏教を伝える。 663年、白村江の戦いで唐・新羅連合軍が、日本・百済軍をやぶる。	隋による遠征。 白村江の戦。
676年	統一新羅	朝鮮半島を統一。	
936年	高麗	王建：建国の王、朝鮮半島を統一した。25代王の忠烈王はモンゴルの支配を受け入れた。	モンゴル軍の進入。
1392年	朝鮮王朝	李成桂：高麗をたおし朝鮮を建国して、国王となった。 →2代定宗→3代太宗 →4代世宗：ハングルによる朝鮮語の表記法を確立した。また、歴史書の編さんなどを進めた。 →5代文宗→6代端宗→7代世祖→8代睿宗→9代成宗→10代燕山君→11代中宗→12代仁宗→13代明宗→14代宣祖→15代光海君→16代仁祖→17代孝宗→18代顕宗→19代粛宗→20代景宗→21代英祖→22代正祖→23代純祖→24代憲宗→25代哲宗 →26代高宗：日本人により、きさきの閔妃が殺害された。1897年、国号を大韓帝国にあらためた。 →27代純宗	倭寇の出没。 豊臣秀吉による朝鮮出兵。 日清戦争。
1910年			

イスラム帝国

　イスラム帝国は、預言者ムハンマドの後継者（カリフ）たちによって建国されたイスラム教国家。ウマイヤ朝をへて、アッバース朝がモンゴルによってほろぼされるまでの約600年間、王朝が存在した。

年	王朝	主な王・皇帝	主なできごと・人物
632年	正統カリフ時代	初代アブー・バクル→2代ウマル→3代ウスマーン →4代アリー：ムハンマドのいとこ。帝国の内乱、分裂に直面し、暗殺されたが、このときにアリーを支持した派が、シーア派となった。	
661年	ウマイヤ朝	ムアーウィヤ→2代ヤジード1世→3代ムアーウィヤ2世→4代マルワーン1世→5代アブド・アルマリク→6代ワリード1世→7代スライマーン→8代ウマル2世→9代ヤジード2世→10代ヒシャーム→11代ワリード2世→12代ヤジード3世→13代イブラーヒーム→14代マルワーン2世	

青字になっている人物は1〜4巻に項目として掲載されています

年	主な王・皇帝	主なできごと・人物
750年	アル・アッバース：ムハンマドの血縁者。ウマイヤ朝をたおしてアッバース朝を創立した。	
	→2代マンスール→3代マフディー→4代ハーディー	
	→5代ハールーン・アッラシード：小アジア遠征をおこなうかたわら、芸術を保護し、アッバース朝の最盛期を築いた。	
アッバース朝	→6代アミーン→7代マームーン→8代ムータシム→9代ワーシク→10代ムタワッキル→11代ムンタシル→	『アラビアン・ナイト』成立。医学者・哲学者のイブン・シーナー活躍。
	12代ムスタイーン→13代ムータッズ→14代ムフタディー→15代ムータミド→16代ムータディド→17代ムクタフィー→18代ムクタディル→19代カーヒル→20代ラーディー→21代ムッタキー→22代ムスタクフィー→	
	23代ムーティー→24代ターイー→25代カーディル→26代カーイム→27代ムクタディー→28代ムスタズヒル→29代ムスタルシド→30代ラーシド→31代ムクタフィー→32代ムスタンジド→33代ムスタディー→34代	
1258年	ナーシル→35代ザーヒル→36代ムスタンシル→37代ムスターシム	

ティムール朝

14世紀に中央アジアに建国されたイスラム国家。約130年間、サマルカンドを中心にイスラム文化が開花した。

年	主な王・皇帝	主なできごと・人物
1370年	ティムール：モンゴル系の一族の出身。	
	→2代ハリル→3代シャー・ルフ→4代ウルグ・ベク→5代アブド・アッラティーフ→6代アブド・アッラーフ→7代アブー・サイード→8代アフマド→9代マフムード→10代バーイスングル	
1507年	→11代バーブル：インドにムガル帝国を創立する。→12代アリー	

オスマン帝国

13世紀にアナトリア西部に建国されたイスラム国家。アラビア半島からエジプト、バルカン半島に勢力を拡大し、600年以上にわたって支配した。

年	主な王・皇帝	主なできごと・人物
1299年	オスマン1世：アナトリア出身の、オスマン帝国創立者。	
	→2代オルハン→3代ムラト1世→4代バヤジット1世→5代メフメト1世→6代ムラト2世	
	→7代メフメト2世：ビザンツ帝国をたおし、コンスタンティノープル（イスタンブール）に首都を移した。	
	→8代バヤジット2世→9代セリム1世	
	→10代スレイマン1世：アジア、ヨーロッパに遠征をくりかえし、領土を広げた。	クリミア戦争。トロイ遺跡の発掘。トルコ革命。
	→11代セリム2世→12代ムラト3世→13代メフメト3世→14代アフメト1世→15代ムスタファ1世→16代オスマン2世→17代ムラト4世→18代イブラヒーム→19代メフメト4世→20代スレイマン2世→21代アフメト2世→22代ムスタファ2世→23代アフメト3世→24代マフムト1世→25代オスマン3世→26代ムスタファ3世→27代アブデュルハミト1世	
	→28代セリム3世：ナポレオンのエジプト遠征などに対応し、西欧化政策をおこなった。	
	→29代ムスタファ4世→30代マフムト2世→31代アブデュルメジト1世→32代アブデュルアジズ→33代ムラト5世	
	→34代アブデュルハミト2世：憲法を制定し、議会を開設した。	
1922年	→35代メフメト5世→36代メフメト6世	

フランス

5世紀はじめに建国されたフランク王国が3分され、その一つがフランスとなり、987年にカペー朝がおこってから、1870年の普仏戦争で帝政が崩壊するまで、あいだに共和制時代をはさみながら、900年近く王政、帝政がつづいた。

年	王朝		主な王・皇帝	主なできごと・人物
481年		メロビング朝	クロービス：フランク王国を建国。	トゥール・ポワティエの戦い
751年	フランク王国	カロリング朝	ピピン：カロリング朝をひらく。	カロリング・ルネサンス
			カール大帝：ローマ教皇レオ3世によりローマ皇帝の冠をさずけられ、フランク王国の最盛期をむかえる。	
			ルートウィヒ1世：カール大帝の息子。皇帝位をつぐ。	
			ロタール1世：ルートウィヒ1世の長男。皇帝位と中部フランク王国をうけつぐ。	
987年			シャルル2世：ルートウィヒ1世の末子。西フランク王。	

学習資料集

世界の主な王朝と王・皇帝

学習資料集

世界の主な王朝と王・皇帝

年代	王朝	内容	主なできごと
987年	カペー朝	ユーグ・カペー：ノルマン民族の侵入をふせいでみとめられ、王となった。王位の世襲制度を定めた。 →2代ロベール2世→3代アンリ1世→4代フィリップ1世→5代ルイ6世→6代ルイ7世→7代フィリップ2世 →8代ルイ8世 →9代ルイ9世：ノルマンディーなどをイギリスから得て、領土を拡大した。十字軍遠征先で死去。「聖王」として知られる。→10代フィリップ3世 →11代フィリップ4世：ローマ教皇と対立し、したがわせるなど、フランス王家の権威を強めた。 →12代ルイ10世→13代ジャン1世→14代フィリップ5世→15代シャルル4世	十字軍遠征。 ノートルダム大聖堂完成。
1328年	バロワ朝	フィリップ6世：シャルル4世のいとこ。カペー朝11代フィリップ4世の兄弟を祖とするバロワ家の出身。カペー家の直系の後継がとだえたため、王位をついだが、このとき、フランス国内に領土をもっていたイギリスが王位の継承権を主張し、百年戦争がはじまった。 →2代ジャン2世→3代シャルル5世→4代シャルル6世 →5代シャルル7世：イギリスとの百年戦争を勝利で終結させた。 →6代ルイ11世→7代シャルル8世	百年戦争。 ジャンヌ・ダルクの活躍。
1498年	バロワ・オルレアン朝	→8代ルイ12世：4代シャルル6世の兄弟の家系であるオルレアン家の出身。バロワ家の直系の後継がとだえたため、王位をついだ。学問や芸術を保護し、ルネサンス文化を開花させた。 →9代フランソワ1世 →10代アンリ2世：きさきは、フィレンツェのメディチ家出身のカトリーヌ・ド・メディシス。フランスにイタリアのルネサンスをもたらした。 →11代フランソワ2世→12代シャルル9世→13代アンリ3世	レオナルド・ダ・ビンチ：フランソワ1世にまねかれて建築などにたずさわり、フランスで死去。 思想家モンテーニュの活躍。
1589年	ブルボン朝	アンリ4世：アンリ3世の義理の兄弟で、カペー朝9代ルイ9世の孫を祖とするブルボン家の出身。信仰の自由をみとめて、国内の宗教戦争を終結させ、産業を復興して国内をおさめ、絶対王政の安定化に成功した。 →2代ルイ13世→3代ルイ14世：軍備を強化し、重商主義を進め「太陽王」とよばれた。領土拡張をはかり、たび重なる戦争で財政が悪化した。 →4代ルイ15世：七年戦争で多くの植民地を失い、国庫は財政難になり、王権を弱体化させた。 →5代ルイ16世：きさきは、オーストリア出身のマリー・アントワネット。経済や外交の危機に対応できず、フランス革命がおこり、処刑された。	三十年戦争。 哲学者デカルト、パスカルの活躍。 思想家ルソーの活躍。 フランス革命。
1792年	第一共和政		ジャコバン派の独裁。 ナポレオンの統領政府。
1804年	第一帝政 （ボナパルト朝）	ナポレオン1世：コルシカ島の地主、ボナパルト家の出身。士官としてフランス革命に参加したが、総裁政府成立後、クーデターをおこして統領政府を樹立すると、みずから統領をへて皇帝となった。遠征をくりかえしてイタリア、オーストリア、プロイセンなどを次々にやぶったが、イギリスやロシアなどとの戦いにやぶれて失脚した。	ロシア遠征。 パリ陥落。 ウィーン会議。
1815年	ブルボン朝 （王政復古）	→6代ルイ18世：5代ルイ16世の弟。フランス革命で亡命したが、ナポレオンの失脚を受けて、王政を復活させた。 →7代シャルル10世：ルイ18世の弟。フランス革命で亡命したが、反革命運動をおこない、王位についてからは、貴族を保護し、国民の言論弾圧などをおこなったため、七月革命がおこり、イタリアに亡命した。	七月革命。
1830年	オルレアン朝	ルイ＝フィリップ：オルレアン家の出身。自由主義貴族で、フランス革命時には、国民軍に参加。七月革命後、王位につくと民主的な政治をおこなったが、二月革命で失脚した。フランス最後の国王。	二月革命。
1848年	第二共和政		
1852年	第二帝政	→ナポレオン3世：ナポレオン1世のおい。大統領に当選したのちクーデターをおこし、共和派と王党派を追放。人民投票により皇帝となった。普仏戦争でやぶれ退位した。	パリ万国博覧会。 クリミア戦争。 普仏戦争。
1870年	第三共和政 （フランス共和国）		

青字になっている人物は1〜4巻に項目として掲載されています

イギリス

5世紀なかば、ブリテン島に移住してきたアングル族とサクソン族により七王国が築かれ、9世紀にはイングランド王国に統一された。11世紀にノルマン朝がひらかれ、これが現在のウィンザー朝までつづくイギリス王室の祖となった。

年	王朝	主な王・皇帝	主なできごと・人物
	アングロサクソン七王国		カトリックの布教。
829年			
	アングロサクソン系	エグバート：七王国の一つ、ウェセックスの王で、七王国を統一し、統一イングランドの王となった。 →エゼルウルフ→エゼルバルド→エゼルバート→エゼルレッド1世 →アルフレッド大王：デーン人から南イングランドを守った。海軍を創設し、学問を奨励し、大王とよばれる。 →エドワード（長兄王）→アゼルスタン→エドマンド1世→エアドレッド→エドウィ→エドガ→エドワード（殉教王） →エゼルレッド2世→エドマンド2世	デーン人（バイキング）の侵入。
1016年			
	デーン朝	クヌート：デンマーク王室の出身。イングランドを征服し、ウェセックス王家のエゼルレッド2世の妻をきさきとして王となった。デンマーク王が死去すると、デンマーク王もかねた。 →2代ハロルド1世→3代ハーディクヌート→エドワード（懺悔王）（アングロサクソン系）	
1066年			
	ノルマン朝	ウィリアム1世（ノルマンディー公ウィリアム）：フランス北部のノルマンディーの君主。イングランドを征服し、王朝をひらいた。 →2代ウィリアム2世→3代ヘンリー1世→4代スティーブン	封建制度の確立。
1154年			
	プランタジネット朝	ヘンリー2世：フランスのアンジュー家出身。ノルマン朝3代ヘンリー1世の孫。裁判や軍の制度を整備して、王室の支配力を高めた。 →2代リチャード1世：十字軍の遠征で活躍し、獅子王とたたえられた。 →3代ジョン（欠地王）→4代ヘンリー3世 →5代エドワード1世：ウェールズを征服し、スコットランドにも進出、勢力を拡大させた。模範議会を招集した。 →6代エドワード2世 →7代エドワード3世：フランスのカペー朝の断絶に際して、王位継承権を主張し、百年戦争をおこした。 →8代リチャード2世	マグナカルタ制定。 百年戦争開戦。
1399年			
	ランカスター朝	ヘンリー4世：プランタジネット朝8代リチャード2世にかわり、議会の推薦によって王となった。 →2代ヘンリー5世 →3代ヘンリー6世：ヨーク家のリチャードから王位を要求され、内乱に発展した（バラ戦争）。	百年戦争終戦。 バラ戦争開戦。
1461年			
	ヨーク朝	エドワード4世：ランカスター朝3代ヘンリー6世を追放して、王となった。 →2代エドワード5世→3代リチャード3世	
1485年			
	テューダー朝	ヘンリー7世：ランカスター家出身。ヨーク朝3代リチャード3世をやぶり、テューダー朝をひらいた。ヨーク家のエリザベスと結婚してヨーク家と和解し、バラ戦争を終結させた。 →2代ヘンリー8世：王妃キャサリンとの離婚問題から、カトリック教会をはなれ、イギリス国教会を成立させた。 →3代エドワード6世→4代メアリ1世 →5代エリザベス1世：宗教をイギリス国教会に統一し、海軍を充実させてスペインの無敵艦隊に勝利するなど、イギリスを一つにまとめあげ、発展させた。その治世は「エリザベス時代」とよばれる。	作家シェークスピアの活躍。 東インド会社設立。
1603年			
	スチュアート朝	ジェームズ1世：スコットランド王室スチュアート家の出身。テューダー朝5代エリザベス1世が独身で後継がいなかったため、王位をついだ。 →2代チャールズ1世：スコットランドの反乱鎮圧のための軍事費をめぐって議会と対立し、議会を解散するなど強権政治をおこなったためピューリタン革命をまねき、処刑された（一時、共和政）。 →3代チャールズ2世：王政復古で王位についた。 →4代ジェームズ2世：カトリック教会への復帰を画策して議会と対立し、名誉革命をまねいた。 →5代ウィリアム3世・メアリ2世：メアリ2世はジェームズ2世の娘で、オランダ総督ウィリアム3世はその夫。議会によって推薦された共同統治者で、議会政治を定めた権利章典を受け入れた。 →6代アン女王	三十年戦争。 ピューリタン革命。 科学者ニュートンの活躍。 名誉革命。

学習資料集

世界の主な王朝と王・皇帝

| 1714年 | ハノーバー朝→ウィンザー朝 | ジョージ1世：ドイツのハノーバー家の出身。スチュアート朝6代アンに後継がなかったため、初代ジェームズ1世の曽孫であることから王位をついだ。政治の実権を議会にまかせ、現在の立憲君主体制の原型をつくった。
→2代ジョージ2世→3代ジョージ3世→4代ジョージ4世→5代ウィリアム4世
→6代ビクトリア女王：産業の発展や、外交・植民地政策で成果をあげた。産業革命の波に乗り、大英帝国を全盛時代にみちびいた。
→7代エドワード7世
→8代ジョージ5世：第一次世界大戦と戦後の混乱期をおさめた。王朝名をドイツ名のハノーバーから、イギリス名のウィンザーにあらためた。
→9代エドワード8世→10代ジョージ6世→11代エリザベス2世 | ワットの蒸気機関の発明。
スティーブンソンの蒸気機関車発明。
クリミア戦争。
第一次世界大戦。
世界経済恐慌。
第二次世界大戦。 |

神聖ローマ帝国

神聖ローマ帝国は、ローマ帝国を継承する国家として、ドイツ地域を領有していた帝国である。初代のオットー1世以降、歴代のドイツ王は神聖ローマ皇帝をかね、俗界の最高支配者となった。やがて皇帝は領邦内の選帝侯によってえらばれ、15世紀からオーストリアの名門のハプスブルク家が世襲した。しだいに王家の支配力は弱まり、国内の諸国がナポレオンと同盟をむすんだことによって、1806年、神聖ローマ帝国は消滅した。

年	王朝	主な王・皇帝	主なできごと・人物
962年	ザクセン朝	オットー1世：教会との連携によって、国内の統一を進めた。 →オットー2世→オットー3世→ハインリヒ2世	
1024年	ザリエル朝	コンラート2世：ポーランド、イタリアに支配を広げ、王朝の権威を強めた。 →ハインリヒ3世 →ハインリヒ4世：聖職者の任命でローマ教皇と対立した皇帝が、教皇の退任を求めて、逆に教皇から破門され、結局教皇に服従した（カノッサの屈辱）。 →ハインリヒ5世→ロタール3世（ザクセン朝）	カノッサの屈辱。 第1次十字軍遠征。
1138年	ホーエンシュタウフェン朝	コンラート3世：フランケン朝4代ハインリヒ5世のおい。 →フリードリヒ1世：赤ひげ王（バルバロッサ）とよばれ、たびたびイタリア遠征をおこなった。 →ハインリヒ6世→フィリップ→オットー4世（ウェルフェン朝）→フリードリヒ2世→コンラート4世	
1256年	大空位時代		
1273年	諸王朝交替時代	ルドルフ1世（ハプスブルク朝）→アドルフ（ナッサウ朝）→アルブレヒト1世（ハプスブルク朝）→ハインリヒ7世（ルクセンブルク朝）→フリードリヒ3世（ハプスブルク朝）→ルートウィヒ4世（バイエルン朝）	国内の諸侯が、諸王家から皇帝をえらんで即位させた。
1346年	ルクセンブルク朝	カール4世：皇帝のえらび方を定めた金印勅書をつくり、国政の安定化をめざした。 →ウェンツェル→ルプレヒト→ジギスムント	
1438年	ハプスブルク朝	アルブレヒト2世：ルクセンブルク朝4代ジギスムントの娘と結婚し、王位を継承した。以降、ハプスブルク家が王位を継承する。 →フリードリヒ3世→マクシミリアン1世 →カール5世：イタリアの支配権をめぐって、イタリア戦争を戦った。国内ではルターの宗教改革を弾圧したが、オスマン帝国の侵入などの対応のため、不徹底に終わった。 →フェルディナント1世→マクシミリアン2世→ルドルフ2世→マティーアス→フェルディナント2世→フェルディナント3世→レオポルト1世→ヨーゼフ1世→カール6世→カール7世（バイエルン朝）	ルターの宗教改革。 オスマン帝国の侵入。 ガリレイの宗教裁判。 オーストリア継承戦争。
1745年	ハプスブルク・ロートリンゲン朝	フランツ1世：王妃のマリア・テレジアはカール6世からハプスブルク家の領土を受けつぐ際に、オーストリア継承戦争がおきた。神聖ローマ皇帝の継承権は確保し、夫のフランツ1世にひきついだ。 →ヨーゼフ2世→レオポルト2世→フランツ2世	七年戦争（1756〜1763年） 哲学者カントの活躍（1780年前後）
1806年			

青字になっている人物は1〜4巻に項目として掲載されています

ドイツ帝国（プロイセン王国）

18世紀に、ドイツのプロイセン・ブランデンブルク地域にプロイセン王国が建国され、ホーエンツォレルン家が代々王位をついだ。普仏戦争後にドイツ帝国が成立したが、第一次世界大戦終戦時のドイツ革命で皇帝が亡命して帝政は終わり、ドイツは共和国になった。

年	主な王・皇帝	主なできごと・人物
1701年	【プロイセン王国】フリードリヒ1世：神聖ローマ帝国の有力貴族だったが、スペイン継承戦争での功績によって、プロイセン国王となった。 →2代フリードリヒ・ウィルヘルム1世 →3代フリードリヒ2世：オーストリアやポーランドの領地を獲得し、軍隊や行政のしくみを整備、農業や工業を振興させるなど、プロイセンの強化に成功し、「大王」とよばれた。 →4代フリードリヒ・ウィルヘルム2世→5代フリードリヒ・ウィルヘルム3世→6代フリードリヒ・ウィルヘルム4世 →7代ウィルヘルム1世：ビスマルクらの補佐を得て、ドイツ統一に成功し、ドイツ帝国の初代皇帝となった。 【ドイツ帝国】ウィルヘルム1世→2代フリードリヒ3世 →3代ウィルヘルム2世：ビスマルクをやめさせて、イギリスやフランスと対立して孤立。第一次世界大戦でやぶれ、革命によって退位させられた。	三月革命。 科学者アインシュタインの活躍。 第一次世界大戦。 ドイツ革命。
1918年		

ロシア帝国

ロシア地域には、9世紀ごろからいくつかの公国ができた。その中のモスクワ大公国が、13世紀以降のモンゴル帝国の侵入に対抗して力をつけ、17世紀はじめ、ミハイル・ロマノフがロマノフ朝をおこし、1917年までつづいた。

年	王朝	主な王・皇帝	主なできごと・人物
9世紀	リューリク朝	【ノブゴロド国】862年、リューリクが建国。 【キエフ公国】9世紀末、オレーグが建国。10世紀末、ウラジーミル1世がギリシャ正教を受けいれる。 【モスクワ大公国】イワン3世：1480年にモンゴル帝国の支配（タタールのくびき）を脱して、モスクワを中心に国土を拡大した。 →2代ワシリー3世 イワン4世：領土を拡大し、王による専制政治体制をかため、正式に「ツァーリ」を名のる。「雷帝」とよばれた。 →2代フョードル1世	ロシア帝国成立。 ポーランド・ロシア戦争。
1613年	ロマノフ朝	ミハイル・ロマノフ：モスクワ大公国のフョードルのおい。ロマノフ朝を創始した。 →2代アレクセイ→3代フョードル3世 →4・5代イワン5世・ピョートル1世：工業・産業を振興し、行政や軍隊を整備した。ロシア帝国初代皇帝「大帝」とよばれた（ピョートル1世）。 →6代エカチェリーナ1世→7代ピョートル2世→8代アンナ→9代イワン6世→10代エリザベータ→11代ピョートル3世 →12代エカチェリーナ2世：夫のピョートル3世を殺して王位につくと、積極的に領土を拡大した。 →13代パーベル1世→14代アレクサンドル1世→15代ニコライ1世→16代アレクサンドル2世→17代アレクサンドル3世 →18代ニコライ2世：皇太子時代に日本をおとずれた際、切りつけられて負傷した（大津事件）。即位後、日露戦争を戦ったが敗戦。ロシア革命によって退位し、ロシア最後の皇帝となった。	清と交戦。 ポーランド継承戦争。 ナポレオン1世侵入。 日露戦争。 ロシア革命。
1917年			

世界の主な王朝地図

各王朝は、誕生してから何代にもわたって継承されたりほろびたりする過程で、その領土（支配地域）を拡大したり縮小したり移動したりといった変化をくりかえした。ここでは、主な王朝をとりあげ、領土の位置や広さ、その変遷などをしめす。

東アジア

ここでは、ユーラシア大陸の東地域（現在の中国、モンゴル）および、朝鮮半島、日本列島を東アジアとする。東アジアでは、紀元前から中国に王朝が存在し、世界的にももっとも古い歴史をもつ地域の一つである。中国の王朝は、興亡をくりかえしながら広大な地域の支配を確立し、朝鮮半島、日本も中国の各王朝の影響を受けながら、独自の国家を形づくった。

紀元前1世紀

◀紀元前221年にはじめて中国を統一した秦につづいて漢がおこり約400年間中国をおさめた。このころ、儒教がさかんになった。漢の支配は朝鮮半島にも広がり、日本へは稲作などが伝わった。

13世紀

◀モンゴル高原におこったモンゴル帝国は、フビライ・ハンの時代に中国を支配し、1271年国号を元とした。朝鮮半島の高麗も服属させた。日本も元に攻められたが、鎌倉幕府の反撃と暴風雨で侵略をまぬがれた。

3世紀

◀漢に統一されていた中国は、魏・呉・蜀の3王朝に分裂し、三国時代に入った。朝鮮半島の北部は高句麗、南部は馬韓、辰韓、弁韓の3つの国がおこった。日本では邪馬台国が勢力をのばした。

15世紀

◀1368年、明がおこり元を北方に追いはらい中国を統一、朱子学を官学にして、漢民族の政治や文化を復活させた。朝鮮半島には朝鮮王朝が建国された。日本では室町幕府が明と勘合貿易をおこなった。

7世紀はじめ

▼6世紀末、隋が南北朝に分裂していた中国を統一、律令などの制度をととのえて中国を支配した。朝鮮半島は高句麗、新羅、百済の3国に分かれてあらそった。日本は、律令制度や仏教を学ぶため、中国に遣隋使を送った。

17世紀

◀中国東北部に満州族が建国した清が、1644年、明にかわって中国を統一し、チベットや台湾まで支配を広げ、朝鮮を服属させた。日本は江戸時代に鎖国していたが、長崎を窓口にして清との通商がおこなわれた。

8世紀

◀618年、唐が隋の律令制度をひきついで建国。内陸アジアや朝鮮半島などに領土を拡大した。8世紀の玄宗皇帝の時代に唐文化の円熟期をむかえた。朝鮮半島は新羅が統一した。日本は中国に遣唐使を送った。

20世紀前半

◀中国では1911年、辛亥革命がおこり清がほろび、中華民国が成立した。朝鮮半島は1897年、大韓帝国と改称したが、日本が韓国を併合し、中国東北部(満州)へも進出した。

12世紀

◀10世紀に唐がほろび、5つの王朝が興亡する五代十国時代をへて、宋が中国を統一。1127年、東北部の女真族の金におされて後退した(南宋)。朝鮮半島は高麗がおさめた。日本は平安時代〜鎌倉時代に宋と貿易をおこなった。

現在

◀第二次世界大戦後、中国は中国共産党と中国国民党軍の内戦に突入した。1949年、共産党は中国本土を制圧し、中華人民共和国を樹立。国民政府は台湾にのがれた。朝鮮半島は北朝鮮と韓国に分裂。日本は急速な経済成長をとげた。

青字になっている人物は1〜4巻に項目として掲載されています

中央アジア・西アジア

ここでは、アラビア半島を中心として、地中海の東側沿岸地域（現在のエジプト、トルコ）を西アジア、ペルシア湾の東方（現在のイラン）を中央アジアとする。西アジアでは、現在のエジプト周辺で紀元前3000年ごろから王国が存在し、古代文明が栄えた。700年ごろアラビア半島から西アジア・中央アジア一帯にイスラム教が広まった。

学習資料集　世界の主な王朝地図

◀7世紀はじめごろ地中海東側沿岸地域は、ローマ帝国がほろびたあとに東方にのこったビザンツ帝国（東ローマ帝国）が、ギリシャ正教の中心地として支配していた。また、中央アジアでは、ゾロアスター教を国教とするササン朝がおさめていた。そのころ、アラビア半島では、ムハンマドによりイスラム教がおこり、その教えはアラビア半島全体に広まった。ムハンマドの後継者（カリフ）の時代に、アラビア半島の外へと支配地を広げ、651年、ササン朝をほろぼした。また、ビザンツ帝国からシリアやエジプトをうばった。

◀第4代カリフのアリーのあと、ウマイヤ家のムアーウィヤがウマイヤ朝（661～750年）をおこした。ウマイヤ朝は征服をつづけ、西は北アフリカからイベリア半島まで、東はインダス川までを支配下においた。イスラム教預言者の家系であるアッバース家が、ウマイヤ朝をほろぼしてアッバース朝をおこし、アラビア半島を中心に、地中海南岸、中央アジアを広域におさめた。アッバース朝は、イスラム教による支配を徹底して教徒をふやし、8世紀以降600年あまりにわたってイスラム文化の最盛期を築いた。地中海沿岸北東部は、ビザンツ帝国が維持した。

◀15世紀の西アジアは、現在のエジプトからアラビア半島の西岸を、白人系のイスラム王朝であるマムルーク朝（1250～1517年）がおさめた。また、中央アジアには、トルコ・モンゴル系のイスラム王朝であるティムール朝（1370～1507年）が支配していた。アナトリア（現在のトルコ）では、13世紀末におこったオスマン帝国が勢力をのばし、1402年、ティムール軍と戦ってやぶれるも、ふたたび力をたくわえて、1453年、ビザンツ帝国の首都コンスタンティノープル（イスタンブール）を攻略、ビザンツ帝国をほろぼした。16世紀はじめ、スレイマン1世の時代に、イラクを征服、さらにバルカン半島に進出するなど、一大帝国を築き上げた。

◀アラビア半島を中心とした地域の国々は、石油産出国として世界の産業・経済において重要な地位をしめている。一方、イスラム教を信仰するこの地域では、宗教上の対立が問題となることも多い。第二次世界大戦後、ユダヤ国家であるイスラエルが建国されると、アラブ諸国との対立がはげしくなり、4次にわたる中東戦争がおこった。アフガニスタンではソ連（ロシア）が侵攻すると、反共産主義勢力が対抗して内戦に。ソ連がひき上げたあと、イスラム原理主義をとなえるタリバーンが政権を樹立すると、アメリカは対テロ戦争としてアフガニスタンの空爆をおこなった。その後もイラクやシリアなど各地で紛争がおこっている。

97

フランス・イギリス・ドイツなど

ヨーロッパでは、ギリシャ、イタリアに古代から文明が栄え、のちのヨーロッパ文明の基礎をつくったが、476年、西ローマ帝国崩壊後は、フランス、イギリス、ドイツが、絶対王政により国力をつけ、文化や産業を発展させた。ルネサンス以降、ヨーロッパから発信されたさまざまな知識や技術が、世界中に広まった。

学習資料集　世界の主な王朝地図

5世紀

▲5世紀なかばごろ、ヨーロッパ系のアングル族が海をこえてイングランドにわたり、7つの王国を建国し、たがいにあらそった。5世紀の終わりごろには、ヨーロッパ大陸の北西部（現在のドイツ、オランダ、ベルギーあたり）に、ライン川の中下流域にくらしていた人々を統合したフランク族によるフランク王国が建国された。

11世紀

▲フランク王国が9世紀に分裂、西フランクはフランス王国となり、11世紀のカペー朝で王の世襲などの制度をととのえた。東フランクは10世紀にほろびて神聖ローマ帝国となり、11世紀のフランケン朝時代に勢力をました。イングランドは、11世紀なかばごろに北欧系のノルマン族に征服され、ノルマン朝がはじまった。

15世紀

▲14世紀から15世紀にかけて、フランス（バロワ朝）とイングランド（プランタジネット朝→ランカスター朝）のあいだで百年戦争がおきた。最終的に、フランスがイングランドの侵攻をしりぞけたが、両国とも国内が荒廃した。神聖ローマ帝国では、約300年つづくハプスブルク朝がおこった。

19世紀

▲19世紀はじめに、イギリス（ハノーバー朝）はアイルランドを併合して領土を拡大、大ブリテン・アイルランド連合王国となった。フランスは、18世紀末のフランス革命によって共和政の時代を迎えた。神聖ローマ帝国は、19世紀初頭に解体し、オーストリア帝国とプロイセンが力をもった。プロイセンを中心に19世紀のなかばにドイツ帝国が成立した。

現在

▲第二次世界大戦後、アイルランドは北アイルランドをのぞいてイギリスから離脱して独立国家となった。東西に分裂したドイツは冷戦の終結で合併し、東ヨーロッパ諸国の再編がおこなわれた。1993年にヨーロッパの政治・経済の統合体であるヨーロッパ連合（EU）が成立している。

青字になっている人物は1〜4巻に項目として掲載されています

ロシア

ユーラシア大陸の北部を占めるロシアは、15世紀後半のイワン3世の時代に基礎を築き、18世紀のピョートル1世、エカチェリーナ2世の時代に領土を拡張した。さらに19世紀には南下政策を進め中央アジア諸国を支配下におさめ、オスマン帝国や清との国境にもせまった。国土の大部分が寒冷地域であり、きびしい気候風土だ。

学習資料集　世界の主な王朝地図

◀モンゴル族に支配されていたモスクワ周辺に、13世紀後半に成立したモスクワ公国が、14世紀に入ってモスクワ大公国となり、15世紀にはモンゴル族の勢力に対抗して力をつけた。15世紀末、南方のキプチャク・ハン国をやぶり、周辺諸国を統一し、ロシアの母体となった。

◀モスクワ大公国にかわって、16世紀に成立したロシア帝国では、17世紀からロマノフ朝がはじまった。ロマノフ朝の絶対王政のもと支配地域を広げ、18世紀には、東はユーラシア大陸の東端、南は中国との国境までがロシア帝国領土となり、ロシア帝国はヨーロッパ諸国と対抗する大国となった。17世紀末からピョートル1世（在位1682～1725年）のもと、国力の進展がはかられた。バルト海に進出し、新しい都サンクトペテルブルクを建設。南はカスピ海沿岸に領土を獲得した。また東はシベリアに進出し、1689年、中国の清とネルチンスク条約をむすび、国境を定めた。

◀20世紀の初頭におこった革命により帝政が崩壊して共産党政権が成立、ソビエト社会主義共和国連邦となり、第二次世界大戦とその後の冷戦をへて、1992年に共和制のロシア連邦に改編された。これにともなって、ソビエト連邦に組みこまれていた周辺諸国が独立した。

99

ノーベル賞受賞者一覧

ノーベル賞は、ダイナマイトを発明した科学技術者、アルフレッド・ノーベルの遺言によって、人類の福祉に貢献した人・団体に贈られる世界的な賞。1901年からはじまり、現在は、物理学、化学、生理学・医学、文学、平和、経済学の6分野で功績のあった人に授与される。2016年までに約900人が受賞しており、そのうち、日本人の受賞者は25人（外国籍ふくむ）となっている。

物理学賞

ノーベルの遺言によって、物理学の分野でもっとも重要な発見・発明をした人にあたえられる賞。スウェーデン科学アカデミーが最終選考をおこなう。

1901年受賞
ウィルヘルム・レントゲン

1903年受賞
アントワーヌ・アンリ・ベクレル

1938年受賞
エンリコ・フェルミ

1956年受賞
ウィリアム・ブラッドフォード・ショックレー

受賞年	受賞者／主な受賞理由	国籍
1901	ウィルヘルム・レントゲン 物質を通りぬける放射線（X線と名づけられた）を発見した。	ドイツ帝国
1902	ヘンドリック・アントン・ローレンツ 電磁場や光の現象のしくみは、物質内の電子のはたらきによるという理論を導き出した。	オランダ
	ピーター・ゼーマン 同　上	オランダ
1903	アントワーヌ・アンリ・ベクレル ウラン鉱石が、放射線を発していることを発見して、その性質を明らかにした。	フランス
	ピエール・キュリー（キュリー夫妻） 放射線を出す新元素、ポロニウムとラジウムを発見し、分離に成功した。	フランス
	マリー・キュリー（キュリー夫妻） 同　上	フランス
1904	ジョン・ストラット（レイリー卿） 気体の密度についての研究の中で、化合物をつくりにくい元素、アルゴンを発見した。	イギリス
1905	フィリップ・レーナルト 陰極線（電子の流れ）を研究し、その強さや波長と、電子の数・速さとの関係を明らかにした。	ドイツ帝国
1906	ジョセフ・ジョン・トムソン 気体の中を電気が流れるしくみを、電子のはたらきをつかって説明した。	イギリス
1907	アルバート・エイブラハム・マイケルソン 光の特性を利用した精密な計測器である干渉計を発明した。	アメリカ
1908	ガブリエル・リップマン 光の干渉という現象を利用したカラー写真を開発した。	フランス

受賞年	受賞者／主な受賞理由	国籍
1909	グリエルモ・マルコーニ ドーバー海峡、大西洋を横断しての無線通信に成功し、無線技術の発展に貢献した。	イタリア王国
	カール・フェルィデナント・ブラウン 同　上	ドイツ帝国
1910	ヨハネス・ディデリク・ファン=デル=ワールス 気体の分子の間に引力がはたらくことを明らかにし、引力の作用を計算に入れて物質の状態を表す方程式を作った。	オランダ
1911	ウィルヘルム・ウィーン 物質から、熱エネルギーが電磁波として放出される熱放射についての、さまざまな研究をおこなった。	ドイツ帝国
1912	ニルス・グスタフ・ダレーン ガスを安全にためておく技術を改良し、自動的にガス灯を点灯できる調節器を発明した。	スウェーデン
1913	ヘイケ・カーメルリング・オンネス 水銀や鉛が、超低温状態で電気抵抗を失うなどのさまざまな低温現象を発見した。	オランダ
1914	マックス・フォン・ラウエ X線の動きを撮影することに成功し、X線が電磁波であることを明らかにした。	ドイツ帝国
1915	ウィリアム・ヘンリー・ブラッグ（ブラッグ父子） X線についての法則性（ブラッグ条件）を見いだし、X線によって結晶のしくみを調べる方法を確立。	イギリス
	ウィリアム・ローレンス・ブラッグ 同　上	イギリス
1916	受賞者なし	
1917	チャールズ・グロバー・バークラ X線を受けた物質が放射する二次X線である特性X線を発見した。	イギリス

青字になっている人物は1～4巻に項目として掲載されています　※1～4巻で調べる場合は、姓からひいてください。

受賞年	受賞者／主な受賞理由	国籍
1918	**マックス・プランク** 物質からのエネルギー放射を考える上で、量子（物質の分割の最も小さな単位）という考え方を用いた新しい仮説をたてた。	ドイツ帝国
1919	ヨハネス・シュタルク 光のドップラー効果（発生源と観察者のたがいの運動の関係によって波長がかわること）などを明らかにした。	ドイツ国
1920	シャルル・エドワール・ギヨーム 熱による変化のきわめて小さいアンバー、エリンバーなどの金属を発見した。	スイス
1921	**アルバート・アインシュタイン** 光を粒子（光量子）であるとして説明したほか、相対性理論によって時間と空間がむすびついていると説明した。	スイス
1922	**ニールス・ボーア** 水素の光の波長について、量子という小さな単位の考え方を用いて明らかにした。	デンマーク
1923	ロバート・アンドリュース・ミリカン 電気量の最も小さい単位である電気素量を測定し、光電子の飛び出すしくみを明らかにした。	アメリカ
1924	カール・マンネ・シーグバーン X線を受けた物質から放射される電子の波長を測定することで、物質の構造などを明らかにする方法を開発した。	スウェーデン
1925	ジェームズ・フランク 原子に運動エネルギーをもつ電子を衝突させたときのエネルギー吸収に、法則性があることなどを発見した。	ドイツ国
	グスタフ・ヘルツ 同　上	ドイツ国
1926	ジャン・バティスト・ペラン 物質に含まれる分子の数を測定することで、原子の存在を証明した。	フランス
1927	アーサー・ホリー・コンプトン 物質によって散乱したX線の波長には、もとの波長より長いものが含まれること（コンプトン効果）を発見した。	アメリカ
	チャールズ・トムソン・リーズ・ウィルソン 蒸気を凝縮して霧をつくる装置（霧箱）を発明し、荷電粒子の飛び方を観察することを可能にした。	イギリス
1928	オーエン・ウィランズ・リチャードソン 高温の物質から、電子が放出される現象（リチャードソン効果）を研究した。	イギリス
1929	ルイ・ビクトール・ド＝ブロイ すべての物質は波の性質をもつとする考え方（物質波）で量子力学の基礎を築いた。	フランス
1930	チャンドラセカラ・ベンカタ・ラマン 光が物質に入った時に異なる波長の光が混じる現象を研究して光と分子の相互作用を見いだした（ラマン効果）。	インド帝国
1931	受賞者なし	
1932	**ウェルナー・ハイゼンベルク** 素粒子など非常に小さな粒子のふるまいは、一般的な物理法則では説明できないことを明らかにした（不確定原理）。	ドイツ国

受賞年	受賞者／主な受賞理由	国籍
1933	**エルウィン・シュレーディンガー** 素粒子のふるまいなどを表現する波動方程式を考え、これをもとに新しい原子理論を組み立てた。	オーストリア
	ポール・エイドリアン・モーリス・ディラック 同　上	イギリス
1934	受賞者なし	
1935	**ジェームズ・チャドウィック** 放射性物質からのα線の放射などの研究をおこない、原子核の構成要素の一つである中性子を発見した。	イギリス
1936	ウィクトール・フランツ・ヘス 気球を用いて上空の放射線を観測し、地球の外から来る放射線（宇宙線）の性質を明らかにした。	オーストリア
	カール・デビット・アンダーソン 宇宙からくる放射線を研究し、理論上予言されていた陽電子を発見した。	アメリカ
1937	クリントン・ジョセフ・デビッソン 電子の流れが、物質に衝突したときの動きを調べ、物質が波の性質をもっていること（物質波）を確認した。	アメリカ
	ジョージ・パジェット・トムソン 同　上	イギリス
1938	**エンリコ・フェルミ** 中性子を原子核に衝突させて同位体をつくるなど、量子力学のさまざまな業績をあげた。	イタリア王国
1939	アーネスト・オランド・ローレンス 粒子を加速して大きなエネルギーをもたせる装置・サイクロトロンを開発し、人工放射能などの研究をおこなった。	アメリカ
1940～1942	受賞者なし	
1943	オットー・スターン 原子や陽子の磁気の方向や力を測定するなど、実験物理学の分野で業績をのこした。	アメリカ
1944	イシドール・イサク・ラビ 原子核に外部から電磁波などを与え、その反応を利用して原子核のもつ磁気の方向や力を正確に測定する方法を開発。	アメリカ
1945	ウォルフガング・パウリ 一つの原子の電子軌道には、一つの電子しか入らないという考え方（パウリの原理）で、原子の構造を説明した。	オーストリア
1946	パーシー・ウィリアム・ブリッジマン 超高圧発生装置を開発し、高い圧力下での物質の状態などの研究を発展させた。	アメリカ
1947	エドワード・アップルトン 電波を反射する電離層が、大気の上層にあることを証明した。	イギリス
1948	パトリック・メイナード・スチュワート・ブラケット 霧箱を用いて、宇宙線や陽電子、陽電子と電子の対消滅などを観測する方法を開発。	イギリス

学習資料集

ノーベル賞受賞者一覧（物理学賞）

101

学習資料集

ノーベル賞受賞者一覧（物理学賞）

受賞年	受賞者／主な受賞理由	国籍
1949	**湯川秀樹** 原子核の中に、陽子と中性子をむすびつけるはたらきをする中間子があるという理論をみちびきだした。	日本
1950	セシル・フランク・パウエル 高山の山頂などで、宇宙からくる放射線を観測し、湯川によって理論上存在するとされていた中間子を実際に発見した。	イギリス
1951	ジョン・ダグラス・コッククロフト 粒子加速器による実験で、はじめて人工的に原子核を変換することに成功した。	イギリス
	アーネスト・トーマス・シントン・ウォルトン 同　上	アイルランド
1952	フェリックス・ブロッホ 原子核の磁気に対するふるまいを精密に測定する新しい方法を考案した。	アメリカ
	エドワード・ミルズ・パーセル 同　上	アメリカ
1953	フリッツ・ゼルニケ 位相差顕微鏡（屈折率の異なる部分のある無色透明の物質を観察できる顕微鏡）を発明した。	オランダ
1954	マックス・ボルン 量子力学の分野に、確率を応用した新しい考え方をしめした。	イギリス
	ウォルター・ボーテ 同時計数法を開発し、コンプトン効果を検証。	西ドイツ
1955	ポリカープ・クッシュ 電波を用いた物質の研究をおこない、電子がもつ磁気的な性質をくわしく調べることに成功した。	アメリカ
	ウィリス・ユージン・ラム 水素原子から放出される光をくわしく調べることに成功した。	アメリカ
1956	**ウィリアム・ブラットフォード・ショックレー** p型とn型を接合させたトランジスタを発明し、電子回路の小型化を可能にした。	アメリカ
	ジョン・バーディーン 同　上	アメリカ
	ウォルター・ブラッテン 同　上	アメリカ
1957	楊振寧 素粒子のあいだにはたらく弱い相互作用の研究をおこない、素粒子物理学に新しい視点をもたらした。	中国
	李政道 同　上	中国
1958	パーベル・アレクセイビッチ・チェレンコフ ガンマ線が物質に当たった時の青い光が、高速電子によって生まれた新しい放射であることを明らかにした。	ソビエト連邦

受賞年	受賞者／主な受賞理由	国籍
	イゴール・タム 同　上	ソビエト連邦
	イリヤ・ミカイロビッチ・フランク 同　上	ソビエト連邦
1959	エミリオ・ジーノ・セグレ 放射性元素アスタチン、プルトニウムなどを発見、また陽子と同じ質量で負の電荷をもつ反陽子をつくることに成功した。	アメリカ
	オーエン・チェンバレン 同　上	アメリカ
1960	ドナルド・アーサー・グレーザー 「泡箱」とよばれる、あわをつかってニュートリノなどを検出する装置を開発した。	アメリカ
1961	ロバート・ホフスタッター 電子が方向をかえる現象を加速器の実験で調べて原子核の構造を明らかにした。	アメリカ
	ルドルフ・メスバウアー γ線によって物質がおこす特殊な現象を研究した。	西ドイツ
1962	レフ・ダビッドビチ・ランダウ 極低温で液体となったヘリウムの流れなどを明らかにした。	ソビエト連邦
1963	ユージン・ウィグナー 原子核や素粒子の研究で「対称性」という考え方をつかい、理論の発展に貢献した。	アメリカ
	マリア・ゲッパート＝メイヤー 電子自身の持つ磁気と、運動による磁気との相互作用に基づいて、原子核の殻模型を作成した。	アメリカ
	ヨハネス・ハンス・イェンゼン 同　上	西ドイツ
1964	チャールズ・ハード・タウンズ 電磁波の誘導放射を利用したマイクロ波の増幅装置（メーザー）を開発した。	アメリカ
	ニコライ・ハソフ 同　上	ソビエト連邦
	アレクサンドル・プロホロフ 同　上	ソビエト連邦
1965	**朝永振一郎** 原子や電子の理論において、超多時間理論や、くりこみ理論などにより、相対性理論との不一致を解消した。	日本
	ジュリアン・シュウィンガー 同　上	アメリカ
	リチャード・ファインマン 同　上	アメリカ

青字になっている人物は1〜4巻に項目として掲載されています　　※1〜4巻で調べる場合は、姓からひいてください。

ノーベル賞受賞者一覧（物理学賞）

学習資料集

受賞年	受賞者／主な受賞理由	国籍
1966	アルフレッド・カストレル 光を原子に吸収させることで、原子のエネルギーを高い状態に変化させる、光ポンピング法を開発。	フランス
1967	ハンス・アルブレヒト・ベーテ 恒星の核融合反応について研究し、水素が、炭素・窒素を経てヘリウムに変換されるしくみを発見した。	アメリカ
1968	ルイス・ウォルター・アルバレズ 加速器の中で粒子の動きや変化を観察する水素泡箱という装置を開発し、素粒子の多重発生現象などを観察した。	アメリカ
1969	マレー・ゲルマン 新しい数値・ストレンジネスを導入するなどして、素粒子を分類し、その相互作用について、さまざまな発見をした。	アメリカ
1970	ハンス・アルベーン 宇宙、地球の磁場におけるプラズマ現象を研究し、電磁流体力学の基礎を築いた。	スウェーデン
	ルイ・ユージェンヌ・フェリックス・ネール 磁性の研究をおこない、反強磁性、フェリ磁性などに関する理論を築き、磁性物理の基礎を固めた。	フランス
1971	デニス・ガボール 立体写真などを可能にする技術であるホログラフィーの研究をおこなった。	イギリス
1972	ジョン・バーディーン 電気抵抗を失った超伝導状態での、電子の特殊な動きを発見した。	アメリカ
	レオン・ニール・クーパー 同　上	アメリカ
	ジョン・ロバート・シュリーファー 同　上	アメリカ
1973	江崎玲於奈 低い電圧でも電流が流れるという性質をもった半導体素子トンネルダイオード（エサキダイオード）を開発した。	日本
	アイバー・ジェーバー 同　上	アメリカ
	ブライアン・デイビッド・ジョセフソン 超伝導体同士が弱く結合している時に、本来流れないはずの電流が流れる現象（ジョセフソン効果）を発見した。	イギリス
1974	マーティン・ライル 電波望遠鏡の改良などにより、宇宙観測の範囲を大きく拡大した。	イギリス
	アントニー・ヒューイッシュ 同　上	イギリス
1975	ジェームズ・レインウォーター 原子核の性質を表現するための理論である集団運動理論を提唱したほか、核構造研究の新分野をひらいた。	アメリカ
	オーゲ・ニールス・ボーア 同　上	デンマーク

受賞年	受賞者／主な受賞理由	国籍
	ベン・モッテルソン 同　上	デンマーク
1976	サミュエル・チャオ・チュン・ティン 陽子などを構成する素粒子（クォーク）の一つ、チャームクォークの存在を明らかにした。	アメリカ
	バートン・リヒター 同　上	アメリカ
1977	フィリップ・ウォーレン・アンダーソン 原子が無秩序にならぶ電子の状態と磁性体の理論的な研究を進展させた。	アメリカ
	ジョン・ハスブルーク・バン・ブレック 同　上	アメリカ
	ネビル・フランシス・モット 同　上	イギリス
1978	ピョートル・レオニードビチ・カピッツァ ヘリウムの新しい液化装置を開発し、液体ヘリウムの研究を発展させた。	ソビエト連邦
	ロバート・ウィルソン 宇宙の全方向から放射されている、宇宙マイクロ波背景放射を発見し、ビッグ・バン宇宙論に新たな手がかりを与えた。	アメリカ
	アーノ・ペンジアス 同　上	アメリカ
1979	シェルドン・リー・グラショー この宇宙にある力のうち、電磁気力と弱い相互作用を統一する電弱相互作用を提唱。	アメリカ
	スティーブン・ワインバーグ 同　上	アメリカ
	アブダス・サラーム 同　上	パキスタン
1980	ジェームズ・クローニン K 中間子という重い素粒子の崩壊において、CP 対称性がやぶれる現象を発見した。	アメリカ
	バル・ロゲズドン・フィッチ 同　上	アメリカ
1981	ニコラス・ブルームバーゲン レーザーと物質の相互作用を調べて、レーザー分光器の発展に貢献した。	アメリカ
	アーサー・ショーロー 同　上	アメリカ
	カイ・シーグバーン 物質に X 線をあてて物質からの電子を測定することで、その物質の電子の状態を調べる光電子分光法を開発した。	スウェーデン

103

学習資料集

ノーベル賞受賞者一覧（物理学賞）

受賞年	受賞者／主な受賞理由	国籍
1982	ケネス・ウィルソン 物質の状態などがかわる相転移の際におきる異常現象（臨界現象）について、臨界指数を求める方法を開発した。	アメリカ
1983	スブラマニアン・チャンドラセカール 太陽の 1.4 倍より大きな質量の星は超新星として爆発し、それ以下の星は小さな星になって終わるという説を立てた。	アメリカ
	ウィリアム・アルフレッド・ファウラー 炭素からウランにいたるまでの元素が恒星内の核融合により合成されることを実験により証明した。	アメリカ
1984	カルロ・ルビア 素粒子の相互作用のうち、弱い相互作用で、弱ボソン粒子が相互作用の媒介をするとし、実験によってその粒子を発見。	イタリア
	シモン・ファン・デル・メール 同　上	オランダ
1985	クラウス・フォン・クリッツィング 超低温・強磁場では、磁気抵抗がゼロになる特殊な現象（量子ホール効果）がおこることを発見。	西ドイツ
1986	エルンスト・ルスカ 電磁コイルを電子レンズとして用いて、1 万倍以上の倍率の電子顕微鏡を発明した。	西ドイツ
	ゲルト・ビーニッヒ 観察対象にわずかな電流を一定に流したときの電圧の変化を読みとる走査トンネル電子型顕微鏡を開発した。	西ドイツ
	ハインリッヒ・ローラー 同　上	スイス
1987	アレクサンダー・ミュラー ランタン・銅・バリウムの酸化物セラミックスが、考えられていたより高い温度で超伝導体になることを発見。	スイス
	ヨハネス・ゲオルク・ベドノルツ 同　上	西ドイツ
1988	レオン・レーダーマン 非常に軽い素粒子、ニュートリノの一種であるミューニュートリノを発見し、その構造を明らかにした。	アメリカ
	メルビン・シュワーツ 同　上	アメリカ
	ジャック・スタインバーガー 同　上	アメリカ
1989	ノーマン・ラムゼー セシウム原子の共鳴振動を利用して、時間を正確に計る方法を発明するなど、時間・空間の精密な計測方法を開発した。	アメリカ
	ハンス・ジョージ・デーメルト 電子を分離して一つだけとらえる装置を開発し、この装置によって電子の磁気を精密に測定した。	アメリカ
	ウォルフガング・パウル 同　上	西ドイツ

受賞年	受賞者／主な受賞理由	国籍
1990	ジェローム・フリードマン 陽子や中性子がクォークという細かい粒子で構成されていることを実験によってたしかめた。	アメリカ
	ヘンリー・ケンドール 同　上	アメリカ
	リチャード・テーラー 同　上	カナダ
1991	ピエール・ジル・ドジェンヌ 物質の状態が変化すると、その構造の秩序が失われる現象が、複雑な構造をもつ物質にも適用できることを発見。	フランス
1992	ジョルジュ・シャルパク 素粒子測定器にワイヤーをはり、粒子が近くを通ると電気信号が発生するしくみなど、粒子測定技術を多数開発。	フランス／ポーランド
1993	ラッセル・ハルス 電波望遠鏡で新型連星パルサーを発見し、アインシュタインが主張した重力波の存在を観測で明らかにした。	アメリカ
	ジョゼフ・テーラー 同　上	アメリカ
1994	バートラム・ブロックハウス 電気をもたない中性子を物質に衝突させ、その速度の変化から物質の原子の動きなどを明らかにする方法を開発した。	カナダ
	クリフォード・シャル 中性子を物質に衝突させ、原子の種類や構造を明らかにする方法を開発した。	アメリカ
1995	マーティン・パール 電気をおびた粒子を加速させる実験で、電子より重い電子の仲間、レプトンの一種であるタウ粒子を発見した。	アメリカ
	フレデリック・ライネス 1950 年代に、電子より重い電子の仲間、レプトンの一種であるニュートリノを発見した。	アメリカ
1996	デイビッド・リー ヘリウム 3 は、絶対零度直前で流れの速度をどの部分も一様にするはたらきが失われ、特殊な動きをすることを発見。	アメリカ
	ロバート・リチャードソン 同　上	アメリカ
	ダグラス・オシェロフ 同　上	アメリカ
1997	スティーブン・チュー 気体にレーザー光をあてて、原子の動きの速度を遅くさせるレーザー冷却法などを発明した。	アメリカ
	ウィリアム・フィリップス 同　上	アメリカ
	クロード・コーエン＝タヌジ 同　上	フランス

104　青字になっている人物は1〜4巻に項目として掲載されています　※1〜4巻で調べる場合は、姓からひいてください。

受賞年	受賞者／主な受賞理由	国籍
1998	ロバート・ラフリン 電子のふるまいについての量子ホール効果という法則を見いだして理論的な説明をあたえた。	アメリカ
	ホルスト・シュテルマー 同 上	ドイツ
	ダニエル・ツイ 同 上	アメリカ
1999	ヘラルデュス・トホーフト 素粒子の相互作用やその際どのような物質が構成されるかについて、数学的な裏づけをあたえる研究をおこなった。	オランダ
	マルティヌス・フェルトマン 同 上	オランダ
2000	ジョレス・アルフェロフ 薄い半導体物質が何層にも重なることで、さまざまな効果を生みだすことのできる半導体ヘテロ構造を開発した。	ロシア
	ヘルベルト・クレーマー 同 上	アメリカ
	ジャック・キルビー 半導体の集積回路を開発した。	アメリカ
2001	エリック・コーネル 基本粒子の一つボース粒子がとる特殊な状態「ボース・アインシュタイン凝縮」という現象を、はじめて実験で成功。	アメリカ
	ウォルフガング・ケターレ 同 上	ドイツ
	カール・ワイマン 同 上	アメリカ
2002	レイモンド・デービス 化学的な変化を利用する方法により、宇宙ニュートリノをとらえることに成功した。	アメリカ
	小柴昌俊 同 上	日本
	リカルド・ジャコーニ ロケットを打ち上げて宇宙でのX線観測をおこない、太陽系以外のX線源を発見、X線天文学という新しい分野を切りひらいた。	アメリカ
2003	アレクセイ・アブリコソフ 超伝導（超低温で電気抵抗がなくなる）、超流動（物質が均一の速度で動こうとする性質を失う状態）の理論を築いた。	アメリカ ロシア
	ビタリー・ギンソブルク 同 上	ロシア
	アンソニー・レゲット 同 上	イギリス アメリカ

受賞年	受賞者／主な受賞理由	国籍
2004	デビッド・グロス 素粒子の相互作用のうち、強い相互作用では、クオーク同士が近づくほどお互いが作用しなくなることを発見した。	アメリカ
	デビッド・ポリツァー 同 上	アメリカ
	フランク・ウィルチェック 同 上	アメリカ
2005	ロイ・グラウバー 光の干渉について研究し、レーザー光は増幅作用によってつくりだせることなどを明らかにした。	アメリカ
	ジョン・ホール 「光周波数コム（櫛）」とよばれるレーザーをつかった精密な分光技術を開発した。	アメリカ
	テオドール・ヘンシュ 同 上	ドイツ
2006	ジョン・マザー 宇宙最古の電磁波とされる宇宙マイクロ波背景放射を観測し、宇宙空間の密度が一定ではないことを明らかにした。	アメリカ
	ジョージ・スムート 同 上	アメリカ
2007	アルベール・フェール 複数の層に重ねた金属に磁場をかけると、単一の金属にくらべて、磁気抵抗に大きな変化が生じることを発見した。	フランス
	ペーター・グリュンベルク 同 上	ドイツ
2008	小林誠 CP対称性がやぶれる現象の原因として、未確認のクォークの存在を主張、のちにこれらのクォークが確認された。	日本
	益川敏英 同 上	日本
	南部陽一郎 位置や方向をかえてもたもたれる物質の性質（対称性）が、物質自らが安定状態を選ぶことで失われることを発見。	アメリカ
2009	チャールズ・カオ 光ファイバーの開発当初、材質から不純物をとりのぞくことで、光の伝達距離を飛躍的にのばした。	アメリカ イギリス
	ウィラード・ボイル 光をデジタル信号に変換し、多数の半導体によって伝達するしくみ（CCDイメージセンサー）を発明した。	カナダ
	ジョージ・スミス 同 上	アメリカ
2010	アンドレ・ガイム 理論上の存在とされていたグラフェン（炭素原子シート）を実際にとりだすことに成功し、その性質などを明らかにした。	オランダ

学習資料集

ノーベル賞受賞者一覧（物理学賞）

学習資料集 ノーベル賞受賞者一覧（物理学賞／化学賞）

受賞年	受賞者／主な受賞理由	国籍
	コンスタンチン・ノボセロフ 同 上	イギリス ロシア
2011	ソール・パールマッター 超新星の爆発時の光度を観測することで、ビッグバン以来宇宙は膨張を加速させていることを明らかにした。	アメリカ
	ブライアン・シュミット 同 上	アメリカ オーストラリア
	アダム・リース 同 上	アメリカ
2012	セルジュ・アロシュ 光子などの非常に小さな粒子を、極低温の凸面鏡のあいだにとじこめて、観測する方法を発明した。	フランス
	デイビッド・ワインランド 同 上	アメリカ
2013	フランソワ・バロン・アングレール 素粒子に質量があるなら存在するとされていた「ヒッグス粒子」という物質の存在を実験によって確認。	ベルギー
	ピーター・ヒッグス 同 上	イギリス

受賞年	受賞者／主な受賞理由	国籍
2014	赤﨑勇 波長が短く少ない電力で効率よく発光する青色発光ダイオード（LED）を開発した。	日本
	天野浩 同 上	日本
	中村修二 同 上	アメリカ
2015	梶田隆章 ニュートリノが飛行中に変化する「ニュートリノ振動」を実験で確認し、ニュートリノに質量があることを明らかにした。	日本
	アーサー・マクドナルド 同 上	カナダ
2016	デビット・サウレス 超伝導など物質内でみられる特殊な現象を、数学のトポロジーという概念を利用して解明した。	イギリス アメリカ
	ダンカン・ホールデン 同 上	イギリス アメリカ
	マイケル・コスタリッツ 同 上	イギリス アメリカ

化学賞

ノーベルの遺言によって、化学の分野でもっとも重要な発見・改良をした人にあたえられる賞。スウェーデン科学アカデミーが最終選考をおこなう。

 1903年受賞 スバンテ・アレニウス

 1908年受賞 アーネスト・ラザフォード

 2003年受賞 ピーター・アグレ

 2015年受賞 ポール・モドリッチ

受賞年	受賞者／主な受賞理由	国籍
1901	ヤコブス・ヘンリクス・ファント＝ホッフ 溶液の浸透圧は物質の濃度と絶対温度に比例するという法則を発見し、数式で証明した。	オランダ
1902	ヘルマン・エミール・フィッシャー 糖やそのほかの化合物の、合成や構造について研究し、明らかにした。	ドイツ帝国
1903	スバンテ・アレニウス 電解質は電気を通さなくてもイオンが電離することを発見するなど、物理化学の基礎を築いた。	スウェーデン
1904	ウィリアム・ラムゼー アルゴンやヘリウムなどの元素を発見し、また放射性元素が放射線をだして別の元素に変化することなどを説明した。	イギリス

受賞年	受賞者／主な受賞理由	国籍
1905	アドルフ・フォン・バイヤー 染料のインディゴなど、さまざまな物質の合成に成功し、工業の発展に貢献した。	ドイツ帝国
1906	アンリ・モアッサン 物質中からフッ素をとりだすことにはじめて成功した。また、高温の電気炉を開発し、高温化学の基礎を築いた。	フランス
1907	エドワルト・ブフナー 細胞のはたらきがなくても、アルコール発酵がおこることを証明した。	ドイツ帝国
1908	アーネスト・ラザフォード 放射線を研究して、α線とβ線を発見し、原子核を人工的に変換することに成功する。	イギリス

青字になっている人物は1～4巻に項目として掲載されています　　※1～4巻で調べる場合は、姓からひいてください。

受賞年	受賞者／主な受賞理由	国籍
1909	ウィルヘルム・オストワルト 化学平衡（化学反応の性質）や反応速度、酸とアルカリの触媒作用などを発見した。	ドイツ帝国
1910	オットー・ワラッハ 植物の精油にふくまれる有機化合物であるテルペンを研究し、のちのステロイドの合成を可能にした。	ドイツ帝国
1911	マリー・キュリー 塩化ラジウムからラジウムの単体である金属ラジウムをとりだすことに成功した。	フランス
1912	ビクトル・グリニャール ハロゲンとマグネシウムの化合物を研究し、有機金属の性質を見分けるための薬品（グリニャール試薬）を開発した。	フランス
	ポール・サバティエ さまざまな金属を用いて、有機化合物を還元させる研究をおこない、工業の発展に貢献した。	フランス
1913	アルフレッド・ウェルナー 分子の化学結合を研究して、その構造や原子の結合のしかた（配位結合）などを明らかにした。	スイス
1914	セオドア・ウィリアム・リチャーズ 30あるいは50もの元素の原子量（原子の重さ）を測定した。	アメリカ
1915	リヒャルト・ウィルシュテッター 植物の色素である葉緑素の構造を明らかにした。	ドイツ帝国
1916・1917	受賞者なし	
1918	フリッツ・ハーバー 窒素と水素からアンモニアを合成する方法や装置を開発して、工業化に成功した。	ドイツ帝国
1919	受賞者なし	
1920	ウァルター・ネルンスト 熱力学の第3法則（絶対零度に到達できないという理論）をみちびきだした。	ドイツ国
1921	フレデリック・ソディ 放射性元素の性質や、元素の同位体（原子番号が同じで質量数がことなる元素）について明らかにした。	イギリス
1922	フランシス・ウィリアム・アストン イオンの質量を測定する質量分析器を開発し、多くの元素の同位体を発見した。	イギリス
1923	フリッツ・プレーグル わずかな重さをはかることのできる微量てんびんを開発し、小さな物質の分析を可能にした。	オーストリア
1924	受賞者なし	
1925	リヒャルト・ジグモンディ 小さな物質を観察できる限外顕微鏡を発明し、コロイドとよばれる小さな物質の分散の研究をおこなった。	オーストリア

受賞年	受賞者／主な受賞理由	国籍
1926	テオドール・スベドベリー 高速の遠心分離機を開発して、物質の精密な分離を可能にし、タンパク質の分子量を測定して、分析をおこなった。	スウェーデン
1927	ハインリッヒ・ウィーラント 肝臓でつくられる消化液である胆汁にふくまれる酸をとりだし、その化学構造を研究した。	ドイツ国
1928	アドルフ・ウィンダウス エルゴステリンという物質に紫外線をあてると、ビタミンDと同じ作用をもつ物質に変わることを発見した。	ドイツ国
1929	アーサー・ハーデン アルコールの発酵や、発酵時の酵素や補酵素のはたらきについて研究をおこなった。	イギリス
	ハンス・フォン・オイラー＝ケルピン 同　上	スウェーデン
1930	ハンス・フィッシャー 血液などにふくまれる色素ヘミンの研究をおこない、その構造や合成について明らかにした。	ドイツ国
1931	カール・ボッシュ アンモニアの合成や、石炭の液化技術を、工業的に応用する方法を確立した。	ドイツ国
	フリードリヒ・ベルギウス 同　上	ドイツ国
1932	アービング・ラングミュア 固体に気体が吸着するしくみなどを研究し、界面化学という新ジャンルをひらいた。	アメリカ
1933	受賞者なし	
1934	ハロルド・ユーリー 重水素という物質の存在を発見し、それをとりだすことに成功した。	アメリカ
1935	フレデリック・ジョリオ＝キュリー 放射能の研究をおこない、人工放射線を発見した。	フランス
	イレーヌ・ジョリオ＝キュリー 同　上	フランス
1936	ピーター・デバイ X線を用いて粉末試料の分子構造を明らかにする方法などを発明した。	オランダ
1937	ウォルター・ノーマン・ハワース ビタミンCの構造を明らかにし、合成に成功した。	イギリス
	パウル・カラー カロテンやビタミンAなどの構造を明らかにした。	スイス
1938	リヒャルト・クーン ビタミンB_2をとりだし構造を明らかにした。またその合成に成功した。	ドイツ国

学習資料集

ノーベル賞受賞者一覧（化学賞）

学習資料集

ノーベル賞受賞者一覧（化学賞）

受賞年	受賞者／主な受賞理由	国籍
1939	アドルフ・ブーテナント 女性ホルモンのエストロンをとりだし、男性ホルモンのアンドロステロンの結晶をえて構造を明らかにした。	ドイツ帝国
	レオポルト・ルジチカ 有機化合物の高級テルペン類の構造を明らかにした。	スイス
1940〜1942	**受賞者なし**	
1943	ゲオルク・ド・ヘベシー 鉛の放射性同位体を用いて、化学反応の過程などを観察する方法を開発した。	ハンガリー王国
1944	オットー・ハーン ウランに中性子（原子核を構成する素粒子）をあてると核分裂がおこることを発見した。	ドイツ帝国
1945	アルトゥーリ・ビルタネン バクテリアの発酵について研究し、酸をつかって家畜のえさのまぐさの保存法を発見した。	フィンランド
1946	ジェームズ・バチェラー・サムナー ナタマメからウレアーゼ（酵素の一種）をとりだすことに成功し、酵素がタンパク質でできていることを明らかにした。	アメリカ
	ジョン・ハワード・ノースロップ ペプシンなどのタンパク質分解酵素やウイルスを結晶化することに成功し、その性質を明らかにした。	アメリカ
	ウェンデル・メレディス・スタンリー 同　上	アメリカ
1947	ロバート・ロビンソン 植物にふくまれるモルヒネやストリキニーネなどアルカロイド類の構造や合成について研究した。	イギリス
1948	アーン・ティセリウス タンパク質の分離装置を開発し、タンパク質を細かく分類するなど、タンパク質研究を進歩させた。	スウェーデン
1949	ウィリアム・フランシス・ジオーク 独自の断熱法を開発し、きわめて低い温度での物質の特性の研究をおこなった。	アメリカ
1950	オットー・ディールス 有機化合物の構造を研究し、ジエン合成とよばれる有機化学反応を発見した。	西ドイツ
	クルト・アルダー 同　上	西ドイツ
1951	グレン・シオドア・シーボーグ プルトニウムなど、ウランよりも原子番号の大きい超ウラン元素を、加速器をつかって人工的につくることに成功した。	アメリカ
	エドウィン・マッティソン・マクミラン 同　上	アメリカ
1952	アーチャー・ジョン・ポーター・マーチン クロマトグラフィーという物質の成分を分別する方法を進化させ、複雑な化合物の分析を可能にした。	イギリス

受賞年	受賞者／主な受賞理由	国籍
	リチャード・ローレンス・ミリントン・シング 同　上	イギリス
1953	ヘルマン・シュタウディンガー ゴムの研究をおこない、分子の大きな化合物の構造を明らかにし、工業利用を可能にした。	西ドイツ
1954	ライナス・カール・ポーリング タンパク質をはじめとする分子や結晶の構造の研究をおこない、構造化学の発展に貢献した。	アメリカ
1955	ビンセント・デュ＝ビニョー 脳下垂体ホルモンであるオキシトシンを合成することに成功し、タンパク質の人工的な合成の足がかりをつくった。	アメリカ
1956	シリル・ノーマン・ヒンシェルウッド 物質の化学反応（特に連鎖反応）の速度からそのしくみを分析した。	イギリス
	ニコライ・ニコライビチ・セミョーノフ 同　上	ソビエト連邦
1957	アレクサンダー・トッド ヌクレオチドの構造を明らかにし、その補酵素の合成に成功した。	イギリス
1958	フレデリック・サンガー 糖を代謝するインスリンという物質のアミノ酸の配列を明らかにした。	イギリス
1959	ヤロスラフ・ヘイロウスキー 陰極の水銀の雫を、陽極の水銀中に落として電気分解し、そこに生じる電圧・電流をもとに分析をおこなう方法を開発。	チェコスロバキア
1960	ウィラード・フランク・リビー 炭素14という炭素の放射性同位体を用いて、岩石などの古さを測定する方法を開発した。	アメリカ
1961	メルビン・カルビン 植物の光合成において炭酸ガスが固定する過程を、放射性同位体を用いた方法で明らかにした。	アメリカ
1962	マックス・フェルディナンド・ペルーツ X線回折を用いて、ヘモグロビンやミオグロビンの立体的な構造を明らかにした。	イギリス
	ジョン・ケンドリュー 同　上	イギリス
1963	カール・ツィーグラー ツィーグラー触媒という物質によって、常温常圧でポリエチレンを合成する方法を開発した。	西ドイツ
	ジュリオ・ナッタ 同　上	イタリア
1964	ドロシー・クロウフット・ホジキン X線を用いて、ビタミンB_{12}やペニシリンなど生化学物質の構造を明らかにした。	イギリス
1965	ロバート・バーンズ・ウッドワード 葉緑素やビタミンB_{12}など、さまざまな化合物の合成に成功した。	アメリカ

青字になっている人物は1〜4巻に項目として掲載されています　　※1〜4巻で調べる場合は、姓からひいてください。

受賞年	受賞者／主な受賞理由	国籍
1966	ロバート・サンダーソン・マリケン 分子軌道法を提出し、分子に含まれる電子の状態や動きについての計算できるようにした。	アメリカ
1967	マンフレート・アイゲン 100万分の1秒以下の高速の化学反応を分析する方法を開発して、化学反応のしくみを明らかにした。	西ドイツ
	ロナルド・ジョージ・レイフォード・ノリッシュ 同　上	イギリス
	ジョージ・ポーター 同　上	イギリス
1968	ラルス・オンサーガー 化学反応に逆反応（不可逆過程）が現れない場合の理論を、熱力学の考え方によって明らかにした。	アメリカ
1969	オッド・ハッセル シクロヘキサンという化合物について研究し、その分子の構造が平面ではなく立体的であることを明らかにした。	ノルウェー
	デレック・ハロルド・リチャード・バートン 同　上	イギリス
1970	ルイ・フェデリコ・ルロアール 糖ヌクレオチドを発見し、また、動物の細胞に含まれるグリコーゲンを人工的に合成するなどした。	アルゼンチン
1971	ゲルハルト・ヘルツベルク 光の波長を用いた分析で、分子の構造を明らかにしたり、宇宙空間の物質を分類したりすることに成功した。	カナダ
1972	クリスチャン・ボーマー・アンフィンセン 酵素のしくみを研究し、タンパク質の立体構造が、アミノ酸の配列によって決まることを明らかにした。	アメリカ
	スタンフォード・ムーア 酵素のしくみを研究し、その化学構造と機能の解析に成功した。	アメリカ
	ウィリアム・ハワード・スタイン 同　上	アメリカ
1973	エルンスト・オットー・フィッシャー 鉄が有機化合物と化合するしくみについて研究し、フェロセンという鉄の化合物の構造を明らかにした。	西ドイツ
	ジェフリー・ウィルキンソン 同　上	イギリス
1974	ポール・ジョン・フローリー 高分子化合物の分子の結合のしくみなどを研究し、合成繊維や合成ゴムの開発に貢献した。	アメリカ
1975	ジョン・ワーカップ・コーンフォース 生物の体内でコレステロールが合成されるしくみと、その際の酵素のはたらきを明らかにした。	イギリス／オーストラリア
	ウラジミール・プレローグ 窒素化合物のアルカロイドの合成や性質を研究し、アルカロイドの立体構造を明らかにした。	スイス

受賞年	受賞者／主な受賞理由	国籍
1976	ウィリアム・ナン・リプスコム 説明不可能とされていたボラン（水素化ホウ素）の構造を、X線を用いた分析で明らかにした。	アメリカ
1977	イリヤ・プリゴジン 化学反応に逆反応が現れない場合の熱力学的理論を体系化し、一般化することに貢献した。	ベルギー
1978	ピーター・ミッチェル 生物の細胞膜に、浸透圧の理論とは逆の逆浸透現象が起きて、エネルギー変換が行われていることを発見した。	イギリス
1979	ハーバート・チャールズ・ブラウン ホウ素を研究して、有機化合物に対する還元作用が強く、試薬として利用価値の高い水酸化ホウ素ナトリウムを発見。	アメリカ
	ゲオルク・ウィティヒ 同　上	西ドイツ
1980	ポール・バーグ 発癌性ウィルスと、そのはたらきを制限する酵素を用いて、遺伝子組み換えの実験を行い、遺伝子工学の基礎を築いた。	アメリカ
	フレデリック・サンガー RNA、DNAのアミノ酸配列を迅速に調べる方法を開発した。	イギリス
	ウォルター・ギルバート 同　上	アメリカ
1981	福井謙一 有機化合物が化学反応を起こす際の電子の動きを明らかにした（フロンティア電子理論）。	日本
	ロアルド・ホフマン 同　上	アメリカ
1982	アーロン・クルーグ 電子顕微鏡とレーザーを用いて物質の構造を明らかにする方法を開発した。	イギリス
1983	ヘンリー・タウベ 金属化合物の酸化・還元反応において、電子が移動するしくみを明らかにした。	アメリカ
1984	ロバート・ブルース・メリフィールド ペプチドという化合物の合成を研究し、固相ペプチド合成法という効率の良い合成方法を開発した。	アメリカ
1985	ジェローム・カール 結晶の構造の決定法に、統計学的な手法を利用して、調査時間を大幅に短縮することに成功した。	アメリカ
	ハーバート・アーロン・ハウプトマン 同　上	アメリカ
1986	ダドリー・ハーシュバック 分子線（分子ビーム）を用いて物質の化学反応を調べ、基礎的な化学反応の観測をおこなう方法を開発した。	アメリカ
	李遠哲（ユアン・ツェー・リー） 同　上	アメリカ／中華民国

学習資料集

ノーベル賞受賞者一覧（化学賞）

109

ノーベル賞受賞者一覧（化学賞）

受賞年	受賞者／主な受賞理由	国籍
	ジョン・ポランニー 同 上	カナダ
1987	チャールズ・ジョン・ペダーゼン 特定の金属イオンだけを取りこむ性質をもつクラウン・エーテルという化合物の存在を発見し、その合成に成功した。	アメリカ
	ドナルド・ジェームス・クラム 同 上	アメリカ
	ジャン=マリー・レーン 同 上	フランス
1988	ヨハン・ダイゼンホーファー 光合成において重要な役割を果たす物質の立体的な構造を明らかにした。	西ドイツ
	ロベルト・フーバー 同 上	西ドイツ
	ハルトムート・ミヒェル 同 上	西ドイツ
1989	トーマス・ロバート・チェック RNA には、酵素の助けを借りることなく、自身で遺伝情報を持たない部分を切り離すはたらきがあることを明らかにした。	アメリカ
	シドニー・アルトマン 同 上	アメリカ
1990	イライアス・ジェイムス・コーリー 天然の化合物の合成をさかのぼっていく「逆合成解析法」を開発し、多くの化合物の人工的な合成に成功した。	アメリカ
1991	リヒャルト・ロベルト・エルンスト 核磁気共鳴（NMR）による分光法を確立し、タンパク質や核酸の構造解析を可能にした。	スイス
1992	ルドルフ・アーサー・マーカス 化学反応における電子の移動は、分子の構造の変化に伴って起きることを明らかにした（マーカス理論）。	アメリカ
1993	キャリー・バンクス・マリス DNA の大量に複製する PCR 法を発明し、幅広い分野での遺伝子利用を可能にした。	アメリカ
	マイケル・スミス DNA の特定の部位を変異させる方法を発明し、タンパク質のアミノ酸を自由に操作することを可能にした。	カナダ
1994	ジョージ・アンドリュー・オラー 化学反応中に存在すると考えられていた中間体を、中間体の一つである炭素陽イオンを発見することで、証明した。	アメリカ
1995	フランク・シャーウッド・ローランド フロンガスが地球上空のオゾン層を破壊している可能性があることを発見した。	アメリカ
	マリオ・ホセ・モリーナ 同 上	アメリカ

受賞年	受賞者／主な受賞理由	国籍
	パウル・クルッツェン 同 上	オランダ
1996	ロバート・フロイド・カール 炭素原子を 60 個結合させた分子「フラーレン」を合成することに成功し、さまざまな分野への応用を可能にした。	アメリカ
	リチャード・エレット・スモーリー 同 上	アメリカ
	ハロルド・ウォルター・クロトー 同 上	イギリス
1997	ポール・ボイヤー 生体のエネルギー源であるアデノシン三リン酸（ATP）は、合成酵素の一部が回転してつくることを解明。	アメリカ
	ジョン・アーネスト・ウォーカー 同 上	イギリス
	イェンス・クリスチャン・スコー アデノシン三リン酸を分解する酵素を発見。この分解で得られるエネルギーでイオンを運ぶことを明らかにした。	デンマーク
1998	ウォルター・コーン 分子のエネルギーの状態を簡単に計算するための、密度汎関数理論を開発した。	アメリカ
	ジョン・アントニー・ポープル 分子の性質や化学反応について、コンピューターを用いて計算・分析するプログラムを開発した。	イギリス
1999	アハメド・ズウェイル 超高速カメラによって、化学反応中の原子や分子の動きをとらえるフェムト秒分光法を開発した。	エジプト
2000	アラン・ジェイ・ヒーガー 不純物を加えることでポリアセチレンのフィルムが、電気を通すようになることを発見した。	アメリカ
	アラン・グラハム・マクダイアミド 同 上	アメリカ
	白川英樹 同 上	日本
2001	ウィリアム・ノールズ 特定の合成だけを促進するキラル触媒を開発し、医薬品などの効率的な生産を可能にした。	アメリカ
	野依良治 同 上	日本
	バリー・シャープレス 特定の合成だけを促進する物質を開発し、医薬品などの効率的な生産を可能にした。	アメリカ
2002	クルト・ビュートリヒ 核磁気共鳴を用いて液体に溶けているタンパク質の構造を調べる方法を開発した。	スイス

青字になっている人物は1～4巻に項目として掲載されています　※1～4巻で調べる場合は、姓からひいてください。

ノーベル賞受賞者一覧（化学賞）

学習資料集

受賞年	受賞者／主な受賞理由	国籍
	ジョン・フェン 分子量の大きなタンパク質などの質量を分析するために、タンパク質を分解させずにイオン化する方法を開発した。	アメリカ
	田中耕一 同 上	日本
2003	ピーター・アグレ 生物の細胞膜の外から中へ水を通す役割をもつ、赤血球の細胞膜にあるタンパク質（アクアポリン）を発見した。	アメリカ
	ロデリック・マキノン 特定のイオンだけを通過させる細胞膜のタンパク質の構造やしくみを、X線解析などによって明らかにした。	アメリカ
2004	アーロン・チカノーバー 分解するべきタンパク質の分解のさいに、標的となるタンパク質に「ユビキチン」が付着し分解をうながすことを発見した。	イスラエル
	アブラム・ハーシュコ 同 上	イスラエル
	アーウィン・ローズ 同 上	アメリカ
2005	ロバート・グラブス 有機化合物の結合を組み換えて別の物質を作り出す「メタセシス」反応のしくみを明らかにし、応用技術を開発。	アメリカ
	リチャード・シュロック 同 上	アメリカ
	イブ・ショーバン 同 上	フランス
2006	ロジャー・コーンバーグ DNAに書き込まれた遺伝情報がメッセンジャーRNAに転写される時のしくみを分子レベルで明らかにした。	アメリカ
2007	ゲルハルト・エルトゥル 化学反応の過程を高精度の観察機器によって観察し、そのしくみを明らかにした。	ドイツ
2008	下村脩 オワンクラゲの発光分質緑色蛍光タンパク質（GFP）を発見し、タンパク質の動きを観察する技術などを開発。	日本
	マーティン・チャルフィー 同 上	アメリカ
	ロジャー・ヨンチェン・チエン 同 上	アメリカ
2009	ベンカトラマン・ラマクリシュナン 細胞内で遺伝情報の読み取りと、タンパク質の合成をおこなう器官であるリボソームを結晶化することに成功。	アメリカ
	トーマス・スタイツ 同 上	アメリカ
	エイダ・ヨナス 同 上	イスラエル
2010	リチャード・ヘック 有機パラジウムという物質を利用して元素を置き換え、困難とされていた炭素原子の結合に成功した。	アメリカ
	根岸英一 同 上	日本
	鈴木章 同 上	日本
2011	ダン・シェヒトマン 結晶には、対称的に並ぶがそれが繰り返されない準結晶があることを発見した。	イスラエル
2012	ロバート・レフコウィッツ 情報伝達をおこなうGタンパク質のはたらきを補佐する物質を生物の細胞内で発見し、その構造や機能を明らかにした。	アメリカ
	ブライアン・ケント・コビルカ 同 上	アメリカ
2013	マーティン・カープラス 化学分析のうち、中心的な部分は細かく計算を行い、それ以外の部分は既存のパターンを当て、分析時間を短縮した。	オーストリア アメリカ
	マイケル・レヴィット 同 上	イスラエル イギリス アメリカ
	アリー・ウォーシェル 同 上	イスラエル アメリカ
2014	エリック・ベツィグ 蛍光顕微鏡を改良し、10ナノメートル（ナノメートル＝10億分の1メートル）の像を観察できる蛍光顕微鏡を開発。	アメリカ
	シュテファン・ウォルター・ヘル 同 上	ドイツ
	ウィリアム・エスコ・モーナー 同 上	アメリカ
2015	トマス・リンダール DNAが遺伝情報の複製を間違えたり、紫外線や発がん性物質などで傷ついても、正しく修正するしくみを解明。	スウェーデン
	ポール・モドリッチ 同 上	アメリカ
	アジズ・サンジャル 同 上	アメリカ トルコ
2016	ジャン＝ピエール・ソバージュ 2つの分子が知恵の輪のようにつながった「カテナン」という分子（分子機械）の合成に成功した。	フランス

受賞年	受賞者／主な受賞理由	国籍
	フレーザー・ストダード 外部から温度や光などの刺激を加えることで、分子の一部が動く分子機械の技術を開発した。	 イギリス

受賞年	受賞者／主な受賞理由	国籍
	ベルナルド・フェリンガ 同　上	 オランダ

生理学・医学賞

ノーベルの遺言によって、生理学と医学の分野で最も重要な発見をした人にあたえられる賞。ストックホルムのカロリン医学研究所が最終選考をおこなう。

 1904年受賞 イワン・ペトロビッチ・パブロフ　　 1905年受賞 ロベルト・コッホ　　 1973年受賞 カール・フォン・フリッシュ　　 1973年受賞 コンラート・ローレンツ

受賞年	受賞者／主な受賞理由	国籍
1901	エミール・フォン・ベーリング 破傷風菌の培養、破傷風抗毒素血清の分離に成功し、血清療法について発表をおこなった。	ドイツ帝国
1902	ロナルド・ロス マラリアを研究して、蚊の体の中でのマラリア原虫の生態を明らかにし、マラリアを広めるハマダラ蚊をつきとめた。	イギリス
1903	ニールス・フィンセン 天然痘や皮膚結核を、赤外線などの光線を当てて治療することに成功した。	デンマーク
1904	イワン・ペトロビッチ・パブロフ 動物の消化作用のしくみを観察し、消化液の分泌が中枢神経によって行われていることを明らかにした。	ロシア帝国
1905	ロベルト・コッホ 結核菌を発見し、結核の治療薬ツベルクリンをつくるなど、医療の近代化を押し進めた。	ドイツ帝国
1906	カミッロ・ゴルジ 硝酸銀で神経組織を染色する方法（ゴルジ染色）を発明するなど、神経の構造を明らかにした。	イタリア王国
	サンティアゴ・ラモン=イ=カハール 同　上	スペイン王国
1907	シャルル・ルイ・アルフォンス・ラブラン マラリア原虫の発見をはじめとして、動物を病原体として起こる病気の研究をおこなった。	フランス
1908	パウル・エールリヒ 細胞にある特定の抗原に反応する側鎖は、反応すると血液に放出され、これが免疫抗体となると説明した。	ドイツ帝国
	イリヤ・メチニコフ 同　上	ロシア帝国
1909	エーミール・コッハー 複雑な構造のため困難とされていた甲状腺の外科手術に、安全な手法を開発した。	スイス

受賞年	受賞者／主な受賞理由	国籍
1910	アルブレヒト・コッセル 細胞の核の研究をおこない、核酸とタンパク質（プロタミンとヒストン）が含まれていることを明らかにした。	ドイツ帝国
1911	アルバル・グルストランド 目の中の光の屈折について研究を行い、乱視などのしくみについて明らかにした。	スウェーデン
1912	アレクシス・カレル 血管をつなぎ合わせる簡単な方法の開発、また内臓などを長期保存して移植する技術の研究などをおこなった。	フランス
1913	シャルル・ロベール・リシェ 少量の毒でも急激な反応をおこすアナフィラキシーショックの研究をおこなった。	フランス
1914	ロベルト・バーラーニ 内耳に水を入れるとめまいがおこるしくみや、内耳の前庭と平衡感覚の関係などについて研究。	オーストリア・ハンガリー帝国
1915～1918	受賞者なし	
1919	ジュール・ボルデ 抗原と抗体の結合や反応によって起こる、赤血球の凝集や溶血などのしくみを明らかにし、免疫療法を発展させた。	ベルギー
1920	アウグスト・クローグ 筋肉が運動する際の、毛細血管の血液量の増加などを明らかにした。	デンマーク
1921	受賞者なし	
1922	アーチボルド・ヒル 筋肉が縮む時や、神経が興奮する時に、熱が発生するしくみなどを明らかにした。	 イギリス
	オットー・マイヤーホフ 筋肉が縮む時に、熱が発生するしくみなどを明らかにした。	 ドイツ国

青字になっている人物は1〜4巻に項目として掲載されています　　※1〜4巻で調べる場合は、姓からひいてください。

受賞年	受賞者／主な受賞理由	国籍
1923	フレデリック・バンティング 膵臓から分泌される血糖値を下げる物質（インシュリン）を取り出すことに成功した。	カナダ
	ジョン・ジェームス・リチャード・マクラウド 同　上	イギリス
1924	ウィレム・アイントホーフェン 心臓の神経や筋肉の興奮時に流れる電流を計る装置を開発し、心電図によって心臓の診察技術を向上させた。	オランダ
1925	受賞者なし	
1926	ヨハネス・フィビゲル マウスに線虫の幼生が寄生したゴキブリを食べさせ、胃がんが発症することを確認した。	デンマーク
1927	ユリウス・ワーグナー＝ヤウレック 梅毒で脳神経に異常を来している患者を、マラリアに感染させ、脳神経の異常を軽減させる発熱療法を発明した。	オーストリア
1928	シャルル・ニコル 発疹チフスにかかった動物の血液をシラミに吸わせ、そのシラミによって別の動物が発疹チフスを発症することを解明した。	フランス
1929	クリスティアーン・エイクマン 人間の脚気に似たニワトリの病気の原因が、米ぬかなどに含まれる成分（ビタミンB₁）の不足であることを明らかにした。	オランダ
	フレデリック・ホプキンズ アミノ酸の一種・トリプトファンを発見し、四大栄養素以外にも食品中に成長促進物質があることを明らかにした。	イギリス
1930	カール・ラントシュタイナー 違う人同士の血液を混ぜると、赤血球が凝集することを発見。血液に3つの型があることを明らかにした。	オーストリア
1931	オットー・ワールブルク 生体細胞内の呼吸を研究し、シトクロム酸化酵素という呼吸酵素が機能していることを明らかにした。	ドイツ国
1932	チャールズ・シェリントン 脳から体中へ情報を伝える神経を研究し、腕や脚の曲げ伸ばしの際に、筋肉の緊張を調整する神経のはたらきを解明。	イギリス
	エドガー・エイドリアン 同　上	イギリス
1933	トーマス・ハント・モーガン ショウジョウバエの交配実験によって遺伝子の研究をおこない、染色体上にある遺伝子の位置を確定した。	アメリカ
1934	ジョージ・リチャーズ・マイノット 赤血球が成熟しない悪性貧血などの治療法として、肝臓（レバー）を食べる食事療法を用いて成功した。	アメリカ
	ウィリアム・マーフィー 同　上	アメリカ
	ジョージ・ウイップル 同　上	アメリカ

受賞年	受賞者／主な受賞理由	国籍
1935	ハンス・シュペーマン ある特定の部分（形成体）には、その他の部分が特定の器官に成長するように誘導する機能があることを解明。	ドイツ国
1936	ヘンリー・ハレット・デール 神経組織に多く含まれるアセチルコリンが、神経刺激を伝え、さまざまな臓器のはたらきに関わる物質であることを明らかにした。	イギリス
	オットー・レーウィ 同　上	オーストリア
1937	セント＝ジェルジー・アルベルト ビタミンCを分離。またジカルボン酸という酸が、細胞の呼吸において触媒として機能していることを明らかにした。	ハンガリー王国
1938	コルネイユ・ハイマンス 大動脈洞と頚動脈洞にある化学受容器が、血圧や呼吸を調節する機能があることを明らかにした。	ベルギー
1939	ゲルハルト・ドーマク ブドウ球菌などの感染症の治療に、染料に含まれる物質・プロントジルが有効であることを明らかにし、その合成に成功した。	ドイツ国
1940～1942	受賞者なし	
1943	カール・ピーター・ヘンリク・ダム 血液を凝固させるはたらきをするビタミンKという栄養素の存在を主張して、植物からビタミンKを取り出すことに成功。	デンマーク
	エドワード・アダルバート・ドイジー 植物と腐った魚肉から、2種類のビタミンKを取りだすことに成功して、ビタミンK₁、K₂と名づけた。	アメリカ
1944	ジョゼフ・アーランガー 神経のわずかな電気変化を、電気を用いた記録装置によって測定する方法を発明し、この方法で神経の活動を明らかにした。	アメリカ
	ハーバート・ガッサー 同　上	アメリカ
1945	アレクサンダー・フレミング アオカビに細菌の成長を抑える効果があることを発見し、その有効な成分を取り出してペニシリンと名づけた。	イギリス
	エルンスト・ボリス・チェーン 同　上	イギリス
	ハワード・フローリー 同　上	オーストラリア
1946	ハーマン・マラー ショウジョウバエにX線を浴びせることによって遺伝子の突然変異と染色体異常を起こすことを発見した。	アメリカ
1947	カール・コリ（コリ夫妻） 炭水化物の分解途中で生まれるコリエステルという物質がデンプンをブドウ糖に分解することなどを明らかにした。	アメリカ
	ゲルティ・コリ 同　上	アメリカ

学習資料集

ノーベル賞受賞者一覧（生理学・医学賞）

113

学習資料集

ノーベル賞受賞者一覧（生理学・医学賞）

受賞年	受賞者／主な受賞理由	国籍
	バーナード・ウッセイ 脳の下垂体という部分から出るホルモンが、インシュリンと反対の機能をもつことを明らかにした。	アルゼンチン
1948	パウル・ミュラー ジクロロジフェニルトリクロロエタン（DDT）という物質に殺虫力があることを発見し、大量に生産することに成功した。	スイス
1949	ウァルター・ルドルフ・ヘス 前脳の後ろ半分にあたる間脳という部分を研究し、間脳の機能が内蔵のはたらきと深く関わっていることを発見した。	スイス
	アントニオ・エガス・モニス 大脳の前頭葉という部分の神経を脳の他の部分から切り離す手術によって、統合失調症などを治療する方法を発明した。	ポルトガル
1950	エドワード・カルビン・ケンドル 副腎皮質から分泌され、塩分や脂肪などを分解するホルモン（コルチゾンなど）を取り出すことに成功。	アメリカ
	タデウシュ・ライヒスタイン 同　上	スイス
	フィリップ・ショウォルター・ヘンチ 同　上	アメリカ
1951	マックス・セーラー（タイラー） 毒性を弱めた黄熱という病気のウイルスが免疫を与えることを発見し、黄熱ワクチンを開発した。	南アフリカ連邦
1952	セルマン・ワクスマン 土の中の微生物がつくる放線菌から、結核菌などに強い抗菌作用のあるストレプトマイシンを発見し、抗生物質と名づけた。	アメリカ
1953	フリッツ・アルベルト・リップマン 体内で分解すると大量のエネルギーを放出する特殊なリン酸の結合（高エネルギーリン酸結合）があることを明らかにした。	アメリカ
	ハンス・クレブス 生物の体内に、糖を酸化して分解することでエネルギーを発生させるしくみがあることを発見した。	イギリス
1954	ジョン・フランクリン・エンダース ポリオウイルスを人工的に培養することに成功し、ポリオワクチンの開発に道を開いた。	アメリカ
	トーマス・ハックル・ウェラー 同　上	アメリカ
	フレデリック・チャップマン・ロビンス 同　上	アメリカ
1955	ヒューゴ・テオレル 黄色酵素、チトクロムなど、生物体内の酸化反応を促す酵素について機能や構造を明らかにした。	スウェーデン
1956	ウェルナー・フォルスマン 心臓に血管を通して管を入れて心臓の観察や検査などをおこなう、心臓カテーテル法を発明した。	西ドイツ
	アンドレ・フレデリック・クールナン 同　上	アメリカ

受賞年	受賞者／主な受賞理由	国籍
	ディキンソン・リチャーズ 同　上	アメリカ
1957	ダニエル・ボベット 運動神経や中枢神経に作用して筋肉の動きを抑える筋弛緩薬の研究をおこなった。	イタリア
1958	ジョージ・ウェルズ・ビードル アカパンカビを人工的に育てて遺伝子を調べ、生合成に必要な一つの酵素のはたらきを遺伝子が決定することを解明。	アメリカ
	エドワード・ローリー・テイタム 同　上	アメリカ
	ジョシュア・レーダーバーグ 遺伝子の組み換えと、細菌の遺伝物質に関する研究。	アメリカ
1959	セベロ・オチョア オチョアは、体外でのリボ核酸の合成に成功し、コーンバーグは体外でのデオキシリボ核酸の合成に成功した。	アメリカ
	アーサー・コーンバーグ 同　上	アメリカ
1960	フランク・マクファーレン・バーネット 免疫として機能する抗体は、もともと体にあるのではなく、次第に作られていくという理論をまとめ、実験で明らかにした。	オーストラリア
	ピーター・メダワー 同　上	イギリス
1961	ゲオルク・フォン・ベケーシ（ベケーシ・ジェルジュ） 耳の中の蝸牛という部分を研究し、蝸牛で耳に入ってきた音波の分析が行われることを明らかにした。	ハンガリー
1962	ジェームズ・ワトソン DNAの構造が、ねじれた梯子のような二重螺旋であることを解明し、遺伝情報を伝達するしくみを明らかにした。	アメリカ
	フランシス・クリック 同　上	イギリス
	モーリス・ウィルキンズ 同　上	イギリス
1963	ジョン・エクルズ 神経細胞に興奮が電気的に伝わる際に、アセチルコリンという伝達物質が機能していることを明らかにした。	オーストラリア
	アラン・ホジキン 同　上	イギリス
	アンドリュー・ハクスリー 同　上	イギリス
1964	コンラート・ブロッホ 動物の体の中でコレステロールが作られるしくみを明らかにした。	アメリカ

青字になっている人物は1〜4巻に項目として掲載されています　※1〜4巻で調べる場合は、姓からひいてください。

ノーベル賞受賞者一覧（生理学・医学賞）

学習資料集

受賞年	受賞者／主な受賞理由	国籍
	フェオドル・リネン 同上	西ドイツ
1965	フランソワ・ジャコブ タンパク質の合成の際に、オペロンとよばれる遺伝子のまとまりごとに情報が転写されるというしくみを解明。	フランス
	アンドレ・ルウォフ 同上	フランス
	ジャック・モノー 同上	フランス
1966	ペイトン・ラウス ニワトリの腫瘍から濾過した物質で、別のニワトリに腫瘍を発生させ、腫瘍の発生原因はウイルスであることを明らかにした。	アメリカ
	チャールズ・ブレントン・ハギンズ 前立腺がんの治療に、男性ホルモンのしゃ断や女性ホルモンの投与が有効であることを明らかにした。	アメリカ
1967	ラグナー・グラニット 動物の視覚について研究し、網膜の感覚のしくみや、視神経が光を伝える方法などを明らかにした。	スウェーデン
	ハルダン・ハートライン 同上	アメリカ
	ジョージ・ウォルド 同上	アメリカ
1968	ロバート・ホリー RNAを運ぶ酵母（アラニンtRNA）を取り出して分解し、そのアミノ酸の配列を明らかにした。	アメリカ
	ハー・ゴビンド・コラナ 同上	アメリカ
	マーシャル・ニーレンバーグ 同上	アメリカ
1969	マックス・デルブリュック 細菌に寄生するウイルス（バクテリオファージ）を研究し、その遺伝子の複製のしかたや突然変異などを発見した。	アメリカ
	アルフレッド・ハーシー 同上	アメリカ
	サルバドール・エドワード・ルリア 同上	アメリカ
1970	ベルンハルト（バーナード）・カッツ 運動神経から分泌されるアセチルコリン物質が、筋肉に刺激を伝達して運動を行わせるというしくみを明らかにした。	イギリス
	ウルフ・スファンテ・フォン・オイラー 同上	スウェーデン

受賞年	受賞者／主な受賞理由	国籍
	ジュリアス・アクセルロッド 同上	アメリカ
1971	エール・サザランド 細胞のエネルギー源であるグリコーゲンの合成や分解に、サイクリックAMPが関わっていることなどを明らかにした。	アメリカ
1972	ジェラルド・モーリス・エーデルマン 人間の体内にある抗体の免疫グロブリンを研究し、その構造や種類を明らかにした。	アメリカ
	ロドニー・ロバート・ポーター 同上	イギリス
1973	カール・フォン・フリッシュ 鳥の「刷りこみ」やミツバチのダンスなど動物の行動パターンを発見、解明した。	オーストリア
	コンラート・ローレンツ 同上	オーストリア
	ニコラス・ティンバーゲン 同上	オランダ／イギリス
1974	アルベルト・クラウデ（クロード） 細胞を細かく分離させて電子顕微鏡で観察し、細胞の細部の構造を明らかにした。	ベルギー
	クリスチャン・ド・デューブ 同上	ベルギー
	ジョージ・エミール・パラード 同上	アメリカ
1975	デビッド・バルティモア 腫瘍ウイルスを研究し、RNAからDNAへと遺伝情報を逆に運ぶ酵素が存在することを発見した。	アメリカ
	ハワード・マーティン・テミン 同上	アメリカ
	レナート・ダルベッコ 同上	アメリカ
1976	バルーク・ブランバーグ オーストラリア先住民の血清に、B型肝炎患者と同じ抗原を発見し、ウィルス性肝炎の予防や治療の足がかりをつくった。	アメリカ
	ダニエル・カールトン・ガイジュセク ニューギニアのある民族にだけ見られる病気が、その民族の脳を食べる習慣による感染症であることを明らかにした。	アメリカ
1977	ロジャー・ギルマン（ロジェ・ギュマン） 甲状腺などの機能を促進させるホルモンが放出されるきっかけとなる物質を取り出すことに成功。	アメリカ
	アンドリュー・シャリー 同上	アメリカ

学習資料集 — ノーベル賞受賞者一覧（生理学・医学賞）

受賞年	受賞者／主な受賞理由	国籍
	ロザリン・ヤロー 血液中の微量のホルモンを測定するRIA法を開発した。	アメリカ
1978	ウェルナー・アルバー DNAの分子を分解する酵素（制限酵素）を取り出し、その機能、測定、遺伝子の構造を説明。	スイス
	ダニエル・ネイサンズ 同　上	アメリカ
	ハミルトン・スミス 同　上	アメリカ
1979	アラン・コーマック X線の吸収分布の数値を二次元の断面図に置き換える方法を開発するなど、後のCT技術の基礎となった。	アメリカ
	ゴッドフリー・ハウンスフィールド 同　上	イギリス
1980	バルフ・ベナセラフ 抗体をつくる能力を左右するのが、免疫応答遺伝子であることを明らかにした。	アメリカ
	ジャン・ドーセ 同　上	フランス
	ジョージ・スネル 同　上	アメリカ
1981	ロジャー・スペリー 左右の脳をつなぐ脳梁を切断した患者の観察から、言語の理解や表現は左脳でしかできないことを明らかにした。	アメリカ
	デビッド・ヒューベル 脳の視覚をつかさどる神経細胞を研究し、視覚の神経細胞は異なるはたらきをする2階層からなることなどを解明。	カナダ アメリカ
	トルステン・ウィーセル 同　上	スウェーデン
1982	スネ・ベルイストローム 血圧を下げるなどのはたらきをする物質、プロスタグランジンの発見と、構造や性質の解明。	スウェーデン
	ベンクト・サミュエルソン 同　上	スウェーデン
	ジョン・ベイン 同　上	イギリス
1983	バーバラ・マクリントック 染色体上を移動する遺伝子を発見し、それが他の遺伝子の活性化、抑制などの調節をおこなうことを明らかにした。	アメリカ
1984	ニールス・イエルネ 免疫について研究し、抗体をつくる細胞は体の中にあり、それがリンパ球に変わって抗体をつくるしくみを明らかにした。	イギリス デンマーク

受賞年	受賞者／主な受賞理由	国籍
	ジョルジュ・ケーラー 同　上	西ドイツ
	セーサル・ミルスタイン 同　上	アルゼンチン イギリス
1985	マイケル・ブラウン 高コレステロール症には、タンパク質の遺伝子異常によって起こる遺伝性のものがあることを明らかにした。	アメリカ
	ジョセフ・ゴールドスタイン 同　上	アメリカ
1986	スタンリー・コーエン 細胞の成長を促す神経成長因子の研究を行い、上皮細胞成長因子（EGF）を発見した。	アメリカ
	リータ・レビ・モンタルチーニ 同　上	イタリア
1987	利根川進 免疫グロブリン（抗体）の遺伝子が、自身で遺伝子組み換えをおこなうことによって多様化することを明らかにした。	日本
1988	ジェームズ・ブラック 神経の興奮の伝達を遮断することで高血圧を治療するプロプラノロールを開発するなど、新薬の開発をおこなった。	イギリス
	ジョージ・ヒッチングス 同　上	アメリカ
	ガートルード・エリオン 同　上	アメリカ
1989	マイケル・ビショップ 正常な細胞の中にがん遺伝子に似た遺伝子があり、それが発がん物質の影響で変化してがんになることを解明。	アメリカ
	ハロルド・バーマス 同　上	アメリカ
1990	ジョゼフ・マレー 免疫抑制剤の使用による臓器移植、骨髄移植に成功した。	アメリカ
	エドワード・ドナル・トーマス 同　上	アメリカ
1991	エルウィン・ネーアー 細胞の中のイオンの通り道（イオンチャンネル）を研究し、その構造や機能などを明らかにした。	ドイツ
	ベルト・ザクマン 同　上	ドイツ
1992	エドモンド・フィッシャー 糖類を分解する酵素、フォスフォリラーゼを研究し、糖の分解の際に、リン酸が調整のはたらきをすることなどを明らかにした。	アメリカ スイス

青字になっている人物は1～4巻に項目として掲載されています　※1～4巻で調べる場合は、姓からひいてください。

受賞年	受賞者／主な受賞理由	国籍
	エドウィン・クレブス 同 上	アメリカ
1993	リチャード・ロバーツ がん遺伝子の研究で、情報を伝える mRNA の型と受け取る DNA の型の不一致を発見した。	イギリス
	フィリップ・シャープ 同 上	アメリカ
1994	アルフレッド・ギルマン 細胞の情報伝達をおこなう分子（G タンパク質）を取り出し、構造や性質、機能などを明らかにした。	アメリカ
	マーティン・ロッドベル 同 上	アメリカ
1995	エドワード・ルイス ハエの卵細胞が細胞分裂を繰り返して成長する時の遺伝子の状態を明らかにし、人間と同様であることを発見。	アメリカ
	エリック・ウィーシャウス 同 上	アメリカ
	クリスティアーネ・ニュスライン＝フォルハルト 同 上	ドイツ
1996	ピーター・ドハティ 免疫のはたらきをする T リンパ球という細胞が、ウイルスに感染した細胞を見分けて攻撃するしくみを明らかにした。	オーストラリア
	ロルフ・ツィンカーナーゲル 同 上	スイス
1997	スタンリー・プルシナー 脳が変性して死に至るクロイツフェルト・ヤコブ病などの原因が、感染性のタンパク質（プリオン）であることを明らかにした。	アメリカ
1998	ロバート・ファーチゴット 体の中で、窒素酸化物が血管の拡張などを起こす信号としての役割をもっていることを発見した。	アメリカ
	ルイ・イグナロ 同 上	アメリカ
	フェリド・ムラド 同 上	アメリカ
1999	ギュンター・ブローベル 細胞内でのタンパク質の輸送のしくみを研究し、タンパク質ごとに異なる信号があることを明らかにした。	アメリカ
2000	アルビド・カールソン ドーパミンが、運動に関する情報を伝える重要な物質であることなどを明らかにした。	スウェーデン
	ポール・グリーンガード 同 上	アメリカ

受賞年	受賞者／主な受賞理由	国籍
	エリック・カンデル 同 上	アメリカ
2001	リーランド・ハートウェル 細胞分裂の周期の異なる細胞を多数作り、周期をつかさどる遺伝子を特定し、細胞周期のしくみを解明。	アメリカ
	ティム・ハント 同 上	イギリス
	ポール・ナース 同 上	イギリス
2002	シドニー・ブレナー 細胞分裂の過程を研究して、遺伝子によって決められている細胞死（アポトーシス）があることを発見。	イギリス
	ロバート・ホロビッツ 同 上	アメリカ
	ジョン・サルストン 同 上	イギリス
2003	ポール・ラウターバー 原子核を電磁波で揺らすことで発生する核磁気共鳴を応用して、人体の断層画像を作成する装置（MRI）を開発した。	アメリカ
	ピーター・マンスフィールド 同 上	イギリス
2004	リチャード・アクセル 匂いの分子が、電気信号に変換されて脳に送られて認識されるという、嗅覚のしくみを明らかにした。	アメリカ
	リンダ・バック 同 上	アメリカ
2005	バリー・マーシャル 胃や十二指腸などの消化器官の炎症、潰瘍の原因である、ヘリコバクター・ピロリ菌を発見した。	オーストラリア
	ロビン・ウォレン 同 上	オーストラリア
2006	アンドリュー・ファイアー 遺伝情報の伝達役である RNA について二本鎖の RNA は、一本鎖よりも遺伝の現れ方に強く作用することを発見。	アメリカ
	クレイグ・メロー 同 上	アメリカ
2007	マーティン・エバンズ どのような組織や器官にも成長できる万能細胞である ES 細胞をつくることに成功。	イギリス
	マリオ・カペッキ ES 細胞をマウスの胚に入れる遺伝子操作により、特定の遺伝子のはたらきを停止させたノックアウトマウスを生み出すことに成功。	アメリカ

学習資料集

ノーベル賞受賞者一覧（生理学・医学賞／文学賞）

受賞年	受賞者／主な受賞理由	国籍
	オリバー・スミシーズ 同 上	アメリカ
2008	ハラルド・ツア・ハウゼン 子宮頸癌の原因である、ヒトパピローマウイルスを発見し、後の感染予防に貢献した。	ドイツ
	フランソワーズ・バレ=シヌシ エイズ患者から、ヒト免疫不全症ウイルス（HIV）を発見し、培養に成功。後の診断や治療、感染予防などに貢献した。	フランス
	リュック・モンタニエ 同 上	フランス
2009	エリザベス・ブラックバーン 染色体を保護する物質「テロメア」を合成し伸長させる酵素「テロメラーゼ」を発見した。	アメリカ／オーストラリア
	キャロル・グレイダー 同 上	アメリカ
	ジャック・ショスタク 同 上	アメリカ
2010	ロバート・エドワーズ 人間の体外受精に初めて成功するなど、体外受精技術の基礎を築き、不妊治療に貢献した。	イギリス
2011	ラルフ・スタインマン 免疫が、抗原に対応する際に、もっとも早く反応して免疫作用を促進する「樹状細胞」を発見した。	カナダ
	ブルース・ボイトラー 生物が生まれつき持っている免疫が、体内に侵入した抗原に対し、その免疫作用を誘導する物質があることを発見。	アメリカ
	ジュール・ホフマン 同 上	フランス
2012	ジョン・ガードン ある臓器に成長し始めた細胞を、人工的に他の臓器に成長可能な細胞に作り変えることに成功した（iPS細胞）。	イギリス
	山中伸弥 同 上	日本
2013	ジェームズ・ロスマン タンパク質を体内の必要な所に運ぶ輸送小胞について、そのはたらきをコントロールするしくみを明らかにした。	アメリカ
	ランディ・シェクマン 同 上	アメリカ
	トーマス・スードフ 同 上	アメリカ
2014	ジョン・オキーフ 脳の中に、特定の場所で興奮する「場所細胞」や「グリッド細胞」があることを発見し、位置を認識するしくみを解明。	アメリカ／イギリス

受賞年	受賞者／主な受賞理由	国籍
	マイブリット・モーセル 同 上	ノルウェー
	エドバルト・モーセル 同 上	ノルウェー
2015	ウィリアム・キャンベル 線虫によって引きおこされる感染症の治療法を開発した。	アイルランド／アメリカ
	大村智 同 上	日本
	屠呦呦 抗マラリア薬である「アルテミシニン」の抽出に成功。マラリア治療に貢献した。	中国
2016	大隅良典 酵母の細胞内にある液胞に不要なタンパク質などがとりこまれて再利用されるオートファジーの仕組みを解明した。	日本

青字になっている人物は1～4巻に項目として掲載されています　　※1～4巻で調べる場合は、姓からひいてください。

文学賞

ノーベルの遺言によって、文学の分野で理想を追求した最もすぐれた作品を書いた人に与えられる賞。スウェーデン、フランス、スペインの3アカデミーが最終選考をおこなう。

 1907年受賞 ラドヤード・キップリング

 1915年受賞 ロマン・ロラン

 1969年受賞 サミュエル・ベケット

 1999年受賞 ギュンター・グラス

受賞年	受賞者／主な受賞理由	国籍
1901	シュリ・プリュドム 心と知の融合した倫理的・哲学的な詩を作った。代表作『孤独』『正義』など。	フランス
1902	テオドール・モムゼン 古代ローマ史を豊かな表現力でまとめた歴史家。代表作『ローマ史』『ローマ国家法』など。	ドイツ帝国
1903	ビョルンスティエルネ・ビョルンソン ノルウェーの国民作家として戯曲・小説・詩などを書いた。代表作『破産』(戯曲)など。古代北欧歌謡を研究した。	ノルウェー
1904	フレデリック・ミストラル 詩人として、中世の南フランス独自の言語や文学を復興する活動をおこなった。代表作『ミレイユ』など。	フランス
	ホセ・エチェガライ 大衆性のある戯曲で、スペインの演劇を復活させた。代表作『狂か聖か』『恐ろしき媒』など。	スペイン王国
1905	ヘンリク・シェンキェビッチ 愛国心にあふれる歴史小説を書いた。代表作『火と剣』『クオ・バディス』など。	ポーランド
1906	ジョズエ・カルドゥッチ 古典文学に親しみ古典的で優雅な詩を作った。代表作『新韻集』『擬古詩集』(ともに詩集)など。	イタリア
1907	ラドヤード・キップリング インドの海や密林を舞台にした詩や小説を書いた。代表作『兵営の歌』(詩集)『ジャングル・ブック』(児童文学)など。	イギリス
1908	ルドルフ・オイケン 近代の物質文明を批判し、精神を重んじた哲学で世界に影響を与えた。代表作『大思想家達の人生観』など。	ドイツ帝国
1909	セルマ・ラーゲルレーブ 美しい自然を背景にした、想像力豊かな物語などを書いた。代表作『ニルスのふしぎな旅』(児童文学)など。	スウェーデン
1910	パウル・フォン・ハイゼ 洗練された短編小説をはじめとして、詩、戯曲など、多くの作品を手がけた。代表作『ララビアータ』(短編小説)など。	ドイツ帝国
1911	モーリス・メーテルリンク 人間や運命について象徴的、神秘的に表した戯曲を数多く書いた。代表作『青い鳥』(児童劇)	ベルギー
1912	ゲルハルト・ハウプトマン 人間の苦悩や世間の姿をありのままに描いた戯曲を数多く作った。代表作『日の出前』『はたおりたち』など。	ドイツ帝国
1913	ラビンドラナート・タゴール 故郷ベンガル地方の農村文化に親しみ、ベンガル語の詩を作った。代表作『ギーターンジャリ』(詩集)など。	インド帝国

受賞年	受賞者／主な受賞理由	国籍
1914	受賞者なし	
1915	ロマン・ロラン 人類愛や理想に基づき、人間の生きる姿を小説に書いた。代表作『ミケランジェロの生涯』『ジャン・クリストフ』など。	フランス
1916	ベルネル・フォン・ヘイデンスタム 祖国の姿を詩や小説、戯曲に表現した。代表作『巡礼と遍歴の歳月』(詩集)など。	スウェーデン
1917	カール・ギェレルプ キリスト教的価値観からはなれ、理想を追い求める小説を書いた。代表作『一理想主義者』『ミンナ』など。	デンマーク
	ヘンリク・ポントピダン 農村を舞台に、庶民の生活の実態を率直に描いた小説が多い。代表作『約束された土地』『死者の王国』など。	デンマーク
1918	受賞者なし	
1919	カール・シュピッテラー ギリシャの神々や英雄を称える雄大な叙事詩を数多く書いた。代表作『プロメテウスとエピメテウス』『オリンピアの春』など。	スイス
1920	クヌート・ハムスン 人間が厳しい人生を生きる姿を、美しい文体で小説に描いた。代表作『飢え』『土の恵み』など。	ノルウェー
1921	アナトール・フランス ドレフュス事件を題材に左右両派の対立を風刺的にえがくなどした。代表作『タイス』『神々は渇く』など。	フランス
1922	ハシント・ベナベンテ 上流階級人々の軽薄さなどを皮肉に描いた戯曲を多く作った。代表作『作り上げた利害』『呪われた恋』など。	スペイン王国
1923	ウィリアム・バトラー・イェーツ 幻想的で美しい詩で知られ、またアイルランドの独立、文芸復興運動を指導した。代表作『塔』(詩集)など。	アイルランド自由国
1924	ウワディスワフ・レイモント ポーランドの都市や農村の人々の姿をこまやかに描いた小説で知られる。代表作『農民』『約束の土地』など。	ポーランド
1925	バーナード・ショー 社会問題を題材に、皮肉や批判をこめた軽妙な戯曲を多く書いた。代表作『ピグマリオン』など。	イギリス／アイルランド自由国
1926	グラツィア・デレッダ 生まれ育ったサルデーニャ島の特異な社会で生きる人々の姿を小説に描いた。代表作『木蔦』『風にそよぐ葦』など。	イタリア

学習資料集 ノーベル賞受賞者一覧(文学賞)

学習資料集

ノーベル賞受賞者一覧（文学賞）

受賞年	受賞者／主な受賞理由	国籍
1927	アンリ・ベルクソン 近代科学などの理論を超え、生きる自己の思考や認識を重んじた「生の哲学」を提唱。代表作『物質と記憶』など。	フランス
1928	シグリ・ウンセット 中世を舞台にキリスト教徒の人生を描いた長編の歴史小説で知られる。代表作『イェニー』など。	ノルウェー
1929	トーマス・マン 人の生き様を重厚な文体で克明に描いた小説などで知られる。代表作『ブッデンブローク家の人々』『魔の山』など。	ドイツ国
1930	シンクレア・ルイス 急成長するアメリカ社会を風刺する小説を書いた。代表作『本町通り』『アロー・スミスの生涯』など。	アメリカ
1931	エリク・アクセル・カールフェルト 故郷ダーラナ地方の自然や、人の心の温かさを表現した詩を多く作った。代表作『フリドリンの歌』『秋の角笛』など。	スウェーデン
1932	ジョン・ゴールズワージー 社会をよくするという信念のもと、資産家に対する批判的小説を多数書いた。代表作『フォーサイト家年代記』など。	イギリス
1933	イワン・ブーニン ロシアの農村を舞台にした人々の貧しい生活ぶりを簡潔な美しい文体で、描写した。代表作『村』『黒土』など。	ソビエト連邦
1934	ルイジ・ピランデッロ 人生における矛盾や葛藤を描いた小説、斬新な形式の戯曲などで知られる。代表作『作者を探す6人の登場人物』など。	イタリア
1935	受賞者なし	
1936	ユージン・オニール 自然主義、表現主義、心理劇など、さまざまな戯曲表現を試みて、アメリカ演劇の水準を高めた。代表作『地平線の彼方』など。	アメリカ
1937	ロジェ・マルタン・デュ・ガール 時代の流れを生きる人間の姿を緻密に描いた長編小説で知られる。代表作『ジャン・バロア』『チボー家の人々』など。	フランス
1938	パール・バック 宣教師の父とともに暮らした中国農民の生活や心を小説に書いた。代表作『大地』『皇太后』など。	アメリカ
1939	フランシス・エーミル・シッランパー 農村に生きる人々の人生をあるがままに写し取った小説を多く書いた。代表作『人生と太陽』『若くして逝きし者』など。	フィンランド
1940〜1943	受賞者なし	
1944	ヨハネス・ウィルヘルム・イェンセン 試練に立ち向かい前進して生きる人間の姿を雄大な小説に描いた。代表作『ヒンメラルンの物語』『長い旅』など。	デンマーク
1945	ガブリエラ・ミストラル 恋人への愛から、普遍的・人類的な愛までを詩に表現した。代表作『荒廃』『愛情』（ともに詩集）など。	チリ
1946	ヘルマン・ヘッセ 悩みながらも誠実に生きようとする人間の姿を描いた小説で知られる。代表作『車輪の下』『ガラス玉遊戯』など。	スイス
1947	アンドレ・ジッド 恋愛と信仰の間で迷う人の心などを多く小説に描いた。また、文芸評論活動などを先導。代表作『狭き門』など。	フランス
1948	トーマス・スターンズ・エリオット 自ら新しい境地を求めて斬新な詩を作り、古典的な信仰をテーマとした詩劇などがある。代表作『荒地』など。	イギリス
1949	ウィリアム・フォークナー アメリカ南部の古い社会に苦しむ人間の心を、独白などの斬新な表現を用いて描いた。代表作『響きと怒り』など。	アメリカ
1950	バートランド・ラッセル 数学、哲学の両分野で活躍し、平和・反戦などの人道主義や、思想の自由を主張した。代表作『懐疑論集』など。	イギリス
1951	ペール・ラーゲルクビスト 信仰と人生のさまざまな問題との対立に苦しむ人間を描いた詩や小説で知られる。代表作『バラバ』（小説）など。	スウェーデン
1952	フランソワ・モーリヤック 人間関係の愛や憎しみを、おもにボルドー地方の家庭を舞台にした小説に描いた。代表作『愛の砂漠』など。	フランス
1953	ウィンストン・チャーチル 政治家であるとともに、歴史家としても知られ、時代を生きた人間の姿を書き表した。代表作『世界の危機』など。	イギリス
1954	アーネスト・ヘミングウェイ 戦争や冒険を扱い、死の存在とともに生きる人間を、簡潔な文体の小説で描いた。代表作『老人と海』など。	アメリカ
1955	ハルドル・ラクスネス アイスランド社会への問題提起や批判を行い、アイスランドの文学を刷新した。代表作『アイスランドの鐘』など。	アイスランド
1956	フアン・ラモン・ヒメネス 色彩感覚豊かな詩から出発し後年は装飾的な言葉をとりはらった「純粋詩」を多くつくった。代表作『プラテーロと私』など。	スペイン
1957	アルベール・カミュ 生きる意味に確信がもてずに苦しむ人間の姿などを小説として描いた。代表作『異邦人』『ペスト』など。	フランス
1958	ボリス・パステルナーク（辞退） 詩と小説を融合させるなど、斬新な創作をおこなった。代表作『第二の誕生』『ドクトル・ジバゴ』（小説）など。	ソビエト連邦
1959	サルバトーレ・クアジーモド 叙情詩の手法を取り入れ、第二次世界大戦時のファシズムに抵抗する詩を書いた。代表作『来る日も来る日も』など。	イタリア
1960	サン゠ジョン・ペルス 長編の散文詩を得意とし、自然や命を称える雄大な詩を作った。代表作『遠征』『年代記』など。	フランス
1961	イボ・アンドリッチ 故郷ボスニアの歴史と運命を小説に描き出した。代表作『ドリナの橋』『ボスニア物語』など。	ユーゴスラビア
1962	ジョン・スタインベック 故郷のカリフォルニアの人々を、ユーモアや鋭い社会意識のもとに描いた小説で知られる。代表作『怒りの葡萄』など。	アメリカ
1963	イオルゴス・セフェリス 古代ギリシャ思想にもとづき、深い意味をもつ言葉を効果的に用いた象徴的な詩を作った。代表作『分岐点』など。	ギリシャ

青字になっている人物は1〜4巻に項目として掲載されています　※1〜4巻で調べる場合は、姓からひいてください。

受賞年	受賞者／主な受賞理由	国籍
1964	ジャン=ポール・サルトル（辞退） 哲学者として人間の存在について考察し、そのテーマを小説においても追求した。代表作『存在と無』（哲学書）。	フランス
1965	ミハイル・ショーロホフ 内戦、革命というロシアの激動の時代を生きる人の姿を、小説に描いた。代表作『ドン物語』『静かなドン』など。	ソビエト連邦
1966	シュムエル・アグノン 古代ヘブライ語を用いて、ユダヤの信仰や民俗を題材とした小説を書いた。代表作『棄てられた妻たち』など。	イスラエル
	ネリー・ザックス ユダヤ民族の宿命を、独特の比喩や象徴表現を用いて表した詩を作った。代表作『死のすみかにて』（詩集）など。	ドイツ スウェーデン
1967	ミゲル・アンヘル・アストゥリアス 南米を題材に、現代的な社会小説や、各地の神話・伝説の収集などをおこなった。代表作『大統領閣下』など。	グアテマラ
1968	川端康成 日本古来の美意識や日本人の心のありようを小説で表現した。代表作『伊豆の踊子』『雪国』など。	日本
1969	サミュエル・ベケット 斬新な手法を用いて、人間の孤独やむなしさを追求する戯曲を多数作った。代表作『ゴドーを待ちながら』など。	アイルランド
1970	アレクサンドル・ソルジェニーツィン 収容所での体験をもとに、共産党独裁時代のソ連社会への批判を小説で表現。代表作『イワン・デニーソヴィッチの一日』など。	ソビエト連邦
1971	パブロ・ネルーダ 南米大陸の自然や歴史などの力強さを、愛をもって詩に表現した。代表作『マチュピチュの頂』など。	チリ
1972	ハインリヒ・ベル 戦争やその後の社会を生きる人々の戸惑いや不安を描いた小説で知られる。代表作『九時半の玉突き』など。	西ドイツ
1973	パトリック・ホワイト ヨーロッパの心理小説の手法で小説を書いてオーストラリア文学の近代化に貢献した。代表作『人間の木』『台風の目』など。	オーストラリア
1974	エイビンド・ヨーンソン ナチズムに反抗した人の人生を描き、また共産主義を批判する小説を書いた。代表作『ウーロフをめぐる物語』など。	スウェーデン
	ハリー・マーティンソン 自伝的な小説の他、現代社会の問題を題材にした詩などを書いた。代表作『いらくさの咲くころ』（小説）など。	スウェーデン
1975	エウジェーニオ・モンターレ 「絶望の詩人」と呼ばれ、生の不安や罪悪感を主題とした詩を多く作った。代表作『烏賊の骨』『機会』など。	イタリア
1976	ソール・ベロー 人間の心理や現代社会のありようを的確にとらえた小説を多く書いた。代表作『サムラー氏の惑星』など。	アメリカ
1977	ビセンテ・アレイクサンドレ 人間と自然との融合を、美しい言葉で表現した壮大な詩などで知られる。代表作『破戒すなわち愛』『楽園の影』など。	スペイン
1978	アイザック・バシェビス・シンガー ヨーロッパでユダヤ人が使っているイディッシュ語でポーランドのユダヤ人社会の問題を追求した小説を書いた。代表作『領地』など。	アメリカ

受賞年	受賞者／主な受賞理由	国籍
1979	オデッセアス・エリティス ギリシャの海や太陽を称える詩を作り、戦争後は自己の内面を見つめる詩を作った。代表作『第一の太陽』など。	ギリシャ
1980	チェスワフ・ミウォシュ 現代文明を直視し、幻滅や批判を詩や評論などに表現した。代表作『昼の光』（詩集）『囚われの魂』（評論）など。	ブルガリア アメリカ
1981	エリアス・カネッティ 群衆と権力のメカニズムを人類史の中でときあかした研究のほか小説家としても知られている。代表作『眩暈』『群衆と権力』など。	イギリス
1982	ガブリエル・ガルシア・マルケス 南米大陸の風土を生かした、幻想的、あるいは現実的なさまざまな小説を書いた。代表作『百年の孤独』など。	コロンビア
1983	ウィリアム・ゴールディング 人間の本性を神話的な表現によって描いた小説で知られる。代表作『蠅の王』『後継者たち』など。	イギリス
1984	ヤロスラフ・サイフェルト 体制に屈せず詩作を続け、時代とともに作風を変えながら新鮮な詩を作った。代表作『涙の町』『おかあさん』など。	チェコスロバキア
1985	クロード・シモン 筋立てにしばられず、場面や出来事を断片的につなげるなど、斬新な手法の小説で知られる。代表作『歴史』など。	フランス
1986	ウォーレ・ショインカ 西欧演劇の理論と、アフリカ演劇の伝統的な素材、手法を融合させた。代表作『ライオンと宝石』『森の舞踏』など。	ナイジェリア
1987	ヨシフ・ブロツキー 祖国・ソ連を追放され、聖書などの古典を題材としたロシア現代詩を多くつくった。代表作『長詩と短詩』など。	ソビエト連邦 アメリカ
1988	ナギーブ・マフフーズ エジプトの歴史や庶民生活など、アラブ社会と深く関わる小説を多く書いた。代表作『運命のいたずら』など。	エジプト
1989	カミーロ・ホセ・セラ 人間のさまざまな性質や心理やへの深い洞察を、華麗なスペイン語で表現した小説を書いた。代表作『蜂の巣』など。	スペイン
1990	オクタビオ・パス 人間の孤独を表現した詩で知られ、他にも政治などについて幅広く評論を書いた。代表作『東斜面』（詩集）。	メキシコ
1991	ナディン・ゴーディマ アパルトヘイト反対の立場から差別問題を小説に書き、アパルトヘイト法撤廃に貢献した。代表作『虚偽の日々』など。	南アフリカ共和国
1992	デレック・ウォルコット カリブ海の風土と歴史、遠い祖国アフリカの文化を融合させた詩で知られる。代表作『もう一つの生』など。	セントルシア
1993	トニ・モリソン アメリカの黒人社会の問題に直面する人々の生きる姿を、巧みに描いた小説で知られる。代表作『スーラ』など。	アメリカ
1994	大江健三郎 現代人の性や政治、戦争など、社会の問題を題材として、想像力あふれる小説を多く書いた。代表作『飼育』など。	日本
1995	シェイマス・ヒーニー 母国・アイルランドの歴史や風土を、愛情をもって表現した詩で知られる。代表作『ナチュラリストの死』など。	アイルランド

学習資料集

ノーベル賞受賞者一覧（文学賞）

学習資料集 ノーベル賞受賞者一覧（文学賞／平和賞）

受賞年	受賞者／主な受賞理由	国籍
1996	ウィスワバ・シンボルスカ 恋愛や社会問題などの題材を、わかりやすい言葉で表現した哲学的な詩を多く作った。代表作『大きな数字』など。	ポーランド
1997	ダリオ・フォ 反体制の立場から、宗教や政治などの問題を軽妙に風刺した喜劇を多く作った。代表作『払えない、払わない』など。	イタリア
1998	ジョゼ・サラマーゴ 現実と空想とを融合させた独創的な設定を用いた、風刺的な小説を書いた。代表作『リカルド・レイスの死の年』など。	ポルトガル
1999	ギュンター・グラス 戦争の過ちなど、さまざまな歴史や社会の出来事を、奇抜な設定の小説として描いた。代表作『ブリキの太鼓』など。	ドイツ
2000	高行健 ヨーロッパの手法を取り入れた中国演劇の戯曲などを書いた。代表作『非常信号』（戯曲）など。	中国／フランス
2001	ビディアダハル・スラヤプラサド・ナイポール 出自につながるインドの混乱や不安の中で生きる人々などを小説に描いた。代表作『自由の国で』など。	イギリス
2002	イムレ・ケルテース（ケルテース・イムレ） ユダヤ人迫害の歴史などを題材にした小説で、権力に抵抗する人々の姿を描いた。代表作『イギリスの旗』など。	ハンガリー
2003	ジョン・マックスウェル・クッツェー 西欧的な合理主義の浅さや残酷さを厳しく批判する、巧みな構成の小説を多く書いた。代表作『マイケル・K』など。	南アフリカ共和国
2004	エルフリーデ・イェリネク 社会のばかばかしさや、人の心の歪みなどを描いた小説や戯曲で知られる。代表作『ピアニスト』（小説）など。	オーストリア
2005	ハロルド・ピンター 日常の中に隠されている危機を、ユーモアをまじえて描いた戯曲は「脅威の喜劇」とよばれる。代表作『管理人』など。	イギリス
2006	オルハン・パムク イスラムの伝統とヨーロッパの現代性とが入り交じる、トルコの社会を描いた小説で知られる。代表作『白い城』など。	トルコ

受賞年	受賞者／主な受賞理由	国籍
2007	ドリス・レッシング 人種差別や社会問題などに鋭く切り込んだ小説で知られる。代表作『草は歌っている』『黄金のノート』など。	イギリス
2008	ジャン＝マリ・ギュスターブ・ル・クレジオ 現実の問題に神話的な世界観を重ね合わせたような、独特の手法の小説で知られる。代表作『調書』など。	フランス／モーリシャス
2009	ヘルタ・ミュラー ルーマニア出身。政治的に迫害される女性たちを描いた小説で知られる。代表作『澱み』『ヘルツティーア』など。	ドイツ
2010	マリオ・バルガス・リョサ 社会に存在する権力の脅威や、暴力、また抵抗する人々の苦しみを小説に描いた。代表作『緑の家』など。	ペルー／スペイン
2011	トーマス・トランストロンメル 凝縮された言葉の中に、神秘的な豊かなイメージをこめた、短い自由詩で知られる。代表作『17の詩篇』など。	スウェーデン
2012	莫言 幻覚を起こさせるような現実描写で、農民の生活を描いた小説を多く書いた。『紅い高粱』『白い犬とブランコ』など。	中国
2013	アリス・マンロー 小さな町の平凡に暮らす人間の心の動きをこまやかに描き、短編小説の名手とされる。代表作『逃亡』など。	カナダ
2014	パトリック・モディアノ 自らの占領下の経験をもとに、その時代の生活を小説に描き出した。代表作『パリ環状通り』『暗いブティック通り』など。	フランス
2015	スベトラーナ・アレクシエービッチ 第二次世界大戦に従軍した女性に取材するなど、ジャーナリストとして活躍。代表作『戦争は女の顔をしていない』など。	ベラルーシ
2016	ボブ・ディラン 『風に吹かれて』をはじめ約600曲を作曲。偉大なアメリカの歌の伝統の中で、新しい詩的表現を創造した。	アメリカ

平和賞

ノーベルの遺言によって、国と国との友愛関係、軍隊の廃止や縮小、平和会議の開催や促進のために、偉大な仕事をした人や団体に与えられる賞。ノルウェーの国会で選ばれた五人委員会が最終選考をおこなう。

1901年受賞
アンリ・デュナン

1961年受賞
ダグ・ハマーショルド

1979年受賞
マザー・テレサ

2009年受賞
バラク・オバマ

受賞年	受賞者／主な受賞理由	国籍
1901	アンリ・デュナン 赤十字（社）を創立し、戦争の負傷者や捕虜を保護するジュネーブ条約を成立させた。	スイス

受賞年	受賞者／主な受賞理由	国籍
	フレデリック・パシー 国際的な平和のための組織「国際恒久平和同盟」や「列国議会同盟」などの設立に貢献した。	フランス

青字になっている人物は1～4巻に項目として掲載されています　※1～4巻で調べる場合は、姓からひいてください。

受賞年	受賞者／主な受賞理由	国籍
1902	エリー・デュコマン 国際的な平和団体「常設国際平和局」で初代事務局長となり、長年、無報酬で激務にあたった。	スイス
	シャルル・ゴバ 各国議員の交流組織「列国議会同盟」の運営に貢献した。のちに「常設国際平和局」の事務局長を引きつぐ。	スイス
1903	ウィリアム・ランダル・クリーマー 「列国議会同盟」と「国際仲裁連盟」の設立に貢献した。	イギリス
1904	万国国際法学会 「戦争法規準則ハンドブック」を刊行、中立地域の設置を提言した。	ベルギー
1905	ベルタ・フォン・ズットナー 小説『武器よ、さらば!』で女性の立場から戦争の不条理を描き、以後も平和運動に参加した。	オーストリア
1906	セオドア・ローズベルト 日露戦争を調停し、ポーツマス講和条約を斡旋した。	アメリカ
1907	ルイ・ルノー 常設仲裁裁判所の裁判官として、多くの紛争の仲裁にあたった。	フランス
	エルネスト・テオドロ・モネタ 国際平和主義の刊行物を出版し、国際平和会議等で活動を続けた。	イタリア
1908	ポントゥス・アルノルドソン 北ヨーロッパ諸国の中立を提唱、ノルウェー・スウェーデン連合の平和的解消に努力した。	スウェーデン
	フレデリック・バイエル 国際的な平和団体「国際平和局」を設立し、初代局長に就任。北欧の中立を推進した。	デンマーク
1909	オーギュスト・ベールナルト 国際的な平和会議で、軍縮委員会の最高責任者を務めた。	ベルギー
	エストゥールネル・ド・コンスタン 国際調停協会を設立、常設仲裁裁判所の判事を務めた。	フランス
1910	国際平和局(IPB) イギリスが南アフリカを植民地化した紛争の調停をおこなった。	スイス
1911	トビアス・アセル スエズ運河の中立化の交渉をおこなった。	オランダ
	アルフレッド・フリート ズットナーを編集長にして反戦雑誌『武器よ、さらば!』を創刊、国際平和活動をおこなった。	オーストリア
1912	エリフ・ルート アメリカと中南米諸国との関係改善に尽力。ハーグ国際仲裁裁判所の判事として、紛争の解決に貢献した。	アメリカ
1913	アンリ・ラ・フォンテーヌ 常設国際平和局の創設に努力、会長に就任。ジュネーブの平和会議で空中戦反対の決議をさせた。	ベルギー

受賞年	受賞者／主な受賞理由	国籍
1914〜1916	受賞者なし	
1917	赤十字国際委員会(ICRC) 第一次世界大戦において、戦争捕虜の保護をおこなった。	
1918	受賞者なし	
1919	ウッドロー・ウィルソン 第一次世界大戦後の平和機構として、国際連盟の設立に努力した。	アメリカ
1920	レオン・ブルジョワ ハーグの常設仲裁裁判所の判事に選ばれ、国際連盟の設立につとめ、フランスの代表を務めた。	フランス
1921	カール・ヤルマール・ブランティング 第一次世界大戦ではスウェーデンの中立を主張、戦後は軍縮の道筋をつけた。	スウェーデン
	クリスティアン・ランゲ 「列国議会同盟」の事務総長に就任。第一次世界大戦中はその存続に努めた。戦後は国際連盟のノルウェー代表に。	ノルウェー
1922	フリチョフ・ナンセン 第一次世界大戦後の戦争捕虜の送還や、ロシア革命後の難民の救済に尽力した。	ノルウェー
1923・1924	受賞者なし	
1925	オースティン・チェンバレン ヨーロッパの安全保障条約であるロカルノ条約を締結し、ヨーロッパの国々の関係を安定させた。	イギリス
	チャールズ・ドーズ 第一次世界大戦後、ドイツの戦後補償を調整し、紛争を回避した。	アメリカ
1926	アリスティド・ブリアン ヨーロッパの安全保障条約であるロカルノ条約を締結し、ヨーロッパの国々の関係を安定させた。	フランス
	グスタフ・シュトレーゼマン 同　上	ドイツ国
1927	フェルディナン・ビュイソン 戦争孤児収容所の設立、フランスの教育行政など、平和や教育に関わる活動をおこなった。	フランス
	ルードウィヒ・クウィデ 自国ドイツの軍国主義を批判して平和運動をおこなった。	ドイツ国
1928	受賞者なし	
1929	フランク・ケロッグ フランスの外相ブリアンと、不戦条約であるケロッグ・ブリアン条約を締結し国際平和への努力をした。	アメリカ

学習資料集

ノーベル賞受賞者一覧（平和賞）

123

学習資料集　ノーベル賞受賞者一覧（平和賞）

受賞年	受賞者／主な受賞理由	国籍
1930	タータン・ゼーデルブロム キリスト教の諸教会の連帯によって国際関係の改善をめざす世界教会運動をおこなった。	スウェーデン
1931	ニコラス・バトラー 不戦条約であるケロッグ・ブリアン条約の締結に尽力した。	アメリカ
	ジェーン・アダムズ 移民問題や女性参政権に関する運動、反戦運動を指導した。	アメリカ
1932	受賞者なし	
1933	ラルフ・ノーマン・エンゼル 戦争を否定した『大いなる幻影』を出版して、平和運動に貢献した。	イギリス
1934	アーサー・ヘンダーソン 国際連盟の推進やジュネーブ海軍軍縮会議の開催に努力し、議長を務めた。	イギリス
1935	カール・フォン・オシエツキー ドイツ平和協会書記となり平和運動をおこない、雑誌『世界展望』編集者として反戦運動を指導した。	ドイツ国
1936	カルロス・サーベドラ・ラマス 中南米不戦条約の起草や、パラグアイとボリビアの戦争の調停をおこなった。	アルゼンチン
1937	ロバート・セシル 国際連盟の設立に尽力した。	イギリス
1938	ナンセン国際避難民事務所 第一次世界大戦後のアルメニア人の難民やユダヤ人の亡命問題などに対処した。	
1939～1943	受賞者なし	
1944	赤十字国際委員会（ICRC） 第二次世界大戦中、迫害された民族や政治犯とされた人に対する人道的活動をおこなった。	
1945	コーデル・ハル 国連憲章の作成や、国際連合の設立に貢献した。	アメリカ
1946	ジョン・モット 世界教会協議会など、キリスト教の世界的な連帯を指導した。	アメリカ
	エミリー・ボルチ 女性参政権、人種問題に関する運動や、反戦運動をおこなった。	アメリカ
1947	アメリカ・フレンズ奉仕委員会 独立戦争、アイルランド飢饉などにおいて、市民への救援活動をおこなった。	アメリカ
	フレンズ奉仕団理事会 同　上	イギリス

受賞年	受賞者／主な受賞理由	国籍
1948	受賞者なし	
1949	ジョン・ボイド＝オア 国連食糧農業機関（FAO）を創立し、初代事務局長に選ばれ、世界の食糧問題の解決のために貢献した。	イギリス
1950	ラルフ・ジョンソン・バンチ 国連の副事務総長などを務め、パレスチナ紛争の調停に尽力した。	アメリカ
1951	レオン・ジュオー 国際労働機関（ILO）の創設に関わるなど、国際的な労働問題に取り組んだ。	フランス
1952	アルバート・シュバイツァー アフリカに渡って病院を建設するなど、アフリカ先住民への医療・キリスト教伝導をおこなった。	フランス
1953	ジョージ・マーシャル 第二次世界大戦後のヨーロッパの経済復興計画（マーシャル・プラン）を作成した。	アメリカ
1954	国連難民高等弁務官事務所（UNHCR） 前身組織から難民対策業務を引き継ぎ、第二次世界大戦後の混乱による難民や、新国家体制からの亡命者などへの対応にあたった。	
1955・1956	受賞者なし	
1957	レスター・ボウルズ・ピアソン 国連総会の議長を務め、スエズ動乱を解決するなど、国際紛争調停に貢献した。	カナダ
1958	ドミニク・ジョルジュ・ピール 第二次世界大戦後、戦災孤児や難民の救済活動をおこなった。	ベルギー
1959	フィリップ・ジョン・ノエル＝ベーカー イギリスの外交官として、軍縮・反核の活動をおこなった。	イギリス
1960	アルバート・ジョン・ルトゥリ アパルトヘイト政策に対して非暴力の反対運動を展開した。	南アフリカ連邦
1961	ダグ・ハマーショルド 国連事務総長を務め、スエズ動乱、中東危機などの収束にあたった。	スウェーデン
1962	ライナス・カール・ポーリング 原水爆禁止運動の指導者として、署名運動などに取り組んだ。1954年にノーベル化学賞を受賞した。	アメリカ
1963	赤十字国際委員会（ICRC） 戦争、紛争の犠牲者に対する、中立的な人道保護、支援活動を、設立以来100年間、継続した。	
	国際赤十字赤新月社連盟（LRCS） 飢餓や災害、感染症などに対して、医療、保健などの側面から、国際的な救済活動を継続した。	
1964	マーティン・ルーサー・キング・ジュニア アメリカの人種差別問題に非暴力で抵抗し、公民権運動を指導した。	アメリカ

青字になっている人物は1～4巻に項目として掲載されています　　※1～4巻で調べる場合は、姓からひいてください。

受賞年	受賞者／主な受賞理由	国籍
1965	**国際連合児童基金（UNICEF）** 世界の子どもたちの命と成長を守るために、食糧や医薬品の提供、教育や医療の普及など、さまざまな活動を継続した。	
1966・1967	受賞者なし	
1968	**ルネ・カサン** UNESCO創設、世界人権宣言の作成に貢献、またヨーロッパ人権裁判所の所長を務めた。	フランス
1969	**国際労働機関（ILO）** 労働条件の改善や生活水準向上のために、児童労働や差別、福利厚生などにかかわるさまざまな基準を設けた。	
1970	**ノーマン・アーネスト・ボーローグ** メキシコの農業を指導し、緑の革命と呼ばれる生産向上を実現した。	アメリカ
1971	**ウィリー・ブラント** 西ドイツ首相として、東ドイツとの国交を正常化させた。	西ドイツ
1972	受賞者なし	
1973	**ヘンリー・キッシンジャー** アメリカ政府の要職につき、中国との国交回復やベトナム和平に尽力した。	アメリカ
	レ・ドク・ト（辞退） パリ和平会談に北ベトナムの代表団特別顧問として参加、ベトナム和平協定に尽力した。	ベトナム
1974	**ショーン・マクブライド** 国際人権擁護機関アムネスティ・インターナショナルの委員長などを務めた。	アイルランド
	佐藤栄作 日本の首相として非核三原則（核兵器を持たず、つくらず、持ち込ませず）を推進。沖縄返還も実現。	日本
1975	**アンドレイ・サハロフ** 冷戦時代のソ連で、核実験に反対し、民主化を主張する運動をおこなった。	ソビエト連邦
1976	**ベティ・ウィリアムズ** 北アイルランド紛争解決をめざす平和運動「ピース・ピープル」を組織した。	イギリス
	マイレッド・コリガン 同　上	イギリス
1977	**アムネスティ・インターナショナル** 政治権力による人権被害を受けている人々を救済するなど、平和と尊厳の基礎である人権活動によって、世界平和に貢献した。	
1978	**アンワル・サダト** エジプト大統領として、イスラエルとの平和条約に調印した。	エジプト
	メナヘム・ベギン イスラエル首相として、エジプトとの平和条約に調印した。	イスラエル

受賞年	受賞者／主な受賞理由	国籍
1979	**マザー・テレサ** 修道女として、インドで孤児や貧者を救済する奉仕活動をおこなった。	インド
1980	**アドルフォ・ペレス・エスキベル** アルゼンチンの人権抑圧政策に対して、「ラテンアメリカ平和と正義奉仕協会」を設立し、人権擁護活動を展開した。	アルゼンチン
1981	**国際連合難民高等弁務官事務所（UNHCR）** ベトナム戦争によって祖国を脱出したボート・ピープルや、アフリカの内戦などによる難民の救済をおこなった。	
1982	**アルバ・ミュルダール** 国際連合の要職を歴任し、冷戦時代に米ソの軍縮のために尽力した。	スウェーデン
	アルフォンソ・ガルシア・ロブレス ラテンアメリカ核兵器禁止条約の締結を斡旋し、国際軍縮に取り組んだ。	メキシコ
1983	**レフ・ワレサ** 労働組合「連帯」の指導者として政府に抵抗した。	ポーランド
1984	**デズモンド・ツツ** イギリス国教会の主教で、非暴力の反アパルトヘイト運動を指導した。	南アフリカ共和国
1985	**核戦争防止国際医師会議（IPPNW）** 核戦争が起きた場合の生態系の崩壊や健康被害について警告し、東西冷戦による核軍縮に影響を与えた。	
1986	**エリ・ウィーゼル** ナチスドイツの強制収容所での体験をもとにした著作活動や、人権運動をおこなった。	アメリカ
1987	**オスカル・アリアス・サンチェス** コスタリカ大統領として、中央アメリカの和平に尽力し、和平調停の調印を実現させた。	コスタリカ
1988	**国際平和維持軍（PKF）** 紛争を停止させたり、治安を回復させたりする、安全保障のための軍隊としてさまざまな活動をおこなった。	
1989	**ダライ・ラマ14世** 中国のチベット進入後、亡命政府を樹立し、チベット問題解決の国際活動をおこなった。	
1990	**ミハイル・ゴルバチョフ** ソ連の書記長として東欧諸国の民主化、東西冷戦の終結に貢献した。	ソビエト連邦
1991	**アウン・サン・スー・チー** ミャンマーの軍事独裁政権に抵抗し、自宅に軟禁されながら民主化運動を展開した。	ミャンマー
1992	**リゴベルタ・メンチュウ** グアテマラの先住民族への圧政に抵抗する農民組織を設立して、活動をおこなった。	グアテマラ
1993	**ネルソン・マンデラ** アパルトヘイト政策に抵抗して、黒人の権利獲得運動を指導、全人種による投票を実現し、大統領に選ばれた。	南アフリカ共和国
	フレデリック・ウィレム・デクラーク 南アフリカの大統領として、アパルトヘイトの改革を行い、廃止させた。	南アフリカ共和国

学習資料集

ノーベル賞受賞者一覧（平和賞）

125

学習資料集

ノーベル賞受賞者一覧（平和賞）

受賞年	受賞者／主な受賞理由	国籍
1994	**イツハーク・ラビン** イスラエルの首相として、パレスチナの暫定自治に同意するなど、中東和平に貢献した。	イスラエル
	シモン・ペレス イスラエルの外相としてラビンと協力し、中東和平に尽力した。	イスラエル
	ヤセル・アラファト パレスチナ解放機構の議長として、イスラエルとの間でパレスチナ暫定自治の合意を実現させ、中東和平に貢献した。	パレスチナ
1995	パグウォッシュ会議 核兵器の製造と使用をなくすために、科学者が政治の壁を越えて国際的に協力する取り組みをおこなった。	
	ジョセフ・ロートブラット パグウォッシュ会議の創設など、核兵器の廃絶運動をおこなった。	ポーランド イギリス
1996	カルロス・フィリペ・シメネス・ベロ インドネシアによる東ティモールの武力併合に対して、非暴力抵抗と対話解決を推進した。	東ティモール
	ジョゼ・ラモス＝ホルタ インドネシアによる東ティモールの武力併合について、国際社会に問題提起し、解決に貢献した。	東ティモール
1997	地雷禁止国際キャンペーン（ICBL） 地雷の使用の禁止を各国に呼びかけ、地雷の撤去や、地雷被害者への救済などを行い、また地雷禁止条約の調印を実現した。	
	ジョディ・ウィリアムズ 「地雷禁止国際キャンペーン」の活動を主導し、オタワ会議で地雷禁止条約の実現に貢献した。	アメリカ
1998	ジョン・ヒューム アイルランド共和軍（IRA）と交渉し、和平合意の成立に貢献した。	イギリス
	デビッド・トリンブル 同　上	イギリス
1999	国境なき医師団（MSF） 有志の医師たちが、人道主義的な立場から、世界各国で迅速な医療活動を継続しておこなった。	
2000	**金大中** 韓国大統領として、北朝鮮に友好的な政策を示し、南北首脳会談を実現させるなど、南北の緊張関係を改善した。	韓国
2001	国際連合（UN） 秩序ある平和な世界を実現するために、紛争解決や治安維持のほか、経済、社会、文化などにかかわる多様な活動を継続しておこなった。	
	コフィ・アナン 同　上	ガーナ
2002	**ジミー・カーター** エモリー大学と共同で設立したカーター・センターを拠点に、仲介や国際協力を行い、世界各地の紛争解決などに尽力した。	アメリカ
2003	**シーリーン・エバディ** 弁護士として、イランの民主化や、女性・子どもの人権擁護のための活動をおこなった。	イラン

受賞年	受賞者／主な受賞理由	国籍
2004	**ワンガリ・マータイ** 緑化運動など持続可能な開発のための環境活動、民主主義のための権利拡大運動など多方面にわたって尽力した。	ケニア
2005	**モハメド・エルバラダイ** 核の拡散の防止に努め、原子力の軍用を防ぎ、平和的な安全な利用を推進。	エジプト
	国際原子力機関（IAEA） 同　上	
2006	**ムハマド・ユヌス** グラミン銀行を設立、貧しい人に担保なしで小規模の融資を行い、社会の底辺から経済を発展させた。	バングラデシュ
	グラミン銀行 同　上	
2007	気候変動に関する政府間パネル（IPCC） 地球温暖化について、最先端科学を用いて今後の予測や可能な対策の提案などを行い、問題意識を拡大させた。	
	アル・ゴア 同　上	アメリカ
2008	マルッティ・アハティサーリ ナミビア紛争、ユーゴスラビア・コソボ紛争など、多くの紛争や対立の仲介をつとめ、世界平和に貢献した。	フィンランド
2009	**バラク・オバマ** 「核なき世界」の構想を立ち上げ、地球温暖化対策にも取り組むなど、国際外交や諸国の協力関係の強化に尽力。	アメリカ
2010	劉暁波 中国の民主化運動を先導、政府による監視や拘束を受けながらも、暴力によらない人権獲得運動を継続した。	中国
2011	**エレン・ジョンソン・サーリーフ** 女性の安全や、女性がさまざまな運動や活動に参加する権利を獲得するために、暴力によらない戦いを長年継続。	リベリア
	レイマ・ボウイ 同　上	リベリア
	タワックル・カルマン 同　上	イエメン
2012	欧州連合（EU） 第二次世界大戦後の東西対立や宗教・民族紛争を克服してヨーロッパを統合し、ヨーロッパの平和と協調、民主主義や人権の向上に貢献した。	
2013	化学兵器禁止機関（OPCW） シリア内戦において、化学兵器の査察や、化学兵器に関連する装置の破壊などをおこなった。	
2014	カイラシュ・サティヤルティ 児童労働などの子供たちへの抑圧と戦い、すべての子どもが教育を受ける権利を得られるよう努めた。	インド
	マララ・ユスフザイ 同　上	パキスタン

青字になっている人物は1〜4巻に項目として掲載されています　　※1〜4巻で調べる場合は、姓からひいてください。

受賞年	受賞者／主な受賞理由	国籍
2015	チュニジア国民対話カルテット 市民暴動から長期政権が崩壊した「ジャスミン革命」後、チュニジア国内の政情を安定させ、民主化を実現した。	チュニジア

受賞年	受賞者／主な受賞理由	国籍
2016	フアン・マヌエル・サントス 50年以上にわたるコロンビア政府と革命軍の内戦の終結にむけて尽力した。	コロンビア

経済学賞

スウェーデン銀行が設立300周年を迎えた1968年に、ノーベルを偲ぶ記念事業として設立した賞で、正式には「アルフレッド・ノーベル記念経済学スウェーデン銀行賞」。経済学の分野で功績のあった人に与えられる。スウェーデン科学アカデミーが最終選考をおこなう。

1969年受賞
ヤン・ティンバーゲン

1970年受賞
ポール・サミュエルソン

1994年受賞
ジョン・ナッシュ

2015年受賞
アンガス・ディートン

受賞年	受賞者／主な受賞理由	国籍
1969	ヤン・ティンバーゲン 数学や統計学を取り込んだ計量経済学という手法を用いて、経済政策についての理論を組み立てた。	オランダ
	ラグナル・フリッシュ 同　上	ノルウェー
1970	ポール・サミュエルソン 経済学に、数学的な分析によって経済行動を解明するという新しい手法を取り入れた。	アメリカ
1971	サイモン・クズネッツ 国民の収入や国家の経済成長の計算、分析、国際比較などにすぐれた手腕を発揮した。	アメリカ
1972	ジョン・ヒックス 特定の範囲内で経済的なバランスをとる一般均衡論という方法を、さまざまな分析の導入によって充実させた。	イギリス
	ケネス・アロー 同　上	アメリカ
1973	ワシリー・レオンチェフ 商品やサービスが、どの産業でどのような投資によってつくられ、どの産業にどのように消費されたか分析する方法を確立。	ソビエト連邦／アメリカ
1974	フリードリヒ・フォン＝ハイエク 貨幣の変動と景気の循環を結びつけた貨幣的景気理論を展開。経済を政治学、人類学などとも結びつけた。	オーストリア
	グンナー・ミュルダール 同　上	スウェーデン
1975	レオニート・カントロビチ 目的を達成するための最適の方法を求める数学的な計算法（線形計画法）を開発し、工業などに応用することに成功した。	ソビエト連邦
	チャリング・クープマンス 同　上	オランダ／アメリカ

受賞年	受賞者／主な受賞理由	国籍
1976	ミルトン・フリードマン 貨幣の供給量の変化が、経済活動全体に影響するという理論（マネタリズム）を考案した。	アメリカ
1977	ジェームズ・ミード 国際貿易と、投資などによる国際間の資金の移動について、先進的な研究をおこなった。	イギリス
	ベルティル・オリーン 同　上	スウェーデン
1978	ハーバート・サイモン 組織の意思決定の過程を分析した新しい理論を考案し、それを経営学に応用発展させた。	アメリカ
1979	セオドア・シュルツ 発展途上国の経済発展を研究し、教育投資をして人材を育てることが重要であることなどを提言した。	アメリカ
	アーサー・ルイス 同　上	イギリス
1980	ローレンス・クライン 景気変動を予測するための、計量経済モデル（確定できない要素を確率として計算する方法）を考案した。	アメリカ
1981	ジェームズ・トービン 安全性の異なる資産を組み合わせて選ぶという理論を考案し、この理論を用いて金融市場を分析研究した。	アメリカ
1982	ジョージ・スティグラー 産業や市場について研究をおこない、政府の干渉しない自由市場による経済を支持した。	アメリカ
1983	ジェラール・ドブルー 市場を数学的に分析して、自由競争によって、市場の均衡が安定的に保たれることを明らかにした。	フランス
1984	リチャード・ストーン 国民経済計算体系（国民の経済活動を明らかにする統計システム）を開発し、経済分析を進展させた。	イギリス

127

ノーベル賞受賞者一覧（経済学賞）

受賞年	受賞者／主な受賞理由	国籍
1985	フランコ・モディリアーニ 個人の消費・貯蓄行動は人生の段階によって異なるというライフ・サイクル仮説をたて、年金制度の分析に貢献した。	イタリア アメリカ
1986	ジェームズ・マギル・ブキャナン 市場における政治の役割を研究し、市場に対して政策を決定する際の原則などについてまとめた。	アメリカ
1987	ロバート・ソロー 経済成長の途中に、資本と労働との交替などを想定することで、長期にわたる安定した経済成長が可能であるとした。	アメリカ
1988	モーリス・アレ 自由競争による市場の均衡と、資源を最大限に有効利用することは、同じことであるということを明らかにした。	フランス
1989	トリグベ・ホーベルモ 計量経済学に、統計学的な確率論の考え方を持ち込み、経済分析の精度を高めた。	ノルウェー
1990	ハリー・マーコビッツ 安全性の異なる資産を組み合わせて投資するポートフォリオ理論に、数学的な裏付けを与えてより確かなものにした。	アメリカ
	ウィリアム・シャープ 同　上	アメリカ
	マートン・ミラー 同　上	アメリカ
1991	ロナルド・コース 経済において、企業は市場と並んで資源の配分をおこなう側の組織と位置づけ、企業理論の発展の基礎を築いた。	イギリス
1992	ゲーリー・ベッカー 人間を経済の上での資本の一つととらえ、経済学の領域を、家族、差別、犯罪など、関連が薄いとされた分野まで広げた。	アメリカ
1993	ロバート・フォーゲル 経済史に、計量経済学の手法を取り入れた計量経済史という分野を新しく開いた。	アメリカ
	ダグラス・ノース 同　上	アメリカ
1994	ジョン・ナッシュ 利害の異なる主体が自分の利益のためにだけ経済活動をしても、経済は安定するという均衡論を確立。	アメリカ
	ジョン・ハーサニ 同　上	アメリカ
	ラインハルト・ゼルテン 同　上	ドイツ
1995	ロバート・ルーカス 人々が情報を活用し経済予測をするという仮説では、予測されていない景気刺激などの財政政策は無効であると主張。	アメリカ
1996	ジェームズ・マーリーズ 競売などのように、売り手と買い手のもつ情報が対等でない場合の、情報の価値や活用のしかたなどを明らかにした。	イギリス
	ウィリアム・ビックリー 同　上	カナダ
1997	ロバート・マートン 株取引の権利価格決定のための計算式の正しさを、数学的に明らかにし、その他の金融商品の価格決定理論に貢献した。	アメリカ
	マイロン・ショールズ 同　上	カナダ アメリカ
1998	アマルティア・セン 発展途上国の経済について、所得分配の不平等、貧困、飢餓などを分析できる理論を築いた。	インド
1999	ロバート・マンデル 為替が変動制になった場合の金融政策を分析。また、共通通貨の有効制を検討し、ユーロ導入の基礎を築いた。	カナダ
2000	ジェームズ・ヘックマン 経済分析を、個人消費や家計などの小規模な単位でおこなう際の、適切なサンプルの抜き出しかたなどを確立した。	アメリカ
	ダニエル・マクファデン 個人や家計のミクロデータを計量分析する手法を開発。経済のこまかい流れを読みとく理論を提出した。	アメリカ
2001	ジョージ・アカロフ 競売などのように、売り手と買い手の情報が不完全な場合の市場を分析し、消費者の行動パターンを解明。	アメリカ
	マイケル・スペンス 同　上	アメリカ
	ジョセフ・スティグリッツ 同　上	アメリカ
2002	ダニエル・カーネマン 経済学に心理学を取り入れ、感情をもつ人間の判断と、経済の理論との関係などを研究した。	イスラエル アメリカ
	バーノン・スミス 実際の市場ではなく、実験的におこなう取引によって当事者の意識や行動を調査する「実験経済学」の分野を開いた。	アメリカ
2003	ロバート・エングル 株価のように変動制が一定でない値動きなどの分析で、その変動が過去の変動に比例することを踏まえた方法を開発。	アメリカ
	クライブ・グレンジャー 為替と物価のように、長期的に見て均衡を保つものの値動きは、似たような動きをする傾向があることを明らかにした。	イギリス
2004	フィン・キドランド 経済政策を途中で変更、ないしは実行しないと家計や企業の期待が低下し、目標を達成できなくなることを明らかにした。	ノルウェー
	エドワード・プレスコット 同　上	アメリカ
2005	ロバート・オーマン 経済において、自分の利益を優先して取引をしても、その取引が何度も繰り返されると、自然に協力的な取引になるとした。	イスラエル アメリカ

青字になっている人物は1～4巻に項目として掲載されています　※1～4巻で調べる場合は、姓からひいてください。

受賞年	受賞者／受賞理由	国籍
	トーマス・シェリング 同 上	アメリカ
2006	エドムンド・フェルプス 物価の高騰が、実際の失業率だけでなく、賃金の上昇などへの期待にも影響されて起こることを指摘した。	アメリカ
2007	レオニード・ハーウィッツ 目的を達成するために、もっとも効率よく資源を活用する経済理論（メカニズム・デザイン理論）の基礎を築いた。	ポーランド
	エリック・マスキン 同 上	アメリカ
	ロジャー・マイヤーソン 同 上	アメリカ
2008	ポール・クルーグマン 自由競争による市場の均衡と、製品の種類が増えると利益が生まれるという、国際貿易の利益のしくみを解明。	アメリカ
2009	オリバー・ウィリアムソン 契約や法律が適用されない人間の行動などを経済学の視野に入れた「経済統治」という研究分野を開いた。	アメリカ
	エリノア・オストロム 「経済統治」という研究分野を開き、森林など共有資源の管理の理論に発展させた。	アメリカ
2010	ピーター・ダイアモンド 売り手と買い手が別々の場で取引をおこなう市場では、時間や費用がかかる「摩擦」があることを指摘した。	アメリカ
	デール・モーテンセン 同 上	アメリカ
	クリストファー・ピサリデス 同 上	キプロス イギリス
2011	トーマス・サージェント 経済政策とその結果のデータなどを用いて、経済政策を評価する計量モデルを開発した。	アメリカ
	クリストファー・シムズ 同 上	アメリカ
2012	アルビン・ロス 市場では、需要側と供給側の自由意思によって、最適な売買の組み合わせや価格が決定されることを明らかにした。	アメリカ
	ロイド・シャープレー 同 上	アメリカ
2013	ユージン・ファーマ 資産価格の分析において、株価の変動予測理論をまとめた。	アメリカ
	ラース・ハンセン 同 上	アメリカ

受賞年	受賞者／受賞理由	国籍
	ロバート・シラー 同 上	アメリカ
2014	ジャン・ティロール 独占市場で、政府などが一定の補償を提示し、品質や価格の検討を企業に求める規制について研究。	フランス
2015	アンガス・ディートン 消費者の需要を予測したり、貧困の程度を測定したりする理論・方法を多数開発し、後の経済分析の進展に貢献した。	アメリカ イギリス
2016	オリバー・ハート 経済取引において、もっとも最適な契約理論を考案。とくに予測不能なことが起きた場合の対応の仕方を分析した。	イギリス アメリカ
	ベント・ホルムストルローム ホルムストルロームについての説明	フィンランド

ノーベル賞受賞者一覧（経済学賞）

日本人ノーベル賞受賞者

日本人のノーベル賞受賞者は、1949年の湯川秀樹（物理学賞）の受賞以降、2016年末までに25人（外国籍取得者も含める）となっている。分野ごとの人数は、物理学賞11名、化学賞7名、生理学賞・医学賞4名、文学賞2名、平和賞1名である。

1949（昭和24）年受賞
湯川秀樹　物理学賞

原子核の中に、陽子と中性子を結びつけるはたらきをする素粒子が存在することを理論的に予測した。この素粒子は中間子と名づけられ、のちに宇宙からの放射線の中から発見された。

1965（昭和40）年受賞
朝永振一郎　物理学賞

空間内の各点ごとに異なる時間があると考える超多時間理論や、実験で得た質量や電気量を理論にあてはめて考えるくりこみ理論などによって、素粒子の発生や消滅を計算に含めた理論を完成させた。

1968（昭和43）年受賞
川端康成　文学賞

日本古来の美意識や、日本人特有の虚無感などの心のありようを表現した小説を書き、戦後、海外でも翻訳出版されるようになった。代表作『伊豆の踊子』『雪国』など。

1973（昭和48）年受賞
江崎玲於奈　物理学賞

低い電圧でも電流が流れるという性質をもった半導体素子（トンネルダイオード、エサキダイオード）を開発した。これは、核内に閉じ込められて外に出られない核子がまれに外に抜け出すトンネル効果を証明した。

1974（昭和49）年受賞
佐藤栄作　平和賞

内閣総理大臣として「核兵器を、持たず、つくらず、持ち込ませず」という方針を示した。これが核兵器に対する日本の基本的な姿勢「非核三原則」となり、その後の核不拡散条約の成立などにつながった。

1981（昭和56）年受賞
福井謙一　化学賞

化学反応のしくみの解明に取り組み、有機化合物が化学反応を起こす際の電子の動きを明らかにした。これは、フロンティア電子理論とよばれ、この理論によって、新しい分子の合成などが可能になった。

1987（昭和62）年受賞
利根川進　生理学・医学賞

免疫システムのB細胞からは1種類の抗体しか作れないのに、さまざまな抗体ができるしくみは解明されていなかったが、抗体が自身で遺伝子組み換えをおこない、さまざまな抗原に対応する免疫のしくみを解明。

1994（平成6）年受賞
大江健三郎　文学賞

大学在学中から作家として注目され、数々の文学賞を受賞するとともに、反核の活動などをおこなう「行動する作家」として知られた。代表作『飼育』『「雨の木」を聴く女たち』など。

2000（平成12）年受賞
白川英樹　化学賞

電気を通す物質の開発をおこなって、電気を通さないポリアセチレンが、ヨウ素を加えて反応させることで、電気を通すようになることを発見した。これを応用して電気を通すプラスチックを開発した。

2001（平成13）年受賞
野依良治　化学賞

同じ原子が左右対称に構成された「光学異性体」を、人工的に左右のどちらだけ作ること（不斉合成）に取り組み、特定の合成だけを促進するキラル触媒を開発して、人工的な不斉合成に成功。

2002（平成14）年受賞
小柴昌俊　物理学賞

宇宙から飛んでくる素粒子ニュートリノを検出するための観測装置を備えた施設「カミオカンデ」で、1987年に大マゼラン雲でおきた超新星爆発で発生したニュートリノ11個をとらえることに成功した。

2002（平成14）年受賞
田中耕一　化学賞

生命の誕生や維持に重要なはたらきをするタンパク質は、レーザーを当てると壊れてしまうため分析が難しかったが、別の物質を混ぜてタンパク質をイオン化し、レーザーで壊れないように分析する方法を開発。

  このリンクマークがついている人物は1～4巻に項目として掲載されています

 130

2008(平成20)年受賞

小林誠 物理学賞

CP対称性（粒子と反粒子の電荷を入れ替えても、反転させても、相互作用が変わらないこと）が破れる現象の原因として、4種類と考えられていたクォーク（陽子などの粒子を構成する素粒子）の他に、2種類の未確認のクォークの存在を主張した。後にこれらのクォークが実験で確認された。

益川敏英 物理学賞

同上

2008(平成20)年受賞

南部陽一郎（アメリカ国籍） 物理学賞

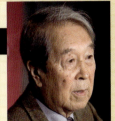

素粒子物理学で、位置や方向を変えても保たれる物質の性質（対称性）が、自発的に破れるという考えを導入した。これによって、素粒子に質量が発生する理由が説明可能となった。

2008(平成20)年受賞

下村脩 化学賞

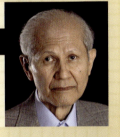

生物が光るしくみの研究をおこない、オワンクラゲから、紫外線を当てると緑に光る特殊な蛍光タンパク質を発見した。この性質を利用することで、それまで困難だったタンパク質の動きを観察できるようになった。

2010(平成22)年受賞

根岸英一 化学賞

複雑な有機化合物を作るために必要な炭素原子の結合は、技術的に困難だったが、パラジウム触媒を利用した結合方法を応用して、炭素原子結合方法「根岸カップリング」を考案した。

2010(平成22)年受賞

鈴木章 化学賞

複雑な有機化合物を作るために必要な炭素原子の結合は技術的に困難だったが、パラジウム触媒を利用した結合方法を応用し、宮浦憲夫とともに、炭素原子結合方法「鈴木・宮浦カップリング」を考案した。

2012(平成24)年受賞

山中伸弥 生理学・医学賞

どのような器官にも成長可能な細胞（ES細胞）を、受精卵をつかわずにつくりだす方法として、一般の細胞を遺伝子操作によって、別の臓器に成長できる細胞（iPS細胞）に作りかえることに成功した。

2014(平成26)年受賞

赤﨑勇 物理学賞

少ない電力で効率よく発光する発光ダイオード（LED）は赤・黄・緑が開発されていたが、光の三原色に必要な青色の開発がまたれていた。赤﨑勇は天野浩とともに、窒化ガリウムという物質の結晶を用いて世界で初めて青色LEDを光らせることに成功した。

天野浩 物理学賞

同上

中村修二（アメリカ国籍） 物理学賞

同上

2015(平成27)年受賞

梶田隆章 物理学賞

小柴昌俊に続いて、「スーパーカミオカンデ」で、ニュートリノの観測を行った。そして、長い移動の間に別のニュートリノに変わる「ニュートリノ振動」を確認し、ニュートリノに質量があることを証明した。

2015(平成27)年受賞

大村智 生理学・医学賞

土の中から見つけた菌が作る物質に殺虫作用があることを発見し、その物質を用いて、寄生虫による感染症の治療薬「イベルメクチン」を開発。WHOによって感染者の多い地域で無料提供されている。

2016(平成28)年受賞

大隅良典 生理学・医学賞

酵母の細胞内にある液胞に、不要なタンパク質などがとりこまれて分解され、再利用される自食作用（オートファジー）のしくみを解明。がんやアルツハイマー病などの治療研究に道を開いた。

学習資料集

ノーベル賞受賞者一覧（日本人ノーベル賞受賞者）

国民栄誉賞受賞者一覧

国民栄誉賞は、内閣総理大臣が、国民に愛され、社会に希望を与えた業績を残した人や団体に授与する賞である。1977年に始まり、随時選出されており、2016年までに23人が表彰されている。

(参考資料:内閣府『国民栄誉賞受賞一覧』)

1977(昭和52)年受賞
王貞治 プロ野球選手

読売ジャイアンツに所属し、引退までに868本のホームランを打った。
●受賞理由:プロ野球選手として、756本のホームランを打ち、当時の世界新記録を達成した。

1978(昭和53)年受賞
古賀政男 作曲家

歌謡曲4000曲以上を作曲、『丘を越えて』『柔』などのヒット曲を残した。
●受賞理由:「古賀メロディー」とよばれる名曲の作曲による功績。

1984(昭和59)年受賞
長谷川一夫 俳優

時代劇を中心に映画や舞台で活躍。代表作『雪之丞変化』、『銭形平次』シリーズなど。
●受賞理由:俳優としての真摯な精進と卓越した演技、映画演劇界への貢献の功績。

1984(昭和59)年受賞
植村直己 登山家

モンブラン、キリマンジャロ、アコンカグア、エベレスト、マッキンリーなどの登頂に成功。
●受賞理由:世界五大陸最高峰登頂などの功績。

1984(昭和59)年受賞
山下泰裕 柔道選手

全日本選手権9連覇、世界選手権3連覇、ロサンゼルスオリンピック金メダル獲得。
●受賞理由:柔道における真摯な精進、国内外203連勝の記録達成の功績。

1987(昭和62)年受賞
衣笠祥雄 プロ野球選手

広島東洋カープに所属、2215試合に連続出場し、「鉄人」とよばれた。
●受賞理由:野球における真摯な精進と、当時の世界記録2131試合連続出場の功績。

1989(平成元)年受賞
加藤和枝(美空ひばり) 歌手

歌謡界のスターとして『リンゴ追分』『川の流れのように』などをヒットさせた。
●受賞理由:歌手としての真摯な精進、歌謡曲を通じて国民に夢と希望をあたえた功績。

1989(平成元)年受賞
秋元貢(千代の富士) 力士

横綱として活躍、通算1045勝、53連勝、優勝31回などの大記録をのこした。
●受賞理由:力士としての真摯な精進、相撲界へのいちじるしい貢献の功績。

1992(平成4)年受賞
増永丈夫(藤山一郎) 歌手

昭和時代に『丘を越えて』『青い山脈』『長崎の鐘』など多くの曲をヒットさせた。
●受賞理由:歌謡曲を通じて国民に希望とはげましをあたえ、美しい日本語の普及に貢献した功績。

1992(平成4)年受賞
長谷川町子 漫画家

代表作『サザエさん』『いじわるばあさん』はテレビでも放送され親しまれた。
●受賞理由:多年にわたり広く国民に愛され親しまれた家庭漫画を通して戦後の我が国社会に潤いと安らぎを与えた功績。

1993(平成5)年受賞
服部良一 作曲家

『東京ブギウギ』『青い山脈』をはじめ、3000曲以上の昭和の歌謡曲を作曲した。
●受賞理由:数多くの歌謡曲をつくり国民に希望とうるおいをあたえた功績。

1996(平成8)年受賞
田所康雄(渥美清) 俳優

映画『男はつらいよ』シリーズの主役「寅さん」を25年以上演じつづけた。
●受賞理由:人情味豊かな演技で広く国民によろこびとうるおいをあたえた功績。

 このリンクマークがついている人物は1~4巻に項目として掲載されています

国民栄誉賞受賞者一覧

1998（平成10）年受賞
吉田正 — 作曲家

『有楽町で逢いましょう』『いつでも夢を』など2400曲以上の歌謡曲を作曲した。
● 受賞理由：「吉田メロディー」の作曲により国民に夢と希望とうるおいをあたえた功績。

1998（平成10）年受賞
黒澤明 — 映画監督
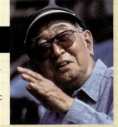
『羅生門』『影武者』『用心棒』などの作品をつくり、海外でも高い評価を得た。
● 受賞理由：数々の名作によって国民に感動をあたえ、世界の映画史に足跡をのこした功績。

2000（平成12）年受賞
高橋尚子 — マラソン選手

2000年に開催されたシドニーオリンピックの女子マラソンで優勝した。
● 受賞理由：陸上競技で日本女子選手初の金メダルを獲得し国民に感動と勇気をあたえた功績。

2009（平成21）年受賞
遠藤実 — 作曲家

『高校三年生』『星影のワルツ』『北国の春』など5000曲以上の歌謡曲を作曲した。
● 受賞理由：世代をこえて愛唱される名曲を多数作曲し、国民に夢と希望とうるおいをあたえた功績。

2009（平成21）年受賞
村上美津（森光子） — 俳優

舞台『放浪記』、テレビドラマ『時間ですよ』シリーズなどに出演し、人気を得た。
● 受賞理由：『放浪記』で2000回以上主演するなど、長年にわたり国民に夢と希望とうるおいをあたえた功績。

2009（平成21）年受賞
森繁久彌 — 俳優

舞台『屋根の上のヴァイオリン弾き』、テレビドラマ『七人の孫』などで親しまれた。
● 受賞理由：映画、演劇、放送で長年にわたり活躍し、すぐれた演技と歌唱により国民に夢と希望とうるおいをあたえた功績。

2011（平成23）年受賞
FIFA女子ワールドカップドイツ2011 日本女子代表チーム — サッカーチーム

2011年の女子サッカーワールドカップで優勝した。
● 受賞理由：日本女性のすばらしさを世界にしめし、東日本大震災の被災者とすべての国民に勇気と感動をあたえた功績。

2012（平成24）年受賞
吉田沙保里 — レスリング選手

アテネ、北京、ロンドンのオリンピックで3連続金メダルを獲得した。
● 受賞理由：世界選手権、オリンピックを通じて世界大会13連覇し、国民に感動と希望をあたえた功績。

2013（平成25）年受賞
納谷幸喜（大鵬） — 力士

横綱として活躍、32回優勝して相撲界をもり上げ、引退後は多くの弟子を育てた。
● 受賞理由：大相撲において国民的な英雄として社会に夢と希望と勇気をあたえた功績。

2013（平成25）年受賞
長嶋茂雄 — プロ野球選手
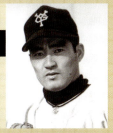
読売ジャイアンツの中心打者として活躍、「ミスタープロ野球」とよばれた。
● 受賞理由：野球史上にのこる功績と貢献、国民に感動と夢と希望をあたえた功績。

2013（平成25）年受賞
松井秀喜 — プロ野球選手
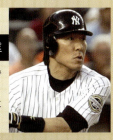
読売ジャイアンツで活躍後、移籍したメジャーリーグでも実績をのこした。
● 受賞理由：世界的に功績と足跡をのこし、社会に感動とよろこび、青少年に夢と希望をあたえた功績。

2016（平成28）年受賞
伊調馨 — レスリング選手

アテネ、北京、ロンドン、リオデジャネイロのオリンピックで4連続金メダルを獲得した。
● 受賞理由：オリンピック初の女子個人種目4連覇をなしとげ、国民に感動と勇気、希望をあたえた功績。

お札の肖像になった人物一覧

日本のお札の肖像にえがかれた人物は、2016年までで17人いる。お札にだれの肖像をつかうかについては、通貨に関する行政を担当する財務省、お札を発行する日本銀行、お札の製造をおこなう国立印刷局が相談し、財務大臣が決定する。

人物のえらび方にはっきりしたきまりはないが、教科書などにのっていてよく知られている、世界に誇れる人物であるということや、偽物がつくりにくいように、精密な写真や絵が入手できる人物であることなどが重視される。

（国立印刷局　お札と切手の博物館蔵）

神功皇后　皇后
第14代仲哀天皇の皇后だったが、夫の死後、朝鮮半島の新羅に遠征して征服したと伝えられる。

- 改造紙幣1円券：1881（明治14）年
- 改造紙幣5円券：1882（明治15）年
- 改造紙幣10円券：1883（明治16）年

菅原道真　学者
平安時代の政治家で、のちに学問の神様として信仰されるようになった。

- 改造兌換銀券5円券：1888（明治21）年
- 兌換券5円券：1910（明治43）年
- 兌換券20円券：1917（大正6）年
- 兌換券5円券：1930（昭和5）年
- 日本銀行券5円券：1942（昭和17）年
- 日本銀行券5円券：1943（昭和18）年

武内宿禰
改造兌換銀券1円券：1889（明治22）年
兌換券5円券：1899（明治32）年
兌換券5円券：1916（大正5）年
日本銀行券1円券：1943（昭和18）年
兌換券200円券：1945（昭和20）年

古代の天皇につかえたとされる伝説上の人物。

和気清麻呂　貴族
奈良時代〜平安時代の貴族。道鏡事件で活躍し、朝廷に忠誠をつくした。

- 改造兌換銀券10円券：1890（明治23）年
- 兌換券10円券：1899（明治32）年
- 兌換券10円券：1915（大正4）年
- 兌換券10円券：1930（昭和5）年
- 日本銀行券10円券：1943（昭和18）年
- 日本銀行券10円券：1945（昭和20）年

藤原鎌足　政治家
大化の改新をなしとげ、藤原氏の始祖となった。

- 改造兌換銀券100円券：1891（明治24）年
- 兌換券100円券：1900（明治33）年
- 兌換券20円券：1931（昭和6）年
- 兌換券200円券：1945（昭和20）年

聖徳太子　皇族
飛鳥時代、推古天皇の摂政として、すぐれた政治をおこなった。

- 兌換券100円券：1930（昭和5）年
- 日本銀行券100円券：1944（昭和19）年
- 日本銀行券100円券：1945（昭和20）年
- 日本銀行券100円券：1946（昭和21）年
- 日本銀行券1000円券：1950（昭和25）年
- 日本銀行券5000円券：1957（昭和32）年
- 日本銀行券10000円券：1958（昭和33）年

日本武尊
伝説上の古代の英雄。朝廷の支配を日本の各地へ拡大したとされる。

- 兌換券1000円券：1945（昭和20）年

二宮尊徳　農政家
江戸時代、荒れた農村を復興し、農民を救った。

- 日本銀行券1円券：1946（昭和21）年

学習資料集

お札の肖像になった人物一覧

板垣退助 — 政治家
明治時代、自由民権運動で活躍し、近代政治の基礎を築いた。
- 50銭政府紙幣：1948（昭和23）年
- 日本銀行券100円券：1953（昭和28）年

岩倉具視 — 政治家
明治時代に明治政府の成立に貢献した。
- 日本銀行券500円券：1951（昭和26）年
- 日本銀行券500円券：1969（昭和44）年

高橋是清 — 政治家
明治時代、日本銀行総裁などをつとめ、日本の金融・経済の近代化に貢献した。
- 日本銀行券50円券：1951（昭和26）年

伊藤博文 — 政治家
明治時代の初代内閣総理大臣。明治憲法を制定するなどの業績をのこした。
- 日本銀行券1000円券：1963（昭和38）年

福沢諭吉 — 思想家
明治時代、『学問のすゝめ』などを執筆、慶應義塾大学を設立した。
- 日本銀行券10000円券：1984（昭和59）年

新渡戸稲造 — 教育者
明治時代～昭和時代、平和主義を主張し、国際連盟の事務局次長をつとめた。
- 日本銀行券5000円券：1984（昭和59）年

夏目漱石 — 作家
明治時代～大正時代、『吾輩は猫である』『こころ』などの名作をのこした。
- 日本銀行券1000円券：1984（昭和59）年

樋口一葉 — 作家
明治時代、『たけくらべ』『にごりえ』などの名作をのこした。
- 日本銀行券5000円券：2004（平成16）年

野口英世 — 細菌学者
大正時代、梅毒の病原菌の培養に成功し、治療を可能にした。
- 日本銀行券1000円券：2004（平成16）年

- **改造紙幣**…1872（明治5）年に発行した新しい紙幣の品質が悪かったために、用紙や印刷方法、デザインをかえて、1881年から1883年にかけて発行した紙幣。
- **改造兌換銀券**…「日本銀行兌換銀券改造券」のこと。「日本銀行兌換銀券」は銀貨とひきかえることのできる紙幣で、1885（明治18）年に発行したこの紙幣の品質が悪かったために、用紙や印刷方法、デザインをかえて、1888年から1916（大正5）年にかけて発行した紙幣。
- **兌換券**…同額の金貨や銀貨とひきかえることのできる券、紙幣。銀行から発行された。正式には兌換銀行券という。
- **政府紙幣**…中央銀行が発行する通常の紙幣とは別に、財政支出をまかなうことなどを目的に、政府が発行する紙幣。
- **日本銀行券**…日本の中央銀行である日本銀行が発行する紙幣。支払い手段として法律で効力がみとめられる紙幣。

切手の肖像になった人物一覧

　切手の種類は、郵便局がいつでも用意している普通切手と、行事などを記念したり、テーマをもうけたりして、それにあわせたデザインで発行される特殊切手に分けられる。
　特殊切手として、日本の発展の基礎を築き、さまざまな分野で活躍した人物を記念して、その肖像などをとり入れた「文化人郵便切手」が発行された。このシリーズでとり上げられた人物は2016年までで延べ49名いる。

（国立印刷局　お札と切手の博物館蔵）

木村栄
天文学者
- 1952年発行
- 10円

野口英世
細菌学者
- 1949年発行
- 8円

内村鑑三
思想家
- 1951年発行
- 8円

新渡戸稲造
教育者
- 1952年発行
- 10円

福沢諭吉
思想家
- 1950年発行
- 8円

樋口一葉
作家
- 1951年発行
- 8円

寺田寅彦
物理学者
- 1952年発行
- 10円

夏目漱石
作家
- 1950年発行
- 8円

森鷗外
作家
- 1951年発行
- 8円

岡倉天心
美術指導者
- 1952年発行
- 10円

坪内逍遙
作家
- 1950年発行
- 8円

正岡子規
歌人・俳人
- 1951年発行
- 8円

関孝和
数学者
- 1992年発行
- 62円

9世市川団十郎
歌舞伎役者
- 1950年発行
- 8円

菱田春草
画家
- 1951年発行
- 8円

与謝野晶子
歌人
- 1992年発行
- 62円

新島襄
教育者
- 1950年発行
- 8円

西周
思想家
- 1952年発行
- 10円

島崎藤村
作家
- 1993年発行
- 62円

狩野芳崖
画家
- 1951年発行
- 8円

梅謙次郎
法学者
- 1952年発行
- 10円

鈴木梅太郎
農芸化学者
- 1993年発行
- 62円

このリンクマークがついている人物は1〜4巻に項目として掲載されています

渡辺崋山　蘭学者・画家 ●1993年発行　●62円	**滝沢馬琴**　作家 ●1998年発行　●80円	**竹本義太夫**　義太夫節創始者 ●2001年発行　●80円
宮城道雄　音楽家 ●1994年発行　●80円	**藤原義江**　音楽家 ●1998年発行　●80円	**正岡子規**　歌人・俳人 ●2002年発行　●80円
速水御舟　画家 ●1994年発行　●80円 	**川端康成**　作家 ●1999年発行　●80円 	**鳥居清長**　画家 ●2002年発行　●80円
伊能忠敬　測量家 ●1995年発行　●80円	**葛飾北斎**　画家 ●1999年発行　●80円	**田中館愛橘**　物理学者 ●2002年発行　●80円
西田幾多郎　哲学者 ●1995年発行　●80円	**上村松園**　画家 ●1999年発行　●80円	**斎藤茂吉**　歌人 ●2003年発行　●80円
宮沢賢治　作家 ●1996年発行　●80円	**長岡半太郎**　物理学者 ●2000年発行　●80円	**北里柴三郎**　細菌学者 ●2003年発行　●80円
塙保己一　国学者 ●1996年発行　●80円	**中谷宇吉郎**　物理学者 ●2000年発行　●80円	**小泉八雲**　作家 ●2004年発行　●80円
幸田露伴　作家 ●1997年発行　●80円	**中村汀女**　俳人 ●2000年発行　●80円	**イサム・ノグチ**　彫刻家 ●2004年発行　●80円
歌川広重　画家 ●1997年発行　●80円 	**本居宣長**　国学者 ●2001年発行　●80円	**古賀政男**　作曲家 ●2004年発行　●80円

学習資料集

切手の肖像になった人物一覧

文化勲章受章者一覧

　文化勲章は、日本の文化の発達に関して、とくに大きな功績のある人物に授与される勲章で、1937（昭和12）年に制定された。受章者は、文化功労者選考分科会の委員の意見をもとに文部科学大臣が推薦し、内閣府賞勲局で審査されたあと、閣議によって決定される。受章者は、11月3日の文化の日に、宮中で天皇陛下から勲章を贈られる。

（参考資料：文部科学省『文化勲章受章者一覧』；外国人への贈与はのぞく）

1937（昭和12）年

長岡半太郎	物理学
本多光太郎	金属物理学
木村栄	地球物理学
佐佐木信綱	和歌・和歌史・歌学史
幸田成行（幸田露伴）	文学
岡田三郎助	洋画
藤島武二	洋画
竹内恒吉（竹内栖鳳）	日本画
横山秀麿（横山大観）	日本画

1940（昭和15）年

高木貞治	数学
西田幾多郎	哲学
川合芳三郎（川合玉堂）	日本画
佐々木隆興	生化学・病理学

1943（昭和18）年

伊東忠太	建築学
鈴木梅太郎	農芸化学
朝比奈泰彦	薬学・植物化学

湯川秀樹	原子物理学／ノーベル物理学賞受賞
徳富猪一郎（徳富蘇峰）	歴史・政治評論
三宅雄二郎（三宅雪嶺）	社会評論
和田英作	洋画

1944（昭和19）年

田中館愛橘	地球物理学・航空学
岡部金治郎	電気工学
志賀潔	細菌学
稲田龍吉	細菌学
狩野直喜	中国文学
高楠順次郎	インド哲学

1946（昭和21）年

中田薫	法制史・日本法制史
宮部金吾	植物学
俵国一	金属学
仁科芳雄	原子物理学
梅若万三郎	能楽
岩波茂雄	出版

1937年受章／長岡半太郎

1940年受章／西田幾多郎

1943年受章／湯川秀樹

1944年受章／志賀潔

青字になっている人物は1～4巻に項目として掲載されています

1949年受章／鈴木大拙

1950年受章／正宗白鳥

1951年受章／柳田国男

1952年受章／永井荷風

文化勲章受章者一覧

1948（昭和23）年

木原均	遺伝学
長谷川萬次郎（長谷川如是閑）	評論
安田新三郎（安田靫彦）	彫塑
朝倉文夫	日本画
上村津禰（上村松園）	日本画

1949（昭和24）年

寺島幸三（尾上菊五郎）	歌舞伎
津田左右吉	東洋哲学・日本古代史
鈴木貞太郎（鈴木大拙）	仏教学
三浦謹之助	内科学
岡田武松	気象学
真島利行	化学
谷崎潤一郎	文学
志賀直哉	文学

1950（昭和25）年

牧野英一	刑法・法理学
田辺元	哲学
藤井健次郎	植物学
三島徳七	金属学
小林茂（小林古径）	日本画
土井林吉（土井晩翠）	詩
正宗忠夫（正宗白鳥）	文学

1951（昭和26）年

柳田国男	民俗学

光田健輔	医学
西川正治	原子物理学
菊池正士	原子物理学
斎藤茂吉	短歌
武者小路実篤	文学
波野辰次郎（中村吉右衛門）	歌舞伎

1952（昭和27）年

梅原龍三郎	洋画
熊谷岱蔵	結核医学
佐々木惣一	憲法学・行政学
辻善之助	日本史・仏教学
朝永振一郎	原子物理学 ノーベル物理学賞受賞
永井壮吉（永井荷風）	文学
安井曽太郎	洋画

1953（昭和28）年

板谷嘉七（板谷波山）	陶芸
宇井伯寿	インド哲学
香取秀治郎（香取秀真）	鋳金
喜多六平太	謡曲
羽田亨	東洋史
矢部長克	地質学・古生物学

1954（昭和29）年

勝沼精蔵	血液学
鏑木健一（鏑木清方）	日本画
金田一京助	アイヌ文学

学習資料集 — 文化勲章受章者一覧

高浜清（高浜虚子）	俳句
萩原雄祐	天文学

1955（昭和30）年

大谷竹次郎	演劇事業
杉本金太郎（稀音家浄観）	長唄
平沼亮三	体育
二木謙三	伝染病学
前田廉造（前田青邨）	日本画
増本量	金属学
和辻哲郎	倫理学

1956（昭和31）年

安藤広太郎	農学
坂本繁二郎	洋画
新村出	言語学・国語学
古畑種基	法医学
村上武次郎	金属学
八木秀次	電気工学
山田耕筰	作曲

1957（昭和32）年

牧野富太郎	植物学
緒方知三郎	病理学
久保田万太郎	小説・劇作
小平邦彦	数学
西山卯三郎（西山翠嶂）	日本画
山田孝雄	国語学
吉住小三郎	長唄

1958（昭和33）年

北村西望	彫塑
近藤平三郎	薬学・薬化学
野副鉄男	有機化学
松林篤（松林桂月）	日本画

1959（昭和34）年

川端昇太郎（川端龍子）	日本画
小泉信三	経済学
丹羽保次郎	電気工学
山内英夫（里見弴）	小説
吉田富三	病理学

1960（昭和35）年

岡潔	数学
佐藤春夫	小説・詩
田中耕太郎	商法・法哲学
吉川英次（吉川英治）	小説

1961（昭和36）年

川端康成	小説
鈴木虎雄	中国文学・漢詩・和歌
富本憲吉	陶芸
堂本三之助（堂本印象）	日本画
福田平八郎	日本画
水島三一郎	化学

1962（昭和37）年

梅沢浜夫	微生物学
奥村義三（奥村土牛）	日本画

1956年受章／山田耕筰

1957年受章／牧野富太郎

1960年受章／吉川英治

1961年受章／川端康成

青字になっている人物は1～4巻に項目として掲載されています

 1965年受章／山本有三
 1966年受章／井伏鱒二
 1967年受章／小林秀雄
 1968年受章／浜田庄司

文化勲章受章者一覧

桑田義備	植物細胞学
中村恒吉（中村岳陵）	日本画
平櫛倬太郎（平櫛田中）	木彫

1963（昭和38）年

久野寧	生理学
古賀逸策	電気工学

1964（昭和39）年

茅誠司	物理学
野尻清彦（大佛次郎）	小説
藪田貞治郎	農芸化学
吉田五十八	建築
我妻栄	民法

1965（昭和40）年

赤堀四郎	生物有機化学
小糸源太郎（小絲源太郎）	洋画
諸橋轍次	漢文学
山口三郎（山口蓬春）	日本画
山本勇造（山本有三）	小説

1966（昭和41）年

井伏満寿二（井伏鱒二）	小説
徳岡時次郎（徳岡神泉）	日本画
仁田勇	結晶化学

1967（昭和42）年

小林秀雄	文芸評論
坂口謹一郎	微生物学・酵素学

林武臣（林武）	洋画
村野藤吉（村野藤吾）	建築
山県昌夫	造船工学

1968（昭和43）年

堅山熊次（堅山南風）	日本画
黒川利雄	内科学
鈴木雅次	土木工学
浜田象二（浜田庄司）	陶芸

1969（昭和44）年

岩田豊雄（獅子文六）	小説・戯曲
落合英二	薬化学
正田建次郎	数学
東山新吉（東山魁夷）	日本画

1970（昭和45）年

冲中重雄	内科学・神経学
棟方志功	版画

1971（昭和46）年

赤木正雄	砂防計画学
荒川豊蔵	陶芸
野上ヤエ（野上弥生子）	小説
安井琢磨	近代経済学

1972（昭和47）年

内田祥三	建築学・防災工学
小野清一郎	刑事法学
岡鹿之助	洋画

文化勲章受章者一覧

早石修	生化学

1973(昭和48)年
石原謙	宗教史
勝木保次	生理学
久保亮五	統計力学
瀬藤象二	電気工学
谷口吉郎	建築

1974(昭和49)年
石坂公成	免疫学
江崎玲於奈	電子工学 ノーベル物理学賞受賞
杉山寧	日本画
永田武	地球物理学
橋本明治	日本画

1975(昭和50)年
江橋節郎	薬理学
小山敬三	洋画
田崎広次(田崎広助)	洋画
中川一政	洋画
広中平祐	数学

1976(昭和51)年
井上靖	小説
小野英吉(小野竹喬)	日本画
木村資生	遺伝学
松田権六	漆芸
森嶋通夫	理論経済学

1977(昭和52)年
桜田一郎	応用化学・高分子化学
田宮博	細胞生理化学
中村元	インド哲学
丹羽文雄	小説
山本正義(山本丘人)	日本画

1978(昭和53)年
尾崎一雄	小説
楠部弥一(楠部弥弌)	陶芸
杉村隆	癌生化学
田中美知太郎	哲学・西洋古典学
南部陽一郎	理論物理学 ノーベル物理学賞受賞

1979(昭和54)年
今西錦司	霊長類学
河村藤雄(中村歌右衛門)	歌舞伎
沢田寅吉(沢田政広)	木彫
高橋誠一郎	経済学史
堀口大学	詩・翻訳

1980(昭和55)年
小倉遊亀	日本画
小谷正雄	分子生理学・生物物理学
丹下健三	建築
東畑精一	農業経済学
波野聖司(中村勘三郎)	歌舞伎

1974年受章／江崎玲於奈

1978年受章／尾崎一雄

1978年受章／南部陽一郎

1980年受章／丹下健三

青字になっている人物は1〜4巻に項目として掲載されています

1981年受章／横田喜三郎

1984年受章／利根川進

1985年受章／黒澤明

1987年受章／草野心平

1981（昭和56）年

高柳健次郎	電子工学・テレビジョン工学
永井龍男	小説
藤間順次郎（松本白鸚）	歌舞伎
山口米次郎（山口華楊）	日本画
横田喜三郎	国際法学
福井謙一	工業化学 ノーベル化学賞受賞

1982（昭和57）年

坂本太郎	日本史学
高山辰雄	日本画
津田恭介	薬学・有機化学
藤間秀雄（藤間勘十郎）	邦舞
吉識雅夫	船舶工学

1983（昭和58）年

石橋貞吉（山本健吉）	文芸評論
牛島憲之	洋画
小磯良平	洋画
服部四郎	言語学
武藤清	建築構造学

1984（昭和59）年

上村信太郎（上村松篁）	日本画
奥田厳三（奥田元宋）	日本画
貝塚茂樹	東洋史学
高橋信次	放射線医学

利根川進	分子生物学 ノーベル医学・生理学賞受賞

1985（昭和60）年

円地富美（円地文子）	小説
黒澤明	映画
相良守峯	ドイツ語学・ドイツ文学
西川寧	書
和達清夫	地球物理学

1986（昭和61）年

荻須高徳	洋画
岡義武	政治史
土屋文明	短歌
名取礼二	筋生理学
林忠四郎	宇宙物理学

1987（昭和62）年

池田昇一（池田遙邨）	日本画
岡田善雄	細胞遺伝学
草野心平	詩
桑原武夫	仏文学・評論
藤間豊（尾上松緑）	歌舞伎

1988（昭和63）年

今井功	流体力学
円鍔勝二（円鍔勝三）	彫刻
河盛好蔵	翻訳・評論
末永雅雄	考古学
西塚泰美	生化学

学習資料集

文化勲章受章者一覧

学習資料集

文化勲章受章者一覧

1989(平成元)年
片岡球子	日本画
鈴木竹雄	商法学
富永直樹	彫刻
西澤潤一	電子工学
吉井淳二	洋画

1990(平成2)年
石井良助	日本法制史
市古貞次	国文学
片山愛子(井上八千代)	邦舞
金子賢蔵(金子鷗亭)	書
長倉三郎	物理化学

1991(平成3)年
猪瀬博	電子工学
江上波夫	アジア考古学
蓮田修吾郎	鋳金
福沢一郎	洋画
森繁久彌	現代演劇・映画・放送

1992(平成4)年
青山文雄(青山杉雨)	書
井深大	電子技術
大塚久雄	西洋経済史
佐藤實(佐藤太清)	日本画
森野米三	構造化学

1993(平成5)年
大隅健一郎	商法・経済法
小田稔	宇宙物理学
帖佐良行(帖佐美行)	彫金
福田定一(司馬遼太郎)	小説
森田茂	洋画

1994(平成6)年
朝比奈隆	洋楽・指揮
岩橋英遠(岩橋英遠)	日本画
梅棹忠夫	民族学
島秀雄	鉄道工学
満田久輝	栄養化学・食糧科学

1995(平成7)年
遠藤周作	小説
佐治正(佐治賢使)	漆工芸
団藤重光	刑事法学
花房秀三郎	ウイルス学・腫瘍学
増田四郎	西洋経済史

1996(平成8)年
浅蔵与作(浅蔵五十吉)	陶芸
伊藤清永	洋画
伊藤正男	神経生理学・神経科学
竹内理三	日本史学
森英恵	服飾デザイン

1990年受章／井上八千代

1992年受章／井深大

1994年受章／梅棹忠夫

1996年受章／森英恵

青字になっている人物は1〜4巻に項目として掲載されています

1998年受章／平山郁夫

1999年受章／阿川弘之

2002年受章／新藤兼人

2003年受章／緒方貞子

学習資料集

文化勲章受章者一覧

1997（平成9）年
千宗室	茶道
宇沢弘文	理論経済学
小柴昌俊	素粒子実験／ノーベル物理学賞受賞
高橋節郎	漆芸
向山光昭	有機合成化学

1998（平成10）年
芦原義信	建築
岸本忠三	免疫学
平山郁夫	日本画
村上正一（村上三島）	書
山本達郎	東洋史学

1999（平成11）年
阿川弘之	小説
秋野ふく（秋野不矩）	日本画
伊藤正己	英米法・憲法
梅原猛	日本文化研究
田村三郎	生物有機化学・生物環境生物科学

2000（平成12）年
石川忠雄	現代中国研究
大久保ふく（大久保婦久子）	皮革工芸
白川英樹	物質科学／ノーベル化学賞受賞
杉岡正美（杉岡華邨）	書・仮名

野依良治	有機化学／ノーベル化学賞受賞
山田美津（山田五十鈴）	演劇

2001（平成13）年
井口洋夫	分子エレクトロニクス
豊島久真男	ウイルス学
中根千枝	社会人類学
守屋正（守屋多々志）	日本画・古画表現
淀井敏夫	彫刻

2002（平成14）年
小宮隆太郎	国際経済学
近藤次郎	航空宇宙工学・応用数学・環境科学・学術振興
新藤兼登（新藤兼人）	映画
杉本苑子	小説
田中耕一	質量分析学／ノーベル化学賞受賞
藤田喬平	工芸〈ガラス〉

2003（平成15）年
大岡信	詩・評論
緒方貞子	政治学・国際活動・国際貢献
加山又造	日本画
西島和彦	素粒子物理学
森亘	病理学・科学技術・学術振興

学習資料集 — 文化勲章受章者一覧

2004(平成16)年

青木清治(中村雀右衛門)	歌舞伎
小林庸浩(小林斗盦)	書〈篆刻〉
白川静	中国古代文化
戸塚洋二	宇宙線物理学
福王寺雄一(福王寺法林)	日本画

2005(平成17)年

青木久重(青木龍山)	陶芸
齋藤眞	アメリカ政治外交史
沢田敏男	農業工学
日野原重明	内科学・看護教育・医療振興
村上美津(森光子)	大衆演劇

2006(平成18)年

荒田吉明	高温工学、溶接工学
大山忠作	日本画
篠原三代平	日本経済論
瀬戸内晴美(瀬戸内寂聴)	小説
吉田秀和	評論家、音楽評論

2007(平成19)年

岡田節人	発生生物学
茂山七五三(茂山千作)	狂言
中西香爾	有機化学
中村晉也(中村晋也)	彫刻
三ケ月章	民事訴訟法学、裁判法学

2008(平成20)年

伊藤清	数学
小澤征爾	指揮
小林誠	素粒子物理学 / ノーベル物理学賞受賞
下村脩	海洋生物学 / ノーベル化学賞受賞
田邉聖子(田辺聖子)	小説
ドナルド・キーン	日本文学
古橋廣之進	スポーツ
益川敏英	素粒子物理学 / ノーベル物理学賞受賞

2009(平成21)年

飯島澄男	材料科学
中川清(桂米朝)	古典落語
林宏太郎(坂田藤十郎)	歌舞伎
速水融	社会経済史・歴史人口学
日沼頼夫	ウイルス学

2010(平成22)年

有馬朗人	原子核物理学・学術振興
安藤忠雄	建築
鈴木章	有機合成化学 / ノーベル化学賞受賞
蜷川幸雄	演劇
根岸英一	有機合成化学 / ノーベル化学賞受賞
三宅一生	ファッションデザイナー、服飾デザイン
脇田晴子	日本中世史

2005年受章／日野原重明

2008年受章／古橋廣之進

2009年受章／桂米朝

2010年受章／蜷川幸雄

青字になっている人物は1〜4巻に項目として掲載されています

 2011年受章／赤﨑勇
 2012年受章／山田洋次
 2015年受章／大村智
 2015年受章／梶田隆章

文化勲章受章者一覧

2011(平成23)年

赤﨑勇	半導体電子工学 ノーベル物理学賞受賞
奈良年郎(大樋年朗)	陶芸
根村才一(丸谷才一)	小説
三谷太一郎	日本政治外交史
柳田充弘	分子遺伝学・分子生理学

2012(平成24)年

小田滋	国際法学・国際貢献
高階秀爾	美術評論・文化振興
松尾敏男	日本画
山田康之	植物分子細胞生物学・植物バイオテクノロジー
山田洋次	映画
山中伸弥	幹細胞生物学 ノーベル生理学・医学賞受賞

2013(平成25)年

岩崎俊一	電子工学
小田剛一(高倉健)	映画
高木郁太(高木聖鶴)	書
中西進	日本文学・比較文学
本庶佑	医科学・分子免疫学

2014(平成26)年

天野浩	電子・電気材料工学 ノーベル物理学賞受賞
市川多惠子(河野多惠子)	小説
岸本欣一(竹本住大夫)	人形浄瑠璃文楽
國武豊喜	分子組織化学
中村修二	半導体工学 ノーベル物理学賞受賞
根岸隆	経済理論・経済学説史
野見山暁治	洋画

2015(平成27)年

大村智	天然物有機化学・薬学 ノーベル生理学・医学賞受賞
梶田隆章	素粒子・宇宙線物理学 ノーベル物理学賞受賞
鹽野宏	法律学・行政法学
志村ふくみ	工芸(染織)
末松安晴	光通信工学
仲代元久(仲代達矢)	演劇
中西重忠	神経科学

2016(平成28)年

大隅良典	細胞生物学
草間彌生	絵画・彫刻
平岩弓枝	小説
福田博郎(船村徹)	作曲
中野三敏	日本近世研究
原田朋子(太田朋子)	集団遺伝学

※受章者は本名でしめし、筆名などは(　)内にしめしました。
右欄には、専門分野などをしめしています。

芥川賞・直木賞受賞者一覧

芥川賞、直木賞は、1935（昭和10）年に、文藝春秋社がもうけた文学賞である。

芥川賞は、芥川龍之介を記念した賞で、新聞や雑誌に発表された新人作家の純文学短編作品を対象にえらばれる。直木賞は、直木三十五を記念した賞で、新聞や雑誌や単行本で発表された新人・中堅作家の大衆文学作品を対象に、えらばれる。選考、授賞は、年に2回（上半期・下半期）おこなわれ、現在は日本文学振興会によって主催されている。

芥川賞受賞者一覧

（出典:日本文学振興会サイト「芥川賞受賞者一覧」2016年7月現在）

回	年度／期	受賞者	受賞作	回	年度／期	受賞者	受賞作
第1回	1935年／上	石川達三	『蒼氓』	第24回	1950年／下	なし	
第2回	1935年／下	なし		第25回	1951年／上	安部公房	『壁』
第3回	1936年／上	小田嶽夫	『城外』			石川利光	『春の草 他』
		鶴田知也	『コシャマイン記』	第26回	1951年／下	堀田善衛	『広場の孤独・漢奸その他』
第4回	1936年／下	石川淳	『普賢』	第27回	1952年／上	なし	
		冨澤有爲男	『地中海』	第28回	1952年／下	五味康祐	『喪神』
第5回	1937年／上	尾崎一雄	『暢氣眼鏡 他』			松本清張	『或る「小倉日記」伝』
第6回	1937年／下	火野葦平	『糞尿譚』	第29回	1953年／上	安岡章太郎	『悪い仲間・陰気な愉しみ』
第7回	1938年／上	中山義秀	『厚物咲』	第30回	1953年／下	なし	
第8回	1938年／下	中里恒子	『乗合馬車 他』	第31回	1954年／上	吉行淳之介	『驟雨・その他』
第9回	1939年／上	半田義之	『鶏騒動』	第32回	1954年／下	小島信夫	『アメリカン・スクール』
		長谷健	『あさくさの子供』			庄野潤三	『プールサイド小景』
第10回	1939年／下	寒川光太郎	『密獵者』	第33回	1955年／上	遠藤周作	『白い人』
第11回	1940年／上	なし		第34回	1955年／下	石原慎太郎	『太陽の季節』
第12回	1940年／下	櫻田常久	『平賀源内』	第35回	1956年／上	近藤啓太郎	『海人舟』
第13回	1941年／上	多田裕計	『長江デルタ』	第36回	1956年／下	なし	
第14回	1941年／下	芝木好子	『青果の市』	第37回	1957年／上	菊村到	『硫黄島』
第15回	1942年／上	なし		第38回	1957年／下	開高健	『裸の王様』
第16回	1942年／下	倉光俊夫	『連絡員』	第39回	1958年／上	大江健三郎	『飼育』
第17回	1943年／上	石塚喜久三	『纏足の頃』	第40回	1958年／下	なし	
第18回	1943年／下	東野邊薫	『和紙』	第41回	1959年／上	斯波四郎	『山塔』
第19回	1944年／上	八木義徳	『劉廣福』	第42回	1959年／下	なし	
		小尾十三	『登攀』	第43回	1960年／上	北杜夫	『夜と霧の隅で』
第20回	1944年／下	清水基吉	『雁立』	第44回	1960年／下	三浦哲郎	『忍ぶ川』
第21回	1949年／上	小谷剛	『確証』	第45回	1961年／上	なし	
		由起しげ子	『本の話』	第46回	1961年／下	宇能鴻一郎	『鯨神』
第22回	1949年／下	井上靖	『闘牛』	第47回	1962年／上	川村晃	『美談の出発』
第23回	1950年／上	辻亮一	『異邦人』	第48回	1962年／下	なし	

青字になっている人物は1〜4巻に項目として掲載されています

学習資料集

芥川賞・直木賞受賞者一覧

回	年度／期	受賞者	受賞作
第49回	1963年／上	後藤紀一	『少年の橋』
		河野多惠子	『蟹』
第50回	1963年／下	田辺聖子	『感傷旅行(センチメンタル・ジャーニィ)』
第51回	1964年／上	柴田翔	『されどわれらが日々――』
第52回	1964年／下	なし	
第53回	1965年／上	津村節子	『玩具』
第54回	1965年／下	高井有一	『北の河』
第55回	1966年／上	なし	
第56回	1966年／下	丸山健二	『夏の流れ』
第57回	1967年／上	大城立裕	『カクテル・パーティー』
第58回	1967年／下	柏原兵三	『徳山道助の帰郷』
第59回	1968年／上	丸谷才一	『年の残り』
		大庭みな子	『三匹の蟹』
第60回	1968年／下	なし	
第61回	1969年／上	庄司薫	『赤頭巾ちゃん気をつけて』
		田久保英夫	『深い河』
第62回	1969年／下	清岡卓行	『アカシヤの大連』
第63回	1970年／上	吉田知子	『無明長夜』
		古山高麗雄	『プレオー8の夜明け』
第64回	1970年／下	古井由吉	『杳子』
第65回	1971年／上	なし	
第66回	1971年／下	李恢成	『砧をうつ女』
		東峰夫	『オキナワの少年』
第67回	1972年／上	畑山博	『いつか汽笛を鳴らして』
		宮原昭夫	『誰かが触った』
第68回	1972年／下	山本道子	『ベティさんの庭』
		郷静子	『れくいえむ』
第69回	1973年／上	三木卓	『鶸』
第70回	1973年／下	野呂邦暢	『草のつるぎ』
		森敦	『月山』
第71回	1974年／上	なし	
第72回	1974年／下	日野啓三	『あの夕陽』
		阪田寛夫	『土の器』
第73回	1975年／上	林京子	『祭りの場』
第74回	1975年／下	中上健次	『岬』
		岡松和夫	『志賀島』
第75回	1976年／上	村上龍	『限りなく透明に近いブルー』

回	年度／期	受賞者	受賞作
第76回	1976年／下	なし	
第77回	1977年／上	三田誠広	『僕って何』
		池田満寿夫	『エーゲ海に捧ぐ』
第78回	1977年／下	宮本輝	『螢川』
		高城修三	『榧の木祭り』
第79回	1978年／上	高橋揆一郎	『伸予』
		高橋三千綱	『九月の空』
第80回	1978年／下	なし	
第81回	1979年／上	重兼芳子	『やまあいの煙』
		青野聰	『愚者の夜』
第82回	1979年／下	森禮子	『モッキングバードのいる町』
第83回	1980年／上	なし	
第84回	1980年／下	尾辻克彦	『父が消えた』
		(赤瀬川源平)	
第85回	1981年／上	吉行理恵	『小さな貴婦人』
第86回	1981年／下	なし	
第87回	1982年／上	なし	
第88回	1982年／下	加藤幸子	『夢の壁』
		唐十郎	『佐川君からの手紙』
第89回	1983年／上	なし	
第90回	1983年／下	笠原淳	『杢二の世界』
		高樹のぶ子	『光抱く友よ』
第91回	1984年／上	なし	
第92回	1984年／下	木崎さと子	『青桐』
第93回	1985年／上	なし	
第94回	1985年／下	米谷ふみ子	『過越しの祭』
第95回	1986年／上	なし	
第96回	1986年／下	なし	
第97回	1987年／上	村田喜代子	『鍋の中』
第98回	1987年／下	池澤夏樹	『スティル・ライフ』
		三浦清宏	『長男の出家』
第99回	1988年／上	新井満	『尋ね人の時間』
第100回	1988年／下	南木佳士	『ダイヤモンドダスト』
		李良枝	『由熙』
第101回	1989年／上	なし	
第102回	1989年／下	大岡玲	『表層生活』
		瀧澤美恵子	『ネコババのいる町で』

学習資料集

芥川賞・直木賞受賞者一覧

回	年度／期	受賞者	受賞作
第103回	1990年／上	辻原登	『村の名前』
第104回	1990年／下	小川洋子	『妊娠カレンダー』
第105回	1991年／上	辺見庸	『自動起床装置』
		荻野アンナ	『背負い水』
第106回	1991年／下	松村栄子	『至高聖所(アバトーン)』
第107回	1992年／上	藤原智美	『運転士』
第108回	1992年／下	多和田葉子	『犬婿入り』
第109回	1993年／上	吉目木晴彦	『寂寥郊野』
第110回	1993年／下	奥泉光	『石の来歴』
第111回	1994年／上	室井光広	『おどるでく』
		笙野頼子	『タイムスリップ・コンビナート』
第112回	1994年／下	なし	
第113回	1995年／上	保坂和志	『この人の閾』
第114回	1995年／下	又吉栄喜	『豚の報い』
第115回	1996年／上	川上弘美	『蛇を踏む』
第116回	1996年／下	辻仁成	『海峡の光』
		柳美里	『家族シネマ』
第117回	1997年／上	目取真俊	『水滴』
第118回	1997年／下	なし	
第119回	1998年／上	花村萬月	『ゲルマニウムの夜』
		藤沢周	『ブエノスアイレス午前零時』
第120回	1998年／下	平野啓一郎	『日蝕』
第121回	1999年／上	なし	
第122回	1999年／下	玄月	『蔭の棲みか』
		藤野千夜	『夏の約束』
第123回	2000年／上	町田康	『きれぎれ』
		松浦寿輝	『花腐し』
第124回	2000年／下	青来有一	『聖水』
		堀江敏幸	『熊の敷石』
第125回	2001年／上	玄侑宗久	『中陰の花』
第126回	2001年／下	長嶋有	『猛スピードで母は』
第127回	2002年／上	吉田修一	『パーク・ライフ』
第128回	2002年／下	大道珠貴	『しょっぱいドライブ』
第129回	2003年／上	吉村萬壱	『ハリガネムシ』
第130回	2003年／下	金原ひとみ	『蛇にピアス』
		綿矢りさ	『蹴りたい背中』
第131回	2004年／上	モブ・ノリオ	『介護入門』
第132回	2004年／下	阿部和重	『グランド・フィナーレ』
第133回	2005年／上	中村文則	『土の中の子供』
第134回	2005年／下	絲山秋子	『沖で待つ』
第135回	2006年／上	伊藤たかみ	『八月の路上に捨てる』
第136回	2006年／下	青山七恵	『ひとり日和』
第137回	2007年／上	諏訪哲史	『アサッテの人』
第138回	2007年／下	川上未映子	『乳と卵』
第139回	2008年／上	楊逸	『時が滲む朝』
第140回	2008年／下	津村記久子	『ポトスライムの舟』
第141回	2009年／上	磯崎憲一郎	『終の住処』
第142回	2009年／下	なし	
第143回	2010年／上	赤染晶子	『乙女の密告』
第144回	2010年／下	朝吹真理子	『きことわ』
		西村賢太	『苦役列車』
第145回	2011年／上	なし	
第146回	2011年／下	円城塔	『道化師の蝶』
		田中慎弥	『共喰い』
第147回	2012年／上	鹿島田真希	『冥土めぐり』
第148回	2012年／下	黒田夏子	『abさんご』
第149回	2013年／上	藤野可織	『爪と目』
第150回	2013年／下	小山田浩子	『穴』
第151回	2014年／上	柴崎友香	『春の庭』
第152回	2014年／下	小野正嗣	『九年前の祈り』
第153回	2015年／上	羽田圭介	『スクラップ・アンド・ビルド』
		又吉直樹	『火花』
第154回	2015年／下	滝口悠生	『死んでいない者』
		本谷有希子	『異類婚姻譚』
第155回	2016年／上	村田沙耶香	『コンビニ人間』

青字になっている人物は1〜4巻に項目として掲載されています

直木賞受賞者一覧

（出典:日本文学振興会サイト「直木賞受賞者一覧」2016年7月現在）

回	年度／期	受賞者	受賞作
第1回	1935年／上	川口松太郎	『鶴八鶴次郎・風流深川唄　その他』
第2回	1935年／下	鷲尾雨工	『吉野朝太平記』
第3回	1936年／上	海音寺潮五郎	『天正女合戦・武道傳來記』
第4回	1936年／下	木々高太郎	『人生の阿呆』
第5回	1937年／上	なし	
第6回	1937年／下	井伏鱒二	『ジョン萬次郎漂流記・その他』
第7回	1938年／上	橘外男	『ナリン殿下への回想』
第8回	1938年／下	大池唯雄	『兜首・秋田口の兄弟』
第9回	1939年／上	なし	
第10回	1939年／下	なし	
第11回	1940年／上	堤千代	『小指・その他』
		河内仙介	『軍事郵便』
第12回	1940年／下	村上元三	『上総風土記・その他』
第13回	1941年／上	木村荘十	『雲南守備兵』
第14回	1941年／下	なし	
第15回	1942年／上	なし	
第16回	1942年／下	田岡典夫	『強情いちご・その他』
		神崎武雄	『寛容・その他』
第17回	1943年／上	なし	
第18回	1943年／下	森荘已池	『山畠・蛾と笹舟』
第19回	1944年／上	岡田誠三	『ニューギニヤ山岳戦』
第20回	1944年／下	なし	
第21回	1949年／上	富田常雄	『面・刺青』
第22回	1949年／下	山田克郎	『海の廃園』
第23回	1950年／上	今日出海	『天皇の帽子』
		小山いと子	『執行猶予』
第24回	1950年／下	檀一雄	『真説石川五右衛門・長恨歌』
第25回	1951年／上	源氏鶏太	『英語屋さん・その他』
第26回	1951年／下	柴田錬三郎	『イエスの裔』
		久生十蘭	『鈴木主水』
第27回	1952年／上	藤原審爾	『罪な女・その他』
第28回	1952年／下	立野信之	『叛乱』
第29回	1953年／上	なし	
第30回	1953年／下	なし	
第31回	1954年／上	有馬頼義	『終身未決囚』
第32回	1954年／下	梅崎春生	『ボロ家の春秋』
		戸川幸夫	『高安犬物語』
第33回	1955年／上	なし	
第34回	1955年／下	邱永漢	『香港』
		新田次郎	『強力伝』
第35回	1956年／上	今官一	『壁の花』
		南條範夫	『燈台鬼』
第36回	1956年／下	穂積驚	『勝烏』
		今東光	『お吟さま』
第37回	1957年／上	江崎誠致	『ルソンの谷間』
第38回	1957年／下	なし	
第39回	1958年／上	山崎豊子	『花のれん』
		榛葉英治	『赤い雪』
第40回	1958年／下	城山三郎	『総会屋錦城』
		多岐川恭	『落ちる』
第41回	1959年／上	平岩弓枝	『鏨師』
		渡邊喜恵子	『馬淵川』
第42回	1959年／下	司馬遼太郎	『梟の城』
		戸板康二	『團十郎切腹事件』
第43回	1960年／上	池波正太郎	『錯乱』
第44回	1960年／下	黒岩重吾	『背徳のメス』
		寺内大吉	『はぐれ念仏』
第45回	1961年／上	水上勉	『雁の寺』
第46回	1961年／下	伊藤桂一	『螢の河』
第47回	1962年／上	杉森久英	『天才と狂人の間』
第48回	1962年／下	山口瞳	『江分利満氏の優雅な生活』
		杉本苑子	『孤愁の岸』
第49回	1963年／上	佐藤得二	『女のいくさ』
第50回	1963年／下	安藤鶴夫	『巷談本牧亭』
		和田芳恵	『塵の中』
第51回	1964年／上	なし	
第52回	1964年／下	安西篤子	『張少子の話』
		永井路子	『炎環』
第53回	1965年／上	藤井重夫	『虹』
第54回	1965年／下	新橋遊吉	『八百長』

学習資料集

芥川賞・直木賞受賞者一覧

学習資料集

芥川賞・直木賞受賞者一覧

回	年度／期	受賞者	受賞作
第54回	1965年／下	千葉治平	『虜愁記』
第55回	1966年／上	立原正秋	『白い罌粟』
第56回	1966年／下	五木寛之	『蒼ざめた馬を見よ』
第57回	1967年／上	生島治郎	『追いつめる』
第58回	1967年／下	三好徹	『聖少女』
		野坂昭如	『アメリカひじき・火垂るの墓』
第59回	1968年／上	なし	
第60回	1968年／下	早乙女貢	『僑人の檻』
		陳舜臣	『青玉獅子香炉』
第61回	1969年／上	佐藤愛子	『戦いすんで日が暮れて』
第62回	1969年／下	なし	
第63回	1970年／上	渡辺淳一	『光と影』
		結城昌治	『軍旗はためく下に』
第64回	1970年／下	豊田穣	『長良川』
第65回	1971年／上	なし	
第66回	1971年／下	なし	
第67回	1972年／上	井上ひさし	『手鎖心中』
		綱淵謙錠	『斬』
第68回	1972年／下	なし	
第69回	1973年／上	長部日出雄	『津軽世去れ節・津軽じょんから節』
		藤沢周平	『暗殺の年輪』
第70回	1973年／下	なし	
第71回	1974年／上	藤本義一	『鬼の詩』
第72回	1974年／下	半村良	『雨やどり』
		井出孫六	『アトラス伝説』
第73回	1975年／上	なし	
第74回	1975年／下	佐木隆三	『復讐するは我にあり』
第75回	1976年／上	なし	
第76回	1976年／下	三好京三	『子育てごっこ』
第77回	1977年／上	なし	
第78回	1977年／下	なし	
第79回	1978年／上	色川武大	『離婚』
		津本陽	『深重の海』
第80回	1978年／下	有明夏夫	『大浪花諸人往来』
		宮尾登美子	『一絃の琴』
第81回	1979年／上	阿刀田高	『ナポレオン狂』
		田中小実昌	『浪曲師朝日丸の話・ミミのこと』

回	年度／期	受賞者	受賞作
第82回	1979年／下	なし	
第83回	1980年／上	志茂田景樹	『黄色い牙』
		向田邦子	『花の名前・かわうそ・犬小屋』
第84回	1980年／下	中村正軌	『元首の謀叛』
第85回	1981年／上	青島幸男	『人間万事塞翁が丙午』
第86回	1981年／下	つかこうへい	『蒲田行進曲』
		光岡明	『機雷』
第87回	1982年／上	村松友視	『時代屋の女房』
		深田祐介	『炎熱商人』
第88回	1982年／下	なし	
第89回	1983年／上	胡桃沢耕史	『黒パン俘虜記』
第90回	1983年／下	高橋治	『秘伝』
		神吉拓郎	『私生活』
第91回	1984年／上	連城三紀彦	『恋文』
		難波利三	『てんのじ村』
第92回	1984年／下	なし	
第93回	1985年／上	山口洋子	『演歌の虫・老梅』
第94回	1985年／下	林真理子	『最終便に間に合えば・京都まで』
		森田誠吾	『魚河岸ものがたり』
第95回	1986年／上	皆川博子	『恋紅』
第96回	1986年／下	逢坂剛	『カディスの赤い星』
		常盤新平	『遠いアメリカ』
第97回	1987年／上	山田詠美	『ソウル・ミュージック・ラバーズ・オンリー』
		白石一郎	『海狼伝』
第98回	1987年／下	阿部牧郎	『それぞれの終楽章』
第99回	1988年／上	景山民夫	『遠い海から来たCOO』
		西木正明	『凍れる瞳・端島の女』
第100回	1988年／下	杉本章子	『東京新大橋雨中図』
		藤堂志津子	『熟れてゆく夏』
第101回	1989年／上	笹倉明	『遠い国からの殺人者』
		ねじめ正一	『高円寺純情商店街』
第102回	1989年／下	原寮	『私が殺した少女』
		星川清司	『小伝抄』
第103回	1990年／上	泡坂妻夫	『蔭桔梗』
第104回	1990年／下	古川薫	『漂泊者のアリア』
第105回	1991年／上	芦原すなお	『青春デンデケデケデケ』
		宮城谷昌光	『夏姫春秋』

青字になっている人物は1〜4巻に項目として掲載されています

芥川賞・直木賞受賞者一覧

回	年度／期	受賞者	受賞作
第106回	1991年／下	高橋克彦	『緋い記憶』
		高橋義夫	『狼奉行』
第107回	1992年／上	伊集院静	『受け月』
第108回	1992年／下	出久根達郎	『佃島ふたり書房』
第109回	1993年／上	高村薫	『マークスの山』
		北原亞以子	『恋忘れ草』
第110回	1993年／下	大沢在昌	『新宿鮫 無間人形』
		佐藤雅美	『恵比寿屋喜兵衛手控え』
第111回	1994年／上	海老沢泰久	『帰郷』
		中村彰彦	『二つの山河』
第112回	1994年／下	なし	
第113回	1995年／上	赤瀬川隼	『白球残映』
第114回	1995年／下	小池真理子	『恋』
		藤原伊織	『テロリストのパラソル』
第115回	1996年／上	乃南アサ	『凍える牙』
第116回	1996年／下	坂東眞砂子	『山姥』
第117回	1997年／上	篠田節子	『女たちのジハード』
		浅田次郎	『鉄道員』
第118回	1997年／下	なし	
第119回	1998年／上	車谷長吉	『赤目四十八瀧心中未遂』
第120回	1998年／下	宮部みゆき	『理由』
第121回	1999年／上	佐藤賢一	『王妃の離婚』
		桐野夏生	『柔らかな頬』
第122回	1999年／下	なかにし礼	『長崎ぶらぶら節』
第123回	2000年／上	金城一紀	『GO』
		船戸与一	『虹の谷の五月』
第124回	2000年／下	重松清	『ビタミンF』
		山本文緒	『プラナリア』
第125回	2001年／上	藤田宜永	『愛の領分』
第126回	2001年／下	山本一力	『あかね空』
		唯川恵	『肩ごしの恋人』
第127回	2002年／上	乙川優三郎	『生きる』
第128回	2002年／下	なし	
第129回	2003年／上	石田衣良	『4TEEN（フォーティーン）』
		村山由佳	『星々の舟』
第130回	2003年／下	江國香織	『号泣する準備はできていた』
		京極夏彦	『後巷説百物語』

回	年度／期	受賞者	受賞作
第131回	2004年／上	奥田英朗	『空中ブランコ』
		熊谷達也	『邂逅の森』
第132回	2004年／下	角田光代	『対岸の彼女』
第133回	2005年／上	朱川湊人	『花まんま』
第134回	2005年／下	東野圭吾	『容疑者Xの献身』
第135回	2006年／上	三浦しをん	『まほろ駅前多田便利軒』
		森絵都	『風に舞いあがるビニールシート』
第136回	2006年／下	なし	
第137回	2007年／上	松井今朝子	『吉原手引草』
第138回	2007年／下	桜庭一樹	『私の男』
第139回	2008年／上	井上荒野	『切羽へ』
第140回	2008年／下	天童荒太	『悼む人』
		山本兼一	『利休にたずねよ』
第141回	2009年／上	北村薫	『鷺と雪』
第142回	2009年／下	白石一文	『ほかならぬ人へ』
		佐々木譲	『廃墟に乞う』
第143回	2010年／上	中島京子	『小さいおうち』
第144回	2010年／下	木内昇	『漂砂のうたう』
		道尾秀介	『月と蟹』
第145回	2011年／上	池井戸潤	『下町ロケット』
第146回	2011年／下	葉室麟	『蜩ノ記』
第147回	2012年／上	辻村深月	『鍵のない夢を見る』
第148回	2012年／下	朝井リョウ	『何者』
		安部龍太郎	『等伯』
第149回	2013年／上	桜木紫乃	『ホテルローヤル』
第150回	2013年／下	朝井まかて	『恋歌』
		姫野カオルコ	『昭和の犬』
第151回	2014年／上	黒川博行	『破門』
第152回	2014年／下	西加奈子	『サラバ！』
第153回	2015年／上	東山彰良	『流』
第154回	2015年／下	青山文平	『つまをめとらば』
第155回	2016年／上	荻原浩	『海の見える理髪店』

オリンピック日本代表選手 メダル受賞者一覧

オリンピックは、古代ギリシャで行われていた神をたたえるスポーツの祭典だったが、これを復活させて1896年から始まったのが、近代オリンピックである。オリンピックは、スポーツを通して心と体をきたえ、世界の人々との交流によって平和な国際社会を築くことを目的としている。各競技の優勝者には金メダル、準優勝者には銀メダル、3位の選手には銅メダルが授与される。

日本は、1912年のストックホルム大会に初めて参加し、1920年のアントワープ大会で初めてメダルを獲得した。

（出典：日本オリンピック委員会サイト「メダル・入賞者一覧」）

夏季大会

1928年 金
織田幹雄

1984年 金
山下泰裕

2016年 金
伊調馨

選手名	種目	メダル
1920（大正9）年		アントワープ大会
熊谷一弥	テニス・男子シングルス	銀
熊谷一弥、柏尾誠一郎	テニス・男子ダブルス	銀
1924（大正13）年		パリ大会
内藤克俊	レスリング・フリー・フェザー級	銅
1928（昭和3）年		アムステルダム大会
織田幹雄	陸上競技・男子三段跳	金
鶴田義行	競泳・男子200m平泳ぎ	金
人見絹枝	陸上競技・女子800m	銀
米山弘、佐田徳平、新井信男、高石勝男	競泳・男子800mリレー	銀
高石勝男	競泳・男子100m自由形	銅
1932（昭和7）年		ロサンゼルス大会
南部忠平	陸上競技・男子三段跳	金
宮崎康二	競泳・男子100m自由形	金
北村久寿雄	競泳・男子1500m自由形	金
清川正二	競泳・男子100m背泳ぎ	金
鶴田義行	競泳・男子200m平泳ぎ	金

選手名	種目	メダル
宮崎康二、遊佐正憲、横山隆志、豊田久吉	競泳・男子800mリレー	金
西竹一	馬術・障害飛越	金
西田修平	陸上競技・男子棒高跳	銀
河石達吾	競泳・男子100m自由形	銀
牧野正蔵	競泳・男子1500m自由形	銀
小池禮三	競泳・男子200m平泳ぎ	銀
入江稔夫	競泳・男子100m背泳ぎ	銀
前畑秀子	競泳・女子200m平泳ぎ	銀
浅川増幸、三浦四郎、中村英一、酒井義雄、永田寛、広瀬藤四郎、今治彦、左右田秋雄、浜田駿吉、柴田勝巳、小林定義、猪原淳三、小西健一、宇佐美敏夫	ホッケー	銀
南部忠平	陸上競技・男子走幅跳	銅
大島鎌吉	陸上競技・男子三段跳	銅
大横田勉	競泳・男子400m自由形	銅
河津憲太郎	競泳・男子100m背泳ぎ	銅
1936（昭和11）年		ベルリン大会
田島直人	陸上競技・男子三段跳	金
孫基禎	陸上競技・男子マラソン	金
寺田登	競泳・男子1500m自由形	金
葉室鉄夫	競泳・男子200m平泳ぎ	金

青字になっている人物は1〜4巻に項目として掲載されています

選手名	種目	メダル
前畑秀子	競泳・女子200m平泳ぎ	金
遊佐正憲、杉浦重雄、田口正治、新井茂雄	競泳・男子800mリレー	金
原田正夫	陸上競技・男子三段跳	銀
西田修平	陸上競技・男子棒高跳	銀
遊佐正憲	競泳・男子100m自由形	銀
鵜藤俊平	競泳・男子400m自由形	銀
田島直人	陸上競技・男子走幅跳	銅
大江季雄	陸上競技・男子棒高跳	銅
南昇竜	陸上競技・男子マラソン	銅
新井茂雄	競泳・男子100m自由形	銅
牧野正蔵	競泳・男子400m自由形	銅
鵜藤俊平	競泳・男子1500m自由形	銅
清川正二	競泳・男子100m背泳ぎ	銅
小池禮三	競泳・男子200m平泳ぎ	銅
藤田隆治	芸術・絵画	銅
鈴木朱雀	芸術・水彩	銅

1952（昭和27）年　ヘルシンキ大会

選手名	種目	メダル
石井庄八	レスリング・フリー・バンタム級	金
鈴木弘	競泳・男子100m自由形	銀
橋爪四郎	競泳・男子1500m自由形	銀
鈴木弘、浜口喜博、後藤暢、谷川禎次郎	競泳・男子800mリレー	銀
北野祐秀	レスリング・フリー・フライ級	銀
上迫忠夫	体操・男子徒手	銀
竹本正男	体操・男子跳馬	銀
上迫忠夫	体操・男子跳馬	銅
小野喬	体操・男子跳馬	銅

1956（昭和31）年　メルボルン大会

選手名	種目	メダル
古川勝	競泳・男子200m平泳ぎ	金

選手名	種目	メダル
笹原正三	レスリング・フリー・フェザー級	金
池田三男	レスリング・フリー・ウエルター級	金
小野喬	体操・男子鉄棒	金
山中毅	競泳・男子400m自由形	銀
山中毅	競泳・男子1500m自由形	銀
吉村昌弘	競泳・男子200m平泳ぎ	銀
石本隆	競泳・男子200mバタフライ	銀
笠原茂	レスリング・フリー・ライト級	銀
小野喬	体操・個人総合	銀
久保田正躬	体操・平行棒	銀
小野喬	体操・男子あん馬	銀
相原信行	体操・男子徒手	銀
小野喬、竹本正男、河野昭、相原信行、塚脇伸作、久保田正躬	体操・男子団体総合	銀
竹本正男	体操・男子鉄棒	銅
竹本正男	体操・男子平行棒	銅
小野喬	体操・男子平行棒	銅
竹本正男	体操・男子つり輪	銅
久保田正躬	体操・男子つり輪	銅

1960（昭和35）年　ローマ大会

選手名	種目	メダル
竹本正男、小野喬、相原信行、遠藤幸雄、三栗崇、鶴見修治	体操・男子団体総合	金
小野喬	体操・男子鉄棒	金
小野喬	体操・男子跳馬	金
相原信行	体操・男子徒手	金
福井誠、石井宏、山中毅、藤本達夫	競泳・男子800mリレー	銀
山中毅	競泳・男子400m自由形	銀

学習資料集

オリンピック日本代表選手　メダル受賞者一覧

学習資料集 オリンピック日本代表選手 メダル受賞者一覧

選手名	種目	メダル
大崎剛彦	競泳・男子200m平泳ぎ	銀
三宅義信	ウエイトリフティング・バンタム級	銀
松原正之	レスリング・フリー・フライ級	銀
小野喬	体操・男子個人総合	銀
竹本正男	体操・男子鉄棒	銀
田中聡子	競泳・女子100m背泳ぎ	銅
富田一雄、大崎剛彦、開田幸一、清水啓吾	競泳・男子400mメドレーリレー	銅
小野喬	体操・男子平行棒	銅
鶴見修治	体操・男子あん馬	銅
小野喬	体操・男子つり輪	銅
田辺清	ボクシング・フライ級	銅
吉川貴久	射撃・男子フリーピストル	銅

1964（昭和39）年　東京大会

選手名	種目	メダル
小野喬、遠藤幸雄、鶴見修治、山下治広、早田卓次、三栗崇	体操・男子団体総合	金
遠藤幸雄	体操・男子個人総合	金
早田卓次	体操・男子つり輪	金
山下治広	体操・男子跳馬	金
遠藤幸雄	体操・男子平行棒	金
河西昌枝、宮本恵美子、谷田絹子、半田百合子、松村好子、磯辺サタ、松村勝美、篠崎洋子、佐々木節子、藤本佑子、近藤雅子、渋木綾乃	バレーボール・女子	金
吉田義勝	レスリング・フリー・フライ級	金
上武洋次郎	レスリング・フリー・バンタム級	金
渡辺長武	レスリング・フリー・フェザー級	金
花原勉	レスリング・グレコ・フライ級	金

選手名	種目	メダル
市口政光	レスリング・グレコ・バンタム級	金
桜井孝雄	ボクシング・バンタム級	金
三宅義信	ウエイトリフティング・フェザー級	金
中谷雄英	柔道・軽量級	金
岡野功	柔道・中量級	金
猪熊功	柔道・重量級	金
鶴見修治	体操・男子個人総合	銀
遠藤幸雄	体操・男子床運動	銀
鶴見修治	体操・男子あん馬	銀
鶴見修治	体操・男子平行棒	銀
神永昭夫	柔道・無差別級	銀
円谷幸吉	陸上競技・男子マラソン	銅
福井誠、岩崎邦宏、庄司敏夫、岡部幸明	競泳・男子800mリレー	銅
池田敬子、相原俊子、小野清子、中村多仁子、辻宏子、千葉吟子	体操・女子団体総合	銅
堀内岩雄	レスリング・フリー・ライト級	銅
一ノ関史郎	ウエイトリフティング・バンタム級	銅
大内仁	ウエイトリフティング・ミドル級	銅
吉川貴久	射撃・男子フリーピストル	銅
出町豊、小山勉、菅原貞敬、池田尚弘、佐藤安孝、小瀬戸俊昭、南将之、森山輝久、猫田勝敏、樋口時彦、徳富斌、中村祐造	バレーボール・男子	銅

1968（昭和43）年　メキシコシティ大会

選手名	種目	メダル
加藤武司、中山彰規、加藤沢男、塚原光男、監物永三、遠藤幸雄	体操・男子団体総合	金

青字になっている人物は1～4巻に項目として掲載されています

選手名	種目	メダル
加藤沢男	体操・男子個人総合	金
加藤沢男	体操・男子床運動	金
中山彰規	体操・男子つり輪	金
中山彰規	体操・男子平行棒	金
中山彰規	体操・男子鉄棒	金
三宅義信	ウエイトリフティング・フェザー級	金
中田茂男	レスリング・フリー・フライ級	金
上武洋次郎	レスリング・フリー・バンタム級	金
金子正明	レスリング・フリー・フェザー級	金
宗村宗二	レスリング・グレコ・ライト級	金
君原健二	陸上競技・男子マラソン	銀
池田尚弘、大古誠司、猫田勝敏、南将之、白神守、嶋岡健治、森田淳悟、佐藤哲夫、三森泰明、小泉勲、木村憲治、横田忠義	バレーボール・男子	銀
高山鈴江、吉田節子、岩原豊子、笠原洋子、小野沢愛子、小嶋由紀代、福中佐知子、宍倉邦枝、井上節子、生沼スミエ、古川牧子、浜恵子	バレーボール・女子	銀
中山彰規	体操・男子床運動	銀
遠藤幸雄	体操・男子跳馬	銀
大内仁	ウエイトリフティング・ミドル級	銀
藤本英男	レスリング・グレコ・フェザー級	銀
中山彰規	体操・男子個人総合	銅
加藤沢男	体操・男子つり輪	銅
監物永三	体操・男子鉄棒	銅
加藤武司	体操・男子床運動	銅
三宅義行	ウエイトリフティング・フェザー級	銅

選手名	種目	メダル
森岡栄治	ボクシング・バンタム級	銅
横山謙三、浜崎昌弘、鎌田光夫、宮本征勝、鈴木良三、片山洋、富沢清司、山口芳忠、森孝慈、八重樫茂生、宮本輝紀、小城得達、湯口栄蔵、渡辺正、杉山隆一、松本育夫、桑原楽之、釜本邦茂	サッカー	銅

1972（昭和47）年　ミュンヘン大会

選手名	種目	メダル
田口信教	競泳・男子100m平泳ぎ	金
青木まゆみ	競泳・女子100mバタフライ	金
加藤沢男、中山彰規、塚原光男、監物永三、笠松茂、岡村輝一	体操・男子団体総合	金
加藤沢男	体操・男子個人総合	金
加藤沢男	体操・男子平行棒	金
中山彰規	体操・男子つり輪	金
塚原光男	体操・男子鉄棒	金
加藤喜代美	レスリング・フリー・52kg級	金
柳田英明	レスリング・フリー・57kg級	金
関根忍	柔道・中量級	金
川口孝夫	柔道・軽量級	金
野村豊和	柔道・軽中量級	金
中村祐造、南将之、猫田勝敏、木村憲治、野口泰弘、森田淳悟、横田忠義、大古誠司、佐藤哲夫、嶋岡健治、深尾吉英、西本哲雄	バレーボール・男子	金
監物永三	体操・男子個人総合	銀

学習資料集

オリンピック日本代表選手　メダル受賞者一覧

学習資料集

オリンピック日本代表選手 メダル受賞者一覧

選手名	種目	メダル
笠松茂	体操・男子平行棒	銀
加藤沢男	体操・男子鉄棒	銀
加藤沢男	体操・男子あん馬	銀
中山彰規	体操・男子床運動	銀
和田喜久夫	レスリング・フリー・68kg級	銀
平山紘一郎	レスリング・グレコ・52kg級	銀
松村勝美、山下規子、岩原豊子、飯田高子、生沼スミエ、浜恵子、古川牧子、島影せい子、山崎八重子、塩川美知子、白井貴子、岡本真理子	バレーボール・女子	銀
田口信教	競泳・男子200m平泳ぎ	銅
中山彰規	体操・男子個人総合	銅
監物永三	体操・男子平行棒	銅
笠松茂	体操・男子鉄棒	銅
監物永三	体操・男子あん馬	銅
塚原光男	体操・男子つり輪	銅
笠松茂	体操・男子床運動	銅
西村昌樹	柔道・重量級	銅

1976（昭和51）年　モントリオール大会

選手名	種目	メダル
加藤沢男、塚原光男、監物永三、梶山広司、藤本俊、五十嵐久人	体操・男子団体総合	金
加藤沢男	体操・男子平行棒	金
塚原光男	体操・男子鉄棒	金
高田裕司	レスリング・フリー・52kg級	金
伊達治一郎	レスリング・フリー・74kg級	金
園田勇	柔道・中量級	金
二宮和弘	柔道・軽重量級	金
上村春樹	柔道・無差別級	金

選手名	種目	メダル
飯田高子、岡本真理子、前田悦智子、白井貴子、加藤きよみ、荒木田裕子、金坂克子、吉田真理子、高柳昌子、松田紀子、矢野広美、横山樹理	バレーボール・女子	金
加藤沢男	体操・男子個人総合	銀
監物永三	体操・男子あん馬	銀
塚原光男	体操・男子跳馬	銀
監物永三	体操・男子鉄棒	銀
蔵本孝二	柔道・軽中量級	銀
道永宏	アーチェリー男子	銀
塚原光男	体操・男子個人総合	銅
梶山広司	体操・男子跳馬	銅
塚原光男	体操・男子平行棒	銅
工藤章	レスリング・フリー・48kg級	銅
荒井政雄	レスリング・フリー・57kg級	銅
菅原弥三郎	レスリング・68kg級	銅
平山紘一郎	レスリング・グレコ・52kg級	銅
遠藤純男	柔道・重量級	銅
安藤謙吉	ウエイトリフティング・バンタム級	銅
平井一正	ウエイトリフティング・フェザー級	銅

1984（昭和59）年　ロサンゼルス大会

選手名	種目	メダル
具志堅幸司	体操・男子個人総合	金
具志堅幸司	体操・男子つり輪	金
森末慎二	体操・男子鉄棒	金
富山英明	レスリング・フリー・57kg級	金
宮原厚次	レスリング・グレコ・52kg級	金
細川伸二	柔道・60kg以下級	金
松岡義之	柔道・65kg以下級	金
斉藤仁	柔道・95kg超級	金

青字になっている人物は1〜4巻に項目として掲載されています

選手名	種目	メダル
山下泰裕	柔道・無差別級	金
蒲池猛夫	ライフル射撃・男子ラピッドファイアーピストル	金
梶谷信之	体操・男子平行棒	銀
具志堅幸司	体操・男子跳馬	銀
森末慎二	体操・男子跳馬	銀
入江隆	レスリング・フリー・48kg級	銀
赤石光生	レスリング・フリー・62kg級	銀
長島偉之	レスリング・フリー・82kg級	銀
太田章	レスリング・フリー・90kg級	銀
江藤正基	レスリング・グレコ・57kg級	銀
元好三和子	シンクロ・ソロ	銅
元好三和子、木村さえ子	シンクロ・デュエット	銅
江上由美、三屋裕子、石田京子、杉山加代子、宮島恵子、中田久美、森田貴美枝、広瀬美代子、廣紀江、大谷佐知子、小高笑子、利部陽子	バレーボール・女子	銅
梶谷信之、山脇恭二、平田倫教、具志堅幸司、外村康二、森末慎二	体操・男子団体総合	銅
具志堅幸司	体操・男子鉄棒	銅
外村康二	体操・男子床運動	銅
高田裕司	レスリング・フリー・52kg級	銅
斉藤育造	レスリング・グレコ・48kg級	銅
真鍋和人	ウエイトリフティング・52kg級	銅
小高正宏	ウエイトリフティング・56kg級	銅
砂岡良治	ウエイトリフティング・82.5kg級	銅
坂本勉	自転車・男子スプリント	銅
野瀬清喜	柔道・86kg以下級	銅
山本博	アーチェリー男子	銅

1988（昭和63）年　ソウル大会

選手名	種目	メダル
鈴木大地	競泳・男子100m背泳ぎ	金
小林孝至	レスリング・フリー・48kg級	金
佐藤満	レスリング・フリー・52kg級	金
斉藤仁	柔道・95kg超級	金
宮原厚次	レスリング・グレコ・52kg級	銀
太田章	レスリング・フリー・90kg級	銀
長谷川智子	ライフル射撃・女子スポーツピストル	銀
小谷実可子	シンクロ・ソロ	銅
田中京・小谷実可子	シンクロ・デュエット	銅
水島宏一、小西裕之、山田隆弘、佐藤寿治、西川大輔、池谷幸雄	体操・男子団体総合	銅
池谷幸雄	体操・男子床運動	銅
細川伸二	柔道・60kg以下級	銅
山本洋祐	柔道・65kg以下級	銅
大迫明伸	柔道・86kg以下級	銅

1992（平成4）年　バルセロナ大会

選手名	種目	メダル
岩崎恭子	競泳・女子200m平泳ぎ	金
吉田秀彦	柔道・男子78kg以下級	金
古賀稔彦	柔道・男子71kg以下級	金
小川直也	柔道・男子95kg超級	銀
田辺陽子	柔道・女子72kg以下級	銀
溝口紀子	柔道・女子52kg以下級	銀
田村（谷）亮子	柔道・女子48kg以下級	銀
池谷幸雄	体操・男子床	銀
渡辺和三	射撃・クレーオープントラップ	銀
有森裕子	陸上競技・女子マラソン	銀
森下広一	陸上競技・男子マラソン	銀
奥野史子	シンクロ・ソロ	銅

学習資料集

オリンピック日本代表選手　メダル受賞者一覧

学習資料集　オリンピック日本代表選手　メダル受賞者一覧

選手名	種目	メダル
奥野史子、高山亜樹	シンクロ・デュエット	銅
西川大輔、池谷幸雄、知念孝、畠田好章、松永政行、相原豊	体操・男子団体総合	銅
松永政行	体操・男子平行棒	銅
赤石光生	レスリング・フリー・68kg級	銅
岡田弘隆	柔道・男子86kg以下級	銅
越野忠則	柔道・男子60kg以下級	銅
坂上洋子	柔道・女子72kg超級	銅
立野千代里	柔道・女子56kg以下級	銅
木場良平	射撃・50mフリーライフル	銅
渡部勝美、西正文、杉浦正則、大島公一、西山一宇、若林重喜、中本浩、杉山賢人、徳永耕治、十河章浩、伊藤智仁、小島啓民、佐藤康弘、坂口裕之、高見泰範、佐藤真一、三輪隆、小久保裕紀、小桧山雅仁、川畑伸一郎	野球	銅

1996（平成8）年　アトランタ大会

選手名	種目	メダル
恵本裕子	柔道・女子61kg級	金
中村兼三	柔道・男子71kg級	金
野村忠宏	柔道・男子60kg級	金
重由美子、木下ユリエアリーシア	セーリング・女子470級	銀
古賀稔彦	柔道・男子78kg級	銀
中村行成	柔道・男子65kg級	銀
田辺陽子	柔道・女子72kg級	銀
田村（谷）亮子	柔道・女子48kg級	銀
森昌彦、木村重太郎、	野球	銀

選手名	種目	メダル
森中聖雄、小野仁、黒須隆、野島正弘、今岡誠、福留孝介、高林孝行、西郷泰之、杉浦正則、川村丈夫、三澤興一、大久保秀昭、桑元孝雄、松中信彦、井口忠仁、中村大伸、佐藤友昭、谷佳知	野球	銀
有森裕子	陸上競技・女子マラソン	銅
立花美哉、神保れい、高橋馨、田中順子、河邊美穂、川瀬晶子、武田美保、藤井来夏、中島理帆、藤木麻祐子	シンクロ・チーム	銅
太田拓弥	レスリング・フリー・74kg級	銅
十文字貴信	自転車・男子1kmタイムトライアル	銅
菅原教子	柔道・女子52kg級	銅

2000（平成12）年　シドニー大会

選手名	種目	メダル
高橋尚子	陸上競技・女子マラソン	金
野村忠宏	柔道・男子60kg級	金
瀧本誠	柔道・男子81kg級	金
井上康生	柔道・男子100kg級	金
田村（谷）亮子	柔道・女子48kg級	金
中村真衣	競泳・女子100m背泳ぎ	銀
田島寧子	競泳・女子400m個人メドレー	銀
立花美哉、武田美保	シンクロ・女子デュエット	銀
立花美哉、武田美保、藤井来夏、神保れい、米田祐子、磯田陽子、江上綾乃	シンクロ・女子チーム	銀
永田克彦	レスリング・グレコ・69kg級	銀
篠原信一	柔道・男子100kg超級	銀
楢崎教子	柔道・女子52kg級	銀

青字になっている人物は1〜4巻に項目として掲載されています

選手名	種目	メダル
石川多映子、田本博子、斎藤春香、増淵まり子、藤井由宮子、山田美葉、伊藤良恵、松本直美、宇津木麗華、小林良美、小関しおり、高山樹里、内藤恵美、安藤美佐子、山路典子	ソフトボール	銀
中尾美樹	競泳・女子200m背泳ぎ	銅
中村真衣、田中雅美、大西順子、源純夏	競泳・女子4×100mメドレーリレー	銅
日下部基栄	柔道・女子57kg級	銅
山下まゆみ	柔道・女子78kg超級	銅
岡本依子	テコンドー・女子67kg級	銅

2004（平成16）年　アテネ大会

選手名	種目	メダル
野口みずき	陸上競技・女子マラソン	金
室伏広治	陸上競技・男子ハンマー投	金
北島康介	競泳・男子100m平泳ぎ	金
北島康介	競泳・男子200m平泳ぎ	金
柴田亜衣	競泳・女子800m自由形	金
米田功、冨田洋之、水鳥寿思、塚原直也、鹿島丈博、中野大輔	体操・男子団体総合	金
吉田沙保里	レスリング・女子55kg級	金
伊調馨	レスリング・女子63kg級	金
野村忠宏	柔道・男子60kg級	金
内柴正人	柔道・男子66kg級	金
鈴木桂治	柔道・男子100kg超級	金
谷亮子	柔道・女子48kg級	金
谷本歩実	柔道・女子63kg級	金
上野雅恵	柔道・女子70kg級	金

選手名	種目	メダル
阿武教子	柔道・女子78kg級	金
塚田真希	柔道・女子78kg超級	金
山本貴司	競泳・男子200mバタフライ	銀
立花美哉、武田美保	シンクロ・デュエット	銀
立花美哉、武田美保、巽樹里、原田早穂、鈴木絵美子、藤丸真世、米田容子、川嶋奈緒子、北尾佳奈子	シンクロ・ロチーム	銀
冨田洋之	体操・男子平行棒	銀
伊調千春	レスリング・女子48kg級	銀
伏見俊昭、長塚智広、井上昌己	自転車・男子チームスプリント	銀
泉浩	柔道・男子90kg級	銀
横澤由貴	柔道・女子52kg級	銀
山本博	アーチェリー・男子個人	銀
宇津木麗華、坂本直子、乾絵美、上野由岐子、伊藤良恵、岩渕有美、三科真澄、高山樹里、内藤恵美、佐藤由希、佐藤理恵、坂井寛子、斎藤春香、山田恵里、山路典子	ソフトボール	銅
森田智己	競泳・男子100m背泳ぎ	銅
中西悠子	競泳・女子200mバタフライ	銅
中村礼子	競泳・女子200m背泳ぎ	銅
森田智己、北島康介、山本貴司、奥村幸大	競泳・男子4×100mメドレーリレー	銅
鹿島丈博	体操・男子あん馬	銅
米田功	体操・男子鉄棒	銅
田南部力	レスリング・男子フリー・55kg級	銅

オリンピック日本代表選手 メダル受賞者一覧

学習資料集

選手名	種目	メダル
井上謙二	レスリング・男子フリー・60kg級	銅
浜口京子	レスリング・女子72kg級	銅
関一人、轟賢二郎	セーリング・男子470級	銅
三浦大輔、小林雅英、岩瀬仁紀、黒田博樹、上原浩治、清水直行、石井弘寿、安藤優也、松坂大輔、和田毅、岩隈久志、城島健司、相川亮二、宮本慎也、木村拓也、中村紀洋、小笠原道大、金子誠、藤本敦士、和田一浩、村松有人、谷佳知、高橋由伸、福留孝介	野球	銅

2008（平成20）年　北京大会

選手名	種目	メダル
北島康介	競泳・男子100m平泳ぎ	金
北島康介	競泳・男子200m平泳ぎ	金
吉田沙保里	レスリング・女子55kg級	金
伊調馨	レスリング・女子63kg級	金
内柴正人	柔道・男子66kg級	金
石井慧	柔道・男子100kg超級	金
谷本歩実	柔道・女子63kg級	金
上野雅恵	柔道・女子70kg級	金
上野由岐子、江本奈穂、坂井寛子、染谷美佳、乾絵美、峰幸代、伊藤幸子、佐藤理恵、藤本索子、西山麗、廣瀬芽、三科真澄、狩野亜由美、馬渕智子、山田恵里	ソフトボール	金
冨田洋之、内村航平、坂本功貴、鹿島丈博、沖口誠、中瀬卓也	体操・男子団体総合	銀

選手名	種目	メダル
内村航平	体操・男子個人総合	銀
松永共広	レスリング・男子フリー・55kg級	銀
伊調千春	レスリング・女子48kg級	銀
太田雄貴	フェンシング・男子個人フルーレ	銀
塚田真希	柔道・女子78kg超級	銀
塚原直貴、末續慎吾、高平慎士、朝原宣治	陸上競技・男子4×100mリレー	銅
松田丈志	競泳・男子200mバタフライ	銅
宮下純一、北島康介、藤井拓郎、佐藤久佳	競泳・男子4×100mメドレーリレー	銅
中村礼子	競泳・女子200m背泳ぎ	銅
原田早穂、鈴木絵美子	シンクロ・デュエット	銅
湯元健一	レスリング・男子フリー・60kg級	銅
浜口京子	レスリング・女子72kg級	銅
永井清史	自転車・男子ケイリン	銅
谷亮子	柔道・女子48kg級	銅
中村美里	柔道・女子52kg級	銅

2012（平成24）年　ロンドン大会

選手名	種目	メダル
村田諒太	ボクシング・男子ミドル75kg級	金
内村航平	体操・男子個人総合	金
小原日登美	レスリング・女子48kg級	金
吉田沙保里	レスリング・女子55kg級	金
伊調馨	レスリング・女子63kg級	金
米満達弘	レスリング・男子フリー・66kg級	金
松本薫	柔道・女子57kg級	金
鈴木聡美	競泳・女子200m平泳ぎ	銀
入江陵介	競泳・男子200m背泳ぎ	銀
入江陵介、北島康介、松田丈志、藤井拓郎	競泳・男子4×100mメドレーリレー	銀

青字になっている人物は1〜4巻に項目として掲載されています

学習資料集　オリンピック日本代表選手 メダル受賞者一覧

選手名	種目	メダル
鮫島彩、岩清水梓、熊谷紗希、近賀ゆかり、宮間あや、阪口夢穂、川澄奈穂美、大野忍、田中明日菜、福元美穂、安藤梢、高瀬愛実、矢野喬子、澤穂希、海堀あゆみ、大儀見優季、丸山桂里奈、岩渕真奈	サッカー・女子	銀
加藤凌平、田中和仁、田中佑典、内村航平、山室光史	体操・男子団体総合	銀
内村航平	体操・男子種目別ゆか	銀
三宅宏実	ウエイトリフティング・女子48kg級	銀
石川佳純、福原愛、平野早矢香	卓球・女子団体	銀
太田雄貴、千田健太、三宅諒、淡路卓	フェンシング・男子フルーレ団体	銀
平岡拓晃	柔道・男子60kg級	銀
中矢力	柔道・男子73kg級	銀
杉本美香	柔道・女子78kg超級	銀
藤井瑞希、垣岩令佳	バドミントン・女子ダブルス	銀
古川高晴	アーチェリー・男子個人	銀
室伏広治	陸上競技・男子ハンマー投	銅
萩野公介	競泳・男子400m個人メドレー	銅
寺川綾	競泳・女子100m背泳ぎ	銅
入江陵介	競泳・男子100m背泳ぎ	銅
鈴木聡美	競泳・女子100m平泳ぎ	銅
松田丈志	競泳・男子200mバタフライ	銅
立石諒	競泳・男子200m平泳ぎ	銅
星奈津美	競泳・女子200mバタフライ	銅

選手名	種目	メダル
寺川綾、鈴木聡美、加藤ゆか、上田春佳	競泳・女子4×100mメドレーリレー	銅
清水聡	ボクシング・男子バンタム56kg級	銅
中道瞳、竹下佳江、井上香織、大友愛、佐野優子、山口舞、荒木絵里香、木村沙織、新鍋理沙、江畑幸子、狩野舞子、迫田さおり	バレーボール・女子	銅
松本隆太郎	レスリング・男子グレコ・60kg級	銅
湯元進一	レスリング・男子フリー・55kg級	銅
海老沼匡	柔道・男子66kg級	銅
西山将士	柔道・男子90kg級	銅
上野順恵	柔道・女子63kg級	銅
早川漣、蟹江美貴、川中香緒里	アーチェリー・女子団体	銅

2016（平成28）年　リオデジャネイロ大会

選手名	種目	メダル
萩野公介	競泳・男子400m個人メドレー	金
金藤理絵	競泳・女子200m平泳ぎ	金
内村航平、加藤凌平、山室光史、田中佑典、白井健三	体操・男子団体総合	金
内村航平	体操・男子個人総合	金
登坂絵莉	レスリング・女子48kg級	金
伊調馨	レスリング・女子58kg級	金
川井梨紗子	レスリング・女子63kg級	金
土性沙羅	レスリング・女子69kg級	金
大野将平	柔道・男子73kg級	金
ベイカー茉秋	柔道・男子90kg級	金
田知本遥	柔道・女子70kg級	金
髙橋礼華、松友美佐紀	バドミントン・女子ダブルス	金

学習資料集 オリンピック日本代表選手 メダル受賞者一覧

選手名	種目	メダル
山縣亮太、飯塚翔太、桐生祥秀、ケンブリッジ飛鳥	陸上競技・男子4×100mリレー	銀
坂井聖人	競泳・男子200mバタフライ	銀
萩野公介	競泳・男子200m個人メドレー	銀
樋口黎	レスリング・男子フリー・57kg級	銀
太田忍	レスリング・男子グレコ・59kg級	銀
吉田沙保里	レスリング・女子53kg級	銀
水谷隼、丹羽孝希、吉村真晴	卓球・男子団体	銀
原沢久喜	柔道・男子100kg超級	銀
荒井広宙	陸上競技・男子50km競歩	銅
瀬戸大也	競泳・男子400m個人メドレー	銅
萩野公介、江原騎士、小堀勇氣、松田丈志	競泳・男子4×200mリレー	銅
星奈津美	競泳・女子200mバタフライ	銅
乾友紀子、三井梨紗子、吉田胡桃、箱山愛香、中村麻衣、丸茂圭衣、中牧佳南、小俣夏乃、林愛子	シンクロ・チーム	銅
乾友紀子、三井梨紗子	シンクロ・デュエット	銅
錦織圭	テニス・男子シングルス	銅
白井健三	体操・男子跳馬	銅
三宅宏実	ウエイトリフティング・女子48kg級	銅
水谷隼	卓球・男子シングルス	銅
福原愛、石川佳純、伊藤美誠	卓球・女子団体	銅
髙藤直寿	柔道・男子60kg級	銅
海老沼匡	柔道・男子66kg級	銅
永瀬貴規	柔道・男子81kg級	銅

選手名	種目	メダル
羽賀龍之介	柔道・男子100kg級	銅
近藤亜美	柔道・女子48kg級	銅
中村美里	柔道・女子52kg級	銅
松本薫	柔道・女子57kg級	銅
山部佳苗	柔道・女子78kg超級	銅
奥原希望	バドミントン・女子シングルス	銅
羽根田卓也	カヌー・スラローム・男子カナディアンシングル	銅

冬季大会

1972年 金
笠谷幸生

2006年 金
荒川静香

2014年 金
羽生結弦

選手名	種目	メダル
1956（昭和31）年		**コルチナ・ダンペッツオ大会**
猪谷千春	スキー・男子回転	銀
1972（昭和47）年		**札幌大会**
笠谷幸生	スキー・ジャンプ・70m級	金
金野昭次	スキー・ジャンプ・70m級	銀
青地清二	スキー・ジャンプ・70m級	銅
1980（昭和55）年		**レークプラシッド大会**
八木弘和	スキー・ジャンプ・70m級	銀
1984（昭和59）年		**サラエボ大会**
北沢欣浩	スケート・スピードスケート・男子500m	銀
1988（昭和63）年		**カルガリー大会**
黒岩彰	スケート・スピードスケート・男子500m	銅

青字になっている人物は1～4巻に項目として掲載されています

選手名	種目	メダル

1992（平成4）年　アルベールビル大会

選手名	種目	メダル
三ケ田礼一、河野孝典、荻原健司	スキー・ノルディック複合・団体	金
黒岩敏幸	スケート・スピードスケート・男子500m	銀
伊藤みどり	スケート・フィギュアスケート・女子シングル	銀
井上純一	スケート・スピードスケート・男子500m	銅
橋本聖子	スケート・スピードスケート・女子1500m	銅
宮部行範	スケート・スピードスケート・男子1000m	銅
石原辰義、河合季信、赤坂雄一、川崎努	スケート・ショートトラック・男子5000mリレー	銅

1994（平成6）年　リレハンメル大会

選手名	種目	メダル
阿部雅司、河野孝典、荻原健司	スキー・ノルディック複合・団体	金
河野孝典	スキー・ノルディック複合・個人	銀
原田雅彦、葛西紀明、岡部孝信、西方仁也	スキー・ジャンプ・ラージヒル・団体	銀
堀井学	スケート・スピードスケート・男子500m	銅
山本宏美	スケート・スピードスケート・女子5000m	銅

1998（平成10）年　長野大会

選手名	種目	メダル
船木和喜	スキー・ジャンプ・ラージヒル・個人	金
岡部孝信、斎藤浩哉、原田雅彦、船木和喜	スキー・ジャンプ・ラージヒル・団体	金
里谷多英	スキー・フリースタイル・女子モーグル	金
清水宏保	スケート・スピードスケート・男子500m	金
西谷岳文	スケート・ショートトラック・男子500m	金
船木和喜	スキー・ジャンプ・ノーマルヒル・個人	銀
原田雅彦	スキー・ジャンプ・ラージヒル・個人	銅
清水宏保	スケート・スピードスケート・男子1000m	銅
岡崎朋美	スケート・スピードスケート・女子500m	銅
植松仁	スケート・ショートトラック・男子500m	銅

2002（平成14）年　ソルトレークシティ大会

選手名	種目	メダル
清水宏保	スケート・スピードスケート・男子500m	銀
里谷多英	スキー・フリースタイル・女子モーグル	銅

2006（平成18）年　トリノ大会

選手名	種目	メダル
荒川静香	スケート・フィギュアスケート・女子シングル	金

2010（平成22）年　バンクーバー大会

選手名	種目	メダル
長島圭一郎	スケート・スピードスケート・男子500m	銀
小平奈緒、田畑真紀、穂積雅子	スケート・スピードスケート・女子チームパシュート	銀
浅田真央	スケート・フィギュアスケート・女子シングル	銀
加藤条治	スケート・スピードスケート・男子500m	銅
髙橋大輔	スケート・フィギュアスケート・男子シングル	銅

2014（平成26）年　ソチ大会

選手名	種目	メダル
羽生結弦	スケート・フィギュアスケート・男子シングル	金
葛西紀明	スキー・ジャンプ・男子ラージヒル・個人	銀
渡部暁斗	スキー・ノルディック複合・ノーマルヒル・個人	銀
平野歩夢	スキー・スノーボード・男子ハーフパイプ	銀
竹内智香	スキー・スノーボード・女子パラレル大回転	銀
清水礼留飛、竹内択、伊藤大貴、葛西紀明	スキー・ジャンプ・男子ラージヒル・団体	銅
小野塚彩那	スキー・フリースタイル・女子ハーフパイプ	銅
平岡卓	スキー・スノーボード・男子ハーフパイプ	銅

学習資料集

オリンピック日本代表選手　メダル受賞者一覧

日本と世界の名言

大きな成功をおさめた人や、すぐれた実績を残した人のことばには、私たちの生活や人生を豊かにするためのヒントになるようなことばがたくさんある。その人たちの人生や業績を振り返りながらこれらのことばを味わうと、いっそうその意味がよくわかるだろう。

日本　政治に関わった人のことば

板垣退助　板垣死すとも自由は死せず
自由民権運動で活躍した板垣が、暴漢に襲われて負傷した時のことば

織田信長　人間五十年、下天のうちを比ぶれば、夢幻の如くなり
信長が出陣の前に好んで謡ったという、幸若舞『敦盛』の一節。人生は短いという意味

勝海舟　よろしく身を困窮に投じて、実才を死生の間に磨くべし
自分を厳しい環境に置いて、実力をつけなさいという教え

西郷隆盛　人を相手にせず、天を相手にせよ
人の評判を気にするのでなく、天に恥じないように生きなさいという意味

坂本龍馬　世に生を得るは、事を為すにあり
するべきことがあるからこそ生まれてきたのだ、という確信のことば

聖徳太子　和をもって尊しとなす
十七条憲法の第一条。人々の仲が良いことが最も大切だということ

徳川家康　人の一生は重荷を負うて遠き道を行くが如し
人生は長く苦労が多いということ。若い頃から苦労を重ねた家康の人生観

徳川光圀　苦は楽の種、楽は苦の種と知るべし
今苦労すれば後で楽になり、楽をしていると後で苦労するということ

豊臣秀吉　何事もつくづくと物思いすな
くよくよ悩むなということ

吉田松陰　身はたとい武蔵の野辺に朽ちぬとも留めおかまし大和魂
江戸の地で死んでも、日本を思う心は生きつづけるという愛国心

日本　思想家・宗教家のことば

伊藤仁斎　仁者は常に人の是を見る。不仁者は常に人の非を見る
他人の長所を見つけるのが立派な人間であるということ

貝原益軒　医は仁術なり
医療では思いやりが大事だという考え方

熊沢蕃山　憂きことのなおこの上に積もれかし限りある身の力試さん
自分の力を試すために、試練を進んで引き受けるという意志

親鸞　善人なおもて往生を遂ぐ。いわんや悪人をや
信仰によって救われるのは、善人よりむしろ罪深い人の方だ、という教え

沢庵宗彭　溝をばずんと飛べ。危うしと思えばはまるぞ
心配ばかりしていると失敗するので、やる時はおもいきってやりなさいということ

塙保己一　さても目明きは不自由なるものかな
目が不自由な塙が、灯が消えて困っている弟子にいったことば

平塚らいてう　原始女性は実に太陽であった
女性の権利を主張した雑誌『青鞜』の創刊号に掲載された文章の一節

福沢諭吉　天は人に上に人を造らず、人の下に人を造らず
『学問のすすめ』の冒頭の一節。人はすべて平等だという考えかたが示されている

法然　身はいやしくとも心は高くありなん
身分が低くても心は貴くありたいということ

良寛　生あるもの、鳥けだものにいたるまでなさけをかくべきこと
命のあるものは、人だけでなく鳥や動物にもやさしい気持ちで接しなさいという教え

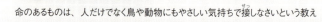 このリンクマークがついている人物は1〜4巻に項目として掲載されています

166

日本　文学者・芸術家のことば

石川啄木　歌は私の悲しい玩具である
『悲しき玩具』中のことば。不自由生活でも、短歌は自分にわずかななぐさめをくれる

井原西鶴　世に銭ほど面白い物はなし
『日本永代蔵』より。お金をめぐる人間の行動は興味深いということ

井伏鱒二　『サヨナラ』だけが人生だ
漢詩「勧酒」の一節「人生足別離」（人生には別れが多い）を、井伏が訳したもの

鴨長明　行く川の流れは絶えずして、しかももとの水にあらず
『方丈記』の冒頭。世の中のすべては変わっていくものという考え方

紀貫之　やまとうたは、ひとの心をたねとして、よろづのことの葉とぞなれりける
『古今和歌集』仮名序。和歌は、人の心がいろいろなことばになったものである

世阿弥　初心忘るべからず
『花鏡』より。経験を積んでも、基礎や学び始めの時の心構えがたいせつ

高村光太郎　僕の前に道はない　僕の後ろに道はできる
詩「道程」の一節。人生は用意されているのではなく、自分で切り開くものだということ

寺山修司　書を捨てよ、町へ出よう
常識にとらわれず、自分なりの人生を歩もうということ。同名の評論集、舞台がある

夏目漱石　あらゆる芸術の士は、人の世を長閑にし、人の心を豊かにするが故に尊い
『草枕』より。小説や絵画などの芸術の価値について述べた一文

松尾芭蕉　松のことは松に習え、竹のことは竹に習え
『三冊子』より。自然のあるがままの姿をよくみて、俳句を作りなさいという教え

宮沢賢治　みんなむかしからのきょうだいなのだから、けっしてひとりをいのってはいけない
「青森挽歌」の一節。個人の利益ではなく、全体の幸福を願ったことば

武者小路実篤　この道より　我を生かす道なし　この道を歩く
詩「この道」より。自分の人生の目標を決めて努力をするという決意のことば

日本　その他の人のことば

嘉納治五郎　人に勝つより自分に勝て
中国の歴史書『呂氏春秋』からの引用。柔道の精進の極意をいい表したことば

千利休　稽古とは一より習い十を知り　十より返る元のその一
けいことは、ひととおり身につけたら、また基礎に戻ってやり直す、終わりのないものだということ

津田梅子　環境より、学ぶ意志があればいい
勉強でもっとも大切なのは、学びたいという強い気持ちだということ

渋沢栄一　交際の奥の手は至誠である
人づきあいに最も大切なのは、誠実さだということ

寺田寅彦　所謂頭のいい人は、云わば脚の早い旅人のようなものである
「科学者とあたま」より。効率のよい生き方は、小さな楽しみを手に入れそこねることがある

二宮尊徳　大事をなさんと欲せば、小事をおこたらず勤むべし
大きな目標を達成するためには、小さなことをおろそかにするなといういましめ

野口英世　努力だ、勉強だ、それが天才だ
天才と呼ばれるのは、一生懸命に努力した人のことだということ

本田宗一郎　成功は、99%の失敗に支えられた1%だ
一つの成功には99回の失敗がつきものだということ

松下幸之助　商売とは、感動を与えることである
人を喜ばせたり楽しませたりすることが、仕事の基本だということ

宮本武蔵　我事において後悔せず
『五輪書』より。剣の勝負では後悔しても遅い。何事も後悔のないように臨むべきだ

山本五十六　やってみせ、いって聞かせて、させてみて、ほめてやらねば人は動かじ
軍の司令官としての経験からえた、人材の育てかた

湯川秀樹　真実はいつも少数派
ほんとうのことは、はじめはなかなか評価されないものだということ

日本と世界の名言

世界　政治や経済に関わった人のことば

エイブラハム・リンカン — 人民の、人民による、人民のための政治
民主主義の基本的な理念をいいあらわしたことば

オットー・フォン・ビスマルク — 働け、もっと働け、あくまで働け
富国強兵政策をすすめ、労働や勤勉を重んじたビスマルクが、若者たちに向けたことば

郭隗 — まず、隗より始めよ
『戦国策』より。手近なことからはじめる、いい出した者からはじめる、という意味

シャルル＝ルイ・ド・モンテスキュー — 自由とは法の許すかぎりにおいて行動する権利である
自由の定義を簡潔にいいあらわしたことば

ジョージ・ブルワー・リットン — ペンは剣よりも強し
思想や文学の力は、武力や暴力よりも強いということ

ソロモン王 — 賢者は聞き、愚者は語る
優れた人は人の話をよく聞くということ。ソロモン王は知者として知られる

陳勝 — 燕雀いずくんぞ鴻鵠の志を知らんや
器量の小さい人には、器量の大きな人の志や考え方は理解できないということ

トーマス・ジェファーソン — 腹が立ったら十まで数えよ。うんと腹が立ったら百まで数えよ
怒りの感情に流されてはいけないということ

ナポレオン1世 — 吾輩の辞書に不可能の文字はない
決して「できない」とは言わない、という積極的な姿勢を示している

ベンジャミン・フランクリン — 良い戦争や悪い平和はない
アメリカ独立宣言の作成に関わったフランクリンの、戦争を否定し平和を支持したことば

ユリウス・カエサル — 賽は投げられた
前に進むしかないという決断のことば

楊震 — 天知る、地知る、我知る、人知る
秘密で悪いことをしようとしても、天、地、相手、そして自分自身がそれを知っている

世界　思想家・宗教家のことば

イエス・キリスト — 汝の敵を愛せよ
『新約聖書』より。自分に敵対する相手こそ、自分や身内と同じように大切にしなさい

インマヌエル・カント — 諸君は、私から哲学を学ぶのではない。哲学することを学ぶのだ
考えそのものではなく、考える姿勢を学びなさいということ

孔子 — 故きを温ね、新しきを知れば、もって師たるべし
昔のことを調べて、そこから新しい道をみつけることで、はじめて人に教えられる

シャカ — 蓮は泥中に生じて汚泥の染むる所とならず
蓮の花が泥に汚れないように、汚れた世の中にあっても清らかである

朱熹 — 少年老いやすく、学なりがたし
人間はすぐ年をとってしまうが、学問を身につけるのには時間がかかる

曽子 — 吾日にわが身を三省す
一日に三度（何回も）自分の言動を振り返って反省するということ

荘子 — 俗に入れば、その俗に従う（郷に入っては郷に従え）
どこに行っても、その土地や集団のやり方に従って合わせなさいということ

ソクラテス — 汝自身を知れ
人を批判するより、自分を反省しなさいということ。ギリシャの神殿に刻まれていたことば

パウロ — 働かざる者、食うべからず
怠けることへのいましめ

ブレーズ・パスカル — 人間は考える葦である
人間は葦のように無力な存在だが、考えることができるという点において葦とは違う

孟子 — 往く者は追わず、来る者は拒まず
学問をやめるものは引きとめないし、学びたいという者は誰でも受け入れるという姿勢

ルネ・デカルト — 我思う、故に我あり
考えている自分が存在することは間違いないということ。自分の存在を確認することば

世界 文学者・芸術家のことば

アレクサンドル・デュマ
全体は個人のために、個人は全体のために
『三銃士』より。集団とそこに所属する人との理想的な関係を表したことば

ウィリアム・シェークスピア
終わりよければすべてよし
結果が良ければ、その途中がどうであっても問題ないということ。彼の作品名でもある

韓愈
彼も人なり、我も人なり
相手も自分も同じ人間であるということ。対等に競い合える、という意味

サミュエル・スマイルズ
自ら働いて得たパンほど旨いものはない
『自助論』より。労働の尊さを述べている

ジャン・ド・ラ＝フォンテーヌ
すべての道はローマに通ず
どの手段をつかっても、同じ目的に到達できること

杜甫
国破れて山河あり。城春にして草木深し
漢詩「春望」の一節。国や都市が滅んでも、自然の姿は変わらないということ

パーシー・ビッシュ・シェリー
冬来たりなば春遠からじ
詩「西風に寄する歌」の一節。つらいことを耐えれば、幸せも間近ということ

パブロ・ピカソ
冒険こそが私の存在理由である
私が存在している意味は新しいことに挑戦することにある

ミゲル・デ・セルバンテス
正直は最善の策である
小細工をするより、正直でいることが最もよい作戦だということ

李白
天地は万物の逆旅にして、光陰は百代の過客なり
世界はあらゆる命の宿屋で、時間は次々に過ぎていく旅の客だ。すべては過ぎてゆく

レオナルド・ダ・ビンチ
芸術に完成はない。途中で見切りをつけたものがあるだけだ
芸術は永久に追究するもので、すべて途中段階のものであるということ

レフ・トルストイ
愛は惜しみなく与う
愛していれば、相手に何を与えても惜しくは感じないということ

世界 その他の人のことば

アルバート・アインシュタイン
空想は知識より大切である
知識には限界があるが、想像力は世界全体を包みこみ、人を無限に前進させるということ

アンネ・フランク
私は死んだ後も、生き続けたい
体が死んでも、魂や心は永遠に生きつづけてほしいという願いのことば

ウィリアム・クラーク
少年よ、大志を抱け
若者は、大きな目標をもってそれを実現させなさいということ

ガリレオ・ガリレイ
それでも地球は動く
裁判によって地動説を撤回させられた際につぶやいたとされる、ガリレオのことば

司馬遷
鶏口となるも牛後となるなかれ
『史記』より。大きな組織の末端にいるよりは、小さな組織のトップになりなさいということ

スティーブ・ジョブス
ハングリーであれ。愚かものであれ
今の自分に満足せず、常識にとらわれず行動しなさいということ

チャールズ・ダーウィン
生き残る種とは、変化に最もよく適応した種である
動物が生存競争に勝つためには、変化への適応力が必要だということ

トーマス・アルバ・エジソン
さあ、次の仕事にとりかかろう
エジソンが、一つの仕事を終えるたびに言ったということば。つねに挑戦する姿勢があらわれている

フローレンス・ナイチンゲール
恐れを抱いた心では、なんと小さなことしかできないことでしょう
大きなことをなしとげるためには、勇気が必要だということ

ヘレン・ケラー
希望は人を成功に導く信仰である
希望をもってつき進めば、必ず成功へと導いてくれるということ

モハメド・アリ
あまりにも順調に勝ちすぎているボクサーは、実は弱い
挫折や敗北を知らないと、ほんとうの強さは身につかないということ

ユーリ・ガガーリン
地球は青かった
人類で初めて宇宙に行ったガガーリンが、宇宙から見た地球について述べたことば

人名別 小倉百人一首

「小倉百人一首」は、鎌倉時代の歌人、藤原定家によってえらばれたといわれる、百人の歌人による百首の和歌である。長く和歌の名作品集として親しまれ、現在ではカルタの形でも楽しまれている。百首の和歌は、奈良時代から鎌倉時代まで、ほぼ時代順に並べられているが、ここでは、作者名を五十音順に並べ、元の並び順は番号で示し、おおまかな意味をつけた。

	作者	番号	歌	意味
あ	赤染衛門	59	やすらはで寝なましものをさよふけてかたぶくまでの月を見しかな	あなたが来ないと知っていたら、ためらわずに寝てしまったのに、夜が更けて明け方になり、月が傾いていくのを見てしまいましたよ。
	安倍仲麿（阿倍仲麻呂）	7	天の原ふりさけ見れば春日なる三笠の山に出でし月かも	空を見上げると月が出ている。あの月は、春日の三笠山に出ていたのと同じ月なのだなあ。
	在原業平朝臣	17	ちはやぶる神代も聞かず龍田川からくれなゐに水くくるとは	神様の時代の話としても聞いたことがない。龍田川が紅葉でこんなに真っ赤に染まってしまうなどということは。
い	和泉式部	56	あらざらむこの世のほかの思ひ出にいまひとたびの逢ふこともがな	もう死んでしまうという今、この世の思い出として、もう一度あなたに会えたらいいのに。
	伊勢	19	難波潟みじかき蘆のふしのまも逢はでこの世をすぐしてよとや	難波潟に生える蘆の節の間のように短い時間でも、あなたに会わずに生きろと言うのですか。
	伊勢大輔	61	いにしへの奈良の都の八重桜けふここのへににほひぬるかな	昔は奈良の都に咲いていた八重桜が、今日、この京都の宮廷で美しく咲いていますよ。
	殷富門院大輔	90	見せばやな雄島の海人の袖だにも濡れにぞ濡れし色は変らず	涙に濡れて色の変わった私の袖をあなたに見せたいものです。雄島の漁師たちの袖でさえ、どんなに濡れても色が変わらないのに。
う	右近	38	忘らるる身をば思はず誓ひてし人の命の惜しくもあるかな	あなたに忘れられる私のことはどうでもいいけれど、私への恋を神に誓ったあなたが命を落とすことが惜しまれますよ。
	右大将道綱母（藤原道綱母）	53	嘆きつつひとり寝る夜の明くるまはいかにひさしきものとかは知る	あなたが来ないことを嘆いて一人で過ごす夜の明けるまでがどれほど長いか、あなたはきっと知らないでしょう。
え	恵慶法師	47	やへむぐら茂れる宿のさびしきに人こそ見えね秋は来にけり	雑草が茂るこの寂しい家に、人は誰も訪ねて来ないが、秋はやって来たなあ。
お	大江千里	23	月見ればちぢにものこそかなしけれわが身ひとつの秋にはあらねど	月を見ると心が乱れて悲しくなるなあ。私にだけやってきた秋というわけではないのだけれど。
	凡河内躬恒	29	心あてに折らばや折らむ初霜のおきまどはせる白菊の花	あてずっぽうに折るなら折れるだろうか。真っ白に初霜がおりて、霜か花か区別のつかない、白菊の花を。
	大中臣能宣朝臣	49	御垣守衛士のたく火の夜は燃え昼は消えつつ物をこそ思へ	宮廷の門番のかがり火と同じで、私の恋も夜は燃えあがるが、昼は会えないつらさに火が消えたようになる。
	小野小町	9	花の色はうつりにけりないたづらにわが身世にふるながめせしまに	桜の花は長く続く雨のために色あせ、私の美しさも、むなしい恋に悩んでいる間に衰えてしまいました。
か	柿本人麻呂	3	足引の山鳥の尾のしだり尾のながながし夜をひとりかも寝む	山鳥の垂れ下がった長い尾のように長い長い秋の夜を、私は一人ぼっちで寝るのだろうか。

青字になっている人物は1〜4巻に項目として掲載されています　※地色は赤（ピンク）が女性、青が男性をあらわします。

作者	番号	歌	意味
か 鎌倉右大臣（源実朝）	93	世の中はつねにもがもななぎさこぐ あまの小舟の綱手かなしも	世の中はずっとこのままであってほしい。波打ち際を漁師が小さな舟を引いて行く、この光景が胸にしみることだ。
河原左大臣（源融）	14	みちのくのしのぶもぢずりたれゆゑに 乱れそめにしわれならなくに	東北の忍ぶ草の染め物の乱れた模様のように、心が恋で乱れてしまったのは誰のせいだろう。私ではない、あなたのせいだ。
菅家（菅原道真）	24	このたびは幣もとりあへず手向山 もみぢのにしき神のまにまに	急な旅でお供えする幣も用意できませんでしたので、この手向山の美しい紅葉を捧げます。神の御心のままにお受け取りください。
き 喜撰法師	8	わが庵は都のたつみしかぞ住む 世をうぢ山と人はいふなり	私の粗末な家は都の南東のはずれ、鹿の住む静かな宇治山にあるが、世間では、ここを「憂き山」（気の滅入る山）と言うらしい。
儀同三司母	54	忘れじの行末まではかたければ けふを限りの命ともがな	決して私を忘れないというあなたの約束も、ずっと先までは守れないでしょうから、私はたしかに愛されている今日、死んでしまいたい。
紀貫之	35	人はいさ心も知らずふるさとは 花ぞ昔の香ににほひける	あなたの心は、さあ、どうかわからないけれど、この懐かしい土地の花の香りは昔のままだなあ。
紀友則	33	久方のひかりのどけき春の日に しづ心なく花の散るらむ	春の日射しの降り注ぐ穏やかな日に、なぜ落ち着きなく桜の花は散っていくのだろう。
清原深養父	36	夏の夜はまだよひながら明けぬるを 雲のいづこに月やどるらむ	夏の夜は短く、あっというまに明けてしまった。夜の間に西の山に沈めなかっただろう月は、どの雲に宿を借りたのだろう。
清原元輔	42	契りきなかたみに袖をしぼりつつ 末の松山波越さじとは	約束したでしょう、お互いに涙で袖をぬらして。末の松山を波が越さないように、決して心変わりしないと。
け 謙徳公（藤原伊尹）	45	あはれともいふべき人は思ほえで 身のいたづらになりぬべきかな	かわいそうだと言ってくれる人のあてもないまま、私はむなしく死んでいくことになりそうだなあ。
こ 皇嘉門院別当	88	難波江の蘆のかりねのひとよゆゑ みをつくしてや恋ひわたるべき	難波の入江に生える蘆の根の一節ほどに短い一夜の恋のために、私はこの身をささげてあなたを思い続けるのでしょうか。
光孝天皇	15	君がため春の野に出でて若菜つむ 我が衣手に雪は降りつつ	あなたのために春の野に出て若菜を集めている私の袖に、雪がしきりに降りかかる。
皇太后宮大夫俊成（藤原俊成）	83	世の中よ道こそなけれ思ひ入る 山のおくにも鹿ぞ鳴くなる	世の中には、逃げ道はないのだなあ。思いつめてやってきたこの山奥でも、鹿までが悲しげに鳴いている。
後京極摂政前太政大臣（藤原良経）	91	きりぎりす鳴くや霜夜のさむしろに 衣かたしきひとりかも寝む	こおろぎが鳴き、霜の降りる寒い夜の床に、自分の衣だけを敷いて一人きりで寝るのだろうか。
小式部内侍	60	大江山生野の道のとほければ まだふみもみず天の橋立	大江山をこえて丹波まで行く生野の道は遠いので、まだ天の橋立の地を踏んだことはなく、母からの手紙も届きません。
後徳大寺左大臣（藤原実定）	81	ほととぎす鳴きつるかたをながむれば ただ有明の月ぞのこれる	ほととぎすの鳴き声のした方を見てみると、もうその姿はなく、夜明けの月だけが空に残っていた。
後鳥羽院（後鳥羽天皇）	99	人もをし人もうらめしあぢきなく 世を思ふゆゑに物思ふ身は	人はいとおしくも、恨めしくもある。世の中をつらく思い、悩みの絶えない私にとっては。

作者	番号	歌	意味
権中納言敦忠（藤原敦忠）	43	逢ひ見てののちの心にくらぶれば 昔はものを思はざりけり	あなたに会ってからのこの恋心の苦しさに比べれば、あなたに会う前はなにも悩みがなかったようなものだなあ。
権中納言定家（藤原定家）	97	来ぬ人をまつほの浦の夕なぎに 焼くや藻塩の身もこがれつつ	訪ねて来ない恋人を待っていると、松帆の浦の夕方に塩が焼かれて焦げるように、私も恋に焦がれてしまう。
権中納言定頼（藤原定頼）	64	朝ぼらけ宇治の川霧絶えだえに あらはれわたる瀬々の網代木	ほのぼのと夜が明ける宇治川の霧がはれてくると、川にしかけられた漁のための杭が少しずつ姿を現してくる。
権中納言匡房（大江匡房）	73	高砂の尾上の桜咲きにけり 外山の霞立たずもあらなむ	高い峰の桜が咲いたなあ。里山の霞はたたないでほしい、せっかくの桜が見えなくなるから。
西行法師	86	嘆けとて月やは物を思はする かこちがほなるわが涙かな	嘆けと言って月が物思いをさせるわけではないのに、まるで月のせいだというように流れる私の涙だなあ。
坂上是則	31	朝ぼらけ有明の月と見るまでに 吉野の里に降れる白雪	ほのぼのとした夜明けの明け方の月の光かと思うほど、吉野の里に積もる真っ白な雪だなあ。
相模	65	恨みわびほさぬ袖だにあるものを 恋にくちなむ名こそをしけれ	つれないあなたを恨む涙で乾くこともなく朽ちるこの袖もさることながら、あなたとの恋の噂で朽ちる私の名誉が惜しいことよ。
前大僧正行尊	66	もろともにあはれと思へ山桜 花よりほかに知る人もなし	お互いに親しみあおうよ、山桜。ここではお前のほかに、私の気持ちを分かってくれる人もいないのだ。
前大僧正慈円	95	おほけなく憂き世の民におほふかな わがたつ杣に墨染の袖	身に余ることではあるが、苦しみ多いこの世の人に、私が比叡山で着ているこの僧衣の袖を覆いかけ守るのだ。
左京大夫顕輔（藤原顕輔）	79	秋風にたなびく雲のたえまより もれいづる月の影のさやけさ	秋風でたなびく雲の切れ間からもれてさす月の光の、なんと清らかで明いことだろう。
左京大夫道雅（藤原道雅）	63	今はただ思ひ絶えなむとばかりを 人づてならでいふよしもがな	今はただ、恋する気持ちが切れてしまいそうだと、伝言ではなく直接伝える方法があったらよいのになあ。
猿丸大夫	5	奥山にもみぢふみわけ鳴く鹿の 声聞くときぞ秋はかなしき	山奥で紅葉を踏んで歩く鹿が恋のために鳴いている声を聞くと、秋がことさら悲しく感じられる。
参議篁（小野篁）	11	わたの原八十島かけて漕ぎ出でぬと 人には告げよあまの釣舟	私はたくさんの島々をめざして大海原に漕ぎ出していったと、都の人たちに伝えておくれ、漁師たちの釣り舟よ。
参議等（源等）	39	浅茅生の小野の篠原しのぶれど あまりてなどか人の恋しき	茅や篠竹の茂る篠原の「しの」ではないが、こんなに忍んでがまんしているのに、こらえきれないほどあなたが恋しい。
参議雅経（藤原雅経）	94	み吉野の山の秋風さ夜ふけて ふるさと寒く衣うつなり	吉野の山から秋風が吹き、夜が更けると古い吉野の里はひとしお寒くなり、布をたたく冬支度の音が聞こえてくるのだ。
三条院	68	心にもあらで憂き世にながらへば 恋しかるべき夜半の月かな	つらいこの世で長生きなどしたくはないが、もし生きのびてしまったら、恋しく思い出すにちがいない、今夜の月の美しさだなあ。
三条右大臣（藤原定方）	25	名にし負はば逢坂山のさねかづら 人に知られでくるよしもがな	逢坂山のさねかずらは、人に逢って寝るという名なのだから、それをたぐるように、人知れずあなたに会いにくる方法があればよいのに。

青字になっている人物は1～4巻に項目として掲載されています　※地色は赤（ピンク）が女性、青が男性をあらわします。

作者	番号	歌	意味
し 持統天皇（じとうてんのう）	2	春過ぎて夏来にけらし白妙の 衣ほすてふ天の香具山	春は過ぎて夏が来たらしい。夏になると白い衣が干されるという香具山が真っ白だ。
寂蓮法師（じゃくれんほうし）	87	村雨の露もまだひぬまきの葉に 霧たちのぼる秋の夕暮れ	時雨がやんでまだそのしずくの乾かない木々の葉に、霧がたちこめてくる秋の夕暮れよ。
従二位家隆（じゅにいいえたか）（藤原家隆）	98	風そよぐならの小川の夕暮れは みそぎぞ夏のしるしなりける	風が楢の葉を吹きそよがせて、上賀茂の川の夕暮れは涼しいが、川べりで清めの行事が行われているのは夏の証拠だ。
俊恵法師（しゅんえほうし）	85	夜もすがら物思ふころは明けやらで ねやのひまさへつれなかりけり	夜通し恋人のことを考えて物思いをしていると、なかなか夜が明けない。朝日のさしてこない部屋の戸の隙間までが冷淡に思える。
順徳院（じゅんとくいん）（順徳天皇）	100	ももしきや古き軒端のしのぶにも なほあまりある昔なりけり	皇居の古い軒にはえた忍ぶ草を見ると、昔のことが懐かしく偲ばれてしかたがないなあ。
式子内親王（しょくしないしんのう）	89	玉の緒よ絶えなば絶えねながらへば しのぶることのよわりもぞする	命よ、絶えるなら絶えてしまえ。生きていたら、この恋を隠しとおす心が弱まってしまうかもしれないから。
す 周防内侍（すおうのないし）	67	春の夜の夢ばかりなる手枕にかひなく 立たむ名こそをしけれ	春の夜の夢のようなはかない縁であなたの腕枕を借りただけなのに、ありもしない恋の噂をされることは残念でなりません。
崇徳院（すとくいん）（崇徳天皇）	77	瀬をはやみ岩にせかるる滝川の われてもすゑに逢はむとぞ思ふ	流れが速いために岩にぶつかった川の水がいったんは別れてもいつか合流するように、私たちもまた一緒になるのだろうと思う。
せ 清少納言（せいしょうなごん）	62	夜をこめて鳥のそらねははかるとも よに逢坂の関はゆるさじ	まだ夜が深いうちに、鶏の鳴きまねで朝だと思わせて関を通ろうとしても、私に逢う逢坂の関は、決して開かない。
蟬丸（せみまる）	10	これやこの行くも帰るも別れては 知るも知らぬも逢坂の関	ああここが、地方へ行く人も都へ帰る人もここで別れ、知っている人も知らない人もここで逢うという、逢坂の関なのだなあ。
そ 僧正遍昭（そうじょうへんじょう）	12	天つ風雲のかよひぢ吹きとぢよ をとめの姿しばしとどめむ	空を吹く風よ、天女が通るという道を雲で吹き寄せてふさいでおくれ。美しい人の姿をもうしばらくここにとどめておきたいから。
素性法師（そせいほうし）	21	いまこむといひしばかりに長月の 有明の月を待ち出でつるかな	あなたがすぐ来ると言うから、九月の夜長を待ち明かして、とうとう明け方の月が出てしまったよ。
曽禰好忠（そねのよしただ）	46	由良の門を渡る舟人かぢを絶え ゆくへも知らぬ恋の道かな	由良海峡を渡る舟人が、櫂をなくして行く先が定まらないように、この先どうなってしまうかわからない恋の道だなあ。
た 待賢門院堀河（たいけんもんいんほりかわ）	80	長からむ心も知らず黒髪の みだれて今朝は物をこそ思へ	あなたの愛が長続きするかどうかわからないので、今朝の私の心は、寝乱れた黒髪のように乱れて物思いをしています。
大納言公任（だいなごんきんとう）（藤原公任）	55	滝の音は絶えてひさしくなりぬれど 名こそ流れてなほきこえけれ	滝の水は涸れて、音がきこえなくなってから長い年月がたつが、その滝の名は語り継がれて今もきかれるのだ。
大納言経信（だいなごんつねのぶ）（源経信）	71	夕されば門田の稲葉おとづれて 蘆のまろ屋に秋風ぞ吹く	夕方になると、家の近くの田の稲の葉をざわめかせ、蘆の屋根の粗末な小屋に秋風が吹いてくる。
大弐三位（だいにのさんみ）	58	有馬山猪名のささ原風吹けば いでそよ人を忘れやはする	有馬山の猪名の笹原に風が吹くと、そよそよというけれど、そうよ、私があなたを忘れるものですか。

作者	番号	歌	意味
た 平兼盛（たいらのかねもり）	40	しのぶれど色に出でにけりわが恋は物や思ふと人のとふまで	隠していたのに、私の恋は表情に出てしまっていたのだなあ。恋の悩みがあるのかと、人に聞かれてしまうほどに。
ち 中納言朝忠（藤原朝忠）（ちゅうなごんあさただ）	44	逢ふことの絶えてしなくはなかなかに人をも身をもうらみざらまし	一度も逢わないでいたならば、かえって、あなたを恨んだり、自分の境遇を嘆いたりしないですんだのだろうに。
中納言兼輔（藤原兼輔）（ちゅうなごんかねすけ）	27	みかの原わきて流るる泉川いつみきとてか恋しかるらむ	みかの原を流れる「いづみ」川のように、あなたを「いつ見」てこんなに恋しいのというのか。まだ逢ったこともないではないか。
中納言家持（大伴家持）（ちゅうなごんやかもち）	6	かささぎの渡せる橋におく霜の白きを見れば夜ぞふけにける	天の川にかかる橋に霜が降りて真っ白になっているところをみると、すっかり夜がふけたのだなあ。
中納言行平（在原行平）（ちゅうなごんゆきひら）	16	立ち別れいなばの山の峯に生ふる松とし聞かばいま帰りこむ	今はあなたたちと別れて因幡の国へ向かうけれど、因幡の山の松のように待つと聞いたら、すぐに帰って来よう。
て 貞信公（藤原忠平）（ていしんこう）	26	小倉山峯のもみぢ葉心あらば今ひとたびのみゆき待たなむ	小倉山の紅葉よ、もし心があるならば、再び天皇のご訪問があるまで、散らずにいてほしい。
天智天皇（てんじてんのう）	1	秋の田のかりほの庵の苫をあらみわが衣手は露にぬれつつ	秋の田に間に合わせに作った粗末な小屋は、屋根が粗く葺いてあるので、私の着物の袖は夜露に濡れることだ。
と 道因法師（どういんほうし）	82	思ひわびさても命はあるものを憂きにたへぬは涙なりけり	恋に思い悩んでも、命は耐えて生きているのに、涙は耐えられずに流れてしまうなあ。
に 二条院讃岐（にじょういんのさぬき）	92	わが袖は潮干に見えぬ沖の石の人こそ知らねかわくまもなし	私の着物の袖は、潮が引いても見えない沖合の石のように、誰にも知られないけれど、恋に苦しむ涙で乾くことがない。
入道前太政大臣（藤原公経）（にゅうどうさきのだいじょうだいじん）	96	花さそふあらしの庭の雪ならでふりゆくものはわが身なりけり	花を誘い散らす風のせいで、庭はまるで雪が降るようだが、ふりゆく（古びる）のは雪ではなく私なのだなあ。
の 能因法師（のういんほうし）	69	あらし吹く三室の山のもみぢ葉は龍田の川の錦なりけり	強い山風が吹くと、三室山の紅葉は竜田川に散り込んで、まるで錦のようだなあ。
は 春道列樹（はるみちのつらき）	32	山川に風のかけたるしがらみは流れもあへぬもみぢなりけり	山間を流れる川に風がしかけた、流れをせき止める柵に見えたのは、流れきれない紅葉なのだなあ。
ふ 藤原興風（ふじわらのおきかぜ）	34	たれをかも知る人にせむ高砂の松も昔の友ならなくに	誰を心を知り合う友としようか。高砂の松なら私と同じくらい年寄りだが、松も昔からの友ではないのだ。
藤原清輔朝臣（ふじわらのきよすけあそん）	84	ながらへばまたこのごろやしのばれむ憂しとみし世ぞ今は恋しき	長生きをすれば、つらい今のことも懐かしく思い出す時がくるのだろうか。苦しいことばかりだと思っていた昔が今は懐かしいように。
藤原実方朝臣（ふじわらのさねかたあそん）	51	かくとだにえやは伊吹のさしも草さしも知らじな燃ゆる思ひを	こんなにあなたを思っていると言うことができないので、あなたは知らないだろう、私の燃えるような恋心を。
藤原敏行朝臣（ふじわらのとしゆきあそん）	18	住の江の岸による波よるさへや夢の通ひ路人目よくらむ	住の江の岸には波が「寄る」けれど、「夜」の夢の中でさえ、あなたは私に逢うのに人目を避けようとするのですね。
藤原道信朝臣（ふじわらのみちのぶあそん）	52	明けぬれば暮るるものとは知りながらなほ恨めしき朝ぼらけかな	夜が明けたならまた日が暮れて夜が来ると知っているけれど、それでも恨めしい、あなたと別れる夜明けだなあ。

作者	番号	歌	意味
ふ 藤原基俊 （ふじわらのもととし）	75	契りおきしさせもが露を命にて あはれことしの秋もいぬめり	させも草にやどる露のようにはかないあなたの約束を頼りに生きてきたけれど、それも果たされず、ああ、今年の秋も終わるのだなあ。
藤原義孝 （ふじわらのよしたか）	50	君がため惜しからざりし命さへ 長くもがなと思ひけるかな	あなたに逢えたなら死んでも良いと思っていた命なのに、あなたに逢ってからは長く生きたいと思うようになったよ。
文屋朝康 （ふんやのあさやす）	37	白露に風の吹きしく秋の野は つらぬきとめぬ玉ぞちりける	草に宿った露に風が吹きつける秋の野では、糸を通していない玉が散らばるように露が飛び散っているなあ。
文屋康秀 （ふんやのやすひで）	22	吹くからに秋の草木のしをるれば むべ山風をあらしといふらむ	吹くとすぐに秋の草木がしおれてしまうので、なるほど、山から吹く風は「荒い」といい「嵐」と書くのだなあ。
ほ 法性寺入道前関白太政大臣 （ほっしょうじにゅうどうさきのかんぱくだいじょうだいじん） （藤原忠通）（ふじわらのただみち）	76	わたの原漕ぎ出でて見れば久方の 雲居にまがふ沖つ白波	大海原に漕ぎだして見渡すと、沖合には、大空の雲と見間違うほどの白波が立っている。
み 源兼昌 （みなもとのかねまさ）	78	淡路島かよふ千鳥の鳴く声に いく夜寝ざめぬ須磨の関守	淡路島との間を行き来する千鳥のさびしい鳴き声で、この須磨の関所の番人は、幾晩目を覚ましただろうか。
源重之 （みなもとのしげゆき）	48	風をいたみ岩うつ波のおのれのみ 砕けて物を思ふころかな	風が強いために岩にぶつかって砕け散る波のように、私の心だけが砕ける恋をつらく思うこの頃だよ。
源俊頼朝臣 （みなもとのとしよりあそん）	74	うかりける人を初瀬の山おろしよ はげしかれとは祈らぬものを	つれないあの人が私になびくようにとは祈ったけれど、初瀬山の山風よ、ますますつらくあたるようになれとは祈らなかったよ。
源宗于朝臣 （みなもとのむねゆきあそん）	28	山里は冬ぞさびしさまさりける 人目も草もかれぬと思へば	山里は冬になるとさびしさがひとしお感じられる。人の訪れも草も絶えてなくなってしまうことを思うと。
壬生忠見 （みぶのただみ）	41	恋すてふわが名はまだき立ちにけり 人しれずこそ思ひそめしか	恋をしているという私の噂がもうたってしまったよ。誰にも知られないようにあなたを思い始めたばかりだったのに。
壬生忠岑 （みぶのただみね）	30	有明のつれなく見えし別れより あかつきばかりうきものはなし	明け方の月のように冷淡に見えたあなたとの別れの夜明け以来、夜明けほどつらいものはなくなってしまった。
む 紫式部 （むらさきしきぶ）	57	めぐり逢ひて見しやそれともわかぬまに 雲がくれにしよはの月かな	再会して、ほんとうにその人とはっきりわからないうちに帰ってしまった友は、雲に隠れる月のようだなあ。
も 元良親王 （もとよししんのう）	20	わびぬれば今はた同じ難波なる みをつくしても逢はむとぞ思ふ	こんなにつらい恋ならば、もういっそのこと、難波の「澪標」のようにこの「身を尽くし」滅ぼしてでもあなたに会いたいと思う。
や 山部赤人 （やまべのあかひと）	4	田子の浦にうち出でてみれば白妙の 富士の高嶺に雪は降りつつ	田子の浦に出て眺めると、富士山の高い峰には真っ白な雪が降り続いているよ。
ゆ 祐子内親王家紀伊 （ゆうしないしんのうけのきい）	72	音に聞く高師の浜のあだ波は かけじや袖の濡れもこそすれ	噂にきいている、高師の浜の気まぐれな波のようなあなたの恋に心をかけないようにしよう。涙で袖をぬらすことにならないように。
よ 陽成院（陽成天皇） （ようぜいいん）（ようぜいてんのう）	13	筑波嶺の嶺より落つるみなの川 恋ぞつもりて淵となりける	筑波山の峰から細く流れ出てやがて深く水をたたえる男女川のように、あなたへの恋心もどんどん深まっていくなあ。
り 良暹法師 （りょうぜんほうし）	70	さびしさに宿を立ち出でてながむれば いづこも同じ秋の夕暮	さびしい気持ちになって、家を出て外の景色を眺めてみるけれど、どこを見ても同じようにさびしい秋の夕暮れだ。

ジャンル別［日本と世界］
索引

第1巻から第4巻に項目として掲載されているすべての人物を、活躍したジャンル別にまとめ、五十音順にならべています。ジャンルの分類については、5ページを参照してください。

人物名は、原則として「姓・名」の順であらわしています。

●ジャンル別索引の見方

王族・皇族など

日本

あ
- 明仁（今上天皇）［1933年〜／第125代天皇］……①20
- 有栖川宮熾仁［1835〜1895年／明治新政府の初代総裁］……①57
- 有間皇子［640〜658年／中大兄皇子に処刑された飛鳥時代の皇子］……①58
- 安康天皇［生没年不詳／第20代天皇、倭王興］……①63
- 安徳天皇［1178〜1185年／第81代天皇］……①68
- 一条天皇［980〜1011年／第66代天皇］……①95
- 壱与［生没年不詳／卑弥呼のあとをついだ邪馬台国の女王］……①117
- 允恭天皇［5世紀前半ごろ／第19代天皇、倭王済］……①122
- 宇多天皇［867〜931年／第59代天皇］……①140
- 円融天皇［959〜991年／第64代天皇］……①166
- 応神天皇［生没年不詳／第15代天皇］……①170
- 正親町天皇［1517〜1593年／第106代天皇］……①176
- 大津皇子［663〜686年／天武天皇の皇子］……①185
- 大友皇子［648〜672年／天智天皇の皇子］……①186
- 刑部親王［?〜705年／大宝律令制定の中心人物］……①203

か
- 懐良親王［?〜1383年／征西将軍に任じられた皇子］……①249
- 亀山天皇［1249〜1305年／第90代天皇］……①257
- 桓武天皇［737〜806年／第50代天皇］……①280
- 鬼室福信［?〜663年／百済の王族］……①285
- 欽明天皇［生没年不詳／第29代天皇］……①311
- 草壁皇子［662〜689年／天武天皇の皇子］……②13
- 景行天皇［生没年不詳／第12代天皇、日本武尊の父］……②47
- 継体天皇［生没年不詳／第26代天皇］……②47
- 元正天皇［680〜748年／第44代天皇・養老律令、三世一身の法］……②56
- 元明天皇［661〜721年／第43代天皇・平城京遷都］……②58
- 建礼門院［1155〜1213年／高倉天皇の中宮］……②58
- 後一条天皇［1008〜1036年／第68代天皇］……②60
- 光格天皇［1771〜1840年／第119代天皇］……②61
- 皇極天皇［594〜661年／第35、37代天皇］……②62
- 孝謙天皇［718〜770年／第46、48代天皇・道鏡を重用］……②63
- 光孝天皇［830〜887年／第58代天皇］……②63
- 光厳天皇［1313〜1364年／北朝の初代天皇］……②63
- 香淳皇后［1903〜2000年／昭和天皇の皇后］……②64
- 後宇多天皇［1267〜1324年／第91代天皇］……②67
- 孝徳天皇［597?〜654年／第36代天皇・大化の改新］……②68
- 光仁天皇［709〜781年／第49代天皇］……②68
- 光明皇后［701〜760年／聖武天皇の皇后］……②70
- 光明天皇［1321〜1380年／北朝第2代天皇］……②71
- 孝明天皇［1831〜1866年／第121代天皇］……②71
- 後亀山天皇［?〜1424年／第99代（南朝第4代）天皇］……②75
- 後小松天皇［1377〜1433年／第100代天皇、北朝第6代天皇］……②77
- 後嵯峨天皇［1220〜1272年／第88代天皇］……②77
- 後桜町天皇［1740〜1813年／第117代天皇］……②78
- 後三条天皇［1034〜1073年／第71代天皇］……②78
- 後白河天皇［1127〜1192年／第77代天皇］……②81
- 後朱雀天皇［1009〜1045年／第69代天皇］……②81
- 後醍醐天皇［1288〜1339年／第96代天皇、南朝の初代天皇］……②83
- 後鳥羽天皇［1180〜1239年／第82代天皇］……②89
- 後深草天皇［1243〜1304年／第89代天皇］……②94
- 後堀河天皇［1212〜1234年／第86代天皇］……②96
- 高麗王若光［?〜748?年／高句麗の王族］……②96
- 後水尾天皇［1596〜1680年／第108代天皇］……②97
- 後村上天皇［1328〜1368年／第97代天皇］……②98
- 後桃園天皇［1758〜1779年／第118代天皇］……②99
- 後陽成天皇［1571〜1617年／第107代天皇］……②100
- 後冷泉天皇［1025〜1068年／第70代天皇］……②102

さ
- 嵯峨天皇［786〜842年／第52代天皇・三筆の一人］……②119
- 早良親王［750〜785年／たたりがおそれられた奈良時代の皇子］……②139
- 志貴皇子［?〜716?年／皇族、歌人］……②150

持統天皇 [645～702年／第41代天皇・藤原京を築く]……………②154

順徳天皇 [1197～1242年／第84代天皇]……②190

淳和天皇 [786～840年／第53代天皇]……②191

淳仁天皇 [733～765年／第47代天皇]……②191

尚真王 [1465～1526年／琉球王国、第二尚氏の第3代国王]……………②192

尚泰王 [1843～1901年／琉球王国第2尚氏、第19代国王]……②193

聖徳太子 [574～622年／飛鳥時代の政治家]……②196

尚寧王 [1564～1620年／琉球王国、第二尚氏の第7代国王]……②194

尚巴志 [1372～1439年／琉球王国の国王]……②194

聖武天皇 [701～756年／第45代天皇]……………②198

昭和天皇 [1901～1989年／第124代天皇]……②199

舒明天皇 [593～641年／第34代天皇・はじめて遣唐使を派遣]……②204

白河天皇 [1053～1129年／第72代天皇]……②206

神武天皇 [生没年不詳／神話上の初代天皇]……②211

推古天皇 [554～628年／第33代天皇・初の女性天皇]……②213

朱雀天皇 [923～952年／第61代天皇]……②222

崇峻天皇 [?～592年／第32代天皇]……②222

崇神天皇 [生没年不詳／第10代天皇・実在したとされる最古の天皇]……②222

崇徳天皇 [1119～1164年／第75代天皇・保元の乱をおこす]……②230

清和天皇 [850～880年／第56代天皇]……②239

尊円入道親王 [1298～1356年／青蓮院流をひらいた能書家]……②259

た 醍醐天皇 [885～930年／第60代天皇]……②264

大正天皇 [1879～1926年／第123代天皇]……②265

高倉天皇 [1161～1181年／第80代天皇]……②274

高野新笠 [?～789年／光仁天皇のきさき]……②277

高市皇子 [654?～696年／天武天皇の皇子]……②291

橘大郎女 [生没年不詳／聖徳太子のきさき]……②298

橘奈良麻呂 [721?～757年／藤原仲麻呂と対立した公家の高官]……②298

為平親王 [952～1010年／村上天皇の子・安和の変により出家した]……②313

仲恭天皇 [1218～1234年／第85代天皇]……③17

長慶天皇 [1343～1394年／第98代天皇、南朝第3代天皇]……③19

土御門天皇 [1195～1231年／第83代天皇]……③31

恒貞親王 [825～884年／承和の変で廃太子された皇子]……③33

天智天皇 [626～671年／第38代天皇]……③52

天武天皇 [?～686年／第40代天皇・壬申の乱]……③51

徳川和子 [1607～1678年／後水尾天皇の中宮]……③67

舎人親王 [676～735年／『日本書紀』を編さん]……③79

鳥羽天皇 [1103～1156年／第74代天皇]……③80

な 徳仁親王（皇太子）[1960年～／今上天皇の皇子]……③122

二条天皇 [1143～1165年／第78代天皇]……③130

仁徳天皇 [生没年不詳／第16代天皇]……③136

仁明天皇 [810～850年／第54代天皇]……③137

は 反正天皇 [生没年不詳／第18代天皇]……③194

東久邇宮稔彦王 [1887～1990年／第43代内閣総理大臣]……③198

東山天皇 [1675～1709年／第113代天皇]……③198

敏達天皇 [?～585年／第30代天皇]……③206

卑弥呼 [?～247?年／邪馬台国の女王]……③211

伏見天皇 [1265～1317年／第92代天皇]……③246

藤原宮子 [?～754年／文武天皇の夫人、聖武天皇の母]……③259

古人大兄皇子 [?～645年／蘇我氏と関係の深い皇子]……③288

武烈天皇 [生没年不詳／第25代天皇]……③290

平城天皇 [774～824年／第51代天皇]……④9

堀河天皇 [1079～1107年／第73代天皇]……④51

ま 宗尊親王 [1242～1274年／鎌倉幕府第6代将軍]……④138

宗良親王 [1311～1385?年／後醍醐天皇の皇子]……④138

村上天皇 [926～967年／第62代天皇]……④142

明治天皇 [1852～1912年／第122代天皇]……④149

明正天皇 [1623～1696年／第109代天皇]……④150

桃園天皇 [1741～1762年／第116代天皇]……④166

護良親王 [1308～1335年／後醍醐天皇の皇子]……④170

文徳天皇 [827～858年／第55代天皇]……④174

文武天皇 [683～707年／第42代天皇・大宝律令]……④175

や 山背大兄王 [?～643年／聖徳太子の子]……④190

日本武尊 [生没年不詳／古代の英雄]……④193

雄略天皇 [生没年不詳／第21代天皇、倭王武]……④203

陽成天皇 [868～949年／第57代天皇]……④208

用明天皇 [?～587年／第31代天皇]……④209

良岑安世 [785～830年／漢詩人・『経国集』を編さん]……④220

ら 履中天皇 [生没年不詳／第17代天皇]……④244

霊元天皇 [1654～1732年／第112代天皇]……④263

冷泉天皇 [950～1011年／第63代天皇]……④263

────── 世界 ──────

あ アウラングゼーブ [1618～1707年／ムガル帝国の第6代皇帝]……①13

アクバル [1542～1605年／ムガル帝国の第3代皇帝]……①22

アショカ王 [生没年不詳／マガダ国マウリヤ朝の国王]……①38

アッシュール・バニパル [生没年不詳／アッシリア王国の王]……①40

アッティラ [406?～453年／フン族の王]……①40

アッバース1世 [1571～1629年／サファビー朝ペルシアの第5代王]……①41

アブー・バクル [573ごろ～634年／イスラム教の初代正統カリフ]……①43

アブデュルハミト2世 [1842～1918年／オスマン帝国第34代皇帝]……①44

アブデュルメジト1世 [1823～1861年／オスマン帝国第31代皇帝]……①44

アブド・アッラフマーン3世 [889～961年／後ウマイヤ朝第8代君主、初代カリフ]……①44

アメンホテプ4世 [生没年不詳／古代エジプト、第18王朝の王]……①52

アラリック王 [370?～410年／西ゴート族の王]……①55

アリー [600ごろ～661年／イスラム教の第4代正統カリフ]……①56

アル・アッバース [565ごろ～652年ごろ／4代正統カリフのアリーの父]……①59

アルサケス [生没年不詳／アルサケス朝パルティアの初代国王]……①60

アルダシール1世 [?～241?年／イラン、ササン朝ペルシアの実質的な初代国王]……①60

アルタン・ハン [1507～1582年／モンゴル、タタールのハン]……①60

アルフレッド大王 [848?～899年／イングランド王]……①61

ジャンル別索引

王族・皇族など

177

ジャンル別索引

王族・皇族など

アレクサンドル1世［1777〜1825年／ロシア、ロマノフ朝第10代皇帝］①61

アレクサンドル2世［1818〜1881年／ロシア、ロマノフ朝第12代皇帝］①61

アレクサンドロス大王［紀元前356〜紀元前323年／マケドニアの国王］
①64

アン女王［1665〜1714年／イングランド女王、スコットランド女王］①66

アントニヌス・ピウス帝［86〜161年／ローマ帝国の皇帝］①69

アンリ4世［1553〜1610年／フランス、ブルボン朝の初代国王］①70

韋后［?〜710年／唐の第4代皇帝中宗の皇后］①80

イサベル1世［1451〜1504年／カスティリャ王国の女王］①80

イスマーイール［1487〜1524年／サファビー朝ペルシアの初代王］①89

イブン・サウード［1880〜1953年／サウジアラビア王国の初代国王］①112

イワン3世［1440〜1505年／モスクワ大公］①122

イワン4世［1530〜1584年／モスクワ大公、ロシアの初代皇帝］①122

ウァレリアヌス, ププリウス・リキニウス［190〜269?年／ローマ帝国の
皇帝］①124

ウィリアム3世［1650〜1702年／イングランド王、スコットランド王］①125

ウィルヘルム1世［1797〜1888年／プロイセン王、ドイツ帝国初代皇帝］
①127

ウィルヘルム2世［1859〜1941年／ドイツ皇帝、プロイセン王］①127

ウマル［592〜644年／イスラム教の第2代正統カリフ］①142

ウラジーミル1世［955?〜1015年／ロシア、キエフ大公国の大公］①145

ウルグ・ベク［1394?〜1449年／ティムール帝国の第4代君主］①146

衛満［生没年不詳／衛氏朝鮮の建国者］①148

永楽帝［1360〜1424年／明の第3代皇帝］①148

エカチェリーナ2世［1729〜1796年／ロシアの女帝］①150

エグバート［775?〜839年／ウェセックス王、イングランド王］①151

エセン・ハン［?〜1454年／オイラトの族長、モンゴル帝国の第29代皇帝］①154

エドワード1世［1239〜1307年／イングランド王］①156

エドワード3世［1312〜1377年／イングランド王・百年戦争をはじめた］①156

エドワード黒太子［1330〜1376年／イングランドの王太子］①157

エリザベス1世［1533〜1603年／イングランド女王］①160

エリザベス2世［1926年〜／イギリス女王］①161

エンリケ航海王子［1394〜1460年／ポルトガルの王子］①166

王建［877〜943年／高麗の初代国王］①168

王昭君［生没年不詳／漢の宮女］①169

王莽［紀元前45〜紀元後23年／中国、新の初代皇帝］①171

オクタウィアヌス帝［紀元前63〜紀元後14年／ローマ帝国の初代皇帝］
①201

オゴタイ・ハン［1186〜1241年／モンゴル帝国の第2代皇帝］①203

オットー1世［912〜973年／東フランク王、神聖ローマ帝国初代皇帝］①212

オラニエ公ウィレム［1533〜1584年／ネーデルラント連邦共和国の初代総
督］①217

カール4世［1316〜1378年／ドイツ王、ボヘミア王、神聖ローマ皇帝］①222

カール5世［1500〜1558年／スペイン王、神聖ローマ皇帝］①222

カール12世［1682〜1718年／スウェーデン王］①222

カール大帝［742〜814年／フランク王］①222

ガザン・ハン［1271〜1304年／イル・ハン国の第7代君主］①231

カジミェシュ大王［1310〜1370年／ポーランド王］①232

カトリーヌ・ド・メディシス［1519〜1589年／フランス王妃］①245

カニシカ王［生没年不詳／インド、クシャーナ朝の王］①247

カラカラ帝［188〜217年／ローマ帝国の皇帝・公衆浴場を建設］①260

桓公［?〜紀元前643年／斉の君主］①274

咸豊帝［1831〜1861年／清の第9代皇帝］①279

徽宗［1082〜1135年／北宋の第8代皇帝］①286

キュロス2世［?〜紀元前529年／アケメネス朝ペルシアの初代王］①303

欽宗［1100〜1161年／北宋の第9代皇帝］①310

グスタフ2世［1594〜1632年／スウェーデン王］②15

クセルクセス1世［?〜紀元前465年／アケメネス朝ペルシアの国王］②17

クトゥブッディーン・アイバク［?〜1210年／インド、奴隷王朝の初代スルタ
ン］②20

クヌート［995?〜1035年／イングランド王、デンマーク王、ノルウェー王］②22

クフ王［生没年不詳／古代エジプト、第4王朝の第2代王］②23

クレオパトラ［紀元前69〜紀元前30年／古代エジプトの女王］②36

クロービス［466?〜511年／フランク王国、メロビング朝の初代国王］②40

ケリー, グレース［1929〜1982年／女優・モナコ王妃］②53

玄宗［685〜762年／唐の第6代皇帝］②57

阮福暎［1762〜1820年／ベトナム、阮朝の初代皇帝］②57

建文帝［1383〜1402年／明の第2代皇帝］②57

乾隆帝［1711〜1799年／清の第6代皇帝］②58

広開土王［374〜412年／高句麗王］②61

康熙帝［1654〜1722年／清の第4代皇帝］②62

光緒帝［1871〜1908年／清の第11代皇帝］②65

高宗(唐)［628〜683年／唐の第3代皇帝］②65

高宗(南宋)［1107〜1187年／南宋の初代皇帝］②65

高宗(朝鮮王朝)［1852〜1919年／李氏朝鮮の第26代国王］②66

光武帝［紀元前6〜紀元後57年／後漢の初代皇帝］②69

孝文帝［467〜499年／中国、魏(北魏)の第6代皇帝］②70

コンスタンティヌス帝［274?〜337年／ローマ帝国の皇帝］②105

サラディン［1138〜1193年／エジプトの軍人、アイユーブ朝の創始者］②135

サルゴン1世［生没年不詳／古代バビロニア、アッカド王国の初代国王］②136

ジェームズ1世［1566〜1625年／スコットランド王、イングランド王］②146

ジェームズ2世［1633〜1701年／イングランド王、スコットランド王］②146

始皇帝［紀元前259〜紀元前210年／秦の初代皇帝］②152

シバージー［1627〜1680年／インド、マラータ王国の初代君主］②156

司馬睿［276〜322年／東晋の初代皇帝］②156

司馬炎［236〜290年／晋(西晋)の初代皇帝］②157

シハヌーク, ノロドム［1922〜2012年／カンボジアの国王、首相、国家元首］
②159

シャー・ジャハーン［1592〜1666年／インド、ムガル帝国の第5代皇帝］
②170

シャープール1世［生没年不詳／イラン、ササン朝ペルシアの第2代国王］
②170

シャルル2世［823～877年／西フランク王国初代国王、西ローマ皇帝］ ②177

シャルル7世［1403～1461年／フランス、バロア朝の国王］ ②177

シャルル9世［1550～1574年／フランス、バロア朝の国王］ ②177

シャルル10世［1757～1836年／フランス、ブルボン朝の国王］ ②177

朱元璋［1328～1398年／明の初代皇帝］ ②183

朱全忠［852～912年／中国、五代の後梁の初代皇帝］ ②184

順治帝［1638～1661年／清の第3代皇帝］ ②190

ジョアン2世［1455～1495年／ポルトガル、アビス朝の国王］ ②191

昭明太子［501～531年／梁の皇太子］ ②195

ジョージ1世［1660～1727年／グレートブリテンの初代国王］ ②200

ジョージ5世［1865～1936年／イギリス、ウィンザー朝の初代国王］ ②200

ジョゼフィーヌ, マリー・ローズ［1763～1814年／フランス皇帝ナポレオン
1世の皇后］ ②202

ジョン王［1167～1216年／イングランド、プランタジネット朝の国王］ ②204

神宗［1048～1085年／北宋の第6代皇帝］ ②210

崇禎帝［1610～1644年／明の第17代皇帝］ ②214

スールヤバルマン2世［?～1150?年／カンボジアの王］ ②214

スレイマン1世［1494～1566年／オスマン帝国の第10代スルタン］ ②236

世宗(朝鮮王朝)［1397～1450年／李氏朝鮮の国王］ ②238

正統帝［1427～1464年／明の第6、8代皇帝］ ②239

聖明王［?～554年／百済の第26代王］ ②239

セリム1世［1470?～1520年／オスマン帝国の第9代スルタン］ ②245

セリム2世［1524～1574年／オスマン帝国の第11代スルタン］ ②245

セリム3世［1761～1808年／オスマン帝国の第28代スルタン］ ②245

宣徳帝［1398～1435年／明の第5代皇帝］ ②247

曹操［155～220年／三国時代の魏の基礎をつくった］ ②251

曹丕［187～226年／魏の初代皇帝］ ②252

則天武后［624?～705年／唐の皇后、周の女帝］ ②255

ソロモン王［?～紀元前922?年／イスラエル王国の第3代国王］ ②258

孫権［182～252年／呉の初代皇帝］ ②259

ソンツェン・ガンポ［581?～649年／チベット、吐蕃の国王］ ②260

た ダイアナ妃［1961～1997年／イギリスの皇太子妃］ ②263

大院君［1820～1898年／李氏朝鮮の高宗の父］ ②263

太宗(北宋)［939～997年／北宋の第2代皇帝］ ②265

大祚栄［?～719年／朝鮮北部、渤海の建国者］ ②265

太武帝［408～452年／魏(北魏)の第3代皇帝］ ②266

ダビデ王［?～紀元前960年ごろ／イスラエル国王］ ②310

ダレイオス1世［紀元前550?～紀元前486年／アケメネス朝ペルシアの国王］
②315

ダレイオス3世［紀元前381?～紀元前330年／アケメネス朝ペルシアの国王］
②315

チャールズ1世［1600～1649年／イングランド王、スコットランド王］ ③13

チャールズ2世［1630～1685年／イングランド王、スコットランド王］ ③14

チャンドラグプタ［生没年不詳／マガダ国の初代国王］ ③17

チャンドラグプタ1世［生没年不詳／インド、グプタ朝の実質的初代国王］
③17

チャンドラグプタ2世［生没年不詳／インド、グプタ朝の第3代国王］ ③17

趙匡胤［927～976年／宋の初代皇帝］ ③19

チンギス・ハン［1162?～1227年／モンゴル帝国の創始者、皇帝］ ③23

ツタンカーメン王［生没年不詳／古代エジプト、第18王朝の第12代王］ ③31

ディオクレティアヌス帝［?～311?年／ローマ帝国の皇帝］ ③37

ティムール［1336～1405年／ティムール朝の建国者］ ③40

テオドシウス帝［347～395年／ローマ帝国の皇帝］ ③41

テオドラ［500?～548年／ビザンツ帝国のユスティニアヌス帝のきさき］ ③41

テオドリック大王［455?～526年／東ゴート王国の初代国王］ ③42

トゥグリル・ベク［990?～1063年／セルジューク朝の初代スルタン］ ③56

道光帝［1782～1850年／清の第8代皇帝］ ③57

同治帝［1856～1875年／清の第10代皇帝］ ③59

トゥトメス3世［生没年不詳／古代エジプト、第18王朝の王］ ③60

な ナポレオン1世［1769～1821年／フランス第一帝政の皇帝］ ③120

ナポレオン3世［1808～1873年／フランスの大統領、皇帝］ ③119

ニコライ1世［1796～1855年／ロシア、ロマノフ朝第11代皇帝］ ③126

ニコライ2世［1868～1918年／ロシア、ロマノフ朝第14代皇帝］ ③126

ヌルハチ［1559～1626年／清の初代皇帝］ ③138

ネフェルティティ［生没年不詳／古代エジプト、第18王朝のアメンホテプ4世のき
さき］ ③140

ネブカドネザル2世［?～紀元前562年／新バビロニア王国の王］ ③140

ネルウァ, マルクス・コッケイウス［30?～98年／ローマ帝国の皇帝］
③141

ネロ・クラウディウス・カエサル［37～68年／ローマ帝国の皇帝］ ③141

ノルマンディー公ウィリアム［1028～1087年／ノルマンディー公、イングラン
ド王］ ③151

は バーブル［1483～1530年／インド、ムガル帝国の創始者］ ③155

ハールーン・アッラシード［766～809年／アッバース朝第5代カリフ］
③156

ハイドゥ［1235?～1301年／オゴタイ・ハン国の第4代君主］ ③158

バイバルス［1228?～1277年／エジプト、マムルーク朝の第5代スルタン］ ③158

ハイレ・セラシエ［1892～1975年／エチオピア最後の皇帝］ ③158

ハインリヒ4世［1050～1106年／ドイツ王、神聖ローマ皇帝］ ③159

バオダイ［1914～1997年／ベトナムの皇帝］ ③160

バトゥ［1207～1255年／キプチャク・ハン国の初代君主］ ③173

ハドリアヌス帝［76～138年／ローマ帝国の皇帝］ ③174

バヤジット1世［1360?～1403年／オスマン帝国の第4代スルタン］ ③183

ハルシャ・バルダナ［590?～647年／インド、バルダナ朝の王］ ③190

ハンムラビ王［生没年不詳／古代メソポタミア、バビロニアの王］ ③195

万暦帝［1563～1620年／明の第14代皇帝］ ③196

ビクトリア女王［1819～1901年／イギリス女王・インド女帝］ ③202

ビットーリオ・エマヌエーレ2世［1820～1878年／サルデーニャ王・イタリ
ア王］ ③207

ピピン［714～768年／フランク王国、カロリング朝の初代国王］ ③211

ピョートル1世［1672～1725年／ロシア、ロマノフ朝の第4代皇帝］ ③213

閔妃［1851～1895年／李氏朝鮮の国王高宗のきさき］ ③222

ジャンル別索引

王族・皇族など

179

ジャンル別索引

王族・皇族など

フアン・カルロス [1938年～／スペイン国王]………………③224

フィリップ2世 [1165～1223年／フランス、カペー朝の王]……③226

フィリップ4世 [1268～1314年／フランス、カペー朝の王]……③226

フィリッポス2世 [紀元前382～紀元前336年／マケドニア王]………③227

フェリペ2世 [1527～1598年／スペイン]………………③232

フェリペ5世 [1683～1746年／スペイン]………………③232

フェルナンド [1452～1516年／カスティリャ王国の国王、アラゴン王国の国王]
………………③232

武王 [生没年不詳／周の初代王]………………③234

溥儀 [1906～1967年／清の第12代皇帝、満州国の皇帝]………③238

フセイン・イブン・タラル [1935～1999年／ヨルダン王国の第3代国王]
………………③265

フセイン・ブン・アリー [1852?～1931年／ヒジャーズ王国の創始者]③265

武帝(前漢) [紀元前156～紀元前87年／前漢の第7代皇帝]………③268

フビライ・ハン [1215～1294年／モンゴル帝国の第5代皇帝、中国元朝の初代皇帝]………………③272

フラグ [1218～1265年／イル・ハン国の初代君主]………③273

フランソワ1世 [1494～1547年／フランス、バロワ朝の王]……③277

フランツ1世 [1708～1765年／神聖ローマ皇帝]………③278

フランツ・フェルディナント [1863～1914年／オーストリア・ハンガリー帝国の皇太子]………………③278

フランツ・ヨーゼフ1世 [1830～1916年／オーストリア皇帝、ハンガリー国王]
………………③278

フリードリヒ1世 [1122～1190年／ドイツ王、神聖ローマ皇帝]………③279

フリードリヒ2世(神聖ローマ皇帝) [1194～1250年／ドイツ王、神聖ローマ皇帝]………………③280

フリードリヒ2世(プロイセン王) [1712～1786年／プロイセン王]
………………③280

フリードリヒ3世 [1463～1525年／ドイツ、ザクセン選帝侯]………③280

フリードリヒ・ウィルヘルム1世 [1688～1740年／プロイセン王]③281

文公 [紀元前697?～紀元前628年／晋の王]………③295

文帝(隋) [541～604年／隋の初代皇帝]………③295

ヘラクレイオス1世 [575?～641年／ビザンツ帝国の皇帝]………④17

ヘロデ王 [紀元前73?～紀元前4年／古代ユダヤの王]………④23

ヘンリー2世 [1133～1189年／イングランド王]………④26

ヘンリー3世 [1207～1272年／イングランド王]………④27

ヘンリー7世 [1457～1509年／イングランド、チューダー朝の初代国王]④27

ヘンリー8世 [1491～1547年／イングランド王・イギリス国教会をつくる]…④27

冒頓単于 [?～紀元前174年／匈奴国の建国者]………④40

ホスロー1世 [?～579年／イラン、ササン朝ペルシアの王]………④43

ホンタイジ [1592～1643年／清の第2代皇帝]………④55

ま マームーン [786～833年／アッバース朝第7代カリフ]………④59

マクシミリアン, フェルディナント [1832～1867年／メキシコの皇帝]
………………④66

マフムード [971～1030年／アフガニスタン、ガズナ朝の王]………④86

マフムト2世 [1784～1839年／オスマン帝国の第30代スルタン]………④87

マリア・テレジア [1717～1780年／オーストリア大公・ハンガリー国王]…④88

マリー・アントワネット [1755～1793年／フランス王妃]………④89

マルクス・アウレリウス・アントニヌス帝 [121～180年／ローマ帝国の皇帝]………………④91

マルグレーテ [1353～1412年／デンマークの実質的な女王]………④91

マンサ・ムーサ [生没年不詳／西アフリカ、マリ帝国の王]………④97

マンスール [712?～775年／アッバース朝第2代カリフ]………④97

ミハイル・ロマノフ [1596～1645年／ロシア、ロマノフ朝の初代皇帝]④118

ムアーウィヤ [?～680年／イスラム帝国、ウマイヤ朝の初代カリフ]………④133

ムハンマド・アリー [1769～1849年／エジプト、ムハンマド・アリー朝の初代君主]………………④139

メアリ1世 [1516～1558年／イングランドとアイルランドの女王]………④149

メアリ2世 [1662～1694年／イングランド女王、スコットランド女王]④149

メアリ・スチュアート [1542～1587年／スコットランド、スチュアート朝の女王]………………④149

メフメト2世 [1432?～1481年／オスマン帝国の第7代スルタン]………④152

モハンマド・レザー・パフレビー [1919～1980年／イラン、パフレビー朝の第2代皇帝]………………④166

モンケ・ハン [1208～1259年／モンゴル帝国の第4代皇帝]………④172

や ヤショーバルマン王 [生没年不詳／カンボジア、アンコール朝の王]…④177

耶律阿保機 [872～926年／中国、遼の初代皇帝]………④200

耶律大石 [1087～1143年／西遼(カラキタイ)の初代皇帝]………④201

ユーグ・カペー [938?～996年／フランス、カペー朝の初代国王]………④203

ユスティニアヌス帝 [483～565年／ビザンツ帝国の皇帝]………④205

ユリアヌス帝 [332～363年／ローマ帝国の皇帝]………④206

楊貴妃 [719～756年／唐の皇帝玄宗のきさき]………④207

雍正帝 [1678～1735年／清の第5代皇帝]………④208

煬帝 [569～618年／隋の第2代皇帝]………④208

ヨーゼフ2世 [1741～1790年／神聖ローマ皇帝]………④209

ら ラーマ4世 [1804～1868年／タイ、チャクリー朝の国王]………④226

ラーマ5世 [1853～1910年／タイ、チャクリー朝の国王]………④226

ラムセス2世 [生没年不詳／古代エジプト、第19王朝の王]………④234

李淵 [565～635年／唐の初代皇帝]………④238

李元昊 [1004～1048年／中国、西夏の初代皇帝]………④240

李成桂 [1335～1408年／李氏朝鮮の初代国王]………④243

李世民 [598～649年／唐の第2代皇帝]………④243

リチャード1世 [1157～1199年／イングランド王]………④244

リチャード3世 [1452～1485年／ヨーク朝最後のイングランド王]………④244

劉備 [161～223年／蜀の初代皇帝]………④249

劉邦 [紀元前247?～紀元前195年／前漢の初代皇帝]………④249

劉裕 [363～422年／南朝、宋の初代皇帝・土断法を実施]………④250

リューリク [?～879年／ロシア、リューリク王朝の建国者]………④250

リリウオカラニ [1838～1917年／ハワイ王国最後の女王]………④252

ルイ9世 [1214～1270年／フランス、カペー朝第9代国王]………④255

ルイ13世 [1601～1643年／フランス王]………④255

ルイ14世 [1638～1715年／フランス王・太陽王]………④255

ルイ15世 [1710〜1774年／フランス王国、ブルボン朝の第4代国王]… ④256

ルイ16世 [1754〜1793年／フランス王国、ブルボン朝の第5代国王]… ④256

ルイ18世 [1755〜1824年／フランス王]………………………………… ④256

ルイ＝フィリップ [1773〜1850年／フランス王]…………………… ④257

ルートウィヒ1世 [778〜840年／フランク王、西ローマ皇帝]……… ④258

ルートウィヒ2世 [805?〜876年／東フランク王国、カロリング朝の初代国王]

……………………………………………………………………… ④258

ルッジェーロ2世 [1095〜1154年／初代シチリア王]……………… ④261

ルドルフ1世 [1218〜1291年／ドイツ王、神聖ローマ皇帝]……… ④261

レオン3世 [685?〜741年／ビザンツ帝国の皇帝]………………… ④268

レザー・シャー・パフレビー [1878〜1944年／イラン、パフレビー朝の皇帝]

……………………………………………………………………… ④268

ロタール1世 [795〜855年／西ローマ皇帝、フランク王、中フランク王] ④278

ロロ [860〜933年／初代ノルマンディー公]………………………… ④282

わ 完顔阿骨打（ワンヤンアクダ）[1068〜1123年／中国、金の初代皇帝]… ④294

貴族・豪族・武将など

― 日 本 ―

あ 赤松則村（あかまつのりむら）[1277〜1350年／室町幕府樹立に力をつくした武将]………… ①19

赤松満祐（あかまつみつすけ）[1373?〜1441年／嘉吉の乱で将軍を暗殺した武将]………… ①19

足利成氏（あしかがしげうじ）[1438?〜1497年／幕府と対立した初代古河公方]… ①28

足利尊氏（あしかがたかうじ）[1305〜1358年／室町幕府初代将軍]……………… ①28

足利直冬（あしかがただふゆ）[生没年不詳／尊氏の子・父と敵対し続けた]………… ①29

足利直義（あしかがただよし）[1306〜1352年／尊氏を支えたがのちに対立した武将]… ①29

足利茶々丸（あしかがちゃちゃまる）[?〜1491年／北条早雲にほろぼされた堀越公方]… ①29

足利政知（あしかがまさとも）[1435〜1491年／成氏と対立した堀越公方]……… ①30

足利満兼（あしかがみつかね）[1378〜1409年／第3代鎌倉公方]………………… ①30

足利持氏（あしかがもちうじ）[1398〜1439年／永享の乱をおこした第4代鎌倉公方]… ①30

足利基氏（あしかがもとうじ）[1340〜1367年／初代鎌倉公方]………………… ①30

足利義昭（あしかがよしあき）[1537〜1597年／室町幕府第15代将軍]…………… ①30

足利義詮（あしかがよしあきら）[1330〜1367年／室町幕府第2代将軍]………… ①31

足利義量（あしかがよしかず）[1407〜1425年／室町幕府第5代将軍]…………… ①31

足利義勝（あしかがよしかつ）[1434〜1443年／室町幕府第7代将軍]…………… ①32

足利義澄（あしかがよしずみ）[1480〜1511年／室町幕府第11代将軍]………… ①32

足利義稙（あしかがよしたね）[1466〜1523年／室町幕府第10代将軍]………… ①32

足利義輝（あしかがよしてる）[1536〜1565年／室町幕府第13代将軍]………… ①32

足利義教（あしかがよしのり）[1394〜1441年／室町幕府第6代将軍]…………… ①32

足利義晴（あしかがよしはる）[1511〜1550年／室町幕府第12代将軍]………… ①33

足利義尚（あしかがよしひさ）[1465〜1489年／室町幕府第9代将軍]…………… ①33

足利義栄（あしかがよしひで）[1538〜1568年／室町幕府第14代将軍]………… ①33

足利義政（あしかがよしまさ）[1436〜1490年／室町幕府第8代将軍]…………… ①35

足利義視（あしかがよしみ）[1439〜1491年／応仁の乱で日野富子と対立]……… ①33

足利義満（あしかがよしみつ）[1358〜1408年／室町幕府第3代将軍]…………… ①36

足利義持（あしかがよしもち）[1386〜1428年／室町幕府第4代将軍]…………… ①34

安達泰盛（あだちやすもり）[1231〜1285年／霜月騒動でほろぼされた鎌倉時代の武将]… ①39

阿知使主（あちのおみ）[生没年不詳／古墳時代に渡来した、百済の人]………………… ①40

阿弖流為（あてるい）[?〜802年／奈良時代〜平安時代初期の蝦夷の首長]………… ①42

阿倍内麻呂（あべのうちまろ）[?〜649年／大化の改新で活躍した飛鳥時代の豪族]………… ①46

安倍貞任（あべのさだとう）[?〜1062年／平安時代、前九年の役でやぶれた豪族]… ①46

阿倍仲麻呂（あべのなかまろ）[698〜770年／奈良時代の唐への留学生]………… ①47

阿倍比羅夫（あべのひらふ）[生没年不詳／東北を平定した飛鳥時代の武将]……… ①47

安倍頼時（あべのよりとき）[?〜1057年／平安時代中期の陸奥の豪族]…………… ①48

粟田真人（あわたのまひと）[?〜719年／遣唐使となった奈良時代の公家の高官]… ①62

石上宅嗣（いそのかみのやかつぐ）[729〜781年／奈良時代の公家の高官・日本初の公開図書館]… ①91

一条兼良（いちじょうかねよし）[1402〜1481年／一条家の当主、太政大臣]…… ①95

犬上御田鍬（いぬかみのみたすき）[生没年不詳／遣隋使・遣唐使となった飛鳥時代の官人]… ①102

今川了俊（いまがわりょうしゅん）[1326?〜1418?年／南北朝時代の武将、歌人、『難太平記』]… ①115

上杉禅秀（うえすぎぜんしゅう）[?〜1417年／関東管領・上杉禅秀の乱]………… ①130

上杉憲実（うえすぎのりざね）[1410?〜1466年／関東管領・金沢文庫や足利学校を再興]… ①130

上杉憲忠（うえすぎのりただ）[1433〜1455年／関東管領]……………………… ①132

淡海三船（おうみのみふね）[722〜785年／奈良時代の学者・『唐大和上東征伝』]… ①170

大内義弘（おおうちよしひろ）[1356〜1399年／6つの国をおさめた守護]……… ①173

大江広元（おおえのひろもと）[1148〜1225年／鎌倉幕府の初代別当をつとめた役人]… ①174

大江匡房（おおえのまさふさ）[1041〜1111年／平安時代後期の公家の高官、学者、歌人]… ①174

大伴金村（おおとものかなむら）[生没年不詳／磐井の乱をしずめた古墳時代の豪族]… ①186

太安万侶（おおのやすまろ）[?〜723年／『古事記』『日本書紀』の編さん]……… ①188

小野妹子（おののいもこ）[生没年不詳／遣隋使となった飛鳥時代の官人]………… ①213

小野好古（おののよしふる）[884〜968年／平安時代前期の公卿、武人、歌人]… ①215

小山朝政（おやまともまさ）[1155?〜1238年／鎌倉幕府創生期の有力御家人]… ①216

か 梶原景時（かじわらかげとき）[?〜1200年／義経を失脚させた鎌倉時代の武将]… ①234

金沢実時（かねざわさねとき）[1224〜1276年／金沢文庫の祖]………………… ①248

菊池武時（きくちたけとき）[?〜1333年／味方の離反で戦死した鎌倉時代の武士]… ①283

菊池武光（きくちたけみつ）[?〜1373年／九州で戦った南朝の武将]…………… ①283

北畠顕家（きたばたけあきいえ）[1318〜1338年／後醍醐天皇をささえた武将]… ①289

北畠親房（きたばたけちかふさ）[1293〜1354年／公卿、武将・後醍醐天皇をささえた]… ①290

紀夏井（きのなつい）[生没年不詳／平安時代前期の官僚、役人]………………… ①297

吉備内親王（きびないしんのう）[?〜729年／長屋王のきさき]………………… ①297

吉備真備（きびのまきび）[695〜775年／奈良時代の公家の高官、学者・遣唐使]… ①297

清原家衡（きよはらのいえひら）[?〜1087年／後三年の役でやぶれた平安時代後期の武将]… ①306

清原真衡（きよはらのさねひら）[?〜1083年／清原氏の最盛期の平安時代後期の武将]… ①307

清原武則（きよはらのたけのり）[生没年不詳／前九年の役で活躍した平安時代後期の武将]… ①307

清原夏野（きよはらのなつの）[782〜837年／平安時代の公家の高官・『日本後紀』を編さん]… ①307

公暁（くぎょう）[1200〜1219年／父の仇として実朝を暗殺した鎌倉時代の僧]… ②13

九条兼実（くじょうかねざね）[1149〜1207年／源頼朝に信頼されて出世した公家]… ②14

楠木正成（くすのきまさしげ）[1294?〜1336年／南朝につくした武将]……… ②16

楠木正行（くすのきまさつら）[?〜1348年／父の遺志をつぎ南朝軍をひきいた武将]… ②16

熊谷直実（くまがいなおざね）[1141〜1208年／一ノ谷の戦いで平敦盛を討った武将]… ②24

高師直（こうのもろなお）[?〜1351年／足利尊氏の執事をつとめた武将]……… ②69

高師泰（こうのもろやす）[?〜1351年／兄とともに足利尊氏につかえた武将]… ②69

伊治呰麻呂（これはりのあざまろ）[生没年不詳／奈良時代後期の蝦夷の首長]… ②103

さ 西光（さいこう）[?〜1177年／後白河法皇第一の近臣]……………………… ②110

ジャンル別索引

貴族・豪族・武将など

坂上田村麻呂　さかのうえのたむらまろ［758〜811年／東北を平定した征夷大将軍］………②120
佐々木道誉　ささきどうよ［1296?〜1373年／室町幕府創立に貢献した武将］………②124
三条西実隆　さんじょうにしさねたか［1455〜1537年／室町時代を代表する文化人］………②140
信濃前司行長　しなののぜんじゆきなが［生没年不詳／鎌倉時代前期の官人・『平家物語』］………②156
斯波義廉　しばよしかど［生没年不詳／応仁の乱の一因となった武将］………②159
斯波義敏　しばよしとし［1435〜1508年／室町時代中期の武将］………②160
俊寛　しゅんかん［1143?〜1179?年／鹿ヶ谷の陰謀で流罪となった僧侶］………②189
菅野真道　すがのまみち［741〜814年／奈良時代〜平安時代の公家の高官］………②216
菅原道真　すがわらのみちざね［845〜903年／学問の神様として知られる公家の高官］………②217
井真成　せいしんせい［699〜734年／奈良時代の唐への留学生］………②238
宗貞茂　そうさだしげ［?〜1418年／室町時代中期の武将］………②250
宗助国　そうすけくに［?〜1274年／元冦で戦った鎌倉時代の武将］………②251
曽我兄弟　そがきょうだい［兄十郎祐成　1172〜1193年、弟五郎時致　1174〜1193年／父の
　　あだ討ちをなしとげた兄弟］………②253
蘇我稲目　そがのいなめ［?〜570年／蘇我馬子の父］………②253
蘇我入鹿　そがのいるか［?〜645年／蘇我馬子の孫］………②253
蘇我馬子　そがのうまこ［?〜626年／朝廷で権力をにぎった豪族］………②254
蘇我蝦夷　そがのえみし［?〜645年／蘇我馬子の子］………②254
蘇我倉山田石川麻呂　そがのくらやまだのいしかわまろ［?〜649年／蘇我馬子の孫］………②255
た
平敦盛　たいらのあつもり［1169?〜1184年／悲劇の最期をとげた笛の名手］………②267
平清盛　たいらのきよもり［1118〜1181年／平氏の全盛期を築いた武将］………②269
平国香　たいらのくにか［?〜935年／平将門と対立した常陸国の豪族］………②267
平維衡　たいらのこれひら［生没年不詳／伊勢平氏の祖先］………②267
平維盛　たいらのこれもり［1158?〜1184?年／総大将として富士川で源氏と戦う］………②267
平貞盛　たいらのさだもり［生没年不詳／国香の子・将門の乱をしずめた］………②268
平重衡　たいらのしげひら［1157〜1185年／南都焼き討ちの総大将］………②268
平重盛　たいらのしげもり［1138〜1179年／平清盛の長男、権大納言］………②268
平高望　たいらのたかもち［生没年不詳／桓武平氏の祖先］………②268
平忠常　たいらのただつね［967〜1031年／平忠常の乱をおこす］………②270
平忠正　たいらのただまさ［?〜1156年／保元の乱で崇徳上皇についてやぶれた］………②270
平忠盛　たいらのただもり［1096〜1153年／正盛の子、清盛の父・鳥羽上皇に重用された］………②270
平時忠　たいらのときただ［1127〜1189年／平の関白とも呼ばれた全盛期の公家］………②270
平知盛　たいらのとももり［1152〜1185年／壇ノ浦の合戦の総大将］………②270
平教盛　たいらののりもり［1128〜1185年／中納言となり平家隆盛の中心となった］………②271
平将門　たいらのまさかど［?〜940年／常陸国で反乱を起こした武将］………②271
平正盛　たいらのまさもり［生没年不詳／白河上皇にとりたてられ北面の武士となった］………②271
平宗盛　たいらのむねもり［1147〜1185年／清盛の子・最後の総大将］………②272
平頼綱　たいらのよりつな［?〜1293年／北条貞時の内管領・幕府の実権をにぎる］………②272
平頼盛　たいらのよりもり［1132?〜1186年／権大納言・源頼朝にゆるされて出家］………②272
高向玄理　たかむこのくろまろ［?〜654年／飛鳥時代遣隋使の留学生］………②282
竹崎季長　たけざきすえなが［1246〜?年／元冦で活躍した鎌倉時代の武将］………②289
武田信広　たけだのぶひろ［1431〜1494年／コシャマインの乱を平定した武将］………②291
橘成季　たちばなのなりすえ［生没年不詳／鎌倉時代中期の官人、文人・『古今著聞集』］………②298
橘逸勢　たちばなのはやなり［?〜842年／平安時代前期の官人、三筆の一人］………②298
橘広相　たちばなのひろみ［837〜890年／平安時代、阿衡事件の原因となった公家の高官］………②299
橘諸兄　たちばなのもろえ［684〜757年／恭仁京遷都で暗躍した奈良時代の公家の高官］………②299

千葉常胤　ちばつねたね［1118〜1201年／鎌倉幕府創立期の重臣］………③12
筑紫国造磐井　つくしのくにのみやつこいわい［生没年不詳／磐井の乱をおこした古墳時代の豪族］………③27
富樫政親　とがしまさちか［1455?〜1488年／室町時代後期の加賀国の武将］………③62
富樫泰高　とがしやすたか［生没年不詳／室町時代の加賀国の武将］………③62
土岐康行　ときやすゆき［?〜1411年／室町幕府にそむいた武将］………③63
伴健岑　とものこわみね［生没年不詳／平安時代前期の官人・承和の変で失脚］………③84
伴善男　とものよしお［811?〜868年／平安時代前期の公家・応天門の変の主謀者］………③84
な
長崎高資　ながさきたかすけ［?〜1333年／鎌倉幕府滅亡で自害した鎌倉時代の武士］………③102
長屋王　ながやおう［684〜729年／飛鳥時代〜奈良時代の皇族・長屋王の変］………③113
中山忠親　なかやまただちか［1131〜1195年／平安時代の公家の高官・『水鏡』］………③114
那須与一　なすのよいち［生没年不詳／平安時代後期の武将・弓矢の名手］………③115
名和長年　なわながとし［?〜1336年／後醍醐天皇をささえた武将］………③123
新田義貞　にったよしさだ［1301?〜1338年／鎌倉幕府をたおし、足利尊氏と対立］………③132
は
畠山重忠　はたけやましげただ［1164〜1205年／武将・平氏追討で活躍ののち北条氏と対立］………③168
畠山政長　はたけやままさなが［1442〜1493年／武将・義就と対立した持富の子］………③168
畠山満家　はたけやまみついえ［1372〜1433年／足利義教を助けた管領］………③168
畠山持国　はたけやまもちくに［1398〜1455年／後継をめぐる争いが応仁の乱のきっかけに］………③168
畠山持富　はたけやまもちとみ［?〜1452年／武将・持国の養子となった］………③169
畠山義就　はたけやまよしなり［?〜1490年／武将・政長と対立した持国の子］………③169
秦河勝　はたのかわかつ［生没年不詳／聖徳太子につかえた飛鳥時代の豪族］………③170
八条院暲子　はちじょういんしょうし［1137〜1211年／大きな力をふるった鳥羽天皇の娘］………③170
稗田阿礼　ひえだのあれ［生没年不詳／『古事記』を編さんに協力した役人］………③197
比企能員　ひきよしかず［?〜1203年／源頼家の外戚］………③199
日野資朝　ひのすけとも［1290〜1332年／後醍醐天皇の討幕計画に参加］………③209
日野俊基　ひのとしもと［?〜1332年／後醍醐天皇の討幕計画に参加］………③209
日野富子　ひのとみこ［1440〜1496年／室町幕府第8代将軍足利義政の妻］………③210
平賀朝雅　ひらがともまさ［?〜1205年／源頼朝の養子］………③214
藤原宇合　ふじわらのうまかい［694〜737年／藤原式家の祖］………③248
藤原緒嗣　ふじわらのおつぐ［774〜843年／左大臣として桓武天皇を支えた］………③248
藤原兼家　ふじわらのかねいえ［929〜990年／一条天皇の外祖父、太政大臣］………③248
藤原兼通　ふじわらのかねみち［925〜977年／弟の藤原兼家と権力を争う］………③248
藤原鎌足　ふじわらのかまたり［614〜669年／蘇我氏をたおした豪族］………③248
藤原清河　ふじわらのきよかわ［生没年不詳／遣唐使となった公家の高官］………③249
藤原清衡　ふじわらのきよひら［1056〜1128年／奥州藤原氏の初代当主］………③249
藤原公任　ふじわらのきんとう［966〜1041年／歌人、公家の高官・『和漢朗詠集』の撰者］………③250
藤原薬子　ふじわらのくすこ［?〜810年／女官・平城上皇の側近］………③250
藤原妍子　ふじわらのけんし［994〜1027年／三条天皇のきさき］………③250
藤原伊周　ふじわらのこれちか［974〜1010年／道長と対立した公家の高官］………③250
藤原実資　ふじわらのさねすけ［957〜1046年／藤原道長に一目おかれた賢人・『小右記』］………③251
藤原実頼　ふじわらのさねより［900〜970年／忠平の長男・天暦の治を支えた］………③251
藤原佐理　ふじわらのさり［944〜998年／三蹟の一人］………③251
藤原純友　ふじわらのすみとも［?〜941年／海賊を率いた官人］………③252
藤原隆家　ふじわらのたかいえ［979〜1044年／刀伊の入寇に応戦した公家の高官］………③252
藤原忠実　ふじわらのただざね［1078〜1162年／堀河天皇の関白、鳥羽天皇の摂政］………③253
藤原忠平　ふじわらのただひら［880〜949年／『延喜式』をまとめた］………③253
藤原忠通　ふじわらのただみち［1097〜1164年／保元の乱で後白河天皇について勝利］………③253

ふじわらのたねつぐ		
藤原種継	[737〜785年／長岡京造営につくすが暗殺される]	③253
ふじわらのときひら		
藤原時平	[871〜909年／『延喜格』を編さん、菅原道真を左遷]	③254
ふじわらのながて		
藤原永手	[714〜771年／道鏡を左遷した公家の高官]	③254
ふじわらのなかなり		
藤原仲成	[764〜810年／薬子の兄・ともに兵をあげた]	③254
ふじわらのなかまろ		
藤原仲麻呂	[706〜764年／藤原氏の勢力拡大をはかった]	③255
ふじわらのなりちか		
藤原成親	[1138〜1177年／鹿ヶ谷で平氏打倒をもくろむ]	③255
ふじわらののぶただ		
藤原陳忠	[生没年不詳／『今昔物語』に登場する強欲な信濃守]	③256
ふじわらののぶより		
藤原信頼	[1133〜1159年／平治の乱の首謀者]	③256
ふじわらのひでさと		
藤原秀郷	[生没年不詳／平将門を討った武将]	③256
ふじわらのひでひら		
藤原秀衡	[1122?〜1187年／奥州藤原氏・無量光院を建立]	③256
ふじわらのひろつぐ		
藤原広嗣	[?〜740年／藤原広嗣の乱をおこす]	③257
ふじわらのふささき		
藤原房前	[681〜737年／藤原北家の祖]	③257
ふじわらのふひと		
藤原不比等	[659〜720年／鎌足の子・藤原氏繁栄の基礎を築く]	③257
ふじわらのふゆつぐ		
藤原冬嗣	[775〜826年／藤原北家を繁栄させた公家の高官]	③258
ふじわらのまろ		
藤原麻呂	[695〜737年／藤原京家の祖]	③258
ふじわらのみちいえ		
藤原道家	[1193〜1252年／後堀河天皇の関白]	③258
ふじわらのみちたか		
藤原道隆	[953〜995年／道長の兄、中関白家の祖]	③258
ふじわらのみちつな		
藤原道綱	[955〜1020年／大納言・兼家と藤原道綱母の子]	③259
ふじわらのみちなが		
藤原道長	[966〜1027年／藤原氏全盛時代を築いた]	③260
ふじわらのみちのり		
藤原通憲	[?〜1159年／後白河上皇の腹心]	③259
ふじわらのむちまろ		
藤原武智麻呂	[680〜737年／藤原南家の祖]	③261
ふじわらのもとつね		
藤原基経	[836〜891年／阿衡事件で宇多天皇と対立]	③261
ふじわらのもとなが		
藤原元命	[生没年不詳／農民を苦しめた尾張守]	③261
ふじわらのもとひら		
藤原基衡	[?〜1157?年／清衡の子・奥州藤原氏の全盛期を築いた]	③261
ふじわらのももかわ		
藤原百川	[732〜779年／桓武天皇の側近]	③262
ふじわらのもろすけ		
藤原師輔	[908〜960年／右大臣・娘を村上天皇の中宮とした]	③262
ふじわらのやすひら		
藤原泰衡	[1155〜1189年／最後の奥州藤原氏]	③262
ふじわらのゆきなり		
藤原行成	[972〜1027年／道長に信頼された公家、書家]	③262
ふじわらのよしふさ		
藤原良房	[804〜872年／皇族以外での初の摂政]	③263
ふじわらのよりつぐ		
藤原頼嗣	[1239〜1256年／鎌倉幕府第5代将軍]	③263
ふじわらのよりつね		
藤原頼経	[1218〜1256年／鎌倉幕府第4代将軍]	③263
ふじわらのよりなが		
藤原頼長	[1120〜1156年／保元の乱をおこした公家の高官]	③263
ふじわらのよりみち		
藤原頼通	[992〜1074年／道長の子・平等院鳳凰堂を建立]	③264
ほうじょうさだとき		
北条貞時	[1271〜1311年／執権・得宗専制体制を確立]	④30
ほうじょうしげとき		
北条重時	[1198〜1261年／義時の子・歌人としても知られる]	④30
ほうじょうたかとき		
北条高時	[1303〜1333年／執権・田楽を好んだ]	④31
ほうじょうときふさ		
北条時房	[1175〜1240年／北条政子の弟・おいの泰時を補佐]	④32
ほうじょうときまさ		
北条時政	[1138〜1215年／初代執権]	④32
ほうじょうときむね		
北条時宗	[1251〜1284年／執権・元の襲来をふせいだ]	④34
ほうじょうときゆき		
北条時行	[?〜1353年／鎌倉幕府再興をくわだてた武将]	④32
ほうじょうときより		
北条時頼	[1227〜1263年／執権・建長寺を建立]	④32
ほうじょうながとき		
北条長時	[1230〜1264年／重時の子・時頼から執権をゆずられた]	④33
ほうじょうまさこ		
北条政子	[1157〜1225年／源頼朝の妻・執権体制を確立]	④33
ほうじょうもりとき		
北条守時	[?〜1333年／鎌倉幕府最後の執権]	④35
ほうじょうやすとき		
北条泰時	[1183〜1242年／執権・御成敗式目を制定]	④35
ほうじょうよしとき		
北条義時	[1163〜1224年／政子の弟、父の時政を追放して執権となる]	④35

ほそかわかつもと		
細川勝元	[1430〜1473年／管領・応仁の乱で東軍をひきいた]	④43
ほそかわよりゆき		
細川頼之	[1329〜1392年／室町幕府成立に貢献し、管領となる]	④46
ま みうらやすむら		
三浦泰村	[?〜1247年／鎌倉幕府の評定衆]	④99
みうらよしずみ		
三浦義澄	[1127〜1200年／鎌倉幕府の有力御家人]	④100
みなぶちのしょうあん		
南淵請安	[生没年不詳／飛鳥時代の渡来系の僧]	④107
みなもとのさねとも		
源実朝	[1192〜1219年／鎌倉幕府第3代将軍]	④108
みなもとのたかあきら		
源高明	[914〜982年／光源氏のモデルとされる]	④109
みなもとのためとも		
源為朝	[1139〜1170?年／武将・父とともに保元の乱でやぶれた]	④109
みなもとのためよし		
源為義	[1096〜1156年／武将・義朝と為朝の父]	④110
みなもとのつねもと		
源経基	[?〜961年／清和源氏の祖とされる官人]	④110
みなもとののりより		
源範頼	[生没年不詳／武将・頼朝の弟]	④111
みなもとのまこと		
源信	[810〜868年／公家の高官・伴善男と対立]	④111
みなもとのまさのぶ		
源雅信	[920〜993年／藤原道長の義父となった左大臣]	④111
みなもとのみつなか		
源満仲	[912?〜997年／安和の変の功により貴族となった]	④111
みなもとのもろふさ		
源師房	[1008〜1077年／村上源氏の祖とされる官人]	④112
みなもとのよしいえ		
源義家	[1039〜1106年／前九年、後三年の役で活躍]	④112
みなもとのよしちか		
源義親	[?〜1108年／平正盛に討たれた武将]	④112
みなもとのよしつね		
源義経	[1159〜1189年／平氏追討で活躍した武将・源頼朝と対立]	④112
みなもとのよしとも		
源義朝	[1123〜1160年／平治の乱を起こした武将]	④113
みなもとのよしなか		
源義仲	[1154〜1184年／倶利伽羅峠で平氏を破った武将]	④113
みなもとのよしひら		
源義平	[1141〜1160年／平清盛の暗殺を試みた武将]	④114
みなもとのよりいえ		
源頼家	[1182〜1204年／鎌倉幕府第2代将軍]	④114
みなもとのよりとも		
源頼朝	[1147〜1199年／鎌倉幕府初代将軍]	④116
みなもとのよりのぶ		
源頼信	[968〜1048年／河内源氏の祖]	④114
みなもとのよりまさ		
源頼政	[1104〜1180年／官人、歌人・以仁王に応じて挙兵した]	④114
みなもとのよりみつ		
源頼光	[948〜1021年／摂津源氏の祖]	④115
みなもとのよりよし		
源頼義	[988〜1075年／前九年の役を平定した武将]	④115
みなもとのりんし		
源倫子	[964〜1053年／藤原道長の妻、頼通の母]	④115
みよしのきよゆき		
三善清行	[847〜918年／改元を上奏した平安時代の官人]	④129
みよしのためやす		
三善為康	[1049〜1139年／平安時代の官人・『拾遺往生伝』]	④129
みよしのやすのぶ		
三善康信	[1140〜1221年／鎌倉時代の問注所初代執事]	④129
むさしぼうべんけい		
武蔵坊弁慶	[?〜1189年／平安時代後期の僧]	④135
もちひとおう		
以仁王	[1151〜1180年／平安時代後期の皇子]	④163
もののべのおこし		
物部尾輿	[生没年不詳／大和政権の大連]	④165
もののべのもりや		
物部守屋	[?〜587年／大和政権の大連]	④166
や やまなうじきよ		
山名氏清	[1344〜1391年／山陰などを支配した南北朝時代の武将]	④194
やまなもちとよ		
山名持豊	[1404〜1473年／室町時代の応仁の乱の武将]	④195
ゆうきうじとも		
結城氏朝	[1402〜1441年／鎌倉公方配下の有力武将]	④202
ゆづきのきみ		
弓月君	[生没年不詳／古墳時代に来日、養蚕や機織りを伝えた百済の人]	④205
よししげのやすたね		
慶滋保胤	[?〜1002年／平安時代の官人・『日本往生極楽記』]	④215
わ わけのきよまろ		
和気清麻呂	[733〜799年／和気広虫の弟]	④287
わけのひろむし		
和気広虫	[730〜799年／孝謙天皇(称徳天皇)につかえた女官]	④288
わだよしもり		
和田義盛	[1147〜1213年／鎌倉幕府の長老]	④291

ジャンル別索引

貴族・豪族・武将など

183

ジャンル別索引

戦国・安土桃山時代の大名・武将など

戦国・安土桃山時代の大名・武将など

日本

あ

明智光秀 ［1528?～1582年／本能寺の変で信長を討った武将］…………①23

浅井長政 ［1545～1573年／近江国の戦国大名・姉川の戦い］…………①24

朝倉孝景 ［1428～1481年／越前国の戦国大名］…………①25

朝倉義景 ［1533～1573年／越前国の戦国大名・姉川の戦い］…………①25

浅野長政 ［1547～1611年／信長、秀吉、家康につかえた武将］…………①27

尼子勝久 ［1553～1578年／出雲国尼子氏の最後の武将］…………①50

尼子経久 ［1458～1541年／出雲国の戦国大名］…………①51

荒木村重 ［1535?～1586年／武将・石山本願寺とむすんで信長に反逆］…①54

有馬晴信 ［1567～1612年／天正遣欧使節を派遣したキリシタン大名］……①58

安国寺恵瓊 ［1538?～1600年／毛利氏の外交になった僧］…………①63

井伊直虎 ［?～1582年／遠江国井伊谷の女性領主］…………①72

石川五右衛門 ［?～1594年／釜ゆでされた伝説的盗賊］…………①83

石田三成 ［1560～1600年／関ヶ原の戦いで西軍をひきいる］…………①86

伊藤一刀斎 ［1560?～1653?年／一刀流をひらいた剣術家］…………①97

今川氏親 ［1471～1526年／駿河国・遠江国の戦国大名］…………①115

今川義元 ［1519～1560年／駿河国・遠江国の戦国大名］…………①115

上杉景勝 ［1555～1623年／越後国の戦国大名］…………①130

上杉謙信 ［1530～1578年／越後国の守護代、関東管領］…………①131

上杉憲政 ［1523?～1579年／上杉謙信の養父で上野国の戦国大名］…①132

宇喜多秀家 ［1573～1655年／豊臣秀吉の重臣］…………①138

お市の方 ［1547?～1583年／織田信長の妹で浅井長政、柴田勝家の妻］①167

大内義隆 ［1507～1551年／周防国など7か国の戦国大名］…………①173

大久保長安 ［1545～1613年／鉱山開発で家康を助けた武将］…………①177

太田道灌 ［1432～1486年／江戸城を築城した武将］…………①182

大友宗麟 ［1530～1587年／豊後国のキリシタン大名］…………①185

大野治長 ［?～1615年／豊臣秀吉の忠臣］…………①188

大村純忠 ［1533～1587年／肥前国のキリシタン大名］…………①191

織田有楽斎 ［1547～1621年／有楽流をひらいた茶人］…………①207

織田信雄 ［1558～1630年／信長の子・江戸時代に大名となる］…………①208

織田信孝 ［1558～1583年／信長の子・秀吉と対立した］…………①208

織田信忠 ［1557～1582年／信長の長男・武田氏を滅亡させる］…………①208

織田信長 ［1534～1582年／天下統一を目指した武将］…………①210

織田信秀 ［1510?～1551年／信長の父・今川義元をやぶる］…………①208

か

片桐且元 ［1556～1615年／豊臣政権をささえた武将］…………①236

加藤清正 ［1562～1611年／武功にすぐれた築城の名手］…………①242

蒲生氏郷 ［1556～1595年／茶人、キリシタン大名］…………①257

吉川元春 ［1530～1586年／毛利元就の次男］…………①292

黒田長政 ［1568～1623年／福岡城を築いた初代藩主］…………②42

黒田孝高 ［1546～1604年／姫路城主・秀吉の天下統一をたすけた］………②43

高台院 ［1590?～1624年／「ねね」として知られる豊臣秀吉の正妻］………②66

後藤又兵衛 ［1560～1615年／黒田孝高の重臣］…………②89

小西行長 ［1558?～1600年／豊臣秀吉につかえた武将］…………②90

小西隆佐 ［1520?～1592年／宣教師たちを助けた商人］…………②90

小早川隆景 ［1533～1597年／豊臣五大老の一人の武将］…………②91

小早川秀秋 ［1582～1602年／関ヶ原の戦いで寝返った武将］…………②92

さ

斎藤竜興 ［1548～1573年／信長にほろぼされた道三の孫］…………②115

斎藤道三 ［1494?～1556年／美濃国の戦国大名］…………②115

真田信之 ［1566～1658年／真田幸村の兄］…………②130

真田昌幸 ［1547～1611年／真田信之・幸村の父］…………②130

真田幸村 ［1567～1615年／軍策にすぐれた英雄的武将］…………②130

柴田勝家 ［1522?～1583年／織田信長につかえた武将］…………②158

島津家久 ［1576～1638年／薩摩藩の基盤をつくった武将］…………②164

島津貴久 ［1514～1571年／薩摩国、大隅国、日向国の戦国大名］…………②165

島津義久 ［1533～1611年／九州統一をめざした武将］…………②167

島津義弘 ［1535～1619年／武将・文禄慶長の役に出兵］…………②167

崇源院 ［1573～1626年／徳川秀忠の妻・家光の母］…………②214

陶晴賢 ［1521～1555年／厳島で毛利元就にやぶれた武将］…………②215

宗義智 ［1568～1615年／朝鮮と国交回復をはたした対馬藩主］…………②252

曽呂利新左衛門 ［生没年不詳／豊臣秀吉の御伽衆］…………②259

た

高山右近 ［1552?～1615年／信仰をつらぬいたキリシタン大名］…………②283

滝川一益 ［1525～1586年／織田信長につかえた武将］…………②285

武田勝頼 ［1546～1582年／武田信玄のあとをついだ武将］…………②290

武田信玄 ［1521～1573年／甲斐国の守護大名・戦国大名］…………②292

竹中半兵衛 ［1544?～1579年／豊臣秀吉の名軍師］…………②293

伊達政宗 ［1567～1636年／「独眼竜」とよばれた武将］…………②301

種子島時堯 ［1528～1579年／鉄砲を日本に広めた武将］…………②309

長宗我部元親 ［1539～1599年／四国をほぼ統一した戦国大名］…………③21

塚原卜伝 ［1489～1571年／鹿島新当流をひらいた剣術家］…………③27

筒井順慶 ［1549～1584年／大和国の戦国大名］…………③32

藤堂高虎 ［1556～1630年／築城にたけた戦国武将］…………③60

徳川家康 ［1542～1616年／戦国時代の大名、江戸幕府の初代将軍］……③70

豊臣秀次 ［1568～1595年／武将・豊臣秀吉の養子］…………③86

豊臣秀長 ［1540～1591年／武将・豊臣秀吉の片腕］…………③86

豊臣秀吉 ［1537～1598年／戦国・安土桃山時代の武将］…………③88

豊臣秀頼 ［1593～1615年／武将・豊臣秀吉の次男］…………③86

な

直江兼続 ［1560～1619年／上杉景勝の重臣］…………③96

長束正家 ［?～1600年／武将・五奉行の一人］…………③116

は

蜂須賀正勝 ［1526～1586年／豊臣秀吉に忠誠をつくした武将］………③171

服部半蔵 ［1542～1596年／家康につかえた伊賀忍者］…………③172

福島正則 ［1561～1624年／武将・賤ヶ岳の七本槍の筆頭］…………③240

北条氏綱 ［1486?～1541年／相模国の武将・南関東を支配した］…………④29

北条氏政 ［1538～1590年／相模国の武将・豊臣秀吉と対立］…………④30

北条氏康 ［1515～1571年／相模国の武将・北関東へ勢力を拡大した］……④30

北条早雲 ［1432～1519年／相模国を平定した武将］…………④31

細川ガラシャ ［1563～1600年／細川忠興の妻でキリシタン］…………④44

細川忠興 ［1563～1645年／丹後国の戦国大名］…………④44

細川晴元 ［1514～1563年／室町幕府最後の管領］…………④44

細川政元 ［1466～1507年／管領として幕府の実権を握る］…………④45

細川幽斎 ［1534～1610年／丹後国の武将、歌人］…………④45

ま

前田玄以 [1539～1602年／武将・元僧侶の五奉行の一人] ④62
前田利家 [1538～1599年／能登国、加賀国の戦国大名] ④63
増田長盛 [1545～1615年／大和国の戦国大名] ④69
松永久秀 [1510～1577年／大和国の戦国大名] ④81
松浦隆信 [1529～1599年／肥前国の戦国大名、武将] ④84
南村梅軒 [生没年不詳／儒学者・土佐南学派の始祖] ④108
三好長慶 [1522～1564年／畿内を制圧した武将] ④129
毛利輝元 [1553～1625年／関ヶ原の戦いの西軍総大将] ④156
毛利元就 [1497～1571年／中国地方の戦国大名] ④157
最上義光 [1546～1614年／出羽国の戦国大名] ④162

や

山内一豊 [1545?～1605年／土佐藩の初代藩主] ④183
山中鹿之介 [1545?～1578年／尼子十勇士のリーダー] ④194
山本勘助 [1493?～1561年／武田信玄の名軍師] ④198
淀殿 [1567?～1615年／茶々の名で知られる豊臣秀吉の側室] ④222

ら

龍造寺隆信 [1529～1584年／肥前国の戦国大名] ④249
六角義賢 [1521～1598年／近江国の戦国大名] ④278

江戸時代の大名・武士など

— 日本 —

あ

浅野長矩 [1667～1701年／忠臣蔵で有名な藩主] ①27
アダムズ, ウィリアム [1564～1620年／徳川家康の外交顧問] ①39
新井白石 [1657～1725年／政治家、儒学者・正徳の治] ①53
荒木又右衛門 [1599?～1638年／新陰流の剣術家] ①54
池田輝政 [1564～1613年／姫路城をつくった大名] ①77
池田光政 [1609～1682年／学問を奨励した大名] ①78
板倉重昌 [1588～1638年／家康、秀忠、家光3代につかえた大名] ①92
伊藤一刀斎 [1560?～1653?年／一刀流をひらいた剣術家] ①97
上杉治憲 [1751～1822年／米沢藩の名君] ①132
大石良雄 [1659～1703年／赤穂浪士をひきいてあだ討ちした武士] ①172
大岡忠相 [1677～1751年／町奉行] ①175
大久保彦左衛門 [1560～1639年／天下のご意見番といわれた幕臣] ①177
大塩平八郎 [1793～1837年／陽明学者・大塩平八郎の乱をおこした] ①180
荻原重秀 [1658～1713年／悪貨を鋳造した勘定奉行] ①200

か

春日局 [1579～1643年／将軍家光の乳母] ①234
神尾春央 [1687～1753年／享保の改革で増収をめざした幕臣] ①274
吉良義央 [1641～1702年／赤穂事件の中心人物] ①308
国定忠次 [1810～1851年／ばくち打ち] ②21
久米幸太郎 [1811～1891年／あだ討ちをした新発田藩の藩士] ②26
黒田斉隆 [1777～1795年／福岡藩の教育につとめた大名] ②43
小堀遠州 [1579～1647年／遠州流茶道の祖] ②95

さ

酒井忠清 [1624～1681年／下馬将軍とよばれた大老] ②117
佐倉惣五郎 [生没年不詳／農民一揆指導者] ②122
佐々木小次郎 [1595?～1612年／燕返しをあみだした剣術家] ②122
佐竹義和 [1775～1815年／藩政の改革を進めた大名] ②125
佐野政言 [1757～1784年／田沼親子をうらんだ家臣] ②131

島津重豪 [1745～1833年／薩摩藩の文化事業をすすめた大名] ②164
清水重好 [1745～1795年／清水徳川家の初代当主] ②167
ジャガタラお春 [1625～1697年／国外追放された女性] ②171
シャクシャイン [?～1669年／アイヌの首長] ②174
調所広郷 [1776～1848年／薩摩藩の家臣] ②222
千姫 [1597～1666年／第2代将軍秀忠の長女] ②248

た

高山彦九郎 [1747～1793年／行動派の尊王思想家] ②284
田沼意次 [1719～1788年／老中] ②308
田沼意知 [1749～1784年／田沼意次の長男] ②308
田安宗武 [1715～1771年／第8代将軍吉宗の次男] ②313
千葉周作 [1794～1855年／北辰一刀流の創始者] ③11
遠山景元 [1793～1855年／町奉行] ③61
徳川家定 [1824～1858年／江戸幕府第13代将軍] ③64
徳川家重 [1711～1761年／江戸幕府第9代将軍] ③64
徳川家継 [1709～1716年／江戸幕府第7代将軍] ③65
徳川家綱 [1641～1680年／江戸幕府第4代将軍] ③65
徳川家斉 [1773～1841年／江戸幕府第11代将軍] ③65
徳川家宣 [1662～1712年／江戸幕府第6代将軍] ③65
徳川家治 [1737～1786年／江戸幕府第10代将軍] ③65
徳川家光 [1604～1651年／江戸幕府第3代将軍・鎖国体制をしいた] ③66
徳川家茂 [1846～1866年／江戸幕府第14代将軍] ③66
徳川家康 [1542～1616年／戦国時代の大名、江戸幕府の初代将軍] ③70
徳川家慶 [1793～1853年／江戸幕府第12代将軍] ③67
徳川綱吉 [1646～1709年／江戸幕府第5代将軍・生類憐みの令] ③67
徳川秀忠 [1579～1632年／江戸幕府第2代将軍] ③68
徳川光圀 [1628～1700年／水戸黄門としてしられる水戸藩主] ③69
徳川慶喜 [1837～1913年／江戸幕府第15代将軍] ③72
徳川吉宗 [1684～1751年／江戸幕府第8代将軍・享保の改革] ③73

な

二宮尊徳 [1787～1856年／報徳仕法で農村を復興した農政家] ③134
野中兼山 [1615～1663年／藩政改革をすすめた土佐藩家老] ③148

は

支倉常長 [1571～1621年／遣欧使節] ③167
磔茂左衛門 [生没年不詳／農民指導者] ③189
藤田幽谷 [1774～1826年／水戸学の基盤をつくった儒学者] ③246
保科正之 [1611～1672年／高遠藩主・第4代将軍家綱を補佐] ④41
細川重賢 [1720?～1785年／熊本藩財政を再建] ④44
堀田正俊 [1634～1684年／綱吉の天和の治をささえた大老] ④47
本多忠勝 [1548～1610年／徳川四天王の一人] ④56
本多正純 [1565～1637年／本田正信の子、徳川家康の側近] ④57
本多正信 [1538～1616年／「知恵袋」といわれた徳川家康の側近] ④57

ま

前田綱紀 [1643～1724年／加賀藩の藩主] ④62
松倉勝家 [1597～1638年／島原の乱の原因をつくった大名] ④77
松倉重政 [1574?～1630年／島原の乱の原因をつくった大名] ④77
松平容頌 [1744～1805年／会津の名君] ④78
松平定信 [1758～1829年／寛政の改革の老中] ④79
松平忠直 [1595～1650年／徳川家康の孫] ④79
松平信綱 [1596～1662年／幕藩体制の確立につくした] ④79

ジャンル別索引
戦国・安土桃山時代の大名・武将など／江戸時代の大名・武士など

ジャンル別索引

江戸時代の大名・武士など／幕末・明治維新で活躍した人物

まつだいらやすひで
松平康英 [1768～1808年／フェートン号事件時の長崎奉行]……④80
まつまえのりひろ
松前矩広 [1660～1721年／松前藩主]……④82
まつまえよしひろ
松前慶広 [1548～1616年／松前藩初代藩主]……④82
まつうらしげのぶ
松浦鎮信 [1549～1614年／平戸貿易の最盛期を築いた大名]……④84
まなべあきふさ
間部詮房 [1666～1720年／新井白石と正徳の治を主導した大名]……④85
みずのただくに
水野忠邦 [1794～1851年／天保の改革の老中]……④104
みやもとむさし
宮本武蔵 [1584?～1645年／二刀流で知られる剣術家]……④126
むらたせいふう
村田清風 [1783～1855年／藩政改革を進めた長州藩の家臣]……④143
もうりよしもと
毛利吉元 [1677～1731年／藩校明倫館の創設者]……④158

や やぎゅうむねのり
柳生宗矩 [1571～1646年／徳川家の剣術指南役]……④177
やなぎさわよしやす
柳沢吉保 [1658～1714年／綱吉のもと文治政治を主導した老中]……④180
やまだながまさ
山田長政 [?～1630年／タイで活躍した日本人]……④192

幕末・明治維新で活躍した人物

― 日 本 ―

あ あさかごんさい
安積艮斎 [1791～1861年／儒学者・昌平坂学問所の教授]……①24
あべまさひろ
阿部正弘 [1819～1857年／ペリー来航時の老中]……①48
ありすがわのみやたるひと
有栖川宮熾仁 [1835～1895年／明治新政府の初代総裁]……①57
ありましんしち
有馬新七 [1825～1862年／寺田屋事件で殺された薩摩藩士]……①58
あんどうのぶまさ
安藤信正 [1819～1871年／公武合体を進めた老中]……①68
いいなおすけ
井伊直弼 [1815～1860年／安政の大獄を断行した大老]……①72
いたがきたいすけ
板垣退助 [1837～1919年／自由民権運動をすすめた政治家]……①92
いとうひろぶみ
伊藤博文 [1841～1909年／初代、第5、7、10代内閣総理大臣]……①104
いのうえかおる
井上馨 [1835～1915年／日本の西洋化を進めた政治家]……①103
いのうえきよなお
井上清直 [1809～1867年／各国と修好通商条約をむすんだ幕臣]……①103
いわくらともみ
岩倉具視 [1825～1883年／維新後、近代化を進めた政治家]……①118
いわせただなり
岩瀬忠震 [1818～1861年／開国に尽力した外交官]……①120
うめだうんぴん
梅田雲浜 [1815～1859年／安政の大獄で逮捕された幕末の志士]……①143
えがわたろうざえもん
江川太郎左衛門 [1801～1855年／韮山反射炉をつくった砲術家]……①151
えとうしんぺい
江藤新平 [1834～1874年／司法制度の確立に尽力した政治家]……①155
えのもとたけあき
榎本武揚 [1836～1908年／戊辰戦争後も新政府で活躍]……①157
おおきたかとう
大木喬任 [1832～1899年／東京遷都を実現して数々の要職を歴任]……①176
おおくぼとしみち
大久保利通 [1830～1878年／維新三傑の一人]……①176
おおくましげのぶ
大隈重信 [1838～1922年／第8、17代内閣総理大臣]……①179
おおはらしげとみ
大原重徳 [1801～1879年／尊王攘夷派の公家]……①190
おおむらますじろう
大村益次郎 [1824～1869年／近代の兵制確立につとめた兵学者]……①192
おおやまいわお
大山巌 [1842～1916年／日本陸軍を創設]……①193
おきたそうじ
沖田総司 [1844～1868年／新選組一番隊組長]……①199
おぐりただまさ
小栗忠順 [1827～1868年／財政や軍制を改革した幕末の幕臣]……①202

か かずのみや
和宮 [1846～1877年／第14代将軍家茂と結婚した皇女]……①235
かつかいしゅう
勝海舟 [1823～1899年／江戸城の無血開城に貢献]……①238
かわいつぎのすけ
河井継之助 [1827～1868年／長岡藩の財政を立て直す]……①268
かわじとしあきら
川路聖謨 [1801～1868年／外交にたずさわった幕末の幕臣]……①271
きどたかよし
木戸孝允 [1833～1877年／倒幕の中心となった長州藩士]……①293
くさかげんずい
久坂玄瑞 [1840～1864年／長州藩士]……②13

く ぜひろちか
久世広周 [1819～1864年／幕末の老中]……②17
グラバー, トーマス [1838～1911年／来日した、イギリスの貿易商]……②30
くろだきよたか
黒田清隆 [1840～1900年／第2代内閣総理大臣]……②42
ごとうしょうじろう
後藤象二郎 [1838～1897年／大政奉還や自由民権運動で活躍]……②88
こまつたてわき
小松帯刀 [1835～1870年／薩摩藩の倒幕派中心人物]……②96
こんどういさみ
近藤勇 [1834～1868年／新選組の局長]……②106

さ さいごうたかもり
西郷隆盛 [1827～1877年／薩摩藩出身の明治新政府の参議]……②112
さかもとりょうま
坂本龍馬 [1835～1867年／土佐藩出身の武士]……②123
さがらそうぞう
相楽総三 [1839～1868年／赤報隊の隊長]……②121
さくましょうざん
佐久間象山 [1811～1864年／兵学者]……②121
ささきたかゆき
佐々木高行 [1830～1910年／明治天皇の側近]……②124
さんじょうさねとみ
三条実美 [1837～1891年／尊王攘夷派の公家]……②140
しながわやじろう
品川弥二郎 [1843～1900年／長州藩士、明治時代の政治家]……②155
しまづただよし
島津忠義 [1840～1897年／薩摩藩主]……②165
しまづなりあきら
島津斉彬 [1809～1858年／薩摩藩主]……②165
しまづひさみつ
島津久光 [1817～1887年／島津斉彬の弟・生麦事件]……②166
しみずのじろちょう
清水次郎長 [1820～1893年／義侠心にあつい清水の侠客]……②168
シュタイン, ローレンツ・フォン [1815～1890年／ドイツの法学者・伊藤博文らを指導]……②185
まんじろう
ジョン万次郎 [1827?～1898年／漂流してアメリカ船に助けられ通訳に]……②205
しんみまさおき
新見正興 [1822～1869年／日米修好通商条約批准書を交換した幕臣]……②211
そえじまたねおみ
副島種臣 [1828～1905年／外交で明治新政府をささえた政治家]……②252

た たかしましゅうはん
高島秋帆 [1798～1866年／砲術家]……②275
たかすぎしんさく
高杉晋作 [1839～1867年／奇兵隊をつくった長州藩士]……②275
たけだこううんさい
武田耕雲斎 [1803～1865年／水戸の天狗党のリーダー]……②291
だてむねなり
伊達宗城 [1818～1892年／藩政改革をすすめた幕末の四賢候の一人]……②301
たにたてき
谷干城 [1837～1911年／佐賀の乱、台湾出兵、西南戦争で活躍]……②307
たまきぶんのしん
玉木文之進 [1810～1876年／吉田松陰のおじ]……②311
てらしまむねのり
寺島宗則 [1832～1893年／明治新政府の外交で活躍]……③48
てんしょういん
天璋院 [1836～1883年／第13代将軍家定の妻]……③51
とくがわあきたけ
徳川昭武 [1853～1910年／パリ万博へ派遣された水戸藩主]……③63
とくがわいえさだ
徳川家定 [1824～1858年／鎖国から開国した江戸幕府第13代将軍]……③64
とくがわいえもち
徳川家茂 [1846～1866年／江戸幕府第14代将軍]……③66
とくがわなりあき
徳川斉昭 [1800～1860年／幕末の水戸藩主]……③68
とくがわよしかつ
徳川慶勝 [1824～1883年／名古屋藩主]……③69
とくがわよしのぶ
徳川慶喜 [1837～1913年／江戸幕府第15代将軍]……③72

な ながいなおゆき
永井尚志 [1816～1891年／大政奉還を陰でささえた幕臣]……③98
なかおかしんたろう
中岡慎太郎 [1838～1867年／幕末の土佐勤王党の志士]……③100
なかじまのぶゆき
中島信行 [1846～1899年／海援隊出身で自由民権運動を進めた]……③104
なかやまただみつ
中山忠光 [1845～1864年／天誅組のリーダー]……③114
なべしまなおまさ
鍋島直正 [1814～1871年／佐賀藩主]……③118
のむらもとに
野村望東尼 [1806～1867年／歌人・自身の山荘に志士をかくまう]……③150

は パークス, ハリー [1828～1885年／駐日イギリス公使]……③152
はしもとさない
橋本左内 [1834～1859年／開国、富国強兵を説いた志士]……③164
はまだひこぞう
浜田彦蔵 [1837～1897年／幕末の通訳]……③180

ハリス, タウンゼント [1804〜1878年／アメリカ合衆国の初代駐日総領事]
.... ③189

土方歳三（ひじかたとしぞう）[1835〜1869年／新選組副長]........................ ③203

平野国臣（ひらのくにおみ）[1828〜1864年／志士・尊王攘夷運動の急進派]........ ③216

広沢真臣（ひろさわさねおみ）[1833〜1871年／長州藩士、明治政府の参議]........ ③220

福岡孝弟（ふくおかたかちか）[1835〜1919年／大政奉還をすすめた官僚]........ ③238

福沢諭吉（ふくざわゆきち）[1834〜1901年／思想家・『西洋事情』]................ ③239

福地源一郎（ふくちげんいちろう）[1841〜1906年／通訳、ジャーナリスト]........ ③241

藤田小四郎（ふじたこしろう）[1842〜1865年／水戸藩士・天狗党の乱]........ ③245

藤田東湖（ふじたとうこ）[1806〜1855年／水戸学の学者]........................ ③246

ペリー, マシュー・カルブレイス [1794〜1858年／アメリカ合衆国の軍人・
開国交渉].. ④18

堀田正睦（ほったまさよし）[1810〜1864年／老中・ハリスと交渉]................ ④47

● **ま** **前原一誠**（まえばらいっせい）[1834〜1876年／倒幕で活躍した志士、明治時代の政治家].... ④64

真木和泉（まきいずみ）[1813〜1864年／幕末の神官、志士]........................ ④65

松尾多勢子（まつおたせこ）[1811〜1894年／志士を助けた女性運動家]........ ④74

松平容保（まつだいらかたもり）[1835〜1893年／会津藩主、京都守護職]........ ④78

松平慶永（まつだいらよしなが）[1828〜1890年／幕府の政事総裁]................ ④80

毛利敬親（もうりたかちか）[1819〜1871年／長州藩主]........................ ④156

モッセ, アルバート [1846〜1925年／明治政府の法律顧問]........................ ④164

本木昌造（もときしょうぞう）[1824〜1875年／日本の活版印刷術の創始者]........ ④165

● **や** **山内豊信**（やまうちとよしげ）[1827〜1872年／大政奉還をすすめた土佐藩主]........ ④184

山岡鉄舟（やまおかてっしゅう）[1836〜1888年／江戸城の無血開城につくした剣客]........ ④184

山川捨松（やまかわすてまつ）[1860〜1919年／日本初の女子留学生]........ ④186

横井小楠（よこいしょうなん）[1809〜1869年／『国是七条』を起草した思想家]........ ④209

吉田松陰（よしだしょういん）[1830〜1859年／思想家・尊皇攘夷派]........ ④219

吉田東洋（よしだとうよう）[1816〜1862年／藩政改革を進めた土佐藩士]........ ④217

吉村寅太郎（よしむらとらたろう）[1837〜1863年／天誅組を結成]................ ④221

● **ら** **頼三樹三郎**（らいみきさぶろう）[1825〜1859年／安政の大獄で処刑された儒学者]........ ④228

ロッシュ, レオン [1809〜1901年／駐日フランス公使]........................ ④279

古代ギリシャ・ローマの人物（こだい・じんぶつ）

―――――― 世界（せかい） ――――――

● **あ** **アイスキュロス** [紀元前525〜紀元前456年／ギリシャの悲劇詩人]........ ①11

アウグスティヌス [354〜430年／ローマ帝国のキリスト教神学者]........ ①13

アラリック王（おう）[370?〜410年／西ゴート族の王]........................ ①55

アリスタルコス [紀元前310?〜紀元前230?年／ギリシャの天文学者]........ ①57

アリストテレス [紀元前384〜紀元前322年／ギリシャの哲学者、科学者]........ ①57

アリストファネス [紀元前445?〜紀元前385?年／ギリシャの喜劇詩人]........ ①57

アルキメデス [紀元前287〜紀元前212年／ギリシャの科学者]........ ①59

アレクサンドロス大王（だいおう）[紀元前356〜紀元前323年／マケドニアの国王]
.... ①64

アントニウス, マルクス [紀元前82?〜紀元前30年／ローマの政治家]........ ①69

アントニヌス・ピウス帝（てい）[86〜161年／ローマ帝国の皇帝]........ ①69

イソップ [紀元前620?〜紀元前560?年／古代ギリシャの寓話作家・『イソップ物語』]
.... ①91

ウァレリアヌス, ププリウス・リキニウス [190〜269?年／ローマ帝国の皇帝]
.... ①124

ウェルギリウス [紀元前70〜紀元前19年／ローマの叙事詩人]........ ①136

エウリピデス [紀元前484?〜紀元前406?年／ギリシャの悲劇詩人]........ ①149

エピクテトス [55?〜135?年／ローマ帝国時代のストア派哲学者]........ ①158

エピクロス [紀元前341?〜紀元前270?年／ギリシャの哲学者]........ ①159

エラトステネス [紀元前275〜紀元前194年／ギリシャの天文学者、地理学者]
.... ①160

オウィディウス [紀元前43〜紀元後17?年／ローマの詩人]........ ①168

オクタウィアヌス帝（てい）[紀元前63〜紀元後14年／ローマ帝国の初代皇帝]
.... ①201

オドアケル [433?〜493年／ゲルマン人の傭兵隊長]........................ ①212

● **か** **カエサル, ユリウス** [紀元前100〜紀元前44年／ローマの権力者]........ ①226

カラカラ帝（てい）[188〜217年／ローマ帝国の皇帝・公衆浴場を建設]........ ①260

キケロ, マルクス・トゥリウス [紀元前106〜紀元前43年／ローマの政治
家、思想家、雄弁家].. ①284

グラックス兄弟（きょうだい）[兄ティベリウス　紀元前162〜紀元前133年、弟ガイウス　紀元
前153〜紀元前121年／ローマの政治家]........................ ②29

クラッスス, マルクス・リキニウス [紀元前115?〜紀元前53年／ローマの
政治家].. ②29

クレイステネス [生没年不詳／ギリシャの政治家]........................ ②36

コンスタンティヌス帝（てい）[274?〜337年／ローマ帝国の皇帝]........ ②105

● **さ** **サッフォー** [紀元前612?〜紀元前570?年／ギリシャの女流詩人]........ ②127

スキピオ [紀元前235〜紀元前183?年／ローマの将軍]........................ ②219

ストラボン [紀元前64?〜紀元後23?年／ギリシャの地理学者、歴史家]........ ②231

スパルタクス [?〜紀元前71年／ローマの奴隷反乱指導者]........ ②232

スラ [紀元前138?〜紀元前78年／ローマの将軍、政治家]........................ ②236

セクスティウス, ルキウス [生没年不詳／ローマの政治家]........ ②242

セネカ, ルキウス・アンナエウス [紀元前4ごろ〜紀元後65年／ローマの哲
学者].. ②244

ゼノン [紀元前335〜紀元前263年／ギリシャの哲学者]........................ ②244

ソクラテス [紀元前469ごろ〜紀元前399年／ギリシャの哲学者]........ ②255

ソフォクレス [紀元前496?〜紀元前406?年／ギリシャの詩人]........ ②257

ソロン [紀元前640?〜紀元前560?年／ギリシャの政治家]........ ②259

● **た** **タキトゥス, ガイウス・コルネリウス** [55ごろ〜120年ごろ／ローマ帝国の
歴史家].. ②286

タレス [紀元前624ごろ〜紀元前546ごろ／ギリシャの哲学者]........ ②315

ディオクレティアヌス帝（てい）[?〜311?年／ローマ帝国の皇帝]........ ③37

テオドシウス帝（てい）[347〜395年／ローマ帝国の皇帝]........ ③41

テミストクレス [紀元前528?〜紀元前462?年／ギリシャの政治家]........ ③45

デモクリトス [紀元前460?〜紀元前370?年／ギリシャの哲学者]........ ③45

トゥキディデス [紀元前460?〜紀元前400?年／ギリシャの歴史家]........ ③55

ドラコン [生没年不詳／ギリシャの立法者]........................ ③87

トラヤヌス帝（てい）[53?〜117年／ローマ帝国の皇帝]........ ③90

ジャンル別索引（べつさくいん）

幕末（ばくまつ）・明治維新（めいじいしん）で活躍（かつやく）した人物（じんぶつ）／古代（こだい）ギリシャ・ローマの人物（じんぶつ）

187

ジャンル別索引

古代ギリシャ・ローマの人物／政治家・軍人・運動家

な ネルウァ, マルクス・コッケイウス［30?〜98年／ローマ帝国の皇帝］………… ③141

ネロ・クラウディウス・カエサル［37〜68年／ローマ帝国の皇帝］③141

は ハドリアヌス帝［76〜138年／ローマ帝国の皇帝］………… ③174

ピタゴラス［紀元前582年ごろ〜紀元前510年ごろ／ギリシャの哲学者］③205

ヒポクラテス［紀元前460?〜紀元前375?年／ギリシャの医学者］……… ③211

ピラト［生没年不詳／イエス・キリストを処刑したユダヤの総督］……… ③216

ピンダロス［紀元前522?〜紀元前442?年／ギリシャの叙情詩人］……… ③222

フェイディアス［生没年不詳／ギリシャの彫刻家・女神アテネ像の制作］ ③231

プトレマイオス, クラウディオス［生没年不詳／ギリシャの天文学者］

③269

プラクシテレス［生没年不詳／ギリシャの彫刻家］………… ③273

プラトン［紀元前427?〜紀元前347?年／ギリシャの哲学者］………… ③275

プリニウス［23?〜79年／ローマ帝国の博物学者、政治家、軍人］……… ③281

ブルートゥス, マルクス・ユニウス［紀元前85〜紀元前42年／古代ローマ
の政治家］………… ③282

プルタルコス［46?〜120?年／ローマの伝記作家、随筆家］………… ③286

プロタゴラス［紀元前490ごろ〜紀元前420年ごろ／ギリシャの哲学者］ ③294

ペイシストラトス［紀元前600?〜紀元前527年／アテネの僭主］……… ④9

ヘシオドス［生没年不詳／ギリシャの叙事詩人］………… ④13

ヘラクレイトス［紀元前540ごろ〜?年／ギリシャの哲学者］………… ④17

ペリクレス［紀元前495?〜紀元前429年／ギリシャの政治家］………… ④18

ヘロデ王［紀元前73?〜紀元前4年／ユダヤの王］………… ④23

ヘロドトス［紀元前484?〜紀元前425?年／ギリシャの歴史家］………… ④24

ヘロン［生没年不詳／工学、数学者・ヘロンの公式］………… ④24

ホメロス［生没年不詳／『イリアス』『オデュッセイア』の作者］……… ④50

ホラティウス［紀元前65〜紀元前8年／ローマの詩人］………… ④50

ポリビオス［紀元前200?〜紀元前120?年／ギリシャの歴史家］………… ④52

ポンペイウス［紀元前106〜紀元前48年／ローマの政治家］………… ④57

ま マリウス, ガイウス［紀元前157?〜紀元前86年／ローマの政治家］…… ④89

マルクス・アウレリウス・アントニヌス帝［121〜180年／ローマ帝国の
皇帝］………… ④91

や ユークリッド［生没年不詳／ギリシャの数学者、天文学者］………… ④203

ユリアヌス帝［332〜363年／ローマ帝国の皇帝］………… ④206

ら リウィウス［紀元前59〜紀元後17年／ローマの歴史家・『ローマ史』］… ④238

リキニウス［生没年不詳／ローマの護民官］………… ④240

リュクルゴス［生没年不詳／ギリシャの伝説的な立法家］………… ④250

レピドゥス, マルクス・アエミリウス［紀元前90?〜紀元前12年／ローマ
の政治家］………… ④270

政治家・軍人・運動家

—— 日本 ——

あ 相沢三郎［1889〜1936年／二・二六事件のきっかけをつくった陸軍軍人］ ①11

青木周蔵［1844〜1914年／外交官、政治家・不平等条約を改正］……… ①15

明石康［1931年〜／国連事務次長］ ①17

赤松克麿［1894〜1955年／社会運動家、政治家］………… ①19

秋山真之［1868〜1918年／バルチック艦隊をやぶった海軍軍人］……… ①21

朝河貫一［1873〜1948年／歴史学者・日露講和会議に出席］………… ①24

芦田均［1887〜1959年／第47代内閣総理大臣］………… ①34

麻生太郎［1940年〜／第92代内閣総理大臣］………… ①39

阿南惟幾［1887〜1945年／陸軍大臣］………… ①43

安部磯雄［1865〜1949年／キリスト教社会主義者、政治家］………… ①45

安倍晋三［1954年〜／第90、96、97代内閣総理大臣］………… ①46

阿部信行［1875〜1953年／第36代内閣総理大臣］………… ①48

甘粕正彦［1891〜1945年／満州国建設の裏工作をした陸軍軍人］……… ①50

荒木貞夫［1877〜1966年／皇道派の中心人物］………… ①54

荒畑寒村［1887〜1981年／社会主義者］………… ①55

有田八郎［1884〜1965年／日本初のプライバシー侵害裁判を起こす］… ①58

伊井弥四郎［1905〜1971年／労働運動家］………… ①73

池田勇人［1899〜1965年／第58、59、60代内閣総理大臣］………… ①78

石井菊次郎［1866〜1945年／石井・ランシング協定をむすんだ外交官］… ①81

石川三四郎［1876〜1956年／社会運動家］………… ①83

石橋湛山［1884〜1973年／第55代内閣総理大臣］………… ①87

石原莞爾［1889〜1949年／柳条湖事件を計画］………… ①87

石原慎太郎［1932年〜／東京都知事、作家］………… ①87

板垣征四郎［1885〜1948年／柳条湖事件を首謀］………… ①91

板垣退助［1837〜1919年／自由民権運動をすすめた政治家］………… ①92

市川房枝［1893〜1981年／女性社会運動家、政治家］………… ①94

伊藤野枝［1895〜1923年／婦人運動家］………… ①99

伊藤博文［1841〜1909年／初代、第5、7、10代内閣総理大臣］……… ①104

伊東巳代治［1857〜1934年／大日本帝国憲法起草者の一人］………… ①100

犬養毅［1855〜1932年／第29代内閣総理大臣・五・一五事件］……… ①102

井上馨［1835〜1915年／日本の西洋化を進めた政治家］………… ①103

井上毅［1843〜1895年／官僚、政治家・大日本帝国憲法を起草］……… ①106

井上日召［1886〜1967年／右翼団体の指導者］………… ①107

井上勝［1843〜1910年／鉄道技術者・日本初の鉄道を開通］………… ①108

井上良馨［1845〜1929年／海軍軍人・江華島事件時の艦長］………… ①109

岩瀬忠震［1818〜1861年／開国に尽力した外交官］………… ①120

植木枝盛［1857〜1892年／自由民権運動指導者］………… ①129

上原勇作［1856〜1933年／陸軍軍人］………… ①134

宇垣一成［1868〜1956年／軍縮を進めた陸軍大臣］………… ①138

宇野宗佑［1922〜1998年／第75代内閣総理大臣］………… ①142

梅津美治郎［1882〜1949年／太平洋戦争の降伏文書に調印］………… ①144

王直［?〜1557年／中国、明の密貿易者］………… ①170

大井憲太郎［1843〜1922年／政治家・大阪事件の中心人物］………… ①172

大川周明［1886〜1957年／国家改造をめざした右翼思想家］………… ①176

大隈重信［1838〜1922年／第8、17代内閣総理大臣］………… ①179

大塩平八郎［1793〜1837年／陽明学者・大塩平八郎の乱をおこした］ ①180

大杉栄［1885〜1923年／労働運動に影響をあたえた社会運動家］…… ①181

大原幽学［1797〜1858年／農業組合をつくった思想家］………… ①190

大平正芳［1910〜1980年／第68、69代内閣総理大臣］………… ①190

大山巌 [1842～1916年／日本陸軍を創設]……………………… ①193

オールコック, ラザフォード [1809～1897年／イギリスの外交官] ①193

岡田啓介 [1868～1952年／第31代内閣総理大臣・二・二六事件]……… ①194

緒方貞子 [1927年～／国連難民高等弁務官]…………………… ①196

緒方竹虎 [1888～1956年／自由民主党の結成メンバー]…………… ①196

奥むめお [1895～1997年／婦人運動家・主婦連合会を創立]………… ①201

尾崎秀実 [1901～1944年／共産主義者・スパイ・ゾルゲに協力]……… ①204

尾崎行雄 [1858～1954年／政治家・議会政治の父]……………… ①205

小野梓 [1852～1886年／政治家・大隈重信の片腕]……………… ①213

小渕恵三 [1937～2000年／第84代内閣総理大臣]………………… ①216

か 海部俊樹 [1931年～／第76、77代内閣総理大臣]……………… ①224

賀川豊彦 [1888～1960年／キリスト教の伝道と社会事業をおこなう]…… ①228

片岡健吉 [1843～1903年／政治家、自由民権家・立志社の創設メンバー]

…………………………………………………………… ①235

片岡直温 [1859～1934年／大蔵大臣・昭和金融恐慌]…………… ①236

片山潜 [1859～1933年／日本初の社会主義政党を結成]………… ①237

片山哲 [1887～1978年／第46代内閣総理大臣]………………… ①237

桂太郎 [1847～1913年／第11、13、15代内閣総理大臣]…………… ①241

加藤勘十 [1892～1978年／社会党出身の労働大臣]……………… ①242

加藤高明 [1860～1926年／第24代内閣総理大臣]………………… ①243

加藤友三郎 [1861～1923年／海軍大臣、第21代内閣総理大臣]…… ①244

金子堅太郎 [1853～1942年／ポーツマス条約成立に貢献した政治家] ①247

樺山資紀 [1837～1922年／薩摩藩の重鎮]……………………… ①252

河上清 [1873～1949年／アメリカ合衆国で活躍したジャーナリスト]……… ①268

菅直人 [1946年～／第94代内閣総理大臣]……………………… ①279

管野すが [1881～1911年／大逆事件で処刑された社会主義運動家]… ①279

岸田俊子 [1863～1901年／自由民権運動家・男女平等論]………… ①285

岸信介 [1896～1987年／第56、57代内閣総理大臣]……………… ①285

北一輝 [1883～1937年／国家主義運動の理論的指導者]………… ①287

木戸幸一 [1889～1977年／最後の内大臣]……………………… ①293

木下尚江 [1869～1937年／社会運動家、作家]………………… ①296

清浦奎吾 [1850～1942年／第23代内閣総理大臣]………………… ①305

陸羯南 [1857～1907年／近代ジャーナリズムの先駆者]…………… ②13

久保山愛吉 [1914～1954年／第五福竜丸で水爆実験に遭遇]…… ②24

来栖三郎 [1886～1954年／太平洋戦争回避につとめた外交官]…… ②35

黒田清隆 [1840～1900年／第2代内閣総理大臣]………………… ②42

玄昉 [?～746年／唐にわたった僧]……………………………… ②58

小泉純一郎 [1942年～／第87、88、89代内閣総理大臣・郵政民営化]… ②59

小磯国昭 [1880～1950年／朝鮮総督、第41代内閣総理大臣]……… ②60

幸徳秋水 [1871～1911年／社会主義者、ジャーナリスト]…………… ②68

河野広中 [1849～1923年／政治家、自由民権運動家]…………… ②69

河本大作 [1883～1955年／軍人・張作霖爆殺事件の首謀者]……… ②71

ゴードン, ベアテ・シロタ [1923～2012年／日本国憲法草案をつくった一人]

…………………………………………………………… ②73

児島惟謙 [1837～1908年／大津事件の裁判官]………………… ②79

コシャマイン [?～1457年／アイヌの首長]……………………… ②79

児玉源太郎 [1852～1906年／陸軍軍人・日露戦争の参謀]………… ②84

後藤新平 [1857～1929年／関東大震災時の東京市長]…………… ②88

近衛文麿 [1891～1945年／第34、38、39代内閣総理大臣]………… ②91

小村寿太郎 [1855～1911年／不平等条約を撤廃させた外交官]…… ②98

小室信夫 [1839～1898年／政治家・民撰議院設立建白書提出に参加]… ②99

ゴロブニン, バシリイ [1776～1831年／ロシア海軍の軍人]………… ②103

さ 西園寺公望 [1849～1940年／第12、14代内閣総理大臣]……… ②109

西郷隆盛 [1827～1877年／明治新政府の参議]………………… ②112

西郷従道 [1843～1902年／薩摩藩士、軍人、政治家]…………… ②110

西光万吉 [1895～1970年／部落問題にとりくんだ社会運動家]…… ②110

斎藤隆夫 [1870～1949年／反ファシズムの立場をつらぬいた政治家]… ②111

斎藤実 [1858～1936年／国際連盟脱退時の第30代内閣総理大臣]… ②115

堺利彦 [1870～1933年／日本共産党の初代委員長]……………… ②117

サトウ, アーネスト [1843～1929年／イギリスの外交官]…………… ②127

佐藤栄作 [1901～1975年／第61、62、63代内閣総理大臣]………… ②127

佐野常民 [1822～1902年／政治家・日本赤十字社を設立]………… ②131

佐野学 [1892～1953年／一国社会主義を唱えた社会運動家]……… ②131

重光葵 [1887～1957年／太平洋戦争時の外務大臣]……………… ②151

幣原喜重郎 [1872～1951年／第44代内閣総理大臣]……………… ②154

島田三郎 [1852～1923年／キリスト教的人道主義の政治家]……… ②163

シャウプ, カール [1902～2000年／日本の税制の骨組みをつくったアメリカ合衆

国の財政学者]………………………………………… ②170

謝花昇 [1865～1908年／自由民権運動家・沖縄の農政改革につとめた] ②175

白洲次郎 [1902～1985年／外交官、貿易庁長官]………………… ②207

沈惟敬 [?～1597年／中国、明の軍人、官僚・慶長の役をひきおこした]… ②209

末広鉄腸 [1849～1896年／政治活動のかたわら政治小説を執筆]…… ②215

杉浦重剛 [1855～1924年／日本主義を唱えた]………………… ②218

杉原千畝 [1900～1986年／ユダヤ人をナチスから救った外交官]…… ②219

杉山元治郎 [1885～1964年／農民の全国組織を設立]…………… ②221

鈴木貫太郎 [1867～1948年／第42代内閣総理大臣]……………… ②223

鈴木善幸 [1911～2004年／第70代内閣総理大臣]………………… ②223

鈴木文治 [1885～1946年／全国労働組合の前身、友愛会を結成]…… ②225

鈴木茂三郎 [1893～1970年／社会党委員長]…………………… ②225

ゾルゲ, リヒャルト [1895～1944年／ソ連のスパイ]……………… ②257

た 高野房太郎 [1869～1904年／日本労働運動の先駆者]……… ②278

高橋是清 [1854～1936年／第20代内閣総理大臣]………………… ②278

財部彪 [1867～1949年／ロンドン海軍軍縮会議時の海軍大臣]…… ②284

竹越三叉 [1865～1950年／歴史学者、ジャーナリスト、政治家]…… ②289

竹下登 [1924～2000年／第74代内閣総理大臣]………………… ②290

田代栄助 [1834～1885年／秩父事件の農民軍指導者]…………… ②297

田中角栄 [1918～1993年／第64、65代内閣総理大臣・日中国交回復]… ②302

田中義一 [1864～1929年／陸軍大臣、第26代内閣総理大臣]……… ②302

田中正造 [1841～1913年／足尾鉱毒事件で闘った指導者]………… ②303

棚田嘉十郎 [1860～1921年／文化財保護運動家]………………… ②305

千葉卓三郎 [1852～1883年／自由民権運動家・五日市憲法草案を作成] ③12

津田三蔵 [1854～1891年／軍人、警察官・大津事件の犯人]………… ③29

ジャンル別索引

政治家・軍人・運動家

堤康次郎 [1889～1964年／西武グループの創業者] ③33
寺内正毅 [1852～1919年／第18代内閣総理大臣・米騒動] ③48
寺崎英成 [1900～1951年／太平洋戦争で日米交渉にあたった外交官] ③48
土井たか子 [1928～2014年／女性初の政党党首] ③53
東海散士 [1852～1922年／作家・『佳人之奇遇』] ③55
東郷平八郎 [1848～1934年／連合艦隊司令長官] ③57
東条英機 [1884～1948年／陸軍大臣、第40代内閣総理大臣] ③58
頭山満 [1855～1944年／右翼運動家] ③61
徳川家達 [1863～1940年／徳川家第16代当主] ③64
徳田球一 [1894～1953年／日本共産党の社会運動家] ③74
床次竹二郎 [1867～1935年／政党政治を混乱させた政治家] ③76
ドッジ, ジョセフ・モレル [1890～1964年／アメリカの銀行家] ③78
な 中江兆民 [1847～1901年／日本に近代民主主義を伝えた思想家] ③99
中曽根康弘 [1918年～／第71、72、73代内閣総理大臣] ③105
永田鉄山 [1884～1935年／軍人・相沢事件で殺された統制派リーダー] ③105
鍋山貞親 [1901～1979年／社会運動家] ③118
難波大助 [1899～1924年／皇太子を狙撃したアナキスト] ③123
西尾末広 [1891～1981年／日本社会党結成の中心的人物] ③127
西川光二郎 [1876～1940年／社会主義者] ③127
西田税 [1901～1937年／軍人・国家改造運動の青年将校のリーダー] ③128
西原亀三 [1873～1954年／西原借款をおこなった政治家、実業家] ③129
乃木希典 [1849～1912年／日露戦争の司令官] ③144
野坂参三 [1892～1993年／日本共産党を再建] ③147
野田佳彦 [1957年～／第95代内閣総理大臣] ③147
野村吉三郎 [1877～1964年／太平洋戦争回避交渉をした外務大臣] ③149
は 裴世清 [生没年不詳／中国の官人・遣隋使の返礼使節] ③157
橋本欣五郎 [1890～1957年／軍人、政治家・ファシスト運動を推進] ③163
橋本龍太郎 [1937～2006年／第82、83代内閣総理大臣] ③164
羽田孜 [1935年～／第80代内閣総理大臣] ③169
鳩山一郎 [1883～1959年／第52、53、54代内閣総理大臣] ③174
鳩山由紀夫 [1947年～／第93代内閣総理大臣] ③174
馬場辰猪 [1850～1888年／自由民権運動家] ③177
浜口雄幸 [1870～1931年／ロンドン軍縮会議時の第27代内閣総理大臣]
　　　　　　　　　　　　　　　　　　　　　　　　　　　 ③179
林銑十郎 [1876～1943年／第33代内閣総理大臣] ③182
原敬 [1856～1921年／政党内閣をつくった第19代内閣総理大臣] ③186
樋口季一郎 [1888～1970年／ユダヤ人難民を助けた昭和時代の軍人] ③199
ヒュースケン, ヘンリー [1832～1861年／オランダの通訳官] ③212
平塚らいてう [1886～1971年／社会運動家・『青鞜』を創刊] ③215
平沼騏一郎 [1867～1952年／第35代内閣総理大臣] ③216
広田弘毅 [1878～1948年／第32代内閣総理大臣・日独防共協定] ③221
福田赳夫 [1905～1995年／第67代内閣総理大臣] ③240
福田英子 [1865～1927年／婦人解放運動の先駆者] ③241
福田康夫 [1936年～／第91代内閣総理大臣] ③241
プチャーチン, エッフィミー・ワシリエビッチ [1804～1883年／ロシアの海軍提督] ③266

星亨 [1850～1901年／日本初の弁護士] ④41
細川護熙 [1938年～／第79代内閣総理大臣] ④45
ま 前島密 [1835～1919年／政治家、日本の郵便事業をはじめた官僚] ④61
牧野伸顕 [1861～1949年／外交官・パリ講和会議に出席] ④66
真崎甚三郎 [1876～1956年／軍人・皇道派の中心人物] ④68
正木ひろし [1896～1975年／反権力派弁護士] ④68
松井石根 [1878～1948年／軍人・南京攻略の指揮官] ④72
松岡洋右 [1880～1946年／外務大臣・日独伊三国同盟] ④74
マッカーサー, ダグラス [1880～1964年／連合国軍最高司令官] ④75
松方正義 [1835～1924年／第4、6代内閣総理大臣] ④75
松本治一郎 [1887～1966年／社会運動家・部落解放運動] ④82
三浦梧楼 [1846～1926年／護憲三派内閣成立につくした政治家] ④98
三木武夫 [1907～1988年／第66代内閣総理大臣] ④100
三島通庸 [1835～1888年／地方開発を強行した官僚] ④102
美濃部亮吉 [1904～1984年／「革新都政」の東京都知事、経済学者] ④118
宮崎滔天 [1871～1922年／孫文の辛亥革命に協力] ④122
宮沢喜一 [1919～2007年／第78代内閣総理大臣] ④123
陸奥宗光 [1844～1897年／政治家、外交官] ④137
村山富市 [1924年～／第81代内閣総理大臣] ④147
森有礼 [1847～1889年／近代的な教育制度を確立] ④166
森喜朗 [1937年～／第85、86代内閣総理大臣] ④171
や 矢野竜渓 [1850～1931年／ジャーナリスト、政治家] ④183
山県有朋 [1838～1922年／第3、9代内閣総理大臣] ④185
山川菊栄 [1890～1980年／婦人運動家] ④186
山川均 [1880～1958年／社会主義者・山川イズム] ④187
山口尚芳 [1839～1894年／日本の近代化を推進した武士、政治家] ④187
山田顕義 [1844～1892年／軍人、政治家・近代的法典の整備] ④190
山田孝野次郎 [1906～1931年／部落解放運動家] ④192
山本五十六 [1884～1943年／連合艦隊司令長官] ④197
山本権兵衛 [1852～1933年／海軍大臣、第16、22代内閣総理大臣] ④198
山本宣治 [1889～1929年／産児制限運動家] ④199
屋良朝苗 [1902～1997年／本土復帰を実現させた沖縄県知事] ④200
由利公正 [1829～1909年／五箇条の御誓文を起草] ④206
ヨーステン, ヤン [?～1623年／オランダの航海士] ④209
横山源之助 [1871～1915年／新聞記者、社会問題研究家] ④211
吉田茂 [1878～1967年／第45、48、49、50、51代内閣総理大臣] ④217
米内光政 [1880～1948年／第37代内閣総理大臣、海軍大臣] ④224
ら ラクスマン, アダム・キリロビッチ [1766～?年／ロシアの軍人] ④230
ランシング, ロバート [1864～1928年／アメリカ合衆国の国務長官] ④235
李如松 [?～1598年／朝鮮出兵に出陣した中国、明の武将] ④243
廖承志 [1908～1983年／中華人民共和国の政治家] ④252
レザノフ, ニコライ [1764～1807年／ロシアの貴族、実業家] ④268
わ 若槻礼次郎 [1866～1949年／第25、28代内閣総理大臣・昭和金融恐慌]
　　　　　　　　　　　　　　　　　　　　　　　　　　　 ④286
渡辺錠太郎 [1874～1936年／二・二六事件で殺された陸軍教育総監] ④290

―――――――― 世界 ――――――――

あ **アイゼンハワー, ドワイト**［1890〜1969年／アメリカ合衆国の第34代大統領］.................... ①12

アイヒマン, カール・アドルフ［1906〜1962年／ドイツの軍人］......... ①12

アウン・サン［1915〜1947年／ビルマの独立運動指導者］............ ①14

アウン・サン・スー・チー［1945年〜／ミャンマーの民主運動家、政治家］
.... ①14

アギナルド, エミリオ［1869〜1964年／フィリピン共和国の初代大統領］
.... ①20

アキノ, コラソン［1933〜2009年／フィリピン共和国の第11代大統領］ ①20

アサーニャ, マヌエル［1880〜1940年／スペインの首相、大統領］...... ①23

アジェンデ, サルバドール［1908〜1973年／チリの大統領］........... ①28

アダムズ, ジェーン［1860〜1935年／アメリカ合衆国の社会事業家］... ①40

アデナウアー, コンラート［1876〜1967年／西ドイツの首相］......... ①42

アトリー, クレメント［1883〜1967年／イギリスの首相］............. ①42

アナン, コフィ［1938年〜／ガーナの政治家、第7代国連事務総長］..... ①43

アフマディネジャド, マフムード［1956年〜／イランの大統領］....... ①44

アマースト, ウィリアム・ピット［1773〜1857年／清との国交樹立をめざしたイギリスの外交官］................. ①50

アラービー・パシャ［1841〜1911年／エジプトの独立運動指導者］..... ①53

アラファト, ヤセル［1929〜2004年／パレスチナ解放機構の指導者］ ①55

アロヨ, グロリア［1947年〜／フィリピンの政治家、大統領］........ ①62

安重根［1879〜1910年／李氏朝鮮の独立運動家・伊藤博文を暗殺］...... ①63
（あんじゅうこん）

アントニウス, マルクス［紀元前82?〜紀元前30年／古代ローマの政治家］
.... ①69

アンドロポフ, ユーリ［1914〜1984年／ソビエト連邦の政治家］........ ①69

安禄山［705〜757年／中国、唐の安史の乱の首謀者］............... ①70
（あんろくざん）

イーデン, アンソニー［1897〜1977年／イギリスの首相］............ ①72

イェルマーク, チモフェービッチ［?〜1585年／ロシア、コサックの首長］
.... ①73

李承晩［1875〜1965年／韓国の初代大統領］..................... ①90
イ スンマン

イダルゴ, ミゲル［1753〜1811年／メキシコ独立運動の父］.......... ①93

李明博［1941年〜／韓国の大統領］.......................... ①117
イ ミョンバク

ウィッテ, セルゲイ［1849〜1915年／ロシア帝国の初代首相］......... ①125

ウィルソン, ウッドロー［1856〜1924年／アメリカ合衆国の第28代大統領］
.... ①126

ウィルソン, ハロルド［1916〜1995年／イギリスの首相］............ ①127

ウェリントン, アーサー・ウェルズリー［1769〜1852年／ナポレオン1世をやぶった軍人、首相］.................. ①136

ウォード, フレデリック［1831〜1862年／太平天国の乱を鎮圧］...... ①137

ウォルポール, ロバート［1676〜1745年／イギリスの政治家］........ ①138

ウ・タント［1909〜1974年／ビルマの政治家、第3代国際連合事務総長］ ①140

エアハルト, ルートウィヒ［1897〜1977年／西ドイツの首相］........ ①147

衛青［?〜紀元前106年／中国、前漢の匈奴討伐軍の将軍］............ ①147
（えいせい）

エーベルト, フリードリヒ［1871〜1925年／ドイツ共和国の初代大統領］
.... ①149

エストラーダ, ジョセフ［1937年〜／フィリピンの大統領］.......... ①152

エベール, ジャック=ルネ［1757〜1794年／フランス革命の民衆の指導者、ジャーナリスト］..................... ①159

エリツィン, ボリス［1931〜2007年／ロシア連邦の初代大統領］...... ①161

エンクルマ, クワメ［1909〜1972年／ガーナ独立を達成した政治家］ ①163
（えんくるま）

袁世凱［1859〜1916年／中華民国の初代大総統］................. ①164
（えんせいがい）

王安石［1021〜1086年／中国、北宋の宰相］.................... ①167
（おうあんせき）

王仙芝［?〜878年／中国、唐の農民反乱指導者］................. ①170
（おうせん し）

汪兆銘［1883〜1944年／南京国民政府の主席］.................. ①170
（おうちょうめい）

オーウェン, ロバート［1771〜1858年／イギリスの社会運動家］...... ①173

オコンネル, ダニエル［1775〜1847年／アイルランド独立運動の指導者］
.... ①203

オサマ・ビンラディン［1957?〜2011年／アルカイダの指導者］....... ①206

オスマン, ジョルジュ=ユージェーヌ［1809〜1891年／セーヌ県知事・パリを近代都市にした］.................. ①207

オドアケル［433?〜493年／ゲルマン人の傭兵隊長］.............. ①212

オバマ, バラク［1961年〜／アメリカ合衆国の第44代大統領］....... ①215

オランド, フランソワ［1954年〜／フランスの大統領］............ ①217

オリオール, バンサン［1884〜1966年／フランスの第16代大統領］ ①217

温家宝［1942年〜／中国の首相］........................... ①218
（おん か ほう）

か **カーソン, レイチェル**［1907〜1964年／環境保護運動・『沈黙の春』］①219

カーター, ジミー［1924年〜／アメリカ合衆国の第39代大統領］...... ①219

カール・マルテル［688?〜741年／フランク王国の宮宰］........... ①223

カウツキー, カール［1854〜1938年／ドイツの社会主義者］........ ①226

カエサル, ユリウス［紀元前100〜紀元前44年／古代ローマの権力者］①226

岳飛［1103〜1142年／中国、南宋の軍人］..................... ①229
（がく ひ）

華国鋒［1920〜2008年／中国の首相］....................... ①229
（か こくほう）

カストロ, フィデル［1926〜2016年／キューバ革命の指導者、政治家］
.... ①235

カダフィ, ムアマル［1942〜2011年／リビアの軍人・政治家］....... ①237

カニング, ジョージ［1770〜1827年／イギリスの政治家、首相］...... ①247

カブール, カミーロ・ベンソ［1810〜1861年／サルデーニャ王国の初代首相］..................... ①253

カランサ, ベヌスティアーノ［1859〜1920年／メキシコの第45代大統領］
.... ①261

ガリバルディ, ジュゼッペ［1807〜1882年／イタリア統一運動の指導者］
.... ①261

カルティニ, ラデン・アジェン［1879〜1904年／インドネシアの女性解放運動の先駆者］..................... ①263

カルデナス, ラサロ［1895〜1970年／メキシコの第52代大統領］...... ①263

関羽［?〜219年／中国、三国時代の蜀の武将］.................. ①274
（かんう）

甘英［生没年不詳／中国、後漢の西域支配に貢献した武将］.......... ①274
（かんえい）

ガンディー［1869〜1948年／インドの独立運動指導者］............ ①275

ガンディー, インディラ［1917〜1984年／インドの首相］.......... ①278

ガンディー, ラジブ［1944〜1991年／インドの首相］............. ①278

韓愈［768〜824年／中国、唐代の政治家］.................... ①280
（かん ゆ）

ジャンル別索引

政治家・軍人・運動家

キージンガー, クルト・ゲオルク [1904〜1988年／西ドイツの首相]
……………… ①281

キケロ, マルクス・トゥリウス [紀元前106〜紀元前43年／古代ローマの政治家、思想家、雄弁家] ……………… ①284

キッシンジャー, ヘンリー [1923年〜／アメリカの政治学者] ……… ①292

金日成 [1912〜1994年／北朝鮮の初代国家主席、最高指導者] ……… ①298

金正日 [1942〜2011年／金日成の子、北朝鮮の2代目最高指導者] …… ①299

金正恩 [1982?年〜／金正日の子、北朝鮮の3代目最高指導者] ……… ①299

金大中 [1925〜2009年／韓国の大統領] ……………… ①299

金泳三 [1927〜2015年／韓国の大統領] ……………… ①300

キャメロン, デービッド [1966年〜／イギリスの首相] ……………… ①301

キャラハン, ジェームズ [1912〜2005年／イギリスの首相] …… ①301

金玉均 [1851〜1894年／李氏朝鮮の政治家] ……………… ①309

キング, マーティン・ルーサー・ジュニア [1929〜1968年／アメリカの黒人解放運動の指導者] ……………… ①309

クーデンホーフ＝カレルギー, リヒャルト [1894〜1972年／ヨーロッパ統合運動家] ……………… ②9

クーデンホーフ＝カレルギー光子 [1874〜1941年／慈善活動家]
……………… ②11

クーリッジ, カルビン [1872〜1933年／アメリカ合衆国の第30代大統領]
……………… ②12

グテレス, アントニオ [1949年〜／ポルトガルの政治家、第9代国連事務総長]
……………… ②19

虞美人 [?〜紀元前202?年／中国の秦末期の英雄、項羽の愛人] ……… ②23

クライブ, ロバート [1725〜1774年／イギリスの軍人、初代ベンガル知事]
……………… ②27

クラウゼヴィッツ, カール・フォン [1780〜1831年／プロイセンの軍事理論家・『戦争論』] ……………… ②28

グラックス兄弟 [兄ティベリウス　紀元前162〜紀元前133年、弟ガイウス　紀元前153〜紀元前121年／古代ローマの政治家] ……………… ②29

クラッスス, マルクス・リキニウス [紀元前115?〜紀元前53年／古代ローマの政治家] ……………… ②29

グラッドストン, ウィリアム [1809〜1898年／イギリスの首相] ……… ②30

グラント, ユリシーズ [1822〜1885年／アメリカ合衆国の第18代大統領]
……………… ②31

クリントン, ヒラリー [1947年〜／アメリカ合衆国の国務長官] ……… ②34

クリントン, ビル [1946年〜／アメリカ合衆国の第42代大統領] …… ②35

クレイステネス [生没年不詳／古代ギリシャの政治家] ……………… ②36

クレマンソー, ジョルジュ [1841〜1929年／フランスの首相] ……… ②39

クローデル, ポール [1868〜1955年／外交官、詩人・日仏会館を発足させる]
……………… ②40

クロポトキン, ピョートル [1842〜1921年／ロシアの革命家] ……… ②44

クロムウェル, オリバー [1599〜1658年／ピューリタン革命の指導者] ②44

ゲーリング, ヘルマン [1893〜1946年／ナチスドイツの政治家] ……… ②49

ゲッベルス, ヨゼフ [1897〜1945年／ナチスドイツの政治家] ……… ②50

ケニヤッタ, ジョモ [1891?〜1978年／ケニア共和国の初代大統領] ②50

ケネディ, ジョン・フィッツジェラルド [1917〜1963年／アメリカ合衆国の第35代大統領] ……………… ②51

ゲバラ, エルネスト・チェ [1928〜1967年／ラテンアメリカの革命家] ②51

ケマル・アタチュルク [1881〜1938年／トルコ共和国の初代大統領] ②52

ケレンスキー, アレクサンドル・フョードロビッチ [1881〜1970年／ロシア臨時政府の首相] ……………… ②54

ケロッグ, フランク [1856〜1937年／アメリカ合衆国の国務長官] …… ②55

厳家淦 [1905〜1993年／台湾の総統] ……………… ②55

ゴア, アル [1948年〜／アメリカの政治家、環境問題研究者] ……… ②59

項羽 [紀元前232〜紀元前202年／中国、秦末期の武将] ……………… ②61

洪景来 [1780〜1812年／李氏朝鮮の農民反乱指導者] ……………… ②62

黄興 [1874〜1916年／中国、清末期〜中華民国の革命家] ……………… ②63

洪秀全 [1814〜1864年／太平天国を建国] ……………… ②64

江青 [1913〜1991年／毛沢東の夫人] ……………… ②65

黄巣 [?〜884年／中国、唐末期の農民反乱指導者] ……………… ②66

江沢民 [1926年〜／中国の国家主席] ……………… ②67

康有為 [1858〜1927年／学者、政治家・戊戌の変法の中心人物] ……… ②72

ゴードン, チャールズ・ジョージ [1833〜1885年／太平天国の乱を鎮圧]
……………… ②73

コール, ヘルムート [1930年〜／ドイツ統一を実現させた首相] ……… ②73

胡錦濤 [1942年〜／中国の国家主席] ……………… ②76

呉広 [?〜紀元前208年／中国、秦末期の農民反乱指導者] ……………… ②77

呉三桂 [1612〜1678年／中国、三藩の乱の指導者] ……………… ②78

コシチューシコ, タデウシュ [1746〜1817年／ポーランド独立運動の指導者] ……………… ②79

コシュート・ラヨシュ [1802〜1894年／ハンガリーの国民主義運動指導者]
……………… ②80

コティ, ルネ [1882〜1962年／フランスの大統領] ……………… ②85

ゴ・ディン・ジェム [1901〜1963年／南ベトナムの政治家] ……………… ②85

呉佩孚 [1872〜1939年／中国、清末期〜中華民国初期の軍閥政治家] … ②91

コブデン, リチャード [1804〜1865年／イギリスの政治家、経済学者] ②95

ゴムルカ, ウラディスラフ [1905〜1982年／ポーランドの政治家] …… ②98

胡耀邦 [1915〜1989年／中国共産党主席、総書記] ……………… ②100

ゴルバチョフ, ミハイル [1931年〜／ソビエト連邦の大統領] ……… ②101

コルベール, ジャン＝バティスト [1619〜1683年／重商主義政策を進めたフランスの政治家] ……………… ②102

さ　サーリーフ, エレン・ジョンソン [1938年〜／リベリアの女性大統領]
……………… ②108

蔡英文 [1956年〜／台湾の総統] ……………… ②108

左宗棠 [1812〜1885年／中国、清末期の武将、政治家] ……………… ②125

サダト, アンワル [1918〜1981年／エジプトの大統領] ……………… ②125

サッコ, ニコラ [1891〜1927年／アメリカ合衆国の冤罪事件の被害者] ②126

サッチャー, マーガレット [1925〜2013年／イギリスの女性首相] ②126

サパタ, エミリアーノ [1879〜1919年／メキシコの革命家] ……………… ②132

サハロフ, アンドレイ [1921〜1989年／部分的核実験禁止条約の締結につくした物理学者] ……………… ②132

サビニー, フリードリヒ・カール・フォン [1779～1861年／プロイセンの法学者]……② 132

サモリ・トゥーレ [1830?～1900年／西アフリカ、サモリ帝国を建国]…… ② 134

サヤ・サン [1876～1931年／ビルマの大規模な農民反乱の指導者]…… ② 134

サラザール, アントニオ・デ・オリベイラ [1889～1970年／ポルトガルの独裁政治家]…………② 135

サルコジ, ニコラ [1955年～／フランスの大統領]…………② 135

サンガー, マーガレット [1883～1966年／産児制限論の提唱者] ② 139

サン＝ジュスト, ルイ・アントワーヌ・ド [1767～1794年／フランス革命で恐怖政治をおこなった政治家]………② 140

サン・マルティン, ホセ・デ [1778～1850年／ラテンアメリカ独立運動の指導者]…………② 142

シェイエス, エマニュエル・ジョゼフ [1748～1836年／フランス革命期の政治家／『第三身分とは何か』]…………② 145

ジェファーソン, トーマス [1743～1826年／アメリカ合衆国の第3代大統領]…………② 147

史思明 [704?～761年／中国、唐の安史の乱の指導者の一人]…… ② 153

ジスカール・デスタン, バレリー [1926年～／フランスの大統領] ② 153

司馬光 [1019～1086年／中国、北宋の官僚政治家、歴史家]…………② 157

シハヌーク, ノロドム [1922～2012年／カンボジアの国王、首相]…… ② 159

ジャクソン, アンドリュー [1767～1845年／アメリカ合衆国の第7代大統領]…………② 174

シャロン, アリエル [1928～2014年／イスラエルの首相] ② 178

ジャンヌ・ダルク [1412～1431年／百年戦争でフランスを救った少女] ② 180

周恩来 [1898～1976年／中華人民共和国の首相]…………② 178

習近平 [1953年～／中国の国家主席]…………② 179

シューマン, ロベール [1886～1963年／フランスの首相]…………② 182

シュタイン, カール [1757～1831年／プロイセンの首相]…………② 184

朱徳 [1886～1976年／中国人民解放軍の総司令]…………② 185

シュトレーゼマン, グスタフ [1878～1929年／ドイツ共和国の首相]…………② 186

シュミット, ヘルムート [1918～2015年／西ドイツの首相]…………② 187

朱鎔基 [1928年～／中国の首相]…………② 187

シュレーダー, ゲルハルト [1944年～／ドイツの首相]…………② 188

蒋介石 [1887～1975年／中華民国を樹立]…………② 192

蒋経国 [1910～1988年／台湾の総統]…………② 192

諸葛亮 [181～234年／蜀の軍師]…………② 201

ジョンソン, リンドン [1908～1973年／アメリカ合衆国の第36代大統領]…………② 204

シラク, ジャック [1932年～／フランスの大統領]…………② 207

秦檜 [1090～1155年／中国、南宋の宰相]…………② 209

ジンナー, ムハンマド・アリー [1876～1948年／パキスタン初代総督]…………② 211

スカルノ, アフマド [1901～1970年／独立インドネシアの初代大統領] ② 216

スキピオ [紀元前235～紀元前183?年／古代ローマの将軍]…………② 219

スターリン, ヨシフ [1879～1953年／ソ連共産党書記長、首相]…… ② 226

ステンカ・ラージン [1630?～1671年／ロシアの農民反乱指導者]…… ② 228

ストルイピン, ピョートル [1862～1911年／ロシアの政治家、首相] ② 231

スパルタクス [?～紀元前71年／古代ローマの奴隷反乱指導者] ② 232

スハルト [1921～2008年／インドネシアの大統領]…………② 232

スラ [紀元前138?～紀元前78年／古代ローマの将軍、政治家] ② 236

西太后 [1835～1908年／中国、清末期の皇妃]…………② 239

セクスティウス, ルキウス [生没年不詳／古代ローマの政治家]…… ② 242

全琫準 [1854～1895年／甲午農民戦争の指導者]…………② 248

宋教仁 [1882～1913年／中国の革命運動家]…………② 249

宋慶齢 [1893～1981年／中国の政治家]…………② 250

曾国藩 [1811～1872年／中国、清朝末期の政治家、軍人]…………② 250

宋美齢 [1897?～2003年／中華民国の政治家、蒋介石の夫人]…………② 252

ソフォクレス [紀元前496?～紀元前406?年／古代ギリシャの政治家、詩人]…………② 257

ソロン [紀元前640?～紀元前560?年／古代ギリシャの政治家]…………② 259

孫文 [1866～1925年／中国の革命家、政治家、中華民国の創始者]…… ② 261

太公望 [生没年不詳／中国、周の軍師、政治家]…………② 264

タイラー, ワット [?～1381年／イギリスの農民一揆指導者]…………② 267

ダグラス＝ヒューム, アレック [1903～1995年／イギリスの首相] ② 288

タフト, ロバート [1889～1953年／アメリカ合衆国の政治家]…………② 310

ダラディエ, エドゥアール [1884～1970年／フランスの首相]…………② 314

タレーラン, シャルル・モーリス・ド [1754～1838年／フランス革命期の外交官]…………② 315

段祺瑞 [1865～1936年／中国、清末期～中華民国の軍閥政治家]…… ② 317

ダントン, ジョルジュ＝ジャック [1759～1794年／フランス革命、ジャコバン派指導者]…………② 319

崔圭夏 [1919～2006年／韓国の大統領]…………③ 9

チェルネンコ, コンスタンティン [1911～1985年／ソビエト連邦の政治家]…………③ 9

チェンバレン, ジョセフ [1836～1914年／イギリスの政治家]…………③ 10

チェンバレン, ネビル [1869～1940年／イギリスの首相]…………③ 10

チトー [1892～1980年／旧ユーゴスラビアの大統領]…………③ 11

チャーチル, ウィンストン [1874～1965年／イギリスの首相]…………③ 13

チャウシェスク, ニコラエ [1918～1989年／ルーマニアの初代大統領]…………③ 14

チャベス, ウゴ [1954～2013年／ベネズエラの政治家]…………③ 15

チャンドラ・ボース [1897～1945年／インドの独立運動指導者]…………③ 17

チュン・チャク [?～43年／ベトナムの反乱指導者]…………③ 18

チョイバルサン, ホルローギーン [1895～1952年／モンゴル人民共和国首相]…………③ 18

張角 [?～184年／黄巾の乱の指導者]…………③ 18

張学良 [1901～2001年／中華民国の軍人]…………③ 19

張居正 [1525～1582年／中国、明の官僚、政治家]…………③ 19

張騫 [?～紀元前114年／中国、前漢の西域開拓者]…………③ 20

張作霖 [1875～1928年／中国、清末期～中華民国初期の軍人]…………③ 20

趙紫陽 [1919～2005年／中国の首相]…………③ 20

張飛 [?〜221年／中国、三国時代の蜀の武将]‥‥‥‥‥ ③21

全斗煥 [1931年〜／韓国の大統領]‥‥‥‥‥‥‥‥‥‥ ③22

陳勝 [?〜紀元前208年／中国、秦末期の農民反乱指導者]‥‥ ③24

陳水扁 [1951年〜／台湾の総統]‥‥‥‥‥‥‥‥‥‥‥ ③24

ツェッペリン, フェルディナント・フォン [1838〜1917年／軍人・飛行船
の開発]‥‥‥‥‥‥‥‥‥‥‥‥‥‥‥‥‥‥‥‥‥ ③26

ディアス, ポルフィリオ [1830〜1915年／メキシコの大統領]‥‥‥ ③36

ティエール, アドルフ [1797〜1877年／フランスの大統領]‥‥‥‥ ③37

鄭芝竜 [1604〜1661年／中国、福州の都督となった貿易商]‥‥ ③38

ディズレーリ, ベンジャミン [1804〜1881年／イギリスの首相]‥‥ ③38

鄭成功 [1624〜1662年／明の復興につくした武将]‥‥‥‥‥ ③39

鄭和 [1371?〜1434?年／中国、明代の武将、宦官、地理学者]‥‥ ③40

デービス, ジェファーソン [1808〜1889年／アメリカ連合国の大統領]
‥‥‥‥‥‥‥‥‥‥‥‥‥‥‥‥‥‥‥‥‥‥‥‥ ③41

デクラーク, フレデリック・ウィレム [1936年〜／南アフリカ共和国の大統
領]‥‥‥‥‥‥‥‥‥‥‥‥‥‥‥‥‥‥‥‥‥‥‥ ③43

テミストクレス [紀元前528?〜紀元前462?年／古代ギリシャの軍人]‥‥ ③45

デュプレクス, ジョゼフ・フランソワ [1697〜1763年／フランス領インド植
民地の政治家]‥‥‥‥‥‥‥‥‥‥‥‥‥‥‥‥‥ ③47

デュボイス, ウィリアム・エドワード・バーガート [1868〜1963年／
黒人解放につくしたアメリカ合衆国の市民活動家]‥‥‥ ③47

トゥーレ, セク [1922〜1984年／ギニアを独立にみちびいた政治家]‥‥ ③54

トゥサン・ルベルチュール [1743〜1803年／ハイチの独立運動の指導者]
‥‥‥‥‥‥‥‥‥‥‥‥‥‥‥‥‥‥‥‥‥‥‥‥ ③57

鄧小平 [1904〜1997年／中国の政治家]‥‥‥‥‥‥‥‥ ③59

トゥスク, ドナルド [1957年〜／ポーランドの首相、EU第2代大統領]‥‥ ③59

ドゥテルテ, ロドリゴ [1945年〜／フィリピンの大統領]‥‥‥‥‥ ③60

ド・ゴール, シャルル [1890〜1970年／フランスの軍人、大統領]‥‥‥ ③75

杜世忠 [1242〜1275年／鎌倉幕府に処刑された元の使節]‥‥‥‥ ③78

ドプチェク, アレクサンデル [1921〜1992年／チェコスロバキアの政治家]
‥‥‥‥‥‥‥‥‥‥‥‥‥‥‥‥‥‥‥‥‥‥‥‥ ③81

ドラコン [生没年不詳／古代ギリシャの立法者]‥‥‥‥‥‥‥ ③87

トラヤヌス帝 [53?〜117年／ローマ帝国の皇帝]‥‥‥‥‥‥ ③90

トランプ, ドナルド [1946年〜／アメリカ合衆国の第45代大統領]‥‥‥ ③90

トルーマン, ハリー [1884〜1972年／アメリカ合衆国の第33代大統領] ③92

ドレフュス, アルフレッド [1859〜1935年／フランスの軍人]‥‥‥ ③93

トロツキー, レフ [1879〜1940年／ロシアの革命家]‥‥‥‥‥ ③94

な ナギブ, ムハンマド [1901〜1984年／エジプトの軍人、政治家]‥‥‥ ③115

ナジ・イムレ [1896〜1958年／民主化を求めたハンガリーの政治家]‥‥ ③115

ナセル, ガマル・アブドゥール [1918〜1970年／エジプトの政治家]
‥‥‥‥‥‥‥‥‥‥‥‥‥‥‥‥‥‥‥‥‥‥‥‥ ③116

ニクソン, リチャード [1913〜1994年／アメリカ合衆国の第37代大統領]
‥‥‥‥‥‥‥‥‥‥‥‥‥‥‥‥‥‥‥‥‥‥‥‥ ③125

ニザーム・アルムルク [1018〜1092年／セルジューク朝の宰相]‥‥ ③126

ネ・ウィン [1911〜2002年／ビルマ（現在のミャンマー）の軍人、政治家] ③139

ネッケル, ジャック [1732〜1804年／ルイ16世の財務長官]‥‥‥ ③140

ネルー, ジャワハルラール [1889〜1964年／インド共和国の初代首相]
‥‥‥‥‥‥‥‥‥‥‥‥‥‥‥‥‥‥‥‥‥‥‥‥ ③140

ネルソン, ホレーショ [1758〜1805年／イギリスの海軍提督]‥‥‥ ③141

盧泰愚 [1932年〜／韓国の大統領]‥‥‥‥‥‥‥‥‥‥‥ ③147

盧武鉉 [1946〜2009年／韓国の大統領]‥‥‥‥‥‥‥‥‥ ③149

は パークス, ローザ [1919〜2005年／公民権運動のきっかけとなった活動家]
‥‥‥‥‥‥‥‥‥‥‥‥‥‥‥‥‥‥‥‥‥‥‥‥ ③153

ハーディング, ウォレン [1865〜1923年／アメリカ合衆国の第29代大統領]
‥‥‥‥‥‥‥‥‥‥‥‥‥‥‥‥‥‥‥‥‥‥‥‥ ③154

バール・ガンガダール・ティラク [1856〜1920年／インドの独立運動指導
者]‥‥‥‥‥‥‥‥‥‥‥‥‥‥‥‥‥‥‥‥‥‥ ③156

馬英九 [1950年〜／台湾の総統]‥‥‥‥‥‥‥‥‥‥‥‥ ③160

バクーニン, ミハイル [1814〜1876年／ロシアの社会運動家]‥‥‥ ③162

朴槿恵 [1952年〜／朴正熙の子、韓国の大統領]‥‥‥‥‥‥ ③162

朴正熙 [1917〜1979年／韓国の大統領]‥‥‥‥‥‥‥‥‥ ③162

朴烈 [1902〜1974年／朝鮮の独立運動家・日本で逮捕された]‥‥ ③163

ハタミ, モハンマド [1943年〜／イランの大統領]‥‥‥‥‥‥ ③170

ハベル, バーツラフ [1936〜2011年／チェコの初代大統領]‥‥‥ ③178

ハマーショルド, ダグ [1905〜1961年／第2代国連事務総長]‥‥‥ ③179

ハミド・カルザイ [1957年〜／アフガニスタンの大統領]‥‥‥‥ ③181

ハミルトン, アレグザンダー [1757?〜1804年／政治家・アメリカ合衆国の
独立をささえた]‥‥‥‥‥‥‥‥‥‥‥‥‥‥‥‥ ③181

バルガス, ジェトゥリオ [1883〜1954年／ブラジルの大統領]‥‥‥ ③190

ハルデンベルク, カール・アウグスト [1750〜1822年／プロイセンの首
相]‥‥‥‥‥‥‥‥‥‥‥‥‥‥‥‥‥‥‥‥‥‥ ③191

バルフォア, アーサー・ジェームズ [1848〜1930年／イギリスの首相・バル
フォア宣言を発表]‥‥‥‥‥‥‥‥‥‥‥‥‥‥‥ ③192

潘基文 [1944年〜／韓国の外交官、第8代国連事務総長]‥‥‥‥ ③193

バンゼッティ, バルトロメオ [1888〜1927年／アメリカ合衆国の冤罪事件
の被害者]‥‥‥‥‥‥‥‥‥‥‥‥‥‥‥‥‥‥‥ ③194

班超 [32〜102年／中国、後漢の西域支配に貢献した武将]‥‥‥ ③194

ハンニバル [紀元前247?〜紀元前183年／ローマ軍と戦ったカルタゴの将軍]
‥‥‥‥‥‥‥‥‥‥‥‥‥‥‥‥‥‥‥‥‥‥‥‥ ③195

ヒース, エドワード [1916〜2005年／イギリスの首相]‥‥‥‥‥ ③197

ピウスツキ, ユゼフ [1867〜1935年／ポーランドの大統領、首相]‥‥‥ ③197

ビスマルク, オットー・フォン [1815〜1898年／プロイセン、ドイツ帝国の首
相・鉄血政策]‥‥‥‥‥‥‥‥‥‥‥‥‥‥‥‥‥ ③205

ピット, ウィリアム（父）[1708〜1778年／イギリスの国防大臣]‥‥ ③207

ピット, ウィリアム（子）[1759〜1806年／イギリスの首相]‥‥‥ ③207

ヒトラー, アドルフ [1889〜1945年／ナチスドイツの指導者]‥‥‥ ③208

ピノチェト, アウグスト [1915〜2006年／チリの独裁政治家]‥‥‥ ③209

ヒムラー, ハインリヒ [1900〜1945年／ナチスドイツの政治家]‥‥ ③212

ピラト [生没年不詳／イエス・キリストを処刑したユダヤの総督]‥‥ ③216

ビリャ, パンチョ [1877〜1923年／メキシコ革命の英雄]‥‥‥‥ ③219

ヒンデンブルク, パウル・フォン [1847〜1934年／ドイツ、ワイマール共和国
の大統領]‥‥‥‥‥‥‥‥‥‥‥‥‥‥‥‥‥‥‥ ③222

フアレス, ベニト［1806〜1872年／メキシコの大統領］……………… ③223

ファン・チュー・チン［1872?〜1926年／ベトナムの民族運動指導者］③225

ファン・デン・ボス, ヨハネス［1780〜1844年／オランダ領東インド総督］
　　　　　　　　　　　　　　　　　　　　　　　　　　　　　③225

ファン・ボイ・チャウ［1867〜1940年／ベトナムの民族運動指導者］③225

ファン・ロンパイ, ヘルマン［1947年〜／ベルギーの政治家、EU初代大統領］
　　　　　　　　　　　　　　　　　　　　　　　　　　　　　③225

プーチン, ウラジミール［1952年〜／ロシアの大統領］…………… ③229

フーバー, ハーバート［1874〜1964年／アメリカ合衆国の第31代大統領］
　　　　　　　　　　　　　　　　　　　　　　　　　　　　　③229

ブーランジェ, ジョルジュ［1837〜1891年／フランスの軍人、政治家］
　　　　　　　　　　　　　　　　　　　　　　　　　　　　　③230

フォード, ジェラルド・ルドルフ［1913〜2006年／アメリカ合衆国の第38
代大統領］…………………………………………………………… ③235

プガチョフ, エメリヤン・イワノビッチ［1740?〜1775年／ロシアのコサッ
ク反乱の指導者］…………………………………………………… ③238

フセイン, サダム［1937〜2006年／イラクの大統領］……………… ③264

フセイン・ブン・アリー［1852?〜1931年／アラブ民族運動の指導者］
　　　　　　　　　　　　　　　　　　　　　　　　　　　　　③265

ブッシュ, ジョージ(父)［1924年〜／アメリカ合衆国の第41代大統領］
　　　　　　　　　　　　　　　　　　　　　　　　　　　　　③267

ブッシュ, ジョージ(子)［1946年〜／アメリカ合衆国の第43代大統領］
　　　　　　　　　　　　　　　　　　　　　　　　　　　　　③267

ブット, ベナジール［1953〜2007年／パキスタンの首相］………… ③268

ブハーリン, ニコライ・イワノビッチ［1888〜1938年／ソビエト連邦の政
治家、経済学者］…………………………………………………… ③270

ブライト, ジョン［1811〜1889年／イギリスの政治家・反穀物法同盟を結成］
　　　　　　　　　　　　　　　　　　　　　　　　　　　　　③271

ブラウン, ゴードン［1951年〜／イギリスの首相］………………… ③273

ブラン, ルイ［1811〜1882年／フランスの政治家、社会主義者］……… ③275

フランクリン, ベンジャミン［1706〜1790年／アメリカ独立宣言起草者の一
人］…………………………………………………………………… ③276

フランコ, フランシスコ［1892〜1975年／独裁体制をしいたスペインの総統］
　　　　　　　　　　　　　　　　　　　　　　　　　　　　　③277

ブラント, ウィリー［1913〜1992年／西ドイツの首相］…………… ③279

ブリアン, アリスティド［1862〜1932年／フランスの首相］……… ③279

プリニウス［23?〜79年／ローマ帝国の政治家、軍人、博物学者］……… ③281

ブルートゥス, マルクス・ユニウス［紀元前85〜紀元前42年／古代ローマ
の政治家］…………………………………………………………… ③282

フルシチョフ, ニキータ［1894〜1971年／ソビエト連邦の政治家］③285

ブルム, レオン［1872〜1950年／フランスの首相］………………… ③289

ブレア, トニー［1953年〜／イギリスの首相］……………………… ③289

ブレジネフ, レオニード［1906〜1982年／ソビエト連邦の政治家］③290

プレハーノフ, ゲオルギー［1856〜1918年／ロシアの革命家］…… ③290

プローディ, ロマーノ［1939年〜／イタリアの政治家、経済学者］③292

ヘイ, ジョン［1838〜1905年／アメリカ合衆国の外交官、政治家］……… ④9

ペイシストラトス［紀元前600?〜紀元前527年／古代ギリシャのアテネの僭主］
　　　　　　　　　　　　　　　　　　　　　　　　　　　　　④9

ベーベル, アウグスト［1840〜1913年／ドイツの政治家、労働運動指導者］
　　　　　　　　　　　　　　　　　　　　　　　　　　　　　④11

ペタン, フィリップ［1856〜1951年／フランスの軍人、政治家］………④14

ペリクレス［紀元前495?〜紀元前429年／古代ギリシャの政治家・アテネ民主政を
完成］………………………………………………………………… ④18

ヘルツル, テオドール［1860〜1904年／シオニズム運動をはじめたユダヤ人
ジャーナリスト］…………………………………………………… ④20

ベルルスコーニ, シルビオ［1936年〜／イタリアの政治家、首相］……④22

ベルンシュタイン, エドゥアルト［1850〜1932年／ドイツの政治家、社会主
義者］………………………………………………………………… ④23

ペレス, シモン［1923〜2016年／イスラエルの首相、大統領］……④23

ペロン, フアン［1895〜1974年／アルゼンチンの軍人、大統領］……④24

ヘン・サムリン［1934年〜／カンボジアの軍人、政治家］…………④25

ホーキンズ, ジョン［1532〜1595年／イングランドの航海者、軍人］……④37

ボーダン, ジャン［1530?〜1596年／フランスの政治家、思想家］……④37

ホー・チ・ミン［1890〜1969年／ベトナム民主共和国初代大統領］……④38

ホーネッカー, エーリヒ［1912〜1994年／東ドイツの政治家］……④38

ボール, ジョン［1338?〜1381年／ワット・タイラーの乱の指導者］……④39

朴泳孝［1861〜1939年／朝鮮王朝末期の政治家］…………………④40

ホメイニ, ルーハッラー［1900〜1989年／イランの最高指導者］……④50

ボリバル, シモン［1783〜1830年／ラテンアメリカ独立の父］……④51

ボルジア, チェーザレ［1475〜1507年／イタリアの政治家、軍人］……④52

ホルティ・ミクローシュ［1868〜1957年／ハンガリーの政治家］……④53

ポル・ポト［1925?〜1998年／民主カンボジア政府の首相］…………④54

ポンピドゥー, ジョルジュ［1911〜1974年／フランスの大統領］………④57

ポンペイウス［紀元前106〜紀元前48年／古代ローマの政治家、軍人］④57

ま　マーシャル, ジョージ［1880〜1959年／アメリカ合衆国の軍人］……④58

マータイ, ワンガリ［1940〜2011年／ケニアの環境活動家、政治家］…④58

マカートニー, ジョージ［1737〜1806年／清との国交樹立をめざしたイギリス
の外交官］…………………………………………………………… ④65

マクドナルド, ラムジー［1866〜1937年／イギリスの初の労働党の首相］
　　　　　　　　　　　　　　　　　　　　　　　　　　　　　④66

マクミラン, ハロルド［1894〜1986年／イギリスの首相］…………④67

マザラン, ジュール［1602〜1661年／フランスのルイ14世の宰相］……④69

マッカーシー, ジョゼフ［1908〜1957年／アメリカ合衆国の政治家］④75

マッキンリー, ウィリアム［1843〜1901年／アメリカ合衆国の第25代大統
領］…………………………………………………………………… ④77

マッツィーニ, ジュゼッペ［1805〜1872年／イタリアの統一運動の指導者］
　　　　　　　　　　　　　　　　　　　　　　　　　　　　　④80

マデロ, フランシスコ［1873〜1913年／メキシコ革命の指導者、大統領］
　　　　　　　　　　　　　　　　　　　　　　　　　　　　　④85

マハティール・モハマド［1925年〜／マレーシアの首相］…………④86

マラー, ジャン＝ポール［1743〜1793年／フランス革命のジャコバン派指導
者の一人］…………………………………………………………… ④87

ジャンル別索引

政治家・軍人・運動家

195

ジャンル別索引

政治家・軍人・運動家

マリウス, ガイウス［紀元前157?～紀元前86年／古代ローマの政治家］④89

マルコス, フェルディナンド［1917～1989年／フィリピンの人統領］④92

マレンコフ, ゲオルギー［1902～1988年／ソビエト連邦の政治家］……④96

マンデラ, ネルソン［1918～2013年／南アフリカ共和国の大統領］……④97

ミッテラン, フランソワ［1916～1996年／フランスの大統領］………④106

ミドハト・パシャ［1822～1884年／オスマン帝国の政治家］…………④107

ミラボー, オノレ・ガブリエル・リケティ［1749～1791年／フランス革命初期の第三身分のリーダー］……………④130

ミロシェビッチ, スロボダン［1941～2006年／セルビア大統領、ユーゴスラビア大統領］………④132

ムスタファー・カーミル［1874～1908年／エジプトの政治家］………④136

ムスタファ・レシト・パシャ［1800～1858年／オスマン帝国の改革を進めた政治家］…………④136

ムッソリーニ, ベニート［1883～1945年／ファシズムを創始したイタリアの首相］…………④137

ムバラク, ホスニ［1928年～／エジプトの大統領］…………④139

ムラビヨフ・アムールスキー, ニコライ［1809～1881年／東方領土を広げたロシアの軍人］……………④146

メイ, テリーザ［1956年～／EU離脱時のイギリスの首相］……………④149

メージャー, ジョン［1943年～／イギリスの政治家、首相］…………④150

メッテルニヒ, クレメンス［1773～1859年／ウィーン体制を築いた政治家］……………④151

メドベージェフ, ドミトリー［1965年～／ロシアの大統領］…………④152

メルケル, アンゲラ［1954年～／ドイツの首相］…………④153

モア, トマス［1478～1535年／イングランドの大法官・王の離婚問題で対立］……………④155

毛沢東［1893～1976年／中国共産党の最高指導者］…………④155

モサデク, モハンマド［1882～1967年／イランの首相］…………④162

モルトケ, ヘルムート・フォン［1800～1891年／ドイツの軍人］……④171

モロトフ, ビャチェスラフ［1890～1986年／ソビエト連邦の首相］…④172

モンティ, マリオ［1943年～／イタリアの経済学者、首相］…………④173

モンフォール, シモン・ド［1208?～1265年／イングランドの政治家］④175

モンロー, ジェームス［1758～1831年／アメリカ合衆国の第5代大統領］……………④175

や ヤークーブ・ベク［1820?～1877年／東トルキスタンに独立政権を建てた軍人］……………④176

耶律楚材［1190～1244年／モンゴル帝国の政治家、文学者］…………④201

ユスフザイ, マララ［1997年～／パキスタンの人権活動家］…………④205

尹潽善［1897～1990年／韓国の大統領］…………④207

楊炎［727～781年／中国、唐の政治家］…………④207

ら ライシャワー, エドウィン［1910～1990年／アメリカ合衆国の外交官、歴史家、日本研究家］…………④227

ラクシュミー・バーイー［1828?～1858年／インド大反乱の指導者］④230

ラサール, フェルディナント［1825～1864年／ドイツの労働運動、社会主義運動の指導者］…………④230

ラシード・アッディーン［1247?～1318年／モンゴル、イル・ハン国の政治家、歴史家］…………④231

ラッフルズ, トマス・スタンフォード［1781～1826年／植民地行政官・シンガポールを建設］…………④232

ラビン, イツハーク［1922～1995年／イスラエルの首相］…………④232

ラ・ファイエット, マリー・ジョゼフ［1757～1834年／フランス革命初期の第二身分のリーダー］…………④232

リー, ロバート［1807～1870年／アメリカ南北戦争の南軍の将軍］……④236

リー・クアンユー［1923～2015年／シンガポールの首相］…………④237

リープクネヒト, カール［1871～1919年／スパルタクス団を組織したドイツの社会主義者］…………④238

リキニウス［生没年不詳／古代ローマの護民官］…………④240

李鴻章［1823～1901年／中国、清末期の政治家］…………④240

李克強［1955年～／中国の首相］…………④240

リサール, ホセ［1861～1896年／フィリピンの独立運動指導者］…………④241

李自成［1606～1645年／明の農民反乱指導者］…………④241

リシュリュー, アルマン・ジャン・デュ・プレシ・ド［1585～1642年／ルイ13世の宰相］…………④242

李舜臣［1545～1598年／李氏朝鮮の武将］…………④242

リットン, ビクター・アレグザンダー［1876～1947年／リットン調査団として満州を調査］…………④245

リッベントロープ, ヨアヒム・フォン［1893～1946年／ドイツの外交官、政治家］…………④245

李登輝［1923年～／台湾の総統］…………④245

李鵬［1928年～／中国の首相］…………④246

劉永福［1837～1917年／中国、義和団運動に参加した軍人］…………④248

柳寛順［1904～1920年／朝鮮の独立運動家］…………④248

劉少奇［1898～1969年／中華人民共和国の国家主席］…………④248

梁啓超［1873～1929年／中国の政治家・戊戌の変法を進めた］…………④251

リンカン, エイブラハム［1809～1865年／アメリカ合衆国の第16代大統領］…………④253

林則徐［1785～1850年／清末期の政治家］…………④253

林彪［1909～1971年／中華人民共和国の軍人、政治家］…………④254

ルクセンブルク, ローザ［1870～1919年／ドイツの社会主義者、革命運動家・スパルタクス団を結成］…………④258

ルムンバ, パトリス［1925～1961年／コンゴ共和国初代首相］………④262

レーガン, ロナルド［1911～2004年／アメリカ合衆国の第40代大統領］…………④264

レーニン, ウラジミール・イリイッチ［1870～1924年／ロシア革命の指導者］…………④264

レオポルド2世［1835～1909年／ベルギー王］…………④268

レセップス, フェルディナン・マリー・ド［1805～1894年／フランスの外交官、実業家・スエズ運河をつくった］…………④269

レピドゥス, マルクス・アエミリウス［紀元前90?～紀元前12年／古代ローマの政治家］…………④270

ロイド・ジョージ, デイビッド ［1863〜1945年／イギリスの首相・社会保障
制度をつくった］……… ④272

ローズ, セシル ［1853〜1902年／イギリスの企業家、政治家・3C政策で南アフリ
カをイギリスの支配下に］……… ④273

ローズベルト, セオドア ［1858〜1919年／アメリカ合衆国の第26代大統領］
……… ④274

ローズベルト, フランクリン ［1882〜1945年／アメリカ合衆国の第32代大
統領］……… ④274

ロベスピエール, マクシミリアン ［1758〜1794年／フランス革命期の政治
家］……… ④281

ロレンス, トーマス・エドワード ［1888〜1935年／イギリスの軍人・「アラビ
アのロレンス」で知られる］……… ④282

ロンメル, エルウィン ［1891〜1944年／ナチスドイツの軍人］……… ④283

わ ワイツゼッカー, リヒャルト・フォン ［1920〜2015年／統一ドイツ初代大
統領］……… ④284

ワシントン, ジョージ ［1732〜1799年／アメリカ合衆国の初代大統領］
……… ④288

ワレサ, レフ ［1943年〜／ポーランドの大統領］……… ④293

ワレンシュタイン, アルブレヒト・フォン ［1583〜1634年／神聖ローマ皇
帝軍総司令官］……… ④294

宗教に関する人物

―― 日 本 ――

あ 明石順三 ［1889〜1965年／ワッチタワーの伝道者］……… ①17
安倍晴明 ［921〜1005年／数々の伝説がある陰陽師］……… ①47
天草四郎 ［1623?〜1638年／島原の乱の指導者］……… ①50
有馬晴信 ［1567〜1612年／天正遣欧使節を派遣したキリシタン大名］…… ①58
アンジロー ［1512?〜?年／日本人初のキリシタン］……… ①66
一休宗純 ［1394〜1481年／とんちの一休さんで親しまれる僧］……… ①96
一山一寧 ［1247〜1317年／朱子学を伝えた、中国の元の僧］……… ①96
一遍 ［1239〜1289年／時宗の開祖］……… ①97
伊東マンショ ［1569?〜1612年／天正遣欧使節の一人］……… ①100
井上正鉄 ［1790〜1849年／神道の布教につとめた神道家］……… ①107
隠元隆琦 ［1592〜1673年／中国の明の僧］……… ①123
植村正久 ［1857〜1925年／日本にプロテスタントを広めた牧師］……… ①136
内村鑑三 ［1861〜1930年／キリスト教の指導者］……… ①141
卜部兼方 ［生没年不詳／『釈日本紀』を著した学者、神道家］……… ①145
叡尊 ［1201〜1290年／貧民救済に尽力した僧］……… ①148
慧慈 ［?〜623年／高句麗の僧］……… ①152
海老名弾正 ［1856〜1937年／宗教家・自由主義神学をとなえた］……… ①159
円珍 ［814〜891年／園城寺をひらいた天台宗の僧］……… ①164
円仁 ［794〜864年／天台宗山門派の祖］……… ①165
役小角 ［生没年不詳／伝説の呪術者］……… ①166
オルガンチノ ［1533?〜1609年／イタリア人宣教師］……… ①218
か カブラル, フランシスコ ［1528〜1609年／ポルトガル人宣教師］…… ①254

河口慧海 ［1866〜1945年／チベット文化を研究した仏教学者］……… ①270
川手文治郎 ［1814〜1883年／金光教の教祖］……… ①272
鑑真 ［688〜763年／律宗をつたえた唐の僧］……… ①276
観勒 ［生没年不詳／暦や天文、地理を伝えた百済の僧］……… ①281
義堂周信 ［1325〜1388年／僧侶・五山文学の代表］……… ①293
行基 ［668〜749年／日本仏教の祖］……… ①305
清沢満之 ［1863〜1903年／宗教家・大谷大学初代学長］……… ①306
空海 ［774〜835年／真言宗の開祖］……… ②10
空也 ［903〜972年／踊念仏の開祖］……… ②11
公暁 ［1200〜1219年／実朝を暗殺した鶴岡八幡宮の別当］……… ②13
黒住宗忠 ［1780〜1850年／神道家・黒住教の開祖］……… ②41
桂庵玄樹 ［1427〜1508年／臨済宗の僧、薩南学派の始祖］……… ②46
景戒 ［生没年不詳／僧・『日本霊異記』］……… ②47
源信 ［942〜1017年／天台宗の僧・『往生要集』］……… ②56
顕如 ［1543〜1592年／浄土真宗の僧］……… ②57
虎関師錬 ［1278〜1346年／仏教の歴史をまとめた僧］……… ②75
小崎弘道 ［1856〜1938年／宗教家、牧師・同志社社長、校長］……… ②78
金地院崇伝 ［1569〜1633年／臨済宗の僧］……… ②105
さ 最澄 ［767〜822年／天台宗の開祖］……… ②114
ザビエル, フランシスコ ［1506〜1552年／キリスト教宣教師］……… ②133
慈円 ［1155〜1225年／天台宗の僧・『愚管抄』］……… ②148
シドッチ, ジョバンニ ［1668〜1714年／イタリア人イエズス会宣教師］②155
司馬達等 ［生没年不詳／百済からの渡来人］……… ②159
島地黙雷 ［1838〜1911年／浄土真宗の僧］……… ②163
春屋妙葩 ［1311〜1388年／全国の禅寺を統括した僧］……… ②189
俊芿 ［1166〜1227年／戒律を復興させた鎌倉時代の僧］……… ②190
親鸞 ［1173〜1262年／浄土真宗の宗祖］……… ②212
絶海中津 ［1336〜1405年／明の朱元璋と謁見した禅僧、漢詩人］……… ②242
た 沢庵宗彭 ［1573〜1645年／臨済宗の僧］……… ②287
竹内式部 ［1712〜1767年／神道家、尊王論者］……… ②293
千々石ミゲル ［1570?〜?年／天正遣欧使節の一人］……… ③11
重源 ［1121〜1206年／東大寺の復興をなしとげた僧］……… ③20
出口王仁三郎 ［1871〜1948年／大本教教祖の一人］……… ③42
天海 ［1536〜1643年／家康の側近としてつかえた僧］……… ③50
道鏡 ［?〜772年／考謙上皇に重用され力をふるった僧］……… ③55
道元 ［1200〜1253年／曹洞宗永平寺をひらいた僧］……… ③56
鳥羽僧正 ［1053〜1140年／平安時代後期の天台宗の僧・鳥獣人物戯画］③80
曇徴 ［生没年不詳／高句麗の僧］……… ③94
な 中浦ジュリアン ［1568?〜1633年／天正遣欧使節］……… ③98
中山みき ［1798〜1887年／天理教の開祖］……… ③114
日蓮 ［1222〜1282年／日蓮宗を開いた僧］……… ③131
日親 ［1407〜1488年／『立正治国論』をとなえた日蓮宗の僧］……… ③131
忍性 ［1217〜1303年／律宗の僧］……… ③136
は 原マルチノ ［1568?〜1629年／天正遣欧使節］……… ③188
バリニャーノ, アレッサンドロ ［1539〜1606年／イタリアの宣教師］
……… ③189

197

ビレラ, ガスパル ［?～1572年／ポルトガル人宣教師］…………③219

仏哲 ［生没年不詳／密教の経典と林邑楽を伝えた僧］……③268

フロイス, ルイス ［1532～1597年／ポルトガル人宣教師・『日本史』］③291

ヘボン, ジェームス ［1815～1911年／ヘボン式ローマ字を発案した宣教師］
………………………………………………………………④16

法然 ［1133～1212年／浄土宗の開祖］…………………④36

菩提僊那 ［704～760年／インドからの渡来僧・開眼供養］④46

明恵 ［1173～1232年／華厳宗の僧］…………………④128

旻 ［?～653年／遣隋使とともに隋にわたった僧］……④133

無学祖元 ［1226～1286年／臨済宗の僧］………………④134

夢窓疎石 ［1275～1351年／臨済宗の僧］………………④136

黙庵 ［生没年不詳／禅林画僧・『布袋図』］……………④162

山室軍平 ［1872～1940年／キリスト教宗教家・救世軍士官］④197

唯円 ［1222～1289年／浄土真宗の僧、親鸞の弟子］…④202

栄西 ［1141～1215年／日本に茶を広めた日本臨済宗の開祖］④208

吉川惟足 ［1616～1694年／吉川神道をおこした神道家］④214

吉田兼倶 ［1435～1511年／吉田神道の創始者］………④216

蘭渓道隆 ［1213～1278年／臨済宗の僧］………………④235

良寛 ［1758～1831年／禅僧、歌人］……………………④251

良源 ［912～985年／比叡山延暦寺中興の祖］…………④251

蓮如 ［1415～1499年／浄土真宗の僧］…………………④271

度会家行 ［1256?～1351?年／伊勢神道をとなえた神官］④291

———————— 世界 ————————

アウグスティヌス ［354～430年／ローマ帝国のキリスト教神学者］………①13

アタナシウス ［296ごろ～373年／キリスト教会の教父］①39

アダム・シャール ［1592～1666年／中国にわたったイエズス会宣教師］①39

アブー・ハーミド・ガザーリー ［1058～1111年／セルジューク朝のイスラム
神学者］……………………………………………………①43

アブー・バクル ［573ごろ～634年／イスラム教の初代正統カリフ］………①43

アブド・アッラフマーン3世 ［889～961年／後ウマイヤ朝第8代君主、初代カ
リフ］………………………………………………………①44

アベラール, ピエール ［1079～1142年／中世フランスのキリスト教神学者］
……………………………………………………………①49

アリー ［600ごろ～661年／イスラム教の第4代正統カリフ］①56

アリウス ［250ごろ～336年／古代キリスト教会の神学者］①56

アル・アッバース ［565ごろ～652年ごろ／4代正統カリフのアリーの父］…①59

アルクイン ［735ごろ～804年／イギリスの神学者］…①60

アンセルムス ［1033～1109年／カンタベリーの大司教］①66

イエス・キリスト ［紀元前4?～紀元後30?年／キリスト教の開祖］………①74

イブン・アブドゥル・ワッハーブ ［1703～1792年／イスラム教ワッハーブ派
の指導者］…………………………………………………①112

インノケンティウス3世 ［1161～1216年／ローマ教皇］①123

ウィクリフ, ジョン ［1320ごろ～1384年／初期の宗教改革者］①125

ウマル ［592～644 年／イスラム教の第2代正統カリフ］①142

ウルバヌス2世 ［1042ごろ～1099年／ローマ教皇］…①146

エウセビオス ［260ごろ～339年／教会史家］…………①149

エラスムス, デシデリウス ［1469?～1536年／人文学者・『愚神礼賛』］
……………………………………………………………①159

王重陽 ［1113～1170年／道教の一派の全真教の開祖］…①169

か カスティリオーネ, ジュゼッペ ［1688～1766年／イエズス会の宣教師］
……………………………………………………………①234

カビール ［1440ごろ～1518年ごろ／インドの宗教改革者］①253

ガポン, ゲオルギー ［1870～1906年／ロシア正教会の司祭］①254

カルバン, ジャン ［1509～1564年／フランスの宗教改革者］①266

カルピニ, ジョバンニ・ダ・ピアン・デル ［1200ごろ～1252年／イタリアの
修道士］……………………………………………………①266

義浄 ［635～713年／唐代の僧侶］……………………①286

キュリロス ［827ごろ～869年／ギリシャ人のキリスト教宣教師］①303

鳩摩羅什 ［344?～413年／仏典漢訳者、僧侶］………②25

グレゴリウス1世 ［540ごろ～604年／ローマ教皇］…②37

グレゴリウス7世 ［1020?～1085年／ローマ教皇］…②37

グレゴリウス13世 ［1502～1585年／ローマ教皇］…②38

玄奘 ［602～664年／インドにわたった唐の僧］………②55

寇謙之 ［365?～448年／中国、南北朝時代の北魏の道士］②62

さ サイイド・アリー・ムハンマド ［1819～1850年／イラン、バーブ教の開祖］
……………………………………………………………②108

崔済愚 ［1824～1864年／朝鮮、李朝末期の宗教家、東学の創始者］……②111

サボナローラ, ジロラモ ［1452～1498年／イタリアの修道士］……②134

シャカ ［紀元前463?～紀元前383?年／仏教の創始者］②172

ジャマール・アッディーン・アフガーニー ［1838～1897年／イスラムの
団結をうったえた思想家］…………………………………②175

ゾロアスター ［紀元前7世紀～紀元前6世紀ごろ／ゾロアスター教の開祖］
……………………………………………………………②258

た ダライ・ラマ ［1935年～／チベット仏教の最高指導者］……②313

達磨 ［?～528?／中国、南北朝時代の仏教の僧］……②315

張角 ［?～184年／黄巾の乱の指導者］…………………③18

張陵 ［2世紀ごろ／中国、後漢末期の宗教家］…………③21

ツウィングリ, フルドライヒ ［1484～1531年／宗教改革者］③25

ツォンカパ ［1357～1419年／チベット仏教ゲルク派の開祖］③26

ドミニクス ［1170ごろ～1221年／スペインのカトリック教会修道士］………③83

な ナーナク ［1469～1539年／シク教の開祖］…………③95

ネストリウス ［381ごろ～481年ごろ／コンスタンティノープル総主教］…③139

は ハールーン・アッラシード ［766～809年／アッバース朝第5代カリフ］③156

パウロ ［紀元前後～紀元後64年ごろ／キリスト教の伝道者］③160

パスパ ［1235～1280年／元朝の初代国師］……………③166

バルダマーナ ［紀元前549ごろ～紀元前477年ごろ／インドのジャイナ教の開祖］
……………………………………………………………③191

バルト, カール ［1886～1968年／プロテスタントの神学者］③191

ピニョー・ド・ベーヌ ［1741～1799年／フランスのカトリック宣教師］③208

ブーベ, ジョアシャン ［1656～1730年／フランスのイエズス会士］③230

フェルビースト, フェルディナント ［1623～1688年／南ネーデルラントのイ
エズス会士］………………………………………………③233

フス, ヤン［1370ごろ～1415年／ボヘミアの宗教改革者］…………③264

仏図澄［232～348年／西域から中国への渡来僧］…………③268

フランチェスコ［1182?～1226年／イタリアの修道士］…………③278

ペテロ［?～60?年／キリスト十二使徒の一人］…………④16

ベネディクトゥス［480?～547?年／イタリアの修道士］…………④16

ベルナルドゥス［1090～1153年／フランスの修道士］…………④21

ボシュエ［1627～1704年／フランスの聖職者、神学者］…………④42

法顕［337～422年／中国、東晋の僧］…………④47

布袋［?～917?年／中国、唐末期の禅僧］…………④49

ボニファティウス8世［1235?～1303年／ローマ教皇］…………④49

ホメイニ, ルーハッラー［1900～1989年／イランのイスラム法学者、最高指導者］…………④50

ま マームーン［786～833年／アッバース朝第7代カリフ］…………④59

マザー・テレサ［1910～1997年／インドで活動したカトリック修道女］……④67

マテオ・リッチ［1552～1610年／イタリア出身のイエズス会最初の中国伝道者］
…………④84

マニ［216?～274?年／バビロニアの宗教家］…………④85

マリア［生没年不詳／イエス・キリストの母とされる女性］…………④88

マンスール［712?～775年／アッバース朝第2代カリフ］…………④97

ミュンツァー, トーマス［1489～1525年／ドイツの宗教改革者］…………④127

ムアーウィヤ［?～680年／イスラム帝国、ウマイヤ朝の初代カリフ］………④133

ムハンマド［570?～632年／イスラム教の創始者］…………④140

ムハンマド・アブドゥフ［1849～1905年／エジプトのイスラム神学者］④139

ムハンマド・アフマド［1844?～1885年／スーダンの反乱指導者］……④139

モア, トマス［1478～1535年／カトリック教会の聖人］…………④155

モーセ［生没年不詳／ヘブライ人の預言者］…………④159

モンテ・コルビノ［1247～1328年／中国でキリスト教を広めた修道士］④173

や ヨハネ［紀元前6ごろ～紀元後36年ごろ／古代ユダヤの預言者］…………④224

ヨハネ・パウロ2世［1920～2005年／ローマ教皇］…………④225

ら ラーム・モーハン・ローイ［1772～1833年／インドの宗教家］………④226

ラス・カサス, バルトロメ・デ［1474～1566年／宣教師・先住民保護］
…………④231

ラスプーチン, グレゴリー［1864?～1916年／帝政ロシア末期の怪僧］
…………④231

竜樹［150ごろ～250年ごろ／インドの仏教学者・大乗仏教の理論］…………④248

リュブリュキ, ギョーム・ド［1220?～1293?年／修道士・『東方諸国旅行記』］…………④250

ルター, マルティン［1483～1546年／ドイツの宗教改革者］…………④260

レオ3世［?～816年／ローマ教皇］…………④265

レオ10世［1475～1521年／ローマ教皇］…………④265

レジス, ジャン＝バプティスト［1663～1738年／康熙帝につかえたイエズス会士］…………④269

ロヨラ, イグナティウス・デ［1491～1556年／イエズス会創立者］④280

思想家・哲学者

─ 日本 ─

あ 阿部次郎［1883～1959年／教養主義の思想家・『三太郎の日記』］………①46

安藤昌益［1703～1762年／思想家、医者・自給自足の生活をといた］……①67

井上円了［1858～1919年／仏教哲学者、教育者］…………①103

井上哲次郎［1856～1944年／哲学者］…………①106

植木枝盛［1857～1892年／自由民権運動指導者］…………①129

梅原猛［1925年～／哲学者・『水底の歌』］…………①144

か 海保青陵［1755～1817年／思想家・殖産興業、専売制の採用をといた］①225

加藤周一［1919～2008年／評論家、作家・『日本文学史序説』］…………①242

亀井勝一郎［1907～1966年／文芸評論家］…………①256

河合栄治郎［1891～1944年／思想家、教育者］…………①267

工藤平助［1734～1800年／思想家、医者］…………②20

源信［942～1017年／天台宗の僧・『往生要集』］…………②56

幸徳秋水［1871～1911年／社会主義者、ジャーナリスト］…………②68

さ 佐藤信淵［1769～1850年／思想家］…………②129

鈴木大拙［1870～1966年／仏教哲学者］…………②224

た 高山樗牛［1871～1902年／思想家、文芸評論家、文学博士］…………②284

竹内式部［1712～1767年／神道家、尊王論者］…………②293

田辺元［1885～1962年／哲学者］…………②306

鶴見俊輔［1922～2015年／哲学者］…………③35

手島堵庵［1718～1786年／庶民に人生哲学を広めた思想家］…………③43

徳富蘇峰［1863～1957年／評論家、ジャーナリスト］…………③74

戸坂潤［1900～1945年／哲学者］…………③76

富永仲基［1715～1746年／町人学者・『出定後語』］…………③83

な 中江兆民［1847～1901年／日本に近代民主主義を伝えた思想家］…………③99

中沢道二［1725～1803年／石門心学を広めた思想家］…………③102

中村元［1912～1999年／インド哲学者、仏教学者］…………③111

西周［1829～1897年／啓蒙思想家、西洋哲学者］…………③127

西田幾多郎［1870～1945年／西田哲学をつくった哲学者］…………③128

は 長谷川如是閑［1875～1969年／ジャーナリスト］…………③166

埴谷雄高［1910～1997年／作家、評論家・『死霊』］…………③176

馬場辰猪［1850～1888年／自由民権運動家］…………③177

林子平［1738～1793年／思想家・『海国兵談』］…………③182

平田篤胤［1776～1843年／尊王攘夷運動に影響をあたえた国学者］……③215

平塚らいてう［1886～1971年／社会運動家・『青踏』を創刊］…………③215

フェノロサ, アーネスト［1853～1908年／東洋美術研究家・日本画復興］
…………③231

福沢諭吉［1834～1901年／思想家・『学問のすゝめ』］…………③239

本多利明［1743～1820年／思想家］…………④56

ま 丸山真男［1914～1996年／思想家］…………④95

三浦梅園［1723～1789年／思想家］…………④99

三木清［1897～1945年／反戦容疑で獄死した哲学者］…………④100

三宅雪嶺［1860～1945年／ジャーナリスト］…………④121

や 保田与重郎［1910～1981年／文芸評論家］…………④179

ジャンル別索引

思想家・哲学者

柳宗悦（やなぎむねよし）[1889～1961年／思想家・民芸運動の提唱者]……④181
山県大弐（やまがただいに）[1725～1767年／江戸時代中期の儒学者、思想家]……④185
由井正雪（ゆいしょうせつ）[1605?～1651年／浪人救済をもとめた兵学者]……④202
吉田松陰（よしだしょういん）[1830～1859年／幕末の思想家・尊皇攘夷派]……④219
吉野源三郎（よしのげんざぶろう）[1899～1981年／『世界』の初代編集長]……④218
吉本隆明（よしもとたかあき）[1924～2012年／評論家、詩人『共同幻想論』]……④221
わ　和辻哲郎（わつじてつろう）[1889～1960年／哲学者、倫理学者]……④292

─────── 世　界 ───────

あ　アリストテレス [紀元前384～紀元前322年／古代ギリシャの哲学者]…… ①57
イブン・ルシュド [1126～1198年／イスラムの哲学者、医学者]……①113
ウィトゲンシュタイン, ルートウィヒ [1889～1951年／オーストリアの哲学者]……①125
ウィリアム・オブ・オッカム [1285?～1349?年／スコラ哲学者]……①126
エーコ, ウンベルト [1932～2016年／美学者、哲学者・『記号論』]……①149
エピクテトス [55?～135?年／ローマ帝国時代のストア派哲学者]……①158
エピクロス [紀元前341?～紀元前270?年／古代ギリシャの哲学者]……①159
エンゲルス, フリードリヒ [1820～1895年／経済学者、社会主義運動家]……①164
王守仁（おうしゅじん）[1472～1529年／陽明学をひらく]……①169
か　カウツキー, カール [1854～1938年／ドイツの社会主義者、歴史家]……①226
カント, インマヌエル [1724～1804年／哲学者、ドイツ観念論の祖]……①278
韓非（かんぴ）[?～紀元前233年／古代中国の戦国時代の思想家]……①279
キケロ, マルクス・トゥリウス [紀元前106～紀元前43年／古代ローマの政治家、思想家、雄弁家]……①284
キルケゴール, セーレン [1813～1855年／デンマークの思想家]……①308
孔穎達（くようだつ）[574～648年／中国の儒学者]……②26
ゲルツェン, アレクサンドル [1812～1870年／ロシアの思想家]……②54
孔子（こうし）[紀元前551?～紀元前479年／中国の思想家]……②64
公孫竜（こうそんりゅう）[生没年不詳／中国の思想家]……②66
顧炎武（こえんぶ）[1613～1682年／中国の考証学の祖]……②72
呉起（ごき）[紀元前440ごろ～紀元前381年ごろ／中国の兵法家]……②76
胡適（こてき）[1891～1962年／中華民国の学者、思想家]……②86
コント, オーギュスト [1798～1857年／哲学者、社会学者]……②106
さ　サルトル, ジャン＝ポール [1905～1980年／哲学者・実存主義]……②136
サン＝シモン, クロード・アンリ・ド [1760～1825年／社会思想家]……②139
サン＝ピエール, シャルル・イルネ・カステル・ド [1658～1743年／聖職者、啓蒙思想家]……②141
ジェームズ, ウィリアム [1842～1910年／哲学者・プラグマティズム]②146
朱熹（しゅき）[1130～1200年／朱子学をひらいた宋の思想家]……②183
荀子（じゅんし）[紀元前298ごろ～紀元前235年ごろ／中国の思想家・性悪説]……②190
商鞅（しょうおう）[紀元前395ごろ～紀元前338年／中国の思想家]……②191
鄭玄（じょうげん）[127～200年／中国、後漢の訓詁学の学者]……②192
ショーペンハウアー, アルトゥール [1788～1860年／哲学者]②200
鄒衍（すうえん）[紀元前305?～紀元前240?年／中国の思想家・陰陽五行家]……②213
スピノザ, バルク・ド [1632～1677年／オランダの哲学者]……②233

スペンサー, ハーバート [1820～1903年／イギリスの哲学者]…… ②233
セネカ, ルキウス・アンナエウス [紀元前4ごろ～紀元後65年／古代ローマの哲学者]…… ②244
ゼノン [紀元前335～紀元前263年／古代ギリシャの哲学者]…… ②244
荘子（そうし）[生没年不詳／中国、戦国時代の道家の思想家]…… ②250
蘇秦（そしん）[?～紀元前317年／合従策を説いた縦横家]…… ②256
ソロー, ヘンリー [1817～1862年／随筆家・『ウォルデン─森の生活』]②258
孫子（そんし）[生没年不詳／中国、春秋時代の兵法家]…… ②260
た　ダランベール, ジャン・ル・ロン [1717～1783年／『百科全書』の責任編集者]…… ②314
タレス [紀元前624ごろ～紀元前546年ごろ／古代ギリシャの哲学者]…… ②315
張儀（ちょうぎ）[?～紀元前310年／連衡策を説いた縦横家]…… ③19
陳独秀（ちんどくしゅう）[1879～1942年／中華民国の思想家、政治家]…… ③24
ディドロ, ドニ [1713～1784年／フランスの哲学者、作家]…… ③39
デカルト, ルネ [1596～1650年／フランスの哲学者、数学者]…… ③42
デモクリトス [紀元前460?～紀元前370?年／古代ギリシャの哲学者]…… ③45
デューイ, ジョン [1859～1952年／プラグマティズム思想]…… ③45
董仲舒（とうちゅうじょ）[紀元前176?～紀元前104?年／中国、前漢時代の儒学者]…… ③59
トマス・アクィナス [1225?～1274年／イタリアの神学者、哲学者]…… ③82
な　ニーチェ, フリードリヒ [1844～1900年／ドイツの哲学者]…… ③125
は　ハイデッガー, マルティン [1889～1976年／ドイツの哲学者]…… ③157
パスカル, ブレーズ [1623～1662年／フランスの哲学者、数学者]… ③164
バブーフ, フランソワ・ノエル [1760～1797年／フランスの思想家]③177
ヒューム, デビッド [1711～1776年／イギリスの哲学者]…… ③212
ヒルティ, カール [1833～1909年／スイスの法学者、宗教思想家]…… ③219
フィヒテ, ヨハン・ゴットリープ [1762～1814年／ドイツの哲学者]③226
フーリエ, シャルル [1772～1837年／哲学者、社会主義思想家]…… ③230
フォイエルバッハ, ルートウィヒ [1804～1872年／ドイツの哲学者]……③234
フッサール, エドムント [1859～1938年／ドイツの哲学者]…… ③266
プラトン [紀元前427?～紀元前347?年／古代ギリシャの哲学者]…… ③275
プルードン, ピエール・ジョゼフ [1809～1865年／フランスの社会主義思想家・無政府主義]…… ③283
ブルーノ, ジョルダーノ [1548～1600年／イタリアの哲学者]…… ③283
プロタゴラス [紀元前490ごろ～紀元前420年ごろ／古代ギリシャの哲学者]…… ③294
ペイン, トマス [1737～1809年／イギリスの文筆家、革命思想家]…… ④9
ヘーゲル, ゲオルク・ウィルヘルム [1770～1831年／ドイツ観念論]…… ④10
ベーコン, フランシス [1561～1626年／イギリス経験論]…… ④10
ベーコン, ロジャー [1214?～1292?年／イギリスの哲学者、科学者]…… ④10
ペスタロッチ, ヨハン・ハインリヒ [1746～1827年／教育思想家]…… ④13
ヘラクレイトス [紀元前540ごろ～?年／古代ギリシャの哲学者]…… ④17
ベルクソン, アンリ [1859～1941年／フランスの哲学者]…… ④19
ベルンシュタイン, エドゥアルト [1850～1932年／ドイツの社会主義者、政治家]…… ④23

ベンサム, ジェレミー [1748～1832年／イギリスの哲学者、法学者]… ④24

墨子 [紀元前480?～紀元前390?年／中国、春秋～戦国時代の思想家]… ④40

ホッブズ, トーマス [1588～1679年／イギリスの哲学者、政治学者]… ④48

ボルテール [1694～1778年／フランスの啓蒙思想家、作家]………… ④53

ま マキアベリ, ニコロ [1469～1527年／イタリアの政治学者]………… ④65

マルクス, カール [1818～1883年／科学的社会主義の創始者]……… ④90

ミル, ジョン・スチュアート [1806～1873年／経済学者、哲学者・『自由論』]

……………………………………………………………………… ④130

モア, トマス [1478～1535年／『ユートピア』の著者]……………… ④155

孟子 [紀元前372?～紀元前289?年／中国、戦国時代の儒教の思想家] ④155

モンテーニュ, ミシェル・ド [1533～1592年／フランスの思想家] ④173

モンテスキュー, シャルル＝ルイ・ド [1689～1755年／啓蒙思想家・『法

の精神』]…………………………………………………………… ④174

や ヤスパース, カール [1883～1969年／実存主義の哲学者]………… ④179

ら ライプニッツ, ゴットフリート [1646～1716年／数学者、哲学者・モナド]

……………………………………………………………………… ④228

ラッセル, バートランド [1872～1970年／数学者、哲学者]………… ④231

陸九淵 [1139～1193年／中国、南宋の思想家]……………………… ④240

李斯 [?～紀元前208年／中国、秦の政治家]………………………… ④241

李贄 [1527～1602年／中国、明の陽明学者]………………………… ④241

李大釗 [1889～1927年／中華民国初期の政治家、思想家]………… ④244

ルソー, ジャン＝ジャック [1712～1778年／フランス革命に影響をあたえた

思想家]……………………………………………………………… ④260

老子 [生没年不詳／中国、春秋戦国時代の思想家]………………… ④272

ロック, ジョン [1632～1704年／イギリスの哲学者、政治思想家]…… ④278

学者

― 日 本 ―

あ 会沢正志斎 [1782～1863年／儒学者・水戸学]………………… ①11

相沢忠洋 [1926～1989年／考古学者・日本の旧石器時代を発見]…… ①11

青木昆陽 [1698～1769年／儒学者、蘭学者]……………………… ①15

赤﨑勇 [1929年～／半導体工学者]………………………………… ①16

朝河貫一 [1873～1948年／歴史学者、エール大学教授]…………… ①24

浅川巧 [1891～1931年／朝鮮民芸・陶芸の研究家]……………… ①25

麻田剛立 [1734～1799年／暦学を研究した天文学者]…………… ①26

浅見絅斎 [1652～1711年／尊王思想に影響をあたえた学者]…… ①28

安部磯雄 [1865～1949年／キリスト教社会主義者、政治家]…… ①45

安倍能成 [1883～1966年／哲学者、教育者、文部大臣]…………… ①49

天野浩 [1960年～／工学者]………………………………………… ①51

雨森芳洲 [1668～1755年／朝鮮との外交につとめた儒学者]…… ①52

新井白石 [1657～1725年／儒学者、政治家・『折たく柴の記』]…… ①53

有沢広巳 [1896～1988年／経済学者、統計学者]………………… ①56

飯田忠彦 [1799?～1860年／歴史家・『大日本野史』]…………… ①71

家永三郎 [1913～2002年／歴史学者]……………………………… ①73

生田万 [1801～1837年／国学者]…………………………………… ①76

石川千代松 [1861～1935年／動物学者]…………………………… ①84

石川雅望 [1753～1830年／国学者、狂歌師・『雅言集覧』]……… ①84

石田梅岩 [1685～1744年／思想家]………………………………… ①85

井尻正二 [1913～1999年／古生物学者]…………………………… ①89

一木喜徳郎 [1867～1944年／天皇機関説をとなえた憲法学者]…… ①94

一条兼良 [1402～1481年／室町時代を代表する学者]…………… ①95

伊藤仁斎 [1627～1705年／古義学派をおこした儒学者]………… ①98

伊藤東涯 [1670～1736年／古義学を大成させた儒学者]………… ①99

稲生若水 [1655～1715年／本草学の学者、教育者・『庶物類纂』]… ①109

伊能忠敬 [1745～1818年／測量家・『大日本沿海輿地全図』]…… ①109

猪俣津南雄 [1889～1942年／経済学者]…………………………… ①110

伊波普猷 [1876～1947年／民俗学者・琉球語や沖縄の歴史の研究]… ①110

今西錦司 [1902～1992年／動物学者、人類学者]………………… ①116

上杉慎吉 [1878～1929年／憲法学者]……………………………… ①130

上田万年 [1867～1937年／国語学者・国語政策]………………… ①133

上橋菜穂子 [1962年～／児童文学作家、文化人類学者]………… ①134

梅謙次郎 [1860～1910年／民法と商法をつくった法学者]……… ①143

梅棹忠夫 [1920～2010年／民族学者・『文明の生態史観』]……… ①143

江崎玲於奈 [1925年～／物理学者・エサキダイオード]………… ①152

淡海三船 [722～785年／奈良時代の学者・『唐大和上東征伝』]… ①170

大内兵衛 [1888～1980年／経済学者]……………………………… ①173

大蔵永常 [1768～?年／多くの農業書をのこした農学者]………… ①178

大河内正敏 [1878～1952年／機械工学者]………………………… ①180

大塩平八郎 [1793～1837年／陽明学者・大塩平八郎の乱をおこした] ①180

大隅良典 [1945年～／生物学者・オートファジーの仕組みを解明]… ①182

大塚久雄 [1907～1996年／経済史学者]…………………………… ①184

大槻文彦 [1847～1928年／日本初の国語辞典の編集者]………… ①184

大村智 [1935年～／化学者・感染症治療薬の開発]……………… ①191

大森房吉 [1868～1923年／地震学者]……………………………… ①192

大山郁夫 [1880～1955年／社会運動家、政治学者]……………… ①193

岡潔 [1901～1978年／数学者・関数の研究]……………………… ①194

岡田寒泉 [1740～1816年／儒学者・寛政の三博士]……………… ①194

荻生徂徠 [1666～1728年／柳沢吉保に重用された儒学者]……… ①200

小此木啓吾 [1930～2003年／精神分析学者]……………………… ①203

落合直文 [1861～1903年／歌人、国文学者・『日本大文典』]…… ①209

小野梓 [1852～1886年／法学者・大隈重信の片腕とされる]…… ①213

小野篁 [802～852年／平安時代の学者、歌人・『令義解』]……… ①214

小野蘭山 [1729～1810年／本草学者・『採薬記』]……………… ①215

折口信夫 [1887～1953年／国文学者、民俗学者]………………… ①217

か 貝原益軒 [1630～1714年／儒学者・『大和本草』『養生訓』]…… ①224

梶田隆章 [1959年～／物理学者・ニュートリノ研究]…………… ①232

荷田春満 [1669～1736年／赤穂浪士に協力した国学者]………… ①236

加藤弘之 [1836～1916年／政治学者・明六社の結成メンバー]… ①244

蒲生君平 [1768～1813年／思想家、儒学者・天皇陵の調査]…… ①257

賀茂真淵 [1697～1769年／国学の基礎を築いた国学者]………… ①258

萱野茂 [1926～2006年／アイヌ文化研究]……………………… ①259

ジャンル別索引

思想家・哲学者／学者

201

ジャンル別索引

学者

河合栄治郎 [1891〜1944年／思想家、教育者]……………①267
河上肇 [1879〜1946年／経済学者・『貧乏物語』]……………①269
川島武宜 [1909〜1992年／民法学者、法社会学者]……………①271
姜沆 [1567〜1618年／朱子学をつたえた朝鮮の儒学者]……………①279
菊池武夫 [1854〜1912年／日本初の法学博士]……………①283
喜田貞吉 [1871〜1939年／日本史学者]……………①288
北里柴三郎 [1852〜1931年／細菌学者・ペスト菌の発見]……………①288
木下順庵 [1621〜1698年／儒学者]……………①295
木原均 [1893〜1986年／遺伝学者]……………①297
吉備真備 [695〜775年／公家の高官、学者・遣唐使]……………①297
木村栄 [1870〜1943年／天文学者・Z項の発見]……………①300
金田一京助 [1882〜1971年／言語学者・アイヌ語の研究]……………①310
金田一春彦 [1913〜2004年／国語学者・『十五夜お月さん』]……………①311
熊沢蕃山 [1619〜1691年／幕府を批判した儒学者・『大学或問』]……………②24
久米邦武 [1839〜1931年／歴史学者・『大日本編年史』の編さん]……………②25
桂庵玄樹 [1427〜1508年／臨済宗の僧・薩南学派の始祖]……………②46
契沖 [1640〜1701年／国学者]……………②47
ケンペル, エンゲルベルト [1651〜1716年／博物学者、医者]……………②58
小柴昌俊 [1926年〜／物理学者]……………②79
小平邦彦 [1915〜1997年／数学者・多様体論分野の研究]……………②84
小林誠 [1944年〜／クォーク研究の理論物理学者]……………②94
佐々木惣一 [1878〜1965年／憲法学者・大日本帝国憲法改正草案]……………②122
佐佐木信綱 [1872〜1963年／国文学者、歌人・『校本万葉集』]……………②124
佐佐木幸綱 [1938年〜／歌人、国文学者・『はじめての雪』]……………②124
猿橋勝子 [1920〜2007年／地球化学者・海洋放射能汚染]……………②136
シーボルト, フィリップ・フランツ・フォン [1796〜1866年／ドイツの医者、博物学者・『日本植物誌』]……………②144
志賀重昂 [1863〜1927年／地理学者、評論家、政治家・『日本風景論』]……………②149
志筑忠雄 [1760〜1806年／蘭学者、翻訳家]……………②153
柴野栗山 [1736〜1807年／朱子学の振興をはかった儒学者]……………②159
渋川春海 [1639〜1715年／日本初の暦をつくった天文学者]……………②160
渋沢敬三 [1896〜1963年／民俗学者・アチック・ミューゼアム]……………②161
下村脩 [1928年〜／生物学者]……………②169
白川静 [1910〜2006年／漢字研究者・『字統』]……………②206
白川英樹 [1936年〜／化学者・導電性高分子の発見]……………②206
白鳥庫吉 [1865〜1942年／歴史学者・邪馬台国北九州説]……………②208
新村出 [1876〜1967年／言語学者・『広辞苑』]……………②211
菅江真澄 [1754〜1829年／国学者、紀行家・『真澄遊覧記』]……………②216
菅野真道 [741〜814年／『続日本紀』の編さん]……………②216
菅原道真 [845〜903年／学問の神様として知られる公家の高官]……………②217
鈴木章 [1930年〜／化学者]……………②223
鈴木梅太郎 [1874〜1943年／農化学者・ビタミンの発見]……………②223
鈴木安蔵 [1904〜1983年／憲法学者]……………②226
井真成 [699〜734年／唐の記録に残る留学生]……………②238
関孝和 [1642?〜1708年／数学者・筆算による代数]……………②241
仙覚 [1203〜?年／僧・万葉集の研究]……………②246

高木貞治 [1875〜1960年／数学者・類体論]……………②273
高野岩三郎 [1871〜1949年／統計学者、社会運動家]……………②277
高野辰之 [1876〜1947年／国文学者、作詞家・日本の演芸史]……………②277
高野長英 [1804〜1850年／蘭学者、医者]……………②277
高橋景保 [1785〜1829年／天文学者・『大日本沿海輿地全図』]……………②278
高橋至時 [1764〜1804年／天文学者・寛政暦]……………②280
高群逸枝 [1894〜1964年／女性史学を確立]……………②282
高柳健次郎 [1899〜1990年／テレビ受像機の開発]……………②283
滝川幸辰 [1891〜1962年／刑法学の基礎をきずいた]……………②285
田口卯吉 [1855〜1905年／経済学者・『東京経済雑誌』を創刊]……………②287
竹内均 [1920〜2004年／地球物理学者・地球の潮汐]……………②288
竹越三叉 [1865〜1950年／歴史学者、ジャーナリスト、政治家]……………②289
太宰春台 [1680〜1747年／儒学者・『経済録』]……………②296
田中耕一 [1959年〜／化学者・ソフトレーザーによる質量分析]……………②303
田中館愛橘 [1856〜1952年／地球物理学者]……………②304
谷時中 [1598〜1649年／土佐海南学派を確立した儒学者]……………②307
団藤重光 [1913〜2012年／法学者、判事]……………②318
知里幸恵 [1903〜1922年／アイヌ文化伝承者・『アイヌ神謡集』]……………③23
津田恭介 [1907〜1999年／フグ毒の研究]……………③28
津田左右吉 [1873〜1961年／歴史学者・『日本上代史研究』]……………③29
津田真道 [1829〜1903年／ヨーロッパの法学を紹介・『泰西国法論』]……………③30
ツンベルグ, カール [1743〜1828年／博物学者・『日本植物誌』]……………③35
利根川進 [1939年〜／分子生物学者、免疫学者]……………③79
富永仲基 [1715〜1746年／町人学者・『出定後語』]……………③83
富山和子 [1933年〜／環境問題評論家]……………③83
朝永振一郎 [1906〜1979年／物理学者・くりこみ理論]……………③84
鳥居龍蔵 [1870〜1953年／人類学者、考古学者]……………③91
ナウマン, エドムント [1854〜1927年／ドイツの地質学者]……………③95
直良信夫 [1902〜1985年／考古学者・明石原人]……………③96
中井甃庵 [1693〜1758年／儒学者・懐徳堂]……………③97
中井竹山 [1730〜1804年／儒学者・懐徳堂4代目学主]……………③97
中江藤樹 [1608〜1648年／日本の陽明学派の祖]……………③99
長岡半太郎 [1865〜1950年／物理学者・原子模型]……………③100
中沢道二 [1725〜1803年／石門心学を広めた思想家]……………③102
中西悟堂 [1895〜1984年／野鳥研究家・日本野鳥の会を創立]……………③106
中村修二 [1954年〜／技術者・高輝度青色発光ダイオード]……………③110
中村元 [1912〜1999年／インド哲学者、仏教学者]……………③111
中谷宇吉郎 [1900〜1962年／物理学者・雪の研究]……………③112
南部陽一郎 [1921〜2015年／理論物理学者・自発的対称性のやぶれ]……………③124
西川如見 [1648〜1724年／天文学者、地理学者・『華夷通商考』]……………③127
仁科芳雄 [1890〜1951年／物理学者・核物理学]……………③128
根岸英一 [1935年〜／化学者・根岸カップリング]……………③139
野口英世 [1876〜1928年／細菌学者・黄熱病、梅毒の研究]……………③146
野中到 [1867〜1955年／気象学者・富士山頂で越冬観測]……………③148
野依良治 [1938年〜／化学者・不斉合成反応の発見]……………③150
野呂栄太郎 [1900〜1934年／経済学者、社会主義者]……………③151

野呂元丈 [1693〜1761年／本草学者・博物学を紹介]………③151

は 服部南郭 [1683〜1759年／儒学者、漢詩人・『唐詩選国字解』]………③171

塙保己一 [1746〜1821年／国学者・『群書類従』]………③176

林鷲峰 [1618〜1680年／儒学者・『本朝通鑑』]………③182

林鳳岡 [1644〜1732年／儒学者・湯島聖堂の大学頭]………③184

林羅山 [1583〜1657年／徳川4代につかえた儒学者]………③184

伴信友 [1773〜1846年／国学者・『比古婆衣』]………③195

広中平祐 [1931年〜／数学者・代数多様体などの研究]………③221

福井謙一 [1918〜1998年／化学者・フロンティア軌道理論]………③238

福田徳三 [1874〜1930年／経済学者・『生存権の社会政策』]………③241

藤田哲也 [1920〜1998年／気象学者・「藤田スケール」を考案]………③245

藤原惺窩 [1561〜1619年／日本の朱子学の祖]………③247

ボアソナード, ギュスターブ・エミール [1825〜1910年／日本近代法の

父といわれるフランスの法学者]………④28

穂積陳重 [1856〜1926年／法学者・民法の起草に指導的役割]………④48

穂積八束 [1860〜1912年／憲法学者・『民法出でて忠孝亡ぶ』]………④48

本多光太郎 [1870〜1954年／物理学者・KS鋼を発明]………④55

ま 牧野富太郎 [1862〜1957年／植物分類学者・『牧野日本植物図鑑』]………④65

増井光子 [1937〜2010年／獣医師・『動物の親は子をどう育てるか』]………④70

益川敏英 [1940年〜／クォーク研究の理論物理学者]………④70

松本烝治 [1877〜1954年／商法学者・憲法草案を作成]………④82

三島徳七 [1893〜1975年／冶金学者・MK鋼を発明]………④102

南方熊楠 [1867〜1941年／生物学者、民俗学者・粘菌の研究]………④107

南村梅軒 [生没年不詳／儒学者・土佐南学派の始祖]………④108

源順 [911〜983年／漢和辞典と百科事典をかねた『和名類聚抄』を編集]………④109

美濃部達吉 [1873〜1948年／憲法学者・天皇機関説]………④118

宮崎安貞 [1623〜1697年／農学者・『農業全書』]………④122

宮本常一 [1907〜1981年／民俗学者・『忘れられた日本人』]………④126

三善為康 [1049〜1139年／平安時代の官人、学者・『拾遺往生伝』]………④129

ミルン, ジョン [1850〜1913年／地震学者・地震計の考案、地震観測所の設置]………④131

室鳩巣 [1658〜1734年／儒学者・徳川吉宗の側近]………④148

モース, エドワード [1838〜1925年／動物学者・大森貝塚を発見]………④158

モッセ, アルバート [1846〜1925年／法学者・明治政府の法律顧問]④164

本居宣長 [1730〜1801年／国学者・『古事記伝』]………④164

元田永孚 [1818〜1891年／教育勅語の起草にかかわった儒学者]………④165

森重文 [1951年〜／数学者・極小モデル]………④168

森戸辰男 [1888〜1984年／経済学者・『クロポトキンの社会思想の研究』]

………④169

諸橋轍次 [1883〜1982年／漢学者・『大漢和辞典』]………④172

や 矢内原忠雄 [1893〜1961年／経済学者・『国家の理想』]………④180

柳田国男 [1875〜1962年／民俗学者・『遠野物語』]………④181

山鹿素行 [1622〜1685年／儒学者・山鹿流兵法と古学派の祖]………④184

山県大弐 [1725〜1767年／儒学者、思想家・『柳子新論』]………④185

山片蟠桃 [1748〜1821年／町人学者・『夢の代』]………④185

山崎闇斎 [1618〜1682年／儒学者・垂加神道の祖]………④188

山階芳麿 [1900〜1989年／鳥類学者・『日本の鳥類と其の生態』]………④190

湯川秀樹 [1907〜1981年／理論物理学者・中間子理論]………④204

横井時敬 [1860〜1927年／農学者・『栽培汎論』]………④210

横田喜三郎 [1896〜1993年／国際法学者・『国際裁判の本質』]………④210

吉田光由 [1598〜1672年／数学者・『塵劫記』]………④218

吉野源三郎 [1899〜1981年／ジャーナリスト、児童文学者、評論家・『君たちはどう

生きるか』]………④218

吉野作造 [1878〜1933年／政治学者・大正デモクラシーの中心人物]………④218

ら 頼山陽 [1780〜1832年／儒学者、史学者、詩人・『日本外史』]………④227

ロエスレル, カール・フリードリヒ・ヘルマン [1834〜1894年／法学

者・法制度の基礎づくりを指導]………④273

わ 我妻栄 [1897〜1973年／民法学者・日本の民法学の基礎を築く]………④286

渡辺崋山 [1793〜1841年／蘭学者・蛮社の獄]………④290

王仁 [生没年不詳／古墳時代に渡来、漢字を伝えた百済の人]………④293

―――――――――――― 世界 ――――――――――――

あ アインシュタイン, アルバート [1879〜1955年／理論物理学・相対性理論]

………①13

アボガドロ, アメデオ [1776〜1856年／化学者、物理学者・分子の研究]

………①49

アリスタルコス [紀元前310?〜紀元前230?年／天文学者、数学者・太陽中心

説]………①57

アルキメデス [紀元前287〜紀元前212年／科学者・アルキメデスの原理]①59

アレニウス, スバンテ [1859〜1927年／物理化学・イオン解離説]………①62

アンダーソン, カール・デビット [1905〜1991年／実験物理学者・陽電子]

………①66

アンペール, アンドレ＝マリー [1775〜1836年／物理学者・電磁気学]

………①70

イブン・シーナー [980〜1037年／イスラムの医学者]………①113

イブン・ハルドゥーン [1332〜1406年／『歴史序説』]………①113

ウィーナー, ノーバート [1894〜1964年／数学者・サイバネティックス]

………①124

ウィルキンズ, モーリス [1916〜2004年／生物物理学者・DNAの二重らせん

構造]………①126

ウェーバー, マックス [1864〜1920年／社会学、経済学、歴史学]………①128

ウェゲナー, アルフレッド [1880〜1930年／大陸移動説]………①129

ウェッブ夫妻 [夫シドニー　1859〜1947年、妻ベアトリス　1858〜1943年／社

会学、経済学]………①134

ウェブスター, ノーア [1758〜1843年／辞典編集]………①135

ウォーレス, アルフレッド・ラッセル [1823〜1913年／自然選択の進化

論]………①137

ウルグ・ベク [1394?〜1449年／ティムール帝国の第4代君主、科学者]

………①146

エバンズ, アーサー [1851〜1941年／古代ギリシャの遺跡を発見]………①158

エラスムス, デシデリウス [1469?〜1536年／人文学者・『愚神礼賛』]

………①159

エラトステネス［紀元前275～紀元前194年／天文学者、地理学者・地球の大きさを測定］……… ①160

エルステッド, ハンス・クリスティアン［1777～1851年／物理学者、化学者］……… ①162

エングラー, アドルフ［1844～1930年／植物の分類体系］………… ①163

エンゲル, エルンスト［1821～1896年／社会統計学］………… ①164

オイラー, レオンハルト［1707～1783年／数学・一筆書きの数学的研究］……… ①167

欧陽脩［1007～1072年／学者、官僚、文学者・『新五代史』］……… ①171

欧陽詢［557～641年／百科事典『芸文類聚』の編集］……… ①171

オーム, ゲオルク・ジーモン［1789～1854年／物理学者・電気回路］……… ①191

オッペンハイマー, ジョン［1904～1967年／理論物理学・原子爆弾］……… ①212

オパーリン, アレクサンドル［1894～1980年／『生命の起源』］…… ①215

オマル・ハイヤーム［1048?～1131?年／ペルシアの数学者、天文学者、詩人・『代数学』、ジャラーリー暦］……… ①216

か カーソン, レイチェル［1907～1964年／海洋生物学・『沈黙の春』］ ①219

カーター, ハワード［1874～1939年／考古学者・エジプト］……… ①220

カーメルリング・オンネス, ヘイケ［1853～1926年／物理学者・低温物理学］……… ①221

ガイガー, ハンス［1882～1945年／物理学者・原子核実験］……… ①223

ガウス, カール・フリードリヒ［1777～1855年／数学・正多角形の作図］……… ①225

郭守敬［1231～1316年／天文学・授時暦］……… ①229

ガモフ, ジョージ［1904～1968年／物理学・火の玉宇宙論］………… ①258

ガリレイ, ガリレオ［1564～1642年／物理学者、天文学者・地動説を主張］……… ①264

カルダーノ, ジロラモ［1501～1576年／数学・三次方程式の解法］ ①262

カルノー, サディ［1796～1832年／物理学・熱力学］………… ①263

ガロア, エバリスト［1811～1832年／数学・ガロア理論］………… ①266

カロザース, ウォーレス・ヒューム［1896～1937年／化学者・化学繊維］……… ①267

キッシンジャー, ヘンリー［1923年～／アメリカの政治学者、政治家］……… ①292

キャベンディッシュ, ヘンリー［1731～1810年／物理学者、化学者］……… ①301

キュリー, ピエール［1859～1906年／物理学者、化学者・放射線の研究］……… ①303

キュリー, マリー［1867～1934年／物理学者、化学者・放射線の研究］①304

ギルバート, ウィリアム［1544～1603年／物理学者・磁石と静電気］①309

グールド, スティーブン・ジェイ［1941～2002年／進化生物学、古生物学］……… ②12

クーロン, シャルル・オーギュスタン・ド［1736～1806年／物理学者・クーロンの法則］……… ②12

グドール, ジェーン［1934年～／動物行動学、霊長類学・『森の隣人』］ ②20

グナイスト, ルドルフ・フォン［1816～1895年／法学］……… ②21

クリック, フランシス［1916～2004年／分子生物学・DNAのらせん構造］……… ②32

グリム兄弟［兄ヤーコプ　1785～1863年、弟ウィルヘルム　1786～1859年／『グリム童話』『ドイツ語大辞典』］……… ②33

グローテフェント, ゲオルク［1775～1853年／くさび形文字の解読］②39

グロティウス, フーゴ［1583～1645年／法学・国際法の父］……… ②43

グロフ, スタニスラフ［1931年～／トランスパーソナル心理学会の創始者］……… ②44

ケインズ, ジョン［1883～1946年／近代経済学を確立］……… ②48

ゲーリケ, オットー・フォン［1602～1686年／物理学・真空ポンプを発明］……… ②49

ケッペン, ウラディミール［1846～1940年／気候区分の研究］……… ②50

ケネー, フランソワ［1694～1774年／重農主義の創始者］……… ②51

ケプラー, ヨハネス［1571～1630年／天文学者・天体の運行］……… ②52

ケルビン［1824～1907年／物理学者・電磁気学および熱力学］……… ②54

ゴア, アル［1948年～／アメリカの政治家、環境問題研究者］……… ②59

黄宗羲［1610～1695年／思想家・『明夷待訪録』］……… ②66

康有為［1858～1927年／公羊学者］……… ②72

顧憲成［1550～1612年／東林派の指導者］……… ②77

ゴダード, ロバート［1882～1945年／ロケット工学者］……… ②82

コッホ, ロベルト［1843～1910年／細菌学者・結核菌の発見］……… ②84

コペルニクス, ニコラウス［1473～1543年／天文学者・地動説］……… ②95

コルボーン, シーア［1927～2014年／動物学・『奪われし未来』］……… ②102

コント, オーギュスト［1798～1857年／社会学の創始者］……… ②106

さ サイード, エドワード［1935～2003年／パレスチナ系アメリカ人の英文学者、比較文学者］……… ②108

サックス, オリバー［1933～2015年／神経学者、作家・『レナードの朝』］……… ②126

サハロフ, アンドレイ［1921～1989年／物理学・水爆開発］………… ②132

ザメンホフ, ラザロ［1859～1917年／エスペラント語の創始者］……… ②134

司馬光［1019～1086年／中国、北宋の官僚政治家、歴史家］……… ②157

司馬遷［紀元前145?～紀元前86?年／中国、前漢の歴史家］……… ②158

シャルル, ジャック＝アレクサンドル＝セザール［1746～1823年／物理学者、数学者・水素気球］……… ②177

シャンポリオン, ジャン・フランソワ［1790～1832年／ロゼッタ・ストーンを解読］……… ②178

周敦頤［1017～1073年／宋学の創始者の一人］……… ②179

ジュール, ジェームズ［1818～1889年／物理学者・熱力学］……… ②183

シュリーマン, ハインリヒ［1822～1890年／考古学・トロイ遺跡］…… ②188

シュレーディンガー, エルウィン［1887～1961年／物理学者・量子力学の確立］……… ②189

鄭玄［127～200年／中国、後漢の訓詁学の学者］……… ②192

徐光啓［1562～1633年／中国、明に西洋の科学技術を広める］………… ②202

ショックレー, ウィリアム・ブラッドフォード［1910～1989年／物理学者・半導体］……… ②203

スタイン, マーク・オーレル [1862〜1943年／イギリスの考古学者、探検家]
‥‥‥‥‥‥‥‥‥‥‥‥‥‥‥‥‥‥‥‥‥‥‥‥‥ ②226

ステビン, シモン [1548〜1620年／数学、物理学・小数の提唱]‥‥‥ ②228

ストラボン [紀元前64?〜紀元後23?年／地理学者、歴史家・『地理誌』]
‥‥‥‥‥‥‥‥‥‥‥‥‥‥‥‥‥‥‥‥‥‥‥‥‥ ②231

スミス, アダム [1723〜1790年／古典経済学の創始者]‥‥‥‥ ②234

セーガン, カール [1934〜1996年／天文学・『コスモス』]‥‥‥ ②241

セルシウス, アンダース [1701〜1744年／天文学、物理学]‥‥‥ ②245

銭大昕 [1728〜1804年／実証的史学を確立した清の考証学者]‥‥‥ ②247

宋応星 [1587〜1650?年／中国の明末期の学者、官吏]‥‥‥ ②249

ソクラテス [紀元前469ごろ〜紀元前399年／古代ギリシャの哲学者]‥‥ ②255

ソシュール, フェルディナン・ド [1857〜1913年／言語学・『一般言語学講
義』]‥‥‥‥‥‥‥‥‥‥‥‥‥‥‥‥‥‥‥‥‥‥ ②255

た ダーウィン, チャールズ [1809〜1882年／博物学、生物学・『種の起源』]
‥‥‥‥‥‥‥‥‥‥‥‥‥‥‥‥‥‥‥‥‥‥‥‥‥ ②262

タキトゥス, ガイウス・コルネリウス [55ごろ〜120ごろ／ローマ帝国の
歴史家]‥‥‥‥‥‥‥‥‥‥‥‥‥‥‥‥‥‥‥‥ ②286

ダランベール, ジャン・ル・ロン [1717〜1783年／数学者、哲学者・『百科
全書』の責任編集者]‥‥‥‥‥‥‥‥‥‥‥‥‥‥ ②314

チャドウィック, ジェームズ [1891〜1974年／物理学・中性子を発見]
‥‥‥‥‥‥‥‥‥‥‥‥‥‥‥‥‥‥‥‥‥‥‥‥‥ ③15

チュルゴー, アンヌ・ロベール・ジャック [1727〜1781年／ルイ16世に
むかえられた経済学者]‥‥‥‥‥‥‥‥‥‥‥‥‥ ③18

張衡 [78〜139年／中国、後漢の文学者、科学者]‥‥‥‥ ③20

陳寿 [233〜297年／中国、西晋の官僚、歴史家]‥‥‥‥ ③23

ツィオルコフスキー, コンスタンティン [1857〜1935年／ロケット工学]
‥‥‥‥‥‥‥‥‥‥‥‥‥‥‥‥‥‥‥‥‥‥‥‥‥ ③25

デュボイス, ウィリアム・エドワード・バーガート [1868〜1963年／
黒人解放につくしたアメリカ合衆国の市民活動家]‥‥‥‥ ③47

デュボワ, ユージェーヌ [1858〜1940年／解剖学者、人類学者・原人化石]
‥‥‥‥‥‥‥‥‥‥‥‥‥‥‥‥‥‥‥‥‥‥‥‥‥ ③47

トインビー, アーノルド・ジョセフ [1889〜1975年／歴史家、国際政治学
者、文明批評家]‥‥‥‥‥‥‥‥‥‥‥‥‥‥‥‥ ③54

トゥキディデス [紀元前460?〜紀元前400?年／古代ギリシャの歴史家] ③55

トールキン, ジョン・ロナルド・ロウェル [1892〜1973年／イギリスの作
家、言語学者]‥‥‥‥‥‥‥‥‥‥‥‥‥‥‥‥‥ ③62

トスカネッリ, パオロ・ダル・ポッツォ [1397〜1482年／天文学、地理
学]‥‥‥‥‥‥‥‥‥‥‥‥‥‥‥‥‥‥‥‥‥‥ ③77

ドップラー, ヨハン・クリスティアン [1803〜1853年／物理学者・ドップ
ラー効果]‥‥‥‥‥‥‥‥‥‥‥‥‥‥‥‥‥‥‥ ③78

ド・フリース, ユーゴ [1848〜1935年／植物学、遺伝学]‥‥‥‥‥ ③81

ドラッカー, ピーター [1909〜2005年／経営学・『ポスト資本主義社会』]
‥‥‥‥‥‥‥‥‥‥‥‥‥‥‥‥‥‥‥‥‥‥‥‥‥ ③87

トリチェリ, エバンジェリスタ [1608〜1647年／物理学者・真空と大気圧]
‥‥‥‥‥‥‥‥‥‥‥‥‥‥‥‥‥‥‥‥‥‥‥‥‥ ③91

トリボニアヌス [?〜545?年／法学・『ローマ法大全』を編さん]‥‥ ③91

ドルトン, ジョン [1766〜1844年／化学・近代的な原子論をとなえた]‥‥ ③92

な ナッシュ, ジョン [1928〜2015年／数学・ナッシュ均衡]‥‥‥‥‥ ③116

ニュートン, アイザック [1642〜1727年／物理学者、数学者・力学] ③135

ネーピア, ジョン [1550〜1617年／数学・小数点記号]‥‥‥‥‥ ③139

ノイマン, ジョン・フォン [1903〜1957年／数学者、経済学者、計算機科学
者]‥‥‥‥‥‥‥‥‥‥‥‥‥‥‥‥‥‥‥‥‥‥ ③143

ノストラダムス [1503〜1566年／占星術師]‥‥‥‥‥‥‥‥‥ ③147

は ハーシェル, ウィリアム [1738〜1822年／天文学・天王星を発見] ③153

バーバンク, ルーサー [1849〜1926年／品種改良にうちこんだ植物育種家]
‥‥‥‥‥‥‥‥‥‥‥‥‥‥‥‥‥‥‥‥‥‥‥‥‥ ③155

ハイゼンベルク, ウェルナー [1901〜1976年／理論物理学・不確定性原
理]‥‥‥‥‥‥‥‥‥‥‥‥‥‥‥‥‥‥‥‥‥‥ ③157

パスツール, ルイ [1822〜1895年／微生物学]‥‥‥‥‥‥‥‥ ③165

ハッブル, エドウィン [1889〜1953年／ハッブルの法則]‥‥‥‥ ③173

パブロフ, イワン・ペトロビッチ [1849〜1936年／生理学・条件反射]
‥‥‥‥‥‥‥‥‥‥‥‥‥‥‥‥‥‥‥‥‥‥‥‥‥ ③178

バベッジ, チャールズ [1791〜1871年／数学者、科学者・電子計算機の研究]
‥‥‥‥‥‥‥‥‥‥‥‥‥‥‥‥‥‥‥‥‥‥‥‥‥ ③178

パラケルスス [1493〜1541年／スイスの医師、化学者]‥‥‥‥ ③185

パル, ラダビノード [1886〜1967年／法学・東京裁判の判事]‥‥‥ ③190

ハレー, エドマンド [1656〜1742年／天文学・『南天星表』]‥‥‥ ③193

班固 [32〜92年／中国、後漢の歴史家]‥‥‥‥‥‥‥‥‥ ③193

ピカール, オーギュスト [1884〜1962年／物理学者、気象学者、探検家]
‥‥‥‥‥‥‥‥‥‥‥‥‥‥‥‥‥‥‥‥‥‥‥‥‥ ③197

ピタゴラス [紀元前582ごろ〜紀元前510ごろ／数学者、哲学者・ピタゴラスの定
理]‥‥‥‥‥‥‥‥‥‥‥‥‥‥‥‥‥‥‥‥‥‥ ③205

ビュフォン, ジョルジュ＝ルイ [1707〜1788年／博物学・『博物誌』]
‥‥‥‥‥‥‥‥‥‥‥‥‥‥‥‥‥‥‥‥‥‥‥‥‥ ③213

ファーブル, ジャン・アンリ [1823〜1915年／昆虫学、博物学]‥‥ ③228

ファーレンハイト, ガブリエル [1686〜1736年／物理学者・温度計]
‥‥‥‥‥‥‥‥‥‥‥‥‥‥‥‥‥‥‥‥‥‥‥‥‥ ③223

ファインマン, リチャード [1918〜1988年／量子電磁力学]‥‥‥‥ ③223

ファラデー, マイケル [1791〜1867年／物理学者・電磁気学]‥‥‥ ③223

フーコー, ジャン・ベルナール [1819〜1868年／実験物理学・地球の自転
を証明]‥‥‥‥‥‥‥‥‥‥‥‥‥‥‥‥‥‥‥‥ ③227

フーリエ, ジャン・バプティスト [1768〜1830年／熱伝導、フーリエ解析理
論]‥‥‥‥‥‥‥‥‥‥‥‥‥‥‥‥‥‥‥‥‥‥ ③230

フェルマー, ピエール・ド [1601〜1665年／数学・フェルマーの定理] ③233

フェルミ, エンリコ [1901〜1954年／物理学・フェルミ統計]‥‥‥ ③233

フォン・ブラウン, ウェルナー [1912〜1977年／ロケット工学]‥‥ ③236

フック, ロバート [1635〜1703年／物理学・王立協会の実験監督]‥‥ ③266

プトレマイオス, クラウディオス [生没年不詳／古代ギリシャの天文学者]
‥‥‥‥‥‥‥‥‥‥‥‥‥‥‥‥‥‥‥‥‥‥‥‥‥ ③269

ブラーエ, ティコ [1546〜1601年／天文学・超新星を発見]‥‥‥‥ ③270

ブラウン, カール・フェルディナント [1850〜1918年／物理学者・ブラウン
管]‥‥‥‥‥‥‥‥‥‥‥‥‥‥‥‥‥‥‥‥‥‥ ③271

ブラウン, ロバート［1773〜1858年／植物学者］.............③273

プランク, マックス［1858〜1947年／理論物理学者・量子力学］......③276

フランクル, ビクトール［1905〜1997年／精神医学］.............③277

プリーストリー, ジョセフ［1733〜1804年／化学、神学・多種の気体の発見者］.............③279

フリッシュ, カール・フォン［1886〜1982年／動物学・ミツバチのダンスを発見］.............③281

プリニウス［23?〜79年／ローマ帝国の博物学者］.............③281

フレミング, ジョン・アンブローズ［1849〜1945年／物理学者、電気技術者・フレミングの法則］.............③291

フロイト, ジグムント［1856〜1939年／精神分析の創始者］.............③292

ブローデル, フェルナン［1902〜1985年／歴史学・地中海世界の研究］.............③293

フロム, エーリッヒ［1900〜1980年／精神分析学・大衆社会を分析］③294

フワーリズミー［780ごろ〜850年ごろ／アッバース朝の数学者］③294

フンボルト, アレクサンダー・フォン［1769〜1859年／地理学・『コスモス』］.............③295

ヘイエルダール, トール［1914〜2002年／人類学者・漂流実験］.........④9

ベーコン, ロジャー［1214?〜1292?年／イギリスの科学者］.............④10

ベクレル, アントワーヌ・アンリ［1852〜1908年／ウランの放射線を発見］.............④13

ベル, グラハム［1847〜1922年／物理学者・通信技術］.............④19

ベルセリウス, ヨンス・ヤーコブ［1779〜1848年／化学者・元素記号］.............④19

ヘルツ, ハインリヒ・ルドルフ［1857〜1894年／物理学者・電磁気学］.............④20

ヘルムホルツ, ヘルマン・フォン［1821〜1894年／物理学・熱力学の第一法則］.............④21

ヘロドトス［紀元前484?〜紀元前425?年／古代ギリシャの歴史家・『歴史』］.............④24

ベンサム, ジェレミー［1748〜1832年／法学者、哲学者・功利主義の創始者］.............④24

ベントリス, マイケル［1922〜1956年／考古学・線文字Bを解読］.........④26

ヘンリー, ジョセフ［1797〜1878年／物理学者・電磁気学］.............④26

ポアンカレ, ジュール・アンリ［1854〜1912年／数学者・位相幾何学］.............④28

ホイヘンス, クリスティアーン［1629〜1695年／物理学・ホイヘンスの原理］.............④29

ボイル, ロバート［1627〜1691年／化学者、物理学者］.............④29

ボーア, ニールス［1885〜1962年／物理学・原子模型］.............④36

ホーキング, スティーブン［1942年〜／ブラックホールの理論］.........④37

ポリビオス［紀元前200?〜紀元前120?年／歴史家・『歴史』］.............④52

（ま）マイヤー, ユリウス・ロベルト・フォン［1814〜1878年／物理学・エネルギー保存則］.............④60

マクスウェル, ジェームズ［1831〜1879年／電磁気学の基礎を築く］④66

マズロー, エイブラハム［1908〜1970年／心理学・欲求段階説］.......④71

マルサス, トーマス［1766〜1834年／経済学・貧困問題］.............④92

マルピーギ, マルチェロ［1628〜1694年／解剖学者、医師・顕微鏡解剖学］.............④94

マンデルブロー, ブノワ［1924〜2010年／数学・フラクタルの提唱］....④97

ミル, ジョン・スチュアート［1806〜1873年／経済学、哲学・『経済学原理』］.............④130

メルカトル, ゲラルドゥス［1512〜1594年／地理学・メルカトル図法］.............④153

メンデル, グレゴール［1822〜1884年／修道士、植物学者・メンデルの法則］.............④154

メンデレーエフ, ドミトリー［1834〜1907年／元素の周期律］......④154

（や）ユークリッド［生没年不詳／数学者、天文学者・ユークリッド幾何学］......④203

ユング, カール・グスタフ［1875〜1961年／分析心理学］.............④207

（ら）ライプニッツ, ゴットフリート［1646〜1716年／数学、哲学・微積分法］.............④228

ラグランジュ, ジョゼフ・ルイ［1736〜1813年／『解析力学』］......④230

ラザフォード, アーネスト［1871〜1937年／物理学・原子模型］....④230

ラシード・アッディーン［1247?〜1318年／モンゴル、イル・ハン国の政治家、歴史家］.............④231

ラッフルズ, トマス・スタンフォード［1781〜1826年／イギリスの植民地行政官、博物学者］.............④232

ラプラス, ピエール・シモン［1749〜1827年／数学、天文学・『確率の解析的理論』］.............④233

ラボアジエ, アントワーヌ＝ローラン［1743〜1794年／化学・質量保存の法則］.............④234

ラマルク, ジャン＝バティスト［1744〜1829年／生物学者、進化論者］.............④234

ランケ, レオポルト・フォン［1795〜1886年／近代歴史学の創始者］.............④235

リーキー, ルイス・シーモア・バゼット［1903〜1972年／古生物学、人類学］.............④236

リービヒ, ユストゥス・フォン［1803〜1873年／有機化学］.............④237

リーマン, ベルンハルト［1826〜1866年／数学・幾何学分野の業績］.............④238

リウィウス［紀元前59〜紀元後17年／歴史家、『ローマ史』］.....④238

リカード, デビッド［1772〜1823年／経済学・『経済学および課税の原理』］.............④239

李時珍［1518?〜1593?年／医学、本草学・『本草綱目』］.....④242

リヒトホーフェン, フェルディナント・フォン［1833〜1905年／地理学、地質学］.............④246

竜樹［150ごろ〜250年ごろ／大乗仏教の理論］.............④248

リュクルゴス［生没年不詳／伝説的な立法家］.............④250

リンネ, カール・フォン［1707〜1778年／博物学・生物分類］.....④254

ルイス, クライブ・ステープルズ［1898〜1963年／イギリスの中世文化研究家、評論家］.............④257

レオナルド・ダ・ビンチ [1452～1519年／イタリアの画家、彫刻家、建築家、科学者]………④266

レビ＝ストロース, クロード [1908～2009年／文化人類学・構造主義]………④270

レントゲン, ウィルヘルム [1845～1923年／物理学・X線を発見]…④271

ローリンソン, ヘンリー・クレジック [1810～1895年／ビストゥン碑文の解読]………④275

ローレンツ, コンラート [1903～1989年／動物学・『ソロモンの指輪』]………④276

ロレンス, トーマス・エドワード [1888～1935年／考古学・『アラビアのロレンス』で知られる]………④282

わ ワクスマン, セルマン [1888～1973年／微生物学・抗生物質]………④287

ワトソン, ジェームズ [1928年～／分子生物学・DNAの分子構造]…④292

作家

─ 日本 ─

あ 赤川次郎 [1948年～／推理作家・『三毛猫ホームズの推理』]………①16

赤瀬川原平 [1937～2014年／前衛芸術家、作家・『老人力』]………①17

阿川弘之 [1920～2015年／作家・『雲の墓標』]………①19

芥川龍之介 [1892～1927年／作家・『羅生門』]………①22

阿久悠 [1937～2007年／作詞家、作家・『瀬戸内少年野球団』]………①23

朱楽菅江 [1740～1800年／狂歌師、戯作者・『万載狂歌集』]………①23

阿仏尼 [?～1283年／歌人・『十六夜日記』]………①44

安部公房 [1924～1993年／作家、劇作家・『砂の女』]………①45

阿部知二 [1903～1973年／作家、評論家、英文学者、翻訳家・『冬の宿』]………①46

有島武郎 [1878～1923年／作家・『生れ出づる悩み』]………①57

有吉佐和子 [1931～1984年／作家・『恍惚の人』]………①59

池澤夏樹 [1945年～／作家、詩人・『スティル・ライフ』]………①76

池波正太郎 [1923～1990年／作家、劇作家・『鬼平犯科帳』]………①79

石川淳 [1899～1987年／作家・『普賢』]………①83

石川達三 [1905～1985年／作家・『人間の壁』]………①84

石坂洋次郎 [1900～1986年／作家・『陽のあたる坂道』]………①85

石田衣良 [1960年～／作家・『4TEEN』]………①85

石原慎太郎 [1932年～／作家、政治家・『太陽の季節』]………①87

石牟礼道子 [1927年～／ノンフィクション作家、詩人・『苦海浄土―わが水俣病』]………①88

伊集院静 [1950年～／作家、作詞家・『受け月』]………①88

泉鏡花 [1873～1939年／作家・『歌行燈』]………①89

五木寛之 [1932年～／作家・『青春の門』]………①96

伊藤左千夫 [1864～1913年／作家、歌人・『野菊の墓』]………①97

伊藤整 [1905～1969年／作家、評論家、詩人・『小説の方法』]………①99

井上ひさし [1934～2010年／作家、劇作家・『吉里吉里人』]………①107

井上光晴 [1926～1992年／作家・『地の群れ』]………①108

井上靖 [1907～1991年／作家、詩人・『天平の甍』]………①108

井原西鶴 [1642～1693年／浮世草子作家、俳諧師・『世間胸算用』]………①110

李恢成 [1935年～／在日朝鮮人作家・『百年の旅人たち』]………①111

井伏鱒二 [1898～1993年／作家・『黒い雨』]………①112

岩野泡鳴 [1873～1920年／詩人、作家、評論家・『放浪』]………①121

上田秋成 [1734～1809年／歌人、国学者、戯作者・『雨月物語』]………①133

内田百閒 [1889～1971年／作家、随筆家・『百鬼園随筆』]………①140

内田魯庵 [1868～1929年／評論家、翻訳家、作家・『社会百面相』]………①141

宇野浩二 [1891～1961年／作家、児童文学作家、評論家・『思ひ川』]………①142

宇野千代 [1897～1996年／作家、随筆家、編集者・『おはん』]………①142

梅崎春生 [1915～1965年／作家・『ボロ家の春秋』]………①143

海野十三 [1897～1949年／作家・『火星兵団』]………①147

永六輔 [1933年～2016年／随筆家、作詞家、放送作家・『大往生』]………①148

江國香織 [1964年～／作家、児童文学作家・『号泣する準備はできていた』]………①151

江藤淳 [1932～1999年／文芸評論家、作家・『成熟と喪失』]………①155

江戸川乱歩 [1894～1965年／作家、評論家・『怪人二十面相』シリーズ]………①155

遠藤周作 [1923～1996年／作家・『深い河』]………①165

大江健三郎 [1935年～／作家・『万延元年のフットボール』]………①174

大岡昇平 [1909～1988年／作家、評論家・『野火』]………①175

大田南畝 [1749～1823年／戯作者、狂歌師・『寝惚先生文集』]………①183

大田洋子 [1903～1963年／作家・『人間襤褸』]………①183

大塚楠緒子 [1875～1910年／歌人、詩人、作家・『くれゆく秋』]………①184

大庭みな子 [1930～2007年／作家・『三匹の蟹』]………①189

大宅壮一 [1900～1970年／戦後のマスコミ界で活躍した評論家]………①192

岡本かの子 [1889～1939年／作家、歌人、仏教研究家・『生々流転』]………①197

岡本綺堂 [1872～1939年／作家、劇作家、演劇評論家・『半七捕物帳』]………①198

小川国夫 [1927～2008年／作家・『逸民』]………①198

小川洋子 [1962年～／作家・『博士の愛した数式』]………①199

尾崎一雄 [1899～1983年／作家・『虫のいろいろ』]………①204

尾崎紅葉 [1867～1903年／作家・『金色夜叉』]………①204

尾崎士郎 [1898～1964年／作家・『人生劇場』]………①204

大佛次郎 [1897～1973年／作家・『鞍馬天狗』シリーズ]………①206

織田作之助 [1913～1947年／作家・『夫婦善哉』]………①207

小田実 [1932～2007年／作家、評論家、反戦運動家・『「アボジ」を踏む』]………①209

か 海音寺潮五郎 [1901～1977年／作家・『天と地と』]………①223

開高健 [1930～1989年／作家・『裸の王様』]………①224

加賀乙彦 [1929年～／作家、精神科医・『フランドルの冬』]………①227

葛西善蔵 [1887～1928年／作家・『湖畔手記』]………①230

梶井基次郎 [1901～1932年／作家・『檸檬』]………①232

加藤周一 [1919～2008年／評論家、作家・『日本文学史序説』]………①242

仮名垣魯文 [1829～1894年／作家、新聞記者・『安愚楽鍋』]………①246

鴨長明 [1155?～1216年／歌人、随筆家・『方丈記』]………①258

川上弘美 [1958年～／作家・『蛇を踏む』]………①269

川口松太郎 [1899～1985年／作家、劇作家、演出家・『明治一代女』]………①270

川端康成 [1899～1972年／作家・『雪国』]………①272

キーン, ドナルド [1922年～／日本文学研究家、文芸評論家]………①282

菊池寛 [1888～1948年／作家、劇作家・『恩讐の彼方に』]………①283

ジャンル別索引

作家

岸田国士 [1890～1954年／作家、劇作家・『暖流』]……①284
北杜夫 [1927～2011年／作家、精神科医・『どくとるマンボウ航海記』]……①291
木下尚江 [1869～1937年／作家、社会運動家・『良人の自白』]……①296
金達寿 [1919～1997年／作家・『玄海灘』]……①299
清岡卓行 [1922～2006年／作家、詩人・『アカシアの大連』]……①305
清沢洌 [1890～1945年／ジャーナリスト、評論家・『暗黒日記』]……①306
桐生悠々 [1873～1941年／ジャーナリスト・「関東防空大演習を嗤ふ」]……①308
串田孫一 [1915～2005年／随筆家、哲学者・『山のパンセ』]……②14
国木田独歩 [1871～1908年／詩人、作家・『武蔵野』]……②21
久米正雄 [1891～1952年／作家、劇作家・『蛍草』]……②26
倉田百三 [1891～1943年／戯曲家、評論家・『愛と認識との出発』]……②29
倉橋由美子 [1935～2005年／作家・『パルタイ』]……②30
黒岩涙香 [1862～1920年／ジャーナリスト、翻訳家、作家・『無惨』]……②39
兼好法師 [1283?～1352?年／随筆家、歌人・『徒然草』]……②55
恋川春町 [1744～1789年／戯作者、浮世絵師・『鸚鵡返文武二道』]……②59
小泉八雲 [1850～1904年／文芸評論家、作家・短編小説集『怪談』]……②59
幸田文 [1904～1990年／随筆家、作家・『流れる』]……②66
幸田露伴 [1867～1947年／作家、随筆家・『五重塔』]……②67
小林多喜二 [1903～1933年／作家・『蟹工船』]……②93
小林秀雄 [1902～1983年／評論家・『無常といふ事』]……②94
小松左京 [1931～2011年／作家・『日本沈没』]……②96
五味川純平 [1916～1995年／作家・『人間の条件』]……②97
小宮豊隆 [1884～1966年／文芸評論家・『夏目漱石』]……②97
さ 早乙女勝元 [1932年～／作家、児童文学作家・『東京大空襲』]……②117
坂口安吾 [1906～1955年／作家・『桜の森の満開の下』]……②118
阪田寛夫 [1925～2005年／詩人、作家、児童文学作家・童謡「海道東征」]……②119
佐多稲子 [1904～1998年／作家・『時に佇つ』]……②125
佐藤愛子 [1923年～／作家・『戦いすんで日が暮れて』]……②127
佐藤春夫 [1892～1964年／詩人、作家・『田園の憂鬱』]……②130
里見弴 [1888～1983年／作家・『多情仏心』]……②130
山東京伝 [1761～1816年／戯作者・『忠臣水滸伝』]……②141
志賀直哉 [1883～1971年／作家・『暗夜行路』]……②149
式亭三馬 [1776～1822年／戯作・滑稽本『浮世風呂』]……②150
重松清 [1963年～／作家・『ナイフ』]……②151
獅子文六 [1893～1969年／作家、劇作家・『てんやわんや』]……②151
十返舎一九 [1765～1831年／戯作者・『東海道中膝栗毛』]……②154
信濃前司行長 [生没年不詳／官人・『平家物語』]……②156
柴田錬三郎 [1917～1978年／作家・『眠狂四郎無頼控』]……②159
司馬遼太郎 [1923～1996年／作家・『竜馬がゆく』]……②160
島尾敏雄 [1917～1986年／作家・『死の棘』]……②162
島木健作 [1903～1945年／作家・『生活の探究』]……②162
島崎藤村 [1872～1943年／作家、詩人・『夜明け前』]……②162
清水義範 [1947年～／作家・『永遠のジャック&ベティ』]……②168
下村湖人 [1884～1955年／作家、教育者・『次郎物語』]……②169
庄野潤三 [1921～2009年／作家・『プールサイド小景』]……②194

白洲正子 [1910～1998年／随筆家・『かくれ里』]……②207
城山三郎 [1927～2007年／作家・『落日燃ゆ』]……②209
菅原孝標女 [1008～?年／作家、歌人・『更級日記』]……②217
住井すゑ [1902～1997年／作家・『橋のない川』]……②233
清少納言 [966?～1025?年／歌人、随筆家・随筆『枕草子』]……②240
瀬戸内寂聴 [1922年～／作家・『かの子撩乱』]……②243
曽野綾子 [1931年～／作家・『神の汚れた手』]……②256
た 高橋和巳 [1931～1971年／作家・『悲の器』]……②278
高見順 [1907～1965年／作家、詩人、評論家・『如何なる星の下に』]……②281
滝沢馬琴 [1767～1848年／戯作者・『南総里見八犬伝』]……②286
武田泰淳 [1912～1976年／作家・『富士』]……②291
竹山道雄 [1903～1984年／ドイツ文学者、評論家、作家・『ビルマの竪琴』]……②295
太宰治 [1909～1948年／作家・『斜陽』]……②296
立花隆 [1940年～／ノンフィクション作家、評論家、ジャーナリスト・『田中角栄研究―その金脈と人脈』]……②298
橘成季 [生没年不詳／官人、文人・『古今著聞集』]……②298
立原正秋 [1926～1980年／作家・『冬のかたみに』]……②299
田辺聖子 [1928年～／作家・『ひねくれ一茶』]……②305
谷崎潤一郎 [1886～1965年／作家・『春琴抄』]……②307
田村俊子 [1884～1945年／作家・『木乃伊の口紅』]……②312
為永春水 [1790～1843年／戯作者・『春色梅児誉美』]……②312
田山花袋 [1871～1930年／作家・『蒲団』]……②313
檀一雄 [1912～1976年／作家・『火宅の人』]……②317
陳舜臣 [1924～2015年／作家・『阿片戦争』]……③24
辻邦生 [1925～1999年／作家・『背教者ユリアヌス』]……③28
津島佑子 [1947～2016年／作家・『火の山―山猿記』]……③28
筒井康隆 [1934年～／作家、俳優・『文学部唯野教授』]……③32
壺井栄 [1899～1967年／作家、児童文学作家・『二十四の瞳』]……③33
坪内逍遙 [1859～1935年／作家、劇作家、評論家・『小説神髄』]……③34
寺田寅彦 [1878～1935年／物理学者、随筆家・随筆集『柿の種』]……③49
東海散士 [1852～1922年／作家・『佳人之奇遇』]……③55
戸川幸夫 [1912～2004年／作家、児童文学作家・『高安犬物語』]……③63
徳田秋声 [1871～1943年／作家・『縮図』]……③74
徳冨蘆花 [1868～1927年／作家・『不如帰』]……③74
徳永直 [1899～1958年／作家・『太陽のない街』]……③75
富岡多恵子 [1935年～／詩人、作家・『冥土の家族』]……③82
な 直木三十五 [1891～1934年／作家・『源九郎義経』]……③96
永井荷風 [1879～1959年／作家、随筆家・『ふらんす物語』]……③97
中上健次 [1946～1992年／作家・『枯木灘』]……③100
中勘助 [1885～1965年／作家、詩人、随筆家・『提婆達多』]……③101
中里介山 [1885～1944年／作家・『大菩薩峠』]……③102
中島敦 [1909～1942年／作家・『李陵』]……③103
中西悟堂 [1895～1984年／随筆家、詩人、野鳥研究家・『野鳥とともに』]……③106
なかにし礼 [1938年～／作詞家、作家・『長崎ぶらぶら節』]……③107
中野重治 [1902～1979年／作家、評論家、詩人・『甲乙丙丁』]……③107

中村真一郎　なかむらしんいちろう［1918〜1997年／作家、評論家・『四季』］…………③110

夏目漱石　なつめそうせき［1867〜1916年／作家・『坊っちゃん』］…………③117

西本鶏介　にしもとけいすけ［1934年〜／評論・『児童文学の創造』］…………③130

新田次郎　にったじろう［1912〜1980年／作家・『孤高の人』］…………③132

丹羽文雄　にわふみお［1904〜2005年／作家・『親鸞』］…………③135

ねじめ正一　ねじめしょういち［1948年〜／詩人、作家・『高円寺純情商店街』］…………③139

野上弥生子　のがみやえこ［1885〜1985年／作家・『迷路』］…………③144

野坂昭如　のさかあきゆき［1930〜2015年／作家、作詞家・『火垂るの墓』］…………③146

野間宏　のまひろし［1915〜1991年／作家・『真空地帯』］…………③149

は 埴谷雄高　はにやゆたか［1910〜1997年／作家、評論家・『死霊』］…………③176

馬場あき子　ばばあきこ［1928年〜／歌人、文芸評論家・『鬼の研究』］…………③176

林芙美子　はやしふみこ［1903〜1951年／作家・『放浪記』］…………③183

葉山嘉樹　はやまよしき［1894〜1945年／作家・『海に生くる人々』］…………③185

原民喜　はらたみき［1905〜1951年／作家、詩人・『夏の花』］…………③187

樋口一葉　ひぐちいちよう［1872〜1896年／作家、歌人・『たけくらべ』］…………③199

火野葦平　ひのあしへい［1907〜1960年／作家・『麦と兵隊』］…………③209

平賀源内　ひらがげんない［1728〜1779年／本草学者、戯作者・『風流志道軒伝』］…………③218

平林たい子　ひらばやしたいこ［1905〜1972年／作家・『かういふ女』］…………③217

広津和郎　ひろつかずお［1891〜1968年／作家、評論家・『松川裁判』］…………③221

広津柳浪　ひろつりゅうろう［1861〜1928年／作家・『黒蜥蜴』］…………③221

深沢七郎　ふかざわしちろう［1914〜1987年／作家・『楢山節考』］…………③237

深田久弥　ふかだきゅうや［1903〜1971年／作家、山岳研究家、登山家・『日本百名山』］③237

福田恆存　ふくだつねあり［1912〜1994年／評論家、劇作家、英文学者・『人間・この劇的なるもの』］…………③240

福永武彦　ふくながたけひこ［1918〜1979年／作家・『忘却の河』］…………③242

藤沢周平　ふじさわしゅうへい［1927〜1997年／作家・『蝉しぐれ』］…………③244

藤原道綱母　ふじわらみちつなのはは［936?〜995年／歌人・『蜻蛉日記』］…………③259

二葉亭四迷　ふたばていしめい［1864〜1909年／作家、翻訳家・『浮雲』］…………③265

舟崎克彦　ふなざきよしひこ［1945〜2015年／『雨の動物園』］…………③269

辺見庸　へんみよう［1944年〜／作家、詩人、ジャーナリスト・『もの食う人びと』］…………④26

星新一　ほししんいち［1926〜1997年／作家・『ボッコちゃん』］…………④41

細井和喜蔵　ほそいわきぞう［1897〜1925年／作家・『女工哀史』］…………④43

堀田善衛　ほったよしえ［1918〜1998年／作家・評伝『ゴヤ』］…………④48

堀辰雄　ほりたつお［1904〜1953年／作家・『風立ちぬ』］…………④51

ま 正宗白鳥　まさむねはくちょう［1879〜1962年／作家、劇作家、評論家・評論『自然主義盛衰史』］…………④69

松本清張　まつもとせいちょう［1909〜1992年／作家・『ゼロの焦点』］…………④83

眉村卓　まゆむらたく［1934年〜／作家・『消滅の光輪』］…………④87

丸谷才一　まるやさいいち［1925〜2012年／作家、文芸評論家、翻訳家・『女ざかり』］…………④94

三浦綾子　みうらあやこ［1922〜1999年／作家・『氷点』］…………④98

三浦哲郎　みうらてつお［1931〜2010年／作家、児童文学作家・『忍ぶ川』］…………④99

三木卓　みきたく［1935年〜／作家、児童文学作家、詩人・『震える舌』］…………④100

三島由紀夫　みしまゆきお［1925〜1970年／作家、劇作家・『潮騒』］…………④102

水上勉　みずかみつとむ［1919〜2004年／作家・『金閣炎上』］…………④103

宮尾登美子　みやおとみこ［1926〜2014年／作家・『一絃の琴』］…………④120

宮沢賢治　みやざわけんじ［1896〜1933年／詩人、童話作家・『銀河鉄道の夜』］…………④123

宮武外骨　みやたけがいこつ［1867〜1955年／ジャーナリスト・『滑稽新聞』］…………④124

宮部みゆき　みやべみゆき［1960年〜／作家・『模倣犯』］…………④125

宮本輝　みやもとてる［1947年〜／作家・『泥の河』］…………④126

宮本百合子　みやもとゆりこ［1899〜1951年／作家・『伸子』］…………④127

向田邦子　むこうだくにこ［1929〜1981年／脚本家、作家・『父の詫び状』］…………④135

武者小路実篤　むしゃのこうじさねあつ［1885〜1976年／作家、劇作家、画家、思想家・『愛と死』］…………④135

村上春樹　むらかみはるき［1949年〜／作家、翻訳家・『ノルウェイの森』］…………④142

村上龍　むらかみりゅう［1952年〜／作家・『限りなく透明に近いブルー』］…………④143

紫式部　むらさきしきぶ［973?〜1016?年／作家、歌人・『源氏物語』］…………④144

室生犀星　むろうさいせい［1889〜1962年／詩人、作家・『あにいもうと』］…………④148

森絵都　もりえと［1968年〜／作家、脚本家、児童文学作家・『風に舞いあがるビニールシート』］…………④167

森鷗外　もりおうがい［1862〜1922年／作家、評論家、医師・『高瀬舟』］…………④167

や 安岡章太郎　やすおかしょうたろう［1920〜2013年／作家・『海辺の光景』］…………④178

矢野竜渓　やのりゅうけい［1850〜1931年／作家、ジャーナリスト・『経国美談』］…………④183

山口瞳　やまぐちひとみ［1926〜1995年／作家・『江分利満氏の優雅な生活』］…………④188

山口洋子　やまぐちようこ［1937〜2014年／作詞家、作家・『プライベート・ライブ』］…………④188

山崎豊子　やまざきとよこ［1924〜2013年／作家・『華麗なる一族』］…………④189

山田詠美　やまだえいみ［1959年〜／作家・『ソウル・ミュージック・ラバーズ・オンリー』］…………④191

山田美妙　やまだびみょう［1868〜1910年／作家、詩人、評論家、国語学者・『蝴蝶』］…………④193

山田風太郎　やまだふうたろう［1922〜2001年／作家・『甲賀忍法帖』］…………④193

山本周五郎　やまもとしゅうごろう［1903〜1967年／作家・『樅ノ木は残った』］…………④199

山本有三　やまもとゆうぞう［1887〜1974年／作家、劇作家・『路傍の石』］…………④199

横光利一　よこみつりいち［1898〜1947年／作家・『上海』］…………④211

吉川英治　よしかわえいじ［1892〜1962年／作家、児童文学作家・『宮本武蔵』］…………④214

慶滋保胤　よししげのやすたね［?〜1002年／官人・『日本往生極楽記』］…………④215

吉村昭　よしむらあきら［1927〜2006年／作家・『戦艦武蔵』］…………④220

吉本隆明　よしもとたかあき［1924〜2012年／評論家、詩人・『文学者の戦争責任』］…………④221

吉本ばなな　よしもとばなな［1964年〜／作家・『キッチン』］…………④221

吉屋信子　よしやのぶこ［1896〜1973年／作家・『鬼火』］…………④222

吉行淳之介　よしゆきじゅんのすけ［1924〜1994年／作家・『驟雨』］…………④222

ら 柳亭種彦　りゅうていたねひこ［1783〜1842年／戯作者・『偐紫田舎源氏』］…………④249

わ 若松賤子　わかまつしずこ［1864〜1896年／翻訳家、作家、教育者・『小公子』］…………④286

──────── 世 界 せかい ────────

あ アービング, ジョン［1942年〜／『ガープの世界』］…………①9

アービング, ワシントン［1783〜1859年／『スケッチ・ブック』］…………①9

アシモフ, アイザック［1920〜1992年／『われはロボット』］…………①34

アダムソン, ジョイ［1910〜1980年／『野生のエルザ』］…………①40

アップダイク, ジョン［1932〜2009年／『走れウサギ』］…………①41

アラゴン, ルイ［1897〜1982年／『パリの農夫』］…………①55

アンデルセン, ハンス・クリスチャン［1805〜1875年／『人魚姫』］…………①67

イシグロ, カズオ［1954年〜／『日の名残り』］…………①85

イソップ［紀元前620?〜紀元前560?年／『イソップ物語』］…………①91

ウィーダ［1839〜1908年／『二つの旗の下に』］…………①124

ウィルソン, コリン［1931〜2013年／作家、評論家・『アウトサイダー』］…………①127

ジャンル別索引

作家

ウェルズ, ハーバート・ジョージ [1866～1946年／『タイム・マシン』]……………………………………………… ①137

ウルフ, バージニア [1882～1941年／『ダロウェイ夫人』]…… ①146

エーコ, ウンベルト [1932～2016年／『薔薇の名前』]…… ①149

エレンブルグ, イリヤ [1891～1967年／『雪どけ』]…… ①163

王安石 [1021～1086年／中国、北宋の宰相・唐宋八大家のひとり]……… ①167

欧陽脩 [1007～1072年／官僚、文学者・『六一詩話』]…… ①171

オーウェル, ジョージ [1903～1950年／『1984年』]…… ①172

オー・ヘンリー [1862～1910年／『最後の一葉』]…… ①191

オルコット, ルイーザ・メイ [1832～1888年／『若草物語』]……… ①218

か カフカ, フランツ [1883～1924年／『変身』]…… ①253

カミュ, アルベール [1913～1960年／『ペスト』]…… ①256

ガルシア・マルケス, ガブリエル [1928～2014年／『族長の秋』]…… ①262

ガルシン, フセボロド [1855～1888年／ロシアの作家・『赤い花』]…… ①262

カロッサ, ハンス [1878～1956年／『ドクトル・ビュルガーの運命』]…… ①267

キイス, ダニエル [1927～2014年／『アルジャーノンに花束を』]……… ①281

キップリング, ラドヤード [1865～1936年／『ジャングル・ブック』]… ①293

キング, スティーブン [1947年～／『スタンド・バイ・ミー』]…… ①309

クイーン, エラリー [マンフレッド・リー　1905～1971年、フレデリック・ダネイ　1905～1982年／『ローマ帽子の謎』]…… ②9

クラーク, アーサー・チャールズ [1917～2008年／『2001年宇宙の旅』]…………………………………………… ②26

グラス, ギュンター [1927～2015年／『ブリキの太鼓』]…… ②28

グリーン, グレアム [1904～1991年／『第三の男』]…… ②31

クリスティ, アガサ [1890～1976年／『オリエント急行殺人事件』]…… ②31

ゲーテ, ヨハン・ウォルフガング・フォン [1749～1832年／『ファウスト』]…………………………………………… ②48

ゴーゴリ, ニコライ [1809～1852年／『死せる魂』]…… ②72

ゴーチエ, テオフィル [1811～1872年／『ジゼル』]…… ②72

ゴーリキー, マクシム [1868～1936年／『どん底』]…… ②73

ゴールディング, ウィリアム [1911～1993年／『蝿の王』]…… ②74

コクトー, ジャン [1889～1963年／『恐るべき子供たち』]…… ②76

呉承恩 [1500?～1582?年／中国、明代の作家・『射陽先生存稿』]…… ②80

コレット, シドニー＝ガブリエル [1873～1954年／『シェリ』]…… ②103

ゴンクール兄弟 [兄エドモン　1822～1896年、弟ジュール　1830～1870年／『大革命期のフランス社会史』]…… ②105

さ サガン, フランソワーズ [1935～2004年／『悲しみよこんにちは』]… ②121

サッカレー, ウィリアム [1811～1863年／『虚栄の市』]…… ②126

サックス, オリバー [1933～2015年／神経学者、作家・『レナードの朝』]…………………………………………… ②126

サリンジャー, ジェローム・デービッド [1919～2010年／『ライ麦畑でつかまえて』]…… ②135

サローヤン, ウィリアム [1908～1981年／『わが名はアラム』]…… ②136

サン＝テグジュペリ, アントワーヌ・ド [1900～1944年／『星の王子さま』]…………………………………………… ②141

サンド, ジョルジュ [1804～1876年／『愛の妖精』]…… ②141

シートン, アーネスト [1860～1946年／『シートン動物記』]………… ②143

シェンキェビッチ, ヘンリク [1846～1916年／『火と剣』]…… ②148

ジオノ, ジャン [1895～1970年／『木を植えた男』]…… ②148

施耐庵 [1296?～1370?年／『水滸伝』]…… ②153

ジッド, アンドレ [1869～1951年／『狭き門』]…… ②154

シュトルム, テオドル [1817～1888年／『三色すみれ』]…… ②186

ジョイス, ジェイムズ [1882～1941年／『ユリシーズ』]…… ②191

昭明太子 [501～531年／中国、梁の皇太子・『文選』]…… ②195

ショーロホフ, ミハイル [1905～1984年／ソビエト連邦の作家]…… ②200

シラノ・ド・ベルジュラック, サビニアン [1619～1655年／『月世界旅行』]…………………………………………… ②208

スウィフト, ジョナサン [1667～1745年／『ガリバー旅行記』]…… ②213

スコット, ウォルター [1771～1832年／『アイバンホー』]…… ②221

スタインベック, ジョン [1902～1968年／『怒りの葡萄』]…… ②227

スタンダール [1783～1842年／『赤と黒』]…… ②227

スティーブンソン, ロバート・ルイス [1850～1894年／『宝島』]…… ②228

ストウ, ハリエット・ビーチャー [1811～1896年／『アンクル・トムの小屋』]…………………………………………… ②230

ストリンドベリ, アウグスト [1849～1912年／『赤い部屋』]…… ②231

スノー, エドガー [1905～1972年／『中国の赤い星』]…… ②232

セルバンテス, ミゲル・デ [1547～1616年／『ドン・キホーテ』]…… ②246

曹雪芹 [1715?～1764?年／『紅楼夢』]…… ②251

ゾラ, エミール [1840～1902年／『ナナ』]…… ②257

ソルジェニーツィン, アレクサンドル [1918～2008年／『収容所群島』]…………………………………………… ②258

た タゴール, ラビンドラナート [1861～1941年／インドの作家・『ギーターンジャリ』]…… ②296

チェーホフ, アントン [1860～1904年／ロシアの作家・『六号室』]…… ③9

チャペック, カレル [1890～1938年／『山椒魚戦争』]…… ③16

チャンドラー, レイモンド [1888～1959年／『大いなる眠り』]…… ③16

ツルゲーネフ, イワン [1818～1883年／『父と子』]…… ③34

ディケンズ, チャールズ [1812～1870年／『クリスマス・キャロル』]…… ③37

ディラン, ボブ [1941年～／フォーク歌手、ロック歌手・『風に吹かれて』]… ③40

デフォー, ダニエル [1660～1731年／『ロビンソン・クルーソー』]…… ③45

デュマ, アレクサンドル [1802～1870年／『三銃士』]…… ③47

ドイル, コナン [1859～1930年／『緋色の研究』]…… ③53

トウェイン, マーク [1835～1910年／『トム・ソーヤの冒険』]…… ③54

ドーデ, アルフォンス [1840～1897年／『最後の授業』]…… ③61

トールキン, ジョン・ロナルド・ロウェル [1892～1973年／『指輪物語』]…………………………………………… ③62

ドストエフスキー, フョードル [1821～1881年／『罪と罰』]…… ③77

トペリウス, サカリアス [1818～1898年／『こどものための読み物』]…… ③81

トルストイ, レフ [1828～1910年／『戦争と平和』]…… ③92

な ノバーリス [1772～1801年／『青い花』]…… ③149

は ハーディ, トマス [1840～1928年／『テス』]…… ③154

ハインライン, ロバート・アンソン [1907〜1988年／『夏への扉』]
　　　　　…………………………………………………… ③159

ハウフ, ウィルヘルム [1802〜1827年／『リヒテンシュタイン』]……… ③160

パステルナーク, ボリス [1890〜1960年／『ドクトル・ジバゴ』]……… ③165

バック, パール [1892〜1973年／『大地』]……………………………… ③171

ハマースタイン2世, オスカー [1895〜1960年／『オクラホマ!』]…… ③179

バリー, ジェームズ [1860〜1937年／童話劇『ピーター・パン』]……… ③188

バルザック, オノレ・ド [1799〜1850年／『人間喜劇』]………………… ③190

バルビュス, アンリ [1873〜1935年／『砲火』]………………………… ③192

ヒルトン, ジェームズ [1900〜1954年／『チップス先生, さようなら』]… ③219

フィッツジェラルド, スコット [1896〜1940年／『グレート・ギャツビー』]
　　　　　…………………………………………………… ③226

プーシキン, アレクサンドル [1799〜1837年／『スペードの女王』]… ③229

フォークナー, ウィリアム [1897〜1962年／『響きと怒り』]………… ③234

ブッセ, カール [1872〜1918年／『山のあなた』]……………………… ③267

フランク, アンネ [1929〜1945年／『アンネの日記』]………………… ③275

フランス, アナトール [1844〜1924年／『神々は渇く』]……………… ③277

プルースト, マルセル [1871〜1922年／『失われた時を求めて』]…… ③282

プルタルコス [46?〜120?年／古代ローマの伝記作家, 随筆家]……… ③286

フローベール, ギュスターブ [1821〜1880年／『ボバリー夫人』] ③293

ブロンテ姉妹 [3女シャーロット　1816〜1855年、4女エミリー　1818〜1848
　　年、5女アン　1820〜1849年／『ジェーン・エア』『嵐が丘』]… ③294

ベケット, サミュエル [1906〜1989年]………………………………… ④13

ヘッセ, ヘルマン [1877〜1962年／『車輪の下』]……………………… ④14

ヘミングウェイ, アーネスト [1899〜1961年／『武器よさらば』]…… ④17

ヘルダーリン, フリードリヒ [1770〜1843年／『ヒュペーリオン』]…… ④20

ヘルトリング, ペーター [1933年〜／『ニーンプルあるいは休止』]…… ④21

ベルナルダン・ド・サン=ピエール, ジャック=アンリ [1737〜1814
　　年／『ポールとビルジニー』]………………………………………… ④21

ベルヌ, ジュール [1828〜1905年／『月世界旅行』]…………………… ④21

ペロー, シャルル [1628〜1703年／民話の収集]……………………… ④23

ポー, エドガー・アラン [1809〜1849年／『モルグ街の殺人』]……… ④36

ホーソーン, ナサニエル [1804〜1864年／『緋文字』]………………… ④37

ボーボワール, シモーヌ・ド [1908〜1986年／『第二の性』]………… ④39

ボッカチオ, ジョバンニ [1313〜1375年／『デカメロン』]…………… ④46

ボルヘス, ホルヘ・ルイス [1899〜1986年／『伝奇集』]……………… ④54

⦿ま マルキ・ド・サド [1740〜1814年／『ジュスチーヌあるいは美徳の不幸』] ④90

マルタン・デュ・ガール, ロジェ [1881〜1958年／『チボー家の人々』]
　　　　　…………………………………………………… ④94

マルロー, アンドレ [1901〜1976年／『人間の絆』]…………………… ④95

マン, トーマス [1875〜1955年／『魔の山』]…………………………… ④96

ミッチェル, マーガレット [1900〜1949年／『風と共に去りぬ』]…… ④106

ミラー, ヘンリー [1891〜1980年／『北回帰線』]……………………… ④130

メイラー, ノーマン [1923〜2007年／『裸者と死者』]………………… ④150

メリメ, プロスペル [1803〜1870年／『カルメン』]…………………… ④153

メルビル, ハーマン [1819〜1891年／『白鯨』]………………………… ④153

モーパッサン, ギー・ド [1850〜1893年／『女の一生』]……………… ④159

モーム, ウィリアム・サマセット [1874〜1965年／『月と六ペンス』]
　　　　　…………………………………………………… ④159

モルナール・フェレンツ [1878〜1952年]…………………………… ④171

⦿や 耶律楚材 [1190〜1244年／モンゴル帝国の政治家、文学者]…… ④201

ユゴー, ビクトール [1802〜1885年／『レ・ミゼラブル』]…………… ④204

⦿ら ラーゲルレーブ, セルマ [1858〜1940年／『ニルスのふしぎな旅』] ④226

羅貫中 [1330?〜1400?年／『三国志演義』]………………………… ④228

ラディゲ, レーモン [1903〜1923年／『肉体の悪魔』]………………… ④232

ラファイエット夫人 [1634〜1693年／『クレーブの奥方』]………… ④233

ラブレー, フランソワ [1494?〜1553?年／『ガルガンチュアとパンタグリュエル
　　物語』]………………………………………………………………… ④234

ルナール, ジュール [1864〜1910年／『にんじん』]…………………… ④261

ルブラン, モーリス [1864〜1941年／『怪盗ルパン』シリーズ]……… ④262

レールモントフ, ミハイル・ユリエビチ [1814〜1841年／『現代の英
　　雄』]…………………………………………………………………… ④265

レマルク, エーリッヒ・マリア [1898〜1970年／『西部戦線異状なし』]
　　　　　…………………………………………………… ④270

老舎 [1899〜1966年／『駱駝祥子』]………………………………… ④273

ローリングズ, マージョリ・キナン [1896〜1953年／『子鹿物語』]
　　　　　…………………………………………………… ④275

魯迅 [1881〜1936年／『阿Q正伝』]………………………………… ④276

ロラン, ロマン [1866〜1944年／『ジャン・クリストフ』]…………… ④280

ロレンス, デビッド・ハーバート [1885〜1930年／『チャタレイ夫人の恋
　　人』]…………………………………………………………………… ④282

ロンドン, ジャック [1876〜1916年／『荒野の呼び声』]……………… ④282

⦿わ ワイルド, オスカー [1854〜1900年／『幸福な王子』]……………… ④285

絵本・児童文学作家

――――――― 日 本 ―――――――

⦿あ 赤羽末吉 [1910〜1990年／『スーホの白い馬』]…………………… ①18

阿川弘之 [1920〜2015年／『きかんしゃやえもん』]……………… ①19

秋田雨雀 [1883〜1962年／『太陽と花園』]………………………… ①20

あさのあつこ [1954年〜／作家、児童文学作家・『バッテリー』]… ①26

あまんきみこ [1931年〜／『ちいちゃんのかげおくり』]………… ①51

安房直子 [1943〜1993年／『さんしょっ子』]……………………… ①62

石井桃子 [1907〜2008年／『ノンちゃん雲に乗る』]……………… ①82

石森延男 [1897〜1987年／児童文学作家、国語教育者・『コタンの口笛』] ①88

いせひでこ [1949年〜／『ルリユールおじさん』]………………… ①90

いぬいとみこ [1924〜2002年／『ながいながいペンギンの話』]……… ①101

井上洋介 [1931〜2016年／『くまの子ウーフ』のさし絵]………… ①108

今江祥智 [1932〜2015／『優しさごっこ』]………………………… ①114

今西祐行 [1923〜2004年／『肥後の石工』]………………………… ①116

岩崎京子 [1922年〜／『シラサギ物語』]…………………………… ①119

巌谷小波 [1870〜1933年／作家、児童文学作家・『日本昔噺』]…… ①122

211

ジャンル別索引

絵本・児童文学作家

上野紀子 [1940年～／『ねずみくんのチョッキ』]…………①134
上橋菜穂子 [1962年～／『精霊の守り人』]…………①134
江國香織 [1964年～／『こうばしい日々』]…………①151
大石真 [1925～1990年／『チョコレート戦争』]…………①172
太田大八 [1918～2016年／『だいちゃんとうみ』]…………①182
岡野薫子 [1929年～／『ヤマネコのきょうだい』]…………①197
小川未明 [1882～1961年／『赤い蠟燭と人魚』]…………①199
長田弘 [1939～2015年／児童文学作家、詩人・『深呼吸の必要』]…………①205
小沢正 [1937～2008年／『目をさませトラゴロウ』]…………①207

か かこさとし [1926年～]…………①230
角野栄子 [1935年～／『魔女の宅急便』]…………①244
川村たかし [1931～2010年／『新十津川物語』]…………①273
神沢利子 [1924年～／『くまの子ウーフ』]…………①275
岸田衿子 [1929～2011年／童話作家、詩人・『かばくん』]…………①284
葛原しげる [1886～1961年／童謡作家、童話作家・『夕日』]…………②16
工藤直子 [1935年～／『ねこはしる』]…………②20
後藤竜二 [1943～2010年／『天使で大地はいっぱいだ』]…………②89
五味太郎 [1945年～／『かくしたのだあれ』]…………②97

さ 斎藤隆介 [1917～1985年／『モチモチの木』]…………②116
早乙女勝元 [1932年～／『下町の故郷』]…………②117
阪田寛夫 [1925～2005年／児童文学作家・『トラジイちゃんの冒険』]……②119
佐藤さとる [1928年～／『だれも知らない小さな国』]…………②128
佐藤多佳子 [1962年～／『サマータイム』]…………②129
佐野洋子 [1938～2010年／『100万回生きたねこ』]…………②132
庄野英二 [1915～1993年／児童文学作家、随筆家・『星の牧場』]…………②194
神宮輝夫 [1932年～／『のらねこといしょうブー』]…………②210
杉みき子 [1930年～／『わらぐつの中の神様』]…………②220
鈴木三重吉 [1882～1936年／児童文学誌『赤い鳥』を主宰]…………②225
砂田弘 [1933～2008年／『さらばハイウェイ』]…………②232
瀬川康男 [1932～2010年／『いないいないばあ』]…………②241
せなけいこ [1932年～／『いやだいやだの絵本』]…………②244

た 高垣眸 [1898～1983年／『怪傑黒頭巾』]…………②273
高木敏子 [1932年～／『ガラスのうさぎ』]…………②274
武井武雄 [1894～1983年／『ベスト博士の夢』]…………②288
谷川俊太郎 [1931年～／詩人・詩集『ことばあそびうた』]…………②306
千葉省三 [1892～1975年／『虎ちゃんの日記』]…………③12
長新太 [1927～2005年／『キャベツくん』]…………③21
壺井栄 [1899～1967年／『柿の木のある家』]…………③33
坪田譲治 [1890～1982年／児童文学作家・『風の中の子供』]…………③34
寺村輝夫 [1928～2006年／『ぼくは王さま』]…………③49
戸川幸夫 [1912～2004年／『オーロラの下で』]…………③63

な 中川李枝子 [1935年～／『いやいやえん』]…………③101
長崎源之助 [1924～2011年／『ヒョコタンの山羊』]…………③102
梨木香歩 [1959年～／『西の魔女が死んだ』]…………③115
那須正幹 [1942年～／『それいけズッコケ三人組』]…………③116
新美南吉 [1913～1943年／『ごんぎつね』]…………③125

西本鶏介 [1934年～／児童文学評論家]…………③130

は 灰谷健次郎 [1934～2006年／『兎の眼』『太陽の子』]…………③157
初山滋 [1897～1973年／童画家]…………③173
花岡大学 [1909～1988年／『ゆうやけ学校』]…………③175
馬場のぼる [1927～2001年／『11ぴきのねこ』]…………③177
浜田広介 [1893～1973年／『泣いた赤鬼』]…………③181
原ゆたか [1953年～／『かいけつゾロリ』シリーズ]…………③188
平塚武二 [1904～1971年／『ものがたり日本れきし』]…………③215
舟崎克彦 [1945～2015年／『雨の動物園』]…………③269
古田足日 [1927～2014年／『おしいれのぼうけん』]…………③286
別役実 [1937年～／『淋しいおさかな』]…………④15
堀内誠一 [1932～1987年／絵本作家]…………④50

ま 前川かずお [1937～1993年／漫画家、絵本作家、さし絵画家・『ズッコケ三人組』のさし絵]…………④60
松谷みよ子 [1926～2015年／『モモちゃんとアカネちゃんの本』]…………④80
南洋一郎 [1893～1980年／『吼える密林』]…………④108
宮沢賢治 [1896～1933年／『銀河鉄道の夜』]…………④123
宮西達也 [1956年～／『にゃーご』]…………④125
椋鳩十 [1905～1987年／『大造爺さんと雁』]…………④134
村岡花子 [1893～1968年／翻訳家・『赤毛のアン』]…………④142
森絵都 [1968年～／『リズム』]…………④167
森山京 [1929年～／『まねやのオイラ旅ねこ道中』]…………④170

や 山下明生 [1937年～／『はんぶんちょうだい』]…………④189
山中恒 [1931年～／『おれがあいつであいつがおれで』]…………④195
湯本香樹実 [1959年～／『夏の庭－The Friends－』]…………④206
吉田甲子太郎 [1894～1957年／『兄弟いとこものがたり』]…………④216
吉野源三郎 [1899～1981年／岩波少年文庫の創設者]…………④218
与田凖一 [1905～1997年／『野ゆき山ゆき』]…………④222

――――― 世 界 ―――――

あ アダムソン, ジョイ [1910～1980年／『野生のエルザ』]…………①40
アトリー, アリソン [1884～1976年／『スキレルとヘアとグレイ・ラビット』]①42
アンデルセン, ハンス・クリスチャン [1805～1875年／『人魚姫』]…………①67
ウィーダ [1839～1908年／『フランダースの犬』]…………①124
ウェブスター, ジーン [1876～1916年／『あしながおじさん』]…………①135
エッツ, マリー [1895～1984年／『クリスマスまであと九日　セシのポサダの日』]
…………①154
エンデ, ミヒャエル [1929～1995年／『はてしない物語』]…………①165
オードリー, ウィルバート [1911～1997年／『機関車トーマス』]…①187
オルコット, ルイーザ・メイ [1832～1888年／『若草物語』]…………①218

か カール, エリック [1929年～／しかけ絵本『はらぺこあおむし』]…………①221
ガネット, ルース・スタイルス [1923年～／『エルマーのぼうけん』]…………①249
ガルシン, フセボロド [1855～1888年／『がま蛙とばらの花』]…………①262
キーツ, エズラ・ジャック [1916～1983年／『ピーターのくちぶえ』]…………①281
キャロル, ルイス [1832～1898年／『不思議の国のアリス』]…………①301
グリム兄弟 [兄ヤーコプ　1785～1863年、弟ウィルヘルム　1786～1859年／
『グリム童話』]…………②33

グレアム, ケネス [1859～1932年／『たのしい川べ』]…………②36

ケストナー, エーリヒ [1899～1974年／『ふたりのロッテ』]……②50

コッローディ, カルロ [1826～1890年／『ピノッキオの冒険』]…………②85

コルチャック, ヤヌシュ [1878～1942年／『マチウシー世王』]……②100

コルデコット, ランドルフ [1846～1886年／さし絵画家・『蛙が嫁さんさがしにいったよ』]……………………②100

さ シュピリ, ヨハンナ [1827～1901年／『アルプスの少女ハイジ』]……②187

ジョーンズ, ダイアナ・ウィン [1934～2011年／『魔法使いハウルと火の悪魔』]…………………………②201

シルバースタイン, シェル [1932～1999年／『おおきな木』『ぼくを探しに』]……………………………②208

センダック, モーリス [1928～2012年／『かいじゅうたちのいるところ』]②247

た ダール, ロアルド [1916～1990年／『チョコレート工場の秘密』]………②263

デ・アミーチス, エドモンド [1846～1908年／『母をたずねて三千里』]………………………………③36

テューダー, ターシャ [1915～2008年／『1はいち』]………③45

トウェイン, マーク [1835～1910年／『トム・ソーヤの冒険』]……③54

トールキン, ジョン・ロナルド・ロウェル [1892～1973年／『ホビットの冒険』]………………………………③62

トペリウス, サカリアス [1818～1898年／『こどものための読み物』]…③81

トラバース, パメラ [1906～1996年／『風にのってきたメアリー・ポピンズ』]………………………………③87

な ノートン, メアリー [1903～1992年／『床下の小人たち』]………③143

は バートン, バージニア・リー [1909～1968年／『ちいさいおうち』]…③154

バーネット, フランシス・ホジソン [1849～1924年／『小公子』]………………………………③155

ハウフ, ウィルヘルム [1802～1827年／『隊商』]…………③160

ピアス, フィリパ [1920～2006年／『トムは真夜中の庭で』]…③196

ビアンキ, ビタリイ [1894～1959年／『森の新聞』]………③197

ファージョン, エリナー [1881～1965年／『ムギと王さま』]…③223

ブラウン, マーシャ [1918～2015年／『小さなヒッポ』]…③273

ブルーナ, ディック [1927年～／『ちいさなうさこちゃん』]…③283

ヘルトリング, ペーター [1933年～／『ヒルベルという子がいた』]…④21

ベルヌ, ジュール [1828～1905年／『月世界旅行』]…………④21

ペロー, シャルル [1628～1703年／『赤ずきん』]…………④23

ホーソーン, ナサニエル [1804～1864年／『緋文字』]………④37

ポター, ビアトリクス [1866～1943年／『ピーターラビットのおはなし』]…④46

ま マルシャーク, サムイル [1887～1964年／児童劇『森は生きている』]…④92

マロ, エクトール [1830～1907年／『家なき子』]…………④96

ミルン, アラン・アレクサンダー [1882～1956年／『クマのプーさん』]………………………………④131

モンゴメリ, ルーシー・モード [1874～1942年／『赤毛のアン』]④172

や ヤンソン, トーベ [1914～2001年／『ムーミン』の童話シリーズ]………④201

ら ラーゲルレーブ, セルマ [1858～1940年／『ニルスのふしぎな旅』]④226

ランサム, アーサー [1884～1967年／『ツバメ号とアマゾン号』]④235

リヒター, ハンス・ペーター [1925～1993年／『あのころはフリードリヒがいた』]………………………………④246

リンドグレーン, アストリッド [1907～2002年／『長くつ下のピッピ』]………………………………④253

ルイス, クライブ・ステープルズ [1898～1963年／『ナルニア国ものがたり』]………………………………④257

レオーニ, レオ [1910～1999年／『スイミー』]………④265

ローベル, アーノルド [1933～1987年／『ふたりはともだち』シリーズ]④274

ローリング, ジョアン・キャスリーン [1965年～／『ハリー・ポッター』シリーズ]………………………………④275

ロフティング, ヒュー [1886～1947年／『ドリトル先生航海記』]………④280

わ ワイルダー, ローラ・インガルス [1867～1957年／『大草原の小さな家』]………………………………④285

ワイルド, オスカー [1854～1900年／『幸福な王子』]………④285

詩人・歌人・俳人

── 日 本 ──

あ 会津八一 [1881～1956年／歌人、書家、美術史家・『鹿鳴集』]①12

赤染衛門 [生没年不詳／平安時代の歌人・『栄花物語』]①18

鮎川信夫 [1920～1986年／詩人、評論家、翻訳家・『死んだ男』]①53

荒川洋治 [1949年～／詩人・『水駅』]①53

荒木田守武 [1473～1549年／連歌師、俳諧師・『守武千句』]①54

在原業平 [825～880年／平安時代の歌人・六歌仙の一人]①59

飯田蛇笏 [1885～1962年／俳人・『山廬集』]①71

石垣りん [1920～2004年／詩人・『表札など』]①82

石川啄木 [1886～1912年／歌人、詩人・『一握の砂』]①83

石川雅望 [1753～1830年／狂歌師・『万代狂歌集』]①84

石田波郷 [1913～1969年／俳人・『石田波郷全句集』]①86

和泉式部 [生没年不詳／平安時代の歌人・『和泉式部日記』]①89

伊藤左千夫 [1864～1913年／作家、歌人・『馬酔木』『アララギ』を創刊]①97

伊東静雄 [1906～1953年／詩人・『わがひとに与ふる哀歌』]①98

茨木のり子 [1926～2006年／詩人]①110

今川了俊 [1326?～1418?年／歌人、武将・歌論『二言抄』]①115

上田敏 [1874～1916年／詩人、外国文学者、評論家、翻訳家・訳詩集『海潮音』]①133

榎本其角 [1661～1707年／俳諧師・『虚栗』]①157

江間章子 [1913～2005年／作詞家、詩人・『夏の思い出』]①159

大岡信 [1931年～／詩人、評論家・『折々のうた』]①175

凡河内躬恒 [生没年不詳／平安時代の歌人・『躬恒集』]①180

大田垣蓮月 [1791～1875年／歌人、陶芸家・『海人の刈藻』]①182

大田南畝 [1749～1823年／狂歌師、戯作者・『万載狂歌集』]①183

大塚楠緒子 [1875～1910年／歌人、詩人、作家・『お百度詣で』]①184

大友黒主 [生没年不詳／平安時代の歌人・六歌仙の一人]①186

大伴坂上郎女 [生没年不詳／奈良時代の歌人・大伴家持の作風に影響をあたえた]①186

213

ジャンル別索引

詩人・歌人・俳人

大伴旅人 [665〜731年／奈良時代の公卿、歌人]……………… ①186

大伴家持 [?〜785年／公卿、歌人、『万葉集』の編さん]………… ①187

尾崎放哉 [1885〜1926年／俳人、『大空』]……………………… ①204

長田弘 [1939〜2015年／詩人、『記憶のつくり方』]…………… ①205

落合直文 [1861〜1903年／歌人、『孝女白菊の歌』]………… ①209

小野小町 [生没年不詳／平安時代の歌人・六歌仙の一人]……… ①214

小野篁 [802〜852年／平安時代の歌人、公卿、学者]………… ①214

小野岑守 [778〜830年／平安時代の公卿、文人、『凌雲集』を編さん]…… ①214

小野好古 [884〜968年／平安時代の公卿、武人、歌人]…… ①215

か 加賀千代女 [1703〜1775年／俳人]………………………… ①228

香川景樹 [1768〜1843年／歌人、『桂園一枝』]……………… ①228

柿本人麻呂 [生没年不詳／『万葉集』第一の歌人とよばれた]… ①228

加藤楸邨 [1905〜1993年／俳人、『起伏』]…………………… ①243

金子兜太 [1919年〜／俳人、『金子兜太句集』]……………… ①248

金子みすゞ [1903〜1930年／詩人、童謡詩人、『私と小鳥と鈴と』] ①248

金子光晴 [1895〜1975年／詩人、詩集『人間の悲劇』]……… ①248

鴨長明 [1155?〜1216年／歌人、随筆家、『方丈記』]………… ①258

柄井川柳 [1718〜1790年／川柳の始祖、『誹風柳多留』]…… ①259

川崎洋 [1930〜2004年／詩人、『ビスケットの空カン』]…… ①270

河東碧梧桐 [1873〜1937年／俳人、『碧梧桐句集』]………… ①273

岸田衿子 [1929〜2011年／詩人、童話作家、『忘れた秋』]… ①284

喜撰 [生没年不詳／平安時代の僧、歌人・六歌仙の一人]…… ①286

北原白秋 [1885〜1942年／詩人、歌人、『邪宗門』]………… ①290

北村季吟 [1624〜1705年／俳諧師、歌人、国学者、『土佐日記抄』]…… ①290

北村透谷 [1868〜1894年／詩人、評論家、『厭世詩家と女性』]…… ①291

義堂周信 [1325〜1388年／僧侶・五山文学の代表]………… ①293

紀貫之 [868?〜945?年／平安時代の歌人、官人、『土佐日記』]… ①296

紀友則 [生没年不詳／平安時代の歌人、『古今和歌集』の撰者]… ①296

清岡卓行 [1922〜2006年／詩人、作家、『初冬の中国で』]… ①305

草野心平 [1903〜1988年／詩人、『第百階級』]……………… ②14

串田孫一 [1915〜2005年／詩人、随筆家、哲学者、『羊飼いの時計』]… ②14

九条武子 [1887〜1928年／歌人、社会事業家、『白孔雀』]… ②15

工藤直子 [1935年〜／詩人、児童文学作家・詩集『のはらうた』]… ②20

窪田空穂 [1877〜1967年／歌人、国文学者、『まひる野』]… ②23

兼好法師 [1283?〜1352?年／二条派の和歌四天王]………… ②55

小林一茶 [1763〜1827年／俳諧師、『おらが春』]…………… ②92

近藤芳美 [1913〜2006年／歌人、『埃吹く街』]……………… ②107

さ 西行 [1118〜1190年／僧、歌人、『山家集』]……………… ②109

西条八十 [1892〜1970年／詩人、作詞家、フランス文学者、『かなりや』]… ②110

斎藤茂吉 [1882〜1953年／歌人、医師、『あらたま』]……… ②116

佐佐木幸綱 [1938年〜／歌人、国文学者、『はじめての雪』]… ②124

佐藤佐太郎 [1909〜1987年／歌人、『歩道』]………………… ②128

サトウハチロー [1903〜1973年／詩人、作家、『ちいさい秋みつけた』]… ②129

慈円 [1155〜1225年／歌人、天台宗の僧、『拾玉集』]……… ②148

志貴皇子 [?〜716?年／万葉歌人]……………………………… ②150

島木赤彦 [1876〜1926年／歌人、歌集『馬鈴薯の花』]……… ②162

島崎藤村 [1872〜1943年／詩人、作家、『若菜集』]………… ②162

寂蓮 [1139?〜1202年／歌人、『新古今和歌集』の撰者]…… ②174

式子内親王 [1152?〜1201年／歌人、和歌集『式子内親王集』]…… ②202

新川和江 [1929年〜／詩人、『わたしを束ねないで』]……… ②210

菅原孝標女 [1008〜?年／『新古今和歌集』に十数首]……… ②217

薄田泣菫 [1877〜1945年／詩人、随筆家、『暮笛集』]……… ②224

鈴木牧之 [1770〜1842年／俳諧師、『北越雪譜』]…………… ②225

清少納言 [966?〜1025?年／平安時代中期の歌人、随筆家]… ②240

絶海中津 [1336〜1405年／明の朱元璋と謁見した禅僧、漢詩人]… ②242

宗祇 [1421〜1502年／連歌師、『新撰菟玖波集』]…………… ②249

宗長 [1448〜1532年／連歌師、『宗祇終焉記』]……………… ②251

相馬御風 [1883〜1950年／詩人、評論家、『大愚良寛』]…… ②252

た 高田敏子 [1914〜1989年／詩人、『月曜日の詩集』]……… ②276

高浜虚子 [1874〜1959年／俳人、作家、小説『柿二つ』]…… ②280

高村光太郎 [1883〜1956年／詩人、彫刻家、『道程』]……… ②282

武島羽衣 [1872〜1967年／歌人、詩人、『帝国文学』を創刊]… ②290

立原道造 [1914〜1939年／詩人、『優しき歌』]……………… ②299

巽聖歌 [1905〜1973年／童謡詩人、歌人、『たきび』]……… ②300

谷川俊太郎 [1931年〜／詩人、『日々の地図』]……………… ②306

種田山頭火 [1882〜1940年／俳人、『草木塔』]……………… ②309

田村隆一 [1923〜1998年／詩人、翻訳家、随筆家、『言葉のない世界』] ②312

俵万智 [1962年〜／歌人、『サラダ記念日』]………………… ②316

塚本邦雄 [1920〜2005年／歌人、評論家、作家、『魔王』]… ③27

土屋文明 [1890〜1990年／歌人、『自流泉』]………………… ③32

寺山修司 [1935〜1983年／歌人、詩人、『田園に死す』]…… ③49

土井晩翠 [1871〜1952年／詩人、英文学者、『荒城の月』]… ③53

峠三吉 [1917〜1953年／詩人、『原爆詩集』]………………… ③56

東常縁 [1401?〜1484?年／歌人、『東野州聞書』]…………… ③60

戸田茂睡 [1629〜1706年／歌人、『梨本集』]………………… ③78

富岡多恵子 [1935年〜／詩人、作家、『物語の明くる日』]… ③82

な 中勘助 [1885〜1965年／作家、詩人、随筆家、『飛鳥』]… ③101

長塚節 [1879〜1915年／作家、歌人、『土』]………………… ③106

中原中也 [1907〜1937年／詩人、『山羊の歌』]……………… ③108

中村草田男 [1901〜1983年／俳人、『長子』]………………… ③110

中村汀女 [1900〜1988年／俳人、『汀女句集』]……………… ③111

西山宗因 [1605〜1682年／連歌師、俳諧師・談林俳諧]…… ③130

二条良基 [1320〜1388年／歌人、連歌師、公家、『菟玖波集』]… ③130

額田王 [生没年不詳／飛鳥時代の宮廷歌人]………………… ③137

ねじめ正一 [1948年〜／詩人、『ひとりぼっち爆弾』]……… ③139

能因 [988〜?年／平安時代の歌人、『能因法師集』]………… ③143

野口雨情 [1882〜1945年／詩人、作詞家、『赤い靴』]……… ③145

は 萩原朔太郎 [1886〜1942年／詩人・詩集『青猫』]………… ③161

服部南郭 [1683〜1759年／儒学者、漢詩人、『南郭先生文集』]… ③171

服部嵐雪 [1654〜1707年／俳諧師、『其袋』]………………… ③172

馬場あき子 [1928年〜／歌人、文芸評論家、『桜花伝承』]… ③176

藤原家隆 [1158〜1237年／歌人、『新古今和歌集』の撰者]… ③247

藤原公任 ふじわらのきんとう ［966〜1041年／公家の高官、歌人・『和漢朗詠集』の撰者］…… ③250

藤原定家 ふじわらのさだいえ ［1162〜1241年／歌人、歌学者・『明月記』］…………… ③250

藤原俊成 ふじわらのとしなり ［1114〜1204年／公卿、歌人・『千載和歌集』］………… ③254

藤原敏行 ふじわらのとしゆき ［?〜901年／貴族、歌人・三十六歌仙の一人］………… ③254

藤原冬嗣 ふじわらのふゆつぐ ［775〜826年／公家の高官・『経国集』に漢詩文をのこす］…… ③258

文屋康秀 ふんやのやすひで ［生没年不詳／平安時代の官人、歌人］…………… ③295

遍昭 へんじょう ［816〜890年／平安時代の僧、歌人・六歌仙の一人］…… ④25

細川幽斎 ほそかわゆうさい ［1534〜1610年／三条西実枝から古今伝授を受ける・『衆妙集』］…… ④45

堀口大学 ほりぐちだいがく ［1892〜1981年／詩人、仏文学者、翻訳家・『月光とピエロ』］…… ④51

凡兆 ぼんちょう ［?〜1714年／俳諧師・『猿蓑』の共同編集］…………… ④57

● ま 前田夕暮 まえだゆうぐれ ［1883〜1951年／歌人・『水源地帯』］…………… ④64

正岡子規 まさおかしき ［1867〜1902年／俳人、歌人、随筆『病牀六尺』］……… ④68

松尾芭蕉 まつおばしょう ［1644〜1694年／俳諧師・『おくのほそ道』］………… ④76

松永貞徳 まつながていとく ［1571〜1653年／歌人、俳諧師・貞門俳諧］………… ④81

まど・みちお ［1909〜2014年／詩人・『一ねんせいになったら』］…… ④85

三木露風 みきろふう ［1889〜1964年／詩人・童謡『赤とんぼ』］………… ④101

水原秋桜子 みずはらしゅうおうし ［1892〜1981年／俳人・『葛飾』］………… ④105

源順 みなもとのしたごう ［911〜983年／歌人・『後撰和歌集』の撰者］……… ④109

源親行 みなもとのちかゆき ［生没年不詳／歌人、歌学者・『河内本源氏物語』］…… ④110

源頼政 みなもとのよりまさ ［1104〜1180年／官人・『新古今和歌集』『千載和歌集』にのる歌人］

…………… ④114

壬生忠岑 みぶのただみね ［生没年不詳／歌人、官人・『古今和歌集』の編さん］…… ④119

都良香 みやこのよしか ［834〜879年／平安時代の詩人・『富士山記』］……… ④121

宮柊二 みやしゅうじ ［1912〜1986年／歌人・『群鶏』］…………… ④124

明恵 みょうえ ［1173〜1232年／歌人、僧・『明恵上人和歌集』］…… ④128

三好達治 みよしたつじ ［1900〜1964年／詩人、翻訳家・『春の岬』］…… ④128

向井去来 むかいきょらい ［1651〜1704年／俳諧師・『去来抄』］………… ④134

室生犀星 むろうさいせい ［1889〜1962年／詩人、作家・『抒情小曲集』］…… ④148

● や 八木重吉 やぎじゅうきち ［1898〜1927年／詩人・『貧しき信徒』］………… ④176

山口誓子 やまぐちせいし ［1901〜1994年／俳人・『凍港』］…………… ④187

山崎宗鑑 やまざきそうかん ［?〜1539?年／連歌師、俳諧師・『犬筑波集』］…… ④189

山上憶良 やまのうえのおくら ［660〜733年／飛鳥時代〜奈良時代の歌人、官人・『貧窮問答歌』］

…………… ④195

山之口貘 やまのくちばく ［1903〜1963年／詩人・『山之口貘詩集』］………… ④196

山部赤人 やまべのあかひと ［生没年不詳／奈良時代の歌人・『万葉集』］…… ④196

山村暮鳥 やまむらぼちょう ［1884〜1924年／詩人・『風は草木にささやいた』］…… ④196

与謝野晶子 よさのあきこ ［1878〜1942年／歌人、詩人・『みだれ髪』］…… ④212

与謝野鉄幹 よさのてっかん ［1873〜1935年／歌人、詩人・『東西南北』］…… ④213

与謝蕪村 よさぶそん ［1716〜1783年／俳諧師、画家］…………… ④213

吉井勇 よしいいさむ ［1886〜1960年／歌人、劇作家・『酒ほがひ』『ゴンドラの唄』］…… ④213

吉野弘 よしのひろし ［1926〜2014年／詩人・『感傷旅行』］…………… ④220

吉原幸子 よしはらさちこ ［1932〜2002年／詩人・『幼年連祷』］…………… ④220

良岑安世 よしみねのやすよ ［785〜830年／漢詩人・『経国集』を編さん］…… ④220

吉本隆明 よしもとたかあき ［1924〜2012年／詩人、評論家・『固有時との対話』］…… ④221

与田準一 よだじゅんいち ［1905〜1997年／詩人、児童文学作家・『野ゆき山ゆき』］…… ④222

● ら 良寛 りょうかん ［1758〜1831年／歌人、禅僧・『蓮の露』］…………… ④251

● わ 若山牧水 わかやまぼくすい ［1885〜1928年／歌人・『別離』］…………… ④287

──── 世界 せかい ────

● あ アイスキュロス ［紀元前525年〜紀元前456年／古代ギリシャの悲劇詩人］ ①11

アポリネール, ギョーム ［1880〜1918年／フランスの詩人、美術評論家］

…………… ①49

アラゴン, ルイ ［1897〜1982年／フランスの詩人・『エルザの瞳』］……… ①55

アリストファネス ［紀元前445?〜紀元前385?年／古代ギリシャの喜劇詩人］

…………… ①57

イェーツ, ウィリアム・バトラー ［1865〜1939年／アイルランド文芸協会を
設立］…………… ①73

ウェルギリウス ［紀元前70〜紀元前19年／古代ローマの叙事詩人］… ①136

エウリピデス ［紀元前484?〜紀元前406?年／古代ギリシャの悲劇詩人］

…………… ①149

エリオット, トーマス・スターンズ ［1888〜1965年／イギリスの詩人・『荒
地』］…………… ①160

王維 おうい ［699?〜761年／中国、唐代の詩人］…………… ①167

オウィディウス ［紀元前43〜紀元後17?年／古代ローマの詩人］…… ①168

オマル・ハイヤーム ［1048?〜1131?年／『ルバイヤート』］…………… ①216

● か カーリダーサ ［生没年不詳／4〜5世紀のインドの詩人、劇作家］…… ①221

韓愈 かんゆ ［768〜824年／中国、唐代の詩人］…………… ①280

キーツ, ジョン ［1795〜1821年／イギリスの詩人］…………… ①282

屈原 くつげん ［紀元前340?〜紀元前278?年／中国、楚の詩人・『離騒』］…… ②18

クローデル, ポール ［1868〜1955年／フランスの詩人、劇作家、外交官・『東方
の認識』］…………… ②40

ゲーテ, ヨハン・ウォルフガング・フォン ［1749〜1832年／『ファウスト』］

…………… ②48

● さ サッフォー ［紀元前612?〜紀元前570?年／古代ギリシャの詩人］…… ②127

シェークスピア, ウィリアム ［1564〜1616年／『ハムレット』］……… ②145

シェリー, パーシー・ビッシュ ［1792〜1822年／イギリスの詩人］…… ②147

謝霊運 しゃれいうん ［385〜433年／中国、南宋の詩人］…………… ②178

シラー, フリードリヒ・フォン ［1759〜1805年／『第九交響曲』の合唱『歓
喜の歌』］…………… ②205

スコット, ウォルター ［1771〜1832年／『湖上の美人』］…………… ②221

蘇東坡 そとうば ［1036〜1101年／中国、北宋の政治家、文人］………… ②256

ソフォクレス ［紀元前496?〜紀元前406?年／古代ギリシャの詩人］…… ②257

● た タゴール, ラビンドラナート ［1861〜1941年／インドの詩人］……… ②296

ダンテ・アリギエリ ［1265〜1321年／『神曲』］…………… ②318

チョーサー, ジェフリー ［1340?〜1400年／『カンタベリー物語』］…… ③22

テニソン, アルフレッド ［1809〜1892年／イギリスの詩人］………… ③44

陶淵明 とうえんめい ［365〜427年／中国、東晋・南宋の詩人・『帰去来の辞』］…… ③54

杜甫 とほ ［712〜770年／中国、唐代の詩人・『春望』］………… ③81

● な ノバーリス ［1772〜1801年／ドイツの詩人・『夜の賛歌』］…… ③149

● は ハーディ, トマス ［1840〜1928年／『テス』］…………… ③154

ハイネ, ハインリヒ ［1797〜1856年／ドイツの詩人・『歌の本』］…… ③158

バイロン, ジョージ ［1788〜1824年／イギリスの詩人・『ドン・ジュアン』］

…………… ③159

ジャンル別索引 べつさくいん

詩人 しじん ・歌人 かじん ・俳人 はいじん

215

ジャンル別索引

詩人・歌人・俳人／画家・書家

白居易 [772~846年／中国、唐代の詩人・『長恨歌』] ③162
バレリー, ポール [1871~1945年／フランスの詩人・『魅惑』] ③193
ピンダロス [紀元前522?~紀元前442?年／古代ギリシャの叙情詩人] ③222
フィルドゥーシー [934?~1025?年／『シャー・ナーメ』] ③227
プーシキン, アレクサンドル [1799~1837年／ロシアの詩人・『エフゲニー・オネーギン』] ③229
ブッセ, カール [1872~1918年／『山のあなた』] ③267
ブラウニング, ロバート [1812~1889年／イギリスの詩人・『指輪と本』] ③271
ブルトン, アンドレ [1896~1966年／フランスの詩人] ③287
ブレイク, ウィリアム [1757~1827年／『エルサレム』] ③289
ヘシオドス [生没年不詳／古代ギリシャの叙事詩人] ④13
ヘッセ, ヘルマン [1877~1962年／ドイツの詩人、作家] ④14
ペトラルカ [1304~1374年／イタリアの詩人、人文学者] ④16
ヘルダーリン, フリードリヒ [1770~1843年／ドイツの詩人・『パンと葡萄』] ④20
ベルレーヌ, ポール [1844~1896年／フランスの詩人・『落葉』] ④22
ホイットマン, ウォルト [1819~1892年／アメリカ合衆国の詩人・『草の葉』] ④28
ボードレール, シャルル [1821~1867年／詩人、美術批評家、文明批評家] ④38
ホメロス [生没年不詳／『イリアス』『オデュッセイア』] ④50
ホラティウス [紀元前65~紀元前8年／古代ローマの詩人] ④50
ま マラルメ, ステファン [1842~1898年／『牧神の午後』] ④88
ミルトン, ジョン [1608~1674年／『失楽園』] ④131
孟浩然 [689~740年／中国、唐代の詩人・『春暁』] ④155
ら ラディゲ, レーモン [1903~1923年／フランスの詩人・『燃える頬』] ④232
ラ=フォンテーヌ, ジャン・ド [1621~1695年／フランスの詩人・『ファーブル』] ④233
ランボー, アルチュール [1854~1891年／『酔いどれ船』] ④236
李白 [701~762年／中国、唐代の詩人] ④245
柳宗元 [773~819年／中国、唐代の散文家、詩人・『永州八記』] ④248
リルケ, ライナー・マリア [1875~1926年／ドイツの詩人・『ドゥイノの悲歌』] ④252
ロルカ, フェデリコ・ガルシア [1898~1936年／『ジプシー歌集』] ④282
わ ワーズワース, ウィリアム [1770~1850年／イギリスの詩人・『序曲』] ④284

画家・書家

日本

あ 会津八一 [1881~1956年／歌人、書家、美術史家] ①12
靉光 [1907~1946年／洋画家・『眼のある風景』] ①12
亜欧堂田善 [1748~1822年／画家・『浅間山図屏風』] ①14
青木繁 [1882~1911年／洋画家・『海の幸』] ①15
青木木米 [1767~1833年／江戸時代の画家] ①15

青山杉雨 [1912~1993年／独自の書法を展開した書家] ①16
赤松麟作 [1878~1953年／洋画家・『夜汽車』] ①19
浅井忠 [1856~1907年／洋画家・『春畝』] ①23
安野光雅 [1926年~／画家、絵本作家、装丁家・『旅の絵本』] ①69
池田満寿夫 [1934~1997年／画家・『エーゲ海に捧ぐ』] ①78
池大雅 [1723~1776年／画家・『楼閣山水図屏風』] ①79
伊藤若冲 [1716~1800年／画家・『動植綵絵』] ①98
伊東深水 [1898~1972年／日本画家・『聞香』] ①99
いわさきちひろ [1918~1974年／童画家、絵本作家・『戦火のなかの子どもたち』] ①119
上村松園 [1875~1949年／日本画家・『母子』] ①135
歌川国芳 [1797~1861年／浮世絵師・武者絵] ①138
歌川豊国 [1769~1825年／浮世絵師・『役者舞台之姿絵』シリーズ] ①139
歌川広重 [1797~1858年／浮世絵師・『東海道五十三次』] ①139
梅原龍三郎 [1888~1986年／洋画家・『桜島』] ①144
浦上玉堂 [1745~1820年／画家・『凍雲篩雪図』] ①145
円伊 [生没年不詳／絵師・『一遍上人絵伝』] ①163
岡倉天心 [1863~1913年／美術指導者・日本美術院を創設] ①194
尾形光琳 [1658~1716年／画家、工芸家・『紅白梅図屏風』] ①195
岡田三郎助 [1869~1939年／洋画家・『水浴の前』] ①196
岡本太郎 [1911~1996年／洋画家・『太陽の塔』] ①198
奥村土牛 [1889~1990年／日本画家・『鳴門』] ①202
奥村政信 [1686~1764年／浮世絵師・『小倉山荘図』] ①202
小倉遊亀 [1895~2000年／日本画家・『母子』] ①202
小田野直武 [1749~1780年／画家・秋田蘭画『不忍池図』] ①208
小野道風 [894~967?年／平安時代の書家・三蹟の一人] ①214
か 海北友松 [1533~1615年／画家・『花鳥図』] ①225
片岡球子 [1905~2008年／日本画家・『枇杷』] ①236
香月泰男 [1911~1974年／洋画家・『埋葬』] ①239
葛飾北斎 [1760~1849年／浮世絵師・『冨嶽三十六景』] ①240
金子鷗亭 [1906~2001年／書家・『丘礐寄懐抱』] ①247
狩野永徳 [1543~1590年／画家・『唐獅子図屏風』] ①249
狩野山楽 [1559~1635年／画家・『紅梅図』] ①250
狩野宗秀 [1551~1601年／画家・『四季花鳥図屏風』] ①250
狩野探幽 [1602~1674年／画家] ①250
狩野内膳 [1570~1616年／画家・『豊国祭礼図屏風』] ①251
狩野長信 [1577~1654年／画家・『花下遊楽図屏風』] ①251
狩野秀頼 [生没年不詳／画家・『高雄観楓図屏風』] ①251
狩野芳崖 [1828~1888年／日本画家・『悲母観音』] ①251
狩野正信 [1434~1530年／画家・『周茂叔愛蓮図』] ①252
狩野元信 [1477?~1559年／画家・『鞍馬寺縁起絵巻』] ①252
狩野吉信 [1552~1640年／画家・『職人尽絵』] ①252
鏑木清方 [1878~1972年／日本画家・『築地明石町』] ①253
加山又造 [1927~2004年／日本画家・『千羽鶴』] ①259
川合玉堂 [1873~1957年／日本画家・『彩雨』] ①267
川端玉章 [1842~1913年／日本画家・『四時ノ名勝』] ①272

川端龍子 [1885〜1966年／日本画家・会場芸術を目指した]……………… ①272

岸田劉生 [1891〜1929年／洋画家・『麗子像』]……………… ①285

喜多川歌麿 [1753?〜1806年／浮世絵師・『婦女人相十品』]……………… ①288

キヨソーネ, エドアルド [1833〜1898年／銅版画家・日本の紙幣や切手の技

術指導者]……………… ①306

草間彌生 [1929年〜／美術家・「ハプニングの芸術家」]……………… ②14

久隅守景 [生没年不詳／画家・『四季耕作図屏風』]……………… ②17

国吉康雄 [1889〜1953年／洋画家・『誰かが私のポスターを破った』]……… ②22

熊田千佳慕 [1911〜2009年／絵本画家・ファーブルの『昆虫記』]……………… ②25

久米桂一郎 [1866〜1934年／洋画家・『秋景』]……………… ②26

黒田清輝 [1866〜1924年／洋画家・『昔語り』]……………… ②42

小磯良平 [1903〜1988年／洋画家・『斉唱』]……………… ②60

小出楢重 [1887〜1931年／洋画家・『少女於梅の像』]……………… ②61

古賀春江 [1895〜1933年／洋画家・『海』]……………… ②74

呉春 [1752〜1811年／画家・『柳鷺群禽図屏風』]……………… ②80

巨勢金岡 [生没年不詳／絵師・『神泉苑図』]……………… ②81

小林清親 [1847〜1915年／木版画家・『東京江戸橋之真景』]……………… ②93

小林古径 [1883〜1957年／日本画家・『髪』]……………… ②93

佐伯祐三 [1898〜1928年／洋画家・『郵便配達夫』]……………… ②116

酒井抱一 [1761〜1828年／画家・『夏秋草図屏風』]……………… ②118

坂本繁二郎 [1882〜1969年／洋画家・『放牧三馬』]……………… ②120

司馬江漢 [1747〜1818年／洋風画家、蘭学者・日本初の腐食銅版画(エッチン

グ)]……………… ②157

下村観山 [1873〜1930年／日本画家・『木の間の秋』]……………… ②169

周文 [生没年不詳／画僧・『竹斎読書図』]……………… ②179

如拙 [生没年不詳／画僧・『瓢鮎図』]……………… ②202

杉岡華邨 [1913〜2012年／書家・『玉藻』]……………… ②218

鈴木春信 [1725?〜1770年／浮世絵師・「錦絵」を創始]……………… ②224

住吉具慶 [1631〜1705年／画家・『洛中洛外図巻』]……………… ②235

住吉如慶 [1599〜1670年／画家・『東照宮縁起絵巻』]……………… ②236

関根正二 [1899〜1919年／洋画家・『信仰の悲しみ』]……………… ②241

雪舟 [1420〜1506?年／画僧・『四季山水図』]……………… ②243

尊円入道親王 [1298〜1356年／青蓮院流をひらいた能書家]……………… ②259

高木聖鶴 [1923年〜／書家・『春』]……………… ②273

高階隆兼 [生没年不詳／絵師・『春日権現験記』]……………… ②275

高橋由一 [1828〜1894年／幕末〜明治時代前期の画家・『鮭』]……………… ②280

竹内栖鳳 [1864〜1942年／日本画家・『羅馬之図』]……………… ②288

竹久夢二 [1884〜1934年／画家・『黒船屋』]……………… ②294

谷文晁 [1763〜1840年／画家・『公余探勝図』]……………… ②307

田能村竹田 [1777〜1835年／画家・『亦復一楽帖』]……………… ②309

俵屋宗達 [生没年不詳／画家・『風神雷神図屏風』]……………… ②316

土田麦僊 [1887〜1936年／日本画家・『舞妓林泉』]……………… ③31

東洲斎写楽 [生没年不詳／浮世絵師・役者絵や相撲絵]……………… ③58

常磐光長 [生没年不詳／絵師・『年中行事絵巻』]……………… ③63

土佐光起 [1617〜1691年／画家・『粟穂鶉図屏風』]……………… ③76

土佐光信 [生没年不詳／画家・『十王図』]……………… ③77

富岡鉄斎 [1836〜1924年／文人画家・『安倍仲麿明州望月図』]……………… ③82

鳥居清忠 [生没年不詳／浮世絵師・『市村座図』]……………… ③90

鳥居清長 [1752〜1815年／浮世絵師・『当世遊里美人合』]……………… ③90

中川一政 [1893〜1991年／洋画家・『静物』]……………… ③101

中村彝 [1887〜1924年／洋画家・『エロシェンコ像』]……………… ③111

橋本雅邦 [1835〜1908年／日本画家・『白雲紅樹図』]……………… ③163

長谷川等伯 [1539〜1610年／画家・『松林図屏風』]……………… ③166

服部南郭 [1683〜1759年／江戸時代の儒学者、漢詩人]……………… ③171

初山滋 [1897〜1973年／童画家、版画家、絵本作家]……………… ③173

英一蝶 [1652〜1724年／画家・『雨宿り図屏風』]……………… ③175

林武 [1896〜1975年／洋画家・『梳る女』]……………… ③183

速水御舟 [1894〜1935年／日本画家・『名樹散椿』]……………… ③185

原田泰治 [1940年〜／画家・『わたしの信州』]……………… ③187

東山魁夷 [1908〜1999年／日本画家・唐招提寺御影堂障壁画]……………… ③198

ビゴー, ジョルジュ [1860〜1927年／日露戦争の風刺画]……………… ③202

菱川師宣 [?〜1694年／浮世絵師・『見返り美人図』]……………… ③204

菱田春草 [1874〜1911年／日本画家・『落葉』]……………… ③204

平福百穂 [1877〜1933年／日本画家・『予譲』]……………… ③217

平山郁夫 [1930〜2009年／日本画家・『入涅槃幻想』]……………… ③217

フォンタネージ, アントニオ [1818〜1882年／イタリアの画家・西洋の絵画

教育を導入]……………… ③236

福田平八郎 [1892〜1974年／日本画家・『漣』]……………… ③241

藤島武二 [1867〜1943年／洋画家・『大王岬に打ち寄せる怒濤』]……… ③244

藤田嗣治 [1886〜1968年／洋画家・『五人の裸婦』]……………… ③245

藤原佐理 [944〜998年／三蹟の一人]……………… ③251

藤原隆信 [1142〜1205年／後白河上皇につかえた宮廷絵師]……………… ③252

藤原隆能 [生没年不詳／平安絵師・鳥羽上皇の肖像画]……………… ③252

藤原信実 [生没年不詳／宮廷絵師・『後鳥羽上皇像』]……………… ③255

藤原行成 [972〜1027年／書家・三蹟のひとり]……………… ③262

前田青邨 [1885〜1977年／日本画家・『洞窟の頼朝』]……………… ④62

松岡映丘 [1881〜1938年／日本画家・『夏立つ浦』]……………… ④73

松本竣介 [1912〜1948年／洋画家・『立てる像』]……………… ④82

丸木位里 [1901〜1995年／日本画家・『原爆の図』]……………… ④90

丸木俊 [1912〜2000年／洋画家・『ひろしまのピカ』]……………… ④90

円山応挙 [1733〜1795年／画家・『雪松図屏風』]……………… ④94

宮本三郎 [1905〜1974年／洋画家・『白き壺の花』]……………… ④125

明兆 [1352〜1431年／画僧・『五百羅漢図』]……………… ④133

棟方志功 [1903〜1975年／版画家・『釈迦十大弟子』]……………… ④137

村山槐多 [1896〜1919年／洋画家・『カンナと少女』]……………… ④146

黙庵 [生没年不詳／禅林画僧・『布袋図』]……………… ④162

安井曽太郎 [1888〜1955年／洋画家・『金蓉』]……………… ④177

安田靫彦 [1884〜1978年／日本画家・『黄瀬川陣』]……………… ④179

山口華楊 [1899〜1984年／日本画家・『黒豹』]……………… ④187

山本作兵衛 [1892〜1984年／炭鉱労働者、炭坑記録画家]……………… ④198

横山大観 [1868〜1958年／日本画家・『生々流転』]……………… ④211

萬鉄五郎 [1885〜1927年／洋画家・『もたれて立つ人』]……………… ④225

ジャンル別索引

画家・書家

ジャンル別索引　画家・書家

わ ワーグマン, チャールズ [1832～1891年／イギリス人ジャーナリスト・『ジャパン・パンチ』]......④283
和田英作 [1874～1959年／洋画家・『渡頭の夕暮』]......④289
和田三造 [1883～1967年／洋画家・『南風』]......④289
渡辺崋山 [1793～1841年／西洋画法をとりいれた画家]......④290

世界

あ アングル, ジャン・オーギュスト [1780～1867年／フランスの画家・『グランド・オダリスク』]......①63
ウォーホル, アンディ [1928～1987年／アメリカの画家、映画製作者・『マリリン・モンロー』]......①137
エッシャー, マウリッツ [1898～1972年／版画家・『上りと下り』]......①154
エル・グレコ [1541～1614年／スペインの画家・『聖三位一体』]......①162
エルンスト, マックス [1891～1976年／ドイツの画家・『森と鳩』]......①162
王維 [699?～761年／南宗画の創始者]......①167
王羲之 [307?～365?年／中国、東晋時代の書家]......①168
欧陽詢 [557～641年／中国、唐代の書家]......①171
オキーフ, ジョージア [1887～1986年／『牛の頭蓋骨―赤、白、青』]......①199

か カーロ, フリーダ [1907～1954年／メキシコの画家]......①223
カラバッジョ [1571～1610年／『悔悛するマグダラのマリア』]......①260
顔真卿 [709～785年／書家・『蚕頭燕尾』を考案]......①275
カンディンスキー, ワシリー [1866～1944年／『カーブとアングル』]......①278
キーファー, アンセルム [1945年～／ドイツの美術家・『あしか作戦』]......①282
仇英 [1494～1552年／中国、明代の人気画家]......①302
キリコ, ジョルジョ・デ [1888～1978年／『街の神秘と憂鬱』]......①308
クールベ, ギュスターブ [1819～1877年／『石割人夫』]......②12
クライン, イブ [1928～1962年／フランスの画家・『宇宙進化』]......②27
クラナハ, ルーカス [1472～1553年／ドイツの画家・『キリストの磔刑』]......②30
クリムト, グスタフ [1862～1918年／オーストリアの画家・『接吻』]......②33
グリューネワルト, マティアス [1470ごろ～1528年／ドイツの画家・『イーゼンハイム祭壇画』]......②34
クレー, パウル [1879～1940年／スイスの画家・『パルナッソス山へ』]......②36
ゴーガン, ポール [1848～1903年／フランスの画家・『タヒチの女たち』]......②72
顧愷之 [344?～408?年／中国、東晋時代の画家・『女史箴図巻』]......②74
ゴッホ, ビンセント・ファン [1853～1890年／『ひまわり』]......②87
呉道玄 [生没年不詳／中国、唐代の画家・山水画]......②86
ゴヤ, フランシスコ・ホセ [1746～1828年／『カルロス4世の家族』]......②99
コルデコット, ランドルフ [1846～1886年／イギリスのさし絵画家・『蛙が嫁さんがさがしにいったよ』]......②100
コレッジョ [1489?～1534年／イタリアの画家・『栄光のキリスト』]......②102
コロー, カミーユ [1796～1875年／『シャルトル大聖堂』]......②103
コンスタブル, ジョン [1776～1837年／イギリスの画家・『干草車』]......②105

さ シーレ, エゴン [1890～1918年／オーストリアの画家・『死と乙女』]......②145
ジェリコー, テオドル [1791～1824年／『メデュース号の筏』]......②147
シケイロス, ダビド・アルファロ [1896～1974年／メキシコの画家・壁画の巨匠の一人]......②150

シャガール, マルク [1887～1985年／ロシア生まれの画家・『私と村』]......②171
シャルダン, ジャン＝バティスト [1699～1779年／『赤えい』]......②175
ジョーンズ, ジャスパー [1930年～／アメリカ合衆国の画家・『旗』]......②201
ジョット・ディ・ボンドーネ [1266?～1337年／イタリアの画家・『聖フランチェスコの生涯』]......②203
スーラ, ジョルジュ [1859～1891年／フランスの画家・『曲馬』]......②214
セザンヌ, ポール [1839～1906年／『サント・ビクトワール山』]......②242

た ターナー, ジョゼフ [1775～1851年／イギリスの画家・『難破船』]......②262
ダゲール, ルイ・ジャック [1787～1851年／ジオラマの風景画]......②289
ダビッド, ジャック・ルイ [1748～1825年／フランスの画家・『マラーの死』]......②310
ダリ, サルバドール [1904～1989年／『記憶の固執』]......②314
褚遂良 [596～658年／中国、唐代の書家・『孟法師碑』]......③22
ティツィアーノ・ベチェリオ [1490?～1576年／『聖母被昇天』]......③39
デ・クーニング, ウィレム [1904～1997年／『女』シリーズの画家]......③42
デューラー, アルブレヒト [1471～1528年／木版画『ヨハネ黙示録』]......③46
デュシャン, マルセル [1887～1968年／フランスの芸術家・『泉』]......③46
デュフィ, ラウル [1877～1953年／フランスの画家・『競馬場にて』]......③46
デルボー, ポール [1897～1994年／『セイレーンたちの村』]......③50
董其昌 [1555～1636年／中国、明代の書家・『行草書巻』]......③55
ドーミエ, オノレ [1808～1879年／フランスの画家、版画家・『洗濯女』]......③61
ドガ, エドガー [1834～1917年／フランスの画家・『オペラ座の楽屋』]......③62
ドラクロア, ウジェーヌ [1798～1863年／『アルジェの女たち』]......③87

は ハルス, フランス [1585?～1666年／オランダの画家・『聖ゲオルク射手組合幹部の饗宴』]......③191
ハント, ウィリアム・ホルマン [1827～1910年／『世の光』]......③195
ピカソ, パブロ [1881～1973年／スペインの画家・『ゲルニカ』]......③200
ピサロ, カミーユ [1830～1903年／フランスの画家・『赤い屋根』]......③203
ビュッフェ, ベルナール [1928～1999年／『アナベル夫人像』]......③213
ファン・アイク兄弟 [兄フーベル1370?～1426年、弟ヤン1390?～1441年／オランダの画家兄弟・『ヘントの祭壇画』]......③224
ファン・ダイク, アントーン [1599～1641年／『狩場のチャールズ1世』]......③224
ブーシェ, フランソワ [1703～1770年／『ポンパドゥール夫人』]......③229
フェルメール, ヤン [1632～1675年／『青いターバンの少女』]......③234
フラ・アンジェリコ [1400?～1455年／『受胎告知』]......③270
フラゴナール, ジャン [1732～1806年／『コレシュとカロリエ』]......③274
ブラック, ジョルジュ [1882～1963年／『壜とコップ』]......③274
ブリューゲル, ピーテル [1525?～1569年／『子どもの遊び』]......③282
ブレイク, ウィリアム [1757～1827年／『ヨブ記挿画集』]......③289
ベーコン, フランシス [1909～1992年／『横たわる女』]......④10
ベラスケス, ディエゴ・デ [1599～1660年／スペインの画家・『インノケンティウス10世』]......④17
ヘリング, キース [1958～1990年／アメリカ合衆国の画家・落書きアート]......④19
ホックニー, デイビッド [1937年～／『大きな水しぶき』]......④47

ボッティチェリ, サンドロ [1445?～1510年／イタリアの画家・『春』] ④48

ボナール, ピエール [1867～1947年／フランスの画家・『浴槽の裸婦』] ④49

ホルバイン, ハンス [1497?～1543年／ドイツの画家・『ヘンリー8世』] ④53

ポロック, ジャクソン [1912～1956年／『カット・アウト』] ④54

ま マグリット, ルネ [1898～1967年／ベルギーの画家・『大家族』] ④67

マティス, アンリ [1869～1954年／フランスの画家・『オダリスク』] ④84

マネ, エドワール [1832～1883年／フランスの画家・『笛をふく少年』] ④85

マレーヴィチ, カジミール [1878～1935年／『牛とバイオリン』] ④96

ミケランジェロ・ブオナローティ [1475～1564年／イタリアの画家、彫刻家・『最後の審判』] ④101

ミュシャ, アルフォンス [1860～1939年／『黄道十二宮』] ④127

ミレイ, ジョン・エバレット [1829～1896年／『オフィーリア』] ④132

ミレー, ジャン＝フランソワ [1814～1875年／『落穂拾い』] ④132

ミロ, ジョアン [1893～1983年／スペインの画家・『刈り入れ人』] ④132

ムリーリョ, バルトロメ・エステバン [1617～1682年／スペインの画家・『聖母子像』] ④147

ムンク, エドバルド [1863～1944年／ノルウェーの画家・『叫び』] ④148

牧谿 [生没年不詳／中国、宋代の画家・『観音猿鶴図』] ④163

モディリアーニ, アメデオ [1884～1920年／イタリア出身の画家、彫刻家・『ジャンヌ・エビュテルヌ』] ④164

モネ, クロード [1840～1926年／フランスの画家・『睡蓮』] ④165

モロー, ギュスターブ [1826～1898年／『オイディプスとスフィンクス』] ④171

モンドリアン, ピート [1872～1944年／オランダ出身の画家・『赤・黄・青のコンポジション』] ④174

や ユトリロ, モーリス [1883～1955年／『モンマニーの庭』] ④206

ら ラファエロ・サンティ [1483～1520年／『アテネの学堂』] ④233

リキテンスタイン, ロイ [1923～1997年／『見て! ミッキー』] ④239

ルーベンス, ペーテル・パウル [1577～1640年／フランドルの画家・『マリ・ド・メディシスの生涯』] ④258

ルオー, ジョルジュ [1871～1958年／『聖顔』] ④258

ルソー, アンリ [1844～1910年／フランスの画家・『眠れるジプシー女』] ④259

ルドン, オディロン [1840～1916年／版画『夢の中で』] ④261

ルノアール, オーギュスト [1841～1919年／『浴女』] ④261

レオナルド・ダ・ビンチ [1452～1519年／イタリアの画家、彫刻家、建築家、科学者] ④266

レジェ, フェルナン [1881～1955年／『森の中の裸体』] ④269

レンブラント・ファン・レイン [1606～1669年／オランダの画家・『トゥルプ博士の解剖学講義』] ④271

ロートレック, アンリ・ド・トゥールーズ [1864～1901年／フランスの画家・ムーラン・ルージュのポスター] ④274

ローランサン, マリー [1885～1956年／『二人の少女』] ④275

ロスコ, マーク [1903～1970年／『赤の上のオーカーと赤』] ④277

ロセッティ, ダンテ・ガブリエル [1828～1882年／イギリスの画家・『聖母マリアの少女時代』] ④277

わ ワイエス, アンドリュー [1917～2009年／『ヘルガ・シリーズ』] ④284

ワトー, アントワーヌ [1684～1721年／『シテール島への巡礼』] ④292

音楽家

日 本

あ 芥川也寸志 [1925～1989年／作曲家、指揮者・『交響管絃楽のための音楽』] ①22

阿久悠 [1937～2007年／作詞家、作家・『また逢う日まで』] ①23

朝比奈隆 [1908～2001年／指揮者・大阪フィルの音楽総監督] ①27

淡谷のり子 [1907～1999年／シャンソン歌手・『別れのブルース』] ①62

井上武士 [1894～1974年／作曲家、音楽教育者・唱歌『チューリップ』] ①106

伊福部昭 [1914～2006年／作曲家・『ゴジラ』のテーマ曲] ①111

岩城宏之 [1932～2006年／ウィーンフィルを指揮した指揮者、打楽器奏者] ①118

岩谷時子 [1916～2013年／作詞家、翻訳家・『愛の讃歌』] ①121

永六輔 [1933年～2016年／作詞家、放送作家・『遠くへ行きたい』] ①148

江藤俊哉 [1927～2008年／バイオリン奏者] ①155

江間章子 [1913～2005年／作詞家、詩人・『夏の思い出』] ①159

遠藤実 [1932～2008年／作曲家・『星影のワルツ』] ①165

大中恩 [1924年～／作曲家、合唱指揮者・『犬のおまわりさん』] ①187

岡野貞一 [1878～1941年／作曲家・『春の小川』] ①197

小澤征爾 [1935年～／指揮者、ウィーン国立歌劇場音楽監督] ①206

か 笠置シヅ子 [1914～1985年／歌手、女優・『東京ブギウギ』] ①230

春日八郎 [1924～1991年／歌手・『お富さん』] ①234

岸田衿子 [1929～2011年／作詞家、詩人・『アルプスの少女ハイジ』] ①284

北原白秋 [1885～1942年／童謡詩人・『赤とんぼ』] ①290

草川信 [1893～1948年／作曲家、音楽教育家・『夕焼小焼』] ②13

葛原しげる [1886～1961年／童謡作家、童話作家・『夕日』] ②16

古賀政男 [1904～1978年／作曲家・『悲しい酒』] ②75

近衛秀麿 [1898～1973年／作曲家、指揮者・『越天楽』] ②91

さ 西条八十 [1892～1970年／詩人、作詞家・『かなりや』] ②110

阪田寛夫 [1925～2005年／作詞家、詩人・『サッちゃん』] ②119

サトウハチロー [1903～1973年／作詞家、童謡詩人・『リンゴの唄』] ②129

下總皖一 [1898～1962年／作曲家、音楽教育家・『たなばたさま』] ②168

相馬御風 [1883～1950年／童謡や校歌の作詞・『春よ来い』] ②252

た 高野辰之 [1876～1947年／作詞家、国文学者・『故郷』] ②277

滝廉太郎 [1879～1903年／作曲家、ピアニスト・『荒城の月』] ②286

武島羽衣 [1872～1967年／歌人、詩人・『花』] ②290

武満徹 [1930～1996年／作曲家・『ノヴェンバー・ステップス』] ②294

巽聖歌 [1905～1973年／童謡詩人、歌人・『たきび』] ②300

團伊玖磨 [1924～2001年／作曲家、随筆家・『夕鶴』] ②317

冨田勲 [1932～2016年／作曲家、編曲家、シンセサイザー奏者] ③82

な 中田章 [1886～1931年／作曲家、オルガン奏者・『早春賦』] ③105

中田喜直 [1923～2000年／作曲家・『ちいさい秋みつけた』] ③106

なかにし礼 [1938年～／作詞家、作家・『北酒場』] ③107

中村雨紅 [1897～1972年／童謡作家・『夕焼け小焼け』] ③109

ジャンル別索引

音楽家

中村八大 なかむらはちだい [1931〜1992年／作曲家、ジャズピアニスト・『上を向いて歩こう』]
………… ③112

中山晋平 なかやましんぺい [1887〜1952年／作曲家・『カチューシャの歌』] ③114

並木路子 なみきみちこ [1921〜2001年／歌手、俳優・『リンゴの唄』] ③119

成田為三 なりたためぞう [1893〜1945年／作曲家・『浜辺の歌』] ③122

野口雨情 のぐちうじょう [1882〜1945年／詩人、作曲家・『赤い靴』] ③145

は 服部良一 はっとりりょういち [1907〜1993年／作曲家、作詞家・『別れのブルース』] ③172

藤山一郎 ふじやまいちろう [1911〜1993年／歌手・『青い山脈』] ③247

星野哲郎 ほしのてつろう [1925〜2010年／作詞家・『アンコ椿は恋の花』] ④42

ま 黛敏郎 まゆずみとしろう [1929〜1997年／作曲家・オペラ『金閣寺』] ④87

三浦環 みうらたまき [1884〜1946年／ソプラノ歌手・『蝶々夫人』] ④99

美空ひばり みそら [1937〜1989年／歌手、俳優・『川の流れのように』] ④105

三波春夫 みなみはるお [1923〜2001年／歌手、浪曲師、作詞家・『東京五輪音頭』] ④108

三橋美智也 みはしみちや [1930〜1996年／歌手、民謡三橋流家元・『哀愁列車』] ④119

宮川泰 みやがわひろし [1931〜2006年／作曲家、編曲家、指揮者・『恋のバカンス』] ④120

宮城まり子 みやぎまりこ [1927年〜／歌手、教育者・『ガード下の靴みがき』] ④120

三善晃 みよしあきら [1933〜2013年／作曲家・『クラリネット、ファゴット、ピアノのためのソナタ』]
………… ④128

村田英雄 むらたひでお [1929〜2002年／歌手、浪曲師・『王将』] ④146

や 梁田貞 やなだただし [1885〜1959年／作曲家、音楽教育家・『隅田川』] ④182

山口百恵 やまぐちももえ [1959年〜／歌手、女優・『秋桜』] ④188

山口洋子 やまぐちようこ [1937〜2014年／作詞家、作家・『夜空』] ④188

山田耕筰 やまだこうさく [1886〜1965年／作曲家、指揮者・『赤とんぼ』] ④191

吉田正 よしだただし [1921〜1998年／作曲家・『誰よりも君を愛す』] ④217

吉丸一昌 よしまるかずまさ [1873〜1916年／作詞家、教育者・『早春賦』] ④220

—— 世界 ——

あ アームストロング, ルイ [1901〜1971年／ジャズトランペット奏者] ①10

アンダーソン, マリアン [1902〜1993年／アルト歌手・黒人霊歌] ①67

ウェーバー, カール・マリア・フォン [1786〜1826年／『魔弾の射手』]
………… ①128

ウェーベルン, アントン [1883〜1945年／『パッサカリア』] ①128

エバンス, ビル [1929〜1980年／ジャズピアニスト] ①158

エリントン, エドワード・ケネディ [1899〜1974年／ジャズバンドのリーダー] ①161

エルガー, エドワード [1857〜1934年／『威風堂々』] ①161

オッフェンバック, ジャック [1819〜1880年／『天国と地獄』] ①212

オルフ, カール [1895〜1982年／『カルミナ・ブラーナ』] ①218

か ガーシュイン, ジョージ [1898〜1937年／『ラプソディ・イン・ブルー』] ①219

カザルス, パブロ [1876〜1973年／『鳥の歌』] ①231

カバレフスキー, ドミトリー [1904〜1987年／組曲『道化師』] ①253

カラス, マリア [1923〜1977年／ギリシャのソプラノ歌手・『トスカ』] ①260

カラヤン, ヘルベルト・フォン [1908〜1989年／オーストリアの指揮者]
………… ①261

キュイ, ツェザーリ [1835〜1918年／ロシア帝国の作曲家、音楽評論家]
………… ①302

クープラン, フランソワ [1668〜1733年／作曲家、クラブサン奏者] ②11

グッドマン, ベニー [1909〜1986年／ジャズクラリネット奏者] ②19

グノー, シャルル [1818〜1893年／フランスの作曲家] ②22

グリーグ, エドバルド [1843〜1907年／ノルウェーの作曲家] ②31

グリンカ, ミハイル [1804〜1857年／ロシアの作曲家] ②34

グルーバー, フランツ・クサーファー [1787〜1863年／教会音楽家・『きよしこの夜』] ②35

グローフェ, ファーデ [1892〜1972年／『グランド・キャニオン』] ②40

クロスビー, ビング [1903〜1977年／『ホワイト・クリスマス』] ②41

ケージ, ジョン [1912〜1992年／現代音楽の作曲家・『4分33秒』] ②48

コダーイ・ゾルターン [1882〜1967年／『ハーリ・ヤノーシュ』] ②82

コルトレーン, ジョン [1926〜1967年／ジャズサックス奏者] ②101

さ サティ, エリック [1866〜1925年／『3つのジムノペディ』] ②127

サラサーテ, パブロ・デ [1844〜1908年／『ツィゴイネルワイゼン』] ②134

サン=サーンス, カミーユ [1835〜1921年／『動物の謝肉祭』] ②139

シェーンベルク, アルノルト [1874〜1951年／『月に憑かれたピエロ』]
………… ②147

シナトラ, フランク [1915〜1998年／『マイ・ウェイ』] ②156

シベリウス, ジャン [1865〜1957年／『フィンランディア』] ②162

ジャガー, ミック [1943年〜／ロック歌手・『サティスファクション』] ②171

ジャクソン, マイケル [1958〜2009年／『スリラー』] ②174

シューベルト, フランツ [1797〜1828年／『魔王』] ②182

シューマン, クララ [1819〜1896年／ピアニスト、作曲家、音楽教育者]
………… ②182

シューマン, ロベルト [1810〜1856年／『子どもの情景』] ②182

シュトックハウゼン, カールハインツ [1928〜2007年／作曲家、音楽理論家・電子音楽] ②185

シュトラウス, ヨハン [1804〜1849年／『ラデツキー行進曲』] ②185

シュトラウス, ヨハン [1825〜1899年／『美しく青きドナウ』] ②186

シュトラウス, リヒャルト [1864〜1949年／ドイツの作曲家、指揮者]
………… ②186

ショスタコービッチ, ドミトリイ [1906〜1975年／ソビエト連邦の作曲家]
………… ②202

ショパン, フレデリック [1810〜1849年／『小犬のワルツ』] ②203

ジョビン, アントニオ・カルロス [1927〜1994年／ブラジルの音楽家]
………… ②203

ジルヒャー, フリードリヒ [1789〜1860年／ドイツの作曲家、民俗音楽研究家] ②208

ジルベルト, ジョアン [1931年〜／ブラジルの音楽家] ②209

スーザ, ジョン・フィリップ [1854〜1932年／『星条旗よ永遠なれ』] ②214

スカルラッティ, アレッサンドロ [1660〜1725年／イタリアの作曲家]
………… ②216

スカルラッティ, ドメニコ [1685〜1757年／イタリアの作曲家、チェンバロ奏者] ②216

ズッペ, フランツ・フォン [1819〜1895年／『軽騎兵』] ②228

ストラビンスキー, イーゴル [1882〜1971年／『春の祭典』] ②231

スメタナ, ベルジフ [1824〜1884年／『我が祖国』] ②236

た チェルニー, カール［1791～1857年／ピアニスト、作曲家、音楽教育家］③9

チャールズ, レイ［1930～2004年／『ホワッド・アイ・セイ』］……………③13

チャイコフスキー, ピョートル・イリイッチ［1840～1893年／『くるみ割り人形』］ ③14

デイビス, マイルス［1926～1991年／ジャズトランペット奏者］…………③39

ディラン, ボブ［1941年～／フォーク歌手、ロック歌手］…………………③40

トスカニーニ, アルトゥーロ［1867～1957年／指揮者、チェロ奏者］③77

ドビュッシー, クロード［1862～1918年／『牧神の午後への前奏曲』］③80

ドボルザーク, アントニン［1841～1904年／『交響曲第9番（新世界より）』］ ③81

は パーカー, チャーリー［1920～1955年／ジャズサックス奏者］…………③152

バーンスタイン, レナード［1918～1990年／『ウエストサイド物語』］③156

ハイドン, フランツ・ヨーゼフ［1732～1809年／『天地創造』］……③158

パガニーニ, ニコロ［1782～1840年／イタリアのバイオリン奏者、作曲家］ ③161

ハチャトゥリアン, アラム［1903～1978年／『仮面舞踏会』］………③171

バッハ, ヨハン・セバスチャン［1685～1750年／作曲家、オルガン奏者］ ③172

パッヘルベル, ヨハン［1653～1706年／作曲家、オルガン奏者］……③173

バラキレフ, ミリ・アレクセイビチ［1837～1910年／ロシアの作曲家］ ③185

バルトーク・ベラ［1881～1945年／ハンガリーの作曲家］…………③192

パレストリーナ, ジョバンニ・ピエルルイジ・ダ［1525?～1594年／イタリアの作曲家・教会音楽］ ③193

ビショップ, ヘンリー・ローリー［1786～1855年／『埴生の宿』］③205

ビゼー, ジョルジュ［1838～1875年／『アルルの女』］………………③205

ビバルディ, アントーニオ［1678～1741年／作曲家、バイオリン奏者］ ③210

フォーレ, ガブリエル［1845～1924年／『レクイエム』］…………③236

フォスター, スティーブン［1826～1864年／『おおスザンナ』］……③236

プッチーニ, ジャコーモ［1858～1924／『蝶々夫人』］…………③267

ブラームス, ヨハネス［1833～1897年／『ハンガリー舞曲』］………③270

フランクリン, アレサ［1942年～／ソウル歌手］……………………③276

ブリテン, ベンジャミン［1913～1976年／作曲家、指揮者］………③281

ブルックナー, アントン［1824～1896年／作曲家、オルガン奏者］③287

フルトベングラー, ウィルヘルム［1886～1954年／ドイツの指揮者］ ③287

プレスリー, エルビス［1935～1977年／『ハートブレイク・ホテル』］…③290

プロコフィエフ, セルゲイ［1891～1953年／『ロミオとジュリエット』］③293

ベートーベン, ルートウィヒ・ファン［1770～1827年／ドイツの作曲家］ ④12

ベーム, カール［1894～1981年／オーストリアの指揮者］…………④11

ベラフォンテ, ハリー［1927年～／歌手、俳優・『バナナ・ボート』］④17

ベルディ, ジュゼッペ［1813～1901年／『アイーダ』］………………④20

ベルリオーズ, エクトール［1803～1869年／『幻想交響曲』］………④22

ヘンデル, ゲオルク［1685～1759年／『水上の音楽』］………………④26

ボウイ, デビッド［1947～2016年／ロック歌手・『スペイス・オディティ』］④29

ホルスト, グスタブ［1874～1934年／組曲『惑星』］…………………④52

ボロディン, アレクサンドル［1833～1887年／『イーゴリ公』］………④54

ホロビッツ, ウラディミール［1904～1989年／ピアニスト］…………④54

ま マーラー, グスタフ［1860～1911年／交響曲『巨人』］……………④59

マーリー, ボブ［1945～1981年／ジャマイカの音楽家］……………④59

マスネー, ジュール［1842～1912年／フランスの作曲家・『マノン』］④71

ムソルグスキー, モデスト［1839～1881年／『展覧会の絵』］……④136

メシアン, オリビエ［1908～1992年／『トゥーランガリラ交響曲』］……④151

メンデルスゾーン, フェリックス［1809～1847年／ドイツの作曲家、ピアニスト］ ④154

モーツァルト, ウォルフガング・アマデウス［1756～1791年／オーストリアの作曲家］ ④160

モンテベルディ, クラウディオ［1567～1643年／イタリアの作曲家］ ④174

ら ラフマニノフ, セルゲイ［1873～1943年／ロシアの作曲家、ピアニスト］ ④233

ラベル, モーリス［1875～1937年／フランスの作曲家・『ボレロ』］……④234

リスト, フランツ［1811～1886年／『ハンガリー狂詩曲』］……………④243

リムスキー＝コルサコフ, ニコライ［1844～1908年／『シェヘラザード』］ ④246

レスピーギ, オットリーノ［1879～1936年／『ローマの噴水』］……④269

レノン, ジョン［1940～1980年／イギリスのロック歌手・『イマジン』］④270

ロジャース, リチャード［1902～1979年／ミュージカル『王様と私』］④276

ロッシーニ, ジョアッキーノ［1792～1868年／『セビリアの理髪師』］ ④279

ロドリーゴ, ホアキン［1902～1999年／『アランフェス協奏曲』］……④279

わ ワーグナー, リヒャルト［1813～1883年／『タンホイザー』］…………④283

ワンダー, スティービー［1950年～／アメリカ合衆国の歌手・『迷信』］④294

写真家

―――――――― 日 本 ――――――――

あ 上野彦馬［1838～1904年／最初期の写真家］…………………①134

か 木村伊兵衛［1901～1974年／『秋田』シリーズ］……………………①300

さ 沢田教一［1936～1970年／報道写真家・『安全への逃避』］……②136

下岡蓮杖［1823～1914年／写真家・横浜に写真館を開業］……②168

た 田沼武能［1929年～／『すばらしい子供たち』］……………………②309

土門拳［1909～1990年／『古寺巡礼』シリーズ］……………………③85

は 林忠彦［1918～1990年／『日本の作家』］……………………………③183

星野道夫［1952～1996年／『Alaska 風のような物語』］……………④42

―――――――― 世 界 ――――――――

か カルティエ＝ブレッソン, アンリ［1908～2004年／『決定的瞬間』］①263

キャパ, ロバート［1913～1954年／報道写真家］……………………①301

221

さ スミス, ユージン［1918〜1978年／水俣を撮影したアメリカ合衆国の写真家］
　………②234

た ダゲール, ルイ・ジャック［1787〜1851年／銀板写真技術を完成］②289

ら レイ, マン［1890〜1976年／前衛写真家・オブジェ『贈り物』］………④263

映画・演劇に関する人物

─── 日 本 ───

あ 秋田雨雀［1883〜1962年／劇作家、作家、児童文学作家・『国境の夜』］①20
　渥美清［1928〜1996年／俳優・『男はつらいよ』］………①41
　飯沢匡［1909〜1994年／劇作家、編集者・『夜の笑い』『ヤン坊ニン坊トン坊』
　　　　………①71
　石井漠［1886〜1962年／舞踊家・『人間釈迦』］………①82
　石原裕次郎［1934〜1987年／俳優、歌手・『嵐を呼ぶ男』］………①88
　市川崑［1915〜2008年／映画監督・『ビルマの竪琴』］………①93
　井上ひさし［1934〜2010年／劇作家、放送作家・『ひょっこりひょうたん島』］
　　　　………①107
　今井正［1912〜1991年／映画監督・『武士道残酷物語』］………①114
　今村昌平［1926〜2006年／映画監督・『うなぎ』］………①116
　梅屋庄吉［1869〜1934年／日活の創業者］………①144
　榎本健一［1904〜1970年／喜劇俳優］………①157
　大島渚［1932〜2013年／映画監督・『愛のコリーダ』］………①181
　大谷竹次郎［1877〜1969年／松竹株式会社の創始者］………①183
　岡本綺堂［1872〜1939年／劇作家、演劇評論家・戯曲『番町皿屋敷』］………①198
　小山内薫［1881〜1928年／日本近代演劇の開拓者］………①205
　小津安二郎［1903〜1963年／映画監督・『東京物語』］………①212

か 唐十郎［1940年〜／劇作家、演出家、俳優・劇団状況劇場を旗揚げ］……①260
　川上音二郎［1864〜1911年／新派劇の先駆者・『オッペケペー節』］……①268
　川口松太郎［1899〜1985年／劇作家、作家、演出家・『明治一代女』］………①270
　菊田一夫［1908〜1973年／劇作家、演出家・『君の名は』］………①282
　岸田国士［1890〜1954年／劇作家、演出家・『チロルの秋』］………①284
　木下恵介［1912〜1998年／映画監督・『楢山節考』］………①295
　木下順二［1914〜2006年／劇作家・戯曲『夕鶴』］………①296
　久米正雄［1891〜1952年／劇作家、作家・『牛乳屋の兄弟』］………②26
　倉田百三［1891〜1943年／戯曲家、評論家・『出家とその弟子』］………②29
　倉本聰［1935年〜／劇作家、演出家・『北の国から』］………②31
　黒澤明［1910〜1998年／映画監督・『羅生門』］………②40
　黒柳徹子［1933年〜／女優、司会者］………②45

さ 沢田正二郎［1892〜1929年／新国劇を創立した俳優］………②137
　獅子文六［1893〜1969年／劇作家、作家・『てんやわんや』］………②151
　島村抱月［1871〜1918年／翻訳劇の劇作家］………②167
　新藤兼人［1912〜2012年／映画監督・『裸の島』］………②210
　杉村春子［1906〜1997年／新劇女優・『女の一生』］………②220

た 高倉健［1931〜2014年／映画俳優・『幸福の黄色いハンカチ』］………②274
　田中千禾夫［1905〜1995年／劇作家・『マリアの首』］………②304
　つかこうへい［1948〜2010年／劇作家、演出家・『蒲田行進曲』］………③26

円谷英二［1901〜1970年／特殊撮影技術監督・『ゴジラ』］………③33
坪内逍遙［1859〜1935年／劇作家、評論家］………③34
寺山修司［1935〜1983年／劇作家、映画監督・演劇実験室「天井桟敷」］………③49

な 蜷川幸雄［1935〜2016年／演出家・『王女メディア』］………③133

は 長谷川一夫［1908〜1984年／時代劇俳優］………③166
　原節子［1920〜2015年／女優・『東京物語』］………③186
　土方与志［1898〜1959年／築地小劇場の設立メンバー］………③203
　古川緑波［1903〜1961年／コメディアン］………③285
　別役実［1937年〜／劇作家、評論家・不条理演劇を確立］………④15

ま 松井須磨子［1886〜1919年／芸術座を旗揚げした女優・『復活』］………④72
　三島由紀夫［1925〜1970年／劇作家、作家・『近代能楽集』］………④102
　溝口健二［1898〜1956年／映画監督・『西鶴一代女』］………④105
　宮城まり子［1927年〜／歌手、教育者、俳優・『12月のあいつ』］………④120
　森繁久彌［1913〜2009年／俳優、歌手・『屋根の上のヴァイオリン弾き』］………④168
　森光子［1920〜2012年／女優・『放浪記』『時間ですよ』］………④170

や 山田五十鈴［1917〜2012年／女優・『祇園の姉妹』『必殺』シリーズ］…④190
　山田太一［1934年〜／脚本家・『ふぞろいの林檎たち』］………④192
　山田洋次［1931年〜／映画監督・『男はつらいよ』シリーズ］………④193
　吉井勇［1886〜1960年／劇作家、脚本家・『午後三時』］………④213

─── 世 界 ───

あ アステア, フレッド［1899〜1987年／タップダンスのダンサー、俳優］……①38
　イェーツ, ウィリアム・バトラー［1865〜1939年／アイルランドの劇作家］
　　　　………①73
　イプセン, ヘンリク［1828〜1906年／『人形の家』］………①112
　イヨネスコ, ウージェーヌ［1912〜1994年／劇作家・『犀』］………①117
　ウィリアムズ, テネシー［1911〜1983年／劇作家・『ガラスの動物園』］
　　　　………①126
　ウェイン, ジョン［1907〜1979年／俳優、映画監督・『勇気ある追跡』］①128
　エリオット, トーマス・スターンズ［1888〜1965年／詩人・『キャッツ』の原
　　　作］………①160

か カーリダーサ［生没年不詳／4〜5世紀のインドの詩人、劇作家］………①221
　キューブリック, スタンリー［1928〜1999年／『2001年宇宙の旅』］
　　　　………①302
　グリルパルツァー, フランツ［1791〜1872年／劇作家・『ザッフォー』］②34
　クレマン, ルネ［1913〜1996年／映画監督・『禁じられた遊び』］………②38
　クローデル, ポール［1868〜1955年／劇作家・『マリアへのお告げ』］…②40
　クロスビー, ビング［1903〜1977年／映画俳優・『我が道を往く』］………②41
　ゲーテ, ヨハン・ウォルフガング・フォン［1749〜1832年／劇作家・『ファ
　　　ウスト』］………②48
　ケリー, グレース［1929〜1982年／モナコ公妃になった女優・『喝采』］②53
　ケリー, ジーン［1912〜1996年／『雨に唄えば』］………②54
　ゴーゴリ, ニコライ［1809〜1852年／『検察官』］………②72
　ゴーチエ, テオフィル［1811〜1872年／脚本家・『ジゼル』］………②72
　ゴーリキー, マクシム［1868〜1936年／『どん底』］………②73
　コクトー, ジャン［1889〜1963年／『詩人の血』］………②76
　ゴダール, ジャン＝リュック［1930年〜／『勝手にしやがれ』］………②82

コッポラ, フランシス・フォード［1939年〜／『ゴッドファーザー』］…… ②85

コルネイユ, ピエール［1606〜1684年／劇作家・『オラース』］……… ②101

さ サローヤン, ウィリアム［1908〜1981年／『君が人生の時』］……… ②136

シェークスピア, ウィリアム［1564〜1616年／『ハムレット』］……… ②145

ショー, バーナード［1856〜1950年／『シーザーとクレオパトラ』］…… ②195

シラー, フリードリヒ・フォン［1759〜1805年／『ウィリアム・テル』］②205

スタニスラフスキー, コンスタンチン［1863〜1938年／『俳優修業』］

……………………………………………………………………… ②227

ストリンドベリ, アウグスト［1849〜1912年／劇作家・『死の舞踏』］

……………………………………………………………………… ②231

スピルバーグ, スティーブン［1946年〜／『ジョーズ』］…………… ②233

た ダール, ロアルド［1916〜1990年／脚本家・『チキ・チキ・バン・バン』］②263

タルコフスキー, アンドレイ［1932〜1986年／『惑星ソラリス』］… ②314

ダンカン, イサドラ［1878〜1927年／モダンダンスのダンサー］……… ②317

チェーホフ, アントン［1860〜1904年／『桜の園』］…………………… ③9

チャップリン, チャーリー［1889〜1977年／喜劇俳優］……………… ③15

チャペック, カレル［1890〜1938年／戯曲『R.U.R』（邦題『ロボット』）］ ③16

ディーン, ジェームス［1931〜1955年／『エデンの東』］…………… ③37

ディズニー, ウォルト［1901〜1966年／『白雪姫』］………………… ③38

テーラー, エリザベス［1932〜2011年／女優・『緑園の天使』］…… ③41

デュマ, アレクサンドル［1802〜1870年／劇作家、作家］…………… ③47

トリュフォー, フランソワ［1932〜1984年／『大人は判ってくれない』］③91

な ニジンスキー, バツラフ［1890〜1950年／ロシアのバレエダンサー］ ③131

は バーグマン, イングリッド［1915〜1982年／『カサブランカ』］…… ③153

ハウプトマン, ゲルハルト［1862〜1946年／劇作家、詩人・『はたおりたち』

『日の出前』］……………………………………………………… ③160

パブロワ, アンナ［1881〜1931年／ロシアのバレリーナ］…………… ③178

バリー, ジェームズ［1860〜1937年／童話劇『ピーター・パン』］…… ③188

ヒッチコック, アルフレッド［1899〜1980年／『サイコ』］………… ③206

フェリーニ, フェデリコ［1920〜1993年／映画監督・『道』］……… ③232

フォード, ジョン［1894〜1973年／映画監督・『駅馬車』］………… ③235

プリセツカヤ, マイヤ［1925〜2015年／バレリーナ、バレエ団監督］ ③281

ブレヒト, ベルトルト［1898〜1956年／『三文オペラ』］…………… ③291

ベケット, サミュエル［1906〜1989年／『ゴドーを待ちながら』］… ④13

ヘップバーン, オードリー［1929〜1991年／女優・『ローマの休日』］ ④15

ボーマルシェ, ピエール［1732〜1799年／劇作家・『フィガロの結婚』］ ④39

ボガート, ハンフリー［1899〜1957年／映画俳優］…………………… ④40

ま マルシャーク, サムイル［1887〜1964年／児童劇『森は生きている』］ ④92

マルソー, マルセル［1923〜2007年／パントマイム俳優］…………… ④94

ミラー, アーサー［1915〜2005年／劇作家・『セールスマンの死』］… ④130

メーテルリンク, モーリス［1862〜1949年／児童劇『青い鳥』］…… ④151

モリエール［1622〜1673年／喜劇作家、俳優・『ドン・ジュアン』］… ④167

モルナール・フェレンツ［1878〜1952年／劇作家『リリオム』］…… ④171

モンロー, マリリン［1926〜1962年／『お熱いのがお好き』］……… ④175

ら ラシーヌ, ジャン［1639〜1699年／劇作家・『フェードル』］……… ④231

リュミエール兄弟［兄オーギュスト　1862〜1954年、弟ルイ　1864〜1948年

／映画製作者、映画発明者］…………………………………… ④250

ルーカス, ジョージ［1944年〜／『スター・ウォーズ』］…………… ④257

レイ, マン［1890〜1976年／前衛映画の監督、写真家・『ひとで』］… ④263

ロラン, ロマン［1866〜1944年／劇作家、作家、思想家］…………… ④280

ロルカ, フェデリコ・ガルシア［1898〜1936年／スペインの劇作家］

……………………………………………………………………… ④282

わ ワイルド, オスカー［1854〜1900年／劇作家・『幸福な王子』］…… ④285

漫画・アニメに関する人物

―――――― 日　本 ――――――

あ 赤塚不二夫［1935〜2008年／漫画家・『おそ松くん』］…………… ①18

池田理代子［1947年〜／漫画家・『ベルサイユのばら』］…………… ①78

石ノ森章太郎［1938〜1998年／漫画家・『サイボーグ009』］……… ①86

大友克洋［1954年〜／漫画家・『AKIRA』］…………………………… ①185

か 梶原一騎［1936〜1987年／漫画原作者・『巨人の星』］…………… ①233

久里洋二［1928年〜／漫画家、アニメーション作家・『ひょっこりひょうたん島』］

……………………………………………………………………… ②34

た 田河水泡［1899〜1989年／漫画家、落語作家・『のらくろ二等兵』］…… ②285

竹宮惠子［1950年〜／漫画家・『風と木の詩』］…………………… ②295

ちばてつや［1939年〜／漫画家・『あしたのジョー』］……………… ③12

つげ義春［1937年〜／漫画家・『ねじ式』］………………………… ③27

出崎統［1943〜2011年／アニメーション監督・『あしたのジョー』］ ③43

手塚治虫［1928〜1989年／漫画家・『鉄腕アトム』］……………… ③44

は 萩尾望都［1949年〜／漫画家・『トーマの心臓』］………………… ③161

長谷川町子［1920〜1992年／漫画家・『サザエさん』］…………… ③167

藤子・F・不二雄［1933〜1996年／漫画家・『ドラえもん』］……… ③243

藤子不二雄Ⓐ［1934年〜／漫画家・『忍者ハットリくん』］………… ③243

古川タク［1941年〜／アニメーション作家・『驚き盤』］…………… ③284

ま 前川かずお［1937〜1993年／漫画家・『番頭はんと丁稚どん』］… ④60

松本零士［1938年〜／漫画家・『銀河鉄道999』］………………… ④83

水木しげる［1922〜2015年／漫画家・『ゲゲゲの鬼太郎』］……… ④103

宮﨑駿［1941年〜／アニメーション映画監督・『となりのトトロ』］ ④122

や やなせたかし［1919〜2013年／漫画家、絵本作家・『アンパンマン』］… ④182

横山光輝［1934〜2004年／漫画家・『鉄人28号』『魔法使いサリー』］… ④212

横山隆一［1909〜2001年／漫画家・『フクちゃん』］……………… ④212

―――――― 世　界 ――――――

さ シュルツ, チャールズ・モンロー［1922〜2000年／『スヌーピー』］ ②188

た ディズニー, ウォルト［1901〜1966年／映画製作者・『白雪姫』］… ③38

伝統芸能・文化に関する人物

―――――― 日　本 ――――――

あ 生田検校［1656〜1715年／箏曲『思川』］…………………………… ①76

石田芳夫［1948年〜／囲碁棋士・24世本因坊］…………………… ①86

ジャンル別索引

映画・演劇に関する人物／漫画・アニメに関する人物／伝統芸能・文化に関する人物

ジャンル別索引

伝統芸能・文化に関する人物／華道家・茶道家／彫刻家

市川左団次［1842〜1904年／歌舞伎俳優(初世)・明治座の座元となり新作も取り上げた］……①93

市川団十郎［1838〜1903年／歌舞伎俳優(9世)・演劇改良運動に取り組む］……①94

井上八千代［1905〜2004年／日本舞踊家・京舞］……①108

梅若万三郎［1941年〜／シテ方観世流の能楽師］……①145

江戸家猫八［1921〜2001年／物まね師］……①156

大山康晴［1923〜1992年／将棋棋士・15世名人］……①193

岡本綺堂［1872〜1939年／新歌舞伎の第一人者・『修善寺物語』］……①198

阿国［生没年不詳／阿国歌舞伎の創始者］……①201

尾上菊五郎［1844〜1903年／歌舞伎俳優(5世)・『新古演劇十種』を定めた］……①213

尾上松緑［1913〜1989年／歌舞伎俳優(2世)・『勧進帳』］……①213

か 桂文楽［1892〜1971年／落語家・『明烏』］……①241

桂米朝［1925〜2015年／落語家・関西落語会の復興につくした］……①241

河竹黙阿弥［1816〜1893年／江戸歌舞伎を集大成した歌舞伎作者］……①271

観阿弥［1333〜1384年／観世流の創始者］……①273

喜多六平太［1874〜1971年／シテ方喜多流の能楽師］……①291

稀音家浄観［1874〜1956年／長唄三味線方］……①294

杵屋六三郎［1779〜1855年／長唄三味線方・『勧進帳』］……①295

木村義雄［1905〜1986年／将棋棋士・14世名人］……①300

古今亭志ん生［1890〜1973年／落語家(5代)・『火焔太鼓』］……②77

金春禅竹［1405〜1470?年／金春流を再興した能役者］……②107

さ 坂田栄男［1920〜2010年／囲碁棋士・23本因坊］……②118

坂田三吉［1870〜1946年／将棋棋士］……②118

坂田藤十郎［1647〜1709年／上方歌舞伎の基礎を築いた俳優］……②119

三遊亭円生［1900〜1979年／落語家(6代目)・『円生百席』］……②142

三遊亭円朝［1839〜1900年／落語家(初代)・『怪談牡丹灯籠』］……②142

茂山千作［1919〜2013年／能楽師・大蔵流狂言方］……②151

世阿弥［1363?〜1443?年／室町時代の能役者］……②238

た 高川格［1915〜1986年／囲碁棋士・22世本因坊］……②273

高三隆達［1527〜1611年／隆達節を編みだした歌人］……②274

竹田出雲［1691〜1756年／人形浄瑠璃の作家・『仮名手本忠臣蔵』］…②290

竹本義太夫［1651〜1714年／人形浄瑠璃の太夫・義太夫節の始祖］……②295

竹本住大夫［1924年〜／人形浄瑠璃の文楽太夫］……②295

辰松八郎兵衛［?〜1734年／江戸時代の人形つかいの名手］……②300

谷川浩司［1962年〜／将棋棋士・17世名人］……②306

近松半二［1725〜1783年／人形浄瑠璃の作家・『本朝廿四孝』］……③10

近松門左衛門［1653〜1724年／浄瑠璃、歌舞伎の作者］……③10

趙治勲［1956年〜／囲碁棋士・25本因坊］……③22

塚田正夫［1914〜1977年／将棋棋士・実力制第2代名人］……③26

鶴屋南北［1755〜1829年／江戸時代の歌舞伎作家］……③35

常磐津文字太夫［1709〜1781年／常磐津節をおこした音楽家］……③63

な 中原誠［1947年〜／将棋棋士・16世名人］……③108

中村歌右衛門［1917〜2001年／歌舞伎俳優(6世)・女方の最高峰］……③109

中村勘三郎［1909〜1988年／歌舞伎俳優(17世)・和事を得意とした］……③109

中村吉右衛門［1886〜1954年／歌舞伎俳優(初世)・立ち役を得意とした］……③109

中村雀右衛門［1920〜2012年／歌舞伎俳優(4世)・娘役を得意とした］……③110

野村万作［1931年〜／狂言師・和泉流］……③150

は 花柳章太郎［1894〜1965年／新派俳優・『滝の白糸』］……③176

羽生善治［1970年〜／将棋棋士・19世名人］……③177

林家正蔵［1895〜1982年／落語家(8代)・『あたま山』］……③184

藤沢秀行［1925〜2009年／囲碁棋士・名誉棋聖］……③244

藤間勘十郎［1900〜1990年／歌舞伎舞踊・『藤娘』］……③246

ま 升田幸三［1918〜1991年／将棋棋士・実力制第4代名人］……④70

松本白鸚［1910〜1982年／歌舞伎俳優(初世)・演劇などでも活躍］……④83

宮城道雄［1894〜1956年／箏曲の演奏家、作曲家・『春の海』］……④121

森内俊之［1970年〜／将棋棋士・18世名人］……④167

や 八橋検校［1614〜1685年／音楽家・箏曲『六段の調』］……④180

柳家小さん［1915〜2002年／落語家(5代)・『粗忽長屋』］……④181

柳家小三治［1939年〜／落語家(10代)・こっけい話］……④182

山本東次郎［1937年〜／狂言師・大蔵流狂言方］……④199

芳沢あやめ［1673〜1729年／歌舞伎俳優・女方芸の基礎を確立］……④215

吉住小三郎［1876〜1972年／長唄唄方・『鳥羽の恋塚』］……④215

米長邦雄［1943〜2012年／将棋棋士・永世棋聖］……④224

華道家・茶道家

── 日 本 ──

あ 池坊専慶［生没年不詳／池坊生け花の創始者］……①79

池坊専好［1575〜1658年／池坊生け花を大成させた華道家］……①80

池坊専応［1482〜1543年／立花の基本を成立させた華道家］……①80

今井宗久［1520〜1593年／豊臣秀吉につかえた茶人］……①114

今井宗薫［1552〜1627年／時局を読んで生きぬいた茶人、商人］……①114

か 小堀遠州［1579〜1647年／遠州流茶道の祖］……②95

さ 千利休［1522〜1591年／茶道を完成させた茶人］……②247

た 武野紹鷗［1502〜1555年／わび茶を千利休に伝えた茶人］……②293

津田宗及［?〜1591年／安土桃山時代の茶人・茶の湯天下三宗匠の一人］……③29

は 古田織部［1544〜1615年／茶人・織部焼］……③286

ま 村田珠光［1423〜1502年／室町時代の茶人・わび茶の創始者］……④143

ら 立阿弥［生没年不詳／室町時代の華道家］……④246

彫刻家

── 日 本 ──

あ 朝倉文夫［1883〜1964年／『墓守』］……①25

運慶［?〜1223年／東大寺南大門の『金剛力士像』］……①146

円空 [1632～1695年／円空仏]……①163
荻原守衛 [1879～1910年／『女』]……①200
か 快慶 [生没年不詳／東大寺中門の東方天]……①224
北村西望 [1884～1987年／『平和祈念像』]……①290
国中公麻呂 [?～774年／不空羂索観音像]……②21
鞍作鳥 [6世紀後半?～7世紀前半?／釈迦三尊像]……②29
康勝 [生没年不詳／空也上人像]……②65
康弁 [生没年不詳／広目天像]……②70
さ 定朝 [?～1057年／平等院の阿弥陀如来像]……②193
新海竹太郎 [1868～1927年／『あゆみ』]……②209
た 高村光雲 [1852～1934年／『老猿』]……②282
高村光太郎 [1883～1956年／彫刻家、詩人・『裸婦坐像』]……②282
湛慶 [1173～1256年／蓮華王院の千手観音坐像]……②317
な 中原悌二郎 [1888～1921年／『若きカフカス人』]……③108
ノグチ, イサム [1904～1988年／庭園の造形]……③145
は 左甚五郎 [生没年不詳／『眠り猫』]……③206
平櫛田中 [1872～1979年／『銀獅子』]……③214
ら ラグーザ, ビンチェンツォ [1841～1927年／近代日本彫刻の指導者]……④228

世界

か ギベルティ, ロレンツォ [1378～1455年／サンジョバンニ洗礼堂の北側門扉]……①298
クリスト [1935年～／ブルガリア出身の梱包の造形作家]……②32
クローデル, カミーユ [1864～1943年／『分別盛り』]……②39
さ シーガル, ジョージ [1924～2000年／『ガソリンスタンド』]……②143
ジャコメッティ, アルベルト [1901～1966年／『指さす男』]……②175
た ティンゲリー, ジャン [1925～1991年／『ニューヨーク讃歌』]……③40
ドナテッロ [1386?～1466年／『ダビデ像』]……③79
は ブールデル, エミール=アントワーヌ [1861～1929年／『アポロンの首』]……③231
フェイディアス [生没年不詳／女神アテネ像の制作]……③231
プラクシテレス [生没年不詳／『クニドスのアフロディテ』]……③273
ブランクーシ, コンスタンティン [1876～1957年／『空間の鳥』]……③276
ま マイヨール, アリスティード [1861～1944年／『レダ』]……④60
マリーニ, マリノ [1901～1980年／『馬と騎手』シリーズ]……④89
ミュエック, ロン [1958年～／『ガール』]……④127
ムーア, ヘンリー [1898～1986年／『横たわる人物』]……④133
ら レオナルド・ダ・ビンチ [1452～1519年／イタリアの画家、彫刻家、建築家、科学者]……④266
ロダン, オーギュスト [1840～1917年／『考える人』]……④278

建築家

日本

あ 安藤忠雄 [1941年～／建築家・『住吉の長屋』]……①68
か 片山東熊 [1854～1917年／建築家・現在の迎賓館]……①238

コンドル, ジョサイア [1852～1920年／建築家・鹿鳴館の設計者]……②107
さ 善阿弥 [生没年不詳／室町時代の造園家]……②246
た 辰野金吾 [1854～1919年／建築家・東京駅]……②300
丹下健三 [1913～2005年／建築家・広島平和記念資料館]……②318
陳和卿 [生没年不詳／中国の宋の技術者・東大寺大仏の修理]……③25
な 中井正清 [1565～1619年／大工の棟梁・幕府の建築工事を担当]……③98

世界

あ エッフェル, ギュスターブ [1832～1923年／構造技術者]……①154
か ガウディ, アントニオ [1852～1926年／サグラダファミリア聖堂]……①226
グロピウス, ワルター [1883～1969年／ファグス靴工場の設計]……②44
た タウト, ブルーノ [1880～1938年／『ガラスの家』]……②272
は ブラマンテ, ドナート [1444?～1514年／ルネサンスの建築家]……③275
ブルネレスキ, フィリッポ [1377～1446年／イタリアの建築家]……③288
ま ミース・ファン・デル・ローエ, ルートウィヒ [1886～1969年／バルセロナ万国博覧会ドイツ館]……④98
ミマール・シナン [1490～1579年／スレイマンモスク]……④119
ら ライト, フランク・ロイド [1867～1959年／建築家・『有機的建築』]……④227
リートフェルト, ヘリト・トーマス [1888～1964年／建築家、家具デザイナー・「赤と青の椅子」]……④237
ル・コルビュジエ [1887～1965年／『ユニテ・ダビタシオン』]……④259
レオナルド・ダ・ビンチ [1452～1519年／イタリアの画家、彫刻家、建築家、科学者]……④266

工芸作家

日本

あ 青木木米 [1767～1833年／陶芸家・加賀九谷焼]……①15
浅川巧 [1891～1931年／朝鮮民芸・陶芸の研究家]……①25
池田源兵衛 [1675～?年／津軽塗の創始者]……①77
板谷波山 [1872～1963年／芸術を志向した陶芸家]……①92
犬伏久助 [1747～1829年／染色家・阿波藍]……①102
大塚啓三郎 [1828～1876年／陶工・益子焼]……①184
尾形乾山 [1663～1743年／京焼の陶工]……①195
長船長光 [生没年不詳／刀工]……①206
か 賀集珉平 [1796～1871年／陶工・珉平焼]……①233
加藤景延 [1574～1632年／陶工・美濃焼の創始]……①241
加藤景正 [生没年不詳／瀬戸焼の開祖といわれる陶工]……①242
加藤辰之助 [1860～1930年／陶工・信楽焼]……①243
加藤民吉 [1772～1824年／磁器の製法を瀬戸に伝えた陶工]……①243
加藤唐九郎 [1897～1985年／陶芸家・『氷柱』]……①243
加守田章二 [1933～1983年／益子、遠野で活動した創作陶芸家]……①257
河合喜三郎 [1857?～1916年／リード・オルガンの製作者]……①267
北大路魯山人 [1883～1959年／美食と陶芸を追求した芸術家]……①287
清水六兵衛 [1738～1799年／陶工・清水焼]……①307
九谷庄三 [1816～1883年／陶工・九谷焼の名工]……②17
後藤祐乗 [1440～1512年／金細工師]……②89

ジャンル別索引　工芸作家／デザイナー／産業人

さ
酒井田柿右衛門 [1596〜1666年／陶工・色絵磁器]………②117
杉野丈助 [生没年不詳／陶工・砥部焼の祖]………②219
芹沢銈介 [1895〜1984年／染織工芸家・型絵染]………②245

た
田中友三郎 [1839〜1913年／商工業者・笠間焼]………②304
田中久重 [1799〜1881年／からくり人形、万年時計]………②305
玉楮象谷 [1806〜1869年／職人・讃岐漆器「象谷塗」]………②310

な
沼波弄山 [1718〜1777年／商人、陶工・萬古焼]………③137
野々村仁清 [生没年不詳／茶道具を制作した陶工]………③148

は
浜田庄司 [1894〜1978年／陶芸家・益子焼]………③180
古田織部 [1544〜1615年／茶人・織部焼]………③286
本阿弥光悦 [1558〜1637年／多才な芸術家]………④55

ま
孫六兼元 [生没年不詳／刀工・「関の孫六」]………④67
正宗 [生没年不詳／刀工]………④69
宮崎友禅 [生没年不詳／友禅染の創始者]………④123
村正 [生没年不詳／刀工]………④146

や
吉光 [生没年不詳／刀工]………④220

ら
リーチ, バーナード [1887〜1979年／民芸運動にかかわった陶芸家]④237
李参平 [?〜1655年／陶工・有田焼の創始者]………④241

―――― 世　界 ――――

あ
ウェッジウッド, ジョサイア [1730〜1795年／陶芸家]………①133

か
ガレ, エミール [1846〜1904年／ガラス工芸家]………①266

さ
シュタイフ, マルガレーテ [1847〜1909年／人形メーカーの創業者・テディ・ベア]………②184
ストラディバリ, アントニオ [1644?〜1737年／弦楽器製作者]………②230

デザイナー

―――― 日　本 ――――

か
亀倉雄策 [1915〜1997年／グラフィックデザイナー]………①257

た
田中一光 [1930〜2002年／グラフィックデザイナー]………②301

ま
三宅一生 [1938年〜／服飾デザイナー]………④121
森英恵 [1926年〜／服飾デザイナー]………④170

や
横尾忠則 [1936年〜／グラフィックデザイナー]………④210

―――― 世　界 ――――

あ
アシュレイ, ローラ [1925〜1985年／イギリスのテキスタイルデザイナー]………①34
アルマーニ, ジョルジオ [1934年〜／イタリアの服飾デザイナー]………①61
ヴィトン, ルイ [1821〜1892年／フランスのスーツケース職人]………①125
エルメス, ティエリー [1801〜1878年／フランスの馬具職人]………①162

か
ガッバーナ, ステファノ [1962年〜／イタリアの服飾デザイナー]………①239
カルダン, ピエール [1922年〜／フランスの服飾デザイナー]………①262
カルティエ, ルイ＝フランソワ [1819〜1904年／フランスの宝飾師]………①263
グッチ, グッチオ [1881〜1953年／イタリアの皮革職人]………②18
クレージュ, アンドレ [1923〜2016年／フランスの服飾デザイナー]………②36

さ
サン＝ローラン, イブ [1936〜2008年／フランスの服飾デザイナー]………②142

シャネル, ガブリエル [1883〜1971年／フランスの服飾デザイナー]………②176
スミス, ポール [1946年〜／イギリスの服飾デザイナー]………②234

た
ディオール, クリスチャン [1905〜1957年／フランスの服飾デザイナー]………③37
ティファニー, チャールズ・ルイス [1812〜1902年／アメリカ合衆国の装飾品業者]………③40
ドルチェ, ドメニコ [1958年〜／イタリアの服飾デザイナー]………③92

は
バーバリー, トーマス [1835〜1926年／イギリスの服飾デザイナー]………③155
フェラガモ, サルバトーレ [1898〜1960年／イタリアの靴デザイナー]………③231
フェンディ, アデーレ [1897〜1978年／イタリアの毛皮デザイナー]………③234
プラダ, マリオ [?〜1958年／イタリアの革製品のデザイナー]………③274
ブルガリ, ソティリオ [1857〜1932年／イタリアの銀細工師]………③283
ベルサーチ, ジャンニ [1946〜1997年／イタリアの服飾デザイナー]………④19

ま
モリス, ウィリアム [1834〜1896年／イギリスの工芸家]………④168

ら
ローレン, ラルフ [1939年〜／アメリカ合衆国の服飾デザイナー]………④276

産業人

―――― 日　本 ――――

あ
鮎川義介 [1880〜1967年／日産コンツェルンの創設者]………①10
浅野総一郎 [1848〜1930年／浅野セメント、鶴見埋築株式会社の創業者]………①27
麻生太吉 [1857〜1933年／実業家・筑豊地方の炭鉱開発]………①38
荒木宗太郎 [?〜1636年／ベトナムの姫と結婚した江戸時代の貿易家]………①54
安藤百福 [1910〜2007年／日清食品の創業者]………①68
池田菊苗 [1864〜1936年／うま味調味料を発見、特許を取得した化学者]………①77
池田成彬 [1867〜1950年／三井財閥を発展させた銀行家]………①77
井上準之助 [1869〜1932年／日本銀行総裁・大蔵大臣]………①106
井深大 [1908〜1997年／ソニーの共同創業者]………①111
今井宗薫 [1552〜1627年／時局を読んで生きぬいた茶人、商人]………①114
岩崎弥太郎 [1834〜1885年／三菱財閥の創業者]………①119
岩崎弥之助 [1851〜1908年／三菱財閥を発展させた実業家]………①120
岩波茂雄 [1881〜1946年／岩波書店の創業者]………①121
宇都宮仙太郎 [1866〜1940年／酪農家・北海道の酪農発展に貢献]………①141
大倉喜八郎 [1837〜1928年／大倉財閥を築いた実業家]………①178
大橋鎭子 [1920〜2013年／雑誌『暮しの手帖』を創刊]………①189
大橋新太郎 [1863〜1944年／博文館の創業者]………①189
小平浪平 [1874〜1951年／日立製作所を創立]………①207

か
樫尾忠雄 [1917〜1993年／カシオの創業メンバー]………①232
金子直吉 [1866〜1944年／日本有数の総合商社を育てた実業家]………①248
神屋寿禎 [生没年不詳／石見銀山の発見者]………①256
神屋宗湛 [1553〜1635年／博多の商人、茶人]………①256
川崎正蔵 [1837〜1912年／川崎造船所の創始者]………①270
河村瑞賢 [1618〜1699年／西廻り・東廻り航路をひらいた豪商]………①273

226

紀伊国屋文左衛門 [1669?～1734?年／江戸時代前期の伝説の豪商]……①295

久原房之助 [1869～1965年／日立製作所などのもとになった久原財閥の創始者]……②22

肥富 [生没年不詳／明との勘合貿易をはじめた商人]……②61

五代友厚 [1835～1885年／大阪株式取引所、大阪商法会議所の創設者]……②82

五島慶太 [1882～1959年／東急グループの創業者]……②86

後藤庄三郎 [1571～1625年／江戸時代の金座の責任者]……②88

小林一三 [1873～1957年／阪急グループの創始者]……②92

小室信夫 [1839～1898年／明治時代の政治家・民撰議院設立建白書提出に参加]……②99

さ 渋沢栄一 [1840～1931年／数多くの株式会社を設立した実業家]……②161

渋沢敬三 [1896～1963年／日本銀行総裁、大蔵大臣]……②161

島井宗室 [1539～1615年／博多を復興させた商人]……②162

島津源蔵 [1869～1951年／島津製作所の2代目社長・GS蓄電池]……②164

下山定則 [1901～1949年／初代国鉄総裁]……②169

正力松太郎 [1885～1969年／読売新聞社の経営者]……②195

白洲次郎 [1902～1985年／貿易庁長官、東北電力会長]……②207

末次平蔵 [?～1630年／朱印船貿易で利益を上げた長崎の豪商]……②215

末吉孫左衛門 [1570～1617年／伏見銀座の開設にかかわった豪商]……②215

住友吉左衛門 [1647～1706年／住友家の3代目当主]……②235

住友友芳 [1670～1719年／住友家の4代目当主]……②235

角倉了以 [1554～1614年／京都で運河をつくった豪商]……②235

銭屋五兵衛 [1773～1852年／北前船でもうけた加賀の豪商]……②244

祖阿 [生没年不詳／第1回遣明船の正使となった僧]……②249

相馬黒光 [1876～1955年／実業家、随筆家・中村屋の創業者]……②252

た 高碕達之助 [1885～1964年／電源開発の総裁・佐久間ダム建設]……②274

高田屋嘉兵衛 [1769～1827年／蝦夷地の開発と箱館の発展に貢献した海運業者]……②276

高峰譲吉 [1854～1922年／バイオテクノロジーの先駆者]……②281

田口卯吉 [1855～1905年／東京株式取引所や両毛鉄道を設立]……②287

竹鶴政孝 [1894～1979年／ニッカウヰスキーの創業者]……②293

田中勝介 [生没年不詳／メキシコとの通商のために派遣された商人]……②303

田中久重 [1799～1881年／東芝の前身となる工場を設立]……②305

団琢磨 [1858～1932年／三井三池炭鉱の経営者]……②318

茶屋四郎次郎 [1582～1603年／京都の御用呉服商]……③16

津田宗及 [?～1591年／安土桃山時代の商人、茶人・茶の湯天下三宗匠の一人]……③29

蔦屋重三郎 [1750～1797年／浮世絵を世にだした江戸時代の出版業者]③30

堤康次郎 [1889～1964年／西武グループの創業者]③33

土光敏夫 [1896～1988年／日本経済団体連合会会長]③75

豊田喜一郎 [1894～1952年／トヨタ自動車創業者]③85

豊田佐吉 [1867～1930年／トヨタグループの創始者、発明家]③85

鳥井信治郎 [1879～1962年／サントリーの創業者]③90

な 中野友礼 [1887～1965年／日曹コンツェルンの創始者]③107

中上川彦次郎 [1854～1901年／実業家・三井財閥を改革]③109

奈良屋茂左衛門 [?～1714年／江戸の材木商]……③122

西原亀三 [1873～1954年／西原借款をおこなった政治家、実業家]……③129

根津嘉一郎 [1860～1940年／鉄道敷設や再建事業にかかわった実業家]……③140

野口遵 [1873～1944年／電気化学工業の父]……③145

は 八田與一 [1886～1942年／台湾の治水に貢献した日本人技術者]……③171

花森安治 [1911～1978年／雑誌『暮しの手帖』の編集長]……③175

早川徳次 [1893～1980年／シャープの創業者]……③181

早川徳次 [1881～1942年／東京地下鉄株式会社を設立]……③182

原善三郎 [1827～1899年／横浜発展に貢献した商人]……③186

原富太郎 [1868～1939年／関東大震災後の横浜復興に貢献]……③187

広岡浅子 [1849～1919年／加島銀行を設立した女性実業家]……③220

藤原銀次郎 [1869～1960年／王子製紙の経営を再建]……③247

古河市兵衛 [1832～1903年／足尾銅山の経営者]……③283

ボーリズ, ウィリアム・メレル [1880～1964年／近江兄弟社の前身組織を結成]……④39

本田宗一郎 [1906～1991年／本田技研工業の創業者]……④56

ま 松下幸之助 [1894～1989年／パナソニックの創業者]……④77

御木本幸吉 [1858～1954年／真珠のミキモト創業者]……④100

三井高利 [1622～1694年／三井家の呉服店「越後屋」をひらいた豪商]④105

盛田昭夫 [1921～1999年／ソニーの共同創業者]④169

森矗昶 [1884～1941年／昭和電工の創始者]④169

や 安田善次郎 [1838～1921年／安田財閥の創始者]④178

山葉寅楠 [1851～1916年／日本初のオルガンやピアノを製造]④196

山本実彦 [1885～1952年／雑誌『改造』を出版した出版事業家]④198

淀屋辰五郎 [?～1717年／ぜいたくを理由に全財産を没収された大坂の豪商]……④223

ら 呂宋助左衛門 [生没年不詳／堺出身でルソン壺の貿易に成功した豪商]④260

わ 渡辺裕策 [1864～1934年／宇部興産創業者]④290

──────── 世界 ────────

あ アームストロング, ウィリアム [1810～1900年／W.G.アームストロング社を創立]……①10

イーストマン, ジョージ [1854～1932年／イーストマン・コダックの創業者]……①71

ウェスティングハウス, ジョージ [1846～1914年／実業家、発明家・鉄道用ブレーキと交流送電]……①132

エジソン, トーマス・アルバ [1847～1931年／発明家、電気技術者]……①153

か カーネギー, アンドリュー [1835～1919年／カーネギー鉄鋼会社の創業者]……①220

カーネル・サンダース [1890～1980年／ケンタッキーフライドチキンの創業者]……①221

キャンドラー, エイサ [1851～1929年／コカ・コーラ社の創業者]……①302

クルップ, アルフレート [1812～1887年／企業家・ドイツの鋼鉄業界を牽引した]……②35

グレシャム, トーマス [1519?～1579年／イギリス王室の財務担当官]②38

ジャンル別索引　産業人

クロック, レイ［1902～1984年／マクドナルドの創業者］………… ②43

ゲイツ, ビル［1955年～／マイクロソフト社の創業者］……… ②48

ケロッグ, ウィル・キース［1860～1951年／ケロッグ社の創業者］…… ②55

ゴールドマン, マーカス［1821～1904年／ゴールドマン・サックスの創設者］
……………………………………………………………………… ②74

さ　ジーメンス, エルンスト・ウェルナー・フォン［1816～1892年／電信技術を発明した技術者］……………………………………… ②144

シュタイフ, マルガレーテ［1847～1909年／テディ・ベアの商業生産］
……………………………………………………………………… ②184

ジョブズ, スティーブ［1955～2011年／アップル社の創業者］……… ②204

シンガー, アイザック・メリット［1811～1875年／ミシンの製造販売・シンガー社創立者］…………………………………………… ②209

ストラウス, リーバイ［1829～1902年／ジーンズをつくった］……… ②230

スミッソン, ジェームス［1764?～1829年／スミソニアン協会設立に貢献した鉱物学者］………………………………………………… ②234

た　ターナー, テッド［1938年～／ニュース専門放送局CNNの創業者］…… ②262

ダイムラー, ゴットリープ［1834～1900年／自動車開発の先駆者］ ②266

ダスラー, アドルフ［1900～1978年／アディダスの創業者］………… ②297

ダンロップ, ジョン・ボイド［1840～1921年／発明家、実業家・ダンロップラバー株式会社を設立］…………………………………… ②319

ディズニー, ウォルト［1901～1966年／映画製作者・『白雪姫』］……… ③38

デュナン, アンリ［1828～1910年／国際赤十字連盟を創設］………… ③46

デュポン, エルテール・イレネー［1771～1834年／化学会社デュポン社の創業者］………………………………………………… ③47

は　ハースト, ウィリアム・ランドルフ［1863～1951年／アメリカの新聞経営者］……………………………………………………… ③154

バンダービルト, コーネリアス［1794～1877年／海運業と鉄道業で成功］
……………………………………………………………………… ③194

ヒューズ, ハワード［1905～1976年／航空事業家］………………… ③212

ピュリッツァー, ジョゼフ［1847～1911年／ピュリッツァー賞の創設者］
……………………………………………………………………… ③213

フォード, ヘンリー［1863～1947年／自動車会社フォード・モーターの創設者］
……………………………………………………………………… ③235

ブランソン, リチャード［1950年～／ヴァージングループの創始者］… ③278

ベンツ, カール［1844～1929年／自動車産業の基礎を築く］………… ④25

ボーイング, ウィリアム［1881～1956年／航空機製作者、企業家］… ④37

ポルシェ, フェルディナント［1875～1951年／フォルクスワーゲンの設計］
……………………………………………………………………… ④52

ま　マードック, ルパート［1931年～／アメリカ合衆国のメディア王］… ④59

マルコーニ, グリエルモ［1874～1937年／マルコーニ無線電信会社を設立］
……………………………………………………………………… ④91

メディチ, コジモ・デ［1389～1464年／イタリアの銀行家］………… ④151

メディチ, ロレンツォ・デ［1449～1492年／イタリアの銀行家］…… ④151

メリル, チャールズ［1885～1956年／証券会社メリルリンチの創設者］
……………………………………………………………………… ④153

モルガン, ジョン・ピアポント［1837～1913年／モルガン財閥の創始者］
……………………………………………………………………… ④171

ら　ロスチャイルド, マイアー［1743～1812年／ドイツの金融資本家］ ④277

ロックフェラー, ジョン［1839～1937年／アメリカ合衆国の石油王］ ④279

わ　ワトソン, トーマス・ジュニア［1914～1993年／汎用コンピューターを開発］
……………………………………………………………………… ④293

教育家

── 日 本 ──

あ　安坂艮斎［1791～1861年／儒学者・昌平坂学問所の教授］……… ①24

安積澹泊［1656～1737年／儒学者・『大日本史』の編さん］……… ①24

家永三郎［1913～2002年／歴史学者・教科書検定裁判］………… ①73

伊沢修二［1851～1917年／近代教育の基礎を築いた］…………… ①81

石井十次［1865～1914年／教育者、社会事業家・岡山孤児院の創設］… ①82

石川倉次［1859～1944年／日本式点字の考案者］………………… ①82

井上武士［1894～1974年／音楽教育者、作曲家・唱歌『チューリップ』］ ①106

岩橋武夫［1898～1954年／社会事業家］…………………………… ①121

江藤俊哉［1927～2008年／バイオリン奏者、教育者］…………… ①155

岡倉天心［1863～1913年／思想家・東京美術学校を創立］……… ①194

緒方洪庵［1810～1863年／医者、蘭学者・適塾をひらく］……… ①195

岡野貞一［1878～1941年／教育者・『尋常小学読本唱歌』］……… ①197

荻生徂徠［1666～1728年／柳沢吉保に重用された儒学者］……… ①200

か　加藤弘之［1836～1916年／政治学者・明六社の結成メンバー］… ①244

嘉納治五郎［1860～1938年／大日本体育協会を設立］…………… ①250

菊池武夫［1854～1912年／明治時代の日本初の法学博士］……… ①283

岸田俊子［1863～1901年／自由民権運動家・男女平等論］……… ①285

木下順庵［1621～1698年／すぐれた人材を育てた江戸時代の儒学者］ ①295

清沢満之［1863～1903年／宗教家・大谷大学初代学長］………… ①306

九条武子［1887～1928年／京都女子大学の前身を設立］………… ②15

クラーク, ウィリアム［1826～1886年／札幌農学校の初代教頭］… ②27

ケーベル, ラファエル［1848～1923年／ロシアの哲学者、音楽家・東京帝国大学で哲学を講義］………………………………………… ②49

国分一太郎［1911～1985年／児童文学作家、教育評論家・『生活綴方読本』］
……………………………………………………………………… ②76

さ　沢柳政太郎［1865～1927年／普通教育制度を確立した文部官僚］…… ②138

ジェーンズ, リロイ［1838～1909年／熊本洋学校で講義］………… ②146

下總皖一［1898～1962年／作曲家、音楽教育家・『たなばたさま』］ ②168

下田歌子［1854～1936年／帝国婦人協会を設立、実践女学校を創立］ ②169

杉浦重剛［1855～1924年／東京英語学校を設立］………………… ②218

た　津田梅子［1864～1929年／津田塾大学の創立者］………………… ③28

程順則［1663～1735年／琉球王国の政治家・明倫堂の設立］…… ③38

留岡幸助［1864～1934年／非行問題にあたった社会福祉家］…… ③84

な　中村正直［1832～1891年／啓蒙思想家、教育者］………………… ③112

成瀬仁蔵［1858～1919年／日本女子大学の創設者］……………… ③122

新島襄［1843～1890年／同志社大学の創立者］…………………… ③124

西周 [1829～1897年／西洋哲学を紹介した啓蒙思想家]…………… ③127
西村茂樹 [1828～1902年／日本の道徳教育を再建した教育家]………… ③129
新渡戸稲造 [1862～1933年／教育家・『武士道』を海外に紹介]……… ③132

は 広瀬淡窓 [1782～1856年／儒学者・私塾咸宜園をひらく]………… ③220
古河太四郎 [1845～1907年／視覚・聴覚障害児の教育者]………… ③285
フルベッキ, グイド [1830～1898年／アメリカ合衆国の宣教師]……… ③288
ヘボン, ジェームス [1815～1911年／ヘボン式ローマ字の発案者、明治学院

　大学を創設]……………………………………………………………… ④16

ボアソナード, ギュスターブ・エミール [1825～1910年／日本近代法の

　父といわれるフランスの法学者]……………………………………… ④28
穂積八束 [1860～1912年／明治時代の憲法学者]…………………… ④48

ま マレー, デビッド [1830～1905年／日本の教育行政の基礎をつくる]…… ④95
宮城まり子 [1927年～／ねむの木学園の設立者]…………………… ④120
森有礼 [1847～1889年／近代的な教育制度を確立]………………… ④166
森戸辰男 [1888～1984年／教育者、文部大臣、経済学者・『第三の教育改革』]

　………………………………………………………………………… ④169

や 矢島楫子 [1833～1925年／東京婦人矯風会、日本基督教婦人矯風会を設立]

　………………………………………………………………………… ④177

山川捨松 [1860～1919年／女子教育を支援]………………………… ④186
山田顕義 [1844～1892年／教育者・近代的法典の整備]…………… ④190
山本比呂伎 [1827～1907年／日本初の公立学校の開校]…………… ④199
横井時敬 [1860～1927年／農本主義をとなえた農学者]…………… ④210
吉田松陰 [1830～1859年／幕末の思想家・松下村塾]……………… ④219
吉丸一昌 [1873～1916年／東京音楽学校教授]……………………… ④220

──────── 世 界 ────────

あ ウェブスター, ノーア [1758～1843年／辞典編集]………………… ①135
か クーベルタン, ピエール・ド [1863～1937年／フランス出身の教育学者]

　………………………………………………………………………… ②11

ケラー, ヘレン [1880～1968年／社会福祉事業家]………………… ②53
さ シュタイナー, ルドルフ [1861～1925年／オーストリア、ドイツで活躍した教育

　者、哲学者]…………………………………………………………… ②184
た デューイ, ジョン [1859～1952年／アメリカの哲学者、教育学者]…… ③45
ド・レペ, シャルル・ミシェル [1712～1789年／フランスの思想家、教育者]

　………………………………………………………………………… ③93

は フレーベル, フリードリヒ [1782～1852年／幼稚園の創始者]…… ③289
ペスタロッチ, ヨハン・ハインリヒ [1746～1827年／教育思想家] ④13
ま モンテッソーリ, マリア [1870～1952年／イタリアの医師、教育家] ④174

医学に関する人物

──────── 日 本 ────────

あ 阿佐井野宗瑞 [?～1531?年／戦国時代の医師]…………………… ①24
浅田宗伯 [1815～1894年／漢方医]…………………………………… ①26
生沢クノ [1864～1945年／地域診療につくした女性医]…………… ①76
稲村三伯 [1758～1811年／江戸時代の医者、蘭学者]……………… ①101
宇田川玄随 [1755～1797年／江戸時代の医者、蘭学者]…………… ①139

宇田川榕庵 [1798～1846年／江戸時代の医者、蘭学者]…………… ①139
大隅良典 [1945年～／オートファジーの仕組みを解明]…………… ①182
大槻玄沢 [1757～1827年／江戸時代の医者、蘭学者]……………… ①184
大村智 [1935年～／化学者・感染症治療薬の開発]………………… ①191
緒方洪庵 [1810～1863年／江戸時代の医者・天然痘治療]………… ①195
緒方春朔 [1748～1810年／医者・天然痘の予防、鼻乾苗法の発見]…… ①196
荻野吟子 [1851～1913年／日本初の女性医]……………………… ①200
小此木啓吾 [1930～2003年／精神分析学者]……………………… ①203

か 笠原白翁 [1809～1880年／医者・天然痘の予防]………………… ①231
桂川甫周 [1751～1809年／江戸時代の医者・顕微鏡の利用]…… ①239
神谷美恵子 [1914～1979年／ハンセン病患者の精神医学調査]…… ①256
北里柴三郎 [1852～1931年／医学者、細菌学者]………………… ①288
金城清松 [1880～1974年／医者・結核の予防]…………………… ①310
薬師恵日 [生没年不詳／飛鳥時代に医学を伝えた留学生]………… ②15
楠本イネ [1827～1903年／日本初の女性産科医]………………… ②17
さ 佐藤泰然 [1804～1872年／医師・順天堂医院の開設]…………… ②128
シーボルト, フィリップ・フランツ・フォン [1796～1866年／ドイツの医

　者]…………………………………………………………………… ②144

志賀潔 [1871～1957年／赤痢菌を発見した医学者]……………… ②149
杉浦健造 [1866～1933年／医者・日本住血吸虫症の撲滅運動]…… ②217
杉田玄白 [1733～1817年／江戸時代の医者、蘭学者・『解体新書』]… ②218
た 高野長英 [1804～1850年／江戸時代の医者・蘭学者]…………… ②277
利根川進 [1939年～／免疫学者・抗体のメカニズムを研究]……… ③79
な 永井隆 [1908～1951年／医者・原爆被害者の救護活動]………… ③97
野口英世 [1876～1928年／細菌学者・黄熱病、梅毒の研究]……… ③146
は 萩原タケ [1873～1936年／明治時代の看護師]…………………… ③161
秦佐八郎 [1873～1938年／梅毒の薬を開発した細菌学者]……… ③169
華岡青洲 [1760～1835年／江戸時代の医者・世界初の全身麻酔手術] ③175
日野原重明 [1911年～／聖路加国際病院院長]…………………… ③210
ベルツ, エルウィン・フォン [1849～1913年／ドイツの医学者]……… ④20
ボーリズ, ウィリアム・メレル [1880～1964年／メンソレータムの販売]

　………………………………………………………………………… ④39

ホフマン, テオドール・エドゥアルト [1837～1894年／ドイツの軍医]

　………………………………………………………………………… ④49

ま 前野良沢 [1723～1803年／江戸時代の医者、蘭学者]…………… ④64
や 山中伸弥 [1962年～／iPS細胞を生成した医学者]……………… ④194
山脇東洋 [1705～1762年／江戸時代の医者]……………………… ④200
吉岡彌生 [1871～1959年／医者、東京女医学校を設立]………… ④214

──────── 世 界 ────────

あ アルツハイマー, アロイス [1864～1915年／精神科医学者]……… ①60
イブン・シーナー [980～1037年／イスラムの医学者]…………… ①113
エールリヒ, パウル [1854～1915年／細菌学者・化学療法]……… ①150
か クレッチマー, エルンスト [1888～1964年／精神医学者・『体格と性格』]

　………………………………………………………………………… ②38

クレペリン, エミール [1856～1926年／医学者、精神科医]……… ②38
コッホ, ロベルト [1843～1910年／結核菌、コレラ菌を発見]…… ②84

229

ジャンル別索引

医学に関する人物／スポーツ選手

さ サックス, オリバー [1933〜2015年／脳神経科医、作家・『レナードの朝』]
········· ②126

ジェンナー, エドワード [1749〜1823年／種痘法を発明]········· ②148

シュバイツァー, アルバート [1875〜1965年／アフリカで活動した医師]
········· ②186

た デュナン, アンリ [1828〜1910年／国際赤十字連盟の創設者]········· ③46

な ナイチンゲール, フローレンス [1820〜1910年／看護師、病院改革者]
········· ③95

は ハーベー, ウィリアム [1578〜1657年／医学者・血液循環説]········· ③155

パスツール, ルイ [1822〜1895年／細菌学者・ワクチンの開発]········· ③165

パブロフ, イワン・ペトロビッチ [1849〜1936年／条件反射を発見した生理学者]········· ③178

パラケルスス [1493〜1541年／スイスの医師、化学者]········· ③185

ヒポクラテス [紀元前460?〜紀元前375?年／古代ギリシャの医学者]········· ③211

フランクル, ビクトール [1905〜1997年／精神医学者]········· ③277

フレミング, アレクサンダー [1881〜1955年／細菌学者・ペニシリンを発見]
········· ③291

フロイト, ジグムント [1856〜1939年／精神分析の創始者]········· ③292

フロム, エーリッヒ [1900〜1980年／精神分析学者]········· ③294

ベサリウス, アンドレアス [1514〜1564年／医学者、解剖学者]······ ④13

や ユング, カール・グスタフ [1875〜1961年／精神分析学者]········· ④207

ら 李時珍 [1518?〜1593?年／医学者・『本草綱目』]········· ④242

スポーツ選手

─── 日 本 ───

あ 安部磯雄 [1865〜1949年／早稲田大学野球部を創設]········· ①45

伊調馨 [1984年〜／レスリング選手]········· ①95

イチロー [1973年〜／プロ野球選手、メジャーリーグ選手]········· ①95

王貞治 [1940年〜／プロ野球選手]········· ①168

大下弘 [1922〜1979年／プロ野球選手]········· ①180

織田幹雄 [1905〜1998年／三段とびの陸上選手]········· ①209

か 金栗四三 [1891〜1983年／マラソン選手]········· ①246

嘉納治五郎 [1860〜1938年／講道館柔道の創始者]········· ①250

釜本邦茂 [1944年〜／プロサッカー選手、監督]········· ①255

川上哲治 [1920〜2013年／プロ野球選手]········· ①269

衣笠祥雄 [1947年〜／プロ野球選手]········· ①294

さ 澤穂希 [1978年〜／サッカー選手]········· ②137

沢村栄治 [1917〜1944年／プロ野球選手]········· ②138

白井義男 [1923〜2003年／プロボクサー]········· ②205

た 大鵬 [1940〜2013年／大相撲力士・第48代横綱]········· ②266

高橋尚子 [1972年〜／マラソン選手]········· ②279

谷風 [1750〜1795年／江戸時代の力士]········· ②306

谷亮子 [1975年〜／柔道家]········· ②308

千代の富士 [1955〜2016年／大相撲力士・第58代横綱]········· ③22

な 長嶋茂雄 [1936年〜／プロ野球選手]········· ③103

野村忠宏 [1974年〜／柔道家]········· ③150

野茂英雄 [1968年〜／プロ野球選手、メジャーリーグ選手]········· ③150

は 人見絹枝 [1907〜1931年／短距離・走り幅とびの陸上選手]········· ③208

双葉山 [1912〜1968年／大相撲力士・第35代横綱]········· ③265

古橋廣之進 [1928〜2009年／水泳選手]········· ③288

ま 前畑秀子 [1914〜1995年／水泳選手]······ ④64

松井秀喜 [1974年〜／プロ野球選手、メジャーリーグ選手]······ ④73

や 山下泰裕 [1957年〜／柔道選手]······ ④189

吉田沙保里 [1982年〜／レスリング選手]······ ④216

ら 雷電 [1767〜1825年／江戸時代の力士]······ ④227

力道山 [1924〜1963年／大相撲力士、プロレスラー]······ ④239

わ 若乃花 [1928〜2010年／大相撲力士・第45代横綱]······ ④286

─── 世 界 ───

あ アベベ・ビキラ [1932〜1973年／エチオピアのマラソン選手]········· ①48

アリ, モハメド [1942〜2016年／プロボクシング選手]········· ①56

か キング, ビリー・ジーン [1943年〜／プロテニス選手]········· ①309

クーベルタン, ピエール・ド [1863〜1937年／近代オリンピックの基礎を築いた教育学者]········· ②11

クライフ, ヨハン [1947〜2016年／オランダのプロサッカー選手]········· ②27

グラフ, シュテフィ [1969年〜／プロテニス選手]········· ②31

グリフィス＝ジョイナー, フローレンス [1959〜1998年／アメリカ合衆国の陸上選手]········· ②33

ゲーリッグ, ルー [1903〜1941年／メジャーリーグ選手]········· ②49

コート, マーガレット・スミス [1942年〜／プロテニス選手]········· ②73

さ ジーコ [1953年〜／ブラジルのサッカー選手・日本代表監督]········· ②143

シューマッハ, ミヒャエル [1969年〜／レーシングドライバー]········· ②182

ジョーダン, マイケル [1963年〜／プロバスケットボール選手]········· ②200

セナ, アイルトン [1960〜1994年／レーシングドライバー]········· ②243

た タイガー・ウッズ [1975年〜／プロゴルファー]········· ②263

な ナブラチロワ, マルチナ [1956年〜／プロテニス選手]········· ③118

ニクラウス, ジャック [1940年〜／プロゴルファー]········· ③126

は プラティニ, ミシェル [1955年〜／フランスのサッカー選手]········· ③274

プロスト, アラン [1955年〜／レーシングドライバー]········· ③293

ヘーシンク, アントン [1934〜2010年／オランダの柔道家]······ ④10

ベーブ・ルース [1895〜1948年／メジャーリーグ選手]······ ④11

ベッケンバウアー, フランツ [1945年〜／ドイツのプロサッカー選手]······ ④14

ペレ [1940年〜／ブラジルのプロサッカー選手]······ ④23

ボルグ, ビョルン [1956年〜／プロテニス選手]······ ④52

ま マラドーナ, ディエゴ [1960年〜／アルゼンチンのサッカー選手]······ ④88

ら ライアン, ノーラン [1947年〜／プロ野球選手、メジャーリーグ選手]···· ④226

ルイス, カール [1961年〜／アメリカ合衆国の陸上選手]······ ④257

レーバー, ロッド [1938年〜／プロテニス選手]······ ④265

ローズ, ピート [1941年〜／メジャーリーグ選手]······ ④273

発明・発見に関する人物

―― 日 本 ――

あ
安藤百福（あんどうももふく）［1910〜2007年／インスタントラーメンの発明者］……①68
和泉要助（いずみようすけ）［1829〜1900年／人力車の発明］……①90

か
臥雲辰致（がうんたっち）［1842〜1900年／ガラ紡の発明］……①226

さ
島津源蔵（しまづげんぞう）［1869〜1951年／GS蓄電池］……②164
杉本京太（すぎもときょうた）［1882〜1972年／和文タイプライターの発明］……②220

た
高林謙三（たかばやしけんぞう）［1832〜1901年／高林式茶葉粗揉機］……②281
高峰譲吉（たかみねじょうきち）［1854〜1922年／バイオテクノロジーの先駆者］……②281
津田米次郎（つだよねじろう）［1862〜1915年／動力織機］……③30

な
直良信夫（なおらのぶお）［1902〜1985年／明石原人の化石を発見］……③96
二宮忠八（にのみやちゅうはち）［1866〜1936年／飛行機の研究者］……③134
丹波保次郎（にわやすじろう）［1893〜1975年／ファクシミリの開発］……③135

は
平賀源内（ひらがげんない）［1728〜1779年／江戸時代中期の本草学者・エレキテル］……③218

や
八木秀次（やぎひでつぐ）［1886〜1976年／八木・宇田アンテナの共同発明者］……④176
山葉寅楠（やまはとらくす）［1851〜1916年／日本初のオルガン、ピアノ］……④196

―― 世 界 ――

あ
アークライト, リチャード［1732〜1792年／産業革命期の発明家］……①9
アームストロング, ウィリアム［1810〜1900年／アームストロング砲の開発］……①10
アボガドロ, アメデオ［1776〜1856年／アボガドロの法則］……①49
アンダーソン, カール・デビット［1905〜1991年／陽電子の発見］①66
アンペール, アンドレ＝マリー［1775〜1836年／アンペールの法則］……①70
イーストマン, ジョージ［1854〜1932年／ロールフィルムを発明］……①71
ウィーナー, ノーバート［1894〜1964年／サイバネティックスを提唱］①124
ウィルキンズ, モーリス［1916〜2004年／DNAの二重らせん構造］……①126
ウェスティングハウス, ジョージ［1846〜1914年／鉄道用空気ブレーキ、交流の送電システムを発明］……①132
エールリヒ, パウル［1854〜1915年／梅毒にきく化学物質を発見］……①150
エジソン, トーマス・アルバ［1847〜1931年／電話、蓄音器、白熱電球などの発明と改良］……①153
エルステッド, ハンス・クリスチアン［1777〜1851年／電流の磁気作用の発見］……①162
オーム, ゲオルク・ジーモン［1789〜1854年／オームの法則］……①191
オットー, ニコラウス［1832〜1891年／4サイクルの内燃機関を発明］……①209

か
カーター, ハワード［1874〜1939年／ツタンカーメン王の墓を発見］①220
カートライト, エドムンド［1743〜1823年／力織機］……①220
カーメルリング・オンネス, ヘイケ［1853〜1926年／ヘリウムの液体化と超伝導］……①221
ガイガー, ハンス［1882〜1945年／ガイガーカウンター］……①223
ガリレイ, ガリレオ［1564〜1642年／落体の法則、木星の衛星］……①264
カロザース, ウォーレス・ヒューム［1896〜1937年／人工繊維ナイロン］……①267

キャベンディッシュ, ヘンリー［1731〜1810年／水素の発見、地球の密度の測定］……①301
キュニョー, ニコラ・ジョセフ［1725〜1804年／蒸気自動車を開発］……①302
キュリー, ピエール［1859〜1906年／電位計の考案、ラジウムの発見］……①303
キュリー, マリー［1867〜1934年／ラジウムの発見］……①304
ギルバート, ウィリアム［1544〜1603年／磁化の発見、電気計測器の発明］……①309
グーテンベルク, ヨハネス［1400?〜1468年／活字、活版印刷の発明者］……②9
クーロン, シャルル・オーギュスタン・ド［1736〜1806年／クーロンの法則］……②12
グッドイヤー, チャールズ［1800〜1860年／ゴムの品質改良］……②19
クロンプトン, サミュエル［1753〜1827年／ミュール紡績機］……②45
ケイ, ジョン［1704〜1764年／織機の「飛びひ」］……②46
ケプラー, ヨハネス［1571〜1630年／ケプラーの法則］……②52
ケルビン［1824〜1907年／ジュール=トムソン効果の発見］……②54
ゴダード, ロバート［1882〜1945年／アメリカの発明家、ロケット工学者］……②82
コペルニクス, ニコラウス［1473〜1543年／地動説］……②95

さ
蔡倫（さいりん）［?〜121?年／紙の改良］……②116
シャルル, ジャック＝アレクサンドル＝セザール［1746〜1823年／水素気球での有人飛行］……②177
ジュール, ジェームズ［1818〜1889年／ジュールの法則］……②183
シュレーディンガー, エルウィン［1887〜1961年／波動方程式］②189
ショックレー, ウィリアム・ブラッドフォード［1910〜1989年／トランジスタ］……②203
シンガー, アイザック・メリット［1811〜1875年／ミシンの改良］……②209
スティーブンソン, ジョージ［1781〜1848年／実用的蒸気機関車を製作］……②229
セルシウス, アンダース［1701〜1744年／100分目盛りの温度計］②245

た
ダゲール, ルイ・ジャック［1787〜1851年／銀板写真技術］……②289
ダンロップ, ジョン・ボイド［1840〜1921年／空気入りタイヤの開発と実用化］……②319
ツィオルコフスキー, コンスタンティン［1857〜1935年／ロケットについての最初期の理論］……③25
ツェッペリン, フェルディナント・フォン［1838〜1917年／ツェッペリン型飛行船の開発者］……③26
ディーゼル, ルドルフ［1858〜1913年／ディーゼルエンジン］……③36
テスラ, ニコラ［1856〜1943年／交流電流、ラジオ、蛍光灯などを発明］③43
デュボワ, ユージェーヌ［1858〜1940年／ピテカントロプス・エレクトゥス］……③47
ドップラー, ヨハン・クリスチャン［1803〜1853年／ドップラー効果］……③78

231

ジャンル別索引

発明・発見に関する人物／探検・開拓に関する人物

トリチェリ, エバンジェリスタ［1608～1647年／真空と大気圧の存在を証明］………③91

トレビシック, リチャード［1771～1833年／蒸気機関車の発明］……③93

な ニューコメン, トーマス［1664～1729年／実用的な蒸気機関］……③135

ニュートン, アイザック［1642～1727年／万有引力の発見、反射望遠鏡の発明］………③135

ノイマン, ジョン・フォン［1903～1957年／コンピューター技術の基礎］………③143

ノーベル, アルフレッド［1833～1896年／ノーベル賞の創設者］……③143

は ハーグリーブス, ジェームズ［1720?～1778年／ジェニー紡績機を発明］………③153

ハーシェル, ウィリアム［1738～1822年／天王星を発見］…………③153

ハウ, エリアス［1819～1867年／ミシンの改良］………③159

ハッブル, エドウィン［1889～1953年／ハッブルの法則］………③173

ファーレンハイト, ガブリエル［1686～1736年／水銀温度計］……③223

ファラデー, マイケル［1791～1867年／電磁誘導を発見］………③223

フック, ロバート［1635～1703年／フックの法則］………③266

ブライユ, ルイ［1809～1852年／6点点字考案者］………③271

ブラウン, カール・フェルディナント［1850～1918年／ブラウン管］………③271

ブラウン, ロバート［1773～1858年／細胞核とブラウン運動の発見］③273

プランク, マックス［1858～1947年／プランク定数の発見］………③276

フランクリン, ベンジャミン［1706～1790年／避雷針の発明］……③276

フルトン, ロバート［1765～1815年／潜水艦の設計、蒸気船の開発］③287

フレミング, ジョン・アンブローズ［1849～1945年／二極真空管、フレミングの法則］………③291

ベッセマー, ヘンリー［1813～1898年／鋼の精錬法］………④15

ベル, グラハム［1847～1922年／電話を発明した物理学者］………④19

ベルセリウス, ヨンス・ヤーコブ［1779～1848年／化学表記法の基礎を築く］………④19

ヘルツ, ハインリヒ・ルドルフ［1857～1894年／電磁波の存在を実証］………④20

ヘロン［生没年不詳／ヘロンの公式］………④24

ベンツ, カール［1844～1929年／実用的なガソリン動力の自動車を発明］④25

ヘンリー, ジョセフ［1797～1878年／継電器（リレー）の発明］………④26

ポアンカレ, ジュール・アンリ［1854～1912年／トポロジー概念の発見］………④28

ホイットニー, イーライ［1765～1825年／綿繰り機を発明］………④28

ボイル, ロバート［1627～1691年／ボイルの法則］………④29

ポルシェ, フェルディナント［1875～1951年／フォルクスワーゲンの設計］………④52

ボルタ, アレッサンドロ［1745～1827年／電池の発明］………④53

ま マイヤー, ユリウス・ロベルト・フォン［1814～1878年／エネルギー保存則を発見］………④60

マルコーニ, グリエルモ［1874～1937年／無線電信の開発］………④91

マルピーギ, マルチェロ［1628～1694年／顕微鏡解剖学の創設者］④94

メンデル, グレゴール［1822～1884年／メンデルの法則］………④154

モース, サミュエル［1791～1872年／モールス符号］………④158

モンゴルフィエ兄弟［兄ジョゼフ　1740～1810年、弟ジャック　1745～1799年／熱気球の発明、有人飛行］………④173

ら ライト兄弟［兄ウィルバー　1867～1912年、弟オービル　1871～1948年／動力飛行機の発明］………④229

ラッフルズ, トマス・スタンフォード［1781～1826年／ボロブドゥール遺跡を発見］………④232

リーキー, ルイス・シーモア・バゼット［1903～1972年／アウストラロピテクスを発見］………④236

リービヒ, ユストゥス・フォン［1803～1873年／異性体の発見］…④237

リリエンタール, オットー［1848～1896年／ハンググライダーでの飛行］………④252

レーウェンフック, アントニー・ファン［1632～1723年／顕微鏡を使った微生物の観察］………④263

レントゲン, ウィルヘルム［1845～1923年／X線の発見］…………④271

わ ワクスマン, セルマン［1888～1973年／ストレプトマイシンの発見］…④287

ワット, ジェームス［1736～1819年／蒸気機関を開発］………④292

ワトソン, ジェームズ［1928年～／DNAの二重らせん構造］………④292

探検・開拓に関する人物

── 日本 ──

あ 秋山豊寛［1942年～／ジャーナリスト、宇宙飛行士］………①21

ウェストン, ウォルター［1861～1940年／登山の楽しみを伝えた牧師］………①133

植村直己［1941～1984?年／登山家、冒険家・五大陸最高峰を登頂］…①136

大谷光瑞［1876～1948年／中央アジアを探検した僧］………①183

大西卓哉［1975年～／宇宙飛行士］………①188

か 金井宣茂［1976年～／宇宙飛行士］………①246

河口慧海［1866～1945年／チベットに入国した仏教学者］………①270

郡司成忠［1860～1924年／千島列島を開拓］………②46

近藤重蔵［1771～1829年／千島列島、択捉島を探検］………②107

さ 白瀬矗［1861～1946年／南極探検家］………②207

大黒屋光太夫［1751～1828年／ロシアの事情を伝えた漂流者］………②264

田部井淳子［1939～2016年／登山家・7大陸最高峰登頂者］………②310

土井隆雄［1954年～／宇宙飛行士］………③53

な 野口聡一［1965年～／宇宙飛行士］………③145

は バード, イザベラ［1831～1904年／イギリスの旅行家］………③154

古川聡［1964年～／宇宙飛行士］………③284

星出彰彦［1968年～／宇宙飛行士］………④41

堀江謙一［1938年～／ヨットで世界一周した海洋冒険家］………④50

ま 松浦武四郎［1818～1888年／幕末の北方探検家］………④73

間宮林蔵［1775?～1844年／樺太探検］………④87

向井千秋［1952年～／宇宙飛行士］………④134

毛利衛［1948年～／宇宙飛行士］………④157

最上徳内 [1755?～1836年／千島列島、択捉島を探検]……………………④162

や 山崎直子 [1970年～／宇宙飛行士]……………………④189

油井亀美也 [1970年～／宇宙飛行士]……………………④202

わ 若田光一 [1963年～／宇宙飛行士]……………………④285

―――――― 世 界 ――――――

あ アームストロング, ニール [1930～2012年／宇宙飛行士]……………①10

アムンゼン, ロアルド [1872～1928年／南極探検家]……………①52

イブン・バットゥータ [1304～1368?年／イスラムの大旅行家]………①113

か ガガーリン, ユーリ [1934～1968年／宇宙飛行士]…………①227

カブラル, ペドロ・アルバレス [1467?～1520?年／漂着したブラジルで占有

宣言]……………………………………………………………………①254

カボート父子 [父ジョバンニ　1450?～1498年、子セバスティアーノ　1476?～

1557年／北米大陸を探検]………………………………………①254

クストー, ジャック＝イブ [1910～1997年／海洋・海中探検家]……②16

クック, ジェームス [1728～1779年／はじめて南極圏に達した]…………②18

コルテス, エルナン [1485～1547年／アステカ帝国を征服]…………②101

コロンブス, クリストファー [1451～1506年／アメリカ海域へ到達]②104

さ スコット, ロバート [1868～1912年／南極探検家]……………②221

スタイン, マーク・オーレル [1862～1943年／敦煌の考古学調査]②226

スタンリー, ヘンリー [1841～1904年／アフリカ探検家]…………②227

た タスマン, アーベル [1603～1659年／タスマニア島を発見]…………②297

ディアス, バルトロメウ [1450?～1500年／航海者・喜望峰に到達]③36

鄭和 [1371?～1434?年／7回の南海遠征]……………③40

テレシコワ, バレンティナ [1937年～／女性宇宙飛行士]…………③50

ドレーク, フランシス [1543?～1596年／イギリスの航海者・世界一周]③93

な ナンセン, フリチョフ [1861～1930年／北極探検家]……………③123

は バスコ・ダ・ガマ [1469?～1524年／航海者・インド航路を開拓]………③165

バルボア, バスコ・デ [1475?～1519年／探検家・太平洋を発見]……③192

ピアリー, ロバート [1856～1920年／北極探検家]………③196

ピサロ, フランシスコ [1475?～1541年／探検家・インカ帝国を滅亡させた]

……………………………………………………………………………③203

ヒラリー, エドモンド [1919～2008年／登山家]………③219

ヘイエルダール, トール [1914～2002年／コンチキ号で漂流実験]……④9

ベーリング, ビトゥス [1681～1741年／ベーリング海峡を発見]……④11

ベスプッチ, アメリゴ [1454～1512年／航海者・アメリカ大陸の名前の由来]

……………………………………………………………………………④14

ヘディン, スベン [1865～1952年／中央アジアを調査]………④15

ま マゼラン, フェルディナンド [1480?～1521年／ポルトガルの航海者・世界一

周]……………………………………………………………………④72

マルコ・ポーロ [1254～1324年／商人、旅行家・『東方見聞録』]………④93

マロリー, ジョージ [1886～1924年／登山家]………④96

ら リビングストン, デイビッド [1813～1873年／アフリカ探検家]……④247

リンドバーグ, チャールズ [1902～1974年／世界初の単独大西洋横断飛

行]……………………………………………………………………④254

ロス, ジェームズ [1800～1862年／極地探検家]………④277

架空・伝説上の人物

―――――― 世 界 ――――――

あ アーサー王 [生没年不詳／ケルト人の伝説的な王]…………①9

アブラハム [生没年不詳／古代イスラエル人の伝説上の祖先]…………①45

禹 [生没年不詳／古代中国の伝説上の帝王]…………①124

ウィリアム・テル [生没年不詳／スイスの伝説上の英雄]…………①126

か 堯 [生没年不詳／古代中国の伝説上の帝王]…………①303

さ 舜 [生没年不詳／古代中国の伝説上の帝王]…………②189

徐福 [生没年不詳／中国、秦の方士・不老不死を求めて船出した]…………②204

契 [生没年不詳／中国、三皇五帝時代の重臣]…………②242

ら ロビン・フッド [生没年不詳／イギリスの伝説的な英雄]…………④280

郷土の発展につくした人物

―――――― 日 本 ――――――

● 北海道

大友亀太郎 [1834～1897年／札幌の開拓者]…………①185

岡田普理衛 [1859～1947年／酪農を広めたフランス人神父]…………①197

川田龍吉 [1856～1951年／農場経営者・男爵いもの栽培]…………①271

ケプロン, ホーレス [1804～1885年／軍人、農政家・北海道開拓に尽力]

……………………………………………………………………………②52

伊達邦成 [1841～1904年／開拓者・伊達市の開拓]…………②300

ダン, エドウィン [1848～1931年／牧畜業指導者・酪農の指導]………②316

知里幸恵 [1903～1922年／アイヌ文化伝承者・『アイヌ神謡集』]…………③23

中山久蔵 [1828～1919年／農民、農業指導者・石狩平野での稲作]…………③113

依田勉三 [1853～1925年／開拓者・帯広の開拓]…………④222

● 青森県

池田源兵衛 [1675～?年／津軽塗の創始者]…………①77

菊池楯衛 [1846～1918年／リンゴ栽培]…………①283

工藤轍郎 [1849～1927年／開拓者・七戸地方の開拓]…………②19

佐々木五三郎 [1868～1945年／社会事業家・弘前愛成園の設立]…………②122

外崎嘉七 [1859～1924年／果樹栽培家・リンゴ栽培の指導]…………③80

新渡戸傳 [1793～1871年／武士、役人・三本木原の開発]…………③133

野呂理左衛門 [?～1719年／武士・植林と新田の開発]…………③151

● 岩手県

大島高任 [1826～1901年／溶鉱炉建設者・鉱山開発者]…………①180

鎌津田甚六 [生没年不詳／鉱山師・雫石川の用水工事]…………①255

後藤寿庵 [1577?～1638?年／武士・胆沢川の治水工事]…………②86

藤尾太郎 [1897～1963年／村長・農業用水ダムの建設]…………③242

牧庵鞭牛 [1710～1782年／僧・閉伊街道の整備]…………④40

松岡好忠 [1612～1694年／武士・和賀川の用水工事]…………④74

水上助三郎 [1864～1922年／水産事業家・オットセイ漁]…………④103

ジャンル別索引

探検・開拓に関する人物／架空・伝説上の人物／郷土の発展につくした人物

ジャンル別索引

郷土の発展につくした人物

●宮城県

片平寛平 [生没年不詳／武士、治水家・白石川の治水改修]……………① 237

鎌田三之助 [1863～1950年／政治家・品井沼の干拓事業]……………① 255

川村孫兵衛 [1575～1648年／武士、治水家・仙台藩の新田開発と治水改修]

……………① 273

小松弥右衛門 [1670～1753年／職人・精好織]……………② 97

鈴木与兵衛 [1622～1676年／商人・仙台の新田開発]……………② 226

長尾四郎右衛門 [1854～1911年／公共事業家・生出村の発展]…… ③ 100

最上忠右衛門 [1826～1905年／職人、染色家・常盤紺型染]………④ 159

●秋田県

石川理紀之助 [1845～1915年／農業指導者]……………① 84

栗田定之丞 [1767～1827年／武士、植林家・防風防砂林の整備]……② 32

斎藤宇一郎 [1866～1926年／役人、農政家・乾田の普及]………② 111

高橋武左衛門 [1740～1819年／農民、開拓者・新田開発]………② 279

千蒲善五郎 [1817～1889年／商人・油田開発]……………③ 10

和井内貞行 [1858～1922年／実業家・ヒメマスの養殖]………④ 284

渡部斧松 [1793～1856年／武士、開拓者・八郎潟湖岸の新田開発]…… ④ 289

●山形県

菊池藤五郎 [生没年不詳／農民、治水家・寒河江川の治水改修]………① 284

喜早伊右衛門 [1847～1906年／農民、治水家・東沢ため池の工事]… ① 287

北館大学助利長 [1548～1625年／武士、治水家・新田開発と最上川の治水改

修]……………① 289

工藤吉郎兵衛 [1860～1945年／農民、育種家・イネの品種改良]………② 19

佐藤栄助 [1867～1950年／果樹栽培家・サクランボ「佐藤錦」の開発]…② 128

佐藤藤左衛門 [1692～1752年／豪商・酒田の砂防林の植林]………② 129

沼沢伊勢 [生没年不詳／武士・諏訪堰の築造]……………③ 138

本間光丘 [1732～1801年／商人・酒田の砂防植林事業]………④ 58

渡辺伊右衛門 [1760～1818年／商人・米沢織の改良]………④ 289

●福島県

片寄平蔵 [1813～1860年／商人・常磐炭田の開発]……………① 238

沢村勘兵衛 [1613?～1655年／武士・小川江筋の治水工事]………② 138

中條政恒 [1841～1900年／役人・郡山地域の開拓]……………③ 104

中村善右衛門 [1809～1880年／農民、養蚕家・カイコの飼育方法の改良]

……………③ 111

ファン・ドールン, コルネリス [1837～1906年／安積原野の治水工事]

……………③ 225

古川善兵衛 [1576～1637年／武士・摺上川の治水工事]………③ 284

水野源左衛門 [?～1647年／陶工・会津本郷焼]……………④ 104

●茨城県

安積澹泊 [1656～1737年／儒学者・『大日本史』の編さん]………① 24

小平浪平 [1874～1951年／実業家・日立製作所を創立]………① 207

折本良平 [1834～1912年／漁師・帆引き網漁]……………① 218

笹沼清左衛門 [1854～1920年／開発者・水戸納豆の商品化]………② 125

田中友三郎 [1839～1913年／商工業者・笠間焼の販売]………② 304

中島藤右衛門 [1745～1825年／農民、開発者・粉こんにゃく製法]…… ③ 104

永田茂衛門 [?～1659年／鉱山開発者・久慈川などの用水路工事]…… ③ 106

望月恒隆 [1596～1673年／武士・水戸城下の上水道整備]………④ 163

●栃木県

印南丈作 [1831～1888年／那須野原の開拓者]……………① 123

大塚啓三郎 [1828～1876年／陶工・益子焼]……………① 184

金井繁之丞 [1758～1829年／機業家・足利の織物業]………① 245

田中正造 [1841～1913年／足尾鉱毒事件で闘った指導者]………② 303

仁井田一郎 [1912～1975年／果樹栽培家・イチゴ栽培]………③ 125

二宮尊徳 [1787～1856年／報徳仕法で農村を復興した農政家]………③ 134

平岩幸吉 [1856～1910年／社会事業家・老人ホームの開設]………③ 214

矢板武 [1849～1922年／実業家・那須疏水の工事]………④ 176

●群馬県

秋本長朝 [1546～1628年／大名・天狗岩用水]……………① 21

岡上景能 [?～1687年／武士・岡登用水の工事]……………① 197

下城弥一郎 [1853～1905年／商工業者・伊勢崎銘仙]………② 168

関口長左衛門 [1808～1872年／ナシの棚づくり栽培]………② 241

高山長五郎 [1830～1886年／農民、養蚕家・カイコの「清温育」]………② 283

永井いと [1836～1904年／養蚕家・いぶし飼い]……………③ 96

中島知久平 [1884～1949年／技術者・国産飛行機の製造]………③ 103

平野長靖 [1935～1971年／自然保護運動家・尾瀬の環境保護]………③ 217

船津伝次平 [1832～1898年／農業指導者・『太陽暦耕作一覧』]………③ 269

●埼玉県

井沢弥惣兵衛 [1654～1738年／武士・見沼代用水の工事]………① 81

伊奈忠克 [1617～1665年／武士・葛西用水の工事]……………① 101

伊奈忠治 [1592～1653年／武士・見沼溜井の築造]………① 101

井上伝蔵 [1854～1918年／自由民権家・秩父事件]……………① 107

曽根権太夫 [?～1720年／武士・武蔵野台地の開拓]………② 256

高林謙三 [1832～1901年／医師、発明家・高林式茶葉粗揉機]………② 281

安松金右衛門 [?～1686年／武士・野火止用水の工事]………④ 180

吉川温恭 [1767～1846年／製茶家・狭山茶の栽培]……………④ 215

●千葉県

飯田長次郎 [?～1711年／農民・万石騒動の首謀者]……………① 72

伊能忠敬 [1745～1818年／『大日本沿海輿地全図』をつくった測量家]① 109

近江屋甚兵衛 [1766～1844年／商人・上総のりの養殖]………① 171

大原幽学 [1797～1858年／はじめて農業組合をつくった思想家]………① 190

金谷総蔵 [1845～1892年／農業指導者・ラッカセイの栽培指導]………① 246

佐藤泰然 [1804～1872年／医師・順天堂医院の開設]………② 128

染谷源右衛門 [生没年不詳／農民、治水家・印旛沼の干拓工事]………② 257

田中玄蕃 [生没年不詳／しょうゆ醸造家]……………② 303

鉄牛道機 [1628～1700年／僧・椿海の干拓]……………… ③44

松戸覚之助 [1875～1934年／農民、果樹栽培家・二十世紀梨の栽培]… ④81

●東京都

浅野総一郎 [1848～1930年／浅野セメント、鶴見埋築株式会社の創業者]

…………………………………………………………………… ①27

川崎平右衛門 [1694～1767年／農政家・武蔵野新田の開発]………… ①270

後藤新平 [1857～1929年／関東大震災時の東京市長]……………… ②88

渋沢栄一 [1840～1931年／数多くの株式会社を設立した実業家]……… ②161

高松喜六 [?～1713年／町人・内藤新宿の開発]………………… ②281

辰野金吾 [1854～1919年／建築家・東京駅]……………………… ②300

玉川兄弟 [?～1695年／町人・玉川上水の工事]………………… ②311

中川金治 [1874～1949年／林業家・奥多摩の森林育成]…………… ③101

早川徳次 [1881～1942年／実業家・日本初の地下鉄敷設]………… ③182

●神奈川県

砂村新左衛門 [?～1667年／開拓者・内川新田の開発]…………… ②232

高島嘉右衛門 [1832～1914年／商人、実業家・横浜の開発]………… ②275

田中丘隅 [1662～1729年／農政家・文命西提の建設]……………… ②302

原清兵衛 [1795～1868年／農民、開拓者・相模原の開拓]………… ③186

原善三郎 [1827～1899年／横浜商法会議所初代会頭]……………… ③186

原富太郎 [1868～1939年／関東大震災後の横浜復興に貢献]……… ③187

ブラントン，リチャード [1841～1901年／灯台の建設]……… ③279

湯山弥五右衛門 [1650～1717年／農民、治水家・皆瀬川の治水工事]

…………………………………………………………………… ④206

吉田勘兵衛 [1611～1686年／新田開拓者]……………………… ④216

●新潟県

明石次郎 [1620～1679年／武士、織物研究家・小千谷縮の創始]……… ①17

伊藤五郎左衛門 [1778～1839年／西蒲原地区の排水工事]………… ①97

川上善兵衛 [1868～1944年／果樹栽培家、醸造家・国産ワインの製造] ①268

桑原久右衛門 [1581～1654年／農民、治水家・福島江の工事]………… ②45

小林虎三郎 [1828～1877年／武士・長岡の教育振興]……………… ②94

鈴木牧之 [1770～1842年／俳人・『北越雪譜』]…………………… ②225

竹前小八郎 [?～1729年／農民、治水家・紫雲寺潟の干拓]………… ②294

竹前権兵衛 [?～1749年／農民、治水家・紫雲寺潟の干拓]………… ②294

宮本武之輔 [1892～1941年／土木技術者・信濃川の治水改修工事] ④125

山本比呂伎 [1827～1907年／日本初の公立学校の開校]…………… ④199

●富山県

赤木正雄 [1887～1972年／役人・白岩砂防ダムの築造]……………… ①16

伊藤彦四郎 [1758～1834年／農民、治水家・愛本用水の工事]………… ①99

沢田清兵衛 [1764～1829年／農民・庄川流域の堤防改修]…………… ②137

椎名道三 [1790～1858年／農民、治水家・十二貫野用水の工事]……… ②144

藤井能三 [1846～1913年／商人・伏木港の近代化]………………… ③242

前田正甫 [1649～1706年／大名・置き薬商法]……………………… ④63

水野豊造 [1898～1968年／園芸家・砺波地方のチューリップ栽培]…… ④104

●石川県

板屋兵四郎 [?～1653年／町人・辰巳用水の工事]………………… ①92

枝権兵衛 [1809～1880年／農民、治水家・手取川用水の工事]……… ①154

九谷庄三 [1816～1883年／陶工・九谷焼の名工]………………… ②17

銭屋五兵衛 [1773～1852年／江戸時代の加賀の豪商]……………… ②244

園田道閑 [1626～1667年／豪農・検地反対の一揆]………………… ②256

津田米次郎 [1862～1915年／職人、発明家・動力織機の発明]……… ③30

前大峰 [1890～1977年／工芸家・点彫りの考案]………………… ④61

藻寄行蔵 [1820～1886年／医者・塩づくりの復活]………………… ④166

●福井県

笠原白翁 [1809～1880年／医者・天然痘の予防]………………… ①231

大道 [1768～1840年／僧・三里浜の植林]…………………………… ②266

行方久兵衛 [1616～1686年／武士・三方五湖の治水工事]………… ③119

細井順子 [1842～1918年／機業家・福井の織物業に貢献]………… ④43

増永五左衛門 [1871～1938年／実業家・眼鏡産業の導入]………… ④71

松木庄左衛門 [1625～1652年／農民・若狭国の農民一揆の指導者]… ④77

渡辺泉龍 [?～1678年／武士・新江用水の工事]………………… ④291

●山梨県

長田円右衛門 [1795～1856年／農民、開発者・昇仙峡の開発]……… ①205

杉浦健造 [1866～1933年／医者・日本住血吸虫症の撲滅運動]……… ②217

高野正誠 [1852～1923年／果樹栽培家、醸造家・国産ワインの製造]… ②278

武田信玄 [1521～1573年／戦国時代の武将]……………………… ②292

土屋助次郎 [1859～1940年／果樹栽培家、醸造家・初の国産ワインの製造]

…………………………………………………………………… ③32

徳島兵左衛門 [?～1684年／商人・徳島堰の工事]………………… ③74

永島安竜 [1801～1869年／医者・河口湖からの用水工事]………… ③103

望月与三郎 [1872～1939年／役人・富士村の植林事業]…………… ④163

●長野県

市川五郎兵衛 [1571～1665年／武士・佐久の新田開発]…………… ①93

伊原五郎兵衛 [1880～1952年／商人・伊那電気鉄道の敷設]……… ①110

小林粂左衛門 [1806～1856年／商人・寒天の製造と販売]………… ②93

坂本養川 [1736～1809年／農民、治水家・繰越堰の工事]………… ②120

多田嘉助 [1639～1686年／庄屋・嘉助騒動]……………………… ②297

等々力孫一郎 [1761～1831年／農民、治水家・拾ヶ堰用水の工事]… ③79

中島輪兵衛 [1752～1838年／農民、治水家・拾ヶ堰用水の工事]…… ③104

松村理兵衛 [1721～1785年／村役人・理兵衛堤防の建設]………… ④82

和田英 [1857～1929年／製糸技術者・製糸技術の指導者]………… ④288

●岐阜県

伊藤伝右衛門 [1741～1785年／役人・輪中の排水工事]…………… ①99

加藤景延 [1574～1632年／陶工・美濃焼の創始]………………… ①241

ジャンル別索引

郷土の発展につくした人物

235

金森吉次郎 [1864～1930年／治水家・大垣輪中の治水事業]‥‥‥‥①246

喜田吉右衛門 [生没年不詳／武士、治水家・曾代用水の治水工事]‥‥‥①288

田口慶郷 [1798～1866年／農民、治水家・付知五大用水の工事]‥‥‥②287

デ・レーケ, ヨハネス [1842～1913年／土木技師・木曽三川の分流工事]

‥‥‥‥‥‥‥‥‥‥‥‥‥‥‥‥‥‥‥‥‥‥‥‥‥‥‥‥‥‥‥③50

播隆上人 [1782～1840年／山岳修行僧・槍ヶ岳の登山道の整備]‥‥‥③196

平田靱負 [1704～1755年／武士・宝暦の治水]‥‥‥‥‥‥‥‥‥③215

●静岡県

江原素六 [1842～1922年／教育者・沼津の発展に貢献]‥‥‥‥‥①158

大庭源之丞 [?～1702年／農民、治水家・箱根用水の工事]‥‥‥‥①188

金原明善 [1832～1923年／治山、治水家、実業家・天竜川の治水工事]①311

杉山彦三郎 [1857～1941年／チャの研究家・やぶきた茶の栽培]‥‥‥②221

友野与右衛門 [生没年不詳／商人・箱根用水の工事]‥‥‥‥‥‥③84

豊田佐吉 [1867～1930年／トヨタグループの創始者、発明家]‥‥‥③85

古郡重政 [1599～1664年／武士・雁堤の建設]‥‥‥‥‥‥‥‥③285

本田宗一郎 [1906～1991年／本田技研工業の創業者]‥‥‥‥‥④56

丸尾文六 [1832～1896年／実業家・牧之原台地の茶園]‥‥‥‥‥④89

山葉寅楠 [1851～1916年／日本初のオルガンやピアノを製造]‥‥‥④196

渡辺定賢 [1724～1815年／農民・駿河半紙]‥‥‥‥‥‥‥‥‥④290

●愛知県

市川甚左衛門 [1679～1757年／武士・木曽の山林の復興]‥‥‥‥①94

伊豫田与八郎 [1822～1903年／農民、治水家・明治用水の工事]‥‥①117

江崎善左衛門 [1593～1675年／農民、治水家・入鹿池の築造]‥‥‥①151

岡本兵松 [1821～1903年／開拓者・明治用水の工事]‥‥‥‥‥①198

奥田助七郎 [1873～1954年／土木技師・名古屋港開港]‥‥‥‥‥①201

小渕志ち [1847～1929年／実業家・玉まゆからの製糸法]‥‥‥‥①216

加藤民吉 [1772～1824年／陶工・瀬戸の染付磁器]‥‥‥‥‥‥①243

神野金之助 [1849～1922年／実業家、新田開発者]‥‥‥‥‥‥①255

近藤寿市郎 [1870～1960年／政治家・宇連ダム、豊川用水の工事]‥②106

都築弥厚 [1765～1833年／豪農・明治用水を計画]‥‥‥‥‥‥③32

羽田野敬雄 [1798～1882年／国学者]‥‥‥‥‥‥‥‥‥‥‥③170

●三重県

加納直盛 [1612～1673年／武士、治水家・伊賀美野原の新田開発]‥‥①251

芝田吉之丞 [生没年不詳／庄屋、漁師・シビ網漁法の発明]‥‥‥②158

西嶋八兵衛 [1596～1680年／武士・雲出井用水の工事]‥‥‥‥③128

西村彦左衛門 [1774～1830年／農民、治水家・立梅用水の工事]‥‥③129

沼波弄山 [1718～1777年／商人、陶工・萬古焼]‥‥‥‥‥‥‥③137

前川定五郎 [1832～1917年／農民、社会実業家・定五郎橋の築造]‥‥④60

御木本幸吉 [1858～1954年／真珠のミキモト創業者]‥‥‥‥‥④100

山中為綱 [1613～1682年／武士・一志郡(津市)の治水工事]‥‥‥④194

●滋賀県

大橋源太郎 [1884～1971年／実業家・犬上川ダムの建設]‥‥‥‥①188

加藤九蔵 [1731～1808年／植林家・水源林]‥‥‥‥‥‥‥‥①242

加藤辰之助 [1860～1930年／陶工・信楽焼]‥‥‥‥‥‥‥‥①243

杉江善右衛門 [1822～1885年／実業家・琵琶湖の水運の整備]‥‥‥②218

土川平兵衛 [1801～1843年／庄屋・検地反対一揆]‥‥‥‥‥‥③31

中川源吾 [1847～1923年／漁業指導者・ビワマスの養殖]‥‥‥‥③101

中村林助 [?～1767年／織元・「浜ちりめん」の製造]‥‥‥‥‥③112

西野恵荘 [1778～1849年／僧・余呉川の治水工事]‥‥‥‥‥③129

ボーリズ, ウィリアム・メレル [1880～1964年／アメリカ合衆国のキリスト教

伝道家・社会事業家]‥‥‥‥‥‥‥‥‥‥‥‥‥‥‥‥‥‥‥④39

●京都府

北垣国道 [1836～1916年／官僚・京都市の発展に貢献]‥‥‥‥①287

絹屋佐平治 [1683～1744年／機織り職人・丹後ちりめん創始]‥‥‥①294

清水六兵衛 [1738～1799年／陶工・清水焼]‥‥‥‥‥‥‥‥①307

熊谷直孝 [1817～1875年／商人・小学校の開校]‥‥‥‥‥‥②24

近藤勝由 [1827～1901年／武士、役人・由良川の治水事業]‥‥‥②106

角倉了以 [1554～1614年／京都で運河をつくった豪商]‥‥‥‥②235

田辺朔郎 [1861～1944年／技術者・琵琶湖疏水工事]‥‥‥‥‥②305

田村清兵衛 [生没年不詳／農民、開拓者・和束郷の新田開発]‥‥‥②312

宮崎友禅 [生没年不詳／友禅染の創始者]‥‥‥‥‥‥‥‥④123

●大阪府

緒方洪庵 [1810～1863年／医者、蘭学者・適塾をひらく]‥‥‥‥①195

河村瑞賢 [1618～1699年／西廻り・東廻り航路をひらいた豪商]‥‥①273

木津勘助 [1586～1660年／大飢饉の難民を救った武士]‥‥‥‥①292

鴻池善右衛門宗利 [1667～1736年／大坂(阪)の豪商]‥‥‥‥②68

小林一三 [1873～1957年／阪急グループの創始者]‥‥‥‥‥②92

中甚兵衛 [1639～1730年／農民、治水家・大和川の治水工事]‥‥③105

畑中権内 [生没年不詳／農民、治水家・権内水路の工事]‥‥‥‥③170

安井道頓 [1533～1615年／土木技術者・大坂(阪)城下の水運開発]‥④178

淀屋个庵 [1576～1643年／大坂の商人・市場と海運業の発展]‥‥④223

淀屋常安 [1560?～1622年／商人・中之島の開拓]‥‥‥‥‥‥④223

●兵庫県

網屋吉兵衛 [1785～1869年／商人・船燈場の建設]‥‥‥‥‥①52

今里伝兵衛 [1610～1659年／治水家・新井用水の工事]‥‥‥‥①115

賀集珉平 [1796～1871年／陶工・珉平焼]‥‥‥‥‥‥‥‥①233

工楽松右衛門 [1743～1812年／漁師・松右衛門帆の発明]‥‥‥②28

沢野利正 [1850～1928年／殖産家・播州そうめんの改良]‥‥‥‥②137

パーマー, ヘンリー [1838～1893年／技術者・印南野台地の治水工事]

‥‥‥‥‥‥‥‥‥‥‥‥‥‥‥‥‥‥‥‥‥‥‥‥‥‥③156

飛田安兵衛 [1728～1816年／大工、機業家・播州織]‥‥‥‥‥③206

●奈良県

浅田松堂 [1711～1777年／商人・大和絣を考案]‥‥‥‥‥‥①26

東太郎兵衛 [1787～1840年／農民・チャの栽培]‥‥‥‥‥‥①38

杉本武助 [1802〜1875年／農民、殖産家・高野豆腐の製造]……………②220

土倉庄三郎 [1840〜1917年／林業家・土倉式造林法]……………③75

中島林蔵 [?〜1702年／商人、治水家・十津川の水運開発]……………③104

中村直三 [1819〜1882年／農民、農業指導者・イネの品種改良]……………③111

松井道珍 [生没年不詳／商工業者・奈良墨の製造]……………④73

●和歌山県

伊藤孫右衛門 [1543〜1628年／農民・紀州みかんの栽培]……………①100

内中源蔵 [1865〜1946年／商人・ウメの栽培]……………①141

大畑才蔵 [1642〜1720年／紀ノ川の水路工事・「水盛器」の開発]……………①189

笠松左太夫 [1596〜1673年／紀州手すき和紙、保田紙の生産]………①231

華岡青洲 [1760〜1835年／江戸時代後期の医者]……………③175

浜口梧陵 [1820〜1885年／実業家・防波堤の建設]……………③180

南方熊楠 [1867〜1941年／生物学者、民俗学者]……………④107

望月太左衛門 [?〜1638年／武士・新堂横堤の建設]……………④163

●鳥取県

安藤伊右衛門 [1751〜1827年／治水家・安藤井手の工事]……………①67

北脇永治 [1878〜1950年／果樹園芸家・二十世紀梨]……………①291

佐野増蔵 [1810〜1882年／武士・佐野川用水の工事]……………②131

船越作左衛門 [?〜1817年／商人・湖山砂丘の防砂林]……………③269

桝田新蔵 [1817〜1904年／農民、開拓者・北条砂丘の耕地化]……………④70

米村所平 [1643〜1727年／武士・弓ヶ浜半島の治水工事]……………④224

●島根県

井戸平左衛門 [1672〜1733年／代官・サツマイモ栽培の奨励]………①101

井上恵助 [1721〜1794年／植林家・浜山の防砂林]……………①102

大梶七兵衛 [1621〜1689年／植林家・「八通りの松林」]……………①175

国東治兵衛 [1743〜?年／商人・「遠田表」「石州半紙」の指導]……………②21

佐藤忠次郎 [1887〜1944年／農機具発明家・回転式稲こき機の発明]……………②129

広田亀治 [1839〜1896年／農民、農業指導者・イネの新品種の開発]…③220

村上吉五郎 [1787〜1876年／職人・雲州そろばん]……………④142

●岡山県

磯崎眠亀 [1834〜1908年／商工業者・花むしろの創作]……………①91

太田辰五郎 [1790〜1854年／畜産家・和牛「大赤蔓」]……………①182

大原孫三郎 [1880〜1943年／実業家・大原美術館の創設]……………①190

小山益太 [1861〜1924年／果樹園芸家・モモ栽培の研究]……………②99

津田永忠 [1640〜1707年／武士・岡山城下の干拓工事と新田開発]……③29

藤田伝三郎 [1841〜1912年／実業家・児島湾の干拓]……………③245

●広島県

岩倉六右衛門 [1817〜1896年／畜産家・岩倉牛の生産]……………①118

黒川三郎左衛門 [1723〜1806年／農民、治水家・小野池の築造]……②40

小西屋五郎八 [?〜1687年／漁師・カキの「ひび建て法」の発明]………②90

千田貞暁 [1836〜1908年／役人・広島港の整備]……………②247

富田久三郎 [1828〜1911年／機業家・備後絣の考案]……………③83

三浦仙三郎 [1847〜1908年／醸造家・軟水による醸造法の開発]………④98

●山口県

岩崎想左衛門 [1598〜1662年／農民、治水家・潮音洞の工事]………①119

小幡高政 [1817〜1906年／役人・萩の夏ミカン栽培]……………①215

笠井順八 [1835〜1919年／実業家・小野田セメント]……………①230

吉川広嘉 [1621〜1679年／武士・錦帯橋の建設]……………①292

東条九郎右衛門 [1607〜1670年／長州藩の藩士・長沢池築造]………③58

村本三五郎 [1736〜1820年／農民、農業指導者・ワタとれんこんの栽培]

……………④146

渡辺祐策 [1864〜1934年／実業家・宇部市の開発]……………④290

●徳島県

犬伏久助 [1747〜1829年／染色家・阿波藍]……………①102

海部ハナ [1831〜1919年／機織り職人・阿波しじら織り]……………①225

楠藤吉左衛門 [1652〜1724年／農民、治水家・袋井用水の治水工事]……③123

前川文太郎 [1808〜1882年／鳴門ワカメの製法改良]……………④61

丸山徳弥 [1751〜1826年／農民、製糖業者・和三盆の製造]……………④95

宮田辰次 [1797〜1869年／商人、果樹栽培家・「勝浦ミカン」の栽培]…④124

矢部禎吉 [1825〜1880年／商人、治水家・ため池の築造]……………④183

●香川県

加地茂治郎 [1869〜1940年／商人・豊稔池の築造]……………①233

久保太郎右衛門 [1676〜1711年／農民、治水家・菖原用水の治水工事]

……………②23

久米栄左衛門 [1780〜1841年／技術者・久米式塩田]……………②25

玉楮象谷 [1806〜1869年／職人・讃岐漆器「象谷塗」]……………②310

野網和三郎 [1908〜1969年／網元・ハマチの養殖]……………③142

矢延平六 [1610〜1685年／武士、治水家・ため池の築造]……………④183

●愛媛県

阿部平助 [1852〜1938年／商工業者・今治タオルの開発]……………①48

天野喜四郎 [?〜1756年／新居浜市の塩田開発]……………①51

宇都宮誠集 [1855〜1907年／園芸家・ナツミカンの栽培]……………①141

鍵谷カナ [1782〜1864年／農民・伊予絣の考案者]……………①229

菊屋新助 [1773〜1835年／機業家・高機の開発]……………①284

杉野丈助 [生没年不詳／陶工・砥部焼の祖]……………②219

三好保徳 [1862〜1905年／農民、果樹園芸家・伊予ミカンの栽培]……④130

矢野七三郎 [1855〜1889年／商人・伊予綿ネルの改良]……………④182

●高知県

一木権兵衛 [1628〜1679年／土木技術者・室津港の建設]……………①94

馬詰親音 [1748〜1807年／藩士・製糖業の開発]……………①142

窪添慶吉 [1859〜1923年／漁業指導者・大敷網漁法]……………②23

野中兼山 [1615〜1663年／藩政改革をすすめた土佐藩老]……………③148

ジャンル別索引

郷土の発展につくした人物

宮尾亀蔵 [1782～1853年／漁師・土佐節の開発]……………④119
山本浅吉 [1884～1972年／農業指導者・ナスの促成栽培]………………④197
吉井源太 [1826～1908年／職人、製紙家・土佐和紙の改良]………………④213
吉川類次 [1858～1927年／農民、育種家・「衣笠早稲」の開発]………………④215

● 福岡県
井上伝 [1788～1869年／職人、機業家・「加寿利」の考案]………………①106
岩松助左衛門 [1804～1872年／役人・白洲灯台の建設]………………①121
緒方春朔 [1748～1810年／医者・天然痘の予防、鼻乾苗法の発見]……①196
小川トク [1839～1913年／織工・久留米縞の創始]………………①199
栗林次兵衛 [?～1700年／庄屋、治水家・大石堰の建設]………………②33
古賀百工 [1718～1798年／農民、治水家・堀川用水の工事]………………②75
高山六右衛門 [?～1734年／農民、治水家・床島堰の建設]………………②284
田尻惣馬 [1678～1760年／武士・千間土居の工事]………………②296

● 佐賀県
井山憲太郎 [1859～1922年／農業指導者・玉島ミカンの品種改良]………①117
酒井田柿右衛門 [1596～1666年／陶工・色絵磁器]………………②117
佐野常民 [1822～1902年／明治時代の政治家・日本赤十字社を設立]………②131
寺沢広高 [1563～1633年／大名・「虹の松原」の植林]………………③48
成富兵庫茂安 [1560～1634年／武士・佐賀の治水対策]………………③122
前田伸右衛門 [1732～1811年／武士・大日村(武雄市)の引水工事]……④63

● 長崎県
上野彦馬 [1838～1904年／長崎出身の写真家]………………①134
金井俊行 [1850～1897年／政治家・長崎市の上水道整備]………………①245
倉田次郎右衛門 [?～1703年／商人・倉田水樋の工事]………………②28
陶山訥庵 [1657～1732年／医者、学者・対馬の農業の発展]………………②236
永井隆 [1908～1951年／医者・原爆被害者の救護活動]………………③97
深沢儀太夫 [1583～1663年／漁師・クジラ漁の指導]………………③237
益富又左衛門 [生没年不詳／漁民・クジラ漁と堤防建設]………………④71
マルコ・マリ・ド・ロ [1840～1914年／キリスト教神父・外海地方の振興]④92
本木昌造 [1824～1875年／教育者・日本の活版印刷術の創始者]………④165

● 熊本県
伊豆富人 [1888～1978年／実業家・熊本日日新聞]………………①89
古城弥二郎 [1857～1912年／役人・八代市の開拓]………………②80
高橋政重 [1650～1726年／武士・幸野溝の用水工事]………………②280
林正盛 [1621～1697年／商人・球磨川の舟運]………………③184
布田保之助 [1801～1873年／村役人・通潤橋の建設]………………③266
細川行孝 [1637～1690年／大名・轟泉水道の治水工事]………………④45
ムルドル, ローエンホルスト [1848～1901年／土木技師]………④147

● 大分県
麻生観八 [1865～1928年／商人・玖珠郡の近代化]………………①38
麻生太吉 [1857～1933年／実業家・筑豊地方の炭鉱開発]………………①38

油屋熊八 [1863～1935年／実業家・別府温泉の観光地化]………………①45
垣田幾馬 [1868～1934年／農民、治水家・荻柏原井路の工事]………………①228
黒野猪吉郎 [1856～1921年／実業家・水力発電所の建設]………………②43
禅海 [1691～1774年／僧・青の洞門の工事]………………②246
矢島義一 [1884～1922年／技術者・緒方平野の用水工事]………………④177
横田穣 [1865～1950年／植林家・日出生台の植林]………………④211

● 宮崎県
石井十次 [1865～1914年／教育者、社会事業家・岡山孤児院の創設]………①82
江尻喜多右衛門 [?～1739年／武士・岩熊井堰の工事]………………①152
児玉久右衛門 [1689～1761年／農民、治水家・杉安井堰などの工事]………②84
鳥原ツル [1895～1981年／教育者・家庭科実習の導入]………………③91
野中金右衛門 [1767～1846年／武士・飫肥杉の植林と品種改良]……③148
福島邦成 [1819～1898年／医者・橘橋の築造]………………③240
藤江監物 [1687～1731年／武士・岩熊井堰の治水工事計画]………………③242
松井五郎兵衛 [1570～1657年／武士・清武郷の治水工事]………………④72
南崎常右衛門 [1844～1913年／実業家・都城の製茶業]………………④107
宮永八百治 [1837～1895年／農民、治水家・本庄南用水路の工事]………④125

● 鹿児島県
柏有度 [1776～1833年／農民・製糖用鉄輪車の発明]………………①233
松寿院 [1797～1865年／大名の娘、女性領主・種子島の開発]………………②192
直川智 [生没年不詳／農民、殖産家・サトウキビの栽培]………………②231
中原菊次郎 [1880～1954年／政治家・笠野原台地の治水工事]………………③108
野井倉甚兵衛 [1872～1960年／農民、開拓者・野井倉大地の新田開発]

………………③142
原耕 [1876～1933年／漁業経営者・枕崎のカツオ漁]………………③186
山田昌巌 [1578～1668年／武士・昌巌溝の用水工事]………………④192
山内四郎左衛門 [生没年不詳／武士・タバコ栽培]………………④196

● 沖縄県
伊波普猷 [1876～1947年／民俗学者・琉球語や沖縄の歴史の研究]…①110
儀間真常 [1557～1644年／役人・琉球の産業の発展]………………①298
金城清松 [1880～1974年／医者・結核の予防]………………①310
城間正安 [1860～1944年／役人・人頭税廃止運動]………………②15
蔡温 [1682～1761年／琉球王国の政治家・治水対策や植林]………………②109
島田叡 [1901～1945年／多くの県民の命を救った県知事]………………②163
玉城朝薫 [1684～1734年／琉球の役人、踊奉行・組踊りの創作]………………②312
程順則 [1663～1735年／琉球王国の政治家・明倫堂の設立]………………③38
仲村渠到元 [1692～1754年／琉球の陶工・壺屋焼の創始]………………③115
野國總管 [生没年不詳／琉球の農民・サツマイモ栽培]………………③146
宮城鉄夫 [1877～1934年／農事改良家・サトウキビの大茎種の導入]………④120

時代別 [日本] 索引

第1巻から第4巻に項目として掲載されている「日本の人物」を、活躍した時代別にまとめ、五十音順にならべています。時代の区分については、6ページを参照してください。

人物名は、原則として「姓・名」の順であらわしています。

●時代別索引の見方

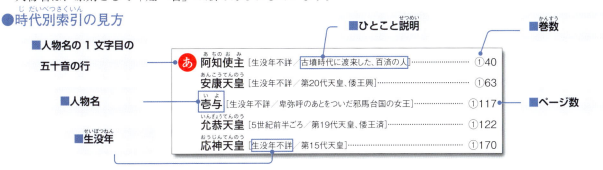

古墳時代以前

あ 阿知使主 [生没年不詳／古墳時代に渡来した、百済の人]……①40
安康天皇 [生没年不詳／第20代天皇、倭王興]……①63
壱与 [生没年不詳／卑弥呼のあとをついだ邪馬台国の女王]……①117
允恭天皇 [5世紀前半ごろ／第19代天皇、倭王済]……①122
応神天皇 [生没年不詳／第15代天皇]……①170
大伴金村 [生没年不詳／磐井の乱をしずめた豪族]……①186

か 欽明天皇 [生没年不詳／第29代天皇]……①311
景行天皇 [生没年不詳／第12代天皇、日本武尊の父]……②47
継体天皇 [生没年不詳／第26代天皇]……②47

さ 司馬達等 [生没年不詳／百済からの渡来人]……②159
神武天皇 [生没年不詳／神話上の初代天皇]……②211
崇峻天皇 [?～592年／第32代天皇]……②222
崇神天皇 [生没年不詳／第10代天皇・実在したとされる最古の天皇]……②222
蘇我稲目 [?～570年／蘇我馬子の父]……②253

た 筑紫国造磐井 [生没年不詳／磐井の乱をおこした古墳時代の豪族]……③27

な 仁徳天皇 [生没年不詳／第16代天皇]……③136

は 反正天皇 [生没年不詳／第18代天皇]……③194
敏達天皇 [?～585年／第30代天皇]……③206
卑弥呼 [?～247?年／邪馬台国の女王]……③211
武烈天皇 [生没年不詳／第25代天皇]……③290

ま 物部尾輿 [生没年不詳／大和政権の大連]……④165
物部守屋 [?～587年／大和政権の大連]……④166

や 日本武尊 [生没年不詳／古代の英雄]……④193
雄略天皇 [生没年不詳／第21代天皇、倭王武]……④203
弓月君 [生没年不詳／養蚕や織物を伝えた百済の人]……④205
用明天皇 [?～587年／第31代天皇]……④209

ら 履中天皇 [生没年不詳／第17代天皇]……④244

わ 王仁 [生没年不詳／漢字を伝えた百済の人]……④293

飛鳥時代

あ 阿倍内麻呂 [?～649年／大化の改新で活躍した豪族]……①46
阿倍比羅夫 [生没年不詳／東北を平定した武将]……①47
有間皇子 [640～658年／中大兄皇子に処刑された皇子]……①58
犬上御田鍬 [生没年不詳／遣隋使・遣唐使となった官人]……①102
慧慈 [?～623年／高句麗の僧]……①152
役小角 [生没年不詳／伝説の呪術者]……①166
大津皇子 [663～686年／天武天皇の皇子]……①185
大友皇子 [648～672年／天智天皇の皇子]……①186
刑部親王 [?～705年／大宝律令制定の中心人物]……①203
小野妹子 [生没年不詳／遣隋使となった官人]……①213

か 柿本人麻呂 [生没年不詳／『万葉集』第一の歌人とよばれた]……①228
観勒 [生没年不詳／暦や天文、地理を伝えた百済の僧]……①281
鬼室福信 [?～663年／百済の王族]……①285
草壁皇子 [662～689年／天武天皇の皇子]……②13
薬師恵日 [生没年不詳／医学を伝えた留学生]……②15
皇極天皇 [594～661年／第35、37代天皇]……②62
孝徳天皇 [597?～654年／第36代天皇・大化の改新]……②68

さ 持統天皇 [645～702年／第41代天皇・藤原京を築く]……②154
聖徳太子 [574～622年／政治家・十七条の憲法]……②196
舒明天皇 [593～641年／第34代天皇・はじめて遣唐使を派遣]……②204
推古天皇 [554～628年／第33代天皇・初の女性天皇]……②213
蘇我入鹿 [?～645年／蘇我馬子の孫]……②253
蘇我馬子 [?～626年／朝廷で権力をにぎった豪族]……②254
蘇我蝦夷 [?～645年／蘇我馬子の子]……②254
蘇我倉山田石川麻呂 [?～649年／蘇我馬子の孫]……②255

た 高向玄理 [?～654年／遣隋使の留学生]……②282
高市皇子 [654?～696年／天武天皇の皇子]……②291
橘大郎女 [生没年不詳／聖徳太子のきさき]……②298

時代別索引

飛鳥時代／奈良時代／平安時代

天智天皇 [626〜671年／第38代天皇]……………………③52
天武天皇 [?〜686年／第40代天皇・壬申の乱]……………③51
曇徴 [生没年不詳／高句麗の僧]………………………………③94
な 額田王 [生没年不詳／宮廷歌人]……………………………③137
は 裴世清 [生没年不詳／中国の官人・遣隋使の返礼使節]………③157
秦河勝 [生没年不詳／聖徳太子につかえた豪族]………………③170
稗田阿礼 [生没年不詳／『古事記』を編さんに協力した役人]……③197
藤原鎌足 [614〜669年／蘇我氏をたおした豪族]……………③248
古人大兄皇子 [?〜645年／蘇我氏と関係の深い皇子]………③288
ま 南淵請安 [生没年不詳／渡来系の僧]………………………④107
旻 [?〜653年／遣隋使とともに隋にわたった僧]………………④133
文武天皇 [683〜707年／第42代天皇・大宝律令]……………④175
や 山背大兄王 [?〜643年／聖徳太子の子]…………………④190

奈良時代

あ 阿倍仲麻呂 [698〜770年／唐への留学生]…………………①47
粟田真人 [?〜719年／遣唐使となった公家の高官]……………①62
石上宅嗣 [729〜781年／公家の高官・日本初の公開図書館]……①91
淡海三船 [722〜785年／学者、大友皇子の曾孫]………………①170
大伴坂上郎女 [生没年不詳／歌人・大伴家持の作風に影響をあたえた]……①186
大伴旅人 [665〜731年／公卿、歌人]…………………………①186
大伴家持 [?〜785年／公卿、歌人・『万葉集』の編さん]………①187
太安万侶 [?〜723年／官人・『古事記』『日本書紀』の編さん]…①188
か 鑑真 [688〜763年／律宗をつたえた唐の僧]………………①276
吉備内親王 [?〜729年／長屋王のきさき]……………………①297
吉備真備 [695〜775年／公家の高官、学者・遣唐使]…………①297
行基 [668〜749年／日本仏教の祖]……………………………①305
国中公麻呂 [?〜774年／不空羂索観音像]……………………②21
鞍作鳥 [6世紀後半?〜7世紀前半?／釈迦三尊像]……………②29
景戒 [生没年不詳／僧・『日本霊異記』]………………………②47
元正天皇 [680〜748年／第44代天皇・養老律令、三世一身の法]………②56
玄昉 [?〜746年／唐にわたった僧]……………………………②58
元明天皇 [661〜721年／第43代天皇・平城京遷都]…………②58
孝謙天皇 [718〜770年／第46、48代天皇・道鏡を重用]……②63
光仁天皇 [709〜781年／第49代天皇]…………………………②68
光明皇后 [701〜760年／聖武天皇の皇后]……………………②70
高麗王若光 [?〜748?年／高句麗の王族]……………………②96
さ 早良親王 [750〜785年／死後、たたりをおこすとおそれられた皇子]………②139
志貴皇子 [?〜716?年／皇族、歌人]…………………………②150
淳仁天皇 [733〜765年／第47代天皇]…………………………②191
聖武天皇 [701〜756年／第45代天皇]…………………………②198
井真成 [699〜734年／唐への留学生]…………………………②238
た 高野新笠 [?〜789年／光仁天皇のきさき]…………………②277
橘奈良麻呂 [721?〜757年／藤原仲麻呂と対立した公家の高官]……②298
橘諸兄 [684〜757年／恭仁京遷都で暗躍した公家の高官]………②299

道鏡 [?〜772年／考謙上皇に重用され力をふるった僧]…………③55
舎人親王 [676〜735年／『日本書紀』を編さん]………………③79
な 長屋王 [684〜729年／皇族・長屋王の変]…………………③113
は 藤原宇合 [694〜737年／藤原式家の祖]……………………③248
藤原緒嗣 [774〜843年／左大臣として桓武天皇を支えた]……③248
藤原清河 [生没年不詳／遣唐使となった公家の高官]……………③249
藤原種継 [737〜785年／長岡京造営につくすが暗殺される]……③253
藤原永手 [714〜771年／道鏡を左遷した公家の高官]…………③254
藤原仲麻呂 [706〜764年／藤原氏の勢力拡大をはかった]……③255
藤原広嗣 [?〜740年／藤原広嗣の乱をおこす]………………③257
藤原房前 [681〜737年／藤原北家の祖]………………………③257
藤原不比等 [659〜720年／鎌足の子・藤原氏繁栄の基礎を築く]……③257
藤原麻呂 [695〜737年／藤原京家の祖]………………………③258
藤原宮子 [?〜754年／文武天皇の夫人、聖武天皇の母]………③259
藤原武智麻呂 [680〜737年／藤原南家の祖]…………………③261
藤原百川 [732〜779年／桓武天皇の側近]……………………③262
仏哲 [生没年不詳／密教の経典と林邑楽を伝えた僧]……………③268
菩提僊那 [704〜760年／インドからの渡来僧・開眼供養]………④46
や 山上憶良 [660〜733年／歌人、官人・『貧窮問答歌』]………④195
山部赤人 [生没年不詳／『万葉集』の歌人]……………………④196
わ 和気清麻呂 [733〜799年／和気広虫の弟]…………………④287
和気広虫 [730〜799年／孝謙天皇(称徳天皇)につかえた女官]………④288

平安時代

あ 赤染衛門 [生没年不詳／歌人・『栄華物語』]………………①18
阿弖流為 [?〜802年／蝦夷の首長]……………………………①42
安倍貞任 [?〜1062年／前九年の役でやぶれた豪族]…………①46
安倍晴明 [921〜1005年／数々の伝説がある陰陽師]…………①47
安倍頼時 [?〜1057年／陸奥の豪族]…………………………①48
在原業平 [825〜880年／歌人・六歌仙の一人]………………①59
安徳天皇 [1178〜1185年／第81代天皇]……………………①68
和泉式部 [生没年不詳／歌人・『和泉式部日記』]……………①89
一条天皇 [980〜1011年／第66代天皇]………………………①95
宇多天皇 [867〜931年／第59代天皇]…………………………①140
円珍 [814〜891年／園城寺をひらいた天台宗の僧]……………①164
円仁 [794〜864年／天台宗山門派の祖]………………………①165
円融天皇 [959〜991年／第64代天皇]…………………………①166
大江匡房 [1041〜1111年／公家の高官、学者、歌人]………①174
凡河内躬恒 [生没年不詳／歌人・『躬恒集』]…………………①180
大伴黒主 [生没年不詳／歌人・六歌仙の一人]…………………①186
小野小町 [生没年不詳／歌人・六歌仙の一人]…………………①214
小野篁 [802〜852年／歌人、公卿、学者]……………………①214
小野道風 [894〜967?年／書家・三蹟の一人]………………①214
小野岑守 [778〜830年／公卿、文人・『凌雲集』を編さん]……①214
小野好古 [884〜968年／公卿、武人、歌人]…………………①215

か 桓武天皇 [737～806年／第50代天皇]……………① 280
喜撰 [生没年不詳／僧、歌人・六歌仙の一人]………① 286
紀貫之 [868?～945?年／歌人、官人・『土佐日記』]……① 296
紀友則 [生没年不詳／歌人・『古今和歌集』の撰者]……① 296
紀夏井 [生没年不詳／官僚、役人]…………………① 297
清原家衡 [?～1087年／後三年の役でやぶれた武将]……① 306
清原真衡 [?～1083年／清原氏の最盛期の武将]………① 307
清原武則 [生没年不詳／前九年の役で活躍した武将]……① 307
清原夏野 [782～837年／公家の高官・『日本後紀』を編さん]……① 307
空海 [774～835年／真言宗の開祖]………………② 10
空也 [903～972年／踊念仏の開祖]………………② 11
九条兼実 [1149～1207年／源頼朝に信頼されて出世した公家]……② 14
源信 [942～1017年／天台宗の僧・『往生要集』]……② 56
建礼門院 [1155～1213年／高倉天皇の中宮]………② 58
後一条天皇 [1008～1036年／第68代天皇]………② 60
光孝天皇 [830～887年／第58代天皇]……………② 63
後三条天皇 [1034～1073年／第71代天皇]………② 78
後白河天皇 [1127～1192年／第77代天皇]………② 81
後朱雀天皇 [1009～1045年／第69代天皇]………② 81
巨勢金岡 [生没年不詳／絵師・『神泉苑図』]…………② 81
後冷泉天皇 [1025～1068年／第70代天皇]………② 102
伊治呰麻呂 [生没年不詳／蝦夷の首長]……………② 103
さ 西行 [1118～1190年／僧、歌人・『山家集』]………② 109
西光 [?～1177年／後白河法皇の近臣]……………② 110
最澄 [767～822年／天台宗の開祖]………………② 114
嵯峨天皇 [786～842年／第52代天皇・三筆の一人]……② 119
坂上田村麻呂 [758～811年／東北を平定した征夷大将軍]……② 120
寂蓮 [1139?～1202年／歌人・『新古今和歌集』の撰者]……② 174
俊寛 [1143?～1179?年／鹿ヶ谷の陰謀で流罪となった僧侶]……② 189
淳和天皇 [786～840年／第53代天皇]……………② 191
定朝 [?～1057年／平等院の阿弥陀如来像]………② 193
白河天皇 [1053～1129年／第72代天皇]…………② 206
菅野真道 [741～814年／公家の高官・『続日本紀』の編さん]……② 216
菅原孝標女 [1008～?年／作家、歌人・『更級日記』]……② 217
菅原道真 [845～903年／学問の神様として知られる公家の高官]……② 217
朱雀天皇 [923～952年／第61代天皇]……………② 222
崇徳天皇 [1119～1164年／第75代天皇・保元の乱をおこす]……② 230
清少納言 [966?～1025?年／歌人、随筆家・随筆『枕草子』]……② 240
清和天皇 [850～880年／第56代天皇]……………② 239
た 醍醐天皇 [885～930年／第60代天皇]…………② 264
平敦盛 [1169?～1184年／悲劇の最期をとげた笛の名手]……② 267
平清盛 [1118～1181年／平氏の全盛期を築いた武将]……② 269
平国香 [?～935年／平将門と対立した常陸国の豪族]……② 267
平維衡 [生没年不詳／伊勢平氏の祖先]……………② 267
平維盛 [1158?～1184?年／総大将として富士川で源氏と戦う]……② 267
平貞盛 [生没年不詳／国香の子・将門の乱をしずめた]……② 268

平重衡 [1157～1185年／南都焼き討ちの総大将]……② 268
平重盛 [1138～1179年／平清盛の長男、権大納言]……② 268
平高望 [生没年不詳／桓武平氏の祖先]……………② 268
平忠常 [967～1031年／平忠常の乱をおこす]………② 270
平忠正 [?～1156年／保元の乱で崇徳上皇についてやぶれた]……② 270
平忠盛 [1096～1153年／正盛の子、清盛の父・鳥羽上皇に重用された]……② 270
平時忠 [1127?～1189年／平の関白とも呼ばれた全盛期の公家]……② 270
平知盛 [1152～1185年／壇ノ浦の合戦の総大将]……② 270
平教盛 [1128～1185年／中納言となり平家隆盛の中心となった]……② 271
平将門 [?～940年／常陸国で反乱を起こした武将]……② 271
平正盛 [生没年不詳／白河上皇にとりたてられ北面の武士となった]……② 271
平宗盛 [1147～1185年／清盛の子・最後の総大将]……② 272
平頼盛 [1132?～1186年／権大納言・源頼朝にゆるされて出家]……② 272
高倉天皇 [1161～1181年／第80代天皇]…………② 274
橘逸勢 [?～842年／官人、三筆の一人]……………② 298
橘広相 [837～890年／阿衡事件の原因となった公家の高官]……② 299
為平親王 [952～1010年／村上天皇の子・安和の変により出家した]……② 313
千葉常胤 [1118～1201年／鎌倉幕府創立期の重臣]……③ 12
恒貞親王 [825～884年／承和の変で廃太子された皇子]……③ 33
常磐光長 [生没年不詳／絵師・『年中行事絵巻』]……③ 63
鳥羽僧正 [1053～1140年／天台宗の僧・鳥獣人物戯画]……③ 80
鳥羽天皇 [1103～1156年／第74代天皇]…………③ 80
伴健岑 [生没年不詳／官人・承和の変で失脚]………③ 84
伴善男 [811?～868年／公家・応天門の変の主謀者]……③ 84
な 中山忠親 [1131～1195年／公家の高官・『水鏡』]……③ 114
那須与一 [生没年不詳／武将・弓矢の名手]…………③ 115
二条天皇 [1143～1165年／第78代天皇]…………③ 130
仁明天皇 [810～850年／第54代天皇]……………③ 137
能因 [988～?年／歌人・『能因法師集』]……………③ 143
は 八条院暲子 [1137～1211年／大きな力をふるった鳥羽天皇の娘]……③ 170
藤原兼家 [929～990年／一条天皇の外祖父、太政大臣]……③ 248
藤原兼通 [925～977年／弟の藤原兼家と権力を争う]……③ 248
藤原清衡 [1056～1128年／奥州藤原氏の初代当主]……③ 249
藤原公任 [966～1041年／歌人、公家の高官・『和漢朗詠集』の撰者]……③ 250
藤原薬子 [?～810年／女官・平城上皇の側近]………③ 250
藤原妍子 [994～1027年／三条天皇のきさき]………③ 250
藤原伊周 [974～1010年／道長と対立した公家の高官]……③ 250
藤原実資 [957～1046年／藤原道長に一目おかれた賢人・『小右記』]……③ 251
藤原実頼 [900～970年／忠平の長男・天暦の治を支えた]……③ 251
藤原佐理 [944～998年／三蹟の一人]………………③ 251
藤原純友 [?～941年／海賊を率いた官人]…………③ 252
藤原隆家 [979～1044年／刀伊の入寇に応戦した公家の高官]……③ 252
藤原隆信 [1142～1205年／後白河上皇につかえた宮廷絵師]……③ 252
藤原隆能 [生没年不詳／宮廷絵師・鳥羽上皇の肖像画]……③ 252
藤原忠実 [1078～1162年／堀河天皇の関白、鳥羽天皇の摂政]……③ 253
藤原忠平 [880～949年／『延喜式』をまとめた]………③ 253

241

時代別索引

平安時代／鎌倉時代

藤原忠通 [1097～1164年／保元の乱で後白河天皇について勝利]…… ③253
藤原時平 [871～909年／『延喜式』を編さん、菅原道真を左遷]… ③254
藤原俊成 [1114～1204年／公卿、歌人・『千載和歌集』]… ③254
藤原敏行 [?～901年／貴族、歌人・三十六歌仙の一人]… ③254
藤原仲成 [764～810年／薬子の兄・ともに兵をあげた]… ③254
藤原成親 [1138～1177年／鹿ヶ谷で平氏打倒をもくろむ]… ③255
藤原陳忠 [生没年不詳／『今昔物語』に登場する強欲な信濃守]… ③256
藤原信頼 [1133～1159年／平治の乱の首謀者]… ③256
藤原秀郷 [生没年不詳／平将門を討った武将]… ③256
藤原秀衡 [1122?～1187年／奥州藤原氏・無量光院を建立]… ③256
藤原冬嗣 [775～826年／藤原北家を繁栄させた公家の高官]… ③258
藤原道隆 [953～995年／道長の兄、中関白家の祖]… ③258
藤原道綱 [955～1020年／大納言・兼家と藤原道綱母の子]… ③259
藤原道綱母 [936?～995年／歌人・『蜻蛉日記』]… ③259
藤原道長 [966～1027年／藤原氏全盛時代を築いた]… ③260
藤原通憲 [?～1159年／後白河上皇の腹心]… ③259
藤原基経 [836～891年／阿衡事件で宇多天皇と対立]… ③261
藤原元命 [生没年不詳／農民を苦しめた尾張守]… ③261
藤原基衡 [?～1157?年／清衡の子・奥州藤原氏の全盛期を築いた]… ③261
藤原師輔 [908～960年／右大臣・娘を村上天皇の中宮とした]… ③262
藤原泰衡 [1155～1189年／最後の奥州藤原氏]… ③262
藤原行成 [972～1027年／道長に信頼された公家、三蹟のひとりとなる書家]

③262

藤原良房 [804～872年／皇族以外での初の摂政]… ③263
藤原頼長 [1120～1156年／保元の乱をおこした公家の高官]… ③263
藤原頼通 [992～1074年／道長の子・平等院鳳凰堂を建立]… ③264
文屋康秀 [生没年不詳／官人、歌人]… ③295
平城天皇 [774～824年／第51代天皇]… ④9
遍昭 [816～890年／僧、歌人・六歌仙の一人]… ④25
法然 [1133～1212年／浄土宗の開祖]… ④36
堀河天皇 [1079～1107年／第73代天皇]… ④51
ま 源順 [911～983年／歌人・『後撰和歌集』の撰者]… ④109
源高明 [914～982年／光源氏のモデルとされる]… ④109
源為朝 [1139～1170?年／武将・父とともに保元の乱でやぶれた]… ④109
源為義 [1096～1156年／武将・義朝と為朝の父]… ④110
源経基 [?～961年／清和源氏の祖とされる官人]… ④110
源信 [810～868年／公家の高官・伴善男と対立]… ④111
源雅信 [920～993年／藤原道長の義父となった左大臣]… ④111
源満仲 [912?～997年／安和の変の功により貴族となった]… ④111
源師房 [1008～1077年／村上源氏の祖とされる官人]… ④112
源義家 [1039～1106年／前九年、後三年の役で活躍]… ④112
源義親 [?～1108年／平正盛に討たれた武将]… ④112
源義経 [1159～1189年／平氏追討で活躍した武将・異母兄の源頼朝と対立した]

④112

源義朝 [1123～1160年／平治の乱を起こした武将]… ④113
源義仲 [1154～1184年／倶利伽羅峠で平氏を破った武将]… ④113

源義平 [1141～1160年／平清盛の暗殺を試みた武将]… ④114
源頼信 [968～1048年／河内源氏の祖]… ④114
源頼政 [1104～1180年／官人、歌人・以仁王に応じて挙兵した]… ④114
源頼光 [948～1021年／摂津源氏の祖]… ④115
源頼義 [988～1075年／前九年の役を平定した武将]… ④115
源倫子 [964～1053年／藤原道長の妻、頼通の母]… ④115
壬生忠岑 [生没年不詳／歌人、官人・『古今和歌集』の編さん]… ④119
都良香 [834～879年／詩人・『富士山記』]… ④121
三善清行 [847～918年／改元を上奏した官人]… ④129
三善為康 [1049～1139年／官人・『拾遺往生伝』]… ④129
武蔵坊弁慶 [?～1189年／僧]… ④135
村上天皇 [926～967年／第62代天皇]… ④142
紫式部 [973?～1016?年／作家、歌人・『源氏物語』]… ④144
以仁王 [1151～1180年／皇子]… ④163
文徳天皇 [827～858年／第55代天皇]… ④174
や 陽成天皇 [868～949年／第57代天皇]… ④208
慶滋保胤 [?～1002年／官人・『日本往生極楽記』]… ④215
良岑安世 [785～830年／漢詩人・『経国集』を編さん]… ④220
ら 良源 [912～985年／比叡山延暦寺中興の祖]… ④251
冷泉天皇 [950～1011年／第63代天皇]… ④263

鎌倉時代

あ 安達泰盛 [1231～1285年／霜月騒動でほろぼされた武将]… ①39
阿仏尼 [?～1283年／歌人・『十六夜日記』]… ①44
一山一寧 [1247～1317年／朱子学を伝えた、中国の元の僧]… ①96
一遍 [1239～1289年／時宗の開祖]… ①97
卜部兼方 [生没年不詳／『釈日本紀』を著した学者、神道家]… ①145
運慶 [?～1223年／東大寺南大門の『金剛力士像』]… ①146
叡尊 [1201～1290年／貧民救済に尽力した僧]… ①148
円伊 [生没年不詳／絵師・『一遍上人絵伝』]… ①163
大江広元 [1148～1225年／初代別当をつとめた役人]… ①174
長船長光 [生没年不詳／刀工]… ①206
小山朝政 [1155?～1238年／鎌倉幕府創生期の有力御家人]… ①216
か 快慶 [生没年不詳／東大寺中門の東方天]… ①224
梶原景時 [?～1200年／義経を失脚させた武将]… ①234
加藤景正 [生没年不詳／瀬戸焼の開祖といわれる陶工]… ①242
金沢実時 [1224～1276年／金沢文庫の祖]… ①248
亀山天皇 [1249～1305年／第90代天皇]… ①257
鴨長明 [1155?～1216年／歌人、随筆家・『方丈記』]… ①258
菊池武時 [?～1333年／味方の離反で戦死した武士]… ①283
公暁 [1200～1219年／父の仇として実朝を暗殺した僧]… ②13
熊谷直実 [1141～1208年／一ノ谷の戦いで平敦盛を討った武将]… ②24
兼好法師 [1283?～1352?年／二条派の和歌四天王]… ②55
康勝 [生没年不詳／空也上人像]… ②65
後宇多天皇 [1267～1324年／第91代天皇]… ②67

康弁 [生没年不詳／広目二天像] ……………… ②70

虎関師錬 [1278〜1346年／仏教の歴史をまとめた僧] ………… ②75

後嵯峨天皇 [1220〜1272年／第88代天皇] ………… ②77

後醍醐天皇 [1288〜1339年／第96代天皇、南朝の初代天皇・建武の新政]

　　　　　　　　　　　　　　　　　　　　　　　② 83

後鳥羽天皇 [1180〜1239年／第82代天皇] ………… ②89

後深草天皇 [1243〜1304年／第89代天皇] ………… ②94

後堀河天皇 [1212〜1234年／第86代天皇] ………… ②96

さ 慈円 [1155〜1225年／天台宗の僧・『愚管抄』] ………… ②148

信濃前司行長 [生没年不詳／官人・『平家物語』] ………… ②156

俊芿 [1166〜1227年／律宗を復興させた僧] ………… ②190

順徳天皇 [1197〜1242年／第84代天皇] ………… ②190

式子内親王 [1152?〜1201年／歌人・和歌集『式子内親王集』] ………… ②202

親鸞 [1173〜1262年／浄土真宗の宗祖] ………… ②212

仙覚 [1203〜?年／僧・万葉集の研究] ………… ②246

宗助国 [?〜1274年／元冦で戦った武将] ………… ②251

曽我兄弟 [兄十郎祐成　1172〜1193年、弟五郎時致　1174〜1193年／父の

　　　　あだ討ちをなしとげた兄弟] ………… ②253

た 平頼綱 [?〜1293年／北条貞時の内管領・幕府の実権をにぎる] ………… ②272

高階隆兼 [生没年不詳／絵師・『春日権現験記』] ………… ②275

竹崎季長 [1246〜?年／元寇で活躍した武将] ………… ②289

橘成季 [生没年不詳／官人、文人・『古今著聞集』] ………… ②298

湛慶 [1173〜1256年／蓮華王院の千手観音坐像] ………… ②317

仲恭天皇 [1218〜1234年／第85代天皇] ………… ③17

重源 [1121〜1206年／東大寺を復興させた僧] ………… ③20

陳和卿 [生没年不詳／中国の宋の技術者・東大寺大仏の修理] ………… ③25

土御門天皇 [1195〜1231年／第83代天皇] ………… ③31

道元 [1200〜1253年／曹洞宗永平寺をひらいた僧] ………… ③56

な 長崎高資 [?〜1333年／鎌倉幕府滅亡で自害した武士] ………… ③102

日蓮 [1222〜1282年／日蓮宗を開いた僧] ………… ③131

新田義貞 [1301?〜1338年／鎌倉幕府をたおし、足利尊氏と対立] ……… ③132

忍性 [1217〜1303年／律宗の僧] ………… ③136

は 畠山重忠 [1164〜1205年／武将・平氏追討で活躍ののち北条氏と対立] ③168

比企能員 [?〜1203年／源頼家の外戚] ………… ③199

日野資朝 [1290〜1332年／後醍醐天皇の討幕計画に参加] ………… ③209

日野俊基 [?〜1332年／後醍醐天皇の討幕計画に参加] ………… ③209

平賀朝雅 [?〜1205年／源頼朝の養子] ………… ③214

伏見天皇 [1265〜1317年／第92代天皇] ………… ③246

藤原家隆 [1158〜1237年／歌人・『新古今和歌集』の撰者] ………… ③247

藤原定家 [1162〜1241年／歌人、歌学者・『明月記』] ………… ③250

藤原信実 [生没年不詳／宮廷絵師・『後鳥羽上皇像』] ………… ③255

藤原道家 [1193〜1252年／後堀河天皇の関白] ………… ③258

藤原頼嗣 [1239〜1256年／鎌倉幕府第5代将軍] ………… ③263

藤原頼経 [1218〜1256年／鎌倉幕府第4代将軍] ………… ③263

北条貞時 [1271〜1311年／執権・得宗専制体制を確立] ………… ④30

北条重時 [1198〜1261年／義時の子・歌人としても知られる] ………… ④30

北条高時 [1303〜1333年／執権・田楽を好んだ] ………… ④31

北条時房 [1175〜1240年／北条政子の弟・おいの泰時を補佐] ………… ④32

北条時政 [1138〜1215年／初代執権] ………… ④32

北条時宗 [1251〜1284年／執権・元の襲来を防いだ] ………… ④34

北条時頼 [1227〜1263年／執権・建長寺を建立] ………… ④32

北条長時 [1230〜1264年／重時の子・時頼から執権をゆずられた] ………… ④33

北条政子 [1157〜1225年／源頼朝の妻・執権体制を確立] ………… ④33

北条守時 [?〜1333年／鎌倉幕府最後の執権] ………… ④35

北条泰時 [1183〜1242年／執権・御成敗式目を制定] ………… ④35

北条義時 [1163〜1224年／政子の弟、父の時政を追放して執権となる] ………… ④35

ま 正宗 [生没年不詳／刀工] ………… ④69

三浦泰村 [?〜1247年／評定衆] ………… ④99

三浦義澄 [1127〜1200年／有力御家人] ………… ④100

源実朝 [1192〜1219年／鎌倉幕府第3代将軍] ………… ④108

源親行 [生没年不詳／歌人、歌学者・『源氏物語河内本』] ………… ④110

源範頼 [生没年不詳／武将・頼朝の弟] ………… ④111

源頼家 [1182〜1204年／鎌倉幕府第2代将軍] ………… ④114

源頼朝 [1147〜1199年／鎌倉幕府初代将軍] ………… ④116

明恵 [1173〜1232年／華厳宗の僧] ………… ④128

三善康信 [1140〜1221年／問注所初代執事] ………… ④129

無学祖元 [1226〜1286年／臨済宗の僧] ………… ④134

夢窓疎石 [1275〜1351年／臨済宗の僧] ………… ④136

宗尊親王 [1242〜1274年／鎌倉幕府第6代将軍] ………… ④138

黙庵 [生没年不詳／禅僧・『布袋図』] ………… ④162

や 唯円 [1222〜1289年／浄土真宗の僧、親鸞の弟子] ………… ④202

栄西 [1141〜1215年／日本に茶を広めた日本臨済宗の開祖] ………… ④208

吉光 [生没年不詳／刀工] ………… ④220

ら 蘭渓道隆 [1213〜1278年／臨済宗の僧] ………… ④235

わ 和田義盛 [1147〜1213年／幕府の長老] ………… ④291

南北朝・室町時代

あ 赤松則村 [1277〜1350年／室町幕府樹立に力をつくした武将] ………… ①19

赤松満祐 [1373?〜1441年／嘉吉の乱で将軍を暗殺した武将] ………… ①19

足利成氏 [1438?〜1497年／幕府と対立した初代古河公方] ………… ①28

足利尊氏 [1305〜1358年／室町幕府初代将軍] ………… ①28

足利直冬 [生没年不詳／尊氏の子・父と敵対し続けた] ………… ①29

足利直義 [1306〜1352年／尊氏を支えたがのちに対立した武将] ………… ①29

足利茶々丸 [?〜1491年／北条早雲にほろぼされた堀越公方] ………… ①29

足利政知 [1435〜1491年／成氏と対立した堀越公方] ………… ①30

足利満兼 [1378〜1409年／第3代鎌倉公方] ………… ①30

足利持氏 [1398〜1439年／永享の乱をおこした第4代鎌倉公方] ………… ①30

足利基氏 [1340〜1367年／初代鎌倉公方] ………… ①30

足利義昭 [1537〜1597年／室町幕府第15代将軍] ………… ①30

足利義詮 [1330〜1367年／室町幕府第2代将軍] ………… ①31

足利義量 [1407〜1425年／室町幕府第5代将軍] ………… ①31

時代別索引

鎌倉時代／南北朝・室町時代

時代別索引

南北朝・室町時代

足利義勝 [1434～1443年／室町幕府第7代将軍]……①32

足利義澄 [1480～1511年／室町幕府第11代将軍]……①32

足利義稙 [1466～1523年／室町幕府第10代将軍]……①32

足利義輝 [1536～1565年／室町幕府第13代将軍]……①32

足利義教 [1394～1441年／室町幕府第6代将軍]……①32

足利義晴 [1511～1550年／室町幕府第12代将軍]……①33

足利義尚 [1465～1489年／室町幕府第9代将軍]……①33

足利義栄 [1538～1568年／室町幕府第14代将軍]……①33

足利義政 [1436～1490年／室町幕府第8代将軍]……①35

足利義視 [1439～1491年／応仁の乱で日野富子と対立]……①33

足利義満 [1358～1408年／室町幕府第3代将軍]……①36

足利義持 [1386～1428年／室町幕府第4代将軍]……①34

池坊専慶 [生没年不詳／池坊生け花の創始者]……①79

一条兼良 [1402～1481年／一条家の当主、太政大臣]……①95

一休宗純 [1394～1481年／とんちの一休さんで親しまれる僧]……①96

今川了俊 [1326?～1418年?／歌人、武将・歌論『二言抄』]……①115

上杉禅秀 [?～1417年／上杉禅秀の乱をおこした関東管領]……①130

上杉憲実 [1410?～1466年／金沢文庫や足利学校を再興させた関東管領]

……①130

上杉憲忠 [1433～1455年／応仁の乱のきっかけとなった関東管領]……①132

王直 [?～1557年／中国、明の密貿易者]……①170

大内義弘 [1356～1399年／6つの国をおさめた守護]……①173

太田道灌 [1432～1486年／江戸城を築城した武将]……①182

か 懐良親王 [?～1383年／征西将軍に任じられた皇子]……①249

狩野正信 [1434～1530年／画家・『周茂叔愛蓮図』]……①252

狩野元信 [1477?～1559年／画家・『鞍馬寺縁起絵巻』]……①252

観阿弥 [1333～1384年／観世流の創始者]……①273

菊池武光 [?～1373年／九州で戦った南朝の武将]……①283

北畠顕家 [1318～1338年／後醍醐天皇をささえた武将]……①289

北畠親房 [1293～1354年／公卿、武将・後醍醐天皇をささえた]……①290

義堂周信 [1325～1388年／僧侶・五山文学の代表]……①293

楠木正成 [1294?～1336年／南朝につくした武将]……②16

楠木正行 [?～1348年／父の遺志をつぎ南朝軍をひきいた武将]……②16

桂庵玄樹 [1427～1508年／臨済宗の僧、薩南学派の始祖]……②46

肥富 [生没年不詳／明との勘合貿易をはじめた商人]……②61

光厳天皇 [1313～1364年／北朝の初代天皇]……②63

高師直 [?～1351年／足利尊氏の執事をつとめた武将]……②69

高師泰 [?～1351年／兄とともに足利尊氏につかえた武将]……②69

光明天皇 [1321～1380年／北朝第2代天皇]……②71

後亀山天皇 [?～1424年／第99代、南朝第4代天皇]……②75

後小松天皇 [1377～1433年／第100代天皇、北朝第6代天皇]……②77

コシャマイン [?～1457年／アイヌの首長]……②79

後藤祐乗 [1440～1512年／金細工師]……②89

後村上天皇 [1328～1368年／第97代天皇]……②98

金春禅竹 [1405～1470?年／金春流を再興した能役者]……②107

さ 佐々木道誉 [1296?～1373年／室町幕府創立に貢献した武将]……②124

斯波義廉 [生没年不詳／応仁の乱の一因となった武将]……②159

周文 [生没年不詳／画僧・『竹斎読書図』]……②179

春屋妙葩 [1311～1388年／全国の禅寺を統括した僧]……②189

尚真王 [1465～1526年／琉球王国、第二尚氏の第3代国王]……②192

尚巴志 [1372～1439年／琉球王国の国王]……②194

如拙 [生没年不詳／画僧・『瓢鮎図』]……②202

世阿弥 [1363?～1443?年／能役者]……②238

絶海中津 [1336～1405年／明の朱元璋と謁見した禅僧、漢詩人]……②242

雪舟 [1420～1506?年／画僧・『四季山水図』]……②243

善阿弥 [生没年不詳／造園家]……②246

祖阿 [生没年不詳／第1回遣明船の正使となった僧]……②249

宗祇 [1421～1502年／連歌師・『新撰菟玖波集』]……①249

宗貞茂 [?～1418年／武将]……②250

宗長 [1448～1532年／連歌師・『宗祇終焉記』]……②251

尊円入道親王 [1298～1356年／青蓮院流をひらいた能書家]……②259

た 武田信広 [1431～1494年／コシャマインの乱を平定した武将]……②291

長慶天皇 [1343～1394年／第98代天皇、南朝第3代天皇]……③19

東常縁 [1401?～1484?年／歌人・『東野州聞書』]……③60

富樫政親 [1455?～1488年／加賀国の武将]……③62

富樫泰高 [生没年不詳／加賀国の武将]……③62

土岐康行 [?～1411年／幕府にそむいた武将]……③63

土佐光信 [生没年不詳／画家・『十王図』]……③77

な 名和長年 [?～1336年／後醍醐天皇をささえた武将]……③123

二条良基 [1320～1388年／歌人、連歌師、公家・『菟玖波集』]……③130

日親 [1407～1488年／『立正治国論』をとなえた日蓮宗の僧]……③131

は 畠山政長 [1442～1493年／武将・義就と対立した持富の子]……③168

畠山満家 [1372～1433年／足利義教を助けた管領]……③168

畠山持国 [1398～1455年／後継をめぐる争いが応仁の乱のきっかけに]……③168

畠山持富 [?～1452年／武将・持国の養子となった]……③169

畠山義就 [?～1490年／武将・政長と対立した持国の子]……③169

日野富子 [1440～1496年／室町幕府第8代将軍足利義政の妻]……③210

北条時行 [?～1353年／鎌倉幕府再興をくわだてた武将]……④32

細川勝元 [1430～1473年／管領・応仁の乱で東軍をひきいた]……④43

細川頼之 [1329～1392年／室町幕府成立に貢献し、管領となる]……④46

ま 孫六兼元 [生没年不詳／刀工・「関の孫六」]……④67

明兆 [1352～1431年／画僧・『五百羅漢図』]……④133

宗良親王 [1311～1385?年／後醍醐天皇の皇子]……④138

村田珠光 [1423～1502年／茶人・わび茶の創始者]……④143

村正 [生没年不詳／刀工]……④146

護良親王 [1308～1335年／後醍醐天皇の皇子]……④170

や 山名氏清 [1344～1391年／山陰などを支配した武将]……④194

山名持豊 [1404～1473年／応仁の乱の武将]……④195

結城氏朝 [1402～1441年／鎌倉公方配下の有力武将]……④202

吉田兼倶 [1435～1511年／吉田神道の創始者]……④216

ら 立阿弥 [生没年不詳／華道家]……④246

蓮如 [1415～1499年／浄土真宗の僧]……④271

わ 度会家行 [1256?〜1351?年／伊勢神道をとなえた神官]‥‥‥‥‥‥ ④291

戦国・安土桃山時代

あ 明智光秀 [1528?〜1582年／本能寺の変で信長を討った武将]‥‥‥‥‥ ①23
浅井長政 [1545〜1573年／近江国の戦国大名・姉川の戦い]‥‥‥‥‥ ①24
阿佐井野宗瑞 [?〜1531?年／戦国時代の医師]‥‥‥‥‥‥‥‥‥ ①24
朝倉孝景 [1428〜1481年／越前国の戦国大名]‥‥‥‥‥‥‥‥‥ ①25
朝倉義景 [1533〜1573年／越前国の戦国大名・姉川の戦い]‥‥‥‥‥ ①25
浅野長政 [1547〜1611年／信長、秀吉、家康につかえた武将]‥‥‥‥ ①27
尼子勝久 [1553〜1578年／出雲国尼子氏の最後の武将]‥‥‥‥‥‥ ①50
尼子経久 [1458〜1541年／出雲国の戦国大名]‥‥‥‥‥‥‥‥‥ ①51
荒木田守武 [1473〜1549年／連歌師、俳諧師・『守武千句』]‥‥‥‥ ①54
荒木村重 [1535?〜1586年／石山本願寺とむすんで信長に反逆した武将] ①54
有馬晴信 [1567〜1612年／天正遣欧使節を派遣したキリシタン大名]‥‥ ①58
安国寺恵瓊 [1538?〜1600年／毛利氏の外交になった僧]‥‥‥‥‥ ①63
アンジロー [1512?〜?年／日本人初のキリシタン]‥‥‥‥‥‥‥‥ ①66
い 井伊直虎 [?〜1582年／遠江国井伊谷の女性領主]‥‥‥‥‥‥‥ ①72
池坊専好 [1575〜1658年／池坊生け花を大成させた華道家]‥‥‥‥ ①80
池坊専応 [1482〜1543年／立花の基本を成立させた華道家]‥‥‥‥ ①80
石川五右衛門 [?〜1594年／釜ゆでされた伝説的盗賊]‥‥‥‥‥‥ ①83
石田三成 [1560?〜1600年／関ヶ原の戦いで西軍をひきいる]‥‥‥‥ ①86
伊藤一刀斎 [1560?〜1653?年／一刀流をひらいた剣術家]‥‥‥‥ ①97
伊藤孫右衛門 [1543〜1628年／農民・紀州みかんの栽培]‥‥‥‥‥ ①100
伊東マンショ [1569?〜1612年／天正遣欧使節の一人]‥‥‥‥‥‥ ①100
今井宗久 [1520〜1593年／豊臣秀吉から徳川三代までにつかえた茶人] ①114
今井宗薫 [1552〜1627年／時局を読んで生きぬいた茶人、商人]‥‥‥ ①114
今川氏親 [1471〜1526年／駿河国・遠江国の戦国大名]‥‥‥‥‥‥ ①115
今川義元 [1519〜1560年／駿河国・遠江国の戦国大名]‥‥‥‥‥‥ ①115
う 上杉景勝 [1555〜1623年／越後国の戦国大名]‥‥‥‥‥‥‥‥ ①130
上杉謙信 [1530〜1578年／越後国の守護代、関東管領]‥‥‥‥‥‥ ①131
上杉憲政 [1523?〜1579年／上杉謙信の養父で上野国の戦国大名]‥‥ ①132
宇喜多秀家 [1573〜1655年／豊臣秀吉の重臣]‥‥‥‥‥‥‥‥‥ ①138
お お市の方 [1547?〜1583年／織田信長の妹で浅井長政、柴田勝家の妻] ①167
大内義隆 [1507〜1551年／周防国など7か国の戦国大名]‥‥‥‥‥ ①173
正親町天皇 [1517〜1593年／第106代天皇]‥‥‥‥‥‥‥‥‥ ①176
大久保長安 [1545〜1613年／鉱山開発で家康を助けた武将]‥‥‥‥ ①177
大友宗麟 [1530〜1587年／豊後国のキリシタン大名]‥‥‥‥‥‥‥ ①185
大野治長 [?〜1615年／豊臣秀吉の忠臣]‥‥‥‥‥‥‥‥‥‥‥ ①188
大村純忠 [1533〜1587年／肥前国のキリシタン大名]‥‥‥‥‥‥‥ ①191
阿国 [生没年不詳／阿国歌舞伎の創始者]‥‥‥‥‥‥‥‥‥‥‥ ①201
織田有楽斎 [1547〜1621年／有楽流をひらいた茶人]‥‥‥‥‥‥ ①207
織田信雄 [1558〜1630年／信長の子・江戸時代に大名となる]‥‥‥‥ ①208
織田信孝 [1558〜1583年／信長の子・秀吉と対立した]‥‥‥‥‥‥ ①208
織田信忠 [1557〜1582年／信長の長男・武田氏を滅亡させる]‥‥‥‥ ①208
織田信長 [1534〜1582年／天下統一を目指した武将]‥‥‥‥‥‥‥ ①210

織田信秀 [1510?〜1551年／信長の父]‥‥‥‥‥‥‥‥‥‥‥‥ ①208
オルガンチノ [1533?〜1609年／イタリア人宣教師]‥‥‥‥‥‥‥ ①218
か 海北友松 [1533〜1615年／画家・『花鳥図』]‥‥‥‥‥‥‥‥ ①225
片桐且元 [1556〜1615年／豊臣政権をささえた武将]‥‥‥‥‥‥‥ ①236
加藤清正 [1562〜1611年／武功にすぐれた築城の名手]‥‥‥‥‥‥ ①242
狩野永徳 [1543〜1590年／画家・『唐獅子図屏風』]‥‥‥‥‥‥‥ ①249
狩野宗秀 [1551〜1601年／画家・『四季花鳥図屏風』]‥‥‥‥‥‥ ①250
狩野内膳 [1570〜1616年／画家・『豊国祭礼図屏風』]‥‥‥‥‥‥ ①251
狩野秀頼 [生没年不詳／画家・『高雄観楓図屏風』]‥‥‥‥‥‥‥ ①251
カブラル, フランシスコ [1528〜1609年／ポルトガル人宣教師]‥‥‥‥ ①254
鎌津田甚六 [生没年不詳／鉱山師・雫石川の用水工事]‥‥‥‥‥‥ ①255
神屋寿禎 [生没年不詳／石見銀山の発見者]‥‥‥‥‥‥‥‥‥‥ ①256
神屋宗湛 [1553〜1635年／博多の商人、茶人]‥‥‥‥‥‥‥‥‥ ①256
蒲生氏郷 [1556〜1595年／茶人、キリシタン大名]‥‥‥‥‥‥‥‥ ①257
姜沆 [1567〜1618年／朱子学をつたえた朝鮮の儒学者]‥‥‥‥‥‥ ①279
吉川元春 [1530〜1586年／毛利元就の次男]‥‥‥‥‥‥‥‥‥‥ ①292
黒田長政 [1568〜1623年／福岡城を築いた初代藩主]‥‥‥‥‥‥‥ ②42
黒田孝高 [1546〜1604年／姫路城主・秀吉の天下統一をたすけた]‥‥ ②43
け 顕如 [1543〜1592年／浄土真宗の僧]‥‥‥‥‥‥‥‥‥‥‥ ②57
こ 高台院 [1590?〜1624年／「ねね」として知られる豊臣秀吉の正妻] ②66
後藤又兵衛 [1560?〜1615年／黒田孝高の重臣]‥‥‥‥‥‥‥‥‥ ②89
小西行長 [1558?〜1600年／豊臣秀吉につかえた武将]‥‥‥‥‥‥ ②90
小西隆佐 [1520?〜1592年／宣教師たちを助けた商人]‥‥‥‥‥‥ ②90
小早川隆景 [1533〜1597年／豊臣五大老の一人の武将]‥‥‥‥‥‥ ②91
小早川秀秋 [1582〜1602年／関ヶ原の戦いで寝返った武将]‥‥‥‥ ②92
後陽成天皇 [1571〜1617年／第107代天皇]‥‥‥‥‥‥‥‥‥ ②100
さ 斎藤竜興 [1548〜1573年／信長にほろぼされた道三の孫]‥‥‥‥ ②115
斎藤道三 [1494?〜1556年／美濃国の戦国大名]‥‥‥‥‥‥‥‥‥ ②115
真田信之 [1566〜1658年／真田幸村の兄]‥‥‥‥‥‥‥‥‥‥‥ ②130
真田昌幸 [1547〜1611年／真田信之・幸村の父]‥‥‥‥‥‥‥‥‥ ②130
真田幸村 [1567〜1615年／軍策にすぐれた英雄的武将]‥‥‥‥‥‥ ②130
ザビエル, フランシスコ [1506〜1552年／キリスト教宣教師]‥‥‥‥‥ ②133
三条西実隆 [1455〜1537年／室町時代を代表する文化人]‥‥‥‥‥ ②140
柴田勝家 [1522〜1583年／織田信長につかえた武将]‥‥‥‥‥‥‥ ②158
斯波義敏 [1435〜1508年／武将]‥‥‥‥‥‥‥‥‥‥‥‥‥‥ ②160
島井宗室 [1539〜1615年／博多を復興させた商人]‥‥‥‥‥‥‥‥ ②162
島津家久 [1576〜1638年／薩摩藩の基盤をつくった武将]‥‥‥‥‥ ②164
島津貴久 [1514〜1571年／薩摩国、大隅国、日向国の戦国大名]‥‥‥ ②165
島津義久 [1533〜1611年／九州統一をめざした武将]‥‥‥‥‥‥‥ ②167
島津義弘 [1535〜1619年／武将・文禄慶長の役に出兵]‥‥‥‥‥‥ ②167
沈惟敬 [?〜1597年／中国、明の軍人、官僚・慶長の役をひきおこした] ②209
崇源院 [1573〜1626年／徳川秀忠・家光の母]‥‥‥‥‥‥‥‥‥ ②214
陶晴賢 [1521〜1555年／厳島で毛利元就にやぶれた武将]‥‥‥‥‥ ②215
角倉了以 [1554〜1614年／京都で運河をつくった豪商]‥‥‥‥‥‥ ②235
せ 千利休 [1522〜1591年／茶道を完成させた茶人]‥‥‥‥‥‥‥ ②247
そ 宗義智 [1568〜1615年／朝鮮と国交回復をはたした対馬藩主]‥‥ ②252

時代別索引
戦国・安土桃山時代

時代別索引

戦国・安土桃山時代／江戸時代

曽呂利新左衛門	[生没年不詳／豊臣秀吉の御伽衆]	②259
高三隆達	[1527〜1611年／隆達節を編みだした歌人]	②274
高山右近	[1552?〜1615年／信仰をつらぬいたキリシタン大名]	②283
滝川一益	[1525〜1586年／織田信長につかえた武将]	②285
武田勝頼	[1546〜1582年／武田信玄のあとをついだ武将]	②290
武田信玄	[1521〜1573年／甲斐国の守護大名・戦国大名]	②292
竹中半兵衛	[1544?〜1579年／豊臣秀吉の名軍師]	②293
武野紹鷗	[1502〜1555年／わび茶を千利休に伝えた茶人]	②293
伊達政宗	[1567〜1636年／「独眼竜」とよばれた武将]	②301
種子島時尭	[1528〜1579年／鉄砲を日本に広めた武将]	②309
千々石ミゲル	[1570?〜?年／天正遣欧使節の一人]	③11
長宗我部元親	[1539〜1599年／四国をほぼ統一した戦国大名]	③21
塚原卜伝	[1489〜1571年／鹿島新当流をひらいた剣術家]	③27
津田宗及	[?〜1591年／茶人]	③29
筒井順慶	[1549〜1584年／大和国の戦国大名]	③32
藤堂高虎	[1556〜1630年／築城にたけた戦国武将]	③60
豊臣秀次	[1568〜1595年／武将・豊臣秀吉の養子]	③86
豊臣秀長	[1540〜1591年／武将・豊臣秀吉の片腕]	③86
豊臣秀吉	[1537〜1598年／武将]	③88
豊臣秀頼	[1593〜1615年／武将・豊臣秀吉の次男]	③86
直江兼続	[1560〜1619年／上杉景勝の重臣]	③96
中浦ジュリアン	[1568?〜1633年／天正遣欧使節]	③98
長束正家	[?〜1600年／武将・五奉行の一人]	③116
長谷川等伯	[1539〜1610年／画家・「松林図屛風」]	③166
蜂須賀正勝	[1526〜1586年／豊臣秀吉に忠誠をつくした武将]	③171
服部半蔵	[1542〜1596年／家康につかえた伊賀忍者]	③172
原マルチノ	[1568?〜1629年／天正遣欧使節]	③188
バリニャーノ, アレッサンドロ	[1539〜1606年／イタリアの宣教師]	③189
ビレラ, ガスパル	[?〜1572年／ポルトガル人宣教師]	③219
福島正則	[1561〜1624年／武将・賤ヶ岳の七本槍の筆頭]	③240
藤原惺窩	[1561〜1619年／日本の朱子学の祖]	③247
古田織部	[1544〜1615年／茶人・織部焼]	③286
フロイス, ルイス	[1532〜1597年／ポルトガル人宣教師・『日本史』]	③291
北条氏綱	[1486?〜1541年／相模国の武将・南関東を支配した]	④29
北条氏政	[1538〜1590年／相模国の武将・豊臣秀吉と対立]	④30
北条氏康	[1515〜1571年／相模国の武将・北関東へ勢力を拡大した]	④30
北条早雲	[1432〜1519年／相模国を平定した武将]	④31
細川ガラシャ	[1563〜1600年／細川忠興の妻でキリシタン]	④44
細川忠興	[1563〜1645年／丹後国の戦国大名]	④44
細川晴元	[1514〜1563年／室町幕府最後の管領]	④44
細川政元	[1466〜1507年／管領として幕府の実権を握る]	④45
細川幽斎	[1534〜1610年／丹後国の武将、歌人]	④45
本阿弥光悦	[1558〜1637年／多才な芸術家・楽焼白片身変茶碗]	④55
前田玄以	[1539〜1602年／武将・元僧侶の五奉行の一人]	④62
前田利家	[1538〜1599年／能登国、加賀国の戦国大名]	④63
増田長盛	[1545〜1615年／大和国の戦国大名]	④69
松永久秀	[1510〜1577年／大和国の戦国大名]	④81
松浦隆信	[1529〜1599年／肥前国の戦国大名武将]	④84
南村梅軒	[生没年不詳／儒学者・土佐南学派の始祖]	④108
三好長慶	[1522〜1564年／畿内を制圧した武将]	④129
毛利輝元	[1553〜1625年／関ヶ原の戦いの西軍総大将]	④156
毛利元就	[1497〜1571年／中国地方の戦国大名]	④157
最上義光	[1546〜1614年／出羽国の戦国大名]	④162
安井道頓	[1533〜1615年／土木技術者・大坂(阪)城下の水運開発]	④178
山内一豊	[1545?〜1605年／土佐藩の初代藩主]	④183
山崎宗鑑	[?〜1539?年／連歌師、俳人、『犬菟玖波集』]	④189
山田長政	[?〜1630年／タイで活躍した日本人]	④192
山中鹿之介	[1545?〜1578年／尼子十勇士のリーダー]	④194
山本勘助	[1493?〜1561年／武田信玄の名軍師]	④198
淀殿	[1567?〜1615年／茶々の名で知られる豊臣秀吉の側室]	④222
淀屋个庵	[1576〜1643年／大坂の商人・市場と海運業の発展]	④223
李如松	[?〜1598年／朝鮮出兵に対抗して出陣した中国、明の武将]	④243
龍造寺隆信	[1529〜1584年／肥前国の戦国大名]	④249
呂宋助左衛門	[生没年不詳／堺出身でルソン壺の貿易に成功した豪商]	④260
六角義賢	[1521〜1598年／近江国の戦国大名]	④278

江戸時代

亜欧堂田善	[1748〜1822年／画家・『浅間山図屛風』]	①14
青木昆陽	[1698〜1769年／儒学者、蘭学者]	①15
青木木米	[1767〜1833年／陶芸家・加賀九谷焼]	①15
明石次郎	[1620〜1679年／武士、織物研究家・小千谷縮の創始]	①17
秋本長朝	[1546〜1628年／大名・天狗岩用水]	①21
朱楽菅江	[1740〜1800年／狂歌師、戯作者・『万載狂歌集』]	①23
安積艮斎	[1791〜1861年／儒学者・昌平坂学問所の教授]	①24
安積澹泊	[1656〜1737年／儒学者・『大日本史』の編さん]	①24
麻田剛立	[1734〜1799年／暦学を研究した天文学者]	①26
浅田松堂	[1711〜1777年／商人・大和絣を考案]	①26
浅野長矩	[1667〜1701年／忠臣蔵で有名な藩主]	①27
浅見絅斎	[1652〜1711年／尊王思想に影響をあたえた学者]	①28
東太郎兵衛	[1787〜1840年／農民・チャの栽培]	①38
アダムズ, ウィリアム	[1564〜1620年／航海士、徳川家康の外交顧問]	①39
天草四郎	[1623?〜1638年／島原の乱の指導者]	①50
天野喜四郎	[?〜1756年／新居浜市の塩田開発]	①51
網屋吉兵衛	[1785〜1869年／商人・船燧場の建設]	①52
雨森芳洲	[1668〜1755年／朝鮮との外交につとめた儒学者]	①52
新井白石	[1657〜1725年／政治家、儒学者・正徳の治]	①53
荒木宗太郎	[?〜1636年／ベトナムの姫と結婚した貿易家]	①54
荒木又右衛門	[1599?〜1638年／新陰流の剣術家]	①54
安藤伊右衛門	[1751〜1827年／治水家・安藤井手の工事]	①67
安藤昌益	[1703〜1762年／思想家、医者・自給自足の生活をといた]	①67

飯田忠彦 [1799?〜1860年／歴史家・『大日本野史』] ①71

飯田長次郎 [?〜1711年／農民・万国騒動の首謀者] ①72

生田検校 [1656〜1715年／盲目の音楽家・箏曲『思川』] ①76

生田万 [1801〜1837年／国学者] ①76

池田源兵衛 [1675〜?年／津軽塗の創始者] ①77

池田輝政 [1564〜1613年／姫路城をつくった大名] ①77

池田光政 [1609〜1682年／学問を奨励した大名] ①78

池大雅 [1723〜1776年／画家・『桜閣山水図屏風』] ①79

井沢弥惣兵衛 [1654〜1738年／武士・見沼代用水の工事] ①81

石川雅望 [1753〜1830年／狂歌師・『万代狂歌集』] ①84

石田梅岩 [1685〜1744年／思想家] ①85

板倉重昌 [1588〜1638年／家康、秀忠、家光3代につかえた大名] ①92

板屋兵四郎 [?〜1653年／町人・辰巳用水の工事] ①92

市川五郎兵衛 [1571〜1665年／武士・佐久の新田開発] ①93

市川甚左衛門 [1679〜1757年／武士・木曽の山林の復興] ①94

一木権兵衛 [1628〜1679年／土木技術者・室津港の建設] ①94

伊藤五郎左衛門 [1778〜1839年／西蒲原地区の排水工事] ①97

伊藤若冲 [1716〜1800年／画家・『動植綵絵』] ①98

伊藤仁斎 [1627〜1705年／古義学派をおこした儒学者] ①98

伊藤伝右衛門 [1741〜1785年／役人・輪中の排水工事] ①99

伊藤東涯 [1670〜1736年／古義学を大成させた儒学者] ①99

伊藤彦四郎 [1758〜1834年／農民、治水家・愛本用水の工事] ①99

井戸平左衛門 [1672〜1733年／代官・サツマイモ栽培の奨励] ①101

伊奈忠克 [1617〜1665年／武士・葛西用水の工事] ①101

伊奈忠治 [1592〜1653年／武士・見沼溜井の築造] ①101

稲村三伯 [1758〜1811年／医者、蘭学者] ①101

犬伏久助 [1747〜1829年／染色家・阿波藍] ①102

井上恵助 [1721〜1794年／植林家・浜山の防砂林] ①102

井上伝 [1788〜1869年／職人、機業家・「加寿利」の考案] ①106

井上正鉄 [1790〜1849年／神道の布教につとめた神道家] ①107

稲生若水 [1655〜1715年／本草学の学者、教育者・『庶物類纂』] ①109

伊能忠敬 [1745〜1818年／測量家・『大日本沿海輿地全図』] ①109

井原西鶴 [1642〜1693年／浮世草子作家、俳諧師・『世間胸算用』] ①110

今里伝兵衛 [1610〜1659年／治水家・新井用水の工事] ①115

岩倉六右衛門 [1817〜1896年／畜産家・岩倉牛の生産] ①118

岩崎想左衛門 [1598〜1662年／農民、治水家・潮音洞の工事] ①119

岩松助左衛門 [1804〜1872年／役人・白洲灯台の建設] ①121

隠元隆琦 [1592〜1673年／中国の明の僧] ①123

上杉治憲 [1751〜1822年／米沢藩の名君] ①132

上田秋成 [1734〜1809年／歌人、国学者、戯作者・『雨月物語』] ①133

歌川国芳 [1797〜1861年／浮世絵師・武者絵] ①138

宇田川玄随 [1755〜1797年／医者、蘭学者] ①139

歌川豊国 [1769〜1825年／浮世絵師・『役者舞台之姿絵』シリーズ] ①139

歌川広重 [1797〜1858年／浮世絵師・『東海道五十三次』] ①139

宇田川榕庵 [1798〜1846年／医者、蘭学者] ①139

馬詰親音 [1748〜1807年／藩士・製糖業の開発] ①142

浦上玉堂 [1745〜1820年／画家・『凍雲篩雪図』] ①145

江崎善左衛門 [1593〜1675年／農民、治水家・入鹿池の築造] ①151

江尻喜多右衛門 [?〜1739年／武士・岩熊井堰の工事] ①152

枝権兵衛 [1809〜1880年／農民、治水家・手取川用水の工事] ①154

榎本其角 [1661〜1707年／俳人・『虚栗』] ①157

円空 [1632〜1695年／円空仏] ①163

近江屋甚兵衛 [1766〜1844年／商人・上総のりの養殖] ①171

大石良雄 [1659〜1703年／赤穂浪士をひきいてあだ討ちした武士] ①172

大岡忠相 [1677〜1751年／町奉行] ①175

大梶七兵衛 [1621〜1689年／植林家・「八通りの松林」] ①175

大久保彦左衛門 [1560〜1639年／天下のご意見番といわれた幕臣] ①177

大蔵永常 [1768〜?年／多くの農業書をのこした農学者] ①178

大塩平八郎 [1793〜1837年／陽明学者・大塩平八郎の乱をおこした] ①180

大田垣蓮月 [1791〜1875年／歌人、陶芸家・『海人の刈藻』] ①182

太田辰五郎 [1790〜1854年／畜産家・和牛「大赤蔓」] ①182

大田南畝 [1749〜1823年／戯作者、狂歌師・『寝惚先生文集』] ①183

大槻玄沢 [1757〜1827年／医者、蘭学者] ①184

大友亀太郎 [1834〜1897年／札幌の開拓者] ①185

大庭源之丞 [?〜1702年／農民、治水家・箱根用水の工事] ①188

大畑才蔵 [1642〜1720年／紀ノ川の水路工事・「水盛器」の開発] ①189

大原幽学 [1797〜1858年／農業組合をつくった思想家] ①190

岡田寒泉 [1740〜1816年／儒学者・寛政の三博士] ①194

尾形乾山 [1663〜1743年／京焼の陶工] ①195

緒方洪庵 [1810〜1863年／医者・天然痘治療] ①195

尾形光琳 [1658〜1716年／画家、工芸家・『紅白梅図屏風』] ①195

緒方春朔 [1748〜1810年／医者・天然痘の予防、鼻乾苗法の発見] ①196

岡上景能 [?〜1687年／武士・岡登用水の工事] ①197

荻生徂徠 [1666〜1728年／柳沢吉保に重用された儒学者] ①200

荻原重秀 [1658〜1713年／悪貨を鋳造した勘定奉行] ①200

奥村政信 [1686〜1764年／浮世絵師・『小倉山荘図』] ①202

長田円右衛門 [1795〜1856年／農民、開発者・昇仙峡の開発] ①205

小田野直武 [1749〜1780年／画家・秋田蘭画『不忍池図』] ①208

小野蘭山 [1729〜1810年／本草学者・『採薬記』] ①215

小幡高政 [1817〜1906年／役人・萩の夏ミカン栽培] ①215

折本良平 [1834〜1912年／漁師・「帆引き網漁」] ①218

か 貝原益軒 [1630〜1714年／儒学者・『大和本草』『養生訓』] ①224

海部ハナ [1831〜1919年／機織り職人・阿波しじら織り] ①225

海保青陵 [1755〜1817年／思想家・殖産興業、専売制の採用をといた] ①225

加賀千代女 [1703〜1775年／俳人・『俳諧松の声』] ①228

香川景樹 [1768〜1843年／歌人・『桂園一枝』] ①228

鍵谷カナ [1782〜1864年／農民・伊予絣の考案者] ①229

笠松左太夫 [1596〜1673年／紀州手すき和紙、保田紙の生産] ①231

賀集珉平 [1796〜1871年／陶工・珉平焼] ①233

柏有度 [1776〜1833年／農民・製糖用鉄輪車の発明] ①233

春日局 [1579〜1643年／将軍家光の乳母] ①234

荷田春満 [1669〜1736年／赤穂浪士に協力した国学者] ①236

時代別索引

江戸時代

247

時代別索引

江戸時代

片平寛平 [生没年不詳／武士、治水家・白石川の治水改修]……①237

葛飾北斎 [1760〜1849年／浮世絵師・『冨嶽三十六景』]……①240

桂川甫周 [1751〜1809年／医者・顕微鏡の利用]……①239

加藤景延 [1574〜1632年／陶工・美濃焼の創始]……①241

加藤九蔵 [1731〜1808年／植林家・水源林]……①242

加藤民吉 [1772〜1824年／陶工・瀬戸の染付磁器]……①243

金井繁之丞 [1758〜1829年／機業家・足利の織物業]……①245

狩野山楽 [1559〜1635年／画家・『紅梅図』]……①250

狩野探幽 [1602〜1674年／画家・『大徳寺方丈襖絵』]……①250

加納直盛 [1612〜1673年／武士、治水家・伊賀美野原の新田開発]……①251

狩野長信 [1577〜1654年／画家・『花下遊楽図屏風』]……①251

狩野吉信 [1552〜1640年／画家・『職人尽絵』]……①252

蒲生君平 [1768〜1813年／思想家、儒学者・天皇陵の調査]……①257

賀茂真淵 [1697〜1769年／国学の基礎を築いた国学者]……①258

柄井川柳 [1718〜1790年／川柳の始祖・『誹風柳多留』]……①259

川崎平右衛門 [1694〜1767年／農政家・武蔵野新田の開発]……①270

河村瑞賢 [1618〜1699年／西廻り・東廻り航路をひらいた豪商]……①273

川村孫兵衛 [1575〜1648年／仙台藩の新田開発と治水改修]……①273

神尾春央 [1687〜1753年／享保の改革で増収をめざした幕臣]……①274

菊池藤五郎 [生没年不詳／寒河江川の治水改修]……①284

菊屋新助 [1773〜1835年／機業家・高機の開発]……①284

喜多川歌麿 [1753?〜1806年／浮世絵師・『婦女人相十品』]……①288

喜田吉右衛門 [生没年不詳／曽代用水の治水工事]……①288

北館大学助利長 [1548〜1625年／武士、治水家]……①289

北村季吟 [1624〜1705年／俳人、歌人・国学者]……①290

吉川広嘉 [1621〜1679年／武士・錦帯橋の建設]……①292

木津勘助 [1586〜1660年／大飢饉の難民を救った武士]……①292

絹屋佐平治 [1683〜1744年／機織り職人・丹後ちりめん創始]……①294

杵屋六三郎 [1779〜1855年／長唄三味線方・『勧進帳』]……①295

紀伊国屋文左衛門 [1669?〜1734?年／伝説の豪商]……①295

木下順庵 [1621〜1698年／儒学者]……①295

儀間真常 [1557〜1644年／役人・琉球の産業の発展]……①298

清水六兵衛 [1738〜1799年／陶工・清水焼]……①307

吉良義央 [1641〜1702年／赤穂事件の中心人物]……①308

久隅守景 [生没年不詳／画家・『四季耕作図屏風』]……②17

九谷庄三 [1816〜1883年／陶工・九谷焼の名工]……②17

工藤平助 [1734〜1800年／思想家、医者]……②20

国東治兵衛 [1743〜?年／商人・「遠田表」「石州半紙」の指導]……②21

国定忠次 [1810〜1851年／ばくち打ち]……②21

久保太郎右衛門 [1676〜1711年／菖原用水の治水工事]……②23

熊谷直孝 [1817〜1875年／商人・小学校の開校]……②24

熊沢蕃山 [1619〜1691年／幕府を批判した儒学者]……②24

久米栄左衛門 [1780〜1841年／技術者・久米式塩田]……②25

久米幸太郎 [1811〜1891年／あだ討ちをした新発田藩の藩士]……②26

工楽松右衛門 [1743〜1812年／漁師・松右衛門帆の発明]……②28

倉田次郎右衛門 [?〜1703年／商人・倉田水樋の工事]……②28

栗田定之丞 [1767〜1827年／武士、植林家・防風防砂林の整備]……②32

栗林次兵衛 [?〜1700年／庄屋、治水家・大石堰の建設]……②33

黒川三郎左衛門 [1723〜1806年／農民、治水家・小野池の築造]……②40

黒住宗忠 [1780〜1850年／神道家・黒住教の開祖]……②41

黒田斉隆 [1777〜1795年／福岡藩の教育につとめた大名]……②43

桑原久右衛門 [1581〜1654年／農民、治水家・福島江の工事]……②45

契沖 [1640〜1701年／国学者]……②47

ケンペル, エンゲルベルト [1651〜1716年／博物学者、医者]……②58

恋川春町 [1744〜1789年／戯作者、浮世絵師]……②59

光格天皇 [1771〜1840年／第119代天皇]……②61

鴻池善右衛門宗利 [1667〜1736年／大坂(阪)の豪商]……②68

古賀百工 [1718〜1798年／農民、治水家・堀川用水の工事]……②75

後桜町天皇 [1740〜1813年／第117代天皇]……②78

呉春 [1752〜1811年／画家・『柳鷺群禽図屏風』]……②80

児玉久右衛門 [1689〜1761年／農民、治水家・杉安堰などの工事]……②84

後藤寿庵 [1577?〜1638?年／武士・胆沢川の治水工事]……②86

後藤庄三郎 [1571〜1625年／金座の責任者]……②88

小西屋五郎八 [?〜1687年／漁師・カキの「ひび建て法」の発明]……②90

小林一茶 [1763〜1827年／俳人・『おらが春』]……②92

小林粂左衛門 [1806〜1856年／商人・寒天の製造と販売]……②93

小堀遠州 [1579〜1647年／遠州流茶道の祖]……②95

小松弥右衛門 [1670〜1753年／職人・精好織]……②97

後水尾天皇 [1596〜1680年／第108代天皇]……②97

後桃園天皇 [1758〜1779年／第118代天皇]……②99

ゴロブニン, バシリイ [1776〜1831年／ロシア海軍の軍人]……②103

金地院崇伝 [1569〜1633年／臨済宗の僧]……②105

近藤重蔵 [1771〜1829年／千島列島、択捉島を探検]……②107

蔡温 [1682〜1761年／琉球王国の政治家・治水対策や植林]……②109

酒井田柿右衛門 [1596〜1666年／陶工・色絵磁器]……②117

酒井忠清 [1624〜1681年／下馬将軍とよばれた大老]……②117

酒井抱一 [1761〜1828年／画家・『夏秋草図屏風』]……②118

坂田藤十郎 [1647〜1709年／上方歌舞伎の基礎を築いた俳優]……②119

坂本養川 [1736〜1809年／農民、治水家・繰越堰の工事]……②120

佐倉惣五郎 [生没年不詳／農民一揆指導者]……②122

佐々木小次郎 [1595?〜1612年／燕返しをあみだした剣術家]……②122

佐竹義和 [1775〜1815年／藩政の改革を進めた大名]……②125

佐藤藤左衛門 [1692〜1752年／豪商・酒田の砂防林の植林]……②129

佐藤信淵 [1769〜1850年／思想家]……②129

佐野政言 [1757〜1784年／田沼親子をうらんだ家臣]……②131

佐野増蔵 [1810〜1882年／武士・佐野川用水の工事]……②131

沢田清兵衛 [1764〜1829年／農民・庄川流域の堤防改修]……②137

沢村勘兵衛 [1613?〜1655年／武士・小川江筋の治水工事]……②138

山東京伝 [1761〜1816年／戯作者・『忠臣水滸伝』]……②141

椎名道三 [1790〜1858年／農民、治水家・十二貫野用水の工事]……②144

シーボルト, フィリップ・フランツ・フォン [1796〜1866年／ドイツの医者]……②144

式亭三馬 しきていさんば [1776～1822年／戯作・滑稽本『浮世風呂』]……②150

志筑忠雄 しづきただお [1760～1806年／蘭学者、翻訳家]……②153

十返舎一九 じっぺんしゃいっく [1765～1831年／戯作者・『東海道中膝栗毛』]……②154

シドッチ, ジョバンニ [1668～1714年／イタリア人イエズス会宣教師]②155

司馬江漢 しばこうかん [1747～1818年／洋風画家・エッチングや油絵の製作]……②157

芝田吉之丞 しばたきちのじょう [生没年不詳／庄屋、漁師・シビ網漁法の発明]……②158

柴野栗山 しばのりつざん [1736～1807年／朱子学の振興をはかった儒学者]……②159

渋川春海 しぶかわしゅんかい [1639～1715年／日本初の暦をつくった天文学者]……②160

島津重豪 しまづしげひで [1745～1833年／薩摩藩の文化事業をすすめた大名]……②164

清水重好 しみずしげよし [1745～1795年／清水徳川家の初代当主]……②167

ジャガタラお春 はる [1625～1697年／国外追放された女性]……②171

シャクシャイン [?～1669年／アイヌの首長]……②174

松寿院 しょうじゅいん [1797～1865年／大名の娘、女性領主・種子島の開発]……②192

尚寧王 しょうねいおう [1564～1620年／琉球王国、第二尚氏の第7代国王]……②194

末次平蔵 すえつぐへいぞう [?～1630年／朱印船貿易で利益を上げた長崎の豪商]……②215

末吉孫左衛門 すえよしまござえもん [1570～1617年／伏見銀座の開設にかかわった豪商]……②215

菅江真澄 すがえますみ [1754～1829年／国学者、紀行家・『真澄遊覧記』]……②216

杉田玄白 すぎたげんぱく [1733～1817年／医者、蘭学者・『解体新書』]……②218

杉野丈助 すぎのじょうすけ [生没年不詳／陶工・砥部焼の祖]……②219

杉本武助 すぎもとぶすけ [1802～1875年／農民、殖産家・高野豆腐の製造]……②220

調所広郷 ずしょひろさと [1776～1848年／薩摩藩の家臣]……②222

鈴木春信 すずきはるのぶ [1725?～1770年／浮世絵師・「錦絵」を創始]……②224

鈴木牧之 すずきぼくし [1770～1842年／俳人・『北越雪譜』]……②225

鈴木与兵衛 すずきよへえ [1622～1676年／商人・仙台の新田開発]……②226

直川智 すなおかわち [生没年不詳／農民、殖産家・サトウキビの栽培]……②231

砂村新左衛門 すなむらしんざえもん [?～1667年／開拓者・内川新田の開発]……②232

住友吉左衛門 すみともきちざえもん [1647～1706年／住友家の3代目当主]……②235

住友友芳 すみともともよし [1670～1719年／住友家の4代目当主]……②235

住吉具慶 すみよしぐけい [1631～1705年／画家・『洛中洛外図巻』]……②235

住吉如慶 すみよしじょけい [1599～1670年／画家・『東照宮縁起絵巻』]……②236

陶山訥庵 すえやまとつあん [1657～1732年／医者、学者・対馬の農業の発展]……②236

関口長左衛門 せきぐちちょうざえもん [1808～1872年／農民・ナシの棚づくり栽培]……②241

関孝和 せきたかかず [1642?～1708年／数学者・筆算による代数]……②241

銭屋五兵衛 ぜにやごへえ [1773～1852年／北前船でもうけた加賀の豪商]……②244

禅海 ぜんかい [1691～1774年／僧・青の洞門の工事]……②246

千姫 せんひめ [1597～1666年／第2代将軍秀忠の長女]……②248

曾根権太夫 そねごんだゆう [?～1720年／武士・武蔵野台地の開拓]……②256

園田道閑 そのだどうかん [1626～1667年／豪農・検地反対の一揆]……②256

染谷源右衛門 そめやげんえもん [生没年不詳／農民、治水家・印旛沼の干拓工事]……②257

た

大黒屋光太夫 だいこくやこうだゆう [1751～1828年／ロシアの事情を伝えた漂流者]……②264

大道 だいどう [1768～1840年／僧・三里浜の植林]……②266

高田屋嘉兵衛 たかだやかへえ [1769～1827年／海運業者・箱館の発展に貢献]……②276

高野長英 たかのちょうえい [1804～1850年／蘭学者、医者]……②277

高橋景保 たかはしかげやす [1785～1829年／天文学者・『大日本沿海輿地全図』]……②278

高橋武左衛門 たかはしぶざえもん [1740～1819年／農民、開拓者・新田開発]……②279

高橋政重 たかはしまさしげ [1650～1726年／武士・幸野溝の用水工事]……②280

高橋至時 たかはしよしとき [1764～1804年／天文学者・寛政暦]……②280

高松喜六 たかまつきろく [?～1713年／町人・内藤新宿の開発]……②281

高山彦九郎 たかやまひこくろう [1747～1793年／行動派の尊王思想家]……②284

高山六右衛門 たかやまろくろえもん [?～1734年／農民、治水家・床島堰の建設]……②284

滝沢馬琴 たきざわばきん [1767～1848年／戯作者・『南総里見八犬伝』]……②286

沢庵宗彭 たくあんそうほう [1573～1645年／臨済宗の僧]……②287

田口慶郷 たぐちよしさと [1798～1866年／農民、治水家・付知五大用水の工事]……②287

竹田出雲 たけだいずも [1691～1756年／人形浄瑠璃の作家・『仮名手本忠臣蔵』]…②290

竹内式部 たけうちしきぶ [1712～1767年／神道家、尊王論者]……②293

竹前小八郎 たけまえこはちろう [?～1729年／農民、治水家・紫雲寺潟の干拓]……②294

竹前権兵衛 たけまえごんべえ [?～1749年／農民、治水家・紫雲寺潟の干拓]……②294

竹本義太夫 たけもとぎだゆう [1651～1714年／人形浄瑠璃の太夫・義太夫節の始祖]……②295

太宰春台 だざいしゅんだい [1680～1747年／儒学者・『経済録』]……②296

田尻惣馬 たじりそうま [1678～1760年／武士・千間土居の工事]……②296

多田嘉助 ただかすけ [1639～1686年／庄屋・嘉助騒動]……②297

辰松八郎兵衛 たつまつはちろべえ [?～1734年／人形つかいの名手]……②300

田中丘隅 たなかきゅうぐ [1662～1729年／農政家・文命西提の建設]……②302

田中玄蕃 たなかげんば [生没年不詳／しょうゆ醸造家・しょうゆの醸造]……②303

田中勝介 たなかしょうすけ [生没年不詳／メキシコとの通商のために派遣された商人]……②303

谷風 たにかぜ [1750～1795年／力士]……②306

谷時中 たにじちゅう [1598～1649年／土佐海南学派を確立した儒学者]……②307

谷文晁 たにぶんちょう [1763～1840年／画家・『公余探勝図』]……②307

田沼意次 たぬまおきつぐ [1719～1788年／老中・天明のききん]……②308

田沼意知 たぬまおきとも [1749～1784年／田沼意次の長男]……②308

田能村竹田 たのむらちくでん [1777～1835年／画家・『赤復一楽帖』]……②309

玉楮象谷 たまかじぞうこく [1806～1869年／職人・讃岐漆器「象谷塗」]……②310

玉川兄弟 たまがわきょうだい [?～1695年／町人・玉川上水の工事]……②311

玉城朝薫 たまぐすくちょうくん [1684～1734年／琉球の役人、踊奉行・組踊りの創作]……②312

田村清兵衛 たむらせいべえ [生没年不詳／農民、開拓者・和束郷の新田開発]……②312

為永春水 ためながしゅんすい [1790～1843年／戯作者・『春色梅児誉美』]……②312

田安宗武 たやすむねたけ [1715～1771年／第8代将軍吉宗の次男]……②313

俵屋宗達 たわらやそうたつ [生没年不詳／画家・『風神雷神図屏風』]……②316

近松半二 ちかまつはんじ [1725～1783年／人形浄瑠璃の作家・『本朝廿四孝』]……③10

近松門左衛門 ちかまつもんざえもん [1653～1724年／浄瑠璃、歌舞伎の作者]……③10

千葉周作 ちばしゅうさく [1794～1855年／北辰一刀流の創始者]……③11

茶屋四郎次郎 ちゃやしろうじろう [1582～1603年／京都の御用呉服商]……③16

津田永忠 つだながただ [1640～1707年／武士・岡山城下の干拓工事と新田開発]……③29

蔦屋重三郎 つたやじゅうざぶろう [1750～1797年／浮世絵を世にだした出版業者]……③30

土川平兵衛 つちかわへいべえ [1801～1843年／庄屋・検知反対一揆]……③31

都築弥厚 つづきやこう [1765～1833年／豪農・明治用水を計画]……③32

鶴屋南北 つるやなんぼく [1755～1829年／歌舞伎作家]……③35

ツンベルグ, カール [1743～1828年／博物学者・『日本植物誌』]……③35

程順則 ていじゅんそく [1663～1735年／琉球王国の政治家・明倫堂の設立]……③38

手島堵庵 てじまとあん [1718～1786年／庶民に人生哲学を広めた思想家]……③43

鉄牛道機 てつぎゅうどうき [1628～1700年／僧・椿海の干拓]……③44

時代別索引

江戸時代

時代別索引

江戸時代

寺沢広高 [1563～1633年／大名・「虹の松原」の植林]……③48
天海 [1536～1643年／家康の側近としてつかえた僧]……③50
東洲斎写楽 [生没年不詳／浮世絵師・役者絵や相撲絵]……③58
東条九郎右衛門 [1607～1670年／長州藩の藩士・長沢池築造]……③58
遠山景元 [1793～1855年／町奉行]……③61
常磐津文字太夫 [1709～1781年／常磐津節をおこした音楽家]……③63
徳川家重 [1711～1761年／江戸幕府第9代将軍]……③64
徳川家継 [1709～1716年／江戸幕府第7代将軍]……③65
徳川家綱 [1641～1680年／江戸幕府第4代将軍]……③65
徳川家斉 [1773～1841年／江戸幕府第11代将軍]……③65
徳川家宣 [1662～1712年／江戸幕府第6代将軍]……③65
徳川家治 [1737～1786年／江戸幕府第10代将軍]……③65
徳川家光 [1604～1651年／江戸幕府第3代将軍・鎖国体制をしいた]……③66
徳川家康 [1542～1616年／江戸幕府の初代将軍]……③70
徳川家慶 [1793～1853年／江戸幕府第12代将軍]……③67
徳川和子 [1607～1678年／後水尾天皇の中宮]……③67
徳川綱吉 [1646～1709年／江戸幕府第5代将軍・生類憐みの令]……③67
徳川秀忠 [1579～1632年／江戸幕府第2代将軍]……③68
徳川光圀 [1628～1700年／水戸黄門としてしられる水戸藩主]……③69
徳川吉宗 [1684～1751年／江戸幕府第8代将軍]……③73
徳島兵左衛門 [?～1684年／商人・徳島堰の工事]……③74
土佐光起 [1617～1691年／画家・『粟穂鶉図屏風』]……③76
戸田茂睡 [1629～1706年／歌人・『梨本集』]……③78
等々力孫一郎 [1761～1831年／農民、治水家・拾ヶ堰用水の工事]……③79
富永仲基 [1715～1746年／町人学者・『出定後語』]……③83
友野与右衛門 [生没年不詳／商人・箱根用水の工事]……③84
鳥居清忠 [生没年不詳／浮世絵師・『市村座図』]……③90
鳥居清長 [1752～1815年／浮世絵師・『当世遊里美人合』]……③90
な 中井甃庵 [1693～1758年／儒学者・懐徳堂]……③97
中井竹山 [1730～1804年／儒学者・懐徳堂4代目学主]……③97
中井正清 [1565～1619年／大工の棟梁・幕府の建築工事を担当]……③98
中江藤樹 [1608～1648年／日本の陽明学派の祖]……③99
中沢道二 [1725～1803年／石門心学を広めた思想家]……③102
永島安竜 [1801～1869年／医者・河口湖からの用水工事]……③103
中島藤右衛門 [1745～1825年／農民、開発者・粉こんにゃく製法]……③104
中島林蔵 [?～1702年／商人、治水家・十津川の水運開発]……③104
中島輪兵衛 [1752～1838年／農民、治水家・拾ヶ堰用水の工事]……③104
中甚兵衛 [1639～1730年／農民、治水家・大和川の治水工事]……③105
永田茂衛門 [?～1659年／久慈川などの用水路工事]……③106
中村善右衛門 [1809～1880年／カイコの飼育方法の改良]……③111
中村林助 [?～1767年／織元・「浜ちりめん」の製造]……③112
中山みき [1798～1887年／天理教の開祖]……③114
仲村渠到元 [1692～1754年／琉球の陶工・壺屋焼の創始]……③115
行方久兵衛 [1616～1686年／武士・三方五湖の治水工事]……③119
奈良屋茂左衛門 [?～1714年／江戸の材木商]……③122
成富兵庫茂安 [1560～1634年／武士・佐賀の治水対策]……③122

楠藤吉左衛門 [1652～1724年／袋井用水の治水工事]……③123
西川如見 [1648～1724年／天文学者、地理学者・『華夷通商考』]……③127
西嶋八兵衛 [1596～1680年／武士・雲井出用水の工事]……③128
西野恵荘 [1778～1849年／僧・余呉川の治水工事]……③129
西村彦右衛門 [1774～1830年／農民、治水家・立梅用水の工事]……③129
西山宗因 [1605～1682年／連歌師、俳人・談林俳諧]……③130
新渡戸傳 [1793～1871年／武士、役人・三本木原の開発]……③133
二宮尊徳 [1787～1856年／報徳仕法で農村を復興した農政家]……③134
沼波弄山 [1718～1777年／商人、陶工・萬古焼]……③137
沼沢伊勢 [生没年不詳／武士・諏訪堰の築造]……③138
野國總管 [生没年不詳／琉球の農民・サツマイモ栽培]……③146
野中金右衛門 [1767～1846年／武士・飫肥杉の植林と品種改良]……③148
野中兼山 [1615～1663年／藩政改革をすすめた土佐藩家老]……③148
野々村仁清 [生没年不詳／茶道具を制作した陶工]……③148
野呂元丈 [1693～1761年／本草学者・博物学を紹介]……③151
野呂理左衛門 [?～1719年／武士・植林と新田の開発]……③151
は 支倉常長 [1571～1621年／遣欧使節]……③167
畑中権内 [生没年不詳／農民、治水家・権内水路の工事]……③170
服部南郭 [1683～1759年／儒学者、漢詩人・『唐詩選国字解』]……③171
服部嵐雪 [1654～1707年／俳人・『其袋』]……③172
華岡青洲 [1760～1835年／医者・世界初の全身麻酔手術]……③175
英一蝶 [1652～1724年／画家・『雨宿り図屏風』]……③175
塙保己一 [1746～1821年／国学者・『群書類従』]……③176
浜口梧陵 [1820～1885年／実業家・防波堤の建設]……③180
林鵞峰 [1618～1680年／儒学者・『本朝通鑑』]……③182
林子平 [1738～1793年／思想家・『海国兵談』]……③182
林鳳岡 [1644～1732年／儒学者・湯島聖堂の大学頭]……③184
林正盛 [1621～1697年／商人・球磨川の舟運]……③184
林羅山 [1583～1657年／徳川4代につかえた儒学者]……③184
原清兵衛 [1795～1868年／農民、開拓者・相模原の開拓]……③186
礫茂左衛門 [生没年不詳／農民指導者]……③189
伴信友 [1773～1846年／国学者・『比古婆衣』]……③195
播隆上人 [1782～1840年／山岳修行僧・槍ヶ岳の登山道の整備]……③196
東山天皇 [1675～1709年／第113代天皇]……③198
菱川師宣 [?～1694年／浮世絵師・『見返り美人図』]……③204
飛田安兵衛 [1728～1816年／大工、機業家・播州織]……③206
左甚五郎 [生没年不詳／彫刻師・『眠り猫』]……③206
平賀源内 [1728～1779年／本草学者、戯作者・『風流志道軒伝』]……③218
平田篤胤 [1776～1843年／尊王攘夷運動に影響をあたえた国学者]……③215
平田靭負 [1704～1755年／武士・宝暦の治水]……③215
広瀬淡窓 [1782～1856年／儒学者・私塾咸宜園をひらく]……③220
深沢儀太夫 [1583～1663年／漁師・クジラ漁の指導]……③237
藤江監物 [1687～1731年／武士・岩熊井堰の治水工事計画]……③242
藤田幽谷 [1774～1826年／水戸学の基盤をつくった儒学者]……③246
布田保之助 [1801～1873年／村役人・通潤橋の建設]……③266
船越作左衛門 [?～1817年／商人・湖山砂丘の防砂林]……③269

古川善兵衛 [1576〜1637年／武士・摺上川の治水工事]………③284

古郡重政 [1599〜1664年／武士・雁堤の建設]………③285

牧庵鞭牛 [1710〜1782年／僧・閉伊街道の整備]………④40

保科正之 [1611〜1672年／高遠藩主・第4代将軍家綱を補佐]………④41

細川重賢 [1720?〜1785年／熊本藩財政を再建]………④44

細川行孝 [1637〜1690年／大名・轟泉水道の治水工事]………④45

堀田正俊 [1634〜1684年／綱吉の天和の治をささえた大老]………④47

本多忠勝 [1548〜1610年／徳川四天王の一人]………④56

本多利明 [1743〜1820年／思想家]………④56

本多正純 [1565〜1637年／本田正信の子、徳川家康の側近]………④57

本多正信 [1538〜1616年／「知恵袋」といわれた徳川家康の側近]………④57

凡兆 [?〜1714年／俳人・『猿蓑』の共同編集]………④57

本間光丘 [1732〜1801年／商人・酒田の砂防植林事業]………④58

ま 前川文太郎 [1808〜1882年／鳴門ワカメの製法改良]………④61

前田綱紀 [1643〜1724年／加賀藩の藩主]………④62

前田伸右衛門 [1732〜1811年／武士・大日村の引水工事]………④63

前田正甫 [1649〜1706年／大名・置き薬商法]………④63

前野良沢 [1723〜1803年／医者、蘭学者]………④64

桝田新蔵 [1817〜1904年／農民、開拓者・北条砂丘の耕地化]………④70

益富又左衛門 [生没年不詳／漁民・クジラ漁と堤防建設]………④71

松井五郎兵衛 [1570〜1657年／武士・清武郷の治水工事]………④72

松井道珍 [生没年不詳／商工業者・奈良墨の製造]………④73

松浦武四郎 [1818〜1888年／幕末の北方探検家]………④73

松岡好忠 [1612〜1694年／武士・和賀川の用水工事]………④74

松尾芭蕉 [1644〜1694年／俳人・『おくのほそ道』]………④76

松木庄左衛門 [1625〜1652年／若狭国の農民一揆の指導者]………④77

松倉勝家 [1597〜1638年／島原の乱の原因をつくった大名]………④77

松倉重政 [?〜1630年／島原の乱の原因をつくった大名]………④77

松平容頌 [1744〜1805年／会津の名君]………④78

松平定信 [1758〜1829年／寛政の改革の老中]………④79

松平忠直 [1595〜1650年／徳川家康の孫]………④79

松平信綱 [1596〜1662年／幕藩体制の確立につくした]………④79

松平康英 [1768〜1808年／フェートン号事件時の長崎奉行]………④80

松永貞徳 [1571〜1653年／歌人、俳人・貞門俳諧]………④81

松前矩広 [1660〜1721年／松前藩5代藩主]………④82

松前慶広 [1548〜1616年／松前藩初代藩主]………④82

松村理兵衛 [1721〜1785年／村役人・理兵衛堤防の建設]………④82

松浦鎮信 [1549〜1614年／平戸貿易の最盛期を築いた大名]………④84

間部詮房 [1666〜1720年／新井白石と正徳の治を主導した大名]………④85

間宮林蔵 [1775?〜1844年／樺太探検]………④87

円山応挙 [1733〜1795年／画家・『雪松図屏風』]………④94

丸山徳弥 [1751〜1826年／農民、製糖業者・和三盆の製造]………④95

三浦梅園 [1723〜1789年／思想家]………④99

水野源左衛門 [?〜1647年／陶工・会津本郷焼]………④104

水野忠邦 [1794〜1851年／天保の改革の老中]………④104

三井高利 [1622〜1694年／三井家の呉服店「越後屋」をひらいた豪商]………④105

宮尾亀蔵 [1782〜1853年／漁師・土佐節の開発]………④119

宮崎安貞 [1623〜1697年／農学者・『農業全書』]………④122

宮崎友禅 [生没年不詳／友禅染の創始者]………④123

宮田辰次 [1797〜1869年／商人、果樹栽培家・「勝浦ミカン」の栽培]………④124

宮本武蔵 [1584?〜1645年／二刀流で知られる剣術家]………④126

向井去来 [1651〜1704年／俳人・『去来集』]………④134

村上吉五郎 [1787〜1876年／職人・雲州そろばん]………④142

村田清風 [1783〜1855年／藩政改革を進めた長州藩の家臣]………④143

村本三五郎 [1736〜1820年／農民、農業指導者・ワタとれんこんの栽培]

………④146

室鳩巣 [1658〜1734年／儒学者・徳川吉宗の側近]………④148

明正天皇 [1623〜1696年／第109代天皇]………④150

毛利吉元 [1677〜1731年／藩校明倫館の創設者]………④158

最上徳内 [1755?〜1836年／千島列島、択捉島を探検]………④162

望月太左衛門 [?〜1638年／武士・新堂横堤の建設]………④163

望月恒隆 [1596〜1673年／武士・水戸城下の上水道整備]………④163

本居宣長 [1730〜1801年／国学者・『古事記伝』]………④164

桃園天皇 [1741〜1762年／第116代天皇]………④166

や 柳生宗矩 [1571〜1646年／徳川家の剣術指南役]………④177

安松金右衛門 [?〜1686年／武士・野火止用水の工事]………④180

八橋検校 [1614〜1685年／音楽家・箏曲『六段の調』]………④180

柳沢吉保 [1658〜1714年／綱吉のもと文治政治を主導した老中]………④180

矢延平六 [1610〜1685年／武士、治水家・ため池の築造]………④183

山鹿素行 [1622〜1685年／儒学者・山鹿流兵法と古学派の祖]………④184

山県大弐 [1725〜1767年／儒学者、思想家・『柳子新論』]………④185

山片蟠桃 [1748〜1821年／町人学者・『夢の代』]………④185

山崎闇斎 [1618〜1682年／儒学者・崎門学と垂加神道の祖]………④188

山田昌巌 [1578〜1668年／武士・昌巌溝の用水工事]………④192

山中為綱 [1613〜1682年／武士・一志郡(津市)の治水工事]………④194

山内四郎左衛門 [生没年不詳／武士・タバコ栽培]………④196

山脇東洋 [1705〜1762年／医者]………④200

由井正雪 [1605?〜1651年／浪人救済をもとめた兵学者]………④202

湯山弥五右衛門 [1650〜1717年／農民、治水家・皆瀬川の治水工事]

………④206

ヨーステン, ヤン [?〜1623年／オランダの航海士]………④209

与謝蕪村 [1716〜1783年／俳諧師、画家]………④213

吉井源太 [1826〜1908年／職人、製紙家・土佐和紙の改良]………④213

吉川惟足 [1616〜1694年／吉川神道をおこした神道家]………④214

吉川温恭 [1767〜1846年／製茶家・狭山茶の栽培]………④215

芳沢あやめ [1673〜1729年／歌舞伎俳優・女方芸の基礎を確立]………④215

吉田勘兵衛 [1611〜1686年／新田開拓者]………④216

吉田光由 [1598〜1672年／数学者・『塵劫記』]………④218

淀屋常安 [1560?〜1622年／商人・中之島の開拓]………④223

淀屋辰五郎 [?〜1717年／財産を没収された大坂の豪商]………④223

米村所平 [1643〜1727年／武士・弓ヶ浜半島の治水工事]………④224

ら 頼山陽 [1780〜1832年／儒学者、史学者、詩人・『日本外史』]………④227

時代別索引

江戸時代

251

時代別索引

江戸時代／幕末・明治維新

雷電 [1767~1825年／力士] ④227
ラクスマン, アダム・キリロビッチ [1766~?年／ロシアの軍人] ④230
李参平 [?~1655年／陶工・有田焼の創始者] ④241
柳亭種彦 [1783~1842年／戯作者・『偐紫田舎源氏』] ④249
良寛 [1758~1831年／歌人、禅僧・『蓮の露』] ④251
霊元天皇 [1654~1732年／第112代天皇] ④263
レザノフ, ニコライ [1764~1807年／ロシアの貴族、実業家] ④268
わ 渡辺伊右衛門 [1760~1818年／商人・米沢織の改良] ④289
渡部斧松 [1793~1856年／武士、開拓者・八郎潟湖岸の新田開発] ④289
渡辺崋山 [1793~1841年／蘭学者・蛮社の獄] ④290
渡辺定賢 [1724~1815年／農民・駿河半紙] ④290
渡辺泉龍 [?~1678年／武士・新江用水の工事] ④291

幕末・明治維新

あ 会沢正志斎 [1782~1863年／儒学者・水戸学] ①11
浅田宗伯 [1815~1894年／漢方医] ①26
阿部正弘 [1819~1857年／ペリー来航時の老中] ①48
有栖川宮熾仁 [1835~1895年／明治新政府の初代総裁] ①57
有馬新七 [1825~1862年／寺田屋事件で殺された薩摩藩士] ①58
安藤信正 [1819~1871年／公武合体を進めた老中] ①68
井伊直弼 [1815~1860年／安政の大獄を断行した大老] ①72
板垣退助 [1837~1919年／自由民権運動をすすめた政治家] ①92
井上馨 [1835~1915年／日本の西洋化を進めた政治家] ①103
井上清直 [1809~1867年／各国と修好通商条約をむすんだ幕臣] ①103
岩倉具視 [1825~1883年／維新後、近代化を進めた政治家] ①118
岩瀬忠震 [1818~1861年／開国に尽力した外交官] ①120
梅田雲浜 [1815~1859年／安政の大獄で逮捕された幕末の志士] ①143
江川太郎左衛門 [1801~1855年／韮山反射炉をつくった砲術家] ①151
江藤新平 [1834~1874年／司法制度の確立に尽力した政治家] ①155
榎本武揚 [1836~1908年／戊辰戦争後も新政府で活躍] ①157
大木喬任 [1832~1899年／東京遷都を実現して数々の要職を歴任] ①176
大久保利通 [1830~1878年／維新三傑の一人] ①176
大隈重信 [1838~1922年／第8、17代内閣総理大臣] ①179
大原重徳 [1801~1879年／尊王攘夷派の公家] ①190
大村益次郎 [1824~1869年／近代の兵制確立につとめた兵学者] ①192
大山巌 [1842~1916年／日本陸軍を創設] ①193
オールコック, ラザフォード [1809~1897年／イギリスの外交官] ①193
沖田総司 [1844~1868年／新選組一番隊組長] ①199
小栗忠順 [1827~1868年／財政や軍制を改革した幕末の幕臣] ①202
か 笠原白翁 [1809~1880年／医者・天然痘の予防] ①231
和宮 [1846~1877年／第14代将軍家茂と結婚した皇女] ①235
片寄平蔵 [1813~1860年／商人・常磐炭田の開発] ①238
勝海舟 [1823~1899年／江戸城の無血開城に貢献] ①238
樺山資紀 [1837~1922年／薩摩藩の重鎮] ①252
河井継之助 [1827~1868年／長岡藩の財政を立て直す] ①268

川路聖謨 [1801~1868年／外交にたずさわった幕末の幕臣] ①271
河竹黙阿弥 [1816~1893年／江戸歌舞伎を集大成した歌舞伎作者] ①271
川手文治郎 [1814~1883年／金光教の教祖] ①272
木戸孝允 [1833~1877年／倒幕の中心となった長州藩士] ①293
久坂玄瑞 [1840~1864年／長州藩士] ②13
久世広周 [1819~1864年／老中] ②17
久米邦武 [1839~1931年／歴史学者・『大日本編年史』] ②25
グラバー, トーマス [1838~1911年／来日した、イギリスの貿易商] ②30
黒田清隆 [1840~1900年／第2代内閣総理大臣] ②42
孝明天皇 [1831~1866年／第121代天皇] ②71
後藤象二郎 [1838~1897年／大政奉還や自由民権運動で活躍] ②88
小松帯刀 [1835~1870年／薩摩藩の倒幕派中心人物] ②96
近藤勇 [1834~1868年／新選組の局長] ②106
近藤勝由 [1827~1901年／武士、役人・由良川の治水事業] ②106
さ 西郷隆盛 [1827~1877年／薩摩藩出身の明治新政府の参議] ②112
坂本龍馬 [1835~1867年／土佐藩出身の武士] ②123
相楽総三 [1839~1868年／赤報隊の隊長] ②121
佐久間象山 [1811~1864年／兵学者] ②121
佐々木高行 [1830~1910年／明治天皇の側近] ②124
サトウ, アーネスト [1843~1929年／イギリスの外交官] ②127
三条実美 [1837~1891年／尊王攘夷派の公家] ②140
ジェーンズ, リロイ [1838~1909年／熊本洋学校で講義] ②146
品川弥二郎 [1843~1900年／長州藩士、明治時代の政治家] ②155
島地黙雷 [1838~1911年／浄土真宗の僧] ②163
島津忠義 [1840~1897年／薩摩藩主] ②165
島津斉彬 [1809~1858年／薩摩藩主] ②165
島津久光 [1817~1887年／島津斉彬の弟・生麦事件] ②166
清水次郎長 [1820~1893年／義侠心にあつい清水の侠客] ②168
シュタイン, ローレンツ・フォン [1815~1890年／ドイツの法学者] ②185
ジョン万次郎 [1827?~1898年／漂流を乗りこえて英語通訳に] ②205
新見正興 [1822~1869年／日米修好通商条約批准書を交換した幕臣] ②211
副島種臣 [1828~1905年／外交で明治新政府をささえた政治家] ②252
た 高島秋帆 [1798~1866年／砲術家] ②275
高杉晋作 [1839~1867年／奇兵隊をつくった長州藩士] ②275
武田耕雲斎 [1803~1865年／水戸の天狗党のリーダー] ②291
伊達宗城 [1818~1892年／藩政改革をすすめた幕末の四賢侯の一人] ②301
田中久重 [1799~1881年／多種多様なからくりを作製] ②305
谷干城 [1837~1911年／佐賀の乱、台湾出兵、西南戦争で活躍] ②307
玉木文之進 [1810~1876年／吉田松陰のおじ] ②311
津田真道 [1829~1903年／ヨーロッパの法学を紹介・『泰西国法論』] ③30
寺島宗則 [1832~1893年／明治新政府の外交で活躍] ③48
天璋院 [1836~1883年／第13代将軍家定の妻] ③51
徳川昭武 [1853~1910年／パリ万博へ派遣された水戸藩主] ③63
徳川家定 [1824~1858年／鎖国から開国した江戸幕府第13代将軍] ③64
徳川家茂 [1846~1866年／江戸幕府第14代将軍] ③66
徳川斉昭 [1800~1860年／水戸藩主] ③68

徳川慶勝 [1824〜1883年／高須藩主]……………③69

徳川慶喜 [1837〜1913年／江戸幕府第15代将軍]……③72

富田久三郎 [1828〜1911年／機業家・備後絣の考案]……③83

な 永井尚志 [1816〜1891年／大政奉還を陰でささえた幕臣]……③98

中岡慎太郎 [1838〜1867年／土佐勤王党の志士]……③100

中島信行 [1846〜1899年／海援隊出身で自由民権運動を進めた]……③104

中山忠光 [1845〜1864年／天誅組のリーダー]……③114

鍋島直正 [1814〜1871年／佐賀藩主]……③118

西村茂樹 [1828〜1902年／日本の道徳教育を再建した教育家]……③129

野村望東尼 [1806〜1867年／歌人・自身の山荘に志士をかくまう]……③150

は パークス, ハリー [1828〜1885年／駐日イギリス公使]……③152

橋本左内 [1834〜1859年／開国、富国強兵を説いた志士・『啓発録』]……③164

浜田彦蔵 [1837〜1897年／通訳]……③180

ハリス, タウンゼント [1804〜1878年／アメリカ合衆国の駐日総領事]

……③189

土方歳三 [1835〜1869年／新選組副長]……③203

ヒュースケン, ヘンリー [1832〜1861年／オランダの通訳官]……③212

平野国臣 [1828〜1864年／志士・尊王攘夷運動の急進派]……③216

広沢真臣 [1833〜1871年／長州藩士、明治政府の参議]……③220

福岡孝弟 [1835〜1919年／大政奉還をすすめた官僚]……③238

福沢諭吉 [1834〜1901年／思想家・『西洋事情』]……③239

福地源一郎 [1841〜1906年／通訳、ジャーナリスト]……③241

藤田小四郎 [1842〜1865年／水戸藩士・天狗党の乱]……③245

藤田東湖 [1806〜1855年／水戸学の学者]……③246

プチャーチン, エッフィミー・ワシリエビッチ [1804〜1883年／ロシア
の海軍提督]……③266

フルベッキ, グイド [1830〜1898年／アメリカ合衆国の宣教師]……③288

ペリー, マシュー・カルブレイス [1794〜1858年／アメリカ合衆国の軍人・
開国交渉]……④18

ベルツ, エルウィン・フォン [1849〜1913年／ドイツの医学者]……④20

堀田正睦 [1810〜1864年／老中・ハリスと交渉]……④47

ホフマン, テオドール・エドゥアルト [1837〜1894年／ドイツの軍医]

……④49

ま 前原一誠 [1834〜1876年／倒幕で活躍した志士、明治時代の政治家]……④64

真木和泉 [1813〜1864年／神官、志士]……④65

松尾多勢子 [1811〜1894年／志士を助けた女性運動家]……④74

松平容保 [1835〜1893年／会津藩主、京都守護職]……④78

松平慶永 [1828〜1890年／政事総裁]……④80

三浦梧楼 [1846〜1926年／護憲三派内閣成立につくした政治家]……④98

ミルン, ジョン [1850〜1913年／イギリスの鉱山技師、地震学者]……④131

毛利敬親 [1819〜1871年／長州藩主]……④156

モッセ, アルバート [1846〜1925年／明治政府の法律顧問]……④164

本木昌造 [1824〜1875年／日本の活版印刷術の創始者]……④165

元田永孚 [1818〜1891年／教育勅語の起草にかかわった儒学者]……④165

や 山内豊信 [1827〜1872年／大政奉還をすすめた土佐藩主]……④184

山岡鉄舟 [1836〜1888年／江戸城の無血開城につくした剣客]……④184

山川捨松 [1860〜1919年／日本初の女子留学生]……④186

由利公正 [1829〜1909年／五箇条の御誓文を起草]……④206

横井小楠 [1809〜1869年／『国是七条』を起草した思想家]……④209

吉田松陰 [1830〜1859年／思想家・尊皇攘夷派]……④219

吉田東洋 [1816〜1862年／藩政改革を進めた土佐藩士]……④217

吉村寅太郎 [1837〜1863年／天誅組を結成]……④221

ら 頼三樹三郎 [1825〜1859年／安政の大獄で処刑された儒学者]……④228

ロッシュ, レオン [1809〜1901年／駐日フランス公使]……④279

わ ワーグマン, チャールズ [1832〜1891年／『ジャパン・パンチ』]……④283

明治時代

あ 青木繁 [1882〜1911年／洋画家・『海の幸』]……①15

青木周蔵 [1844〜1914年／外交官、政治家・不平等条約を改正]……①15

秋山真之 [1868〜1918年／バルチック艦隊をやぶった海軍軍人]……①21

浅井忠 [1856〜1907年／洋画家・『春畝』]……①23

浅野総一郎 [1848〜1930年／浅野セメント、鶴見埋築株式会社の創業者]

……①27

麻生観八 [1865〜1928年／商人・玖珠郡の近代化]……①38

麻生太吉 [1857〜1933年／実業家・筑豊地方の炭鉱開発]……①38

阿部平助 [1852〜1938年／商工業者・今治タオルの開発]……①48

生沢クノ [1864〜1945年／地域診療につくした女性医]……①76

池田菊苗 [1864〜1936年／うまみ調味料を発見、特許を取得した化学者]……①77

伊沢修二 [1851〜1917年／近代教育の基礎を築いた]……①81

石井十次 [1865〜1914年／教育者、社会事業家・岡山孤児院の創設]……①82

石川啄木 [1886〜1912年／歌人、詩人・『一握の砂』]……①83

石川千代松 [1861〜1935年／動物学者]……①84

石川理紀之助 [1845〜1915年／農業指導者]……①84

泉鏡花 [1873〜1939年／作家・『歌行燈』]……①89

和泉要助 [1829〜1900年／人力車の発明]……①90

磯崎眠亀 [1834〜1908年／商工業者・花むしろの創作]……①91

市川左団次 [1842〜1904年／歌舞伎俳優(初世)・明治座の座元となり新作も取
り上げた]……①93

市川団十郎 [1838〜1903年／歌舞伎俳優(9世)・演劇改良運動に取り組む]

……①94

伊藤左千夫 [1864〜1913年／作家、歌人・『馬酔木』『アララギ』を創刊]……①97

伊藤博文 [1841〜1909年／初代、第5、7、10代内閣総理大臣]……①104

井上円了 [1858〜1919年／仏教哲学者、教育者]……①103

井上毅 [1843〜1895年／官僚、政治家・大日本帝国憲法を起草]……①106

井上哲次郎 [1855〜1944年／哲学者]……①106

井上伝蔵 [1854〜1918年／自由民権家・秩父事件]……①107

井上勝 [1843〜1910年／鉄道技術者・日本初の鉄道を開通]……①108

井上良馨 [1845〜1929年／海軍軍人・江華島事件時の艦長]……①109

井山憲太郎 [1859〜1922年／玉島ミカンの品種改良]……①117

伊豫田与八郎 [1822〜1903年／農民、治水家・明治用水の工事]……①117

岩崎弥太郎 [1834〜1885年／三菱財閥の創業者]……①119

時代別索引

明治時代

岩崎弥之助 [1851〜1908年／三菱財閥を発展させた実業家]…………①120

岩野泡鳴 [1873〜1920年／詩人、作家、評論家・『放浪』]…………①121

巌谷小波 [1870〜1933年／作家、児童文学作家・『日本昔噺』]…①122

印南丈作 [1831〜1888年／那須野原の開拓者]…………①123

植木枝盛 [1857〜1892年／自由民権運動指導者]…………①129

ウェストン, ウォルター [1861〜1940年／登山の楽しみを伝えた牧師]

…………①133

上田万年 [1867〜1937年／国語学者・国語政策]…………①133

上田敏 [1874〜1916年／詩人、評論家、翻訳家・訳詩集『海潮音』]……①133

上野彦馬 [1838〜1904年／最初期の写真家]…………①134

上原勇作 [1856〜1933年／陸軍軍人]…………①134

植村正久 [1857〜1925年／日本にプロテスタントを広めた牧師]…………①136

内田魯庵 [1868〜1929年／評論家、翻訳家、作家・『社会百面相』]……①141

内中源蔵 [1865〜1946年／商人・ウメの栽培]…………①141

内村鑑三 [1861〜1930年／キリスト教の指導者]…………①141

宇都宮仙太郎 [1866〜1940年／酪農家・北海道の酪農発展に貢献] ①141

宇都宮誠集 [1855〜1907年／園芸家・ナツミカンの栽培]…………①141

梅謙次郎 [1860〜1910年／民法と商法をつくった法学者]…………①143

梅屋庄吉 [1869〜1934年／日活の創業者]…………①144

江原素六 [1842〜1922年／教育者・沼津の発展に貢献]…………①158

海老名弾正 [1856〜1937年／宗教家・自由主義神学をとなえた]…………①159

大井憲太郎 [1843〜1922年／政治家・大阪事件の中心人物]…………①172

大倉喜八郎 [1837〜1928年／大倉財閥を築いた実業家]…………①178

大島高任 [1826〜1901年／溶鉱炉建設者・鉱山開発者]…………①180

大塚楠緒子 [1875〜1910年／歌人、詩人、作家・『暮ゆく秋』]…………①184

大塚啓三郎 [1828〜1876年／陶工・益子焼]…………①184

大槻文彦 [1847〜1928年／日本初の国語辞典の編集者]…………①184

大森房吉 [1868〜1923年／地震学者]…………①192

岡倉天心 [1862〜1913年／思想家・東京美術学校を創立]…………①194

岡田三郎助 [1869〜1939年／洋画家・『水浴の前』]…………①196

岡田普理衛 [1859〜1947年／酪農を広めたフランス人神父]…………①197

岡本兵松 [1821〜1903年／開拓者・明治用水の工事]…………①198

小川トク [1839〜1913年／織工・久留米縞の創始]…………①199

荻野吟子 [1851〜1913年／日本初の女性医]…………①200

荻原守衛 [1879〜1910年／彫刻家・『女』]…………①200

奥田助七郎 [1873〜1954年／土木技師・名古屋港開港]…………①201

尾崎紅葉 [1867〜1903年／作家・『金色夜叉』]…………①204

尾崎行雄 [1858〜1954年／政治家・議会政治の父]…………①205

小平浪平 [1874〜1951年／実業家・日立製作所を創立]…………①207

落合直文 [1861〜1903年／歌人、国文学者・『日本大文典』]…………①209

小野梓 [1852〜1886年／法学者・大隈重信の片腕とされる]…………①213

尾上菊五郎 [1844〜1903年／歌舞伎俳優(5世)・『新古演劇十種』を定めた]

…………①213

小渕志ち [1847〜1929年／実業家・玉糸の開発]…………①216

か 臥雲辰致 [1842〜1900年／ガラ紡の発明]…………①226

笠井順八 [1835〜1919年／実業家・小野田セメント]…………①230

片岡健吉 [1843〜1903年／立志社の創設メンバー]…………①235

片山潜 [1859〜1933年／日本初の社会主義政党を結成]…………①237

片山東熊 [1854〜1917年／建築家・現在の迎賓館]…………①238

桂太郎 [1847〜1913年／第11、13、15代内閣総理大臣]…………①241

加藤辰之助 [1860〜1930年／陶工・信楽焼]…………①243

加藤弘之 [1836〜1916年／政治学者・明六社の結成メンバー]…………①244

金井俊行 [1850〜1897年／政治家・長崎市の上水道整備]…………①245

仮名垣魯文 [1829〜1894年／作家、新聞記者・『安愚楽鍋』]…………①246

金森吉次郎 [1864〜1930年／治水家・大垣輪中の治水事業]…………①246

金谷総蔵 [1845〜1892年／農業指導者・ラッカセイの栽培指導]…………①246

狩野芳崖 [1828〜1888年／日本画家・『悲母観音』]…………①251

鎌田三之助 [1863〜1950年／政治家・品井沼の干拓事業]…………①255

神野金之助 [1849〜1922年／実業家、新田開発者]…………①255

河合喜三郎 [1857?〜1916年／リード・オルガンの製作者]…………①267

川上音二郎 [1864〜1911年／新派劇の先駆者・『オッペケペー節』]……①268

川上善兵衛 [1868〜1944年／国産ワインの製造]…………①268

河口慧海 [1866〜1945年／チベット文化を研究した仏教学者]…………①270

川崎正蔵 [1837〜1912年／川崎造船所の創始者]…………①270

川端玉章 [1842〜1913年／日本画家・『四時ノ名勝』]…………①272

管野すが [1881〜1911年／大逆事件で処刑された社会主義運動家]……①279

菊池武夫 [1854〜1912年／日本初の法学博士]…………①283

菊池楯衛 [1846〜1918年／リンゴ栽培]…………①283

岸田俊子 [1863〜1901年／自由民権運動家・男女平等論]…………①285

喜早伊右衛門 [1847〜1906年／東沢ため池の工事]…………①287

北垣国道 [1836〜1916年／官僚・京都市の発展に貢献]…………①287

喜田貞吉 [1871〜1939年／日本史学者]…………①288

北里柴三郎 [1852〜1931年／医学者、細菌学者]…………①288

北村透谷 [1868〜1894年／詩人、評論家]…………①291

木下尚江 [1869〜1937年／社会運動家、作家]…………①296

木村栄 [1870〜1943年／天文学者・Z項の発見]…………①300

清沢満之 [1863〜1903年／僧、宗教家、思想家]…………①306

キヨソーネ, エドアルド [1833〜1898年／紙幣や切手の技術指導] ①306

金原明善 [1832〜1923年／天竜川の治水工事]…………①311

陸羯南 [1857〜1907年／近代ジャーナリズムの先駆者]…………②13

城間正安 [1860〜1944年／役人・人頭税廃止運動]…………②15

楠本イネ [1827〜1903年／日本初の女性産科医]…………②17

工藤吉郎兵衛 [1860〜1945年／農民、育種家・イネの品種改良]………②19

工藤鉄郎 [1849〜1927年／開拓者・七戸地方の開拓]…………②19

国木田独歩 [1871〜1908年／詩人、作家・『武蔵野』]…………②21

窪添慶吉 [1859〜1923年／漁業指導者・大敷網漁法]…………②23

久米桂一郎 [1866〜1934年／洋画家・『秋景』]…………②26

クラーク, ウィリアム [1826〜1886年／札幌農学校の初代教頭]……②27

黒岩涙香 [1862〜1920年／ジャーナリスト、翻訳家、作家・『無惨』]……②39

黒田清輝 [1866〜1924年／洋画家・『昔語り』]…………②42

黒野猪吉郎 [1856〜1921年／実業家・水力発電所の建設]…………②43

郡司成忠 [1860〜1924年／千島列島を開拓]…………②46

ケーベル, ラファエル［1848〜1923年／ロシアの哲学者、音楽家］⋯⋯ ②49

ケプロン, ホーレス［1804〜1885年／北海道開拓に尽力］⋯⋯ ②52

小泉八雲［1850〜1904年／文芸評論家、作家・『怪談』］⋯⋯ ②59

幸田露伴［1867〜1947年／作家、随筆家・『五重塔』］⋯⋯ ②67

幸徳秋水［1871〜1911年／社会主義者、ジャーナリスト］⋯⋯ ②68

河野広中［1849〜1923年／政治家、自由民権運動家］⋯⋯ ②69

小崎弘道［1856〜1938年／宗教家、牧師・同志社社長、校長］⋯⋯ ②78

児島惟謙［1837〜1908年／大津事件の裁判官］⋯⋯ ②79

古城弥二郎［1857〜1912年／役人・八代海の開拓］⋯⋯ ②80

五代友厚［1835〜1885年／大阪の株式取引所、商工会議所を創設］⋯⋯ ②82

児玉源太郎［1852〜1906年／陸軍軍人・日露戦争の参謀］⋯⋯ ②84

小林一三［1873〜1957年／阪急グループの創始者］⋯⋯ ②92

小林清親［1847〜1915年／木版画家・『東京江戸橋之真景』］⋯⋯ ②93

小林虎三郎［1828〜1877年／武士・長岡の教育振興］⋯⋯ ②94

小村寿太郎［1855〜1911年／不平等条約を撤廃させた外交官］⋯⋯ ②98

小室信夫［1839〜1898年／政治家・民撰議院設立建白書提出に参加］⋯ ②99

小山益太［1861〜1924年／果樹園芸家・モモ栽培の研究］⋯⋯ ②99

コンドル, ジョサイア［1852〜1920年／建築家・鹿鳴館の設計者］ ②107

さ 西園寺公望［1849〜1940年／第12、14代内閣総理大臣］⋯⋯ ②109

西郷従道［1843〜1902年／薩摩藩士、軍人、政治家］⋯⋯ ②110

斎藤宇一郎［1866〜1926年／役人、農政家・乾田の普及］⋯⋯ ②111

堺利彦［1870〜1933年／日本共産党の初代委員長］⋯⋯ ②117

佐佐木信綱［1872〜1963年／国文学者、歌人・『校本万葉集』］⋯⋯ ②124

笹沼清左衛門［1854〜1920年／開発者・水戸納豆の商品化］⋯⋯ ②125

佐藤泰然［1804〜1872年／医師・順天堂医院の開設］⋯⋯ ②128

佐野常民［1822〜1902年／日本赤十字社を設立］⋯⋯ ②131

澤野利正［1850〜1928年／殖産家・播州そうめんの改良］⋯⋯ ②137

沢柳政太郎［1865〜1927年／普通教育制度を確立した文部官僚］⋯⋯ ②138

三遊亭円朝［1839〜1900年／落語家(初代)・『怪談牡丹灯籠』］⋯⋯ ②142

志賀潔［1871〜1957年／赤痢菌を発見した医学者］⋯⋯ ②149

志賀重昂［1863〜1927年／地理学者、評論家、政治家・『日本風景論』］ ②149

渋沢栄一［1840〜1931年／数多くの株式会社を設立した実業家］⋯⋯ ②161

島村抱月［1871〜1918年／翻訳劇の劇作家］⋯⋯ ②167

下岡蓮杖［1823〜1914年／写真家・横浜に写真館を開業］⋯⋯ ②168

下城弥一郎［1853〜1905年／商工業者・伊勢崎銘仙］⋯⋯ ②168

下田歌子［1854〜1936年／帝国婦人協会を設立、実践女学校を創立］ ②169

下村観山［1873〜1930年／日本画家・『木の間の秋』］⋯⋯ ②169

謝花昇［1865〜1908年／自由民権運動家・沖縄の農政改革につとめた］ ②175

尚泰王［1843〜1901年／琉球王国第2尚氏、第19代国王］⋯⋯ ②193

白瀬矗［1861〜1946年／南極探検家］⋯⋯ ②207

新海竹太郎［1868〜1927年／彫刻家・『ゆあみ』］⋯⋯ ②209

末広鉄腸［1849〜1896年／政治活動のかたわら政治小説を執筆］⋯⋯ ②215

杉浦重剛［1855〜1924年／東京英語学校を設立］⋯⋯ ②218

杉江善右衛門［1822〜1885年／琵琶湖の水運の整備］⋯⋯ ②218

鈴木大拙［1870〜1966年／仏教哲学者］⋯⋯ ②224

薄田泣菫［1877〜1945年／詩人、随筆家・『暮笛集』］⋯⋯ ②224

千田貞暁［1836〜1908年／役人・広島港の整備］⋯⋯ ②247

相馬黒光［1876〜1955年／実業家、随筆家・中村屋の創業者］⋯⋯ ②252

た 高島嘉右衛門［1832〜1914年／商人、実業家・横浜の開発］⋯⋯ ②275

高野房太郎［1869〜1904年／日本労働運動の先駆者］⋯⋯ ②278

高野正誠［1852〜1923年／国産ワインの製造］⋯⋯ ②278

高橋是清［1854〜1936年／第20代内閣総理大臣］⋯⋯ ②278

高橋由一［1828〜1894年／画家・『鮭』］⋯⋯ ②280

高浜虚子［1874〜1959年／俳人、作家・小説『柿二つ』］⋯⋯ ②280

高林謙三［1832〜1901年／医師、発明家・高林式茶葉揉機］⋯⋯ ②281

高峰譲吉［1854〜1922年／バイオテクノロジーの先駆者］⋯⋯ ②281

高村光雲［1852〜1934年／彫刻家・『老猿』］⋯⋯ ②282

高山長五郎［1830〜1886年／農民、養蚕家・カイコの「清温育」］⋯⋯ ②283

高山樗牛［1871〜1902年／思想家、文芸評論家、文学博士］⋯⋯ ②284

滝廉太郎［1879〜1903年／作曲家、ピアニスト・『荒城の月』］⋯⋯ ②286

田口卯吉［1855〜1905年／経済学者・『東京経済雑誌』を創刊］⋯⋯ ②287

竹内栖鳳［1864〜1942年／日本画家・『羅馬之図』］⋯⋯ ②288

田代栄助［1834〜1885年／秩父事件の農民軍指導者］⋯⋯ ②297

辰野金吾［1854〜1919年／建築家・東京駅］⋯⋯ ②300

伊達邦成［1841〜1904年／開拓者・伊達市の開拓］⋯⋯ ②300

田中正造［1841〜1913年／足尾鉱毒事件で闘った指導者］⋯⋯ ②303

田中館愛橘［1856〜1952年／地球物理学者］⋯⋯ ②304

田中友三郎［1839〜1913年／商工業者・笠間焼の販売］⋯⋯ ②304

棚田嘉十郎［1860〜1921年／文化財保護運動家］⋯⋯ ②305

田辺朔郎［1861〜1944年／技術者・琵琶湖疏水工事］⋯⋯ ②305

田山花袋［1871〜1930年／作家・『蒲団』］⋯⋯ ②313

ダン, エドウィン［1848〜1931年／牧畜業指導者・酪農の指導］⋯⋯ ②316

千蒲善五郎［1817〜1889年／商人・油田開発］⋯⋯ ③10

千葉卓三郎［1852〜1883年／自由民権運動家・五日市憲法草案］⋯⋯ ③12

津田梅子［1864〜1929年／津田塾大学の創立者］⋯⋯ ③28

津田三蔵［1854〜1891年／軍人、警察官・大津事件の犯人］⋯⋯ ③29

津田米次郎［1862〜1915年／職人、発明家・動力織機の発明］⋯⋯ ③30

土屋助次郎［1859〜1940年／国産ワインの製造］⋯⋯ ③32

坪内逍遙［1859〜1935年／作家、劇作家、評論家・『小説神髄』］⋯⋯ ③34

デ・レーケ, ヨハネス［1842〜1913年／木曾三川の分流工事］⋯⋯ ③50

土井晩翠［1871〜1952年／詩人、英文学者・『荒城の月』］⋯⋯ ③53

東海散士［1852〜1922年／作家・『佳人之奇遇』］⋯⋯ ③55

東郷平八郎［1848〜1934年／連合艦隊司令長官］⋯⋯ ③57

頭山満［1855〜1944年／右翼運動家］⋯⋯ ③61

徳川家達［1863〜1940年／徳川家第16代当主］⋯⋯ ③64

徳富蘇峰［1863〜1957年／評論家、ジャーナリスト］⋯⋯ ③74

徳冨蘆花［1868〜1927年／作家・『不如帰』］⋯⋯ ③74

土倉庄三郎［1840〜1917年／林業家・土倉式造林法］⋯⋯ ③75

外崎嘉七［1859〜1924年／果樹栽培家・リンゴ栽培の指導］⋯⋯ ③80

富岡鉄斎［1836〜1924年／文人画家・『安倍仲麿明州望月図』］⋯⋯ ③82

な ナウマン, エドムント［1854〜1927年／ドイツの地質学者］⋯⋯ ③95

永井いと［1836〜1904年／養蚕家・いぶし飼い］⋯⋯ ③96

中江兆民	[1847～1901年／日本に近代民主主義を伝えた思想家]	③99
長岡半太郎	[1865～1950年／物理学者・原子模型]	③100
長尾四郎右衛門	[1854～1911年／公共事業家・生出村の発展]	③100
中川源吾	[1847～1923年／漁業指導者・ビワマスの養殖]	③101
中條政恒	[1841～1900年／役人・郡山地域の開拓]	③104
長塚節	[1879～1915年／作家、歌人、『土』]	③106
中上川彦次郎	[1854～1901年／実業家・三井財閥を改革]	③109
中村直三	[1819～1882年／農民、農業指導者・イネの品種改良]	③111
中村正直	[1832～1891年／啓蒙思想家、教育者]	③112
中山久蔵	[1828～1919年／石狩平野での稲作]	③113
夏目漱石	[1867～1916年／作家・『坊っちゃん』]	③117
成瀬仁蔵	[1858～1919年／日本女子大学の創設者]	③122
新島襄	[1843～1890年／同志社大学の創立者]	③124
西周	[1829～1897年／啓蒙思想家、西洋哲学者]	③127
西川光二郎	[1876～1940年／社会主義者]	③127
新渡戸稲造	[1862～1933年／教育家・『武士道』を海外に紹介]	③132
二宮忠八	[1866～1936年／飛行機の研究者]	③134
乃木希典	[1849～1912年／日露戦争の司令官]	③144
野中到	[1867～1955年／気象学者・富士山頂で越冬観測]	③148
は バード, イザベラ	[1831～1904年／イギリスの旅行家]	③154
パーマー, ヘンリー	[1838～1893年／技術者・印南野台地の治水工事]	
		③156
萩原タケ	[1873～1936年／看護師]	③161
橋本雅邦	[1835～1908年／日本画家・『白雲紅樹』]	③163
秦佐八郎	[1873～1938年／梅毒の薬を開発した細菌学者]	③169
羽田野敬雄	[1798～1882年／国学者]	③170
馬場辰猪	[1850～1888年／自由民権運動家]	③177
原善三郎	[1827～1899年／横浜発展に貢献した商人]	③186
原敬	[1856～1921年／政党内閣をつくった第19代内閣総理大臣]	③186
東久邇宮稔彦王	[1887～1990年／第43代内閣総理大臣]	③198
樋口一葉	[1872～1896年／作家、歌人・『たけくらべ』]	③199
ビゴー, ジョルジュ	[1860～1927年／日露戦争の風刺画]	③202
菱田春草	[1874～1911年／日本画家・『落葉』]	③204
平岩幸吉	[1856～1910年／社会事業家・老人ホームの開設]	③214
広岡浅子	[1849～1919年／加島銀行を設立した女性実業家]	③220
広田亀治	[1839～1896年／農民、農業指導者・イネの新品種の開発]	③220
広津柳浪	[1861～1928年／作家・『黒蜥蜴』]	③221
ファン・ドールン, コルネリス	[1837～1906年／安積原野の治水]	③225
フェノロサ, アーネスト	[1853～1908年／日本画の復興]	③231
フォンタネージ, アントニオ	[1818～1882年／西洋の絵画教育を導入]	
		③236
福島邦成	[1819～1898年／医者・橘橋の築造]	③240
福田英子	[1865～1927年／婦人解放運動の先駆者]	③241
藤井能三	[1846～1913年／商人・伏木港の近代化]	③242
藤尾太郎	[1897～1963年／村長・農業用水ダムの建設]	③242
藤田伝三郎	[1841～1912年／実業家・児島湾の干拓]	③245

二葉亭四迷	[1864～1909年／作家、翻訳家・『浮雲』]	③265
船津伝次平	[1832～1898年／農業指導者、『太陽暦耕作一覧』]	③269
ブラントン, リチャード	[1841～1901年／土木技術者・灯台の建設]	③279
古河市兵衛	[1832～1903年／足尾銅山の経営者]	③283
古河太四郎	[1845～1907年／視覚・聴覚障害児の教育者]	③285
ヘボン, ジェームス	[1815～1911年／ヘボン式ローマ字の発案]	④16
ボアソナード, ギュスターブ・エミール	[1825～1910年／法学者]	
		④28
朴泳孝	[1861～1939年／朝鮮王朝末期の政治家]	④40
星亨	[1850～1901年／日本初の弁護士]	④41
細井順子	[1842～1918年／機業家・福井の織物業に貢献]	④43
穂積陳重	[1856～1926年／法学者・民法の起草に指導的役割]	④48
穂積八束	[1860～1912年／憲法学者・『民法出でて忠孝亡ぶ』]	④48
ま 前川定五郎	[1832～1917年／農民、社会実業家・定五郎橋の築造]	④60
前島密	[1835～1919年／政治家、日本の郵便事業をはじめた官僚]	④61
牧野富太郎	[1862～1957年／植物分類学者・『牧野日本植物図鑑』]	④65
正岡子規	[1867～1902年／俳人、歌人・随筆『病牀六尺』]	④68
増永五左衛門	[1871～1938年／実業家・眼鏡産業の導入]	④71
松方正義	[1835～1924年／第4、6代内閣総理大臣]	④75
松戸覚之助	[1875～1934年／農民、果樹栽培家・二十世紀梨の栽培]	④81
丸尾文六	[1832～1896年／実業家・牧之原台地の茶園]	④89
マルコ・マリ・ド・ロ	[1840～1914年／神父・外海地方の振興]	④92
マレー, デビッド	[1830～1905年／日本の教育行政の基礎をつくる]	④95
三浦仙三郎	[1847～1908年／醸造家・軟水による醸造法の開発]	④98
三島通庸	[1835～1888年／地方開発を強行した官僚]	④102
水上助三郎	[1864～1922年／水産事業家・オットセイ漁]	④103
南方熊楠	[1867～1941年／生物学者、民俗学者・粘菌の研究]	④107
南崎常右衛門	[1844～1913年／実業家・都城の製茶業]	④107
三宅雪嶺	[1860～1945年／ジャーナリスト]	④121
宮崎滔天	[1871～1922年／孫文の辛亥革命に協力]	④122
宮武外骨	[1867～1955年／ジャーナリスト・『滑稽新聞』]	④124
宮永八百治	[1837～1895年／農民、治水家・本庄南用水路の工事]	④125
三好保徳	[1862～1905年／農民、果樹園芸家・伊予ミカンの栽培]	④130
陸奥宗光	[1844～1897年／政治家、外交官]	④137
ムルドル, ローエンホルスト	[1848～1901年／土木技師]	④147
明治天皇	[1852～1912年／第122代天皇]	④149
モース, エドワード	[1838～1925年／動物学者・大森貝塚を発見]	④158
最上忠右衛門	[1826～1905年／職人、染色家]	④159
藻寄行蔵	[1820～1886年／医者・塩づくりの復活]	④166
森有礼	[1847～1889年／近代的な教育制度を確立]	④166
森鷗外	[1862～1922年／作家、評論家、医師・『高瀬舟』]	④167
や 矢板武	[1849～1922年／実業家・那須疏水の工事]	④176
矢島楫子	[1833～1925年／東京婦人矯風会を設立]	④177
安田善次郎	[1838～1921年／安田財閥の創始者]	④178
矢野七三郎	[1855～1889年／商人・伊予綿ネルの改良]	④182
矢野竜渓	[1850～1931年／ジャーナリスト、政治家]	④183

矢部禎吉 [1825〜1880年／商人、治水家・ため池の築造]……④183
山県有朋 [1838〜1922年／第3,9代内閣総理大臣]……④185
山口尚芳 [1839〜1894年／日本の近代化を推進した武士、政治家]……④187
山田顕義 [1844〜1892年／軍人、政治家・近代的法典の整備]……④190
山田美妙 [1868〜1910年／作家、詩人、評論家、国語学者・『蝴蝶』]……④193
山葉寅楠 [1851〜1916年／日本初のオルガンやピアノを製造]……④196
山室軍平 [1872〜1940年／キリスト教宗教家・救世軍士官]……④197
山本比呂伎 [1827〜1907年／日本初の公立学校の開校]……④199
横井時敬 [1860〜1927年／農学者・『栽培汎論』]……④210
横田穣 [1865〜1950年／植林家・日出生台の植林]……④211
横山源之助 [1871〜1915年／新聞記者、社会問題研究家]……④211
与謝野晶子 [1878〜1942年／歌人、詩人・『みだれ髪』]……④212
与謝野鉄幹 [1873〜1935年／歌人、詩人・『東西南北』]……④213
吉井源太 [1826〜1908年／職人、製紙家]……④213
吉岡彌生 [1871〜1959年／医者、東京女医学校を設立]……④214
吉川類次 [1858〜1927年／農民、育種家・「衣笠早稲」の開発]……④215
吉丸一昌 [1873〜1916年／国文学者・『早春賦』]……④220
依田勉三 [1853〜1925年／開拓者・帯広の開拓]……④222

ら ラグーザ, ビンチェンツォ [1841〜1927年／西洋彫刻の指導者]……④228

リーチ, バーナード [1887〜1979年／民芸運動にかかわった陶芸家]……④237

ロエスレル, カール・フリードリヒ・ヘルマン [1834〜1894年／法学
者・法制度の基礎づくりを指導]……④273

わ 和井内貞行 [1858〜1922年／実業家・ヒメマスの養殖]……④284
若松賤子 [1864〜1896年／翻訳家、作家、教育者・『小公子』]……④286
和田英 [1857〜1929年／製糸技術者・製糸技術の指導者]……④288
渡辺祐策 [1864〜1934年／実業家・宇部市の開発]……④290

大正時代〜昭和時代（終戦まで）

あ 相沢三郎 [1889〜1936年／二・二六事件のきっかけをつくった陸軍軍人]……①11
青山杉雨 [1912〜1993年／独自の書法を展開した書家]……①16
赤木正雄 [1887〜1972年／役人・白岩砂防ダムの築造]……①16
明石順三 [1889〜1965年／ワッチタワーの伝道者]……①17
赤松克麿 [1894〜1955年／社会運動家、政治家]……①19
赤松麟作 [1878〜1953年／洋画家・『夜汽車』]……①19
秋田雨雀 [1883〜1962年／作家・『太陽と花園』]……①20
芥川龍之介 [1892〜1927年／作家・『羅生門』]……①22
朝河貫一 [1873〜1948年／歴史学者・日露講和会議に出席]……①24
浅川巧 [1891〜1931年／朝鮮民芸・陶芸の研究家]……①25
朝倉文夫 [1883〜1964年／彫刻家・『墓守』]……①25
芦田均 [1887〜1959年／第47代内閣総理大臣]……①34
阿南惟幾 [1887〜1945年／陸軍大臣]……①43
油屋熊八 [1863〜1935年／実業家・別府温泉の観光地化]……①45
安部磯雄 [1865〜1949年／キリスト教社会主義者、政治家]……①45
阿部次郎 [1883〜1959年／教養主義の思想家・『三太郎の日記』]……①46
阿部信行 [1875〜1953年／第36代内閣総理大臣]……①48

安倍能成 [1883〜1966年／哲学者、教育者、文部大臣]……①49
甘粕正彦 [1891〜1945年／満州国建設の裏工作をした陸軍軍人]……①50
荒木貞夫 [1877〜1966年／皇道派の中心人物]……①54
荒畑寒村 [1887〜1981年／社会主義者]……①55
有島武郎 [1878〜1923年／作家・『生れ出づる悩み』]……①57
飯田蛇笏 [1885〜1962年／俳人・『山廬集』]……①71
池田成彬 [1867〜1950年／三井財閥を発展させた銀行家]……①77
石井菊次郎 [1866〜1945年／石井・ランシング協定をむすんだ外交官]……①81
石井漠 [1886〜1962年／舞踊家・『人間釈迦』]……①82
石川倉次 [1859〜1944年／日本式点字の考案者]……①82
石橋湛山 [1884〜1973年／第55代内閣総理大臣]……①87
伊豆富人 [1888〜1978年／実業家・熊本日日新聞]……①89
板谷波山 [1872〜1963年／芸術を志向した陶芸家]……①92
市川房枝 [1893〜1981年／女性社会運動家、政治家]……①94
一木喜徳郎 [1867〜1944年／天皇機関説をとなえた憲法学者]……①94
伊東静雄 [1906〜1953年／詩人・『わがひとに与ふる哀歌』]……①98
伊東深水 [1898〜1972年／日本画家・『聞香』]……①99
伊藤野枝 [1895〜1923年／婦人運動家]……①99
伊東巳代治 [1857〜1934年／大日本帝国憲法起草者の一人]……①100
犬養毅 [1855〜1932年／第29代内閣総理大臣・五・一五事件]……①102
井上準之助 [1869〜1932年／日本銀行総裁・大蔵大臣]……①106
井上日召 [1886〜1967年／右翼団体の指導者]……①107
猪俣津南雄 [1889〜1942年／経済学者]……①110
伊波普猷 [1876〜1947年／民俗学者・琉球語や沖縄の歴史の研究]……①110
伊原五郎兵衛 [1880〜1952年／商人・伊那電気鉄道の敷設]……①110
岩橋武夫 [1898〜1954年／社会事業家]……①121
上杉慎吉 [1878〜1929年／憲法学者]……①130
上村松園 [1875〜1949年／日本画家・『母子』]……①135
宇垣一成 [1868〜1956年／軍縮を進めた陸軍大臣]……①138
内田百閒 [1889〜1971年／作家、随筆家・『百鬼園随筆』]……①140
宇野浩二 [1891〜1961年／作家、児童文学作家、評論家]……①142
梅津美治郎 [1882〜1949年／太平洋戦争の降伏文書に調印]……①144
梅原龍三郎 [1888〜1986年／洋画家・『桜島』]……①144
海野十三 [1897〜1949年／作家・『火星兵団』]……①147
江戸川乱歩 [1894〜1965年／作家、評論家・『怪人二十面相』シリーズ]①155
大内兵衛 [1888〜1980年／経済学者]……①173
大川周明 [1886〜1957年／国家改造をめざした右翼思想家]……①176
大河内正敏 [1878〜1952年／機械工学者]……①180
大杉栄 [1885〜1923年／労働運動に影響をあたえた社会運動家]……①181
大橋源太郎 [1884〜1971年／実業家・犬上川ダムの建設]……①188
大橋新太郎 [1863〜1944年／博文館の創業者]……①189
大原孫三郎 [1880〜1943年／実業家・大原美術館の創設]……①190
大山郁夫 [1880〜1955年／社会運動家、政治学者]……①193
岡潔 [1901〜1978年／数学者・関数の研究]……①194
岡田啓介 [1868〜1952年／第31代内閣総理大臣・二・二六事件]……①194
岡野貞一 [1878〜1941年／作曲家・『おぼろ月夜』]……①197

時代別索引

大正時代～昭和時代（終戦まで）

岡本かの子 [1889～1939年／作家、歌人・『生々流転』]……………①197

岡本綺堂 [1872～1939年／作家、劇作家・『半七捕物帳』]……………①198

小川未明 [1882～1961年／児童文学作家・『赤い蠟燭と人魚』]……………①199

奥むめお [1895～1997年／婦人運動家・主婦連合会を創立]……………①201

奥村土牛 [1889～1990年／日本画家・『鳴門』]……………①202

尾崎士郎 [1898～1964年／作家・『人生劇場』]……………①204

尾崎放哉 [1885～1926年／俳人・『大空』]……………①204

小山内薫 [1881～1928年／日本近代演劇の開拓者]……………①205

織田作之助 [1913～1947年／作家・『夫婦善哉』]……………①207

織田幹雄 [1905～1998年／三段とびの陸上選手]……………①209

尾上松緑 [1913～1989年／歌舞伎俳優(2世)・歌舞伎『勧進帳』]……………①213

折口信夫 [1887～1953年／国文学者、民俗学者]……………①217

か 賀川豊彦 [1888～1960年／キリスト教の伝道と社会事業をおこなう]……………①228

垣田幾馬 [1868～1934年／農民、治水家・荻柏原井路の工事]……………①228

葛西善蔵 [1887～1928年／作家・『湖畔手記』]……………①230

梶井基次郎 [1901～1932年／作家・『檸檬』]……………①232

加地茂治郎 [1869～1940年／商人・豊稔池の築造]……………①233

片岡直温 [1859～1934年／大蔵大臣・昭和金融恐慌]……………①236

桂文楽 [1892～1971年／落語家・『明烏』]……………①241

加藤勘十 [1892～1978年／社会党出身の労働大臣]……………①242

加藤高明 [1860～1926年／第24代内閣総理大臣・普通選挙法]……………①243

加藤唐九郎 [1897～1985年／陶芸家・『氷柱』]……………①243

加藤友三郎 [1861～1923年／海軍大臣、第21代内閣総理大臣]……………①244

金栗四三 [1891～1983年／マラソン選手]……………①246

金子堅太郎 [1853～1942年／ポーツマス条約成立に貢献した政治家]……………①247

金子直吉 [1866～1944年／日本有数の総合商社を育てた実業家]……………①248

金子みすゞ [1903～1930年／詩人、童謡詩人・『わたしと小鳥と鈴と』]……………①248

嘉納治五郎 [1860～1938年／講道館柔道の創始者]……………①250

鏑木清方 [1878～1972年／日本画家・『築地明石町』]……………①253

亀井勝一郎 [1907～1966年／文芸評論家]……………①256

河合栄治郎 [1891～1944年／思想家、教育者]……………①267

川合玉堂 [1873～1957年／日本画家・『彩雨』]……………①267

河上清 [1873～1949年／アメリカ合衆国で活躍したジャーナリスト]……………①268

河上肇 [1879～1946年／経済学者・『貧乏物語』]……………①269

川田龍吉 [1856～1951年／農場経営者・男爵いもの栽培]……………①271

川端龍子 [1885～1966年／日本画家・会場芸術を目指した]……………①272

河東碧梧桐 [1873～1937年／俳人・『碧梧桐句集』]……………①273

菊池寛 [1888～1948年／作家、劇作家・『恩讐の彼方に』]……………①283

岸田国士 [1890～1954年／劇作家、演出家・『チロルの秋』]……………①284

岸田劉生 [1891～1929年／洋画家・『麗子像』]……………①285

北一輝 [1883～1937年／国家主義運動の理論的指導者]……………①287

北大路魯山人 [1883～1959年／美食と陶芸を追求した芸術家]……………①287

北原白秋 [1885～1942年／詩人、歌人・『赤とんぼ』]……………①290

北村西望 [1884～1987年／彫刻家・『平和祈念像』]……………①290

喜多六平太 [1874～1971年／シテ方喜多流の能楽師]……………①291

北脇永治 [1878～1950年／果樹園芸家・二十世紀梨]……………①291

木戸幸一 [1889～1977年／最後の内大臣]……………①293

稀音家浄観 [1874～1956年／長唄三味線方奏者]……………①294

木村伊兵衛 [1901～1974年／写真家・『秋田』シリーズ]……………①300

木村義雄 [1905～1986年／将棋棋士・14世名人]……………①300

清浦奎吾 [1850～1942年／第23代内閣総理大臣]……………①305

清沢洌 [1890～1945年／ジャーナリスト、評論家]……………①306

桐生悠々 [1873～1941年／ジャーナリスト・「関東防空大演習を嗤ふ」]……………①308

金城清松 [1880～1974年／医者・結核の予防]……………①310

金田一京助 [1882～1971年／言語学者・アイヌ語の研究]……………①310

草川信 [1893～1948年／作曲家、音楽教育家・『夕焼け小焼け』]……………②13

九条武子 [1887～1928年／歌人、社会事業家・『白孔雀』]……………②15

葛原しげる [1886～1961年／童謡作家、童話作家・『夕日』]……………②16

国吉康雄 [1889～1953年／洋画家・『誰かが私のポスターを破った』]……………②22

久原房之助 [1869～1965年／久原財閥の創始者]……………②22

久米正雄 [1891～1952年／作家、劇作家・『蛍草』]……………②26

倉田百三 [1891～1943年／戯曲家、評論家]……………②29

来栖三郎 [1886～1954年／太平洋戦争回避につとめた外交官]……………②35

小磯国昭 [1880～1950年／朝鮮総督、第41代内閣総理大臣]……………②60

小出楢重 [1887～1931年／洋画家・『少女お梅の像』]……………②61

河本大作 [1883～1955年／軍人・張作霖爆殺事件の首謀者]……………②71

古賀春江 [1895～1933年／洋画家・『海』]……………②74

五島慶太 [1882～1959年／東急グループの創業者]……………②86

後藤新平 [1857～1929年／関東大震災時の東京市長]……………②88

近衛文麿 [1891～1945年／第34、38、39代内閣総理大臣]……………②91

小林古径 [1883～1957年／日本画家・『髪』]……………②93

小林多喜二 [1903～1933年／作家・『蟹工船』]……………②93

小宮豊隆 [1884～1966年／文芸評論家・『夏目漱石』]……………②97

さ 西光万吉 [1895～1970年／部落問題にとりくんだ社会運動家]……………②110

西条八十 [1892～1970年／詩人、作詞家、フランス文学者・『かなりや』]……………②110

斎藤隆夫 [1870～1949年／反ファシズムの立場をつらぬいた政治家]……………②111

斎藤実 [1858～1936年／国際連盟脱退時の第30代内閣総理大臣]……………②115

斎藤茂吉 [1882～1953年／歌人、医師・『あらたま』]……………②116

佐伯祐三 [1898～1928年／洋画家・『郵便配達夫』]……………②116

坂田三吉 [1870～1946年／将棋棋士]……………②118

坂本繁二郎 [1882～1969年／洋画家・『放牧三馬』]……………②120

佐々木五三郎 [1868～1945年／社会事業家・弘前愛成園の設立]……………②122

佐々木惣一 [1878～1965年／憲法学者・大日本帝国憲法改正草案]……………②122

佐藤栄助 [1867～1950年／果樹栽培家・サクランボ「佐藤錦」の開発]……………②128

佐藤忠次郎 [1887～1944年／回転式稲こき機の発明]……………②129

佐藤春夫 [1892～1964年／詩人、作家・『田園の憂鬱』]……………②130

里見弴 [1888～1983年／作家・『多情仏心』]……………②130

佐野学 [1892～1953年／一国社会主義を唱えた社会運動家]……………②131

沢田正二郎 [1892～1929年／新国劇を創立した俳優]……………②137

沢村栄治 [1917～1944年／プロ野球選手]……………②138

志賀直哉 [1883～1971年／作家・『暗夜行路』]……………②149

重光葵 [1887～1957年／太平洋戦争時の外務大臣]……………②151

島木赤彦 [1876~1926年／歌人・歌集『馬鈴薯の花』]──②162
島木健作 [1903~1945年／作家・『生活の探究』]──②162
島崎藤村 [1872~1943年／作家、詩人・『夜明け前』]──②162
島田叡 [1901~1945年／多くの県民の命を救った県知事]──②163
島田三郎 [1852~1923年／キリスト教的人道主義の政治家]──②163
島津源蔵 [1869~1951年／島津製作所の2代目社長・GS蓄電池]──②164
下村湖人 [1884~1955年／作家、教育者・『次郎物語』]──②169
昭和天皇 [1901~1989年／第124代天皇]──②199
白鳥庫吉 [1865~1942年／歴史学者・邪馬台国北九州説]──②208
新村出 [1876~1967年／言語学者・『広辞苑』]──②211
杉浦健造 [1866~1933年／医者・日本住血吸虫症の撲滅運動]──②217
杉原千畝 [1900~1986年／ユダヤ人をナチスから救った外交官]──②219
杉本京太 [1882~1972年／和文タイプライターの発明]──②220
杉山彦三郎 [1857~1941年／チャの研究家・やぶきた茶の栽培]──②221
杉山元治郎 [1885~1964年／農民の全国組織を設立]──②221
鈴木梅太郎 [1874~1943年／農化学者・ビタミンの発見]──②223
鈴木貫太郎 [1867~1948年／第42代内閣総理大臣]──②223
鈴木文治 [1885~1946年／全国労働組合の前身、友愛会を結成]──②225
鈴木三重吉 [1882~1936年／児童文学誌『赤い鳥』を主宰]──②225
関根正二 [1899~1919年／洋画家・『信仰の悲しみ』]──②241
芹沢銈介 [1895~1984年／染織工芸家・型絵染]──②245
相馬御風 [1883~1950年／詩人、評論家・『大愚良寛』]──②252
ゾルゲ, リヒャルト [1895~1944年／ソ連のスパイ]──②257
大正天皇 [1879~1926年／第123代天皇]──②265
高垣眸 [1898~1983年／児童文学作家・『怪傑黒頭巾』]──②273
高木貞治 [1875~1960年／数学者・類体論]──②273
高野岩三郎 [1871~1949年／統計学者、社会運動家]──②277
高野辰之 [1876~1947年／作詞家、国文学者・『故郷』]──②277
高村光太郎 [1883~1956年／詩人、彫刻家・『道程』]──②282
高群逸枝 [1894~1964年／女性史学を確立]──②282
高柳健次郎 [1899~1990年／テレビ受像機の開発]──②283
財部彪 [1867~1949年／ロンドン海軍軍縮会議時の海軍大臣]──②284
田河水泡 [1899~1989年／漫画家、落語作家・『のらくろ二等兵』]──②285
滝川幸辰 [1891~1962年／刑法学の基礎をきずいた]──②285
竹越三叉 [1865~1950年／歴史学者、ジャーナリスト、政治家]──②289
竹久夢二 [1884~1934年／画家・『黒船屋』]──②294
太宰治 [1909~1948年／作家・『斜陽』]──②296
立原道造 [1914~1939年／詩人・『優しき歌』]──②299
巽聖歌 [1905~1973年／童謡詩人、歌人・『たきび』]──②300
田中義一 [1864~1929年／陸軍大臣、第26代内閣総理大臣]──②302
田辺元 [1885~1962年／哲学者]──②306
谷崎潤一郎 [1886~1965年／作家・『春琴抄』]──②307
種田山頭火 [1882~1940年／俳人・『草木塔』]──②309
田村俊子 [1884~1945年／作家・『木乃伊の口紅』]──②312
団琢磨 [1858~1932年／三井三池炭鉱の経営者]──②318
知里幸恵 [1903~1922年／アイヌ文化伝承者・『アイヌ神謡集』]──③23

津田左右吉 [1873~1961年／歴史学者・『日本上代史研究』]──③29
土田麦僊 [1887~1936年／日本画家・『舞妓林泉図』]──③31
堤康次郎 [1889~1964年／西武グループの創業者]──③33
壺井栄 [1899~1967年／作家、児童文学作家・『二十四の瞳』]──③33
坪田譲治 [1890~1982年／作家、児童文学作家・『風の中の子供』]──③34
出口王仁三郎 [1871~1948年／大本教教祖の一人]──③42
寺内正毅 [1852~1919年／第18代内閣総理大臣・米騒動]──③48
寺崎英成 [1900~1951年／太平洋戦争で日米交渉にあたった外交官]──③48
寺田寅彦 [1878~1935年／物理学者、随筆家・随筆集『柿の種』]──③49
東条英機 [1884~1948年／陸軍大臣、第40代内閣総理大臣]──③58
徳田秋声 [1871~1943年／作家・『縮図』]──③74
徳永直 [1899~1958年／作家・『太陽のない街』]──③75
床次竹二郎 [1867~1935年／政党政治を混乱させた政治家]──③76
戸坂潤 [1900~1945年／哲学者]──③76
留岡幸助 [1864~1934年／非行問題にあたった社会福祉家]──③84
豊田喜一郎 [1894~1952年／トヨタ自動車創業者]──③85
豊田佐吉 [1867~1930年／トヨタグループの創始者、発明家]──③85
鳥井信治郎 [1879~1962年／サントリーの創業者]──③90
鳥居龍蔵 [1870~1953年／人類学者、考古学者]──③91
鳥原ツル [1895~1981年／教育者・家庭科実習の導入]──③91
直木三十五 [1891~1934年／作家・『源九郎義経』]──③96
直良信夫 [1902~1985年／考古学者・明石原人]──③96
永井荷風 [1879~1959年／作家、随筆家・『ふらんす物語』]──③97
中川一政 [1893~1991年／洋画家・『静物』]──③101
中川金治 [1874~1949年／林業家・奥多摩の森林育成]──③101
中勘助 [1885~1965年／作家、詩人、随筆家・『提婆達多』]──③101
中里介山 [1885~1944年／作家・『大菩薩峠』]──③102
中島敦 [1909~1942年／作家・『李陵』]──③103
中島知久平 [1884~1949年／技術者・国産飛行機の製造]──③103
中田章 [1886~1931年／作曲家・『早春賦』]──③105
永田鉄山 [1884~1935年／軍人・相沢事件で殺された統制派リーダー]──③105
中野友礼 [1887~1965年／日曹コンツェルンの創始者]──③107
中原菊次郎 [1880~1954年／政治家・笠野原台地の治水工事]──③108
中原中也 [1907~1937年／詩人・『山羊の歌』]──③108
中原悌二郎 [1888~1921年／彫刻家・『若きカフカス人』]──③108
中村雨紅 [1897~1972年／童謡作家・『夕焼け小焼け』]──③109
中村吉右衛門 [1886~1954年／歌舞伎俳優(初代)・立ち役を得意とした]

──③109
中村彝 [1887~1924年／洋画家・『エロシェンコ氏の像』]──③111
中谷宇吉郎 [1900~1962年／物理学者・雪の研究]──③112
中山晋平 [1887~1952年／作曲家・『カチューシャの歌』]──③114
鍋山貞親 [1901~1979年／社会運動家]──③118
成田為三 [1893~1945年／作曲家・『浜辺の歌』]──③122
難波大助 [1899~1924年／皇太子を狙撃したアナキスト]──③123
新美南吉 [1913~1943年／児童文学作家・『ごんぎつね』]──③125
西田幾多郎 [1870~1945年／西田哲学をつくった哲学者]──③128

時代別索引

大正時代~昭和時代（終戦まで）

時代別索引

大正時代〜昭和時代（終戦まで）

西田税 [1901〜1937年／軍人・国家改造運動の青年将校のリーダー]…… ③128

仁科芳雄 [1890〜1951年／物理学者・核物理学]…… ③128

西原亀三 [1873〜1954年／西原借款をおこなった政治家、実業家]…… ③129

丹波保次郎 [1893〜1975年／ファクシミリの開発]…… ③135

根津嘉一郎 [1860〜1940年／鉄道の敷設や再建にかかわった実業家]…… ③140

野網和三郎 [1908〜1969年／網元・ハマチの養殖]…… ③142

野井倉甚兵衛 [1872〜1960年／野井倉大地の新田開発]…… ③142

野口雨情 [1882〜1945年／詩人、作詞家・『赤い靴』]…… ③145

野口遵 [1873〜1944年／旭ベンベルグなどを開発した電気化学工業の父]

…… ③145

野口英世 [1876〜1928年／細菌学者・黄熱病、梅毒の研究]…… ③146

野村吉三郎 [1877〜1964年／太平洋戦争回避交渉をした外務大臣]…… ③149

野呂栄太郎 [1900〜1934年／経済学者、社会主義者]…… ③151

は 萩原朔太郎 [1886〜1942年／詩人・詩集『青猫』]…… ③161

橋本欣五郎 [1890〜1957年／軍人、政治家・ファシスト運動を推進]…… ③163

長谷川如是閑 [1875〜1969年／ジャーナリスト]…… ③166

八田與一 [1886〜1942年／台湾の治水に貢献した日本人技術者]…… ③171

花柳章太郎 [1894〜1965年／新派俳優・『滝の白糸』]…… ③176

浜口雄幸 [1870〜1931年／第27代内閣総理大臣]…… ③179

浜田庄司 [1894〜1978年／陶芸家・益子焼]…… ③180

浜田広介 [1893〜1973年／児童文学作家・『泣いた赤鬼』]…… ③181

早川徳次 [1881〜1942年／実業家・日本初の地下鉄敷設]…… ③182

林銑十郎 [1876〜1943年／第33代内閣総理大臣]…… ③182

林武 [1896〜1975年／洋画家・『梳る女』]…… ③183

林芙美子 [1903〜1951年／作家・『放浪記』]…… ③183

葉山嘉樹 [1894〜1945年／作家・『海に生くる人々』]…… ③185

速水御舟 [1894〜1935年／日本画家・『名樹散椿』]…… ③185

原耕 [1876〜1933年／漁業経営者・枕崎のカツオ漁]…… ③186

原富太郎 [1868〜1939年／関東大震災後の横浜復興に貢献]…… ③187

樋口季一郎 [1888〜1970年／ユダヤ人難民を助けた軍人]…… ③199

土方与志 [1898〜1959年／築地小劇場の設立メンバー]…… ③203

人見絹枝 [1907〜1931年／短距離・走り幅とびの陸上選手]…… ③208

火野葦平 [1907〜1960年／作家・『麦と兵隊』]…… ③209

平櫛田中 [1872〜1979年／彫刻家・『鏡獅子』]…… ③214

平塚らいてう [1886〜1971年／社会運動家・雑誌『青踏』を創刊]…… ③215

平沼騏一郎 [1867〜1952年／第35代内閣総理大臣]…… ③216

平福百穂 [1877〜1933年／日本画家・『予譲』]…… ③217

広田弘毅 [1878〜1948年／第32代内閣総理大臣・日独防共協定]…… ③221

福田徳三 [1874〜1930年／経済学者・『生存権の社会政策』]…… ③241

藤島武二 [1867〜1943年／洋画家・『大王岬に打ち寄せる怒濤』]…… ③244

藤田嗣治 [1886〜1968年／洋画家・『五人の裸婦』]…… ③245

藤間勘十郎 [1900〜1990年／歌舞伎舞踊・『藤娘』]…… ③246

藤原銀次郎 [1869〜1960年／王子製紙の経営を再建]…… ③247

古川緑波 [1903〜1961年／コメディアン]…… ③285

ボーリズ, ウィリアム・メレル [1880〜1964年／アメリカ合衆国のキリスト教

伝道家・社会事業家]…… ④39

細井和喜蔵 [1897〜1925年／作家・『女工哀史』]…… ④43

堀口大学 [1892〜1981年／詩人、仏文学者、翻訳家・『月光とピエロ』]…… ④51

堀辰雄 [1904〜1953年／作家・『風立ちぬ』]…… ④51

本多光太郎 [1870〜1954年／物理学者・KS鋼を発明]…… ④55

ま 前大峰 [1890〜1977年／工芸家・点彫りの考案]…… ④61

前田青邨 [1885〜1977年／日本画家・『洞窟の頼朝』]…… ④62

前田夕暮 [1883〜1951年／歌人・『水源地帯』]…… ④64

牧野伸顕 [1861〜1949年／外交官・パリ講和会議に出席]…… ④66

真崎甚三郎 [1876〜1956年／軍人・皇道派の中心人物]…… ④68

正宗白鳥 [1879〜1962年／作家、劇作家、評論家・『自然主義盛衰史』]…… ④69

松井石根 [1878〜1948年／軍人・南京攻略の指揮官]…… ④72

松井須磨子 [1886〜1919年／芸術座を旗揚げした女優・『復活』]…… ④72

松岡映丘 [1881〜1938年／日本画家・『夏立つ浦』]…… ④73

松岡洋右 [1880〜1946年／外務大臣・日独伊三国同盟]…… ④74

三浦環 [1884〜1946年／ソプラノ歌手・『蝶々夫人』]…… ④99

三木清 [1897〜1945年／反戦容疑で獄死した哲学者]…… ④100

御木本幸吉 [1858〜1954年／真珠のミキモト創業者]…… ④100

三木露風 [1889〜1964年／詩人・童謡『赤とんぼ』]…… ④101

三島徳七 [1893〜1975年／MK鋼を発明した技術者]…… ④102

水野豊造 [1898〜1968年／園芸家・砺波地方のチューリップ栽培]…… ④104

南洋一郎 [1893〜1980年／児童文学作家・『吼える密林』]…… ④108

美濃部達吉 [1873〜1948年／憲法学者・天皇機関説]…… ④118

宮城鉄夫 [1877〜1934年／農事改良家・サトウキビの大茎種の導入]…… ④120

宮城道雄 [1894〜1956年／箏曲の演奏家、作曲家・『春の海』]…… ④121

宮沢賢治 [1896〜1933年／詩人、童話作家・『銀河鉄道の夜』]…… ④123

宮本三郎 [1905〜1974年／洋画家・『白き壺の花』]…… ④125

宮本武之輔 [1892〜1941年／土木技術者・信濃川の治水改修工事]…… ④125

武者小路実篤 [1885〜1976年／作家、劇作家、画家・『愛と死』]…… ④135

棟方志功 [1903〜1975年／彫刻家、版画家・『釈迦十大弟子』]…… ④137

村山槐多 [1896〜1919年／洋画家・『カンナと少女』]…… ④146

室生犀星 [1889〜1962年／詩人、作家・『あにいもうと』]…… ④148

望月与三郎 [1872〜1939年／役人・福士村の植林事業]…… ④163

森矗昶 [1884〜1941年／昭和電工の創始者]…… ④169

諸橋轍次 [1883〜1982年／漢学者・『大漢和辞典』]…… ④172

や 八木重吉 [1898〜1927年／詩人・『貧しき信徒』]…… ④176

八木秀次 [1886〜1976年／八木・宇田アンテナの共同発明者]…… ④176

矢島義一 [1884〜1922年／技術者・緒方平野の用水工事]…… ④177

安井曾太郎 [1888〜1955年／洋画家・『金蓉』]…… ④177

安田靫彦 [1884〜1978年／日本画家・『黄瀬川陣』]…… ④179

保田与重郎 [1910〜1981年／文芸評論家]…… ④179

矢内原忠雄 [1893〜1961年／経済学者・『国家の理想』]…… ④180

柳田国男 [1875〜1962年／民俗学者・『遠野物語』]…… ④181

柳宗悦 [1889〜1961年／思想家・民芸運動の提唱者]…… ④181

梁田貞 [1885〜1959年／作曲家、音楽教育家・『隅田川』]…… ④182

山川菊栄 [1890〜1980年／婦人運動家]…… ④186

山川均 [1880〜1958年／社会主義者・山川イズム]…… ④187

時代別索引

山田耕筰 （やまだこうさく）[1886～1965年／作曲家、指揮者・『赤とんぼ』]……④191

山田孝野次郎 （やまだこのじろう）[1906～1931年／部落解放運動家]……④192

山村暮鳥 （やまむらぼちょう）[1884～1924年／詩人・『風は草木にささやいた』]……④196

山本浅吉 （やまもとあさきち）[1884～1972年／農業指導者・ナスの促成栽培]……④197

山本五十六 （やまもといそろく）[1884～1943年／連合艦隊司令長官]……④197

山本権兵衛 （やまもとごんべえ）[1852～1933年／海軍大臣、第16・22代内閣総理大臣]……④198

山本実彦 （やまもとさねひこ）[1885～1952年／雑誌『改造』を出版した出版事業家]……④198

山本宣治 （やまもとせんじ）[1889～1929年／産児制限運動家]……④199

山本有三 （やまもとゆうぞう）[1887～1974年／作家、劇作家・『路傍の石』]……④199

横光利一 （よこみつりいち）[1898～1947年／作家・『上海』]……④211

横山大観 （よこやまたいかん）[1868～1958年／日本画家・『生々流転』]……④211

吉井勇 （よしいいさむ）[1886～1960年／歌人、劇作家・『酒ほがひ』『ゴンドラの歌』]……④213

吉川英治 （よしかわえいじ）[1892～1962年／作家、児童文学作家・『宮本武蔵』]……④214

吉住小三郎 （よしずみこさぶろう）[1876～1972年／長唄唄方・『鳥羽の恋塚』]……④215

吉野作造 （よしのさくぞう）[1878～1933年／政治学者・大正デモクラシーの中心人物]……④218

吉屋信子 （よしやのぶこ）[1896～1973年／作家・『鬼火』]……④222

米内光政 （よないみつまさ）[1880～1948年／第37代内閣総理大臣、海軍大臣]……④224

萬鉄五郎 （よろずてつごろう）[1885～1927年／洋画家・『もたれて立つ人』]……④225

ら ランシング, ロバート [1864～1928年／アメリカ国務長官]……④235

わ 若槻礼次郎 （わかつきれいじろう）[1866～1949年／第25、28代内閣総理大臣]……④286

若山牧水 （わかやまぼくすい）[1885～1928年／歌人・『別離』]……④287

和田英作 （わだえいさく）[1874～1959年／洋画家・『渡頭の夕暮』]……④289

和田三造 （わださんぞう）[1883～1967年／洋画家・『南風』]……④289

渡辺錠太郎 （わたなべじょうたろう）[1874～1936年／二・二六事件で殺された陸軍教育総監]……④290

和辻哲郎 （わつじてつろう）[1889～1960年／哲学者、倫理学者]……④292

昭和時代（戦後）～現代

あ 鮎川義介 （あいかわよしすけ）[1880～1967年／日産コンツェルンの創設者]……①10

相沢忠洋 （あいざわただひろ）[1926～1989年／考古学者・日本の旧石器時代を発見]……①11

会津八一 （あいづやいち）[1881～1956年／歌人、書家、美術史家・『鹿鳴集』]……①12

靉光 （あいみつ）[1907～1946年／洋画家・『眼のある風景』]……①12

赤川次郎 （あかがわじろう）[1948年～／推理作家・『三毛猫ホームズの推理』]……①16

赤﨑勇 （あかさきいさむ）[1929年～／半導体工学者]……①16

明石康 （あかしやすし）[1931年～／国連事務次長]……①17

赤瀬川原平 （あかせがわげんぺい）[1937～2014年／前衛芸術家、作家・『老人力』]……①17

赤塚不二夫 （あかつかふじお）[1935～2008年／漫画家・『おそ松くん』]……①18

赤羽末吉 （あかばすえきち）[1910～1990年／絵本作家・『スーホの白い馬』]……①18

阿川弘之 （あがわひろゆき）[1920～2015年／作家・『雲の墓標』]……①19

明仁（今上天皇） （あきひと）[1933年～／第125代天皇]……①20

秋山豊寛 （あきやまとよひろ）[1942年～／ジャーナリスト、宇宙飛行士]……①21

芥川也寸志 （あくたがわやすし）[1925～1989年／作曲家、指揮者]……①22

阿久悠 （あくゆう）[1937～2007年／作詞家、作家・『また逢う日まで』]……①23

あさのあつこ [1954年～／作家、児童文学作家・『バッテリー』]……①26

朝比奈隆 （あさひなたかし）[1908～2001年／指揮者・大阪フィルの音楽総監督]……①27

麻生太郎 （あそうたろう）[1940年～／第92代内閣総理大臣]……①39

渥美清 （あつみきよし）[1928～1996年／俳優・『男はつらいよ』]……①41

安部公房 （あべこうぼう）[1924～1993年／作家、劇作家・『砂の女』]……①45

安倍晋三 （あべしんぞう）[1954年～／第90、96、97代内閣総理大臣]……①46

阿部知二 （あべともじ）[1903～1973年／作家、英文学者、翻訳家・『冬の宿』]……①46

天野浩 （あまのひろし）[1960年～／工学者]……①51

あまんきみこ [1931年～／児童文学作家・『ちいちゃんのかげおくり』]……①51

鮎川信夫 （あゆかわのぶお）[1920～1986年／詩人、評論家、翻訳家・『死んだ男』]……①53

荒川洋治 （あらかわようじ）[1949年～／詩人・『水駅』]……①53

有沢広巳 （ありさわひろみ）[1896～1988年／経済学者、統計学者]……①56

有田八郎 （ありたはちろう）[1884～1965年／日本初のプライバシー侵害裁判を起こす]……①58

有吉佐和子 （ありよしさわこ）[1931～1984年／作家・『恍惚の人』]……①59

安房直子 （あわなおこ）[1943～1993年／児童文学作家・『さんしょっ子』]……①62

淡谷のり子 （あわやのりこ）[1907～1999年／シャンソン歌手・『別れのブルース』]……①62

安藤忠雄 （あんどうただお）[1941年～／建築家・「住吉の長屋」]……①68

安藤百福 （あんどうももふく）[1910～2007年／日清食品の創業者]……①68

安野光雅 （あんのみつまさ）[1926年～／画家、絵本作家、装丁家・『旅の絵本』]……①69

飯沢匡 （いいざわただす）[1909～1994年／劇作家、編集者・『ヤン坊ニン坊トン坊』]……①71

伊井弥四郎 （いいやしろう）[1905～1971年／労働運動家]……①73

家永三郎 （いえながさぶろう）[1913～2002年／歴史学者]……①73

池澤夏樹 （いけざわなつき）[1945年～／作家、詩人・『スティル・ライフ』]……①76

池田勇人 （いけだはやと）[1899～1965年／第58、59、60代内閣総理大臣]……①78

池田満寿夫 （いけだますお）[1934～1997年／画家・『エーゲ海に捧ぐ』]……①78

池田理代子 （いけだりよこ）[1947年～／漫画家・『ベルサイユのばら』]……①78

池波正太郎 （いけなみしょうたろう）[1923～1990年／作家、劇作家・『鬼平犯科帳』]……①79

石井桃子 （いしいももこ）[1907～2008年／児童文学作家・『ノンちゃん雲に乗る』]……①82

石垣りん （いしがきりん）[1920～2004年／詩人・『表札など』]……①82

石川三四郎 （いしかわさんしろう）[1876～1956年／社会運動家]……①83

石川淳 （いしかわじゅん）[1899～1987年／作家・『普賢』]……①83

石川達三 （いしかわたつぞう）[1905～1985年／作家・『人間の壁』]……①84

石坂洋次郎 （いしざかようじろう）[1900～1986年／作家・『陽のあたる坂道』]……①85

石田衣良 （いしだいら）[1960年～／作家・『4TEEN フォーティーン』]……①85

石田波郷 （いしだはきょう）[1913～1969年／俳人・『石田波郷全句集』]……①86

石田芳夫 （いしだよしお）[1948年～／囲碁棋士・24世本因坊]……①86

石ノ森章太郎 （いしのもりしょうたろう）[1938～1998年／漫画家・『サイボーグ009』]……①86

石原莞爾 （いしはらかんじ）[1889～1949年／柳条湖事件を計画]……①87

石原慎太郎 （いしはらしんたろう）[1932年～／東京都知事、作家]……①87

石原裕次郎 （いしはらゆうじろう）[1934～1987年／俳優、歌手・『嵐を呼ぶ男』]……①88

石牟礼道子 （いしむれみちこ）[1927年～／ノンフィクション作家・『苦海浄土ーわが水俣病』]……①88

石森延男 （いしもりのぶお）[1897～1987年／児童文学作家、国語教育者]……①88

伊集院静 （いじゅういんしずか）[1950年～／作家、作詞家・『受け月』]……①88

井尻正二 （いじりしょうじ）[1913～1999年／古生物学者]……①89

いせひでこ [1949年～／児童文学作家・『ルリユールおじさん』]……①90

板垣征四郎 （いたがきせいしろう）[1885～1948年／柳条湖事件を首謀]……①91

市川崑 （いちかわこん）[1915～2008年／映画監督・『ビルマの竪琴』]……①93

伊調馨 （いちょうかおり）[1984年～／レスリング選手]……①95

イチロー [1973年～／プロ野球選手、メジャーリーグ選手]……①95

大正時代～昭和時代（終戦まで）／昭和時代（戦後）～現代

時代別索引

昭和時代（戦後）～現代

五木寛之 [1932年～／作家・『青春の門』]──────①96
伊藤整 [1905～1969年／作家、評論家、詩人・『小説の方法』]──①99
いぬいとみこ [1924～2002年／『ながいながいペンギンの話』]──①101
井上武士 [1884～1974年／作曲家、音楽教育者]──①106
井上ひさし [1934～2010年／作家、放送作家・『吉里吉里人』]──①107
井上光晴 [1926～1992年／作家・『地の群れ』]──①108
井上靖 [1907～1991年／作家、詩人・『天平の甍』]──①108
井上八千代 [1905～2004年／日本舞踊家・京舞]──①108
井上洋介 [1931～2016年／絵本作家・『くまの子ウーフ』]──①108
茨木のり子 [1926～2006年／詩人・『わたしが一番きれいだったとき』]──①110
李恢成 [1935年～／在日朝鮮人作家・『百年の旅人たち』]──①111
井深大 [1908～1997年／ソニーの共同創業者]──①111
伊福部昭 [1914～2006年／作曲家・『ゴジラ』のテーマ曲]──①111
井伏鱒二 [1898～1993年／作家・『黒い雨』]──①112
今井正 [1912～1991年／映画監督・『武士道残酷物語』]──①114
今江祥智 [1932～2015／児童文学作家、翻訳家・『優しさごっこ』]──①114
今西錦司 [1902～1992年／動物学者、人類学者]──①116
今西祐行 [1923～2004年／児童文学作家・『肥後の石工』]──①116
今村昌平 [1926～2006年／映画監督・『うなぎ』]──①116
岩城宏之 [1932～2006年／ウィーンフィルを指揮した指揮者]──①118
岩崎京子 [1922年～／児童文学作家・『シラサギ物語』]──①119
いわさきちひろ [1918～1974年／童画家、絵本作家]──①119
岩谷時子 [1916～2013年／作詞家、翻訳家・『愛の讃歌』]──①121
岩波茂雄 [1881～1946年／岩波書店の創業者]──①121
上野紀子 [1940年～／絵本作家・『ねずみくんのチョッキ』]──①134
上橋菜穂子 [1962年～／児童文学作家・『精霊の守り人』]──①134
植村直己 [1941～1984?年／登山家、冒険家・五大陸最高峰を登頂]──①136
宇野宗佑 [1922～1998年／第75代内閣総理大臣]──①142
宇野千代 [1897～1996年／作家、随筆家、編集者・『おはん』]──①142
梅棹忠夫 [1920～2010年／民俗学者・『文明の生態史観』]──①143
梅崎春生 [1915～1965年／作家・『ボロ家の春秋』]──①143
梅原猛 [1925年～／哲学者・『水底の歌』]──①144
梅若万三郎 [1941年～／シテ方観世流の能楽師]──①145
永六輔 [1933～2016年／作詞家、放送作家・『遠くへ行きたい』]──①148
江國香織 [1964年～／作家、児童文学作家・『こうばしい日々』]──①151
江崎玲於奈 [1925年～／物理学者・エサキダイオード]──①152
江藤淳 [1932～1999年／文芸評論家、作家・『成熟と喪失』]──①155
江藤俊哉 [1927～2008年／バイオリン奏者・カーネギーホールでデビュー]①155
江戸家猫八 [1921～2001年／物まね師]──①156
榎本健一 [1904～1970年／喜劇俳優]──①157
江間章子 [1913～2005年／作詞家、詩人・『夏の思い出』]──①159
遠藤周作 [1923～1996年／作家・『深い河』]──①165
遠藤実 [1932～2008年／作曲家・『星影のワルツ』]──①165
王貞治 [1940年～／プロ野球選手]──①168
大石真 [1925～1990年／児童文学作家・『チョコレート戦争』]──①172
大江健三郎 [1935年～／作家・『万延元年のフットボール』]──①174

大岡昇平 [1909～1988年／作家、評論家・『野火』]──①175
大岡信 [1931年～／詩人、評論家・『折々のうた』]──①175
大下弘 [1922～1979年／プロ野球選手]──①180
大島渚 [1932～2013年／映画監督・『愛のコリーダ』]──①181
大隅良典 [1945年～／生物学者]──①182
太田大八 [1918～2016年／絵本作家・『だいちゃんとうみ』]──①182
大谷光瑞 [1876～1948年／中央アジアを探検した僧]──①183
大谷竹次郎 [1877～1969年／松竹株式会社の創始者]──①183
大田洋子 [1903～1963年／作家・『人間襤褸』]──①183
大塚久雄 [1907～1996年／経済史学者]──①184
大友克洋 [1954年～／漫画家・『AKIRA』]──①185
大中恩 [1924年～／作曲家、合唱指揮者・『いぬのおまわりさん』]──①187
大西卓哉 [1975年～／宇宙飛行士]──①188
大橋鎭子 [1920～2013年／雑誌『暮しの手帖』を創刊]──①189
大庭みな子 [1930～2007年／作家・『三匹の蟹』]──①189
大平正芳 [1910～1980年／第68、69代内閣総理大臣]──①190
大村智 [1935年～／化学者]──①191
大宅壮一 [1900～1970年／戦後のマスコミ界で活躍した評論家]──①192
大山康晴 [1923～1992年／将棋棋士・15世名人]──①193
緒方貞子 [1927年～／国連難民高等弁務官]──①196
緒方竹虎 [1888～1956年／自由民主党の結成メンバー]──①196
岡野薫子 [1929年～／児童文学作家・『ヤマネコのきょうだい』]──①197
岡本太郎 [1911～1996年／洋画家・『太陽の塔』]──①198
小川国夫 [1927～2008年／作家・『逸民』]──①198
小川洋子 [1962年～／作家・『博士の愛した数式』]──①199
小倉遊亀 [1895～2000年／日本画家・『母子』]──①202
小此木啓吾 [1930～2003年／精神分析学者]──①203
尾崎一雄 [1899～1983年／作家・『虫のいろいろ』]──①204
尾崎秀実 [1901～1944年／共産主義者・ゾルゲに協力]──①204
長田弘 [1939～2015年／詩人・『記憶のつくり方』]──①205
大佛次郎 [1897～1973年／作家・『鞍馬天狗』シリーズ]──①206
小澤征爾 [1935年～／指揮者、ウィーン国立歌劇場音楽監督]──①206
小沢正 [1937～2008年／児童文学作家・『目をさませトラゴロウ』]──①207
小田実 [1932～2007年／作家、評論家、反戦運動家]──①209
小津安二郎 [1903～1963年／映画監督・『東京物語』]──①212
小渕恵三 [1937～2000年／第84代内閣総理大臣]──①216
か 海音寺潮五郎 [1901～1977年／作家・『天と地と』]──①223
開高健 [1930～1989年／作家・『裸の王様』]──①224
海部俊樹 [1931年～／第76、77代内閣総理大臣]──①224
加賀乙彦 [1929年～／作家、精神科医・『フランドルの冬』]──①227
かこさとし [1926年～／絵本作家・『おたまじゃくしの101ちゃん』]──①230
笠置シヅ子 [1914～1985年／歌手、女優・『東京ブギウギ』]──①230
樫尾忠雄 [1917～1993年／カシオの創業メンバー]──①232
梶田隆章 [1959年～／物理学者・ニュートリノ研究]──①232
梶原一騎 [1936～1987年／漫画原作者・『巨人の星』]──①233
春日八郎 [1924～1991年／歌手・『お富さん』]──①234

片岡球子 [1905〜2008年／日本画家・『枇杷』]……………①236

片山哲 [1887〜1978年／第46代内閣総理大臣]……………①237

香月泰男 [1911〜1974年／洋画家・『埋葬』]……………①239

桂米朝 [1925〜2015年／落語家]……………①241

加藤周一 [1919〜2008年／評論家、作家・『日本文学史序説』]……………①242

加藤楸邨 [1905〜1993年／俳人・『起伏』]……………①243

角野栄子 [1935年〜／児童文学作家・『魔女の宅急便』]……………①244

金井宣茂 [1976年〜／宇宙飛行士]……………①246

金子鷗亭 [1906〜2001年／書家・『丘壑寄懐抱』]……………①247

金子兜太 [1919年〜／俳人・『金子兜太句集』]……………①248

金子光晴 [1895〜1975年／詩人・詩集『人間の悲劇』]……………①248

釜本邦茂 [1944年〜／プロサッカー選手、監督]……………①255

神谷美恵子 [1914〜1979年／ハンセン病患者の精神医学調査]……………①256

亀倉雄策 [1915〜1997年／グラフィックデザイナー]……………①257

加守田章二 [1933〜1983年／益子、遠野で活動した創作陶芸家]……………①257

萱野茂 [1926〜2006年／アイヌ文化研究]……………①259

加山又造 [1927〜2004年／日本画家・『千羽鶴』]……………①259

唐十郎 [1940年〜／劇作家、演出家、俳優・劇団状況劇場を旗上げ]……………①260

川上哲治 [1920〜2013年／プロ野球選手]……………①269

川上弘美 [1958年〜／作家・『蛇を踏む』]……………①269

川口松太郎 [1899〜1985年／作家、演出家・『明治一代女』]……………①270

川崎洋 [1930〜2004年／詩人・『ビスケットの空きカン』]……………①270

川島武宜 [1909〜1992年／民法学者、法社会学者]……………①271

川端康成 [1899〜1972年／作家・『雪国』]……………①272

川村たかし [1931〜2010年／児童文学作家・『新十津川物語』]……………①273

神沢利子 [1924年〜／児童文学作家・『くまの子ウーフ』]……………①275

菅直人 [1946年〜／第94代内閣総理大臣]……………①279

キーン, ドナルド [1922年〜／日本文学研究家、評論家]……………①282

菊田一夫 [1908〜1973年／劇作家、演出家・『君の名は』]……………①282

岸田衿子 [1929〜2011年／詩人、童話作家・『忘れた秋』]……………①284

岸信介 [1896〜1987年／第56、57代内閣総理大臣]……………①285

北杜夫 [1927〜2011年／作家、精神科医・『どくとるマンボウ航海記』]……①291

衣笠祥雄 [1947年〜／プロ野球選手]……………①294

木下惠介 [1912〜1998年／映画監督・『楢山節考』]……………①295

木下順二 [1914〜2006年／劇作家・戯曲『夕鶴』]……………①296

木原均 [1893〜1986年／遺伝学者]……………①297

金達寿 [1919〜1997年／作家・『玄海灘』]……………①299

清岡卓行 [1922〜2006年／詩人、作家・『初冬の中国で』]……………①305

金田一春彦 [1913〜2004年／国語学者・『十五夜お月さん』]……………①311

草野心平 [1903〜1988年／詩人・『第百階級』]……………②14

草間彌生 [1929年〜／美術家・「ハプニングの芸術家」]……………②14

串田孫一 [1915〜2005年／随筆家、哲学者・『山のパンセ』]……………②14

工藤直子 [1935年〜／詩人、児童文学作家・『のはらのうた』]……………②20

窪田空穂 [1877〜1967年／歌人、国文学者・『まひる野』]……………②23

久保山愛吉 [1914〜1954年／第五福竜丸で水爆実験に遭遇]……………②24

熊田千佳慕 [1911〜2009年／絵本画家・ファーブル『昆虫記』]……………②25

倉橋由美子 [1935〜2005年／作家・『パルタイ』]……………②30

倉本聰 [1935年〜／劇作家、演出家・『北の国から』]……………②31

久里洋二 [1928年〜／アニメーション作家『ひょっこりひょうたん島』]……………②34

黒澤明 [1910〜1998年／映画監督・『羅生門』]……………②40

黒柳徹子 [1933年〜／女優、司会者]……………②45

小泉純一郎 [1942年〜／第87、88、89代内閣総理大臣]……………②59

小磯良平 [1903〜1988年／洋画家・『斉唱』]……………②60

香淳皇后 [1903〜2000年／昭和天皇の皇后]……………②64

幸田文 [1904〜1990年／随筆家、作家・『流れる』]……………②66

ゴードン, ベアテ・シロタ [1923〜2012年／日本国憲法草案の起草]……………②73

古賀政男 [1904〜1978年／作曲家・『悲しい酒』]……………②75

国分一太郎 [1911〜1985年／児童文学作家、教育評論家]……………②76

古今亭志ん生 [1890〜1973年／落語家・『火焔太鼓』]……………②77

小柴昌俊 [1926年〜／物理学者]……………②79

小平邦彦 [1915〜1997年／数学者・多様体論分野の研究]……………②84

後藤竜二 [1943〜2010年／『天使で大地はいっぱいだ』]……………②89

近衛秀麿 [1898〜1973年／作曲家、指揮者・『越天楽』]……………②91

小林秀雄 [1902〜1983年／評論家・『無常といふ事』]……………②94

小林誠 [1944年〜／クォーク研究の理論物理学者]……………②94

小松左京 [1931〜2011年／作家・『日本沈没』]……………②96

五味川純平 [1916〜1995年／作家・『人間の条件』]……………②97

五味太郎 [1945年〜／デザイナー、絵本作家・『かくしたのだあれ』]……………②97

近藤寿市郎 [1870〜1960年／政治家・宇連ダム、豊川用水の工事]……②106

近藤芳美 [1913〜2006年／歌人・『埃吹く街』]……………②107

斎藤隆介 [1917〜1985年／児童文学作家・『モチモチの木』]……………②116

早乙女勝元 [1932年〜／作家、児童文学作家・『東京大空襲』]……………②117

坂口安吾 [1906〜1955年／作家・『桜の森の満開の下』]……………②118

坂田栄男 [1920〜2010年／囲碁棋士・23世本因坊]……………②118

阪田寛夫 [1925〜2005年／詩人、作家、児童文学作家・『サッちゃん』]……………②119

佐佐木幸綱 [1938年〜／歌人、国文学者・『はじめての雪』]……………②124

佐多稲子 [1904〜1998年／作家・『時に佇つ』]……………②125

佐藤愛子 [1923年〜／作家・『戦いすんで日が暮れて』]……………②127

佐藤栄作 [1901〜1975年／第61、62、63代内閣総理大臣]……………②127

佐藤佐太郎 [1909〜1987年／歌人・『歩道』]……………②128

佐藤さとる [1928年〜／児童文学作家・『だれも知らない小さな国』]……②128

佐藤多佳子 [1962年〜／作家、児童文学作家・『サマータイム』]……………②129

サトウハチロー [1903〜1973年／詩人、作家・『小さい秋みつけた』]……………②129

佐野洋子 [1938〜2010年／絵本作家・『100万回生きたねこ』]……………②132

猿橋勝子 [1920〜2007年／地球化学者・海洋放射能]……………②136

沢田教一 [1936〜1970年／報道写真家・『安全への逃避』]……………②136

澤穂希 [1978年〜／サッカー選手]……………②137

三遊亭円生 [1900〜1979年／落語家(6代目)・『円生百席』]……………②142

重松清 [1963年〜／作家・『ナイフ』]……………②151

茂山千作 [1919〜2013年／能楽師・大蔵流狂言方]……………②151

獅子文六 [1893〜1969年／作家、劇作家・『てんやわんや』]……………②151

幣原喜重郎 [1872〜1951年／第44代内閣総理大臣]……………②154

時代別索引

昭和時代（戦後）～現代

柴田錬三郎 [1917～1978年／作家・『眠狂四郎無頼控』]……②159

司馬遼太郎 [1923～1996年／作家・『竜馬がゆく』]……②160

渋沢敬三 [1896～1963年／第16代日本銀行総裁、大蔵大臣]……②161

島尾敏雄 [1917～1986年／作家・『死の棘』]……②162

清水義範 [1947年～／作家・『永遠のジャック&ベティ』]……②168

下總皖一 [1898～1962年／作曲家、音楽教育家・『たなばたさま』]……②168

下村脩 [1928年～／生物学者]……②169

下山定則 [1901～1949年／初代国鉄総裁]……②169

シャウプ, カール [1902～2000年／財政学者・シャウプ勧告]……②170

庄野英二 [1915～1993年／児童文学作家、随筆家・『星の牧場』]……②194

庄野潤三 [1921～2009年／作家・『プールサイド小景』]……②194

正力松太郎 [1885～1969年／読売新聞社の経営者]……②195

白井義男 [1923～2003年／プロボクサー]……②205

白川静 [1910～2006年／漢字研究者・『字統』]……②206

白川英樹 [1936年～／化学者・導電性高分子の発見]……②206

白洲次郎 [1902～1985年／貿易庁長官、東北電力会長]……②207

白洲正子 [1910～1998年／随筆家・『かくれ里』]……②207

城山三郎 [1927～2007年／作家・『落日燃ゆ』]……②209

新川和江 [1929年～／詩人・『わたしを束ねないで』]……②210

神宮輝夫 [1932年～／児童文学者・『のらねこたいしょうブー』]……②210

新藤兼人 [1912～2012年／映画監督・『裸の島』]……②210

杉岡華邨 [1913～2012年／書家・『玉藻』]……②218

杉みき子 [1930年～／児童文学作家・『わらぐつの中の神様』]……②220

杉村春子 [1906～1997年／新劇女優・『女の一生』]……②220

鈴木章 [1930年～／化学者・芳香族化合物の合成]……②223

鈴木善幸 [1911～2004年／第70代内閣総理大臣]……②223

鈴木茂三郎 [1893～1970年／社会党委員長]……②225

鈴木安蔵 [1904～1983年／憲法学者]……②226

砂田弘 [1933～2008年／児童文学作家・『さらばハイウェイ』]……②232

住井すゑ [1902～1997年／作家・『橋のない川』]……②233

瀬川康男 [1932～2010年／画家、絵本作家・『いないいないばあ』]……②241

瀬戸内寂聴 [1922年～／作家・『かの子撩乱』]……②243

せなけいこ [1932年～／絵本作家・『いやだいやだの絵本』]……②244

曽野綾子 [1931年～／作家・『神の汚れた手』]……②256

大鵬 [1940～2013年／大相撲力士・第48代横綱]……②266

高川格 [1915～1986年／囲碁棋士・22世本因坊]……②273

高木聖鶴 [1923年～／書家・『春』]……②273

高木敏子 [1932年～／児童文学作家・『ガラスのうさぎ』]……②274

高倉健 [1931～2014年／映画俳優・『幸福の黄色いハンカチ』]……②274

高碕達之助 [1885～1964年／電源開発の総裁・佐久間ダム建設]……②274

高田敏子 [1914～1989年／詩人・『月曜日の詩集』]……②276

高橋和巳 [1931～1971年／作家・『悲の器』]……②278

高橋尚子 [1972年～／マラソン選手]……②279

高見順 [1907～1965年／作家、詩人、評論家・『如何なる星の下に』]……②281

武井武雄 [1894～1983年／童話作家・『ベスト博士の夢』]……②288

竹内均 [1920～2004年／地球物理学者・地球潮汐]……②288

竹下登 [1924～2000年／第74代内閣総理大臣]……②290

竹島羽衣 [1872～1967年／歌人、詩人、国文学者]……②290

武田泰淳 [1912～1976年／作家・『富士』]……②291

竹鶴政孝 [1894～1979年／ニッカウヰスキーの創業者]……②293

武満徹 [1930～1996年／作曲家・『ノヴェンバー・ステップス』]……②294

竹宮惠子 [1950年～／漫画家・『風と木の詩』]……②295

竹本住大夫 [1924年～／人形浄瑠璃の文楽太夫]……②295

竹山道雄 [1903～1984年／ドイツ文学者、作家・『ビルマの竪琴』]……②295

立花隆 [1940年～／ノンフィクション作家、評論家、ジャーナリスト]……②298

立原正秋 [1926～1980年／作家・『冬のかたみに』]……②299

田中一光 [1930～2002年／グラフィックデザイナー]……②301

田中角栄 [1918～1993年／第64、65代内閣総理大臣・日中国交回復]……②302

田中耕一 [1959年～／化学者・ソフトレーザーによる質量分析]……②303

田中千禾夫 [1905～1995年／劇作家・『マリアの首』]……②304

田辺聖子 [1928年～／作家・『ひねくれ一茶』]……②305

谷川浩司 [1962年～／将棋棋士・17世名人]……②306

谷川俊太郎 [1931年～／詩人・『日々の地図』]……②306

谷亮子 [1975年～／柔道家]……②308

田沼武能 [1929年～／写真家・『すばらしい子供たち』]……②309

田部井淳子 [1939～2016年／登山家・7大陸最高峰登頂者]……②310

田村隆一 [1923～1998年／詩人、翻訳家、随筆家・『言葉のない世界』]……②312

俵万智 [1962年～／歌人・『サラダ記念日』]……②316

團伊玖磨 [1924～2001年／作曲家、随筆家・『夕鶴』]……②317

檀一雄 [1912～1976年／作家・『火宅の人』]……②317

丹下健三 [1913～2005年／建築家・広島平和記念資料館]……②318

団藤重光 [1913～2012年／法学者、判事]……②318

千葉省三 [1892～1975年／児童文学作家・『虎ちゃんの日記』]……③12

ちばてつや [1939年～／漫画家・『あしたのジョー』]……③12

長新太 [1927～2005年／絵本作家・『キャベツくん』]……③21

趙治勲 [1956年～／囲碁棋士・25世本因坊]……③22

千代の富士 [1955～2016年／大相撲力士・第58代横綱]……③22

陳舜臣 [1924～2015年／作家・『阿片戦争』]……③24

つかこうへい [1948～2010年／劇作家、演出家・『蒲田行進曲』]……③26

塚田正夫 [1914～1977年／将棋棋士・実力制第2代名人]……③26

塚本邦雄 [1920～2005年／歌人、評論家、作家・『魔王』]……③27

つげ義春 [1937年～／漫画家・『ねじ式』]……③27

辻邦生 [1925～1999年／作家・『背教者ユリアヌス』]……③28

津島佑子 [1947～2016年／作家・『火の山―山猿記』]……③28

津田恭介 [1907～1999年／薬学者・テトロドトキシンの研究]……③28

土屋文明 [1890～1990年／歌人・『自流泉』]……③32

筒井康隆 [1934年～／作家、俳優・『文学部唯野教授』]……③32

円谷英二 [1901～1970年／特殊撮影技術監督・『ゴジラ』]……③33

鶴見俊輔 [1922～2015年／哲学者]……③35

出崎統 [1943～2011年／アニメーション監督・『あしたのジョー』]……③43

手塚治虫 [1928～1989年／漫画家・『鉄腕アトム』]……③44

寺村輝夫 [1928～2006年／作家、児童文学作家・『ぼくは王さま』]……③49

寺山修司 [1935~1983年／劇作家、映画監督・演劇実験室「天井桟敷」] ③49

土井隆雄 [1954年～／宇宙飛行士] ③53

土井たか子 [1928~2014年／女性初の政党党首] ③53

峠三吉 [1917~1953年／詩人・『原爆詩集』] ③56

戸川幸夫 [1912~2004年／作家、児童文学作家・『高安犬物語』] ③63

徳田球一 [1894~1953年／日本共産党の社会運動家] ③74

土光敏夫 [1896~1988年／日本経済団体連合会第4代会長] ③75

ドッジ, ジョセフ・モレル [1890~1964年／アメリカの銀行家] ③78

利根川進 [1939年～／分子生物学者、免疫学者] ③79

富岡多恵子 [1935年～／詩人、作家・『物語の明くる日』] ③82

冨田勲 [1932~2016年／作曲家、編曲家、シンセサイザー奏者] ③82

富山和子 [1933年～／環境問題評論家] ③83

朝永振一郎 [1906~1979年／物理学者・くりこみ理論] ③84

土門拳 [1909~1990年／写真家・『古寺巡礼』シリーズ] ③85

な 永井隆 [1908~1951年／医者・原爆被害者の救護活動] ③97

中上健次 [1946~1992年／作家・『枯木灘』] ③100

中川李枝子 [1935年～／児童文学作家・『いやいやえん』] ③101

長崎源之助 [1924~2011年／児童文学作家・『ヒョコタンの山羊』] ③102

長嶋茂雄 [1936年～／プロ野球選手] ③103

中曽根康弘 [1918年～／第71、72、73代内閣総理大臣] ③105

中田喜直 [1923~2000年／作曲家・『ちいさい秋みつけた』] ③106

中西悟堂 [1895~1984年／野鳥研究家・日本野鳥の会を創立] ③106

なかにし礼 [1938年～／作詞家、作家・『北酒場』] ③107

中野重治 [1902~1979年／作家、評論家、詩人・『甲乙丙丁』] ③107

中原誠 [1947年～／将棋棋士・16世名人] ③108

中村歌右衛門 [1917~2001年／歌舞伎俳優(6代)・女方の最高峰]

③109

中村勘三郎 [1909~1988年／歌舞伎俳優(17代)・和事を得意とした] ③109

中村草田男 [1901~1983年／俳人・『長子』] ③110

中村雀右衛門 [1920~2012年／歌舞伎俳優(4代)・娘役を得意とした]

③110

中村修二 [1954年～／技術者・高輝度青色発光ダイオード] ③110

中村真一郎 [1918~1997年／作家、評論家・『四季』] ③110

中村汀女 [1900~1988年／俳人・『汀女句集』] ③111

中村元 [1912~1999年／インド哲学者、仏教学者] ③111

中村八大 [1931~1992年／作曲家、ピアニスト・『上を向いて歩こう』] ③112

梨木香歩 [1959年～／児童文学作家・『西の魔女が死んだ』] ③115

那須正幹 [1942年～／児童文学作家・『それいけズッコケ三人組』] ③116

並木路子 [1921~2001年／歌手、俳優・『リンゴの唄』] ③119

徳仁親王(皇太子) [1960年～／今上天皇の皇子] ③122

南部陽一郎 [1921~2015年／理論物理学者・自発的対称性のやぶれ] ③124

仁井田一郎 [1912~1975年／果樹栽培家・イチゴ栽培] ③125

西尾末広 [1891~1981年／日本社会党結成の中心人物] ③127

西本鶏介 [1934年～／児童文学評論家] ③130

新田次郎 [1912~1980年／作家・『孤高の人』] ③132

蜷川幸雄 [1935~2016年／演出家・『王女メディア』] ③133

丹羽文雄 [1904~2005年／作家・『親鸞』] ③135

根岸英一 [1935年～／化学者・根岸カップリング] ③139

ねじめ正一 [1948年～／詩人、作家・『高円寺純情商店街』] ③139

野上弥生子 [1885~1985年／作家・『迷路』] ③144

ノグチ, イサム [1904~1988年／庭園の造形] ③145

野口聡一 [1965年～／宇宙飛行士] ③145

野坂昭如 [1930~2015年／作家、作詞家・『火垂るの墓』] ③146

野坂参三 [1892~1993年／日本共産党を再建] ③147

野田佳彦 [1957年～／第95代内閣総理大臣] ③147

野間宏 [1915~1991年／作家・『真空地帯』] ③149

野村忠宏 [1974年～／柔道家] ③150

野村万作 [1931年～／狂言師・和泉流] ③150

野茂英雄 [1968年～／プロ野球選手、メジャーリーグ選手] ③150

野依良治 [1938年～／化学者・不斉合成反応の発見] ③150

は 灰谷健次郎 [1934~2006年／児童文学者・『兎の眼』] ③157

萩尾望都 [1949年～／漫画家・『トーマの心臓』] ③161

橋本龍太郎 [1937~2006年／第82、83代内閣総理大臣] ③164

長谷川一夫 [1908~1984年／時代劇俳優] ③166

長谷川町子 [1920~1992年／漫画家・『サザエさん』] ③167

羽田孜 [1935年～／第80代内閣総理大臣] ③169

服部良一 [1907~1993年／作曲家、作詞家・『別れのブルース』] ③172

初山滋 [1897~1973年／童画家、版画家、絵本作家・絵本『もず』] ③173

鳩山一郎 [1883~1959年／第52、53、54代内閣総理大臣] ③174

鳩山由紀夫 [1947年～／第93代内閣総理大臣] ③174

花岡大学 [1909~1988年／児童文学作家・『ゆうやけ学校』] ③175

花森安治 [1911~1978年／雑誌『暮しの手帖』の編集長] ③175

埴谷雄高 [1910~1997年／作家、評論家・『死霊』] ③176

馬場あき子 [1928年～／歌人、文芸評論家・『桜花伝承』] ③176

馬場のぼる [1927~2001年／絵本作家・『11ぴきのねこ』] ③177

羽生善治 [1970年～／将棋棋士・19世名人] ③177

早川徳次 [1893~1980年／シャープの創業者] ③181

林忠彦 [1918~1990年／写真家・『日本の作家』] ③183

林家正蔵 [1895~1982年／落語家(8代)・『あたま山』] ③184

原節子 [1920~2015年／女優・『東京物語』] ③186

原田泰治 [1940年～／画家・『わたしの信州』] ③187

原民喜 [1905~1951年／作家、詩人・『夏の花』] ③187

原ゆたか [1953年～／児童文学作家・『かいけつゾロリ』シリーズ] ③188

東山魁夷 [1908~1999年／日本画家・唐招提寺御影堂障壁画] ③198

日野原重明 [1911年～／聖路加国際病院院長] ③210

平塚武二 [1904~1971年／児童文学作家・『ものがたり日本れきし』] ③215

平野長靖 [1935~1971年／自然保護運動家・尾瀬の環境保護] ③217

平林たい子 [1905~1972年／作家・『かういふ女』] ③217

平山郁夫 [1930~2009年／日本画家・『入涅槃幻想』] ③217

広津和郎 [1891~1968年／作家、評論家・『松川事件』] ③221

広中平祐 [1931年～／数学者・代数多様体などの研究] ③221

深沢七郎 [1914~1987年／作家・『楢山節考』] ③237

時代別索引

昭和時代（戦後）〜現代

深田久弥 [1903〜1971年／作家、登山家・『日本百名山』]……③237
福井謙一 [1918〜1998年／化学者・フロンティア軌道理論]……③238
福田赳夫 [1905〜1995年／第67代内閣総理大臣]……③240
福田恆存 [1912〜1994年／評論家・『人間・この劇的なるもの』]……③240
福田平八郎 [1892〜1974年／日本画家・『漣』]……③241
福田康夫 [1936年〜／第91代内閣総理大臣]……③241
福永武彦 [1918〜1979年／作家・『忘却の河』]……③242
藤子・F・不二雄 [1933〜1996年／漫画家・『ドラえもん』]……③243
藤子不二雄Ⓐ [1934年〜／漫画家・『忍者ハットリくん』]……③243
藤沢周平 [1927〜1997年／作家・『蝉しぐれ』]……③244
藤沢秀行 [1925〜2009年／囲碁棋士・名誉棋聖]……③244
藤田哲也 [1920〜1998年／気象学者・「藤田スケール」を考案]……③245
藤山一郎 [1911〜1993年／歌手・『青い山脈』]……③247
双葉山 [1912〜1968年／大相撲力士・第35代横綱]……③265
舟崎克彦 [1945〜2015年／絵本作家・『雨の動物園』]……③269
古川聡 [1964年〜／宇宙飛行士、医師]……③284
古川タク [1941年〜／アニメーション作家・『驚き盤』]……③284
古田足日 [1927〜2014年／児童文学作家・『おしいれのぼうけん』]……③286
古橋廣之進 [1928〜2009年／水泳選手]……③288
別役実 [1937年〜／劇作家、評論家・不条理演劇を確立]……④15
辺見庸 [1944年〜／ジャーナリスト・『もの食う人びと』]……④26
星新一 [1926〜1997年／作家・『ボッコちゃん』]……④41
星出彰彦 [1968年〜／宇宙飛行士]……④41
星野哲郎 [1925〜2010年／作詞家・『アンコ椿は恋の花』]……④42
星野道夫 [1952〜1996年／写真家・『Alaska　風のような物語』]……④42
細川護熙 [1938年〜／第79代内閣総理大臣]……④45
堀田善衞 [1918〜1998年／作家・評伝『ゴヤ』]……④48
堀内誠一 [1932〜1987年／絵本作家・『おおきくなるのは』]……④50
堀江謙一 [1938年〜／ヨットで世界一周した海洋冒険家]……④50
本田宗一郎 [1906〜1991年／本田技研工業の創業者]……④56
前川かずお [1937〜1993年／漫画家・『ズッコケ三人組』のさし絵]……④60
前畑秀子 [1914〜1995年／水泳選手]……④64
正木ひろし [1896〜1975年／反権力派弁護士]……④68
増井光子 [1937〜2010年／獣医師・『動物の親は子をどう育てるか』]……④70
益川敏英 [1940年〜／クォーク研究の理論物理学者]……④70
升田幸三 [1918〜1991年／将棋棋士・実力制第4代名人]……④70
松井秀喜 [1974年〜／プロ野球選手、メジャーリーグ選手]……④73
マッカーサー, ダグラス [1880〜1964年／連合国軍最高司令官]……④75
松下幸之助 [1894〜1989年／パナソニックの創業者]……④77
松谷みよ子 [1926〜2015年／児童文学作家・『いないいないばあ』]……④80
松本治一郎 [1887〜1966年／社会運動家・部落解放運動]……④82
松本竣介 [1912〜1948年／洋画家・『立てる人』]……④82
松本烝治 [1877〜1954年／商法学者・憲法草案を作成]……④82
松本清張 [1909〜1992年／作家・『ゼロの焦点』]……④83
松本白鸚 [1910〜1982年／歌舞伎俳優(初代)・演劇などでも活躍]……④83
松本零士 [1938年〜／漫画家・『銀河鉄道999』]……④83

まど・みちお [1909〜2014年／詩人・『一年生になったら』]……④85
黛敏郎 [1929〜1997年／作曲家・オペラ『金閣寺』]……④87
眉村卓 [1934年〜／作家・『消滅の光輪』]……④87
丸木位里 [1901〜1995年／日本画家・『原爆の図』]……④90
丸木俊 [1912〜2000年／洋画家・『ひろしまのピカ』]……④90
丸谷才一 [1925〜2012年／作家、文芸評論家、翻訳家・『女ざかり』]……④94
丸山真男 [1914〜1996年／思想家]……④95
三浦綾子 [1922〜1999年／作家・『氷点』]……④98
三浦哲郎 [1931〜2010年／作家、児童文学作家・『忍ぶ川』]……④99
三木卓 [1935年〜／作家、児童文学作家、詩人・『震える舌』]……④100
三木武夫 [1907〜1988年／第66代内閣総理大臣]……④100
三島由紀夫 [1925〜1970年／作家、劇作家・『潮騒』]……④102
水上勉 [1919〜2004年／作家・『金閣炎上』]……④103
水木しげる [1922〜2015年／漫画家・『ゲゲゲの鬼太郎』]……④103
水原秋桜子 [1892〜1981年／俳人・『葛飾』]……④105
溝口健二 [1898〜1956年／映画監督・『西鶴一代女』]……④105
美空ひばり [1937〜1989年／歌手、俳優・『川の流れのように』]……④105
三波春夫 [1923〜2001年／歌手、浪曲師、作詞家・『東京五輪音頭』]……④108
美濃部亮吉 [1904〜1984年／「革新都政」の東京都知事、経済学者]……④118
三橋美智也 [1930〜1996年／歌手、民謡三橋流家元・『哀愁列車』]……④119
宮尾登美子 [1926〜2014年／作家・『一絃の琴』]……④120
宮川泰 [1931〜2006年／作曲家、編曲家、指揮者・『恋のバカンス』]……④120
宮城まり子 [1927年〜／歌手、教育者・ねむの木学園の設立者]……④120
三宅一生 [1938年〜／服飾デザイナー]……④121
宮﨑駿 [1941年〜／アニメーション映画監督・『となりのトトロ』]……④122
宮沢喜一 [1919〜2007年／第78代内閣総理大臣]……④123
宮柊二 [1912〜1986年／歌人・『群鶏』]……④124
宮西達也 [1956年〜／絵本作家・『にゃーご』]……④125
宮部みゆき [1960年〜／作家・『模倣犯』]……④125
宮本常一 [1907〜1981年／民俗学者・『忘れられた日本人』]……④126
宮本輝 [1947年〜／作家・『泥の河』]……④126
宮本百合子 [1899〜1951年／作家・『伸子』]……④127
三善晃 [1933〜2013年／作曲家]……④128
三好達治 [1900〜1964年／詩人、翻訳家・『春の岬』]……④128
向井千秋 [1952年〜／宇宙飛行士]……④134
椋鳩十 [1905〜1987年／作家・『大造じいさんとガン』]……④134
向田邦子 [1929〜1981年／脚本家、作家・『父の詫び状』]……④135
村岡花子 [1893〜1968年／翻訳家・『赤毛のアン』]……④142
村上春樹 [1949年〜／作家、翻訳家・『ノルウェイの森』]……④142
村上龍 [1952年〜／作家・『限りなく透明に近いブルー』]……④143
村田英雄 [1929〜2002年／歌手、浪曲師・『王将』]……④146
村山富市 [1924年〜／第81代内閣総理大臣]……④147
毛利衛 [1948年〜／宇宙飛行士]……④157
森内俊之 [1970年〜／将棋棋士・18世名人]……④167
森絵都 [1968年〜／児童文学作家・『風に舞いあがるビニールシート』]……④167
森繁久彌 [1913〜2009年／俳優・『屋根の上のヴァイオリン弾き』]……④168

森重文 [1951年～／数学者・極小モデル]……………………… ④168
盛田昭夫 [1921～1999年／ソニーの共同創業者]…………… ④169
森戸辰男 [1888～1984年／経済学者]………………………… ④169
森英恵 [1926年～／服飾デザイナー]………………………… ④170
森光子 [1920～2012年／女優・『放浪記』『時間ですよ』]…… ④170
森山京 [1929年～／児童文学作家・『まねやのオイラ旅ねこ道中』]… ④170
森喜朗 [1937年～／第85、86代内閣総理大臣]……………… ④171
や 安岡章太郎 [1920～2013年／作家・『海辺の光景』]……… ④178
柳家小さん [1915～2002年／落語家(5代)・『粗忽長屋』]…… ④181
柳家小三治 [1939年～／落語家(10代)・こっけい話]………… ④182
やなせたかし [1919～2013年／漫画家、絵本作家・『アンパンマン』]… ④182
山口華楊 [1899～1984年／日本画家・『黒豹』]………………… ④187
山口誓子 [1901～1994年／俳人・『凍港』]…………………… ④187
山口瞳 [1926～1995年／作家・『江分利満氏の優雅な生活』]… ④188
山口百恵 [1959年～／歌手、女優・『秋桜』]………………… ④188
山口洋子 [1937～2014年／作詞家、作家・『夜空』]………… ④188
山崎豊子 [1924～2013年／作家・『華麗なる一族』]………… ④189
山崎直子 [1970年～／宇宙飛行士]…………………………… ④189
山下明生 [1937年～／児童文学作家・『はんぶんちょうだい』]… ④189
山下泰裕 [1957年～／柔道選手]……………………………… ④189
山階芳麿 [1900～1989年／鳥類学者・『日本の鳥類と其の生態』]… ④190
山田五十鈴 [1917～2012年／女優・『祇園の姉妹』『必殺』シリーズ]… ④190
山田詠美 [1959年～／作家・『ソウル・ミュージック・ラバーズ・オンリー』]… ④191
山田太一 [1934年～／脚本家・『ふぞろいの林檎たち』]……… ④192
山田風太郎 [1922～2001年／作家・『甲賀忍法帖』]………… ④193
山田洋次 [1931年～／映画監督・『男はつらいよ』シリーズ]… ④193
山中伸弥 [1962年～／iPS細胞を生成した医学者]…………… ④194
山中恒 [1931年～／児童文学作家・『おれがあいつであいつがおれで』]… ④195
山之口貘 [1903～1963年／詩人・『山之口貘詩集』]………… ④196
山本作兵衛 [1892～1984年／炭鉱労働者、炭坑記録画家]… ④198
山本周五郎 [1903～1967年／作家・『樅ノ木は残った』]…… ④199
山本東次郎 [1937年～／狂言師・大蔵流狂言方]…………… ④199
屋良朝苗 [1902～1997年／本土復帰を実現させた沖縄県知事]……… ④200
油井亀美也 [1970年～／宇宙飛行士]………………………… ④202
湯川秀樹 [1907～1981年／理論物理学者・中間子理論]……… ④204
湯本香樹実 [1959年～／児童文学作家・『夏の庭―The Friends―』]… ④206
横尾忠則 [1936年～／グラフィックデザイナー]……………… ④210
横田喜三郎 [1896～1993年／国際法学者・『国際裁判の本質』]… ④210
横山光輝 [1934～2004年／漫画家・『鉄人28号』『魔法使いサリー』]… ④212
横山隆一 [1909～2001年／漫画家・『フクちゃん』]………… ④212
吉田甲子太郎 [1894～1957年／『兄弟いとこものがたり』]…… ④216
吉田沙保里 [1982年～／レスリング選手]…………………… ④216
吉田茂 [1878～1967年／第45、48、49、50、51代内閣総理大臣]… ④217
吉田正 [1921～1998年／作曲家・『誰より君を愛す』]……… ④217
吉野源三郎 [1899～1981年／ジャーナリスト、児童文学者、評論家]… ④218
吉野弘 [1926～2014年／詩人・『感傷旅行』]………………… ④220

吉原幸子 [1932～2002年／詩人・『幼年連祷』]……………… ④220
吉村昭 [1927～2006年／作家・『戦艦武蔵』]………………… ④220
吉本隆明 [1924～2012年／詩人、評論家・『固有時との対話』]… ④221
吉本ばなな [1964年～／作家・『キッチン』]………………… ④221
吉行淳之介 [1924～1994年／作家・『驟雨』]………………… ④222
与田準一 [1905～1997年／詩人、児童文学作家・『野ゆき山ゆき』]… ④222
米長邦雄 [1943～2012年／将棋棋士・永世棋聖]…………… ④224
ら 力道山 [1924～1963年／大相撲力士、プロレスラー]……… ④239
廖承志 [1908～1983年／中華人民共和国の政治家]………… ④252
わ 若田光一 [1963年～／宇宙飛行士]………………………… ④285
我妻栄 [1897～1973年／民法学者・日本の民法学の基礎を築く]… ④286
若乃花 [1928～2010年／大相撲力士・第45代横綱]………… ④286

地域別［世界］索引

第1巻から第4巻に項目として掲載されている「世界の人物」（一部の「日本の人物」をふくむ）を、活躍した（または出身の）地域別にまとめ、五十音順にならべています。地域の区分については、6ページを参照してください。

人物名は、原則として「姓・名」の順であらわしています。

●地域別索引の見方

朝鮮半島

あ
- 安重根（アンジュウコン）［1879～1910年／朝鮮王朝の独立運動家・伊藤博文を暗殺］……①63
- 李承晩（イスンマン）［1875～1965年／韓国の初代大統領］……①90
- 李明博（イミョンバク）［1941年～／韓国の大統領］……①117
- 衛満（えいまん）［生没年不詳／衛氏朝鮮の建国者］……①148
- 王建（おうけん）［877～943年／高麗の初代国王］……①168

か
- 姜沆（カンハン）［1567～1618年／朱子学をつたえた朝鮮の儒学者］……①279
- 金日成（キムイルソン）［1912～1994年／北朝鮮の初代国家主席、最高指導者］……①298
- 金正日（キムジョンイル）［1942～2011年／金日成の子、北朝鮮の2代目最高指導者］……①299
- 金正恩（キムジョンウン）［1982?年～／金正日の子、北朝鮮の3代目最高指導者］……①299
- 金大中（キムデジュン）［1925～2009年／韓国の大統領］……①299
- 金泳三（キムヨンサム）［1927～2015年／韓国の大統領］……①300
- 金玉均（きんぎょくきん）［1851～1894年／朝鮮王朝の政治家］……①309
- 広開土王（こうかいどおう）［374～412年／高句麗王］……②61
- 洪景来（こうけいらい）［1780～1812年／朝鮮王朝の農民反乱指導者］……②62
- 高宗（朝鮮王朝）（こうそう）［1852～1919年／朝鮮王朝の第26代国王］……②66

さ
- 崔済愚（さいせいぐ）［1824～1864年／朝鮮、李朝末期の宗教家、東学の創始者］……②111
- 世宗（朝鮮王朝）（せいそう）［1397～1450年／朝鮮王朝の国王］……②238
- 聖明王（せいめいおう）［?～554年／百済の第26代王］……②239
- 全琫準（ぜんほうじゅん）［1854～1895年／甲午農民戦争の指導者］……②248

た
- 大院君（たいいんくん）［1820～1898年／朝鮮王朝の高宗の父］……②263
- 大祚栄（だいそえい）［?～719年／朝鮮北部、渤海の建国者］……②265
- 崔圭夏（チェギュハ）［1919～2006年／韓国の大統領］……③9
- 全斗煥（チョンドファン）［1931年～／韓国の大統領］……③22

な
- 盧泰愚（ノテウ）［1932年～／韓国の大統領］……③147
- 盧武鉉（ノムヒョン）［1946～2009年／韓国の大統領］……③149

は
- 朴槿恵（パククネ）［1952年～／朴正熙の子、韓国の大統領］……③162
- 朴正熙（パクチョンヒ）［1917～1979年／韓国の大統領］……③162
- 朴烈（パクヨル）［1902～1974年／朝鮮の独立運動家・日本で逮捕された］……③163
- 潘基文（パンギムン）［1944年～／韓国の外交官、第8代国連事務総長］……③193
- 閔妃（びんひ）［1851～1895年／朝鮮王朝の国王高宗のきさき］……③222

や
- 尹潽善（ユンボソン）［1897～1990年／韓国の大統領］……④207

ら
- 李舜臣（りしゅんしん）［1545～1598年／朝鮮王朝の武将］……④242
- 李成桂（りせいけい）［1335～1408年／朝鮮王朝の初代国王］……④243
- 柳寛順（りゅうかんじゅん）［1904～1920年／朝鮮の独立運動家］……④248

中国・モンゴル

あ
- アルタン・ハン［1507～1582年／モンゴル、タタールのハン］……①60
- 安禄山（あんろくざん）［705～757年／唐の安史の乱の首謀者］……①70
- 韋后（いこう）［?～710年／唐の第4代皇帝中宗の皇后］……①80
- 禹（う）［生没年不詳／古代中国の夏王朝の始祖とされる］……①124
- 衛青（えいせい）［?～紀元前106年／前漢の匈奴討伐軍の将軍］……①147
- 永楽帝（えいらくてい）［1360～1424年／明の第3代皇帝］……①148
- エセン・ハン［?～1454年／オイラトの族長、モンゴル帝国の第29代皇帝］……①154
- 袁世凱（えんせいがい）［1859～1916年／中華民国の初代大総統］……①164
- 王安石（おうあんせき）［1021～1086年／北宋の宰相］……①167
- 王維（おうい）［699?～761年／唐代の詩人］……①167
- 王羲之（おうぎし）［307?～365?年／東晋時代の書家］……①168
- 王重陽（おうじゅうよう）［1113～1170年／道教の一派の全真教の開祖］……①169
- 王守仁（おうしゅじん）［1472～1529年／陽明学をひらく］……①169
- 王昭君（おうしょうくん）［生没年不詳／漢の宮女］……①169
- 王仙芝（おうせんし）［?～878年／唐の農民反乱指導者］……①170
- 汪兆銘（おうちょうめい）［1883～1944年／南京国民政府の主席］……①170
- 王莽（おうもう）［紀元前45～紀元後23年／新の初代皇帝］……①171
- 欧陽脩（おうようしゅう）［1007～1072年／学者、官僚、文学者・『新五代史』］……①171
- 欧陽詢（おうようじゅん）［557～641年／唐代の書家］……①171
- オゴタイ・ハン［1186～1241年／モンゴル帝国の第2代皇帝］……①203
- 温家宝（おんかほう）［1942年～／首相］……①218

か
- 郭守敬（かくしゅけい）［1231～1316年／元の天文学者・授時暦］……①229
- 岳飛（がくひ）［1103～1142年／南宋の軍人］……①229

268

華国鋒 [1920～2008年／首相]……………………①229

ガザン・ハン [1271～1304年／イル・ハン国の第7代君主]……①231

関羽 [?～219年／三国時代の蜀の武将]……………………①274

甘英 [生没年不詳／後漢の西域支配に貢献した武将]………①274

桓公 [?～紀元前643年／斉の君主]……………………①274

顔真卿 [709～785年／書家・「蚕頭燕尾」を考案]……………①275

韓非 [?～紀元前233年／古代中国の戦国時代の思想家]……①279

咸豊帝 [1831～1861年／清の第9代皇帝]………………①279

韓愈 [768～824年／唐代の詩人]……………………①280

義浄 [635～713年／唐代の僧侶]……………………①286

徽宗 [1082～1135年／北宋の第8代皇帝]………………①286

仇英 [1494～1552年／明代の人気画家]…………………①302

堯 [生没年不詳／古代中国の伝説上の帝王]………………①303

欽宗 [1100～1161年／北宋の第9代皇帝]………………①310

屈原 [前340?～前278?年／楚の詩人・『離騒』]……………②18

虞美人 [?～紀元前202?年／秦末期の英雄、項羽の愛人]…②23

鳩摩羅什 [344?～413年／仏典漢訳者、僧侶]………………②25

孔穎達 [574～648年／儒学者]……………………②26

厳家淦 [1905～1993年／台湾の総統]……………………②55

玄奘 [602～664年／インドにわたった唐の僧]……………②55

玄宗 [685～762年／唐の第6代皇帝]……………………②57

建文帝 [1383～1402年／明の第2代皇帝]………………②57

乾隆帝 [1711～1799年／清の第6代皇帝]………………②58

項羽 [紀元前232 ～紀元前202年／秦末期の武将]………②61

康熙帝 [1654～1722年／清の第4代皇帝]………………②62

寇謙之 [365?～448年／南北朝時代の北魏の道士]…………②62

黄興 [1874～1916年／清末期～中華民国の革命家]………②63

孔子 [紀元前551?～紀元前479年／思想家]………………②64

洪秀全 [1814～1864年／太平天国を建国]………………②64

光緒帝 [1871～1908年／清の第11代皇帝]………………②65

江青 [1913～1991年／毛沢東の夫人]……………………②65

高宗(唐) [628～683年／唐の第3代皇帝]………………②65

高宗(南宋) [1107～1187年／南宋の初代皇帝]……………②65

黄巣 [?～884年／唐末期の農民反乱指導者]………………②66

黄宗羲 [1610～1695年／思想家・『明夷待訪録』]…………②66

公孫竜 [生没年不詳／思想家]……………………②66

江沢民 [1926年～／国家主席]……………………②67

光武帝 [紀元前6～紀元後57年／後漢の初代皇帝]………②69

孝文帝 [467～499年／魏(北魏)の第6代皇帝]……………②70

康有為 [1858～1927年／学者、政治家・戊戌の変法の中心人物]……②72

顧炎武 [1613～1682年／考証学の祖]……………………②72

顧愷之 [344?～408?年／東晋時代の画家・『女史箴図巻』]…②74

呉起 [紀元前440ごろ～紀元前381ごろ／兵法家]…………②76

胡錦濤 [1942年～／国家主席]……………………②76

顧憲成 [1550～1612年／学者、官僚・東林派の指導者]……②77

呉広 [? ～紀元前208年／秦末期の農民反乱指導者]………②77

呉三桂 [1612～1678年／三藩の乱の指導者]………………②78

呉承恩 [1500?～1582?年／明代の作家・『射陽先生存稿』]…②80

胡適 [1891～1962年／中華民国の学者、思想家]…………②86

呉道玄 [生没年不詳／唐代の画家・山水画]………………②86

呉佩孚 [1874～1939年／清末期～中華民国初期の軍閥政治家]……②91

胡耀邦 [1915～1989年／中国共産党主席、総書記]………②100

蔡英文 [1956年～／台湾の総統]……………………②108

蔡倫 [?～121?年／紙の改良]……………………②116

左宗棠 [1812～1885年／清末期の武将、政治家]…………②125

始皇帝 [紀元前259～紀元前210年／秦の初代皇帝]………②152

史思明 [704?～761年／唐の安史の乱の指導者の一人]……②153

施耐庵 [1296?～1370年?／作家・『水滸伝』]………………②153

司馬睿 [276～322年／東晋の初代皇帝]……………………②156

司馬炎 [236～290年／晋(西晋)の初代皇帝]………………②157

司馬光 [1019～1086年／北宋の官僚政治家、歴史家]……②157

司馬遷 [紀元前145?～紀元前86?年／前漢の歴史家]………②158

謝霊運 [385～433年／宋の詩人]……………………②178

周恩来 [1898～1976年／中華人民共和国の首相]…………②178

習近平 [1953年～／国家主席]……………………②179

周敦頤 [1017～1073年／宋学の創始者の一人]……………②179

朱熹 [1130～1200年／朱子学をひらいた宋の思想家]……②183

朱元璋 [1328～1398年／明の初代皇帝]……………………②183

朱全忠 [852～912年／五代の後梁の初代皇帝]……………②184

朱徳 [1886～1976年／中国人民解放軍の総司令]…………②185

朱鎔基 [1928年～／首相]……………………②187

舜 [生没年不詳／古代中国の伝説上の帝王]………………②189

荀子 [紀元前298ごろ～紀元前235ごろ／思想家・性悪説]…②190

順治帝 [1638～1661年／清の第3代皇帝]………………②190

商鞅 [紀元前395ごろ～紀元前338年／思想家]……………②191

蔣介石 [1887～1975年／中華民国を樹立]………………②192

蔣経国 [1910～1988年／台湾の総統]……………………②192

鄭玄 [127～200年／後漢の訓詁学の学者]………………②192

昭明太子 [501～531年／梁の皇太子]……………………②195

諸葛亮 [181～234年／蜀の軍師]……………………②201

徐光啓 [1562～1633年／明に西洋の科学技術を広める]……②202

徐福 [生没年不詳／秦の方士・不老不死を求めて船出した]…②204

秦檜 [1090～1155年／南宋の宰相]……………………②209

神宗 [1048～1085年／北宋の第6代皇帝]………………②210

鄒衍 [紀元前305?～紀元前240?年／思想家・陰陽五行家]…②213

崇禎帝 [1610～1644年／明の第17代皇帝]………………②214

西太后 [1835～1908年／清末期の皇妃]……………………②239

正統帝 [1427～1464年／明の第6、8代皇帝]………………②239

契 [生没年不詳／三皇五帝時代の重臣]……………………②242

銭大昕 [1728～1804年／実証的史学を確立した清の考証学者]……②247

宣徳帝 [1398～1435年／明の第5代皇帝]………………②247

宋応星 [1587～1650?年／明末期の学者、官吏]……………②249

地域別索引

中国・モンゴル

269

宋教仁 [1882〜1913年／革命運動家]··········· ②249
宋慶齢 [1893〜1981年／政治家]··········· ②250
曾国藩 [1811〜1872年／清朝末期の政治家、軍人]··········· ②250
荘子 [生没年不詳／戦国時代の道家の思想家]··········· ②250
曹雪芹 [1715?〜1764?年／作家・『紅楼夢』]··········· ②251
曹操 [155〜220年／三国時代の魏の基礎をつくった]··········· ②251
曹丕 [187〜226年／魏の初代皇帝]··········· ②252
宋美齢 [1897?〜2003年／中華民国の政治家、蔣介石の夫人]··········· ②252
則天武后 [624?〜705年／唐の皇后、周の女帝]··········· ②255
蘇秦 [?〜紀元前317年／戦国時代の政治家・合従策を主張]··········· ②256
蘇東坡 [1036〜1101年／北宋の政治家、文人]··········· ②256
孫権 [182〜252年／呉の初代皇帝]··········· ②259
孫子 [生没年不詳／春秋時代の兵法家]··········· ②260
孫文 [1866〜1925年／革命家、政治家、中華民国の創始者]··········· ②261
た 太公望 [生没年不詳／周の軍師、政治家]··········· ②264
太宗(北宋) [939〜997年／宋の第2代皇帝]··········· ②265
太武帝 [408〜452年／魏(北魏)の第3代皇帝]··········· ②266
ダライ・ラマ [1935年〜／チベット仏教の最高指導者]··········· ②313
達磨 [?〜528?年／南北朝時代の仏教の僧]··········· ②315
段祺瑞 [1865〜1936年／清末期〜中華民国の軍閥政治家]··········· ②317
チョイバルサン, ホルローギーン [1895〜1952年／モンゴル人民共和国

　　首相]··········· ③18
張角 [?〜184年／黄巾の乱の指導者]··········· ③18
張学良 [1901〜2001年／中華民国の軍人]··········· ③19
張儀 [?〜紀元前310年／戦国時代の政治家・連衡策を主張して秦に対抗]··········· ③19
趙匡胤 [927〜976年／宋の初代皇帝]··········· ③19
張居正 [1525〜1582年／明の官僚、政治家]··········· ③19
張騫 [?〜紀元前114年／前漢の西域開拓者]··········· ③20
張衡 [78〜139年／後漢の文学者、科学者]··········· ③20
張作霖 [1875〜1928年／清末期〜中華民国初期の軍人]··········· ③20
趙紫陽 [1919〜2005年／首相]··········· ③20
張飛 [?〜221年／三国時代の蜀の武将]··········· ③21
張陵 [2世紀ごろ／後漢末期の宗教家]··········· ③21
褚遂良 [596〜658年／唐代の書家・『孟法師碑』]··········· ③22
チンギス・ハン [1162?〜1227年／モンゴル帝国の創始者、皇帝]··········· ③23
陳寿 [233〜297年／西晋の官僚、歴史家]··········· ③23
陳勝 [?〜紀元前208年／秦末期の農民反乱指導者]··········· ③24
陳水扁 [1951年〜／台湾の総統]··········· ③24
陳独秀 [1879〜1942年／中華民国の思想家、政治家]··········· ③24
鄭芝竜 [1604〜1661年／福州の都督となった貿易商]··········· ③38
鄭成功 [1624〜1662年／明の復興につくした武将]··········· ③39
鄭和 [1371?〜1434?年／7回の南海遠征]··········· ③40
陶淵明 [365〜427年／東晋・宋の詩人・『帰去来の辞』]··········· ③54
董其昌 [1555〜1636年／明代の書家・『行草書巻』]··········· ③55
道光帝 [1782〜1850年／清の第8代皇帝]··········· ③57
鄧小平 [1904〜1997年／政治家]··········· ③59

同治帝 [1856〜1875年／清の第10代皇帝]··········· ③59
董仲舒 [紀元前176?〜紀元前104?年／前漢時代の儒学者]··········· ③59
杜世忠 [1242〜1275年／鎌倉幕府に処刑された元の使節]··········· ③78
杜甫 [712〜770年／唐代の詩人・『春望』]··········· ③81
な ヌルハチ [1559〜1626年／清の初代皇帝]··········· ③138
は ハイドゥ [1235?〜1301年／オゴタイ・ハン国の第4代君主]··········· ③158
馬英九 [1950年〜／台湾の総統]··········· ③160
白居易 [772〜846年／唐代の詩人・『長恨歌』]··········· ③162
バトゥ [1207〜1255年／キプチャク・ハン国の初代君主]··········· ③173
班固 [32〜92年／後漢の歴史家]··········· ③193
班超 [32〜102年／後漢の西域支配に貢献した武将]··········· ③194
万暦帝 [1563〜1620年／明の第14代皇帝]··········· ③196
ブーベ, ジョアシャン [1656〜1730年／イエズス会士]··········· ③230
フェルビースト, フェルディナント [1623〜1688年／南ネーデルラントのイ

　　エズス会士]··········· ③233
武王 [生没年不詳／周の初代王]··········· ③234
溥儀 [1906〜1967年／清の第12代皇帝、満州国の皇帝]··········· ③238
仏図澄 [232〜348年／西域から中国への渡来僧]··········· ③268
武帝(前漢) [紀元前156〜紀元前87年／前漢の第7代皇帝]··········· ③268
フビライ・ハン [1215〜1294年／モンゴル帝国の第5代皇帝、中国元朝の初代

　　皇帝]··········· ③272
文公 [紀元前697/672〜紀元前628年／晋の王]··········· ③295
文帝(隋) [541〜604年／隋の初代皇帝]··········· ③295
墨子 [紀元前480?〜紀元前390?年／春秋〜戦国時代の思想家]··········· ④40
冒頓単于 [?〜紀元前174年／匈奴国の建国者]··········· ④40
法顕 [337〜422年／東晋の僧]··········· ④47
布袋 [?〜917?年／唐末期の禅僧]··········· ④49
ホンタイジ [1592〜1643年／清の第2代皇帝]··········· ④55
ま マテオ・リッチ [1552〜1610年／イタリア出身のイエズス会最初の中国伝道者]

　　··········· ④84
孟浩然 [689〜740年／唐代の詩人・『春暁』]··········· ④155
孟子 [紀元前372?〜紀元前289?年／戦国時代の儒教の思想家]··········· ④155
毛沢東 [1893〜1976年／中国共産党の最高指導者]··········· ④155
牧谿 [生没年不詳／宋代の画家・『観音猿鶴図』]··········· ④163
モンケ・ハン [1208〜1259年／モンゴル帝国の第4代皇帝]··········· ④172
や 耶律阿保機 [872〜926年／遼の初代皇帝]··········· ④200
耶律楚材 [1190〜1244年／モンゴル帝国の政治家、文学者]··········· ④201
耶律大石 [1087〜1143年／西遼(カラキタイ)の初代皇帝]··········· ④201
楊炎 [727〜781年／唐の政治家]··········· ④207
楊貴妃 [719〜756年／唐の皇帝玄宗のきさき]··········· ④207
雍正帝 [1678〜1735年／清の第5代皇帝]··········· ④208
煬帝 [569〜618年／隋の第2代皇帝]··········· ④208
ら 羅貫中 [1330?〜1400?年／劇作家・『三国志演義』]··········· ④228
ラシード・アッディーン [1247?〜1318年／モンゴル、イル・ハン国の政治家、

　　歴史家]··········· ④231
李淵 [565〜635年／唐の初代皇帝]··········· ④238

陸九淵 [1139～1193年／南宋の思想家]............④240

李元昊 [1004～1048年／西夏の初代皇帝]............④240

李鴻章 [1823～1901年／清末期の政治家]............④240

李克強 [1955年～／首相]............④240

李斯 [?～紀元前208年／秦の政治家]............④241

李贄 [1527～1602年／明の陽明学者]............④241

李自成 [1606～1645年／明の農民反乱指導者]............④241

李時珍 [1518?～1593?年／医学者・『本草綱目』]............④242

李世民 [598～649年／唐の第2代皇帝]............④243

李大釗 [1889～1927年／中華民国初期の政治家、思想家]............④244

李登輝 [1923年～／台湾の総統]............④245

李白 [701～762年／唐代の詩人]............④245

李鵬 [1928年～／首相]............④246

劉永福 [1837～1917年／義和団運動に参加した軍人]............④248

劉少奇 [1898～1969年／中華人民共和国の国家主席]............④248

柳宗元 [773～819年／唐代の散文家、詩人・『永州八記』]............④248

劉備 [161～223年／蜀の初代皇帝]............④249

劉邦 [紀元前256/247～紀元前195年／前漢の初代皇帝]............④249

劉裕 [363～422年／南朝、宋の初代皇帝・土断法を実施]............④250

梁啓超 [1873～1929年／政治家・戊戌の変法を進めた]............④251

林則徐 [1785～1850年／清末期の政治家]............④253

林彪 [1909～1971年／中華人民共和国の軍人、政治家]............④254

老子 [生没年不詳／春秋戦国時代の思想家]............④272

老舎 [1899～1966年／中華人民共和国の作家・『駱駝祥子』]............④273

魯迅 [1881～1936年／作家・『阿Q正伝』]............④276

● 完顔阿骨打 [1068～1123年／金の初代皇帝]............④294

その他のアジア

● アウラングゼーブ [1618～1707年／ムガル帝国の第6代皇帝]............①13

アウン・サン [1915～1947年／ビルマの独立運動指導者]............①14

アウン・サン・スー・チー [1945年～／ミャンマーの民主運動家]............①14

アギナルド, エミリオ [1869～1964年／フィリピン共和国の初代大統領]
............①20

アキノ, コラソン [1933～2009年／フィリピン共和国の第11代大統領]............①20

アクバル [1542～1605年／ムガル帝国の第3代皇帝]............①22

アショカ王 [生没年不詳／マガダ国マウリヤ朝の国王]............①38

アッシュール・バニパル [生没年不詳／アッシリア王国の王]............①40

アッバース1世 [1571～1629年／サファビー朝ペルシアの第5代王]............①41

アブー・ハーミド・ガザーリー [1058～1111年／セルジューク朝のイスラム
神学者]............①43

アブー・バクル [573ごろ～634年／イスラム教の初代正統カリフ]............①43

アブデュルハミト2世 [1842～1918年／オスマン帝国第34代皇帝]............①44

アブデュルメジト1世 [1823～1861年／オスマン帝国第31代皇帝]............①44

アフマディネジャド, マフムード [1956年～／イランの大統領]............①44

アブラハム [生没年不詳／古代イスラエル人の伝説上の祖先]............①45

アラファト, ヤセル [1929～2004年／パレスチナ解放機構の指導者]............①55

アリー [600ごろ～661年／イスラム教の第4代正統カリフ]............①56

アル・アッバース [565ごろ～652年ごろ／4代正統カリフのアリーの父]............①59

アルサケス [生没年不詳／アルサケス朝パルティアの初代国王]............①60

アルダシール1世 [?～241?年／イラン、ササン朝ペルシアの実質的な初代国
王]............①60

アレクサンドロス大王 [紀元前356～紀元前323年／マケドニアの国王]
............①64

アロヨ, グロリア [1947年～／フィリピンの政治家、大統領]............①62

イエス・キリスト [紀元前4?～紀元後30?年／キリスト教の開祖]............①74

イスマーイール [1487～1524年／サファビー朝ペルシアの初代王]............①89

イブン・アブドゥル・ワッハーブ [1703～1792年／イスラム教ワッハーブ派
の指導者]............①112

イブン・サウード [1880～1953年／サウジアラビア王国の初代国王]............①112

イブン・シーナー [980～1037年／イスラムの医学者]............①113

イブン・ルシュド [1126～1198年／イスラムの哲学者、医学者]............①113

ウ・タント [1909～1974年／ビルマの政治家、第3代国際連合事務総長]①140

ウマル [592～644年／イスラム教の第2代正統カリフ]............①142

ウルグ・ベク [1394?～1449年／ティムール帝国の第4代君主]............①146

エウセビオス [260ごろ～339年／教会史家]............①149

エストラーダ, ジョセフ [1937年～／フィリピンの大統領]............①152

オサマ・ビンラディン [1957?～2011年／アルカイダの指導者]............①206

オマル・ハイヤーム [1048?～1131?年／『ルバイヤート』]............①216

● カーリダーサ [生没年不詳／4～5世紀のインドの詩人、劇作家]............①221

カニシカ王 [生没年不詳／インド、クシャーナ朝の王]............①247

カビール [1440ごろ～1518年ごろ／インドの宗教改革者]............①253

カルティニ, ラデン・アジェン [1879～1904年／インドネシアの女性解放運
動の先駆者]............①263

ガンディー [1869～1948年／インドの独立運動指導者]............①275

ガンディー, インディラ [1917～1984年／インドの首相]............①278

ガンディー, ラジブ [1944～1991年／インドの首相]............①278

キュロス2世 [?～紀元前529年／アケメネス朝ペルシアの初代国王]............①303

クセルクセス1世 [?～紀元前465年／アケメネス朝ペルシアの国王]............②17

クトゥブッディーン・アイバク [?～1210年／インド、奴隷王朝の初代スルタ
ン]............②20

ケマル・アタチュルク [1881～1938年／トルコ共和国の初代大統領]............②52

阮福暎 [1762～1820年／ベトナム、阮朝の初代皇帝]............②57

ゴ・ディン・ジェム [1901～1963年／南ベトナムの政治家]............②85

● サイイド・アリー・ムハンマド [1819～1850年／イラン、バーブ教の開祖]
............②108

サイード, エドワード [1935～2003年／パレスチナ系アメリカ人の英文学者、
比較文学者]............②108

サヤ・サン [1876～1931年／ビルマの大規模な農民反乱の指導者]............②134

サルゴン1世 [生没年不詳／古代バビロニア、アッカド王国の初代国王]............②136

シバージー [1627～1680年／インド、マラータ王国の初代君主]............②156

地域別索引

中国・モンゴル／その他のアジア

271

地域別索引

その他のアジア

シハヌーク, ノロドム［1922～2012年／カンボジアの国王、首相、国家元首］
……………………………………………………… ②159

シャー・ジャハーン［1592～1666年／インド、ムガル帝国の第5代皇帝］
……………………………………………………… ②170

シャープール1世［生没年不詳／イラン、ササン朝ペルシアの第2代国王］
……………………………………………………… ②170

シャカ［紀元前463?～紀元前383?年／仏教の創始者］……… ②172

ジャマール・アッディーン・アフガーニー［1838～1897年／イスラムの
団結をうったえた思想家］……………………………… ②175

シャロン, アリエル［1928～2014年／イスラエルの首相］…… ②178

ジンナー, ムハンマド・アリー［1876～1948年／パキスタン初代総督］
……………………………………………………… ②211

スールヤバルマン2世［?～1150?年／カンボジアの王］……… ②214

スカルノ, アフマド［1901～1970年／独立インドネシアの初代大統領］②216

スハルト［1921～2008年／インドネシアの大統領］…………… ②232

スレイマン1世［1494～1566年／オスマン帝国の第10代スルタン］… ②236

セリム1世［1470?～1520年／オスマン帝国の第9代スルタン］… ②245

セリム2世［1524～1574年／オスマン帝国の第11代スルタン］… ②245

セリム3世［1761～1808年／オスマン帝国の第28代スルタン］… ②245

ゾロアスター［紀元前7世紀～紀元前6世紀ごろ／ゾロアスター教の開祖］
……………………………………………………… ②258

ソロモン王［?～紀元前922?年／イスラエル王国の第3代国王］………… ②258

ソンツェン・ガンポ［581?～649年／チベット、吐蕃の国王］…… ②260

た タゴール, ラビンドラナート［1861～1941年／インドの詩人］…… ②296

ダビデ王［?～紀元前960年ごろ／イスラエル国王］…………… ②310

ダレイオス1世［紀元前550?～紀元前486年／アケメネス朝ペルシアの国王］
……………………………………………………… ②315

ダレイオス3世［紀元前381?～紀元前330年／アケメネス朝ペルシアの国王］
……………………………………………………… ②315

チャンドラグプタ［生没年不詳／マガダ国の初代国王］……… ③17

チャンドラグプタ1世［生没年不詳／インド、グプタ朝の実質的初代国王］
……………………………………………………… ③17

チャンドラグプタ2世［生没年不詳／インド、グプタ朝の第3代国王］… ③17

チャンドラ・ボース［1897～1945年／インドの独立運動指導者］……… ③17

チュン・チャク［?～43年／ベトナムの反乱指導者］…………… ③18

ツォンカパ［1357～1419年／チベット仏教ゲルク派の開祖］…… ③26

ティムール［1336～1405年／ティムール朝の建国者］………… ③40

トゥグリル・ベク［990?～1063年／セルジューク朝の初代スルタン］…… ③56

ドゥテルテ, ロドリゴ［1945年～／フィリピンの大統領］……… ③60

な ナーナク［1469～1539年／シク教の開祖］………………… ③95

ニザーム・アルムルク［1018～1092年／セルジューク朝の宰相］…… ③126

ネ・ウィン［1911～2002年／ビルマ（現在のミャンマー）の軍人、政治家］③139

ネブカドネザル2世［?～紀元前562年／新バビロニア王国の王］…… ③140

ネルー, ジャワハルラール［1889～1964年／インド共和国の初代首相］
……………………………………………………… ③140

は バーブル［1483～1530年／インド、ムガル帝国の創始者］……… ③155

ハールーン・アッラシード［766～809年／アッバース朝第5代カリフ］
……………………………………………………… ③156

バール・ガンガダール・ティラク［1856～1920年／インドの独立運動指導
者］…………………………………………………… ③156

パウロ［紀元前後～紀元64年ごろ／キリスト教の伝道者］………… ③160

バオダイ［1914～1997年／ベトナムの皇帝］………………… ③160

パスパ［1235～1280年／元朝の初代国師］…………………… ③166

ハタミ, モハンマド［1943年～／イランの大統領］…………… ③170

ハミド・カルザイ［1957年～／アフガニスタンの大統領］……… ③181

バヤジット1世［1360?～1403年／オスマン帝国の第4代スルタン］…… ③183

パル, ラダビノード［1886～1967年／東京裁判の判事］……… ③190

ハルシャ・バルダナ［590?～647年／インド、バルダナ朝の王］… ③190

バルダマーナ［紀元前549ごろ～紀元前477年ごろ／インドのジャイナ教の開祖］
……………………………………………………… ③191

ハンムラビ王［生没年不詳／古代メソポタミア、バビロニアの王］……… ③195

ファン・チュー・チン［1872?～1926年／ベトナムの民族運動指導者］③225

ファン・ボイ・チャウ［1867～1940年／ベトナムの民族運動指導者］ ③225

フィルドゥーシー［934?～1025?年／イランの詩人・『シャー・ナーメ』］ ③227

フセイン, サダム［1937～2006年／イラクの大統領］………… ③264

フセイン・イブン・タラル［1935～1999年／ヨルダン王国の第3代国王］
……………………………………………………… ③265

フセイン・ブン・アリー［1852?～1931年／ヒジャーズ王国の創始者］③265

ブット, ベナジール［1953～2007年／パキスタンの首相］……… ③268

フラグ［1218～1265年／イル・ハン国の初代君主］…………… ③273

フワーリズミー［780ごろ～850年ごろ／アッバース朝の数学者］……… ③294

ペテロ［?～60?年／キリスト十二使徒の一人］………………… ④16

ペレス, シモン［1923年～／イスラエルの首相、大統領］……… ④23

ヘン・サムリン［1934年～／カンボジアの軍人、政治家］……… ④25

ホー・チ・ミン［1890～1969年／ベトナム民主共和国初代大統領］…… ④38

ホスロー1世［?～579年／イラン、ササン朝ペルシアの王］…… ④43

ホメイニ, ルーハッラー［1900～1989年／イランの最高指導者］… ④50

ポル・ポト［1925?～1998年／民主カンボジア政府の首相］…… ④54

ま マームーン［786～833年／アッバース朝第7代カリフ］……… ④59

マニ［216?～274?年／バビロニアの宗教家］………………… ④85

マハティール・モハマド［1925年～／マレーシアの首相］……… ④86

マフムード［971～1030年／アフガニスタン、ガズナ朝の王］… ④86

マフムト2世［1784～1839年／オスマン帝国の第30代スルタン］……… ④87

マリア［生没年不詳／イエス・キリストの母とされる女性］……… ④88

マルコス, フェルディナンド［1917～1989年／フィリピンの大統領］ ④92

マンスール［712?～775年／アッバース朝第2代カリフ］……… ④97

ミドハト・パシャ［1822～1884年／オスマン帝国の政治家］…… ④107

ミマール・シナン［1490～1579年／スレイマンモスク］………… ④119

ムアーウィヤ［?～680年／イスラム帝国、ウマイヤ朝の初代カリフ］… ④133

ムスタファ・レシト・パシャ［1800～1858年／オスマン帝国の改革を進めた
政治家］……………………………………………… ④136

ムハンマド［570?～632年／イスラム教の創始者］…………… ④140

メフメト2世[せい] ［1432?〜1481年／オスマン帝国の第7代スルタン］……… ④152

モーセ ［生没年不詳／ヘブライ人の預言者］……………………… ④159

モサデク, モハンマド ［1880〜1967年／イランの首相］………… ④162

モハンマド・レザー・パフレビー ［1919〜1980年／イラン、パフレビー朝の
　第2代皇帝］………………………………………………… ④166

や ヤークーブ・ベク ［1820?〜1877年／東トルキスタンに独立政権を建てた軍人］
　………………………………………………………………… ④176

ヤショーバルマン王[おう] ［生没年不詳／カンボジア、アンコール朝の王］…… ④177

ユスフザイ, マララ ［1997年〜／パキスタンの人権活動家］……… ④205

ヨハネ ［紀元前6ごろ〜紀元後36年ごろ／古代ユダヤの預言者］… ④224

ら ラーマ4世[せい] ［1804〜1868年／タイ、チャクリー朝の国王］…… ④226

ラーマ5世[せい] ［1853〜1910年／タイ、チャクリー朝の国王］…… ④226

ラーム・モーハン・ローイ ［1772〜1833年／インドの宗教家］…… ④226

ラクシュミー・バーイー ［1828?〜1858年／インド大反乱の指導者］ ④230

ラビン, イツハーク ［1922〜1995年／イスラエルの首相］……… ④232

リー・クアンユー ［1923〜2015年／シンガポールの首相］……… ④237

リサール, ホセ ［1861〜1896年／フィリピンの独立運動指導者］… ④241

リットン, ビクター・アレグザンダー ［1876〜1947年／リットン調査団とし
　て満州を調査］……………………………………………… ④245

竜樹[りゅうじゅ] ［150ごろ〜250年ごろ／インドの仏教学者・大乗仏教の理論］………… ④248

レザー・シャー・パフレビー ［1878〜1944年／イラン、パフレビー朝の皇帝］
　………………………………………………………………… ④268

イギリス

あ アークライト, リチャード ［1732〜1792年／産業革命期の発明家］…… ①9

アーサー王[おう] ［生没年不詳／ケルト人の伝説的な王］………… ①9

アームストロング, ウィリアム ［1810〜1900年／アームストロング砲の開発］
　………………………………………………………………… ①10

アシュレイ, ローラ ［1925〜1985年／テキスタイルデザイナー］………… ①34

アダムズ, ウィリアム ［1564〜1620年／徳川家康の外交顧問］… ①39

アダムソン, ジョイ ［1910〜1980年／『野生のエルザ』］………… ①40

アトリー, アリソン ［1884〜1976年／児童文学作家］…………… ①42

アトリー, クレメント ［1883〜1967年／首相］…………………… ①42

アマースト, ウィリアム・ピット ［1773〜1857年／清との国交樹立をめざした
　イギリスの外交官］………………………………………… ①50

アルクイン ［735ごろ〜804年／神学者］………………………… ①60

アルフレッド大王[だいおう] ［848?〜899年／イングランド王］…………… ①61

アン女王[じょおう] ［1665〜1714年／イングランド女王、スコットランド女王］… ①66

アンセルムス ［1033〜1109年／カンタベリーの大司教］………… ①66

イーデン, アンソニー ［1897〜1977年／首相］…………………… ①72

イシグロ, カズオ ［1954年〜／作家・『日の名残り』］…………… ①85

ウィーダ ［1839〜1908年／児童文学作家・『フランダースの犬』］… ①124

ウィクリフ, ジョン ［1320ごろ〜1384年／初期の宗教改革者］… ①125

ウィリアム3世 ［1650〜1702年／イングランド王、スコットランド王］…… ①125

ウィリアム・オブ・オッカム ［1285?〜1349?年／スコラ哲学者］…… ①126

ウィルキンズ, モーリス ［1916〜2004年／DNAの二重らせん構造］ ①126

ウィルソン, コリン ［1931〜2013年／作家、評論家・『アウトサイダー』］ ①127

ウィルソン, ハロルド ［1916〜1995年／首相］…………………… ①127

ウェストン, ウォルター ［1861〜1940年／日本に登山技術を伝える］ ①133

ウェッジウッド, ジョサイア ［1730〜1795年／陶芸家］………… ①133

ウェッブ夫妻 ［夫シドニー　1859〜1947年、妻ベアトリス　1858〜1943年／社
　会学者、経済学者、活動家］……………………………… ①134

ウェリントン, アーサー・ウェルズリー ［1769〜1852年／ナポレオン1世
　をやぶった軍人、首相］…………………………………… ①136

ウェルズ, ハーバート・ジョージ ［1866〜1946年／『タイム・マシン』］
　………………………………………………………………… ①137

ウォーレス, アルフレッド・ラッセル ［1823〜1913年／博物学者・自然選
　択の進化論］………………………………………………… ①137

ウォルポール, ロバート ［1676〜1745年／政治家］……………… ①138

ウルフ, バージニア ［1882〜1941年／作家・『ダロウェイ夫人』］… ①146

エグバート ［775?〜839年／ウェセックス王、イングランド王］… ①151

エドワード1世[せい] ［1239〜1307年／イングランド王］………… ①156

エドワード3世[せい] ［1312〜1377年／イングランド王・百年戦争をはじめた］ ①156

エドワード黒太子[こくたいし] ［1330〜1376年／イングランドの王太子］… ①157

エバンズ, アーサー ［1851〜1941年／古代ギリシャの遺跡を発掘］… ①158

エリオット, トーマス・スターンズ ［1888〜1965年／詩人・『荒地』］
　………………………………………………………………… ①160

エリザベス1世[せい] ［1533〜1603年／イングランド女王］……… ①160

エリザベス2世[せい] ［1926年〜／イギリス女王］……………… ①161

エルガー, エドワード ［1857〜1934年／作曲家・『威風堂々』］… ①161

オーウェル, ジョージ ［1903〜1950年／作家・『1984年』］…… ①172

オーウェン, ロバート ［1771〜1858年／社会運動家］…………… ①173

オードリー, ウィルバート ［1911〜1997年／『機関車トーマス』］… ①187

オールコック, ラザフォード ［1809〜1897年／イギリスの外交官］ ①193

か カーター, ハワード ［1874〜1939年／ツタンカーメン王の墓を発見］ ①220

カートライト, エドムンド ［1743〜1823年／力織機］…………… ①220

カニング, ジョージ ［1770〜1827年／政治家、首相］…………… ①247

キーツ, ジョン ［1795〜1821年／詩人］………………………… ①282

キップリング, ラドヤード ［1865〜1936年／『ジャングル・ブック』］… ①293

キャベンディッシュ, ヘンリー ［1731〜1810年／水素の発見］… ①301

キャメロン, デービッド ［1966年〜／首相］……………………… ①301

キャラハン, ジェームズ ［1912〜2005年／首相］………………… ①301

キャロル, ルイス ［1832〜1898年／『不思議の国のアリス』］…… ①301

ギルバート, ウィリアム ［1544〜1603年／磁化の発見］………… ①309

クック, ジェームズ ［1728〜1779年／はじめて南極圏に達した］………… ②18

グドール, ジェーン ［1934年〜／動物行動学者、霊長類学者］………… ②20

クラーク, アーサー・チャールズ ［1917〜2008年／作家・『2001年宇宙の
　旅』］………………………………………………………… ②26

クライブ, ロバート ［1725〜1774年／軍人、初代ベンガル知事］… ②27

グラッドストン, ウィリアム ［1809〜1898年／首相］…………… ②30

グラバー, トーマス ［1838〜1911年／来日した、イギリスの貿易商］… ②30

地域別索引 イギリス

グリーン, グレアム ［1904〜1991年／作家、脚本家・『第三の男』］……… ②31

クリスティ, アガサ ［1890〜1976年／『オリエント急行殺人事件』］…… ②31

クリック, フランシス ［1916〜2004年／分子生物学者］…………… ②32

グレアム, ケネス ［1859〜1932年／児童文学作家・『たのしい川べ』］…… ②36

グレシャム, トーマス ［1519?〜1579年／王室の財務担当官］……… ②38

クロムウェル, オリバー ［1599〜1658年／ピューリタン革命の指導者］ ②44

クロンプトン, サミュエル ［1753〜1827年／ミュール紡績機］……… ②45

ケイ, ジョン ［1704〜1764年／織機の「飛びひ」］……………… ②46

ケインズ, ジョン ［1883〜1946年／近代経済学を確立した経済学者］ ②48

ケルビン ［1824〜1907年／ジュール=トムソン効果の発見］……… ②54

ゴードン, チャールズ・ジョージ ［1833〜1885年／太平天国の乱を鎮圧］

………………………………………………………………… ②73

ゴールディング, ウィリアム ［1911〜1993年／作家・『尖塔』］……… ②74

コブデン, リチャード ［1804〜1865年／政治家、経済学者］……… ②95

コルデコット, ランドルフ ［1846〜1886年／さし絵画家］……… ②100

コンスタブル, ジョン ［1776〜1837年／画家・『干草車』］……… ②105

コンドル, ジョサイア ［1852〜1920年／建築家・鹿鳴館の設計者］ ②107

さ サッカレー, ウィリアム ［1811〜1863年／作家・『虚栄の市』］…… ②126

サックス, オリバー ［1933〜2015年／神経学者・『レナードの朝』］… ②126

サッチャー, マーガレット ［1925〜2013年／女性首相］……… ②126

サトウ, アーネスト ［1843〜1929年／イギリスの外交官］……… ②127

シェークスピア, ウィリアム ［1564〜1616年／劇作家・『ハムレット』］

………………………………………………………………… ②145

ジェームズ1世 ［1566〜1625年／スコットランド王、イングランド王］…… ②146

ジェームズ2世 ［1633〜1701年／イングランド王、スコットランド王］…… ②146

シェリー, パーシー・ビッシュ ［1792〜1822年／詩人］……… ②147

ジェンナー, エドワード ［1749〜1823年／種痘法を発明］……… ②148

ジャガー, ミック ［1943年〜／ロック歌手・『サティスファクション』］…… ②171

ジュール, ジェームズ ［1818〜1889年／ジュールの法則］……… ②183

ジョイス, ジェイムズ ［1882〜1941年／作家、詩人］……… ②191

ショー, バーナード ［1856〜1950年／劇作家］……………… ②195

ジョージ1世 ［1660〜1727年／グレートブリテンの初代国王］……… ②200

ジョージ5世 ［1865〜1936年／ウィンザー朝の初代国王］……… ②200

ジョーンズ, ダイアナ・ウィン ［1934〜2011年／児童文学作家・『魔法使い

ハウルと火の悪魔』］……………………………………… ②201

ジョン王 ［1167〜1216年／イングランド、プランタジネット朝の国王］…… ②204

スウィフト, ジョナサン ［1667〜1745年／作家・『ガリバー旅行記』］ ②213

スコット, ウォルター ［1771〜1832年／詩人、作家・『アイバンホー』］ ②221

スコット, ロバート ［1868〜1912年／南極探検家］……………… ②221

スタイン, マーク・オーレル ［1862〜1943年／敦煌の考古学調査］ ②226

スタンリー, ヘンリー ［1841〜1904年／アフリカ探検家］……… ②227

スティーブンソン, ジョージ ［1781〜1848年／実用的蒸気機関車を製作］

………………………………………………………………… ②229

スティーブンソン, ロバート・ルイス ［1850〜1894年／作家・『宝島』］

………………………………………………………………… ②228

スペンサー, ハーバート ［1820〜1903年／哲学者］……………… ②233

スミス, アダム ［1723〜1790年／古典派経済学の創始者］……… ②234

スミス, ポール ［1946年〜／服飾デザイナー］…………………… ②234

スミッソン, ジェームス ［1764?〜1829年／スミソニアン協会設立］ ②234

た ダーウィン, チャールズ ［1809〜1882年／『種の起源』］……… ②262

ターナー, ジョゼフ ［1775〜1851年／画家・『難破船』］……… ②262

ダール, ロアルド ［1916〜1990年／『チョコレート工場の秘密』］ ②263

ダイアナ妃 ［1961〜1997年／皇太子妃］…………………… ②263

タイラー, ワット ［?〜1381年／農民一揆指導者］………………… ②267

ダグラス=ヒューム, アレック ［1903〜1995年／首相］……… ②288

ダンロップ, ジョン・ボイド ［1840〜1921年／空気入りタイヤの開発と実用

化］……………………………………………………………… ②319

チェンバレン, ジョセフ ［1836〜1914年／政治家］……………… ③10

チェンバレン, ネビル ［1869〜1940年／首相］……………… ③10

チャーチル, ウィンストン ［1874〜1965年／首相］……………… ③13

チャールズ1世 ［1600〜1649年／イングランド王、スコットランド王］…… ③13

チャールズ2世 ［1630〜1685年／イングランド王、スコットランド王］…… ③14

チャップリン, チャーリー ［1889〜1977年／喜劇俳優］……… ③15

チャドウィック, ジェームズ ［1891〜1974年／中性子を発見］ ③15

チョーサー, ジェフリー ［1340?〜1400年／『カンタベリー物語』］… ③22

ディケンズ, チャールズ ［1812〜1870年／作家・『クリスマス・キャロル』］

………………………………………………………………… ③37

ディズレーリ, ベンジャミン ［1804〜1881年／首相］……………… ③38

テニソン, アルフレッド ［1809〜1892年／詩人］…………… ③44

デフォー, ダニエル ［1660〜1731年／作家・『ロビンソン・クルーソー』］ ③45

ドイル, コナン ［1859〜1930年／推理小説家・『緋色の研究』］ ③53

トインビー, アーノルド・ジョセフ ［1889〜1975年／歴史家、国際政治学

者、文明批評家］…………………………………………… ③54

トールキン, ジョン・ロナルド ［1892〜1973年／『ホビットの冒険』］ ③62

トラバース, パメラ ［1906〜1996年／児童文学作家・『風にのってきたメアリー・

ポピンズ』］…………………………………………………… ③87

ドルトン, ジョン ［1766〜1844年／化学者・近代的原子論］……… ③92

ドレーク, フランシス ［1543?〜1596年／航海者・世界一周］… ③93

トレビシック, リチャード ［1771〜1833年／蒸気機関車の発明］ ③93

な ナイチンゲール, フローレンス ［1820〜1910年／看護師］…… ③95

ニューコメン, トーマス ［1664〜1729年／実用的な蒸気機関］…… ③135

ニュートン, アイザック ［1642〜1727年／万有引力の発見］… ③135

ネーピア, ジョン ［1550〜1617年／数学者・小数点記号］……… ③139

ネルソン, ホレーショ ［1758〜1805年／海軍提督］……………… ③141

ノートン, メアリー ［1903〜1992年／『床下の小人たち』］……… ③143

は パークス, ハリー ［1828〜1885年／駐日イギリス公使］……… ③152

ハーグリーブス, ジェームズ ［1720?〜1778年／ジェニー紡績機］ ③153

ハーシェル, ウィリアム ［1738〜1822年／天文学者・天王星を発見］ ③153

ハーディ, トマス ［1840〜1928年／作家・『テス』］……………… ③154

バード, イザベラ ［1831〜1904年／イギリスの旅行家］……… ③154

バーバリー, トーマス ［1835〜1926年／服飾デザイナー］……… ③155

ハーベー, ウィリアム ［1578〜1657年／医学者・血液循環説］ ③155

パーマー, ヘンリー [1838～1893年／印南野台地の治水工事]…… ③156

バイロン, ジョージ [1788～1824年／詩人・『ドン・ジュアン』]…… ③159

バベッジ, チャールズ [1791～1871年／電子計算機の研究]……… ③178

バリー, ジェームズ [1860～1937年／童話劇『ピーター・パン』]… ③188

バルフォア, アーサー・ジェームズ [1848～1930年／首相]…… ③192

ハレー, エドマンド [1656～1742年／天文学者・『南天星表』]…… ③193

ハント, ウィリアム・ホルマン [1827～1910年／画家・『世の光』]… ③195

ピアス, フィリパ [1920～2006年／児童文学作家・『トムは真夜中の庭で』]
……………………………………………………………………… ③196

ヒース, エドワード [1916～2005年／首相]……………………… ③197

ビクトリア女王 [1819～1901年／イギリス女王・インド女帝]…… ③202

ビショップ, ヘンリー・ローリー [1786～1855年／作曲家]…… ③205

ヒッチコック, アルフレッド [1899～1980年／映画監督・『サイコ』] ③206

ピット, ウィリアム(父) [1708～1778年／国防大臣]………… ③207

ピット, ウィリアム(子) [1759～1806年／首相]……………… ③207

ヒューム, デビッド [1711～1776年／哲学者]…………………… ③212

ヒルトン, ジェームズ [1900～1954年／作家, 脚本家・『チップス先生、さような
ら』]………………………………………………………………… ③219

ファージョン, エリナー [1881～1965年／児童文学作家・『ムギと王さま』]
……………………………………………………………………… ③223

ファラデー, マイケル [1791～1867年／電磁誘導を発見]……… ③223

フック, ロバート [1635～1703年／物理学者・王立協会の実験監督] ③266

ブライト, ジョン [1811～1889年／政治家・反穀物法同盟を結成]… ③271

ブラウニング, ロバート [1812～1889年／詩人・『指輪と本』]… ③271

ブラウン, ゴードン [1951年～／首相]…………………………… ③273

ブラウン, ロバート [1773～1858年／細胞核とブラウン運動の発見] ③273

ブランソン, リチャード [1950年～／ヴァージン・グループの創始者]
……………………………………………………………………… ③278

ブラントン, リチャード [1841～1901年／日本で灯台を建設]… ③279

プリーストリー, ジョセフ [1733～1804年／化学者, 神学者]… ③279

ブリテン, ベンジャミン [1913～1976年／作曲家, 指揮者]…… ③281

ブレア, トニー [1953年～／首相]………………………………… ③289

ブレイク, ウィリアム [1757～1827年／画家, 詩人・『無垢の歌』]… ③289

フレミング, アレクサンダー [1881～1955年／ペニシリンを発見] ③291

フレミング, ジョン・アンブローズ [1849～1945年／二極真空管, フレミン
グの法則]…………………………………………………………… ③291

ブロンテ姉妹 [3女シャーロット 1816～1855年、4女エミリー 1818～1848
年、5女アン 1820～1849年／作家・『ジェーン・エア』『嵐が丘』]……… ③294

ペイン, トマス [1737～1809年／文筆家, 革命思想家]………… ④9

ベーコン, フランシス [1561～1626年／イギリス経験論]……… ④10

ベーコン, フランシス [1909～1992年／画家・『横たわる女』]… ④10

ベーコン, ロジャー [1214?～1292?年／哲学者, 科学者]……… ④10

ベッセマー, ヘンリー [1813～1898年／鋼の精錬法]…………… ④15

ベル, グラハム [1847～1922年／電話を発明した物理学者]…… ④19

ベンサム, ジェレミー [1748～1832年／哲学者, 法学者]……… ④24

ベントリス, マイケル [1922～1956年／考古学者・線文字Bを解読] ④26

ヘンリー2世 [1133～1189年／イングランド王]………………… ④26

ヘンリー3世 [1207～1272年／イングランド王]………………… ④27

ヘンリー7世 [1457～1509年／イングランド、チューダー朝の初代国王] ④27

ヘンリー8世 [1491～1547年／イングランド王・イギリス国教会をつくる]… ④27

ボイル, ロバート [1627～1691年／ボイルの法則]……………… ④29

ボウイ, デビッド [1947～2016年／ロック歌手・『スペイス・オディティ』] ④29

ホーキング, スティーブン [1942年～／ブラックホールの理論]… ④37

ホーキンズ, ジョン [1532～1595年／イングランドの航海者、軍人]…… ④37

ボール, ジョン [1338?～1381年／ワット・タイラーの乱の指導者]……… ④39

ポター, ビアトリクス [1866～1943年／『ピーターラビットのおはなし』] ④46

ホックニー, デイビッド [1937年～／画家・『大きな水しぶき』]… ④47

ホッブズ, トーマス [1588～1679年／哲学者, 政治学者]……… ④48

ホルスト, グスタブ [1874～1934年／組曲『惑星』]…………… ④52

ま マカートニー, ジョージ [1737～1806年／外交官]…………… ④65

マクスウェル, ジェームズ [1831～1879年／電磁気学]………… ④66

マクドナルド, ラムジー [1866～1937年／初の労働党の首相]… ④66

マクミラン, ハロルド [1894～1986年／首相]…………………… ④67

マルサス, トーマス [1766～1834年／経済学者・貧困問題]…… ④92

マロリー, ジョージ [1886～1924年／登山家]…………………… ④96

ミル, ジョン・スチュアート [1806～1873年／経済学者, 哲学者・『自由論』]
……………………………………………………………………… ④130

ミルトン, ジョン [1608～1674年／詩人・『失楽園』]………… ④131

ミルン, アラン・アレクサンダー [1882～1956年／児童文学作家・『クマの
プーさん』]………………………………………………………… ④131

ミルン, ジョン [1850～1913年／鉱山技師、地震学者]………… ④131

ミレイ, ジョン・エバレット [1829～1896年／画家・『オフィーリア』] ④132

ムーア, ヘンリー [1898～1986年／彫刻家・『横たわる人物』]… ④133

メアリ1世 [1516～1558年／イングランド女王、アイルランド女王]……… ④149

メアリ2世 [1662～1694年／イングランド女王、スコットランド女王]…… ④149

メアリ・スチュアート [1542～1587年／スコットランド、スチュアート朝の女王]
……………………………………………………………………… ④149

メイ, テリーザ [1956年～／EU離脱時の首相]………………… ④149

メージャー, ジョン [1943年～／首相]…………………………… ④150

モア, トマス [1478～1535年／『ユートピア』の著者]………… ④155

モーム, ウィリアム・サマセット [1874～1965年／『月と六ペンス』]
……………………………………………………………………… ④159

モリス, ウィリアム [1834～1896年／工芸家]…………………… ④168

モンフォール, シモン・ド [1208?～1265年／イングランドの政治家] ④175

ら ラザフォード, アーネスト [1871～1937年／物理学者・原子模型] ④230

ラッセル, バートランド [1872～1970年／数学者、哲学者]…… ④231

ラッフルズ, トマス・スタンフォード [1781～1826年／植民地行政官、博
物学者]……………………………………………………………… ④232

ランサム, アーサー [1884～1967年／作家・『ツバメ号とアマゾン号』] ④235

リーキー, ルイス・シーモア・バゼット [1903～1972年／アウストラロピテ
クスの化石を発見]………………………………………………… ④236

リーチ, バーナード [1887～1979年／民芸運動にかかわった陶芸家] ④237

275

地域別索引

イギリス／フランス

リカード, デビッド［1772〜1823年／『経済学および課税の原理』］……④239

リチャード1世［1157〜1199年／イングランド王］………④244

リチャード3世［1452〜1485年／ヨーク朝最後のイングランド王］……④244

リビングストン, デイビッド［1813〜1873年／アフリカ探検家］……④247

ルイス, クライブ・ステープルズ［1898〜1963年／児童文学作家・『ナルニア国ものがたり』］………④257

レノン, ジョン［1940〜1980年／ロック歌手・『イマジン』］……④270

ロイド・ジョージ, デイビッド［1863〜1945年／首相・社会保障制度］………④272

ローズ, セシル［1853〜1902年／企業家, 政治家・3C政策］……④273

ローリング, ジョアン・キャスリーン［1965年〜／児童文学作家・『ハリー・ポッター』シリーズ］………④275

ローリンソン, ヘンリー・クレジック［1810〜1895年／軍人, 外交官・ビストゥン碑文の解読］………④275

ロス, ジェームズ［1800〜1862年／極地探検家］……④277

ロセッティ, ダンテ・ガブリエル［1828〜1882年／画家・『聖母マリアの少女時代』］………④277

ロック, ジョン［1632〜1704年／哲学者, 政治思想家］……④278

ロビン・フッド［生没年不詳／伝説的な英雄］……④280

ロレンス, デビッド・ハーバート［1885〜1930年／作家・『チャタレイ夫人の恋人』］………④282

ロレンス, トーマス・エドワード［1888〜1935年／軍人・「アラビアのロレンス」で知られる］………④282

わ ワーグマン, チャールズ［1832〜1891年／ジャーナリスト・『ジャパン・パンチ』］………④283

ワーズワース, ウィリアム［1770〜1850年／詩人・『序曲』］……④284

ワイルド, オスカー［1854〜1900年／詩人, 劇作家・『幸福な王子』］④285

ワット, ジェームズ［1736〜1819年／蒸気機関を開発］………④292

フランス

あ アベラール, ピエール［1079〜1142年／中世のキリスト教神学者］……①49

アポリネール, ギョーム［1880〜1918年／詩人, 作家］……①49

アラゴン, ルイ［1897〜1982年／詩人・『エルザの瞳』］……①55

アングル, ジャン・オーギュスト［1780〜1867年／画家・『グランド・オダリスク』］………①63

アンペール, アンドレ＝マリー［1775〜1836年／アンペールの法則］………①70

アンリ4世［1553〜1610年／ブルボン朝国王］……①70

イヨネスコ, ウージェーヌ［1912〜1994年／劇作家・『犀』］……①117

ヴィトン, ルイ［1821〜1892年／スーツケース職人］……①125

エッフェル, ギュスターブ［1832〜1923年／構造技術者］………①154

エベール, ジャック＝ルネ［1757〜1794年／フランス革命の民衆の指導者］………①159

エルメス, ティエリー［1801〜1878年／馬具職人］……①162

オスマン, ジョルジュ＝ユージェーヌ［1809〜1891年／パリを近代都市にしたセーヌ県知事］………①207

オッフェンバック, ジャック［1819〜1880年／作曲家・『天国と地獄』］………①212

オランド, フランソワ［1954年〜／大統領］………①217

オリオール, バンサン［1884〜1966年／大統領］………①217

か カトリーヌ・ド・メディシス［1519〜1589年／フランス王妃］……①245

カミュ, アルベール［1913〜1960年／作家, 思想家・『ペスト』］……①256

カルダン, ピエール［1922年〜／服飾デザイナー］……①262

カルティエ, ルイ＝フランソワ［1819〜1904年／宝飾師］……①263

カルティエ＝ブレッソン, アンリ［1908〜2004年／写真家・『決定的瞬間』］………①263

カルノー, サディ［1796〜1832年／物理学者・熱力学］………①263

カルバン, ジャン［1509〜1564年／宗教改革者］……①266

ガレ, エミール［1846〜1904年／ガラス工芸家］……①266

ガロア, エバリスト［1811〜1832年／数学者・ガロア理論］……①266

キュニョー, ニコラ・ジョセフ［1725〜1804年／蒸気自動車を開発］………①302

キュリー, ピエール［1859〜1906年／ラジウムの発見］……①303

キュリー, マリー［1867〜1934年／ラジウムの発見］……①304

クープラン, フランソワ［1668〜1733年／作曲家, クラブサン奏者］…②11

クーベルタン, ピエール・ド［1863〜1937年／教育学者］……②11

クールベ, ギュスターブ［1819〜1877年／画家・『石割人夫』］……②12

クーロン, シャルル・オーギュスタン・ド［1736〜1806年／クーロンの法則］………②12

クストー, ジャック＝イブ［1910〜1997年／海洋・海中探検家］……②16

グノー, シャルル［1818〜1893年／作曲家・『ファウスト』］……②22

クライン, イブ［1928〜1962年／画家・『宇宙進化』］……②27

クレージュ, アンドレ［1923〜2016年／服飾デザイナー］……②36

クレマン, ルネ［1913〜1996年／映画監督・『禁じられた遊び』］……②38

クレマンソー, ジョルジュ［1841〜1929年／首相］……②39

クローデル, カミーユ［1864〜1943年／彫刻家・『分別盛り』］……②39

クローデル, ポール［1868〜1955年／劇作家・『マリアへのお告げ』］…②40

ケネー, フランソワ［1694〜1774年／重農主義の創始者］………②51

ゴーガン, ポール［1848〜1903年／画家・『タヒチの女たち』］……②72

ゴーチエ, テオフィル［1811〜1872年／作家, 脚本家］……②72

コクトー, ジャン［1889〜1963年／詩人, 作家・『恐るべき子供たち』］…②76

ゴダール, ジャン＝リュック［1930年〜／映画監督・『勝手にしやがれ』］………②82

コティ, ルネ［1882〜1962年／大統領］……②85

コルネイユ, ピエール［1606〜1684年／劇作家・『オラース』］……②101

コルベール, ジャン＝バティスト［1619〜1683年／重商主義政策を進めた政治家］………②102

コレット, シドニー＝ガブリエル［1873〜1954年／作家・『シェリ』］………②103

コロー, カミーユ［1796〜1875年／画家・『シャルトル大聖堂』］……②103

ゴンクール兄弟〔兄エドモン　1822〜1896年、弟ジュール　1830〜1870年／作家の兄弟・『大革命期のフランス社会史』〕……………… ②105

コント, オーギュスト〔1798〜1857年／哲学者、社会学者〕………… ②106

さ **サガン, フランソワーズ**〔1935〜2004年／『悲しみよこんにちは』〕… ②121

サティ, エリック〔1866〜1925年／作曲家・『3つのジムノペディ』〕…… ②127

サルコジ, ニコラ〔1955年〜／大統領〕…………………… ②135

サルトル, ジャン＝ポール〔1905〜1980年／哲学者・実存主義〕… ②136

サン＝サーンス, カミーユ〔1835〜1921年／作曲家・『動物の謝肉祭』〕
………………………………………………………… ②139

サン＝シモン, クロード・アンリ・ド〔1760〜1825年／社会思想家〕
………………………………………………………… ②139

サン＝ジュスト, ルイ・アントワーヌ・ド〔1767〜1794年／フランス革命で恐怖政治をおこなった政治家〕…………… ②140

サン＝テグジュペリ, アントワーヌ・ド〔1900〜1944年／作家・『星の王子さま』〕…………………………………… ②141

サンド, ジョルジュ〔1804〜1876年／作家・『愛の妖精』〕……………… ②141

サン＝ピエール, シャルル・イルネ・カステル・ド〔1658〜1743年／聖職者、啓蒙思想家〕……………………… ②141

サン＝ローラン, イブ〔1936〜2008年／服飾デザイナー〕…………… ②142

シェイエス, エマニュエル・ジョゼフ〔1748〜1836年／フランス革命期の政治家・『第三身分とは何か』〕……………… ②145

ジェリコー, テオドル〔1791〜1824年／画家・『メデュース号の筏』〕 ②147

ジオノ, ジャン〔1895〜1970年／作家・『木を植えた男』〕………… ②148

ジスカール・デスタン, バレリー〔1926年〜／大統領〕………… ②153

ジッド, アンドレ〔1869〜1951年／作家・『狭き門』〕…………… ②154

シャガール, マルク〔1887〜1985年／ロシア生まれの画家・『私と村』〕②171

シャネル, ガブリエル〔1883〜1971年／服飾デザイナー〕………… ②176

シャルダン, ジャン＝バティスト〔1699〜1779年／画家〕……… ②175

シャルル, ジャック＝アレクサンドル＝セザール〔1746〜1823年／水素気球での有人飛行〕…………………… ②177

シャルル2世〔823〜877年／西フランク王国の初代国王、西ローマ皇帝〕②177

シャルル7世〔1403〜1461年／バロア朝の国王〕…………… ②177

シャルル9世〔1550〜1574年／バロア朝の国王〕…………… ②177

シャルル10世〔1757〜1836年／ブルボン朝の国王〕………… ②177

ジャンヌ・ダルク〔1412〜1431年／百年戦争でフランスを救った少女〕②180

シャンポリオン, ジャン・フランソワ〔1790〜1832年／言語学者・ロゼッタ・ストーンを解読〕……………………… ②178

シューマン, ロベール〔1886〜1963年／首相〕…………… ②182

シュバイツァー, アルバート〔1875〜1965年／アフリカで活動した医師〕
………………………………………………………… ②186

ジョゼフィーヌ, マリー・ローズ〔1763〜1814年／ナポレオン1世の皇后〕
………………………………………………………… ②202

シラク, ジャック〔1932年〜／大統領〕…………………… ②207

シラノ・ド・ベルジュラック, サビニアン〔1619〜1655年／詩人・『月世界旅行記』〕…………………………… ②208

スーラ, ジョルジュ〔1859〜1891年／画家・『曲馬』〕…………… ②214

スタンダール〔1783〜1842年／作家・『赤と黒』〕…………… ②227

セザンヌ, ポール〔1839〜1906年／画家・『サント・ビクトワール山』〕… ②242

ゾラ, エミール〔1840〜1902年／作家・『ナナ』〕…………… ②257

た **ダゲール, ルイ・ジャック**〔1787〜1851年／銀板写真技術を完成〕②289

ダビッド, ジャック・ルイ〔1748〜1825年／画家・『マラーの死』〕… ②310

ダラディエ, エドゥアール〔1884〜1970年／首相〕………… ②314

ダランベール, ジャン・ル・ロン〔1717〜1783年／『百科全書』〕 ②314

タレーラン, シャルル・モーリス・ド〔1754〜1838年／フランス革命期の外交官〕……………………………… ②315

ダントン, ジョルジュ＝ジャック〔1759〜1794年／ジャコバン派の指導者〕
………………………………………………………… ②319

チュルゴー, アンヌ・ロベール・ジャック〔1727〜1781年／ルイ16世にむかえられた経済学者〕……………… ③18

ティエール, アドルフ〔1797〜1877年／大統領〕…………… ③37

ディオール, クリスチャン〔1905〜1957年／服飾デザイナー〕……… ③37

ディドロ, ドニ〔1713〜1784年／哲学者、作家・『百科全書』〕……… ③39

デカルト, ルネ〔1596〜1650年／哲学者、数学者〕…………… ③42

デュシャン, マルセル〔1887〜1968年／芸術家・『泉』〕…………… ③46

デュフィ, ラウル〔1877〜1953年／画家・『競馬場にて』〕…………… ③46

デュプレクス, ジョゼフ・フランソワ〔1697〜1763年／フランス領インド植民地の政治家〕………………… ③47

デュマ, アレクサンドル〔1802〜1870年／作家、劇作家・『三銃士』〕… ③47

ドーデ, アルフォンス〔1840〜1897年／作家・『最後の授業』〕…… ③61

ドーミエ, オノレ〔1808〜1879年／画家、版画家・『洗濯女』〕…… ③61

ドガ, エドガー〔1834〜1917年／画家・『オペラ座の楽屋』〕………… ③62

ド・ゴール, シャルル〔1890〜1970年／軍人、大統領〕………… ③75

ドビュッシー, クロード〔1862〜1918年／作曲家・『牧神の午後への前奏曲』〕………………………………… ③80

ドラクロア, ウジェーヌ〔1798〜1863年／画家・『アルジェの女たち』〕 ③87

トリュフォー, フランソワ〔1932〜1984年／映画監督・『大人は判ってくれない』〕……………………………… ③91

ドレフュス, アルフレッド〔1859〜1935年／軍人〕………… ③93

ド・レペ, シャルル・ミシェル〔1712〜1789年／思想家、教育者〕…… ③93

な **ナポレオン1世**〔1769〜1821年／第一帝政の皇帝〕…………… ③120

ナポレオン3世〔1808〜1873年／大統領、皇帝〕…………… ③119

ネッケル, ジャック〔1732〜1804年／ルイ16世の財務長官〕………… ③140

ノストラダムス〔1503〜1566年／占星術師〕…………… ③147

ノルマンディー公ウィリアム〔1028〜1087年／ノルマンディー公、イングランド王〕…………………………… ③151

は **パスカル, ブレーズ**〔1623〜1662年／哲学者、数学者〕………… ③164

パスツール, ルイ〔1822〜1895年／細菌学者・ワクチンの開発〕……… ③165

バブーフ, フランソワ・ノエル〔1760〜1797年／思想家、革命家〕… ③177

バルザック, オノレ・ド〔1799〜1850年／作家・『人間喜劇』〕……… ③190

バルビュス, アンリ〔1873〜1935年／作家、詩人・『砲火』〕………… ③192

バレリー, ポール〔1871〜1945年／詩人・『魅惑』〕…………… ③193

ビゴー, ジョルジュ〔1860〜1927年／日露戦争の風刺画〕………… ③202

地域別索引

フランス

ピサロ, カミーユ［1830〜1903年／画家・『赤い屋根』］……………③203

ビゼー, ジョルジュ［1838〜1875年／作曲家・『アルルの女』］………③205

ピニョー・ド・ベーヌ［1741〜1799年／カトリック宣教師］…………③208

ビュッフェ, ベルナール［1928〜1999年／画家・『アナベル夫人像』］③213

ビュフォン, ジョルジュ＝ルイ［1707〜1788年／博物学者］……③213

ファーブル, ジャン・アンリ［1823〜1915年／博物学者］…………③228

フィリップ2世［1165〜1223年／カペー朝の王］…………………③226

フィリップ4世［1268〜1314年／カペー朝の王］…………………③226

フーコー, ジャン・ベルナール［1819〜1868年／実験物理学者］③227

ブーシェ, フランソワ［1703〜1770年／画家・『ポンパドゥール夫人』］③229

ブーランジェ, ジョルジュ［1837〜1891年／軍人、政治家］………③230

フーリエ, シャルル［1772〜1837年／哲学者、社会主義思想家］……③230

フーリエ, ジャン・バプティスト［1768〜1830年／数学者、物理学者］

……………………………………………………………………③230

ブールデル, エミール＝アントワーヌ［1861〜1929年／彫刻家・『アポロ

ンの首』］……………………………………………………………③231

フェルマー, ピエール・ド［1601〜1665年／数学者］…………………③233

フォーレ, ガブリエル［1845〜1924年／作曲家・『レクイエム』］………③236

ブライユ, ルイ［1809〜1852年／6点点字考案者］……………………③271

フラゴナール, ジャン［1732〜1806年／画家・『コレシュスとカリロエ』］③274

ブラック, ジョルジュ［1882〜1963年／画家・『壺とコップ』］…………③274

プラティニ, ミシェル［1955年〜／サッカー選手］……………………③274

ブラン, ルイ［1811〜1882年／政治家、社会主義者］…………………③275

フランス, アナトール［1844〜1924年／作家・『神々は渇く』］………③277

フランソワ1世［1494〜1547年／バロワ朝の王］………………………③277

ブリアン, アリスティド［1862〜1932年／首相］………………………③279

プルースト, マルセル［1871〜1922年／作家・『失われた時を求めて』］

……………………………………………………………………③282

プルードン, ピエール・ジョゼフ［1809〜1865年／無政府主義］③283

ブルトン, アンドレ［1896〜1966年／詩人］……………………………③287

ブルム, レオン［1872〜1950年／首相］…………………………………③289

ブローデル, フェルナン［1902〜1985年／地中海世界の研究］……③293

フローベール, ギュスターブ［1821〜1880年／作家・『ボバリー夫人』］

……………………………………………………………………③293

プロスト, アラン［1955年〜／レーシングドライバー］…………………③293

ベクレル, アントワーヌ・アンリ［1852〜1908年／放射線を発見］④13

ベケット, サミュエル［1906〜1989年／『ゴドーを待ちながら』］④13

ペタン, フィリップ［1856〜1951年／軍人、政治家］………………④14

ベルクソン, アンリ［1859〜1941年／哲学者］………………………④19

ベルナルダン・ド・サン＝ピエール, ジャック＝アンリ［1737〜1814

年／作家、博物学者・『自然の研究』］…………………………④21

ベルナルドゥス［1090〜1153年／修道士］………………………④21

ベルヌ, ジュール［1828〜1905年／作家・『月世界旅行』］……………④21

ベルリオーズ, エクトール［1803〜1869年／作曲家・『幻想交響曲』］④22

ベルレーヌ, ポール［1844〜1896年／詩人・『落葉』］………………④22

ペロー, シャルル［1628〜1703年／児童文学作家・『赤ずきん』］……④23

ボアソナード, ギュスターブ・エミール［1825〜1910年／日本近代法の

父といわれるフランスの法学者］………………………………④28

ポアンカレ, ジュール・アンリ［1854〜1912年／トポロジー概念の発見］

……………………………………………………………………④28

ボーダン, ジャン［1530?〜1596年／政治家、思想家］………………④37

ボードレール, シャルル［1821〜1867年／詩人、美術批評家、文明批評家］

……………………………………………………………………④38

ボーボワール, シモーヌ・ド［1908〜1986年／作家・『第二の性』］④39

ボーマルシェ, ピエール［1732〜1799年／劇作家・『フィガロの結婚』］④39

ボシュエ［1627〜1704年／聖職者、神学者］…………………………④42

ボナール, ピエール［1867〜1947年／画家・『浴槽の裸婦』］………④49

ボルテール［1694〜1778年／啓蒙思想家、作家］……………………④53

ポンピドゥー, ジョルジュ［1911〜1974年／大統領］…………………④57

ま マイヨール, アリスティード［1861〜1944年／彫刻家・『レダ』］……④60

マザラン, ジュール［1602〜1661年／ルイ14世の宰相］……………④69

マスネー, ジュール［1842〜1912年／作曲家・『マノン』］……………④71

マティス, アンリ［1869〜1954年／画家・『オダリスク』］………………④84

マネ, エドワール［1832〜1883年／画家・『笛をふく少年』］…………④85

マラー, ジャン＝ポール［1743〜1793年／ジャコバン派指導者］……④87

マラルメ, ステファン［1842〜1898年／詩人・『牧神の午後』］………④88

マリー・アントワネット［1755〜1793年／フランス王妃］……………④89

マルキ・ド・サド［1740〜1814年／作家・『ジュスチーヌあるいは美徳の不幸』］

……………………………………………………………………④90

マルコ・マリー・ド・ロ［1840〜1914年／神父・外海地方の振興］……④92

マルソー, マルセル［1923〜2007年／パントマイム俳優］……………④94

マルタン・デュ・ガール, ロジェ［1881〜1958年／作家、劇作家・『チボー家

の人々』］……………………………………………………………④94

マルロー, アンドレ［1901〜1976年／作家・『人間の絆』］……………④95

マロ, エクトール［1830〜1907年／児童文学作家・『家なき子』］……④96

ミッテラン, フランソワ［1916〜1996年／大統領］……………………④106

ミラボー, オノレ・ガブリエル・リケティ［1749〜1791年／フランス革命

初期の第三身分のリーダー］………………………………………④130

ミレー, ジャン＝フランソワ［1814〜1875年／画家・『落穂拾い』］④132

メシアン, オリビエ［1908〜1992年／作曲家・『トゥランガリラ交響曲』］④151

メリメ, プロスペル［1803〜1870年／作家・『カルメン』］……………④153

モーパッサン, ギー・ド［1850〜1893年／作家・『女の一生』］………④159

モネ, クロード［1840〜1926年／画家・『睡蓮』］………………………④165

モリエール［1622〜1673年／喜劇作家、俳優・『ドン・ジュアン』］………④167

モロー, ギュスターブ［1826〜1898年／画家・『オイディプスとスフィンクス』］

……………………………………………………………………④171

モンゴルフィエ兄弟［兄ジョゼフ　1740〜1810年、弟ジャック　1745〜1799

年／熱気球の発明、有人飛行］……………………………………④173

モンテーニュ, ミシェル・ド［1533〜1592年／思想家］………………④173

モンテスキュー, シャルル＝ルイ・ド［1689〜1755年／啓蒙思想家・『法

の精神』］……………………………………………………………④174

や ユーグ・カペー［938?〜996年／カペー朝の初代国王］………④203

ら ラシーヌ, ジャン［1639～1699年／劇作家・『フェードル』］………④231

ユゴー, ビクトール［1802～1885年／詩人・『レ・ミゼラブル』］………④204

ユトリロ, モーリス［1883～1955年／画家・『モンマニーの庭』］………④206

ラディゲ, レーモン［1903～1923年／作家・『ドルジェル伯の舞踏会』］④232

ラ・ファイエット, マリー・ジョゼフ［1757～1834年／フランス革命初期の第二身分のリーダー］………④232

ラファイエット夫人［1634～1693年／作家・『クレーブの奥方』］………④233

ラ＝フォンテーヌ, ジャン・ド［1621～1695年／詩人・『ファーブル』］………④233

ラプラス, ピエール・シモン［1749～1827年／数学者、天文学者］④233

ラブレー, フランソワ［1494?～1553?年／作家・『ガルガンチュアと息子のパンタグリュエル物語』］………④234

ラベル, モーリス［1875～1937年／作曲家・管弦楽曲『ボレロ』］………④234

ラボアジエ, アントワーヌ＝ローラン［1743～1794年／化学者・質量保存の法則］………④234

ラマルク, ジャン＝バティスト［1744～1829年／生物学者］………④234

ランボー, アルチュール［1854～1891年／詩人・『酔いどれ船』］……④236

リシュリュー, アルマン・ジャン・デュ・プレシ・ド［1585～1642年／ルイ13世の宰相］………④242

リュブリュキ, ギヨーム・ド［1220?～1293?年／『東方諸国旅行記』］………④250

リュミエール兄弟［兄オーギュスト　1862～1954年、弟ルイ　1864～1948年／映画製作者、映画発明者］………④250

ルイ9世［1214～1270年／カペー朝第9代国王］………④255

ルイ13世［1601～1643年／フランス王］………④255

ルイ14世［1638～1715年／フランス王・太陽王］………④255

ルイ15世［1710～1774年／フランス王国、ブルボン朝の第4代国王］④256

ルイ16世［1754～1793年／フランス王国、ブルボン朝の第5代国王］④256

ルイ18世［1755～1824年／フランス王］………④256

ルイ＝フィリップ［1773～1850年／フランス王］………④257

ルオー, ジョルジュ［1871～1958年／画家、版画家・『聖顔』］………④258

ル・コルビュジエ［1887～1965年／建築家・『ユニテ・ダビタシオン』］④259

ルソー, アンリ［1844～1910年／画家・『眠れるジプシー女』］………④259

ルソー, ジャン＝ジャック［1712～1778年／フランス革命に影響をあたえた思想家］………④260

ルドン, オディロン［1840～1916年／画家、版画家・『夢の中で』］……④261

ルナール, ジュール［1864～1910年／作家、劇作家・『にんじん』］……④261

ルノアール, ピエール・オーギュスト［1841～1919年／画家・『浴女』］………④261

ルブラン, モーリス［1864～1941年／作家・『怪盗ルパン』シリーズ］④262

レジェ, フェルナン［1881～1955年／画家・『森の中の裸体』］………④269

レジス, ジャン＝バプティスト［1663～1738年／イエズス会士］…④269

レセップス, フェルディナン・マリー・ド［1805～1894年／外交官、実業家・スエズ運河］………④269

レビ＝ストロース, クロード［1908～2009年／文化人類学者］……④270

ロートレック, アンリ・ド・トゥールーズ［1864～1901年／ムーラン・ルージュのポスター］………④274

ローランサン, マリー［1885～1956年／画家、版画家・『二人の少女』］………④275

ロダン, オーギュスト［1840～1917年／彫刻家・『考える人』］………④278

ロッシュ, レオン［1809～1901年／駐日フランス公使］………④279

ロベスピエール, マクシミリアン［1758～1794年／フランス革命期の政治家］………④281

ロラン, ロマン［1866～1944年／作家『ジャン・クリストフ』］………④280

わ ワトー, アントワーヌ［1684～1721年／画家・『シテール島への巡礼』］………④292

ドイツ

あ アイヒマン, カール・アドルフ［1906～1962年／軍人］………①12

アインシュタイン, アルバート［1879～1955年／相対性理論］……①13

アダム・シャール［1592～1666年／イエズス会宣教師］………①39

アデナウアー, コンラート［1876～1967年／西ドイツの首相］………①42

アルツハイマー, アロイス［1864～1915年／精神科医学者］………①60

ウィルヘルム1世［1797～1888年／プロイセン王、ドイツ帝国初代皇帝］………①127

ウィルヘルム2世［1859～1941年／ドイツ皇帝、プロイセン王］………①127

ウェーバー, カール・マリア・フォン［1786～1826年／作曲家・『魔弾の射手』］………①128

ウェーバー, マックス［1864～1920年／社会学者、経済学者］………①128

ウェゲナー, アルフレッド［1880～1930年／大陸移動説］………①129

エアハルト, ルートウィヒ［1897～1977年／西ドイツの首相］………①147

エーベルト, フリードリヒ［1871～1925年／ドイツ共和国の初代大統領］………①149

エールリヒ, パウル［1854～1915年／細菌学者・化学療法］………①150

エルンスト, マックス［1891～1976年／画家・『森と鳩』］………①162

エングラー, アドルフ［1844～1930年／植物学者］………①163

エンゲル, エルンスト［1821～1896年／社会統計学者］………①164

エンゲルス, フリードリヒ［1820～1895年／経済学者］………①164

エンデ, ミヒャエル［1929～1995年／『はてしない物語』］………①165

オーム, ゲオルク・ジーモン［1789～1854年／オームの法則］………①191

オットー, ニコラウス［1832～1891年／4サイクルの内燃機関］………①209

オルフ, カール［1895～1982年／作曲家・『カルミナ・ブラーナ』］………①218

か カール4世［1316～1378年／ドイツ王、ボヘミア王、神聖ローマ皇帝］……①222

カール5世［1500～1558年／スペイン王、神聖ローマ皇帝］………①222

ガイガー, ハンス［1882～1945年／ガイガーカウンター］………①223

ガウス, カール・フリードリヒ［1777～1855年／数学者］………①225

カウツキー, カール［1854～1938年／社会主義者］………①226

カフカ, フランツ［1883～1924年／チェコの作家・『変身』］………①253

カロッサ, ハンス［1878～1956年／詩人、作家、医師・『幼年時代』］…①267

カント, インマヌエル［1724～1804年／哲学者、ドイツ観念論の祖］①278

279

地域別索引

ドイツ

キージンガー, クルト・ゲオルク［1904～1988年／西ドイツの首相］
............①281

キーファー, アンセルム［1945年～／美術家・『あしか作戦』］............①282

グーテンベルク, ヨハネス［1400?～1468年／活字、活版印刷］........②9

グナイスト, ルドルフ・フォン［1816～1895年／法学者、政治家］....②21

クラウゼヴィッツ, カール・フォン［1780～1831年／『戦争論』］...②28

グラス, ギュンター［1927～2015年／作家、詩人・『ブリキの太鼓』］......②28

クラナハ, ルーカス［1472～1553年／画家・『キリスト磔刑』］........②30

グラフ, シュテフィ［1969年～／プロテニス選手］............②31

グリム兄弟［兄ヤーコプ　1785～1863年、弟ウィルヘルム　1786～1859年／
言語学者・『グリム童話』］............②33

グリューネワルト, マティアス［1470ごろ～1528年／画家・『イーゼンハイム
祭壇画』］............②34

クルップ, アルフレート［1812～1887年／鋼鉄業界を牽引した企業家］②35

クレッチマー, エルンスト［1888～1964年／精神医学者］............②38

クレペリン, エミール［1856～1926年／医学者、精神科医］............②38

グローテフェント, ゲオルク［1775～1853年／くさび形文字の解読］②39

グロピウス, ワルター［1883～1969年／ファグス靴工場の設計］........②44

ゲーテ, ヨハン・ウォルフガング・フォン［1749～1832年／詩人、作家、
政治家・『ファウスト』］............②48

ゲーリケ, オットー・フォン［1602～1686年／真空ポンプを発明］......②49

ゲーリング, ヘルマン［1893～1946年／ナチスドイツの政治家］........②49

ケストナー, エーリヒ［1899～1974年／児童文学作家・『ふたりのロッテ』］
............②50

ゲッベルス, ヨゼフ［1897～1945年／ナチスドイツの政治家］............②50

ケッペン, ウラディミール［1846～1940年／気候区分の研究］........②50

ケプラー, ヨハネス［1571～1630年／ケプラーの法則］............②52

ケンペル, エンゲルベルト［1651～1716年／博物学者、医者・『日本誌』］
............②58

コール, ヘルムート［1930年～／ドイツ統一を実現させた首相］......②73

コッホ, ロベルト［1843～1910年／結核菌、コレラ菌を発見］............②84

さ　サビニー, フリードリヒ・カール・フォン［1779～1861年／プロイセンの
法学者］............②132

シーボルト, フィリップ・フランツ・フォン［1796～1866年／日本で医学
を教える］............②144

ジーメンス, エルンスト・ウェルナー・フォン［1816～1892年／電信技
術を発明した技術者］............②144

シューマッハ, ミヒャエル［1969年～／レーシングドライバー］............②182

シューマン, クララ［1819～1896年／ピアニスト、作曲家］............②182

シューマン, ロベルト［1810～1856年／作曲家・『子どもの情景』］...②182

シュタイナー, ルドルフ［1861～1925年／オーストリア、ドイツで活躍した教育
者、哲学者］............②184

シュタイフ, マルガレーテ［1847～1909年／人形メーカーの創業者・テディ・
ベア］............②184

シュタイン, カール［1757～1831年／プロイセンの首相］............②184

シュタイン, ローレンツ・フォン［1815～1890年／法学者・大日本帝国憲法
に影響をあたえた］............②185

シュトックハウゼン, カールハインツ［1928～2007年／作曲家、音楽理
論家・電子音楽］............②185

シュトラウス, リヒャルト［1864～1949年／作曲家、指揮者］........②186

シュトルム, テオドル［1817～1888年／作家、詩人・『三色すみれ』］②186

シュトレーゼマン, グスタフ［1878～1929年／ドイツ共和国の首相］
............②186

シュミット, ヘルムート［1918～2015年／西ドイツの首相］............②187

シュリーマン, ハインリヒ［1822～1890年／考古学者・トロイ遺跡］②188

シュレーダー, ゲルハルト［1944年～／首相］............②188

ショーペンハウアー, アルトゥール［1788～1860年／哲学者］②200

シラー, フリードリヒ・フォン［1759～1805年／劇作家、詩人・『ウィルヘル
ム・テル』］............②205

ジルヒャー, フリードリヒ［1789～1860年／作曲家、民俗音楽研究家］
............②208

た　ダイムラー, ゴットリープ［1834～1900年／自動車開発の先駆者］②266

タウト, ブルーノ［1880～1938年／建築家・『ガラスの家』］............②272

ダスラー, アドルフ［1900～1978年／アディダスの創業者］............②297

ツェッペリン, フェルディナント・フォン［1838～1917年／軍人・飛行船
の開発］............③26

ディーゼル, ルドルフ［1858～1913年／ディーゼルエンジン］............③36

デューラー, アルブレヒト［1471～1528年／版画家・『ヨハネ黙示録』］
............③46

な　ナウマン, エドムント［1854～1927年／地質学者・ナウマンゾウを発見］③95

ニーチェ, フリードリヒ［1844～1900年／哲学者］............③125

ノバーリス［1772～1801年／詩人・『夜の賛歌』］............③149

は　ハイゼンベルク, ウェルナー［1901～1976年／理論物理学者］....③157

ハイデッガー, マルティン［1889～1976年／哲学者］............③157

ハイネ, ハインリヒ［1797～1856年／詩人・『歌の本』］............③158

ハインリヒ4世［1050～1106年／ドイツ王、神聖ローマ皇帝］............③159

ハウフ, ウィルヘルム［1802～1827年／児童文学作家・『隊商』］....③160

ハウプトマン, ゲルハルト［1862～1946年／劇作家、詩人・『はたおりたち』
『日の出前』］............③160

バッハ, ヨハン・セバスチャン［1685～1750年／作曲家］............③172

パッヘルベル, ヨハン［1653～1706年／作曲家、オルガン奏者］......③173

パラケルスス［1493～1541年／スイスの化学者、医師］............③185

ハルデンベルク, カール・アウグスト［1750～1822年／プロイセンの首
相］............③191

ビスマルク, オットー・フォン［1815～1898年／プロイセン、ドイツ帝国の首
相・鉄血政策］............③205

ヒトラー, アドルフ［1889～1945年／ナチスドイツの指導者］............③208

ヒムラー, ハインリヒ［1900～1945年／ナチスドイツの政治家］........③212

ヒンデンブルク, パウル・フォン［1847～1934年／ワイマール共和国の大
統領］............③222

ファーレンハイト, ガブリエル［1686～1736年／水銀温度計］....③223

フィヒテ, ヨハン・ゴットリープ［1762～1814年／哲学者］………③226

フォイエルバッハ, ルートウィヒ［1804～1872年／哲学者］………③234

フォン・ブラウン, ウェルナー［1912～1977年／ロケット工学者］………③236

フッサール, エドムント［1859～1938年／哲学者］………③266

ブッセ, カール［1872～1918年／詩人, 作家・『山のあなた』］………③267

ブラームス, ヨハネス［1833～1897年／作曲家・『ハンガリー舞曲』］③270

ブラウン, カール・フェルディナント［1850～1918年／ブラウン管］
………③271

フランク, アンネ［1929～1945年／『アンネの日記』］………③275

プランク, マックス［1858～1947年／プランク定数の発見］………③276

ブラント, ウィリー［1913～1992年／西ドイツの首相］………③279

フリードリヒ1世［1122～1190年／ドイツ王, 神聖ローマ皇帝］………③279

フリードリヒ2世（神聖ローマ皇帝）［1194～1250年／ドイツ王, 神聖
ローマ皇帝］………③280

フリードリヒ2世（プロイセン王）［1712～1786年／プロイセン王］
………③280

フリードリヒ3世［1463～1525年／ドイツ, ザクセン選帝侯］………③280

フリードリヒ・ウィルヘルム1世［1688～1740年／プロイセン王］③281

フルトベングラー, ウィルヘルム［1886～1954年／指揮者］………③287

フレーベル, フリードリヒ［1782～1852年／幼稚園の創始者］………③289

ブレヒト, ベルトルト［1898～1956年／『三文オペラ』］………③291

フロム, エーリッヒ［1900～1980年／精神分析学者］………③294

フンボルト, アレクサンダー・フォン［1769～1859年／地理学者］
………③295

ヘーゲル, ゲオルク・ウィルヘルム［1770～1831年／ドイツ観念論］
………④10

ベートーベン, ルートウィヒ・ファン［1770～1827年／作曲家］④12

ベーベル, アウグスト［1840～1913年／政治家, 労働運動指導者］…④11

ベッケンバウアー, フランツ［1945年～／プロサッカー選手］………④14

ヘッセ, ヘルマン［1877～1962年／詩人, 作家］………④14

ヘルダーリン, フリードリヒ［1770～1843年／詩人・『パンと葡萄』］④20

ヘルツ, ハインリヒ・ルドルフ［1857～1894年／電磁波の存在を実証］
………④20

ベルツ, エルウィン・フォン［1849～1913年／ドイツの医学者］………④20

ヘルトリング, ペーター［1933年～／児童文学作家］………④21

ヘルムホルツ, ヘルマン・フォン［1821～1894年／物理学者・熱力学］
………④21

ベルンシュタイン, エドゥアルト［1850～1932年／社会主義者, 政治家］
………④23

ベンツ, カール［1844～1929年／自動車産業の基礎を築く］………④25

ヘンデル, ゲオルク［1685～1759年／作曲家・『水上の音楽』］………④26

ホーネッカー, エーリヒ［1912～1994年／東ドイツの政治家］………④38

ホフマン, テオドール・エドゥアルト［1837～1894年／軍医］………④49

ポルシェ, フェルディナント［1875～1951年／フォルクスワーゲンの設計］
………④52

ホルバイン, ハンス［1497?～1543年／画家・『ヘンリー8世』］………④53

ま マイヤー, ユリウス・ロベルト・フォン［1814～1878年／物理学者・エネル
ギー保存則］………④60

マルクス, カール［1818～1883年／科学的社会主義の創始者］………④90

マン, トーマス［1875～1955年／作家・『魔の山』］………④96

ミース・ファン・デル・ローエ, ルートウィヒ［1886～1969年／バルセロ
ナ万国博覧会ドイツ館］………④98

ミュンツァー, トーマス［1489～1525年／宗教改革者］………④127

メルケル, アンゲラ［1954年～／首相］………④153

メンデルスゾーン, フェリックス［1809～1847年／作曲家］………④154

モッセ, アルバート［1846～1925年／明治政府の法律顧問］………④164

モルトケ, ヘルムート・フォン［1800～1891年／軍人］………④171

や ヤスパース, カール［1883～1969年／実存主義の哲学者］………④179

ら ライプニッツ, ゴットフリート［1646～1716年／数学者, 哲学者］④228

ラサール, フェルディナント［1825～1864年／労働運動, 社会主義運動の
指導者］………④230

ランケ, レオポルト・フォン［1795～1886年／近代歴史学の創始者］
………④235

リービヒ, ユストゥス・フォン［1803～1873年／異性体の発見］…④237

リープクネヒト, カール［1871～1919年／スパルタクス団を組織］…④238

リーマン, ベルンハルト［1826～1866年／数学者・幾何学］………④238

リッベントロープ, ヨアヒム・フォン［1893～1946年／外交官, 政治家］
………④245

リヒター, ハンス・ペーター［1925～1993年／児童文学作家］……④246

リヒトホーフェン, フェルディナント・フォン［1833～1905年／地理学
者, 地質学者］………④246

リリエンタール, オットー［1848～1896年／ハンググライダーでの飛行］
………④252

リルケ, ライナー・マリア［1875～1926年／詩人・『ドゥイノの悲歌』］④252

ルートウィヒ2世［805?～876年／東フランク王国, カロリング朝の初代国王］
………④258

ルクセンブルク, ローザ［1870～1919年／スパルタクス団を組織］④258

ルター, マルティン［1483～1546年／宗教改革者］………④260

ルドルフ1世［1218～1291年／ドイツ王, 神聖ローマ皇帝］………④261

レマルク, エーリッヒ・マリア［1898～1970年／作家・『西部戦線異状なし』］
………④270

レントゲン, ウィルヘルム［1845～1923年／X線の発見］………④271

ロエスレル, カール・フリードリヒ・ヘルマン［1834～1894年／大日本
帝国憲法の原案］………④273

ロスチャイルド, マイアー［1743～1812年／金融資本家］………④277

ロンメル, エルウィン［1891～1944年／ナチスドイツの軍人］………④283

わ ワーグナー, リヒャルト［1813～1883年／作曲家・『タンホイザー』］④283

ワイツゼッカー, リヒャルト・フォン［1920～2015年／統一ドイツ初代大
統領］………④284

ワレンシュタイン, アルブレヒト・フォン［1583～1634年／神聖ローマ皇
帝軍総司令官］………④294

イタリア

あ アボガドロ, アメデオ [1776〜1856年／アボガドロの法則]……………… ①49

アルマーニ, ジョルジオ [1934年〜／服飾デザイナー]……………… ①61

エーコ, ウンベルト [1932〜2016年／哲学者、作家・『薔薇の名前』]……………… ①149

か カスティリオーネ, ジュゼッペ [1688〜1766年／イエズス会の宣教師]

……………… ①234

ガッバーナ, ステファノ [1962年〜／服飾デザイナー]……………… ①239

カブール, カミーロ・ベンソ [1810〜1861年／サルデーニャ王国の初代首

相]……………… ①253

カボート父子 [父ジョバンニ　1450?〜1498年、子セバスティアーノ　1476?〜

1557年／北米大陸を探検]……………… ①254

カラバッジョ [1571〜1610年／画家・『悔悛するマグダラのマリア』]…… ①260

ガリバルディ, ジュゼッペ [1807〜1882年／イタリア統一運動の指導者]

……………… ①261

ガリレイ, ガリレオ [1564〜1642年／落体の法則、木星の衛星]……… ①264

カルダーノ, ジロラモ [1501〜1576年／数学者・3次方程式の解法] ①262

カルピニ, ジョバンニ・ダ・ピアン・デル [1200ごろ〜1252年／修道士]

……………… ①266

ギベルティ, ロレンツォ [1378〜1455年／サン・ジョバンニ洗礼堂の北側門

扉]……………… ①298

キヨソーネ, エドアルド [1833〜1898年／銅版画家・日本の紙幣や切手の技

術指導者]……………… ①306

キリコ, ジョルジョ・デ [1888〜1978年／画家・『街の神秘と憂鬱』]… ①308

グッチ, グッチオ [1881〜1953年／皮革職人]……………… ②18

コッローディ, カルロ [1826〜1890年／児童文学作家・『ピノッキオの冒険』]

……………… ②85

コレッジョ [1489?〜1534年／画家・『栄光のキリスト』]……………… ②102

コロンブス, クリストファー [1451〜1506年／アメリカ海域へ到達] ②104

さ サボナローラ, ジロラモ [1452〜1498年／修道士]……………… ②134

シドッチ, ジョバンニ [1668〜1714年／イエズス会宣教師]……………… ②155

ジョット・ディ・ボンドーネ [1266?〜1337年／画家・『聖フランチェスコの生

涯』]……………… ②203

スカルラッティ, アレッサンドロ [1660〜1725年／作曲家]……………… ②216

スカルラッティ, ドメニコ [1685〜1757年／作曲家、チェンバロ奏者]

……………… ②216

ストラディバリ, アントニオ [1644?〜1737年／弦楽器製作者]… ②230

た ダンテ・アリギエリ [1265〜1321年／詩人・『神曲』]……………… ②318

デ・アミーチス, エドモンド [1846〜1908年／『母をたずねて三千里』]

……………… ③36

ティツィアーノ・ベチェリオ [1490?〜1576年／画家・『聖母被昇天』]

……………… ③39

テオドリック大王 [455?〜526年／東ゴート王国の初代国王]……………… ③42

トスカニーニ, アルトゥーロ [1867〜1957年／指揮者、チェロ奏者]…… ③77

トスカネッリ, パオロ・ダル・ポッツォ [1397〜1482年／天文学者、地理

学者]……………… ③77

ドナテッロ [1386?〜1466年／彫刻家・『ダビデ像』]……………… ③79

トマス・アクィナス [1225?〜1274年／神学者、哲学者]……………… ③82

トリチェリ, エバンジェリスタ [1608〜1647年／真空と大気圧の存在を証

明]……………… ③91

ドルチェ, ドメニコ [1958年〜／服飾デザイナー]……………… ③92

は パガニーニ, ニコロ [1782〜1840年／バイオリン奏者、作曲家]……… ③161

バリニャーノ, アレッサンドロ [1539〜1606年／イタリアの宣教師]

……………… ③189

パレストリーナ, ジョバンニ・ピエルルイジ・ダ [1525?〜1594年／作

曲家・教会音楽]……………… ③193

ビットーリオ・エマヌエーレ2世 [1820〜1878年／サルデーニャ王、イタリ

ア王]……………… ③207

ビバルディ, アントーニオ [1678〜1741年／作曲家]……………… ③210

フェラガモ, サルバトーレ [1898〜1960年／靴デザイナー]……………… ③231

フェリーニ, フェデリコ [1920〜1993年／映画監督・『道』]……………… ③232

フェルミ, エンリコ [1901〜1954年／物理学者・フェルミ統計]……………… ③233

フェンディ, アデーレ [1897〜1978年／毛皮デザイナー]……………… ③234

フォンタネージ, アントニオ [1818〜1882年／日本で西洋絵画を教育]

……………… ③236

プッチーニ, ジャコーモ [1858〜1924年／作曲家・『蝶々夫人』]……… ③267

フラ・アンジェリコ [1400?〜1455年／画家、修道士・『受胎告知』]… ③270

プラダ, マリオ [?〜1958年／革製品のデザイナー]……………… ③274

ブラマンテ, ドナート [1444?〜1514年／ルネサンスの建築家]……………… ③275

フランチェスコ [1182?〜1226年／修道士]……………… ③278

ブルーノ, ジョルダーノ [1548〜1600年／哲学者]……………… ③283

ブルガリ, ソティリオ [1857〜1932年／銀細工師]……………… ③283

ブルネレスキ, フィリッポ [1377〜1446年／建築家]……………… ③288

プローディ, ロマーノ [1939年〜／政治家、経済学者]……………… ③292

ベスプッチ, アメリゴ [1454〜1512年／航海者・アメリカ大陸の名前の由来]

……………… ④14

ペトラルカ [1304〜1374年／詩人、人文学者]……………… ④16

ベネディクトゥス [480?〜547?年／修道士]……………… ④16

ベルサーチ, ジャンニ [1946〜1997年／服飾デザイナー]……………… ④19

ベルディ, ジュゼッペ [1813〜1901年／作曲家・オペラ『アイーダ』]… ④20

ベルルスコーニ, シルビオ [1936年〜／政治家、首相]……………… ④22

ボッカチオ, ジョバンニ [1313〜1375年／作家・『デカメロン』]……… ④46

ボッティチェリ, サンドロ [1445?〜1510年／画家・『春』]……………… ④48

ボルジア, チェーザレ [1475〜1507年／政治家、軍人]……………… ④52

ボルタ, アレッサンドロ [1745〜1827年／電池の発明]……………… ④53

ま マキアベリ, ニコロ [1469〜1527年／政治学者]……………… ④65

マッツィーニ, ジュゼッペ [1805〜1872年／統一運動の指導者]……… ④80

マリーニ, マリノ [1901〜1980年／彫刻家・『馬と騎手』シリーズ]…… ④89

マルコーニ, グリエルモ [1874〜1937年／無線電信の開発]……………… ④91

マルコ・ポーロ [1254〜1324年／商人、旅行家・『東方見聞録』]……… ④93

マルピーギ, マルチェロ [1628〜1694年／顕微鏡解剖学]……………… ④94

ミケランジェロ・ブオナローティ［1475～1564年／画家、彫刻家・『最後の審判』］ ④101

ムッソリーニ, ベニート［1883～1945年／ファシズムを創始した首相］ ④137

メディチ, コジモ・デ［1389～1464年／銀行家］ ④151

メディチ, ロレンツォ・デ［1449～1492年／銀行家］ ④151

モディリアーニ, アメデオ［1884～1920年／画家、彫刻家］ ④164

モンティ, マリオ［1943年～／経済学者、首相］ ④173

モンテ・コルビノ［1247～1328年／中国でキリスト教を広めた修道士］ ④173

モンテッソーリ, マリア［1870～1952年／医師、教育家］ ④174

モンテベルディ, クラウディオ［1567～1643年／作曲家］ ④174

ら ラグーザ, ビンチェンツォ［1841～1927年／近代日本彫刻の指導者］ ④228

ラグランジュ, ジョゼフ・ルイ［1736～1813年／数学者、物理学者・『解析力学』］ ④230

ラファエロ・サンティ［1483～1520年／画家・『アテネの学堂』］ ④233

レオナルド・ダ・ビンチ［1452～1519年／画家、彫刻家、建築家、科学者］ ④266

レスピーギ, オットリーノ［1879～1936年／作曲家・『ローマの噴水』］ ④269

ロッシーニ, ジョアッキーノ［1792～1868年／作曲家・『セビリアの理髪師』］ ④279

スペイン

あ アサーニャ, マヌエル［1880～1940年／首相、大統領］ ①23

イサベル1世［1451～1504年／カスティリャ王国の女王］ ①80

エル・グレコ［1541～1614年／画家・『聖三位一体』］ ①162

か ガウディ, アントニ［1852～1926年／サグラダファミリア聖堂］ ①226

カザルス, パブロ［1876～1973年／作曲家・『鳥の歌』］ ①231

ゴヤ, フランシスコ・ホセ・デ［1746～1828年／画家『カルロス4世の家族』］ ②99

コルテス, エルナン［1485～1547年／アステカ帝国を征服］ ②101

さ ザビエル, フランシスコ［1506～1552年／キリスト教宣教師］ ②133

サラサーテ, パブロ・デ［1844～1908年／作曲家・『ツィゴイネルワイゼン』］ ②134

セルバンテス, ミゲル・デ［1547～1616年／作家・『ドン・キホーテ』］ ②246

た ダリ, サルバドール［1904～1989年／画家・『記憶の固執』］ ②314

ドミニクス［1170ごろ～1221年／カトリック教会修道士］ ③83

は バルボア, バスコ・デ［1475?～1519年／探検家・太平洋を発見］ ③192

ピカソ, パブロ［1881～1973年／画家・『ゲルニカ』］ ③200

ピサロ, フランシスコ［1475?～1541年／探検家・インカ帝国を滅亡させた］ ③203

フアン・カルロス［1938年～／スペイン国王］ ③224

フェリペ2世［1527～1598年／スペイン王］ ③232

フェリペ5世［1683～1746年／スペイン王］ ③232

フェルナンド［1452～1516年／カスティリャ王国の国王、アラゴン王国の国王］ ③232

フランコ, フランシスコ［1892～1975年／独裁体制をしいた総統］ ③277

ベラスケス, ディエゴ・デ［1599～1660年／画家・『インノケンティウス10世』］ ④17

ま ミロ, ジョアン［1893～1983年／画家・『刈り入れ人』］ ④132

ムリーリョ, バルトロメ・エステバン［1617～1682年／画家・『聖母子像』］ ④147

ら ラス・カサス, バルトロメ・デ［1474～1566年／宣教師・先住民保護］ ④231

ロドリーゴ, ホアキン［1902～1999年／作曲家・『アランフェス協奏曲』］ ④279

ロヨラ, イグナティウス・デ［1491～1556年／イエズス会創立者］ ④280

ロルカ, フェデリコ・ガルシア［1898～1936年／詩人・『ジプシー歌集』］ ④282

ポルトガル

あ エンリケ航海王子［1394～1460年／王子］ ①166

か カブラル, フランシスコ［1528～1609年／来日した宣教師］ ①254

グテレス, アントニオ［1949年～／政治家、第9代国連事務総長］ ②19

さ サラザール, アントニオ・デ・オリベイラ［1889～1970年／首相］ ②135

ジョアン2世［1455～1495年／アビス朝の国王］ ②191

た ディアス, バルトロメウ［1450?～1500年／航海者・喜望峰に到達］ ③36

は バスコ・ダ・ガマ［1469?～1524年／航海者・インド航路を開拓］ ③165

ビレラ, ガスパル［?～1572年／来日した宣教師］ ③219

フロイス, ルイス［1532～1597年／来日した宣教師・『日本史』］ ③291

ま マゼラン, フェルディナンド［1480?～1521年／航海者・世界一周］ ④72

ロシア

あ アレクサンドル1世［1777～1825年／ロマノフ朝第10代皇帝］ ①61

アレクサンドル2世［1818～1881年／ロマノフ朝第12代皇帝］ ①61

アンドロポフ, ユーリ［1914～1984年／ソビエト連邦の政治家］ ①69

イェルマーク, チモフェービッチ［?～1585年／コサックの首長］ ①73

イワン3世［1440～1505年／モスクワ大公］ ①122

イワン4世［1530～1584年／モスクワ大公、ロシアの初代皇帝］ ①122

ウィッテ, セルゲイ［1849～1915年／ロシア帝国の初代首相］ ①125

ウラジーミル1世［955?～1015年／キエフ大公国の大公］ ①145

エカチェリーナ2世［1729～1796年／女帝］ ①150

エリツィン, ボリス［1931～2007年／ロシア連邦の初代大統領］ ①161

エレンブルグ, イリヤ［1891～1967年／詩人・『雪どけ』］ ①163

オパーリン, アレクサンドル［1894～1980年／生化学者］ ①215

か ガガーリン, ユーリ［1934～1968年／宇宙飛行士］ ①227

カバレフスキー, ドミトリー［1904～1987年／組曲『道化師』］ ①253

283

地域別索引

ロシア

ガポン, ゲオルギー［1870〜1906年／ロシア正教会の司祭］………①254

ガルシン, フセボロド［1855〜1888年／作家・『赤い花』］……①262

カンディンスキー, ワシリー［1866〜1944年／画家］………①278

キュイ, ツェザーリ［1835〜1918年／作曲家、音楽評論家］…①302

グリンカ, ミハイル［1804〜1857年／作曲家］………②34

クロポトキン, ピョートル［1842〜1921年／革命家］………②44

ケーベル, ラファエル［1848〜1923年／哲学者、音楽家］…②49

ゲルツェン, アレクサンドル［1812〜1870年／思想家］…②54

ケレンスキー, アレクサンドル・フョードロビッチ［1881〜1970年／ロシア臨時政府の首相］………②54

ゴーゴリ, ニコライ［1809〜1852年／作家、劇作家・『検察官』］………②72

ゴーリキー, マクシム［1868〜1936年／作家、劇作家・『どん底』］………②73

ゴルバチョフ, ミハイル［1931年〜／民主化にとりくんだ大統領］……②101

ゴロブニン, バシリイ［1776〜1831年／ロシア海軍の軍人］……②103

さ サハロフ, アンドレイ［1921〜1989年／物理学者・水爆開発］……②132

ショーロホフ, ミハイル［1905〜1984年／作家・『静かなドン』］……②200

ショスタコービッチ, ドミトリイ［1906〜1975年／作曲家・『エルベ河』］………②202

スターリン, ヨシフ［1879〜1953年／ソ連共産党書記長、首相］……②226

スタニスラフスキー, コンスタンチン［1863〜1938年／演出家・『俳優修業』］………②227

ステンカ・ラージン［1630?〜1671年／農民反乱指導者］……②228

ストラビンスキー, イーゴル［1882〜1971年／作曲家・『春の祭典』］………②231

ストルイピン, ピョートル［1862〜1911年／政治家、首相］………②231

ゾルゲ, リヒャルト［1895〜1944年／ソ連のスパイ］………②257

ソルジェニーツィン, アレクサンドル［1918〜2008年／作家・『収容所群島』］………②258

た タルコフスキー, アンドレイ［1932〜1986年／映画監督］………②314

チェーホフ, アントン［1860〜1904年／作家・『桜の園』］……③9

チェルネンコ, コンスタンティン［1911〜1985年／ソビエト連邦の政治家］………③9

チャイコフスキー, ピョートル・イリイッチ［1840〜1893年／作曲家・『くるみ割り人形』］………③14

ツィオルコフスキー, コンスタンチン［1857〜1935年／ロケット工学］………③25

ツルゲーネフ, イワン［1818〜1883年／作家・『父と子』］……③34

テレシコワ, バレンティナ［1937年〜／女性宇宙飛行士］……③50

ドストエフスキー, フョードル［1821〜1881年／作家・『罪と罰』］……③77

トルストイ, レフ［1828〜1910年／作家・『戦争と平和』］……③92

トロツキー, レフ［1879〜1940年／革命家］………③94

な ニコライ1世［1796〜1855年／ロマノフ朝第11代皇帝］……③126

ニコライ2世［1868〜1918年／ロマノフ朝最後となる第14代皇帝］……③126

ニジンスキー, バツラフ［1890〜1950年／バレエダンサー］……③131

は バクーニン, ミハイル［1814〜1876年／社会運動家］……③162

パステルナーク, ボリス［1890〜1960年／作家・『ドクトル・ジバゴ』］③165

ハチャトゥリアン, アラム［1903〜1978年／作曲家・『仮面舞踏会』］………③171

パブロフ, イワン・ペトロビッチ［1849〜1936年／生理学者］…③178

パブロワ, アンナ［1881〜1931年／バレリーナ］………③178

バラキレフ, ミリ・アレクセイビチ［1837〜1910年／作曲家］…③185

ビアンキ, ビタリイ［1894〜1959年／児童文学作家・『森の新聞』］…③197

ピョートル1世［1672〜1725年／ロマノフ朝の第4代皇帝］………③213

プーシキン, アレクサンドル［1799〜1837年／詩人・『エフゲニー・オネーギン』］………③229

プーチン, ウラジミール［1952年〜／大統領］………③229

プガチョフ, エメリヤン・イワノビッチ［1740?〜1775年／コサック反乱の指導者］………③238

プチャーチン, エッフィミー・ワシリエビチ［1804〜1883年／ロシアの海軍提督］………③266

ブハーリン, ニコライ・イワノビッチ［1888〜1938年／ソビエト連邦の政治家、経済学者］………③270

プリセツカヤ, マイヤ［1925〜2015年／バレリーナ、バレエ団監督］③281

フルシチョフ, ニキータ［1894〜1971年／ソビエト連邦の政治家］③285

ブレジネフ, レオニード［1906〜1982年／ソビエト連邦の政治家］③290

プレハーノフ, ゲオルギー［1856〜1918年／革命家］………③290

プロコフィエフ, セルゲイ［1891〜1953年／作曲家・『ロミオとジュリエット』］………③293

ベーリング, ビトゥス［1681〜1741年／ベーリング海峡を発見］………④11

ボロディン, アレクサンドル［1833〜1887年／作曲家・『イーゴリ公』］④54

ま マルシャーク, サムイル［1887〜1964年／児童劇『森は生きている』］④92

マレービチ, カジミール［1878〜1935年／画家・『牛とバイオリン』］…④96

マレンコフ, ゲオルギー［1902〜1988年／ソビエト連邦の政治家］…④96

ミハイル・ロマノフ［1596〜1645年／ロマノフ家の初代ツァーリ］……④118

ムソルグスキー, モデスト［1839〜1881年／作曲家・『展覧会の絵』］………④136

ムラビヨフ・アムールスキー, ニコライ［1809〜1881年／東方領土を広げたロシアの軍人］………④146

メドベージェフ, ドミトリー［1965年〜／大統領］………④152

メンデレーエフ, ドミトリー［1834〜1907年／化学者・元素周期律］………④154

モロトフ, ビャチェスラフ［1890〜1986年／ソビエト連邦の首相］…④172

ら ラクスマン, アダム・キリロビッチ［1766〜?年／ロシアの軍人］…④230

ラスプーチン, グレゴリー［1864?〜1916年／帝政ロシア末期の怪僧］………④231

ラフマニノフ, セルゲイ［1873〜1943年／作曲家、ピアニスト］………④233

リムスキー＝コルサコフ, ニコライ［1844〜1908年／作曲家］④246

リューリク［?〜879年／ノブゴロド国の建国者］………④250

レーニン, ウラジミール・イリイッチ［1870〜1924年／ロシア革命の指導者］………④264

レールモントフ, ミハイル・ユリエビチ［1814〜1841年／詩人・『現代の英雄』］………④265

レザノフ, ニコライ [1764〜1807年／貴族、実業家]……………… ④268

その他のヨーロッパ

あ アイスキュロス [紀元前525〜紀元前456年／古代ギリシャの悲劇詩人] ①11

アウグスティヌス [354〜430年／ローマ帝国のキリスト教神学者]……… ①13

アッティラ [406?〜453年／フン族の王]…………………… ①40

アブド・アッラフマーン3世 [889〜961年／後ウマイヤ朝第8代君主、初代カリフ]…………………………………………………………… ①44

アムンゼン, ロアルド [1872〜1928年／南極探検家]………… ①52

アラリック王 [370?〜410年／西ゴート族の王]…………… ①55

アリスタルコス [紀元前310?〜紀元前230?年／天文学者、数学者]…… ①57

アリストテレス [紀元前384〜紀元前322年／古代ギリシャの哲学者]…… ①57

アリストファネス [紀元前445?〜紀元前385?年／古代ギリシャの喜劇詩人]…………………………………………………………… ①57

アルキメデス [紀元前287〜紀元前212年／科学者]………… ①59

アレニウス, スバンテ [1859〜1927年／イオン解離説]………… ①62

アンデルセン, ハンス・クリスチャン [1805〜1875年／デンマークの作家・『人魚姫』]…………………………………………… ①67

アントニウス, マルクス [紀元前82?〜紀元前30年／古代ローマの政治家]…………………………………………………………… ①69

アントニヌス・ピウス帝 [86〜161年／ローマ帝国の皇帝]…… ①69

イェーツ, ウィリアム・バトラー [1865〜1939年／アイルランド文芸協会を設立]………………………………………………… ①73

イソップ [紀元前620?〜紀元前560?年／寓話作家・『イソップ物語』]…… ①91

イプセン, ヘンリク [1828〜1906年／劇作家・『人形の家』]…… ①112

インノケンティウス3世 [1161〜1216年／ローマ教皇]……… ①123

ウァレリアヌス, ププリウス・リキニウス [190〜269?年／ローマ帝国の皇帝]………………………………………………… ①124

ウィトゲンシュタイン, ルートウィヒ [1889〜1951年／オーストリアの哲学者]…………………………………………………… ①125

ウィリアム・テル [生没年不詳／スイスの伝説上の英雄]……… ①126

ウェーベルン, アントン [1883〜1945年／作曲家・『パッサカリア』] ①128

ウェルギリウス [紀元前70〜紀元前19年／古代ローマの叙事詩人]… ①136

ウルバヌス2世 [1042ごろ〜1099年／ローマ教皇]………… ①146

エウリピデス [紀元前484?〜紀元前406?年／古代ギリシャの悲劇詩人]…………………………………………………………… ①149

エッシャー, マウリッツ [1898〜1972／オランダの版画家・『上りと下り』]…………………………………………………… ①154

エピクテトス [55?〜135?年／ローマ帝国時代のストア派哲学者]……… ①158

エピクロス [紀元前341?〜紀元前270?年／古代ギリシャの哲学者]…… ①159

エラスムス, デシデリウス [1469?〜1536年／人文学者]…… ①159

エラトステネス [紀元前275〜紀元前194年／天文学者、地理学者]…… ①160

エルステッド, ハンス・クリスティアン [1777〜1851年／電流の磁気作用の発見]………………………………………………… ①162

オイラー, レオンハルト [1707〜1783年／数学者]………… ①167

オウィディウス [紀元前43〜紀元後17?年／古代ローマの詩人]……… ①168

オクタウィアヌス帝 [紀元前63〜紀元後14年／ローマ帝国の初代皇帝]…………………………………………………………… ①201

オコンネル, ダニエル [1775〜1847年／アイルランド独立運動の指導者]…………………………………………………………… ①203

オットー1世 [912〜973年／東フランク王、神聖ローマ帝国初代皇帝] ①212

オドアケル [433?〜493年／ゲルマン人の傭兵隊長]……… ①212

オラニエ公ウィレム [1533〜1584年／ネーデルラント連邦共和国の初代総督]…………………………………………………………… ①217

か カーメルリング・オンネス, ヘイケ [1853〜1926年／ヘリウムの液体化と超伝導]………………………………………………… ①221

カール12世 [1682〜1718年／スウェーデン王]…………… ①222

カール大帝 [742〜814年／フランク王]…………………… ①222

カール・マルテル [688?〜741年／フランク王国の宮宰]…… ①223

カエサル, ユリウス [紀元前100〜紀元前44年／古代ローマの権力者] ①226

カジミェシュ大王 [1310〜1370年／ポーランド王]………… ①232

カブラル, ペドロ・アルバレス [1467?〜1520?年／漂着したブラジルで占有宣言]…………………………………………………… ①254

カラカラ帝 [188〜217年／ローマ帝国の皇帝・公衆浴場を建設]……… ①260

カラス, マリア [1923〜1977年／ギリシャのソプラノ歌手・『トスカ』]…… ①260

カラヤン, ヘルベルト・フォン [1908〜1989年／オーストリアの指揮者]…………………………………………………………… ①261

キケロ, マルクス・トゥリウス [紀元前106〜紀元前43年／古代ローマの政治家、思想家、雄弁家]…………………………………… ①284

キャパ, ロバート [1913〜1954年／報道写真家]…………… ①301

キュリロス [827ごろ〜869年／ギリシャ人のキリスト教宣教師]…… ①303

キルケゴール, セーレン [1813〜1855年／デンマークの思想家]…… ①308

クーデンホーフ=カレルギー, リヒャルト [1894〜1972年／オーストリアのヨーロッパ統合運動家]……………………………… ②9

クーデンホーフ=カレルギー光子 [1874〜1941年／慈善活動家]…………………………………………………………… ②11

グスタフ2世 [1594〜1632年／スウェーデン王]…………… ②15

クヌート [995?〜1035年／イングランド王、デンマーク王、ノルウェー王]…… ②22

クライフ, ヨハン [1947〜2016年／オランダのプロサッカー選手]…… ②27

グラックス兄弟 [兄ティベリウス 紀元前162〜紀元前133年、弟ガイウス 紀元前153〜紀元前121年／古代ローマの政治家]…………… ②29

クラッスス, マルクス・リキニウス [紀元前115?〜紀元前53年／古代ローマの政治家]……………………………………………… ②29

グリーグ, エドバルド [1843〜1907年／ノルウェーの作曲家]………… ②31

クリムト, グスタフ [1862〜1918年／オーストリアの画家・『接吻』]…… ②33

グリルパルツァー, フランツ [1791〜1872年／オーストリアの劇作家・『ザッフォー』]………………………………………… ②34

グルーバー, フランツ・クサーファー [1787〜1863年／教会音楽家・『きよしこの夜』]…………………………………………… ②35

クレイステネス [生没年不詳／古代ギリシャの政治家]…………………… ②36

クレー, パウル [1879〜1940年／スイスの画家]…………… ②36

285

地域別索引（ちいきべつさくいん）
その他のヨーロッパ

グレゴリウス1世（せい）［540ごろ～604年／ローマ教皇］………… ②37

グレゴリウス7世（せい）［1020?～1085年／ローマ教皇］………… ②37

グレゴリウス13世（せい）［1502～1585年／ローマ教皇］………… ②38

クロービス［466?～511年／フランク王国、メロビング朝の初代国王］…… ②40

グロティウス, フーゴ［1583～1645年／国際法学者］………… ②43

ケリー, グレース［1929～1982年／モナコ公妃になった女優］…… ②53

小泉八雲（こいずみやくも）［1850～1904年／日本に住んだ文芸評論家、作家・『怪談』］…… ②59

コシチューシコ, タデウシュ［1746～1817年／ポーランド独立運動の指導者］……………… ②79

コシュート・ラヨシュ［1802～1894年／ハンガリーの国民主義運動指導者］……………… ②80

コダーイ・ゾルターン［1882～1967年／ハンガリーの作曲家］………… ②82

ゴッホ, ビンセント・ファン［1853～1890年／オランダの画家・『ひまわり』］……………… ②87

コペルニクス, ニコラウス［1473～1543年／地動説］………… ②95

ゴムルカ, ウラディスラフ［1905～1982年／ポーランドの政治家］…… ②98

コルチャック, ヤヌシュ［1878～1942年／児童文学作家］…… ②100

コンスタンティヌス帝（てい）［274?～337年／ローマ帝国の皇帝］…… ②105

さ サッフォー［紀元前612?～紀元前570?年／古代ギリシャの女流詩人］ ②127

ザメンホフ, ラザロ［1859～1917年／エスペラント語の創始者］……… ②134

シーレ, エゴン［1890～1918年／オーストリアの画家・『死と乙女』］…… ②145

シェーンベルク, アルノルト［1874～1951年／作曲家］………… ②147

シェンキェビッチ, ヘンリク［1846～1916年／ポーランドの作家］ ②148

シベリウス, ジャン［1865～1957年／フィンランドの作曲家］…… ②162

ジャコメッティ, アルベルト［1901～1966年／スイスの彫刻家］…… ②175

シューベルト, フランツ［1797～1828年／作曲家・『魔王』］……… ②182

シュトラウス, ヨハン［1804～1849年／作曲家・『ラデツキー行進曲』］……………… ②185

シュトラウス, ヨハン［1825～1899年／作曲家・『美しく青きドナウ』］ ②186

シュピリ, ヨハンナ［1827～1901年／スイスの児童文学作家・『アルプスの少女ハイジ』］……………… ②187

シュレーディンガー, エルウィン［1887～1961年／波動方程式］ ②189

ショパン, フレデリック［1810～1849年／作曲家・『小犬のワルツ』］…… ②203

スキピオ［紀元前235～紀元前183?年／古代ローマの将軍］…… ②219

ズッペ, フランツ・フォン［1819～1895年／作曲家・『軽騎兵』］…… ②228

ステビン, シモン［1548～1620年／数学者、物理学者・小数の提唱］ ②228

ストラボン［紀元前64?～紀元後23?年／地理学者、歴史家・『地理誌』］……………… ②231

ストリンドベリ, アウグスト［1849～1912年／スウェーデンの劇作家］……………… ②231

スパルタクス［?～紀元前71年／古代ローマの奴隷反乱指導者］……… ②232

スピノザ, バルク・ド［1632～1677年／オランダの哲学者］…… ②233

スメタナ, ベルジフ［1824～1884年／チェコの作曲家・『我が祖国』］ ②236

スラ［紀元前138?～紀元前78年／古代ローマの将軍、政治家］…… ②236

セクスティウス, ルキウス［生没年不詳／古代ローマの政治家］…… ②242

セネカ, ルキウス・アンナエウス［紀元前4ごろ～紀元後65年／古代ローマの哲学者］……………… ②244

ゼノン［紀元前335～紀元前263年／古代ギリシャの哲学者］…… ②244

セルシウス, アンダース［1701～1744年／天文学者、物理学者］…… ②245

ソクラテス［紀元前469ごろ～紀元前399年／古代ギリシャの哲学者］…… ②255

ソシュール, フェルディナ・ド［1857～1913年／言語学者］…… ②255

ソフォクレス［紀元前496?～紀元前406?年／古代ギリシャの詩人］…… ②257

ソロン［紀元前640?～紀元前560?年／古代ギリシャの政治家］…… ②259

た タキトゥス, ガイウス・コルネリウス［55ごろ～120年ごろ／ローマ帝国の歴史家］……………… ②286

タスマン, アーベル［1603～1659年／タスマニア島を発見］……… ②297

タレス［紀元前624ごろ～紀元前546年ごろ／古代ギリシャの哲学者］…… ②315

チェルニー, カール［1791～1857年／ピアニスト、作曲家、音楽教育家］ ③9

チトー［1892～1980年／ユーゴスラビアの大統領］………… ③11

チャウシェスク, ニコラエ［1918～1989年／ルーマニアの初代大統領］……………… ③14

チャペック, カレル［1890～1938年／チェコの作家、ジャーナリスト］…… ③16

ツウィングリ, フルドライヒ［1484～1531年／宗教改革者］……… ③25

ツンベルグ, カール［1743～1828年／博物学者・『日本植物誌』］…… ③35

ディオクレティアヌス帝（てい）［?～311?年／ローマ帝国の皇帝］…… ③37

ティンゲリー, ジャン［1925～1991年／スイスの造形作家］……… ③40

テオドシウス帝（てい）［347～395年／ローマ帝国の皇帝］……… ③41

テオドラ［500?～548年／ビザンツ帝国のユスティニアヌス帝のきさき］ ③41

テミストクレス［紀元前528?～紀元前462?年／古代ギリシャの軍人］…… ③45

デモクリトス［紀元前460?～紀元前370?年／古代ギリシャの哲学者］…… ③45

デュナン, アンリ［1828～1910年／国際赤十字連盟を創設］……… ③46

デュボワ, ユージェーヌ［1858～1940年／ピテカントロプス・エレクトゥスの発見］……………… ③47

デルボー, ポール［1897～1994年／ベルギーの画家］………… ③50

デ・レーケ, ヨハネス［1842～1913年／土木技師・木曽三川の分流工事］……………… ③50

トゥキディデス［紀元前460?～紀元前400?年／古代ギリシャの歴史家］ ③55

トゥスク, ドナルド［1957年～／ポーランドの首相、EU大統領］…… ③59

ドップラー, ヨハン・クリスティアン［1803～1853年／ドップラー効果］……………… ③78

ドプチェク, アレクサンデル［1921～1992年／チェコスロバキアの政治家］……………… ③81

ド・フリース, ユーゴ［1848～1935年／植物学者、遺伝学者］…… ③81

トペリウス, サカリアス［1818～1898年／フィンランドの児童文学作家］……………… ③81

ドボルザーク, アントニン［1841～1904年／チェコの作曲家・『交響曲第9番（新世界より）』］……………… ③81

ドラコン［生没年不詳／古代ギリシャの立法者］………… ③87

ドラッカー, ピーター［1909～2005年／経営学者、評論家］……… ③87

トラヤヌス帝（てい）［53?～117年／ローマ帝国の皇帝］………… ③90

トリボニアヌス［?～545?年／法学者・『ローマ法大全』を編さん］…… ③91

な ナジ・イムレ［1896～1958年／民主化を求めたハンガリーの政治家］…… ③115

ナブラチロワ, マルチナ［1956年～／プロテニス選手］…… ③118

ナンセン, フリチョフ［1861～1930年／北極探検家］……… ③123

ネストリウス［381ごろ～481年ごろ／コンスタンティノーブル総主教］…… ③139

ネルウァ, マルクス・コッケイウス［30?～98年／ローマ帝国の皇帝］
……… ③141

ネロ・クラウディウス・カエサル［37～68年／ローマ帝国の皇帝］ ③141

ノーベル, アルフレッド［1833～1896年／ノーベル賞の創設者］…… ③143

は バーグマン, イングリッド［1915～1982年／映画俳優・『カサブランカ』］
……… ③153

ハイドン, フランツ・ヨーゼフ［1732～1809年／オーストリアの作曲家］
……… ③158

ハドリアヌス帝［76～138年／ローマ帝国の皇帝］………… ③174

ハベル, バーツラフ［1936～2011年／チェコの初代大統領］………… ③178

ハマーショルド, ダグ［1905～1961年／第2代国連事務総長］……… ③179

ハルス, フランス［1585?～1666年／オランダの画家］………… ③191

バルト, カール［1886～1968年／プロテスタントの神学者］……… ③191

バルトーク・ベラ［1881～1945年／ハンガリーの作曲家］…………… ③192

ハンニバル［紀元前247?～紀元前183年／カルタゴの将軍］………… ③195

ピウスツキ, ユゼフ［1867～1935年／ポーランドの大統領、首相］…… ③197

ピカール, オーギュスト［1884～1962年／物理学者、気象学者、探検家］
……… ③197

ピタゴラス［紀元前582ごろ～紀元前510年ごろ／数学者、哲学者］…… ③205

ピピン［714～768年／フランク王国、カロリング朝の初代国王］………… ③211

ヒポクラテス［紀元前460?～紀元前375?年／古代ギリシャの医学者］……… ③211

ヒュースケン, ヘンリー［1832～1861年／オランダの通訳官］……… ③212

ピラト［生没年不詳／イエス・キリストを処刑したユダヤの総督］……… ③216

ヒルティ, カール［1833～1909年／スイスの法学者、宗教思想家］…… ③219

ピンダロス［紀元前522?～紀元前442?年／古代ギリシャの叙情詩人］ ③222

ファン・アイク兄弟［兄フーベルト 1370?～1426年、弟ヤン 1390?～1441
年／オランダの画家兄弟］………… ③224

ファン・ダイク, アントーン［1599～1641年／ベルギーの画家］…… ③224

ファン・デン・ボス, ヨハネス［1780～1844年／オランダ領東インド総督］
……… ③225

ファン・ドールン, コルネリス［1837～1906年／安積原野の治水工事］
……… ③225

ファン・ロンパイ, ヘルマン［1947年～／ベルギーの政治家、EU大統領］
……… ③225

フィリッポス2世［紀元前382～紀元前336年／マケドニア王］……… ③227

フェイディアス［生没年不詳／女神アテネ像の制作］………… ③231

フェルメール, ヤン［1632～1675年／オランダの画家］………… ③234

フス, ヤン［1370ごろ～1415年／ボヘミアの宗教改革者］………… ③264

プトレマイオス, クラウディオス［生没年不詳／古代ギリシャの天文学者］
……… ③269

ブラーエ, ティコ［1546～1601年／天文学者・超新星を発見］……… ③270

プラクシテレス［生没年不詳／ギリシャの彫刻家］………… ③273

プラトン［紀元前427?～紀元前347?年／古代ギリシャの哲学者］……… ③275

ブランクーシ, コンスタンティン［1876～1957年／ルーマニア出身の彫刻
家］……… ③276

フランクル, ビクトール［1905～1997年／精神医学者］……… ③277

フランツ1世［1708～1765年／神聖ローマ皇帝］……… ③278

フランツ・フェルディナント［1863～1914年／オーストリア・ハンガリー帝国
の皇太子］……… ③278

フランツ・ヨーゼフ1世［1830～1916年／オーストリア皇帝、ハンガリー国王］
……… ③278

フリッシュ, カール・フォン［1886～1982年／動物学者］……… ③281

プリニウス［23?～79年／ローマ帝国の博物学者］……… ③281

ブリューゲル, ピーテル［1525?～1569年／フランドルの画家］……… ③282

ブルートゥス, マルクス・ユニウス［紀元前85～紀元前42年／古代ローマ
の政治家］……… ③282

ブルーナ, ディック［1927年～／『ちいさなうさこちゃん』］……… ③283

プルタルコス［46?～120?年／古代ローマの伝記作家、随筆家］……… ③286

ブルックナー, アントン［1824～1896年／作曲家、オルガン奏者］… ③287

フロイト, ジグムント［1856～1939年／精神分析の創始者］……… ③292

プロタゴラス［紀元前490ごろ～紀元前420ごろ／古代ギリシャの哲学者］
……… ③294

ヘイエルダール, トール［1914～2002年／コンチキ号で漂流実験］…… ④9

ペイシストラトス［紀元前600?～紀元前527年／古代ギリシャのアテネの僭主］
……… ④9

ヘーシンク, アントン［1934～2010年／オランダの柔道家］……… ④10

ベーム, カール［1894～1981年／指揮者］……… ④11

ベサリウス, アンドレアス［1514～1564年／医学者、解剖学者］…… ④13

ヘシオドス［生没年不詳／古代ギリシャの叙事詩人］……… ④13

ペスタロッチ, ヨハン・ハインリヒ［1746～1827年／教育思想家］ ④13

ヘディン, スベン［1865～1952年／中央アジアを調査］……… ④15

ヘラクレイオス1世［575?～641年／ビザンツ帝国の皇帝］……… ④17

ヘラクレイトス［紀元前540ごろ～?年／古代ギリシャの哲学者］…… ④17

ペリクレス［紀元前495?～紀元前429年／古代ギリシャの政治家］…… ④18

ベルセリウス, ヨンス・ヤーコブ［1779～1848年／化学表記法］ ④19

ヘルツル, テオドール［1860～1904年／シオニスト運動をはじめた］…… ④20

ヘロデ王［紀元前73?～紀元前4年／古代ユダヤの王］……… ④23

ヘロドトス［紀元前484?～紀元前425?年／古代ギリシャの歴史家］…… ④24

ヘロン［生没年不詳／ヘロンの公式］……… ④24

ホイヘンス, クリスティアーン［1629～1695年／物理学者］……… ④29

ボーア, ニールス［1885～1962年／物理学者・ボーアの原子模型］……… ④36

ボニファティウス8世［1235?～1303年／ローマ教皇］……… ④49

ホメロス［生没年不詳／『イリアス』『オデュッセイア』の作者］……… ④50

ホラティウス［紀元前65～紀元前8年／古代ローマの詩人］……… ④50

ポリビオス［紀元前200?～紀元前120?年／歴史家・『歴史』］……… ④52

ボルグ, ビョルン［1956年～／プロテニス選手］……… ④52

ホルティ・ミクローシュ［1868～1957年／ハンガリーの政治家］……… ④53

ポンペイウス［紀元前106～紀元前48年／古代ローマの政治家］……… ④57

地域別索引　その他のヨーロッパ／アフリカ

ま

マーラー, グスタフ［1860～1911年／交響曲『巨人』］……………… ④59

マグリット, ルネ［1898～1967年／ベルギーの画家、『大家族』］…… ④67

マザー・テレサ［1910～1997年／インドで活動したカトリック修道女］…… ④67

マリア・テレジア［1717～1780年／オーストリア大公・ハンガリー国王］… ④88

マリウス, ガイウス［紀元前157?～紀元前86年／古代ローマの政治家］④89

マルクス・アウレリウス・アントニヌス帝［121～180年／ローマ帝国の
皇帝］…………………………………………………………… ④91

マルグレーテ［1353～1412年／デンマークの実質的な女王］…………… ④91

ミュシャ, アルフォンス［1860～1939年／チェコの画家］…………… ④127

ミロシェビッチ, スロボダン［1941～2006年／セルビア大統領、ユーゴスラ
ビア大統領］…………………………………………………… ④132

ムルドル, ローエンホルスト［1848～1901年／土木技師］…………… ④147

ムンク, エドバルド［1863～1944年／ノルウェーの画家、『叫び』］…… ④148

メーテルリンク, モーリス［1862～1949年／児童劇『青い鳥』］…… ④151

メッテルニヒ, クレメンス［1773～1859年／ウィーン体制を築いた］…… ④151

メルカトル, ゲラルドゥス［1512～1594年／地理学者］…………… ④153

メンデル, グレゴール［1822～1884年／植物学者・メンデルの法則］ ④154

モーツァルト, ウォルフガング・アマデウス［1756～1791年／オーストリ
アの作曲家］…………………………………………………… ④160

モルナール・フェレンツ［1878～1952年／劇作家『リリオム』］…… ④171

モンドリアン, ピート［1872～1944年／オランダ出身の画家］…… ④174

や

ヤンソン, トーベ［1914～2001年／『ムーミン』シリーズ］………… ④201

ユークリッド［生没年不詳／数学者、天文学者・ユークリッド幾何学］…… ④203

ユスティニアヌス帝［483～565年／ビザンツ帝国の皇帝］………… ④205

ユリアヌス帝［332～363年／ローマ帝国の皇帝］…………………… ④206

ユング, カール・グスタフ［1875～1961年／精神分析学者］……… ④207

ヨーステン, ヤン［?～1623年／オランダの航海士］………………… ④209

ヨーゼフ2世［1741～1790年／神聖ローマ皇帝］…………………… ④209

ヨハネ・パウロ2世［1920～2005年／ローマ教皇］………………… ④225

ら

ラーゲルレーブ, セルマ［1858～1940年／『ニルスのふしぎな旅』］… ④226

リートフェルト, ヘリト・トーマス［1888～1964年／建築家、家具デザイ
ナー］…………………………………………………………… ④237

リウィウス［紀元前59～紀元後17年／歴史家、『ローマ史』］……… ④238

リキニウス［生没年不詳／古代ローマの護民官］…………………… ④240

リスト, フランツ［1811～1886年／ハンガリーの作曲家］………… ④243

リュクルゴス［生没年不詳／伝説的な立法家］……………………… ④250

リンドグレーン, アストリッド［1907～2002年／『長くつ下のピッピ』］
…………………………………………………………………… ④253

リンネ, カール・フォン［1707～1778年／博物学者・生物分類］…… ④254

ルートウィヒ1世［778～840年／フランク王、西ローマ皇帝］………… ④258

ルーベンス, ペーテル・パウル［1577～1640年／フランドルの画家］
…………………………………………………………………… ④258

ルッジェーロ2世［1095～1154年／初代シチリア王］……………… ④261

レーウェンフック, アントニー・ファン［1632～1723年／顕微鏡をつかっ
た微生物の観察］……………………………………………… ④263

レオ3世［?～816年／ローマ教皇］…………………………………… ④265

レオ10世［1475～1521年／ローマ教皇］…………………………… ④265

レオポルド2世［1835～1909年／ベルギー王］……………………… ④268

レオン3世［685?～741年／ビザンツ帝国の皇帝］………………… ④268

レピドゥス, マルクス・アエミリウス［紀元前90?～紀元前12年／古代
ローマの政治家］……………………………………………… ④270

レンブラント・ファン・レイン［1606～1669年／オランダの画家］ ④271

ローレンツ, コンラート［1903～1989年／動物学者］……………… ④276

ロタール1世［795～855年／西ローマ皇帝、フランク王、中フランク王］ ④278

ロロ［860～933年／初代ノルマンディー公］……………………… ④282

わ

ワレサ, レフ［1943年～／ポーランドの大統領］…………………… ④293

アフリカ

あ

アタナシウス［296ごろ～373年／キリスト教会の教父］…………… ①39

アナン, コフィ［1938年～／ガーナの政治家、第7代国連事務総長］……… ①43

アベベ・ビキラ［1932～1973年／エチオピアのマラソン選手］……… ①48

アメンホテプ4世［生没年不詳／古代エジプト、第18王朝の王］…… ①52

アラービー・パシャ［1841～1911年／エジプトの独立運動指導者］…… ①53

アリウス［250ごろ～336年／古代キリスト教会の神学者］………… ①56

イブン・バットゥータ［1304～1368?年／イスラムの大旅行家］…… ①113

イブン・ハルドゥーン［1332～1406年／歴史家、『歴史序説』］…… ①113

エンクルマ, クワメ［1909～1972年／ガーナ独立を達成した政治家］…… ①163

か

カダフィ, ムアマル［1942～2011年／リビアの軍人・政治家］………… ①237

クフ王［生没年不詳／古代エジプト、第4王朝の第2代王］………… ②23

クレオパトラ［紀元前69～紀元前30年／古代エジプトの女王］…… ②36

ケニヤッタ, ジョモ［1891?～1978年／ケニア共和国の初代大統領］…… ②50

さ

サーリーフ, エレン・ジョンソン［1938年～／リベリアの女性大統領］
…………………………………………………………………… ②108

サダト, アンワル［1918～1981年／エジプトの大統領］…………… ②125

サモリ・トゥーレ［1830?～1900年／西アフリカ、サモリ帝国を建国］… ②134

サラディン［1138～1193年／エジプトの軍人、アイユーブ朝の創始者］ ②135

た

ツタンカーメン王［生没年不詳／古代エジプト、第18王朝の第12代王］ ③31

デクラーク, フレデリック・ウィレム［1936年～／南アフリカ共和国の大統
領］……………………………………………………………… ③43

トゥーレ, セク［1922～1984年／ギニアを独立にみちびいた政治家］…… ③54

トゥトメス3世［生没年不詳／古代エジプト、第18王朝の王］……… ③60

な

ナギブ, ムハンマド［1901～1984年／エジプトの軍人、政治家］…… ③115

ナセル, ガマル・アブドゥール［1918～1970年／エジプトの政治家］
…………………………………………………………………… ③116

ネフェルティティ［生没年不詳／古代エジプト、アメンホテプ4世のきさき］
…………………………………………………………………… ③140

は

バイバルス［1228?～1277年／エジプト、マムルーク朝の第5代スルタン］ ③158

ハイレ・セラシエ［1892～1975年／エチオピア最後の皇帝］……… ③158

ま

マータイ, ワンガリ［1940～2011年／ケニアの環境活動家、政治家］… ④58

マンサ・ムーサ［生没年不詳／西アフリカ、マリ帝国の王］………… ④97

マンデラ, ネルソン［1918～2013年／南アフリカ共和国の大統領］…… ④97

ムスタファー・カーミル [1874〜1908年／エジプトの政治家]……… ④136

ムバラク, ホスニ [1928年〜／エジプトの大統領]……………… ④139

ムハンマド・アブドゥフ [1849〜1905年／エジプトのイスラム神学者] ④139

ムハンマド・アフマド [1844?〜1885年／スーダンの反乱指導者]… ④139

ムハンマド・アリー [1769〜1849年／エジプト、ムハンマド・アリー朝の初代君主]………………………………………………………………… ④139

ら ラムセス2世（せい） [生没年不詳／古代エジプト、第19王朝の王]……………… ④234

ルムンバ, パトリス [1925〜1961年／コンゴ共和国初代首相]……… ④262

アメリカ合衆国（がっしゅうこく）

あ アービング, ジョン [1942年〜／作家・『ガープの世界』]…………… ①9

アービング, ワシントン [1783〜1859年／作家、随筆家・『スケッチ・ブック』]………………………………………………………………… ①9

アームストロング, ニール [1930〜2012年／宇宙飛行士]………… ①10

アームストロング, ルイ [1901〜1971年／ジャズトランペット奏者]…… ①10

アイゼンハワー, ドワイト [1890〜1969年／第34代大統領]……… ①12

アシモフ, アイザック [1920〜1992年／SF作家・『われはロボット』]…… ①34

アステア, フレッド [1899〜1987年／タップダンスのダンサー、俳優]…… ①38

アダムズ, ジェーン [1860〜1935年／社会事業家]……………… ①40

アップダイク, ジョン [1932〜2009年／詩人・『走れウサギ』]…… ①41

アリ, モハメド [1942〜2016年／プロボクシング選手]…………… ①56

アンダーソン, カール・デビット [1905〜1991年／陽電子の発見] ①66

アンダーソン, マリアン [1902〜1993年／アルト歌手・黒人霊歌]…… ①67

イーストマン, ジョージ [1854〜1932年／ロールフィルムを発明]…… ①71

ウィーナー, ノーバート [1894〜1964年／サイバネティックスを提唱] ①124

ウィリアムズ, テネシー [1911〜1983年／劇作家・『ガラスの動物園』]………………………………………………………………… ①126

ウィルソン, ウッドロー [1856〜1924年／第28代大統領]………… ①126

ウェイン, ジョン [1907〜1979年／俳優、映画監督・『勇気ある追跡』]…… ①128

ウェスティングハウス, ジョージ [1846〜1914年／鉄道用空気ブレーキ、交流の送電システムを発明]…………………………………… ①132

ウェブスター, ジーン [1876〜1916年／『あしながおじさん』]…… ①135

ウェブスター, ノーア [1758〜1843年／辞典編集]……………… ①135

ウォード, フレデリック [1831〜1862年／太平天国の乱を鎮圧]…… ①137

ウォーホル, アンディ [1928〜1987年／画家、映画製作者]……… ①137

エジソン, トーマス・アルバ [1847〜1931年／発明家]…………… ①153

エッツ, マリー [1895〜1984年／児童文学作家]………………… ①154

エバンス, ビル [1929〜1980年／ジャズ・ピアニスト]…………… ①158

エリントン, エドワード・ケネディ [1899〜1974年／ジャズバンドのリーダー]………………………………………………………………… ①161

オー・ヘンリー [1862〜1910年／作家・『最後の一葉』]………… ①191

オキーフ, ジョージア [1887〜1986年／画家]…………………… ①199

オッペンハイマー, ジョン [1904〜1967年／理論物理学者]……… ①212

オバマ, バラク [1961年〜／第44代大統領]…………………… ①215

オルコット, ルイーザ・メイ [1832〜1888年／『若草物語』]……… ①218

か ガーシュイン, ジョージ [1898〜1937年／作曲家・『ラプソディ・イン・ブルー』]………………………………………………………… ①219

カーソン, レイチェル [1907〜1964年／海洋生物学者・『沈黙の春』] ①219

カーター, ジミー [1924年〜／第39代大統領]………………… ①219

カーネギー, アンドリュー [1835〜1919年／カーネギー鉄鋼会社の創業者]………………………………………………………………… ①220

カーネル・サンダース [1890〜1980年／ケンタッキーフライドチキンの創業者]………………………………………………………… ①221

カール, エリック [1929年〜／しかけ絵本『はらぺこあおむし』]… ①221

ガネット, ルース・スタイルス [1923年〜／『エルマーのぼうけん』] ①249

ガモフ, ジョージ [1904〜1968年／物理学者・火の玉宇宙論]…… ①258

カロザース, ウォーレス・ヒューム [1896〜1937年／人工繊維ナイロン]………………………………………………………………… ①267

キイス, ダニエル [1927〜2014年／作家・『アルジャーノンに花束を』] ①281

キーツ, エズラ・ジャック [1916〜1983年／児童文学作家・『ピーターのくちぶえ』]………………………………………………………… ①281

キーン, ドナルド [1922年〜／日本文学研究家、文芸評論家]…… ①282

キッシンジャー, ヘンリー [1923年〜／政治学者]……………… ①292

キャンドラー, エイサ [1851〜1929年／コカ・コーラ社の創業者]…… ①302

キューブリック, スタンリー [1928〜1999年／映画監督・『2001年宇宙の旅』]………………………………………………………………… ①302

キング, スティーブン [1947年〜／作家・『スタンド・バイ・ミー』]… ①309

キング, ビリー・ジーン [1943年〜／プロテニス選手]…………… ①309

キング, マーティン・ルーサー・ジュニア [1929〜1968年／黒人解放運動の指導者]………………………………………………………… ①309

クイーン, エラリー [マンフレッド・リー　1905〜1971年、フレデリック・ダネイ　1905〜1982年／推理作家・『ローマ帽子の謎』]……………… ②9

クーリッジ, カルビン [1872〜1933年／第30代大統領]………… ②12

グールド, スティーブン・ジェイ [1941〜2002年／進化生物学者] ②12

グッドイヤー, チャールズ [1800〜1860年／ゴムの品質を改善]…… ②19

グッドマン, ベニー [1909〜1986年／ジャズクラリネット奏者]…… ②19

クラーク, ウィリアム [1826〜1886年／札幌農学校の初代教頭]…… ②27

グラント, ユリシーズ [1822〜1885年／第18代大統領]………… ②31

クリスト [1935年〜／ブルガリア出身の梱包の造形作家]……… ②32

グリフィス＝ジョイナー, フローレンス [1959〜1998年／陸上選手]………………………………………………………………… ②33

クリントン, ヒラリー [1947年〜／国務長官]…………………… ②34

クリントン, ビル [1946年〜／第42代大統領]………………… ②35

グローフェ, ファーデ [1892〜1972年／作曲家・『グランド・キャニオン』] ②40

クロスビー, ビング [1903〜1977年／映画俳優・『我が道を往く』]…… ②41

クロック, レイ [1902〜1984年／マクドナルドの創業者]………… ②43

グロフ, スタ＝スラフ [1931年〜／精神科医]…………………… ②44

ゲイツ, ビル [1955年〜／マイクロソフト社の創業者]…………… ②48

ケージ, ジョン [1912〜1992年／現代音楽の作曲家・『4分33秒』]…… ②48

ゲーリッグ, ルー [1903〜1941年／メジャーリーグ選手]………… ②49

地域別索引

アメリカ合衆国

ケネディ, ジョン・フィッツジェラルド［1917～1963年／第35代大統領］
………②51

ケプロン, ホーレス［1804～1885年／北海道開拓に尽力］…………②52

ケラー, ヘレン［1880～1968年／社会福祉事業家］…………②53

ケリー, ジーン［1912～1996年／映画俳優・『雨に唄えば』］…………②54

ケロッグ, ウィル・キース［1860～1951年／ケロッグ社の創業者］……②55

ケロッグ, フランク［1856～1937年／国務長官］…………②55

ゴア, アル［1948年～／政治家、環境問題研究者］…………②59

ゴードン, ベアテ・シロタ［1923～2012年／日本国憲法草案をつくった一人］
………②73

ゴールドマン, マーカス［1821～1904年／ゴールドマン・サックスの創設者］
………②74

ゴダード, ロバート［1882～1945年／発明家、ロケット工学者］…………②82

コッポラ, フランシス・フォード［1939年～／映画監督・『ゴッドファーザー』］
………②85

コルトレーン, ジョン［1926～1967年／ジャズサックス奏者］…………②101

コルボーン, シーア［1927～2014年／動物学者、環境活動家］…………②102

さ サッコ, ニコラ［1891～1927年／冤罪事件の被害者］…………②126

サリンジャー, ジェローム・デービッド［1919～2010年／作家・『ライ麦畑でつかまえて』］…………②135

サローヤン, ウィリアム［1908～1981年／作家・『わが名はアラム』］②136

サンガー, マーガレット［1883～1966年／産児制限論の提唱者］②139

シーガル, ジョージ［1924～2000年／彫刻家・『ガソリンスタンド』］…②143

シートン, アーネスト［1860～1946年／『シートン動物記』］…………②143

ジェームズ, ウィリアム［1842～1910年／哲学者、心理学者］…………②146

ジェーンズ, リロイ［1838～1909年／熊本洋学校で講義］…………②146

ジェファーソン, トーマス［1743～1826年／第3代大統領］…………②147

シナトラ, フランク［1915～1998年／歌手、映画俳優・『マイ・ウェイ』］②156

シャウプ, カール［1902～2000年／財政学者・シャウプ勧告］…………②170

ジャクソン, アンドリュー［1767～1845年／第7代大統領］…………②174

ジャクソン, マイケル［1958～2009年／歌手・『スリラー』］…………②174

シュルツ, チャールズ・モンロー［1922～2000年／『ピーナッツ』］…②188

ジョーダン, マイケル［1963年～／プロバスケットボール選手］…………②200

ジョーンズ, ジャスパー［1930年～／画家・『旗』］…………②201

ショックレー, ウィリアム・ブラッドフォード［1910～1989年／トランジスタ］…………②203

ジョブズ, スティーブ［1955～2011年／アップル社の創業者］………②204

ジョンソン, リンドン［1908～1973年／第36代大統領］…………②204

シルバースタイン, シェル［1932～1999年／絵本作家・『おおきな木』］
………②208

シンガー, アイザック・メリット［1811～1875年／ミシンの改良］②209

スーザ, ジョン・フィリップ［1854～1932年／作曲家・『星条旗よ永遠なれ』］
………②214

スタインベック, ジョン［1902～1968年／作家・『怒りの葡萄』］……②227

ストウ, ハリエット・ビーチャー［1811～1896年／作家・『アンクル・トムの小屋』］…………②230

ストラウス, リーバイ［1829～1902年／ジーンズをつくった］…………②230

スノー, エドガー［1905～1972年／ジャーナリスト・『中国の赤い星』］②232

スピルバーグ, スティーブン［1946年～／映画監督・『ジョーズ』］…②233

スミス, ユージン［1918～1978年／水俣を撮影した写真家］…………②234

セーガン, カール［1934～1996年／天文学者、作家・『コスモス』］……②241

センダック, モーリス［1928～2012年／『かいじゅうたちのいるところ』］②247

ソロー, ヘンリー［1817～1862年／随筆家・『ウォルデン森の生活』］②258

た ターナー, テッド［1938年～／ニュース専門放送局CNNの創設者］……②262

タイガー・ウッズ［1975年～／プロゴルファー］…………②263

タフト, ロバート［1889～1953年／政治家］…………②310

ダン, エドウィン［1848～1931年／牧畜業指導者・酪農の指導］……②316

ダンカン, イサドラ［1878～1927年／モダンダンスのダンサー］………②317

チャールズ, レイ［1930～2004年／歌手・『ホワッド・アイ・セイ』］………③13

チャンドラー, レイモンド［1888～1959年／推理小説作家］…………③16

ディーン, ジェームス［1931～1955年／俳優・『エデンの東』］…………③37

ディズニー, ウォルト［1901～1966年／映画監督・『白雪姫』］…………③38

デイビス, マイルス［1926～1991年／ジャズトランペット奏者］…………③39

ティファニー, チャールズ・ルイス［1812～1902年／装飾品業者］③40

ディラン, ボブ［1941年～／フォーク歌手、ロック歌手］…………③40

デービス, ジェファーソン［1808～1889年／アメリカ連合国の大統領］
………③41

テーラー, エリザベス［1932～2011年／女優・『緑園の天使』］………③41

デ・クーニング, ウィレム［1904～1997年／オランダ出身の画家］……③42

テスラ, ニコラ［1856～1943年／交流電流、ラジオ、蛍光灯などを発明］③43

デューイ, ジョン［1859～1952年／哲学者、教育学者］…………③45

テューダー, ターシャ［1915～2008年／児童文学作家］…………③45

デュボイス, ウィリアム・エドワード・バーガート［1868～1963年／黒人解放につくした市民活動家］…………③47

デュポン, エルテール・イレネー［1771～1834年／化学会社デュポン社の創業者］…………③47

トウェイン, マーク［1835～1910年／作家・『トム・ソーヤの冒険』］………③54

ドッジ, ジョセフ・モレル［1890～1964年／アメリカの銀行家］………③78

トランプ, ドナルド［1946年～／第45代大統領］…………③90

トルーマン, ハリー［1884～1972年／第33代大統領］…………③92

な ナッシュ, ジョン［1928～2015年／数学者・ナッシュ均衡］…………③116

ニクソン, リチャード［1913～1994年／第37代大統領］…………③125

ニクラウス, ジャック［1940年～／プロゴルファー］…………③126

ノイマン, ジョン・フォン［1903～1957年／コンピューター技術の基礎］
………③143

ノグチ, イサム［1904～1988年／庭園の造形］…………③145

は パーカー, チャーリー［1920～1955年／ジャズサックス奏者］………③152

パークス, ローザ［1919～2005年／公民権運動のきっかけとなった活動家］
………③153

ハースト, ウィリアム・ランドルフ［1863～1951年／新聞経営者］③154

ハーディング, ウォレン［1865～1923年／第29代大統領］…………③154

バートン, バージニア・リー［1909〜1968年／児童文学作家・『ちいさいおうち』］……………………………………③154

バーネット, フランシス・ホジソン［1849〜1924年／作家・『小公子』］……③155

バーバンク, ルーサー［1849〜1926年／植物育種家］…………③155

バーンスタイン, レナード［1918〜1990年／作曲家・『ウエストサイド物語』］……………………………………③156

ハインライン, ロバート・アンソン［1907〜1988年／SF作家］…③159

ハウ, エリアス［1819〜1867年／ミシンの改良］…………③159

バック, パール［1892〜1973年／作家・『大地』］…………③171

ハッブル, エドウィン［1889〜1953年／ハッブルの法則］…………③173

ハマースタイン2世, オスカー［1895〜1960年／作詞家、劇作家］③179

ハミルトン, アレグザンダー［1757?〜1804年／独立をささえた財務長官］……………………………………③181

ハリス, タウンゼント［1804〜1878年／アメリカ合衆国の初代駐日総領事］……………………………………③189

バンゼッティ, バルトロメオ［1888〜1927年／冤罪事件の被害者］……………………………………③194

バンダービルト, コーネリアス［1794〜1877年／海運業と鉄道業で成功］……………………………………③194

ピアリー, ロバート［1856〜1920年／北極探検家］…………③196

ヒューズ, ハワード［1905〜1976年／航空事業家］…………③212

ピュリッツァー, ジョゼフ［1847〜1911年／ピュリッツァー賞の創設者］……………………………………③213

ファインマン, リチャード［1918〜1988年／量子電磁力学］………③223

フィッツジェラルド, スコット［1896〜1940年／作家・『グレート・ギャツビー』］……………………………………③226

フーバー, ハーバート［1874〜1964年／第31代大統領］…………③229

フェノロサ, アーネスト［1853〜1908年／日本画の復興］…………③231

フォークナー, ウィリアム［1897〜1962年／作家・『響きと怒り』］…③234

フォード, ジェラルド・ルドルフ［1913〜2006年／第38代大統領］……………………………………③235

フォード, ジョン［1894〜1973年／映画監督・『駅馬車』］…………③235

フォード, ヘンリー［1863〜1947年／自動車会社フォード・モーターの創設者］……………………………………③235

フォスター, スティーブン［1826〜1864年／作曲家・『おおスザンナ』］……………………………………③236

ブッシュ, ジョージ（父）［1924〜／第41代大統領］…………③267

ブッシュ, ジョージ（子）［1946〜／第43代大統領］…………③267

ブラウン, マーシャ［1918〜2015年／児童文学作家・『小さなヒッポ』］③273

フランクリン, アレサ［1942〜／ソウル歌手］…………③276

フランクリン, ベンジャミン［1706〜1790年／避雷針の発明］……③276

フルトン, ロバート［1765〜1815年／潜水艦の設計、蒸気船の開発］③287

フルベッキ, グイド［1830〜1898年／宣教師］…………③288

プレスリー, エルビス［1935〜1977年／歌手・『ハートブレイク・ホテル』］……………………………………③290

ヘイ, ジョン［1838〜1905年／外交官、政治家］…………④9

ベーブ・ルース［1895〜1948年／メジャーリーグ選手］…………④11

ヘップバーン, オードリー［1929〜1993年／女優・『ローマの休日』］…④15

ヘボン, ジェームス［1815〜1911年／ヘボン式ローマ字の発案者、明治学院大学を創設］……………………………………④16

ヘミングウェイ, アーネスト［1899〜1961年／作家・『武器よさらば』］④17

ベラフォンテ, ハリー［1927〜／歌手、俳優・『バナナ・ボート』］………④17

ペリー, マシュー・カルブレイス［1794〜1858年／日本との開国交渉］……………………………………④18

ヘリング, キース［1958〜1990年／画家・落書きアート］…………④19

ヘンリー, ジョセフ［1797〜1878年／継電器（リレー）の発明］……④26

ホイットニー, イーライ［1765〜1825年／綿繰り機を発明］…………④28

ホイットマン, ウォルト［1819〜1892年／詩人・『草の葉』］…………④28

ポー, エドガー・アラン［1809〜1849年／詩人、作家・『モルグ街の殺人』］……………………………………④36

ボーイング, ウィリアム［1881〜1956年／航空機製作者、企業家］……④37

ホーソーン, ナサニエル［1804〜1864年／作家・『緋文字』］…………④37

ボーリズ, ウィリアム・メレル［1880〜1964年／日本で活動したキリスト教伝道家、社会事業家］……………………………………④39

ボガート, ハンフリー［1899〜1957年／映画俳優］…………④40

ポロック, ジャクソン［1912〜1956年／画家・『カット・アウト』］…④54

ホロビッツ, ウラディミール［1903〜1989年／ロシア出身のピアニスト］……………………………………④54

ま マーシャル, ジョージ［1880〜1959年／軍人］…………④58

マードック, ルパート［1931〜／メディア王］…………④59

マズロー, エイブラハム［1908〜1970年／心理学者・欲求段階説］…④71

マッカーサー, ダグラス［1880〜1964年／連合国軍最高司令官］…④75

マッカーシー, ジョゼフ［1908〜1957年／政治家］…………④75

マッキンリー, ウィリアム［1843〜1901年／第25代大統領］…………④77

マレー, デビッド［1830〜1905年／日本の教育行政の基礎をつくる］…④95

マンデルブロー, ブノワ［1924〜2010年／数学者］…………④97

ミッチェル, マーガレット［1900〜1949年／『風と共に去りぬ』］……④106

ミラー, アーサー［1915〜2005年／劇作家・『セールスマンの死』］……④130

ミラー, ヘンリー［1891〜1980年／作家・『北回帰線』］…………④130

メイラー, ノーマン［1923〜2007年／作家・『裸者と死者』］…………④150

メリル, チャールズ［1885〜1956年／証券会社メリルリンチの創設者］……………………………………④153

メルビル, ハーマン［1819〜1891年／作家、詩人・『白鯨』］…………④153

モース, エドワード［1838〜1925年／動物学者・大森貝塚を発見］…④158

モース, サミュエル［1791〜1872年／モールス符号］…………④158

モルガン, ジョン・ピアポント［1837〜1913年／モルガン財閥の創始者］……………………………………④171

モンロー, ジェームス［1758〜1831年／第5代大統領］…………④175

モンロー, マリリン［1926〜1962年／女優・『お熱いのがお好き』］……④175

ら ライアン, ノーラン［1947〜／プロ野球選手、メジャーリーグ選手］…④226

地域別索引

アメリカ合衆国／その他の南北中央アメリカ／オセアニア

ライシャワー, エドウィン［1910〜1990年／外交官、歴史家、日本研究家］ ④227

ライト, フランク・ロイド［1867〜1959年／建築家・「有機的建築」］ ④227

ライト兄弟［兄ウィルバー 1867〜1912年、弟オービル 1871〜1948年／動力飛行機の発明］ ④229

ランシング, ロバート［1864〜1928年／国務長官］ ④235

リー, ロバート［1807〜1870年／南北戦争の南軍の将軍］ ④236

リキテンスタイン, ロイ［1923〜1997年／画家・「見て! ミッキー」］ ④239

リリウオカラニ［1838〜1917年／ハワイ王国最後の女王］ ④252

リンカン, エイブラハム［1809〜1865年／第16代大統領］ ④253

リンドバーグ, チャールズ［1902〜1974年／単独大西洋横断飛行］ ④254

ルイス, カール［1961年〜／陸上選手］ ④257

ルーカス, ジョージ［1944年〜／映画監督・「スター・ウォーズ」］ ④257

レイ, マン［1890〜1976年／前衛写真家・オブジェ「贈り物」］ ④263

レーガン, ロナルド［1911〜2004年／第40代大統領］ ④264

レオーニ, レオ［1910〜1999年／絵本作家・「スイミー」］ ④265

ローズ, ピート［1941年〜／メジャーリーグ選手］ ④273

ローズベルト, セオドア［1858〜1919年／第26代大統領］ ④274

ローズベルト, フランクリン［1882〜1945年／第32代大統領］ ④274

ローベル, アーノルド［1933〜1987年／絵本作家・「ふたりはともだち」シリーズ］ ④274

ローリングズ, マージョリ・キナン［1896〜1953年／「子鹿物語」］ ④275

ローレン, ラルフ［1939年〜／服飾デザイナー］ ④276

ロジャース, リチャード［1902〜1979年／作曲家・ミュージカル「王様と私」］ ④276

ロスコ, マーク［1903〜1970年／ロシア出身の画家］ ④277

ロックフェラー, ジョン［1839〜1937年／石油王］ ④279

ロフティング, ヒュー［1886〜1947年／「ドリトル先生航海記」］ ④280

ロンドン, ジャック［1876〜1916年／作家・「荒野の呼び声」］ ④282

わ ワイエス, アンドリュー［1917〜2009年／画家・「ヘルガ・シリーズ」］ ④284

ワイルダー, ローラ・インガルス［1867〜1957年／「大草原の小さな家」］ ④285

ワクスマン, セルマン［1888〜1973年／ストレプトマイシンの発見］ ④287

ワシントン, ジョージ［1732〜1799年／初代大統領］ ④288

ワトソン, ジェームズ［1928年〜／DNAの二重らせん構造］ ④292

ワトソン, トーマス・ジュニア［1914〜1993年／汎用コンピューターを開発］ ④293

ワンダー, スティービー［1950年〜／歌手・「迷信」］ ④294

その他の南北中央アメリカ

あ アジェンデ, サルバドール［1908〜1973年／チリの大統領］ ①28

イダルゴ, ミゲル［1753〜1811年／メキシコ独立運動の父］ ①93

か カーロ, フリーダ［1907〜1954年／メキシコの画家・力強いタッチの自画像］ ①223

カストロ, フィデル［1926〜2016年／キューバ革命の指導者、政治家］ ①235

カランサ, ベヌスティアーノ［1859〜1920年／メキシコの第45代大統領］ ①261

ガルシア・マルケス, ガブリエル［1928〜2014年／コロンビアの作家・「族長の秋」］ ①262

カルデナス, ラサロ［1895〜1970年／メキシコの第52代大統領］ ①263

ゲバラ, エルネスト・チェ［1928〜1967年／ラテンアメリカの革命家］ ②51

さ サパタ, エミリアーノ［1879〜1919年／メキシコの革命家］ ②132

サン・マルティン, ホセ・デ［1778〜1850年／ラテンアメリカ独立運動の指導者］ ②142

ジーコ［1953年〜／ブラジルのサッカー選手・日本代表監督］ ②143

シケイロス, ダビド・アルファロ［1896〜1974年／メキシコの画家］ ②150

ジョビン, アントニオ・カルロス［1927〜1994年／ブラジルの音楽家］ ②203

ジルベルト, ジョアン［1931年〜／ブラジルの音楽家］ ②209

セナ, アイルトン［1960〜1994年／レーシングドライバー］ ②243

た チャベス, ウゴ［1954〜2013年／ベネズエラの政治家］ ③15

ディアス, ポルフィリオ［1830〜1915年／メキシコの大統領］ ③36

トゥサン・ルベルチュール［1743〜1803年／ハイチの独立運動の指導者］ ③57

は バルガス, ジェトゥリオ［1883〜1954年／ブラジルの大統領］ ③190

ピノチェト, アウグスト［1915〜2006年／チリの独裁政治家］ ③209

ビリャ, パンチョ［1877〜1923年／メキシコ革命の英雄］ ③219

フアレス, ベニト［1806〜1872年／メキシコの大統領］ ③223

ペレ［1940年〜／ブラジルのプロサッカー選手］ ④23

ペロン, フアン［1895〜1974年／アルゼンチンの軍人、大統領］ ④24

ボリバル, シモン［1783〜1830年／ラテンアメリカ独立の父］ ④51

ボルヘス, ホルヘ・ルイス［1899〜1986年／アルゼンチンの作家］ ④54

ま マーリー, ボブ［1945〜1981年／ジャマイカの音楽家］ ④59

マクシミリアン, フェルディナンド［1832〜1867年／メキシコの皇帝］ ④66

マデロ, フランシスコ［1873〜1913年／メキシコ革命の指導者、大統領］ ④85

マラドーナ, ディエゴ［1960年〜／アルゼンチンのサッカー選手］ ④88

モンゴメリ, ルーシー・モード［1874〜1942年／「赤毛のアン」］ ④172

オセアニア

か コート, マーガレット・スミス［1942年〜／プロテニス選手］ ②73

は ヒラリー, エドモンド［1919〜2008年／登山家］ ③219

ま ミュエック, ロン［1958年〜／オーストラリアの彫刻家］ ④127

ら レーバー, ロッド［1938年〜／プロテニス選手］ ④265

五十音順

索引

第1巻から第4巻に項目として掲載されているすべての人物を、五十音順にならべています。
人物名は、原則として「姓・名」の順でひきますが、外国人の場合は正式名にしたがって「名・姓」の順でひくこともできます。

●五十音順索引の見方

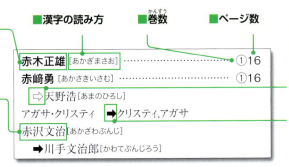

- ■太字 見出し語と同じ表記（原則として「姓・名」の順）。
- ■細字 それ以外の表記。または項目として掲載されていない人物名。

※それ以外の表記とは
同じ人物の別の呼び名
同じ人物の別の読み方
「名・姓」の順の外国人の名 など

■漢字の読み方　■巻数　■ページ数

⇨の人物の項目の解説文に、調べたい人物の名前が掲載されています。この項目をあわせて調べれば、理解がより深まります。

➡の表記で索引をひくと、巻数とページ数がわかります。

あ

アークライト, リチャード ……… ①9
　⇨カートライト, エドムンド
　⇨クロンプトン, サミュエル
アーサー・ウェルズリー・ウェリントン
　➡ウェリントン, アーサー・ウェルズリー
アーサー・エバンズ　➡エバンズ, アーサー
アーサー王[-おう] ……… ①9
アーサー・ジェームズ・バルフォア
　➡バルフォア, アーサー・ジェームズ
アーサー・チャールズ・クラーク
　➡クラーク, アーサー・チャールズ
アーサー・ミラー　➡ミラー, アーサー
アーサー・ランサム　➡ランサム, アーサー
アーネスト・サトウ　➡サトウ, アーネスト
アーネスト・シートン　➡シートン, アーネスト
アーネスト・フェノロサ　➡フェノロサ, アーネスト
アーネスト・ヘミングウェイ　➡ヘミングウェイ, アーネスト
アーネスト・ラザフォード　➡ラザフォード, アーネスト
アーノルド・ジョセフ・トインビー
　➡トインビー, アーノルド・ジョセフ
アーノルド・ローベル　➡ローベル, アーノルド
アービング, ジョン ……… ①9
アービング, ワシントン ……… ①9
　⇨ジェファーソン, トマス
　⇨ハミルトン, アレグザンダー　⇨リー, ロバート
アーベル・タスマン　➡タスマン, アーベル
アームストロング, ウィリアム ……… ①10
アームストロング, ニール ……… ①10
アームストロング, ルイ ……… ①10
アーロン, ハンク　⇨王貞治[おうさだはる]
　⇨ベーブ・ルース
鮎川義介[あいかわよしすけ] ……… ①10
　⇨久原房之助[くはらふさのすけ]
　⇨高碕達之助[たかさきたつのすけ]
　⇨森矗昶[もりのぶてる]

アイザック・アシモフ　➡アシモフ, アイザック
アイザック・ニュートン　➡ニュートン, アイザック
アイザック・メリット・シンガー
　➡シンガー, アイザック・メリット
相良三郎[あいざさぶろう] ……… ①11
　⇨永田鉄山[ながたてつざん]
　⇨林銑十郎[はやしせんじゅうろう]
会沢正志斎[あいざわせいしさい] ……… ①11
　⇨徳川斉昭[とくがわなりあき]
　⇨真木和泉[まきいずみ]
相沢忠洋[あいざわただひろ] ……… ①11
愛新覚羅溥儀[あいしんかくらふぎ]　➡溥儀[ふぎ（プーイー）]
アイスキュロス ……… ①11
　⇨エウリピデス　⇨ソフォクレス
アイゼンハワー, ドワイト ……… ①12
　⇨ドッジ, ジョセフ・モレル　⇨ニクソン, リチャード
　⇨マッカーシー, ジョゼフ
会津八一[あいづやいち] ……… ①12
アイヒマン, カール・アドルフ ……… ①12
靉光[あいみつ] ……… ①12
　⇨松本竣介[まつもとしゅんすけ]
アイルトン・セナ　➡セナ, アイルトン
アインシュタイン, アルバート ……… ①13
　⇨ブラウン, ロバート　⇨ボーア, ニールス
　⇨ラッセル, バートランド
アウグスティヌス ……… ①13
アウグストゥス　➡オクタウィアヌス
アウグスト・ストリンドベリ　➡ストリンドベリ, アウグスト
アウグスト・ピノチェト　➡ピノチェト, アウグスト
アウグスト・ベーベル　➡ベーベル, アウグスト
アウラングゼーブ ……… ①13
　⇨シバージー　⇨シャー・ジャハーン
アウン・サン ……… ①14
　⇨アウン・サン・スー・チー　⇨ネ・ウィン
アウン・サン・スー・チー ……… ①14
　⇨アウン・サン
亜欧堂田善[あおうどうでんぜん] ……… ①14
青木昆陽[あおきこんよう] ……… ①15
　⇨伊藤東涯[いとうとうがい]

　⇨野呂元丈[のろげんじょう]
　⇨前野良沢[まえのりょうたく]
青木繁[あおきしげる] ……… ①15
　⇨坂本繁二郎[さかもとはんじろう]
青木周蔵[あおきしゅうぞう] ……… ①15
青木木米[あおきもくべい] ……… ①15
青山杉雨[あおやますんう] ……… ①16
赤川次郎[あかがわじろう] ……… ①16
赤木正雄[あかぎまさお] ……… ①16
赤﨑勇[あかさきいさむ] ……… ①16
　⇨天野浩[あまのひろし]
アガサ・クリスティ　➡クリスティ, アガサ
赤沢文治[あかざわぶんじ]
　➡川手文治郎[かわてぶんじろう]
明石順三[あかしじゅんぞう] ……… ①17
明石次郎[あかしじろう] ……… ①17
明石康[あかしやすし] ……… ①17
赤瀬川原平[あかせがわげんぺい] ……… ①17
赤染衛門[あかぞめえもん] ……… ①18
赤塚不二夫[あかつかふじお] ……… ①18
　⇨石ノ森章太郎[いしのもりしょうたろう]
　⇨手塚治虫[てづかおさむ]
　⇨藤子・F・不二雄[ふじこエフふじお]
赤橋守時[あかはしもりとき]
　➡北条守時[ほうじょうもりとき]
赤羽末吉[あかばすえきち] ……… ①18
赤松円心[あかまつえんしん]　➡赤松則村[あかまつのりむら]
赤松克麿[あかまつかつまる] ……… ①19
赤松則村[あかまつのりむら] ……… ①19
赤松満祐[あかまつみつすけ] ……… ①19
　⇨足利成氏[あしかがしげうじ]
　⇨足利義勝[あしかがよしかつ]
　⇨足利義教[あしかがよしのり]
　⇨足利義政[あしかがよしまさ]
　⇨畠山持国[はたけやまもちくに]
　⇨山名持豊[やまなもちとよ]
赤松麟作[あかまつりんさく] ……… ①19
阿川弘之[あがわひろゆき] ……… ①19
　⇨島尾敏雄[しまおとしお]

五十音順索引

あ

⇨吉行淳之介[よしゆきじゅんのすけ]

秋田雨雀[あきたうじゃく] ……………………… ①20
アギナルド, エミリオ …………………………… ①20
アキノ, コラソン ………………………………… ①20
　⇨アロヨ, グロリア　⇨マルコス, フェルディナンド
アキノ, ベニグノ　⇨アキノ, コラソン
明仁(今上天皇)[あきひと(きんじょうてんのう)] …… ①20
　⇨香淳皇后[こうじゅんこうごう]
　⇨徳仁親王(皇太子)[なるひとしんのう(こうたいし)]
秋元長朝[あきもとながとも] ………………… ①21
秋山真之[あきやまさねゆき] ………………… ①21
秋山豊寛[あきやまとよひろ] ………………… ①21
芥川也寸志[あくたがわやすし] ……………… ①22
　⇨伊福部昭[いふくべあきら]
　⇨下總皖一[しもおさかんいち]
　⇨團伊玖磨[だんいくま]
　⇨黛敏郎[まゆずみとしろう]
芥川龍之介[あくたがわりゅうのすけ] ……… ①22
　⇨芥川也寸志[あくたがわやすし]
　⇨内田百閒[うちだひゃっけん]　⇨宇野千代[うのちよ]
　⇨岡本かの子[おかもとかのこ]　⇨菊池寛[きくちかん]
　⇨久米正雄[くめまさお]　⇨佐藤春夫[さとうはるお]
　⇨鈴木三重吉[すずきみえきち]　⇨太宰治[だざいおさむ]
　⇨中野重治[なかのしげはる]
　⇨夏目漱石[なつめそうせき]
　⇨広津和郎[ひろつかずお]
　⇨堀辰雄[ほりたつお]　⇨山本有三[やまもとゆうぞう]
アクバル ……………………………………… ①22
　⇨アウラングゼーブ
阿久悠[あくゆう] ……………………………… ①23
明智光秀[あけちみつひで] …………………… ①23
　⇨足利義昭[あしかがよしあき]
　⇨織田信孝[おだのぶたか]　⇨織田信忠[おだのぶただ]
　⇨織田信長[おだのぶなが]　⇨春日局[かすがのつぼね]
　⇨蒲生氏郷[がもううじさと]
　⇨柴田勝家[しばたかついえ]
　⇨筒井順慶[つついじゅんけい]
　⇨徳川家康[とくがわいえやす]
　⇨豊臣秀吉[とよとみひでよし]
　⇨服部半蔵[はっとりはんぞう]
　⇨細川ガラシャ[ほそかわガラシャ]
　⇨細川忠興[ほそかわただおき]
朱楽菅江[あけらかんこう] …………………… ①23
　⇨大田南畝[おおたなんぽ]
アサーニャ, マヌエル ………………………… ①23
浅井忠[あさいちゅう] ………………………… ①23
　⇨梅原龍三郎[うめはらりゅうざぶろう]
　⇨フォンタネージ, アントニオ
　⇨安井曽太郎[やすいそうたろう]
浅井長政[あさいながまさ] …………………… ①24
　⇨朝倉義景[あさくらよしかげ]
　⇨足利義昭[あしかがよしあき]
　⇨お市の方[おいちのかた]　⇨織田信長[おだのぶなが]
　⇨狩野山楽[かのうさんらく]　⇨崇源院[すうげんいん]
　⇨千姫[せんひめ]　⇨藤堂高虎[とうどうたかとら]
　⇨豊臣秀吉[とよとみひでよし]
　⇨豊臣秀頼[とよとみひでより]　⇨淀殿[よどどの]
阿佐井野宗瑞[あさいのそうずい] …………… ①24
安積艮斎[あさかごんさい] …………………… ①24
　⇨谷干城[たにたてき]
安積澹泊[あさかたんぱく] …………………… ①24
朝河貫一[あさかわかんいち] ………………… ①24
浅川巧[あさかわたくみ] ……………………… ①25
朝倉孝景[あさくらたかかげ] ………………… ①25
　⇨斯波義敏[しばよしとし]

朝倉文夫[あさくらふみお] …………………… ①25
朝倉義景[あさくらよしかげ] ………………… ①25
　⇨明智光秀[あけちみつひで]
　⇨浅井長政[あさいながまさ]
　⇨足利義昭[あしかがよしあき]
　⇨織田信長[おだのぶなが]
　⇨斎藤竜興[さいとうたつおき]
麻田剛立[あさだごうりゅう] ………………… ①26
　⇨高橋至時[たかはしよしとき]
　⇨三浦梅園[みうらばいえん]
　⇨山片蟠桃[やまがたばんとう]
浅田松堂[あさだしょうどう] ………………… ①26
浅田宗伯[あさだそうはく] …………………… ①26
あさのあつこ ………………………………… ①26
浅野総一郎[あさのそういちろう] …………… ①27
浅野内匠頭[あさのたくみのかみ]
　➡浅野長矩[あさのながのり]
浅野長矩[あさのながのり] …………………… ①27
　⇨大石良雄[おおいしよしお]
　⇨吉良義央[きらよしなか]
　⇨東山天皇[ひがしやまてんのう]
　⇨山鹿素行[やまがそこう]
浅野長政[あさのながまさ] …………………… ①27
　⇨大野治長[おおのはるなが]
　⇨豊臣秀吉[とよとみひでよし]
朝比奈隆[あさひなたかし] …………………… ①27
浅見絅斎[あさみけいさい] …………………… ①28
　⇨山崎闇斎[やまざきあんさい]
アジェンデ, サルバドール …………………… ①28
　⇨ピノチェト, アウグスト
足利成氏[あしかがしげうじ] ………………… ①28
　⇨足利茶々丸[あしかがちゃちゃまる]
　⇨足利政知[あしかがまさとも]
　⇨上杉憲忠[うえすぎのりただ]
　⇨結城氏朝[ゆうきうじとも]
足利尊氏[あしかがたかうじ] ………………… ①28
　⇨赤松則村[あかまつのりむら]
　⇨足利直冬[あしかがただふゆ]
　⇨足利直義[あしかがただよし]
　⇨足利基氏[あしかがもとうじ]
　⇨足利義詮[あしかがよしあきら]
　⇨足利義満[あしかがよしみつ]
　⇨北畠顕家[きたばたけあきいえ]
　⇨北畠親房[きたばたけちかふさ]
　⇨楠木正成[くすのきまさしげ]
　⇨楠木正行[くすのきまさつら]
　⇨光厳天皇[こうごんてんのう]　⇨高師直[こうのもろなお]
　⇨高師泰[こうのもろやす]
　⇨光明天皇[こうみょうてんのう]
　⇨後亀山天皇[ごかめやまてんのう]
　⇨後醍醐天皇[ごだいごてんのう]
　⇨後村上天皇[ごむらかみてんのう]
　⇨小室信夫[こむろしのぶ]　⇨佐々木導誉[ささきどうよ]
　⇨土岐康行[ときやすゆき]　⇨名和長年[なわながとし]
　⇨新田義貞[にったよしさだ]
　⇨北条時行[ほうじょうときゆき]
　⇨北条守時[ほうじょうもりとき]
　⇨細川頼之[ほそかわよりゆき]
　⇨夢窓疎石[むそうそせき]
　⇨護良親王[もりよししんのう]
足利直冬[あしかがただふゆ] ………………… ①29
　⇨足利義詮[あしかがよしあきら]
足利直義[あしかがただよし] ………………… ①29
　⇨足利直冬[あしかがただふゆ]
　⇨足利基氏[あしかがもとうじ]

　⇨足利義詮[あしかがよしあきら]
　⇨高師直[こうのもろなお]　⇨高師泰[こうのもろやす]
　⇨北条時行[ほうじょうときゆき]
　⇨護良親王[もりよししんのう]
足利茶々丸[あしかがちゃちゃまる] ………… ①29
　⇨北条早雲[ほうじょうそううん]
足利政知[あしかがまさとも] ………………… ①30
　⇨足利成氏[あしかがしげうじ]
　⇨足利茶々丸[あしかがちゃちゃまる]
　⇨足利義澄[あしかがよしずみ]
足利満兼[あしかがみつかね] ………………… ①30
　⇨足利持氏[あしかがもちうじ]
足利持氏[あしかがもちうじ] ………………… ①30
　⇨足利成氏[あしかがしげうじ]
　⇨足利満兼[あしかがみつかね]
　⇨足利義教[あしかがよしのり]
　⇨上杉禅秀[うえすぎぜんしゅう]
　⇨上杉憲実[うえすぎのりざね]
　⇨上杉憲忠[うえすぎのりただ]
　⇨結城氏朝[ゆうきうじとも]
足利基氏[あしかがもとうじ] ………………… ①30
　⇨義堂周信[ぎどうしゅうしん]
足利義昭[あしかがよしあき] ………………… ①30
　⇨明智光秀[あけちみつひで]
　⇨朝倉義景[あさくらよしかげ]
　⇨足利義栄[あしかがよしひで]
　⇨荒木村重[あらきむらしげ]
　⇨安国寺恵瓊[あんこくじえけい]
　⇨正親町天皇[おおぎまちてんのう]
　⇨織田信長[おだのぶなが]　⇨カブラル, フランシスコ
　⇨顕如[けんにょ]　⇨柴田勝家[しばたかついえ]
　⇨豊臣秀吉[とよとみひでよし]
　⇨毛利輝元[もうりてるもと]
　⇨六角義賢[ろっかくよしかた]
足利義詮[あしかがよしあきら] ……………… ①31
　⇨足利直冬[あしかがただふゆ]
　⇨足利基氏[あしかがもとうじ]
　⇨足利義満[あしかがよしみつ]
　⇨今川了俊[いまがわりょうしゅん]
　⇨佐々木導誉[ささきどうよ]
　⇨細川頼之[ほそかわよりゆき]
足利義量[あしかがよしかず] ………………… ①31
　⇨足利持氏[あしかがもちうじ]
　⇨足利義教[あしかがよしのり]
　⇨足利義持[あしかがよしもち]
足利義勝[あしかがよしかつ] ………………… ①32
　⇨足利義政[あしかがよしまさ]
足利義澄[あしかがよしずみ] ………………… ①32
　⇨足利茶々丸[あしかがちゃちゃまる]
　⇨足利義稙[あしかがよしたね]
　⇨足利義晴[あしかがよしはる]
　⇨足利義栄[あしかがよしひで]
　⇨細川政元[ほそかわまさもと]
足利義稙[あしかがよしたね] ………………… ①32
　⇨足利義澄[あしかがよしずみ]
　⇨足利義晴[あしかがよしはる]
　⇨足利義視[あしかがよしみ]
　⇨尼子経久[あまごつねひさ]
　⇨三条西実隆[さんじょうにしさねたか]
　⇨畠山政長[はたけやままさなが]
　⇨日野富子[ひのとみこ]　⇨細川政元[ほそかわまさもと]
足利義輝[あしかがよしてる] ………………… ①32
　⇨朝倉義景[あさくらよしかげ]
　⇨足利義昭[あしかがよしあき]
　⇨足利義晴[あしかがよしはる]

294

⇨足利義栄[あしかがよしひで]
⇨織田信長[おだのぶなが]　⇨織田信秀[おだのぶひで]
⇨金地院崇伝[こんちいんすうでん]
⇨塚原卜伝[つかはらぼくでん]　⇨ビレラ,ガスパル
⇨細川忠興[ほそかわただおき]
⇨細川晴元[ほそかわはるもと]
⇨細川幽斎[ほそかわゆうさい]
⇨松永久秀[まつながひさひで]
⇨三好長慶[みよしながよし]
⇨毛利輝元[もうりてるもと]
⇨六角義賢[ろっかくよしかた]

足利義教[あしかがよしのり] ……………… ①32
⇨赤松満祐[あかまつみつすけ]
⇨足利成氏[あしかがしげうじ]
⇨足利政知[あしかがまさとも]
⇨足利持氏[あしかがもちうじ]
⇨足利義勝[あしかがよしかつ]
⇨足利義政[あしかがよしまさ]
⇨足利義視[あしかがよしみ]
⇨上杉憲実[うえすぎのりざね]　⇨世阿弥[ぜあみ]
⇨祖阿[そあ]　⇨富樫泰高[とがしやすたか]
⇨日親[にっしん]　⇨畠山満家[はたけやまみついえ]
⇨畠山持国[はたけやまもちくに]
⇨畠山持富[はたけやまもちとみ]
⇨山名持豊[やまなもちとよ]　⇨立阿弥[りゅうあみ]

足利義晴[あしかがよしはる] ……………… ①33
⇨足利義昭[あしかがよしあき]
⇨足利義輝[あしかがよしてる]
⇨種子島時堯[たねがしまときたか]
⇨細川晴元[ほそかわはるもと]
⇨細川幽斎[ほそかわゆうさい]

足利義尚[あしかがよしひさ] ……………… ①33
⇨足利義稙[あしかがよしたね]
⇨足利義政[あしかがよしまさ]
⇨足利義視[あしかがよしみ]
⇨一条兼良[いちじょうかねよし]
⇨狩野正信[かのうまさのぶ]　⇨日野富子[ひのとみこ]
⇨山崎宗鑑[やまざきそうかん]
⇨山名持豊[やまなもちとよ]
⇨吉田兼倶[よしだかねとも]

足利義栄[あしかがよしひで] ……………… ①33
⇨織田信長[おだのぶなが]

足利義政[あしかがよしまさ] ……………… ①35
⇨足利成氏[あしかがしげうじ]
⇨足利政知[あしかがまさとも]
⇨足利義澄[あしかがよしずみ]
⇨足利義稙[あしかがよしたね]
⇨足利義尚[あしかがよしひさ]
⇨足利義視[あしかがよしみ]
⇨狩野正信[かのうまさのぶ]
⇨後藤祐乗[ごとうゆうじょう]
⇨斯波義廉[しばよしかど]　⇨斯波義敏[しばよしとし]
⇨善阿弥[ぜんあみ]　⇨日野富子[ひのとみこ]
⇨細川勝元[ほそかわかつもと]
⇨山名持豊[やまなもちとよ]　⇨立阿弥[りゅうあみ]

足利義視[あしかがよしみ] ……………… ①33
⇨足利義稙[あしかがよしたね]
⇨足利義尚[あしかがよしひさ]
⇨足利義政[あしかがよしまさ]　⇨日野富子[ひのとみこ]
⇨北条早雲[ほうじょうそううん]
⇨山名持豊[やまなもちとよ]

足利義満[あしかがよしみつ] ……………… ①36
⇨足利満兼[あしかがみつかね]
⇨足利義詮[あしかがよしあきら]
⇨足利義教[あしかがよしのり]

⇨足利義政[あしかがよしまさ]
⇨足利義持[あしかがよしもち]
⇨今川了俊[いまがわりょうしゅん]
⇨大内義弘[おおうちよしひろ]　⇨観阿弥[かんあみ]
⇨義堂周信[ぎどうしゅうしん]　⇨肥富[こいつみ]
⇨後亀山天皇[ごかめやまてんのう]
⇨後小松天皇[ごこまつてんのう]
⇨春屋妙葩[しゅんおくみょうは]　⇨世阿弥[ぜあみ]
⇨絶海中津[ぜっかいちゅうしん]　⇨祖阿[そあ]
⇨土岐康行[ときやすゆき]
⇨畠山満家[はたけやまみついえ]
⇨細川頼之[ほそかわよりゆき]
⇨山名氏清[やまなうじきよ]

足利義持[あしかがよしもち] ……………… ①34
⇨赤松満祐[あかまつみつすけ]
⇨足利持氏[あしかがもちうじ]
⇨足利義量[あしかがよしかず]
⇨足利義教[あしかがよしのり]
⇨足利義満[あしかがよしみつ]
⇨上杉禅秀[うえすぎぜんしゅう]　⇨如拙[じょせつ]
⇨祖阿[そあ]　⇨畠山満家[はたけやまみついえ]

芦田均[あしだひとし] ……………… ①34
⇨加藤勘十[かとうかんじゅう]
⇨西尾末広[にしおすえひろ]　⇨森戸辰男[もりとたつお]
⇨吉田茂[よしだしげる]

アシモフ,アイザック ……………… ①34
⇨クラーク,アーサー・チャールズ

アシュレイ,ローラ ……………… ①34
アショカ王[ーおう] ……………… ①38
アステア,フレッド ……………… ①38
⇨ケリー,ジーン　⇨ローレン,ラルフ
アストリッド・リンドグレーン ➡リンドグレーン,アストリッド
東太郎兵衛[あずまたろべえ] ……………… ①38
麻生観八[あそうかんぱち] ……………… ①38
麻生太吉[あそうたきち] ……………… ①38
麻生太郎[あそうたろう] ……………… ①39
⇨麻生太吉[あそうたきち]
⇨小泉純一郎[こいずみじゅんいちろう]
⇨福田康夫[ふくだやすお]　⇨吉田茂[よしだしげる]
安達泰盛[あだちやすもり] ……………… ①39
⇨平頼綱[たいらのよりつな]
⇨竹崎季長[たけざきすえなが]
⇨北条貞時[ほうじょうさだとき]
アタナシウス ……………… ①39
⇨アリウス　⇨コンスタンティヌス帝[ーてい]
アダム・キリロビッチ・ラクスマン
　➡ラクスマン,アダム・キリロビッチ
アダム・シャール ……………… ①39
⇨徐光啓[じょこうけい]
⇨フェルビースト,フェルディナント
アダムズ,ウィリアム ……………… ①39
⇨佐藤さとる[さとうさとる]
⇨徳川家康[とくがわいえやす]　⇨ヨーステン,ヤン
アダムズ,ジェーン ……………… ①40
アダム・スミス ➡スミス,アダム
アダムソン,ジョイ ……………… ①40
阿知使主[あちのおみ] ……………… ①40
⇨応神天皇[おうじんてんのう]
⇨坂上田村麻呂[さかのうえのたむらまろ]
⇨履中天皇[りちゅうてんのう]　⇨王仁[わに]
アッシュール・バニパル ……………… ①40
アッティラ ……………… ①40
アッバース1世[ーせい] ……………… ①41
篤姫[あつひめ]　➡天璋院[てんしょういん]
敦成親王[あつひらしんのう]

➡後一条天皇[ごいちじょうてんのう]
アップダイク,ジョン ……………… ①41
⇨池澤夏樹[いけざわなつき]
渥美清[あつみきよし] ……………… ①41
⇨山田洋次[やまだようじ]
アデーレ・フェンディ ➡フェンディ,アデーレ
アデナウアー,コンラート ……………… ①42
⇨エアハルト,ルートウィヒ
阿弖流為[あてるい] ……………… ①42
⇨坂上田村麻呂[さかのうえのたむらまろ]
アドラー,アルフレッド　⇨フランクル,ビクトール
⇨フロイト,ジグムント
アトリー,アリソン ……………… ①42
アトリー,クレメント ……………… ①42
⇨アウン・サン　⇨ウィルソン,ハロルド
アドルフ・エングラー ➡エングラー,アドルフ
アドルフ・ダスラー ➡ダスラー,アドルフ
アドルフ・ティエール ➡ティエール,アドルフ
アドルフ・ヒトラー ➡ヒトラー,アドルフ
アナトール・フランス ➡フランス,アナトール
阿南惟幾[あなみこれちか] ……………… ①43
アナン,コフィ ……………… ①43
アブー・ターリブ ➡アル・アッバース
アブー・ハーミド・ガザーリー ……………… ①43
アブー・バクル ……………… ①43
⇨ウマル　⇨ムハンマド
アフガーニー
　➡ジャマール・アッディーン・アフガーニー
阿仏尼[あぶつに] ……………… ①44
アブデュルハミト2世[ーせい] ……………… ①44
⇨ケマル・アタチュルク
⇨ジャマール・アッディーン・アフガーニー
⇨ミドハト・パシャ
アブデュルメジト1世[ーせい] ……………… ①44
⇨アブデュルハミト2世[ーせい]
⇨ムスタファ・レシト・パシャ
アブド・アッラフマーン3世[ーせい] ……………… ①44
アフマディネジャド,マフムード ……………… ①44
⇨フィルドゥーシー
アフマド・アラービー ➡アラービー・パシャ
アフマド・スカルノ ➡スカルノ,アフマド
アブラハム ……………… ①45
油屋熊八[あぶらやくまはち] ……………… ①45
安部磯雄[あべいそお] ……………… ①45
⇨幸徳秋水[こうとくしゅうすい]
⇨新島襄[にいじまじょう]
⇨山本宣治[やまもとせんじ]
安部公房[あべこうぼう] ……………… ①45
⇨岡本太郎[おかもとたろう]　⇨カフカ,フランツ
⇨蜷川幸雄[にながわゆきお]
阿部次郎[あべじろう] ……………… ①46
⇨ケーベル,ラファエル
安倍晋三[あべしんぞう] ……………… ①46
⇨麻生太郎[あそうたろう]　⇨岸信介[きしのぶすけ]
⇨福田康夫[ふくだやすお]
安倍晋太郎[あべしんたろう]　⇨安倍晋三[あべしんぞう]
⇨宮沢喜一[みやざわきいち]
阿部知二[あべともじ] ……………… ①46
阿倍内麻呂[あべのうちまろ] ……………… ①46
安倍貞任[あべのさだとう] ……………… ①46
⇨安倍頼時[あべのよりとき]
⇨清原武則[きよはらのたけのり]
⇨源義家[みなもとのよしいえ]
⇨源頼義[みなもとのよりよし]
安倍晴明[あべのせいめい] ……………… ①47

阿倍仲麻呂 [あべのなかまろ] ……… ①47
⇨王維 [おうい]　⇨吉備真備 [きびのまきび]
⇨元正天皇 [げんしょうてんのう]　⇨玄昉 [げんぼう]
⇨井真成 [せいしんせい]
⇨藤原宇合 [ふじわらのうまかい]
⇨藤原清河 [ふじわらのきよかわ]
阿倍比羅夫 [あべのひらふ] ……… ①47
⇨皇極天皇 [こうぎょくてんのう]
阿部信行 [あべのぶゆき] ……… ①48
⇨永田鉄山 [ながたてつざん]
⇨野村吉三郎 [のむらきちさぶろう]
安倍頼時 [あべのよりとき] ……… ①48
⇨安倍貞任 [あべのさだとう]
⇨清原家衡 [きよはらのいえひら]
⇨藤原清衡 [ふじわらのきよひら]
阿部平助 [あべへいすけ] ……… ①48
アベベ・ビキラ ……… ①48
阿部正弘 [あべまさひろ] ……… ①48
⇨井上清直 [いのうえきよなお]
⇨岩瀬忠震 [いわせただなり]
⇨島津斉彬 [しまづなりあきら]
⇨島津久光 [しまづひさみつ]
⇨徳川家定 [とくがわいえさだ]
⇨徳川家慶 [とくがわいえよし]
⇨徳川斉昭 [とくがわなりあき]
安倍能成 [あべよししげ] ……… ①49
⇨阿部次郎 [あべじろう]　⇨ケーベル,ラファエル
アベラール,ピエール ……… ①49
アベロエス　➡イブン・ルシュド
アボガドロ,アメデオ ……… ①49
アポリネール,ギョーム ……… ①49
⇨キリコ,ジョルジョ・デ　⇨シャガール,マルク
⇨シャガール,マルク　⇨堀辰雄 [ほりたつお]
⇨ローランサン,マリー
アマースト,ウィリアム・ピット ……… ①50
⇨カニング,ジョージ　⇨キャメロン,デービッド
⇨ピット,ウィリアム
甘粕正彦 [あまかすまさひこ] ……… ①50
⇨伊藤野枝 [いとうのえ]　⇨大杉栄 [おおすぎさかえ]
天草四郎 [あまくさしろう] ……… ①50
⇨徳川家光 [とくがわいえみつ]
尼子勝久 [あまごかつひさ] ……… ①50
⇨山中鹿之介 [やまなかしかのすけ]
尼子経久 [あまごつねひさ] ……… ①51
天野喜四郎 [あまのきしろう] ……… ①51
天野浩 [あまのひろし] ……… ①51
⇨赤﨑勇 [あかさきいさむ]
あまんきみこ ……… ①51
⇨上野紀子 [うえののりこ]
⇨与田凖一 [よだじゅんいち]
網屋吉兵衛 [あみやきちべえ] ……… ①52
アムンゼン,ロアルド ……… ①52
⇨スコット,ロバート
アメデオ・アボガドロ　➡アボガドロ,アメデオ
アメデオ・モディリアーニ　➡モディリアーニ,アメデオ
雨森芳洲 [あめのもりほうしゅう] ……… ①52
⇨木下順庵 [きのしたじゅんあん]
アメリゴ・ベスプッチ　➡ベスプッチ,アメリゴ
アメンホテプ4世 [-せい] ……… ①52
⇨ツタンカーメン王 [-おう]　⇨ネフェルティティ
鮎川義介 [あゆかわぎすけ]　➡鮎川義介 [あいかわよしすけ]
鮎川信夫 [あゆかわのぶお] ……… ①53
⇨田村隆一 [たむらりゅういち]
アラービー・パシャ ……… ①53
⇨ムスタファー・カーミル　⇨ムハンマド・アブドゥフ

新井白石 [あらいはくせき] ……… ①53
⇨安積澹泊 [あさかたんぱく]
⇨雨森芳洲 [あめのもりほうしゅう]
⇨伊藤東涯 [いとうとうがい]
⇨荻原重秀 [おぎわらしげひで]
⇨紀伊国屋文左衛門 [きのくにやぶんざえもん]
⇨木下順庵 [きのしたじゅんあん]　⇨シドッチ,ジョバンニ
⇨程順則 [ていじゅんそく]
⇨徳川家継 [とくがわいえつぐ]
⇨徳川家宣 [とくがわいえのぶ]
⇨奈良屋茂左衛門 [ならやもざえもん]
⇨林鳳岡 [はやしほうこう]　⇨間部詮房 [まなべあきふさ]
⇨室鳩巣 [むろきゅうそう]
荒川洋治 [あらかわようじ] ……… ①53
荒木貞夫 [あらきさだお] ……… ①54
⇨永田鉄山 [ながたてつざん]
荒木宗太郎 [あらきそうたろう] ……… ①54
荒木田守武 [あらきだもりたけ] ……… ①54
⇨山崎宗鑑 [やまざきそうかん]
荒木又右衛門 [あらきまたえもん] ……… ①54
荒木村重 [あらきむらしげ] ……… ①54
⇨狩野内膳 [かのうないぜん]
⇨黒田孝高 [くろだよしたか]
⇨高山右近 [たかやまうこん]
アラゴン,ルイ ……… ①55
⇨ブルトン,アンドレ
荒畑寒村 [あらはたかんそん] ……… ①55
⇨大杉栄 [おおすぎさかえ]　⇨管野すが [かんのすが]
⇨佐野学 [さのまなぶ]　⇨竹久夢二 [たけひさゆめじ]
⇨山川菊栄 [やまかわきくえ]
アラファト,ヤセル ……… ①55
⇨ペレス,シモン　⇨ラビン,イツハーク
アラム・ハチャトゥリアン　➡ハチャトゥリアン,アラム
アラリック王 [-おう] ……… ①55
アラン・アレクサンダー・ミルン
　➡ミルン,アラン・アレクサンダー
アラン・プロスト　➡プロスト,アラン
アリー ……… ①56
⇨アブー・バクル　⇨アル・アッバース
⇨ムアーウィヤ　⇨ムハンマド
アリウス ……… ①56
⇨エウセビオス　⇨コンスタンティヌス帝 [-てい]
アリエル・シャロン　➡シャロン,アリエル
有沢広巳 [ありさわひろみ] ……… ①56
有島武郎 [ありしまたけお] ……… ①57
⇨里見弴 [さとみとん]　⇨志賀直哉 [しがなおや]
⇨鈴木三重吉 [すずきみえきち]
⇨武者小路実篤 [むしゃのこうじさねあつ]
有栖川宮熾仁 [ありすがわのみやたるひと] ……… ①57
⇨和宮 [かずのみや]
アリスタルコス ……… ①57
⇨アレクサンドロス大王 [-だいおう]
⇨コペルニクス,ニコラウス
アリスティード・マイヨール　➡マイヨール,アリスティード
アリスティド・ブリアン　➡ブリアン,アリスティド
アリストテレス ……… ①57
⇨アレクサンドロス大王 [-だいおう]
⇨イブン・シーナー　⇨ハーベー,ウィリアム
⇨プトレマイオス,クラウディオス　⇨プラトン
アリストファネス ……… ①57
⇨エウリピデス
アリソン・アトリー　➡アトリー,アリソン
有田八郎 [ありたはちろう] ……… ①58
有馬新七 [ありましんしち] ……… ①58
⇨久坂玄瑞 [くさかげんずい]

有間皇子 [ありまのおうじ] ……… ①58
有馬晴信 [ありまはるのぶ] ……… ①58
⇨伊東マンショ [いとうマンショ]
⇨大友宗麟 [おおともそうりん]
⇨大村純忠 [おおむらすみただ]
⇨千々石ミゲル [ちぢわミゲル]
⇨原マルチノ [はらマルチノ]
⇨松倉重政 [まつくらしげまさ]
アリ,モハメド ……… ①56
有吉佐和子 [ありよしさわこ] ……… ①59
在原業平 [ありわらのなりひら] ……… ①59
アル・アッバース ……… ①59
アルキメデス ……… ①59
⇨アレクサンドロス大王 [-だいおう]
⇨ガリレイ,ガリレオ　⇨ステビン,シモン
アルクイン ……… ①60
⇨カール大帝 [-たいてい]
アル・ゴア　➡ゴア,アル
アルサケス ……… ①60
アルダシール1世 [-せい] ……… ①60
⇨シャープール1世 [-せい]
アルタン・ハン ……… ①60
⇨ダライ・ラマ　⇨張居正 [ちょうきょせい]
アルチュール・ランボー　➡ランボー,アルチュール
アルツハイマー,アロイス ……… ①60
⇨クレペリン,エミール
アルトゥール・ショーペンハウアー
　➡ショーペンハウアー,アルトゥール
アルトゥーロ・トスカニーニ　➡トスカニーニ,アルトゥーロ
アルノルト・シェーンベルク
　➡シェーンベルク,アルノルト
アルバート・アインシュタイン
　➡アインシュタイン,アルバート
アルバート・シュバイツァー
　➡シュバイツァー,アルバート
アルバート・モッセ　➡モッセ,アルバート
アルフォンス・ドーデ　➡ドーデ,アルフォンス
アルフォンス・ミュシャ　➡ミュシャ,アルフォンス
アルフレート・クルップ　➡クルップ,アルフレート
アルフレッド・アドラー　⇨フランクル,ビクトール
⇨フロイト,ジグムント
アルフレッド・ウェゲナー　➡ウェゲナー,アルフレッド
アルフレッド大王 [-だいおう] ……… ①61
⇨エグバート
アルフレッド・テニソン　➡テニソン,アルフレッド
アルフレッド・ドレフュス　➡ドレフュス,アルフレッド
アルフレッド・ノース・ホワイトヘッド
⇨ラッセル,バートランド
アルフレッド・ノーベル　➡ノーベル,アルフレッド
アルフレッド・ヒッチコック　➡ヒッチコック,アルフレッド
アルフレッド・ラッセル・ウォーレス
　➡ウォーレス,アルフレッド・ラッセル
アルブレヒト・デューラー　➡デューラー,アルブレヒト
アルブレヒト・フォン・ワレンシュタイン
　➡ワレンシュタイン,アルブレヒト・フォン
アルベール・カミュ　➡カミュ,アルベール
アルベルト・ジャコメッティ　➡ジャコメッティ,アルベルト
アルマーニ,ジョルジオ ……… ①61
アルマン・ジャン・デュ・プレシ・ド・リシュリュー
　➡リシュリュー,アルマン・ジャン・デュ・プレシ・ド
アレグザンダー・ハミルトン
　➡ハミルトン,アレグザンダー
アレクサンダー・フォン・フンボルト
　➡フンボルト,アレクサンダー・フォン
アレクサンダー・フレミング　➡フレミング,アレクサンダー

アレクサンデル・ドプチェク
　➡ドプチェク,アレクサンデル
アレクサンドル1世［－せい］ ………… ①61
　⇨シュタイン,カール　⇨ニコライ1世［－せい］
　⇨レザノフ,ニコライ
アレクサンドル2世［－せい］ ………… ①61
　⇨クロポトキン,ピョートル
アレクサンドル・オパーリン
　➡オパーリン,アレクサンドル
アレクサンドル・ゲルツェン
　➡ゲルツェン,アレクサンドル
アレクサンドル・スクリャービン
　⇨ホロビッツ,ウラディミール
アレクサンドル・ソルジェニーツィン
　➡ソルジェニーツィン,アレクサンドル
アレクサンドル・デュマ　➡デュマ,アレクサンドル
アレクサンドル・プーシキン
　➡プーシキン,アレクサンドル
アレクサンドル・フョードロビッチ・ケレンスキー
　➡ケレンスキー,アレクサンドル・フョードロビッチ
アレクサンドル・ボロディン　➡ボロディン,アレクサンドル
アレクサンドロス大王［－だいおう］ ……… ①64
　⇨アリストテレス　⇨ダレイオス3世［－せい］
　⇨チャンドラグプタ　⇨フィリッポス2世［－せい］
　⇨プルタルコス
アレサ・フランクリン　➡フランクリン,アレサ
アレック・ダグラス＝ヒューム
　➡ダグラス＝ヒューム,アレック
アレッサンドロ・スカルラッティ
　➡スカルラッティ,アレッサンドロ
アレッサンドロ・バリニャーノ
　➡バリニャーノ,アレッサンドロ
アレッサンドロ・ボルタ　➡ボルタ,アレッサンドロ
アレニウス, スバンテ …………………… ①62
アロイス・アルツハイマー　➡アルツハイマー,アロイス
アロヨ, グロリア ………………………… ①62
粟田口吉光［あわたぐちよしみつ］　➡吉光［よしみつ］
粟田真人［あわたのまひと］ ……………… ①62
安房直子［あわなおこ］ …………………… ①62
淡谷のり子［あわやのりこ］ ……………… ①62
　⇨服部良一［はっとりりょういち］
アングル, ジャン・オーギュスト ……… ①63
　⇨ドガ,エドガー
アンゲラ・メルケル　➡メルケル,アンゲラ
安康天皇［あんこうてんのう］ …………… ①63
　⇨允恭天皇［いんぎょうてんのう］
　⇨雄略天皇［ゆうりゃくてんのう］
安国寺恵瓊［あんこくじえけい］ ………… ①63
　⇨毛利輝元［もうりてるもと］
安重根［あんじゅうこん（アンジュングン）］ …… ①63
　⇨伊藤博文［いとうひろぶみ］
　⇨高宗（朝鮮王朝）［こうそう（コジョン）］
安重根［アンジュングン］　➡安重根［あんじゅうこん］
アン女王［－じょおう］ …………………… ①66
　⇨ウィリアム3世［－せい］　⇨ジョージ1世［－せい］
アンジロー ………………………………… ①66
　⇨ザビエル,フランシスコ　⇨島津貴久［しまづたかひさ］
　⇨フロイス,ルイス
アンセルム・キーファー　➡キーファー,アンセルム
アンセルムス ……………………………… ①66
アンソニー・イーデン　➡イーデン,アンソニー
アンダース・セルシウス　➡セルシウス,アンダース
アンダーソン, カール・デビット ……… ①66
アンダーソン, マリアン ………………… ①67
アンディ・ウォーホル　➡ウォーホル,アンディ

アンデルセン, ハンス・クリスチャン ………… ①67
　⇨森鷗外［もりおうがい］
安藤伊右衛門［あんどういえもん］ ……………… ①67
安藤昌益［あんどうしょうえき］ ………………… ①67
安藤忠雄［あんどうただお］ ……………………… ①68
安藤信正［あんどうのぶまさ］ …………………… ①68
　⇨久世広周［くぜひろちか］
安藤広重［あんどうひろしげ］　➡歌川広重［うたがわひろしげ］
安藤百福［あんどうももふく］ …………………… ①68
アントーニオ・ビバルディ　➡ビバルディ,アントーニオ
アントーン・ファン・ダイク　➡ファン・ダイク,アントーン
安徳天皇［あんとくてんのう］ …………………… ①68
　⇨建礼門院［けんれいもんいん］
　⇨後鳥羽天皇［ごとばてんのう］
　⇨平清盛［たいらのきよもり］　⇨平知盛［たいらのとももり］
　⇨平宗盛［たいらのむねもり］
　⇨高倉天皇［たかくらてんのう］　⇨以仁王［もちひとおう］
アントニー・ファン・レーウェンフック
　➡レーウェンフック,アントニー・ファン
アントニウス, マルクス …………………… ①69
　⇨オクタウィアヌス帝［－てい］
　⇨キケロ,マルクス・トゥリウス　⇨クレオパトラ
　⇨ブルートゥス,マルクス・ユニウス　⇨ホラティウス
　⇨レピドゥス,マルクス・アエミリウス
アントニオ猪木［－いのき］　➡アリ,モハメド
　⇨力道山［りきどうざん］
アントニオ・カルロス・ジョビン
　➡ジョビン,アントニオ・カルロス
アントニオ・ゲテレス　➡ゲテレス,アントニオ
アントニオ・サリエリ　⇨シューベルト,フランツ
　⇨リスト,フランツ
アントニオ・ストラディバリ　➡ストラディバリ,アントニオ
アントニオ・デ・オリベイラ・サラザール
　➡サラザール,アントニオ・デ・オリベイラ
アントニオ・フォンタネージ　➡フォンタネージ,アントニオ
アントニ・ガウディ　➡ガウディ,アントニ
アントニヌス・ピウス帝［－てい］ ……… ①69
　⇨マルクス・アウレリウス・アントニヌス帝［－てい］
アントニン・ドボルザーク　➡ドボルザーク,アントニン
アンドリュー・カーネギー　➡カーネギー,アンドリュー
アンドリュー・ジャクソン　➡ジャクソン,アンドリュー
アンドリュース, ジュリー　⇨トラバース,パメラ
アンドリュー・ワイエス　➡ワイエス,アンドリュー
アンドレアス・ベサリウス　➡ベサリウス,アンドレアス
アンドレイ・サハロフ　➡サハロフ,アンドレイ
アンドレイ・タルコフスキー　➡タルコフスキー,アンドレイ
アンドレ・クレージュ　➡クレージュ,アンドレ
アンドレ・ジッド　➡ジッド,アンドレ
アンドレ・ブルトン　➡ブルトン,アンドレ
アンドレ＝マリー・アンペール
　➡アンペール,アンドレ＝マリー
アンドレ・マルロー　➡マルロー,アンドレ
アンドロポフ, ユーリ …………………… ①69
　⇨チェルネンコ,コンスタンティン
アントワーヌ・アンリ・ベクレル
　➡ベクレル,アントワーヌ・アンリ
アントワーヌ・ド・サン＝テグジュペリ
　➡サン＝テグジュペリ,アントワーヌ・ド
アントワーヌ＝ローラン・ラボアジエ
　➡ラボアジエ,アントワーヌ＝ローラン
アントワーヌ・ワトー　➡ワトー,アントワーヌ
アントン・ウェーベルン　➡ウェーベルン,アントン
アントン・チェーホフ　➡チェーホフ,アントン
アントン・ブルックナー　➡ブルックナー,アントン
アントン・ヘーシンク　➡ヘーシンク,アントン

アンナ・パブロワ　➡パブロワ,アンナ
アンヌ・ロベール・ジャック・チュルゴー
　➡チュルゴー,アンヌ・ロベール・ジャック
アンネ・フランク　➡フランク,アンネ
安野光雅［あんのみつまさ］ ……………… ①69
アンペール, アンドレ＝マリー ………… ①70
アンリ2世［－せい］　⇨カトリーヌ・ド・メディシス
　⇨シャルル7世［－せい］
アンリ4世［－せい］ ……………………… ①70
　⇨グロティウス,フーゴ　⇨シャルル9世［－せい］
　⇨ルイ13世［－せい］
アンリ・カルティエ＝ブレッソン
　➡カルティエ＝ブレッソン,アンリ
アンリ・デュナン　➡デュナン,アンリ
アンリ・ド・トゥールーズ・ロートレック
　➡ロートレック,アンリ・ド・トゥールーズ
アンリ・バルビュス　➡バルビュス,アンリ
アンリ・ベルクソン　➡ベルクソン,アンリ
アンリ・マティス　➡マティス,アンリ
アンリ・ルソー　➡ルソー,アンリ
安禄山［あんろくざん］ …………………… ①70
　⇨王維［おうい］　⇨顔真卿［がんしんけい］
　⇨玄宗［げんそう］　⇨史思明［ししめい］　⇨杜甫［とほ］
　⇨藤原清河［ふじわらのきよかわ］　⇨楊貴妃［ようきひ］
アンワル・サダト　➡サダト,アンワル

い

飯尾宗祇［いいおそうぎ］　➡宗祇［そうぎ］
イーゴル・ストラビンスキー
　➡ストラビンスキー,イーゴル
飯沢匡［いいざわただす］ ………………… ①71
イーストマン, ジョージ ………………… ①71
飯田蛇笏［いいだだこつ］ ………………… ①71
　⇨高浜虚子［たかはまきょし］
飯田忠彦［いいだただひこ］ ……………… ①71
飯田長次郎［いいだちょうじろう］ ……… ①72
イーデン, アンソニー …………………… ①72
井伊直弼［いいなおすけ］ ………………… ①72
　⇨有馬新七［ありましんしち］
　⇨安藤信正［あんどうのぶまさ］
　⇨飯田忠彦［いいだただひこ］
　⇨伊藤博文［いとうひろぶみ］
　⇨井上清直［いのうえきよなお］
　⇨岩瀬忠震［いわせただなり］
　⇨梅田雲浜［うめだうんぴん］
　⇨大原重徳［おおはらしげとみ］
　⇨川路聖謨［かわじとしあきら］
　⇨久坂玄瑞［くさかげんずい］
　⇨久世広周［くぜひろちか］
　⇨孝明天皇［こうめいてんのう］
　⇨西郷隆盛［さいごうたかもり］
　⇨三条実美［さんじょうさねとみ］
　⇨島津斉彬［しまづなりあきら］
　⇨新見正興［しんみまさおき］
　⇨天璋院［てんしょういん］
　⇨徳川家定［とくがわいえさだ］
　⇨徳川家茂［とくがわいえもち］
　⇨徳川斉昭［とくがわなりあき］
　⇨徳川慶勝［とくがわよしかつ］
　⇨徳川慶喜［とくがわよしのぶ］
　⇨永井尚志［ながいなおゆき］
　⇨橋本左内［はしもとさない］

五十音順索引

い

⇨堀田正睦［ほったまさよし］
⇨松平容保［まつだいらかたもり］
⇨松平慶永［まつだいらよしなが］
⇨山内豊信［やまうちとよしげ］
⇨吉田松陰［よしだしょういん］
⇨頼三樹三郎［らいみきさぶろう］

井伊直虎［いいなおとら］ ………………………… ①72
伊井弥四郎［いいやしろう］ ………………………… ①73
イーライ・ホイットニー　➡ホイットニー，イーライ
イェーツ，ウィリアム・バトラー ………………… ①73
イエス・キリスト ………………………………… ①74
　⇨コンスタンティヌス帝［-てい］
　⇨テオドシウス帝［-てい］
　⇨テオドリック大王［-だいおう］　⇨ピラト
　⇨プリーストリー，ジョセフ　⇨ペテロ
　⇨ヘロデ王［-おう］　⇨ボッティチェリ，サンドロ
　⇨マリア　⇨ムリーリョ，バルトロメ・エステバン
　⇨ミケランジェロ・ブオナローティ　⇨ヨハネ
　⇨ラファエロ・サンティ　⇨レオナルド・ダ・ビンチ
　⇨ロヨラ，イグナティウス・デ

家永三郎［いえながさぶろう］ …………………… ①73
イェルマーク，チモフェービッチ ………………… ①73
厳家淦［イエンジアガン］　➡厳家淦［げんかかん］
生沢クノ［いくさわクノ］ ………………………… ①76
生田検校［いくたけんぎょう］ …………………… ①76
　⇨八橋検校［やつはしけんぎょう］
生田万［いくたよろず］ …………………………… ①76
イクナートン　➡アメンホテプ4世［-せい］
イグナティウス・デ・ロヨラ　➡ロヨラ，イグナティウス・デ
池澤夏樹［いけざわなつき］ ……………………… ①76
　⇨福永武彦［ふくながたけひこ］
池田菊苗［いけだきくなえ］ ……………………… ①77
池田源兵衛［いけだげんべえ］ …………………… ①77
池田成彬［いけだしげあき］ ……………………… ①77
池田輝政［いけだてるまさ］ ……………………… ①77
池田勇人［いけだはやと］ ………………………… ①78
　⇨大平正芳［おおひらまさよし］
　⇨佐藤栄作［さとうえいさく］
　⇨鈴木善幸［すずきぜんこう］
　⇨宮沢喜一［みやざわきいち］　⇨吉田茂［よしだしげる］
池田満寿夫［いけだますお］ ……………………… ①78
池田光政［いけだみつまさ］ ……………………… ①78
　⇨熊沢蕃山［くまざわばんざん］
　⇨津田永忠［つだながただ］
池田理代子［いけだりよこ］ ……………………… ①78
池波正太郎［いけなみしょうたろう］ …………… ①79
池禅尼［いけのぜんに］　⇨平頼盛［たいらのよりもり］
池大雅［いけのたいが］ …………………………… ①79
　⇨与謝蕪村［よさぶそん］
池坊専慶［いけのぼうせんけい］ ………………… ①79
　⇨池坊専応［いけのぼうせんのう］　⇨立阿弥［りゅうあみ］
池坊専好［いけのぼうせんこう］ ………………… ①80
池坊専応［いけのぼうせんのう］ ………………… ①80
韋后［いこう］ …………………………………… ①80
　⇨玄宗［げんそう］
イサドラ・ダンカン　➡ダンカン，イサドラ
イザベラ・バード　➡バード，イザベラ
イザベル1世［-せい］ …………………………… ①80
　⇨コロンブス，クリストファー　⇨フェルナンド
イサム・ノグチ　➡ノグチ，イサム
李参平［イサムビョン］　➡李参平［りさんぺい］
伊沢修二［いざわしゅうじ］ ……………………… ①81
　⇨河合喜三郎［かわいきさぶろう］
井沢弥惣兵衛［いざわやそべえ］ ………………… ①81
石井菊次郎［いしいきくじろう］ ………………… ①81

⇨ランシング，ロバート
石井十次［いしいじゅうじ］ ……………………… ①82
石井漠［いしいばく］ ……………………………… ①82
石井桃子［いしいももこ］ ………………………… ①82
　⇨グレアム，ケネス　⇨バートン，バージニア・リー
石垣りん［いしがきりん］ ………………………… ①82
石川倉次［いしかわくらじ］ ……………………… ①82
石川五右衛門［いしかわごえもん］ ……………… ①83
石川三四郎［いしかわさんしろう］ ……………… ①83
石川淳［いしかわじゅん］ ………………………… ①83
石川啄木［いしかわたくぼく］ …………………… ①83
　⇨野口雨情［のぐちうじょう］　⇨吉井勇［よしいいさむ］
石川達三［いしかわたつぞう］ …………………… ①84
　⇨宮本三郎［みやもとさぶろう］
石川千代松［いしかわちよまつ］ ………………… ①84
石川雅望［いしかわまさもち］ …………………… ①84
石川理紀之助［いしかわりきのすけ］ …………… ①84
イシグロ，カズオ ………………………………… ①85
石坂洋次郎［いしざかようじろう］ ……………… ①85
石田衣良［いしだいら］ …………………………… ①85
石田梅岩［いしだばいがん］ ……………………… ①85
　⇨手島堵庵［てじまとあん］
　⇨中沢道二［なかざわどうに］
石田波郷［いしだはきょう］ ……………………… ①86
　⇨水原秋桜子［みずはらしゅうおうし］
石田三成［いしだみつなり］ ……………………… ①86
　⇨安国寺恵瓊［あんこくじえけい］
　⇨上杉景勝［うえすぎかげかつ］
　⇨宇喜多秀家［うきたひでいえ］
　⇨片桐且元［かたぎりかつもと］
　⇨加藤清正［かとうきよまさ］
　⇨黒田長政［くろだながまさ］　⇨高台院［こうだいいん］
　⇨小西行長［こにしゆきなが］
　⇨小西隆佐［こにしりゅうさ］
　⇨小早川秀秋［こばやかわひであき］
　⇨真田幸村［さなだゆきむら］
　⇨島津家久［しまづいえひさ］
　⇨島津義久［しまづよしひさ］
　⇨島津義弘［しまづよしひろ］
　⇨徳川家康［とくがわいえやす］
　⇨豊臣秀吉［とよとみひでよし］
　⇨豊臣秀頼［とよとみひでより］
　⇨長束正家［なつかまさいえ］
　⇨福島正則［ふくしままさのり］
　⇨細川ガラシャ［ほそかわ-］
　⇨細川幽斎［ほそかわゆうさい］
　⇨前田玄以［まえだげんい］
　⇨増田長盛［ましたながもり］
石田芳夫［いしだよしお］ ………………………… ①86
伊治砦麻呂［いじのあざまろ］
　➡伊治砦麻呂［これはりのあざまろ］
石ノ森章太郎［いしのもりしょうたろう］ ……… ①86
　⇨赤塚不二夫［あかつかふじお］
　⇨手塚治虫［てづかおさむ］
　⇨藤子・F・不二雄［ふじこエフふじお］
石橋湛山［いしばしたんざん］ …………………… ①87
　⇨池田勇人［いけだはやと］　⇨岸信介［きしのぶすけ］
石原莞爾［いしはらかんじ］ ……………………… ①87
　⇨板垣征四郎［いたがきせいしろう］
石原慎太郎［いしはらしんたろう］ ……………… ①87
　⇨石原裕次郎［いしはらゆうじろう］
石原裕次郎［いしはらゆうじろう］ ……………… ①88
　⇨石原慎太郎［いしはらしんたろう］
　⇨堀江謙一［ほりえけんいち］
石牟礼道子［いしむれみちこ］ …………………… ①88

石森章太郎［いしもりしょうたろう］
　➡石ノ森章太郎［いしのもりしょうたろう］
石森延男［いしもりのぶお］ ……………………… ①88
伊集院静［いじゅういんしずか］ ………………… ①88
井尻正二［いじりしょうじ］ ……………………… ①89
以心崇伝［いしんすうでん］
　➡金地院崇伝［こんちいんすうでん］
伊豆富人［いずとみと］ …………………………… ①89
イスマーイール ………………………………… ①89
　⇨マフムード
泉鏡花［いずみきょうか］ ………………………… ①89
　⇨芥川龍之介［あくたがわりゅうのすけ］
　⇨尾崎紅葉［おざきこうよう］
　⇨北村透谷［きたむらとうこく］
　⇨徳田秋声［とくだしゅうせい］
和泉式部［いずみしきぶ］ ………………………… ①89
　⇨赤染衛門［あかぞめえもん］
　⇨藤原公任［ふじわらのきんとう］
和泉要助［いずみようすけ］ ……………………… ①90
出雲阿国［いずものおくに］　➡阿国［おくに］
李舜臣［イスンシン］　➡李舜臣［りしゅんしん］
李承晩［イスンマン（りしょうばん）］ ………… ①90
　⇨尹潽善［ユンボソン（いんぼぜん）］
伊勢宗瑞［いせそうずい］　➡北条早雲［ほうじょうそううん］
いせひでこ ……………………………………… ①90
磯崎新［いそざきあらた］　⇨丹下健三［たんげけんぞう］
磯崎眠亀［いそざきみんき］ ……………………… ①91
イソップ ………………………………………… ①91
　⇨ラ＝フォンテーヌ，ジャン・ド
石上宅嗣［いそのかみのやかつぐ］ ……………… ①91
　⇨淡海三船［おうみのみふね］
　⇨良岑安世［よしみねのやすよ］
李成桂［イソンゲ］　➡李成桂［りせいけい］
板垣征四郎［いたがきせいしろう］ ……………… ①91
　⇨石原莞爾［いしはらかんじ］
板垣退助［いたがきたいすけ］ …………………… ①92
　⇨伊藤博文［いとうひろぶみ］
　⇨井上伝蔵［いのうえでんぞう］
　⇨岩倉具視［いわくらともみ］　⇨植木枝盛［うえきえもり］
　⇨江藤新平［えとうしんぺい］
　⇨大久保利通［おおくぼとしみち］
　⇨大隈重信［おおくましげのぶ］
　⇨片岡健吉［かたおかけんきち］
　⇨河野広中［こうのひろなか］
　⇨後藤象二郎［ごとうしょうじろう］
　⇨後藤新平［ごとうしんぺい］　⇨小室信夫［こむろしのぶ］
　⇨佐々木高行［ささきたかゆき］
　⇨三条実美［さんじょうさねとみ］
　⇨末広鉄腸［すえひろてっちょう］
　⇨副島種臣［そえじまたねおみ］
　⇨頭山満［とうやまみつる］
　⇨中島信行［なかじまのぶゆき］
　⇨西村茂樹［にしむらしげき］　⇨馬場辰猪［ばばたつい］
　⇨明治天皇［めいじてんのう］
　⇨由利公正［ゆりきみまさ］
板倉重昌［いたくらしげまさ］ …………………… ①92
　⇨天草四郎［あまくさしろう］
板谷波山［いたやはざん］ ………………………… ①92
　⇨浜田庄司［はまだしょうじ］
板屋兵四郎［いたやへいしろう］ ………………… ①92
イダルゴ，ミゲル ………………………………… ①93
市川五郎兵衛［いちかわごろべえ］ ……………… ①93
市川崑［いちかわこん］ …………………………… ①93
　⇨今井正［いまいただし］　⇨堀江謙一［ほりえけんいち］
市川左団次［いちかわさだんじ］ ………………… ①93

⇨市川団十郎[いちかわだんじゅうろう]
⇨岡本綺堂[おかもときどう]
⇨小山内薫[おさないかおる]
⇨尾上菊五郎[おのえきくごろう]
市川甚左衛門[いちかわじんざえもん] ……………… ①94
市川団十郎[いちかわだんじゅうろう] ……………… ①94
⇨市川左団次[いちかわさだんじ]
⇨尾上菊五郎[おのえきくごろう]
⇨河竹黙阿弥[かわたけもくあみ]
⇨杵屋六三郎[きねやろくさぶろう]
⇨坂田藤十郎[さかたとうじゅうろう]
⇨中村吉右衛門[なかむらきちえもん]
⇨松本白鸚[まつもとはくおう]
⇨ラグーザ,ビンチェンツォ
市川房枝[いちかわふさえ] ……………… ①94
⇨奥むめお[おくむめお] ⇨菅直人[かんなおと]
⇨平塚らいてう[ひらつからいちょう]
⇨広岡浅子[ひろおかあさこ]
一木喜徳郎[いちきとくろう] ……………… ①94
一木権兵衛[いちきごんべえ] ……………… ①94
一条兼良[いちじょうかねよし] ……………… ①95
⇨三条西実隆[さんじょうにしさねたか]
一条天皇[いちじょうてんのう] ……………… ①95
⇨和泉式部[いずみしきぶ]
⇨円融天皇[えんゆうてんのう]
⇨後一条天皇[ごいちじょうてんのう]
⇨後朱雀天皇[ごすざくてんのう]
⇨清少納言[せいしょうなごん]
⇨藤原兼家[ふじわらのかねいえ]
⇨藤原公任[ふじわらのきんとう]
⇨藤原伊周[ふじわらのこれちか]
⇨藤原実資[ふじわらのさねすけ]
⇨藤原佐理[ふじわらのすけまさ]
⇨藤原道隆[ふじわらのみちたか]
⇨藤原道長[ふじわらのみちなが]
⇨藤原行成[ふじわらのゆきなり]
⇨源倫子[みなもとのりんし] ⇨紫式部[むらさきしきぶ]
伊調馨[いちょうかおり] ……………… ①95
イチロー ……………… ①95
五木寛之[いつきひろゆき] ……………… ①96
一休宗純[いっきゅうそうじゅん] ……………… ①96
⇨後小松天皇[ごこまつてんのう] ⇨宗長[そうちょう]
⇨村田珠光[むらたじゅこう]
⇨山崎宗鑑[やまざきそうかん]
一山一寧[いっさんいちねい] ……………… ①96
⇨虎関師錬[こかんしれん]
イツハーク・ラビン ➡ラビン,イツハーク
一遍[いっぺん] ……………… ①97
⇨円伊[えんい] ⇨空也[くうや]
伊東一刀斎[いとういっとうさい] ……………… ①97
伊藤五郎左衛門[いとうごろうざえもん] ……………… ①97
伊藤左千夫[いとうさちお] ……………… ①97
⇨斎藤茂吉[さいとうもきち]
⇨島木赤彦[しまぎあかひこ]
⇨土屋文明[つちやぶんめい]
⇨長塚節[ながつかたかし]
⇨平福百穂[ひらふくひゃくすい]
伊東静雄[いとうしずお] ……………… ①98
伊藤若冲[いとうじゃくちゅう] ……………… ①98
伊藤仁斎[いとうじんさい] ……………… ①98
⇨伊藤東涯[いとうとうがい]
⇨大石良雄[おおいしよしお]
伊東深水[いとうしんすい] ……………… ①99
⇨関根正二[せきねしょうじ]
伊藤整[いとうせい] ……………… ①99

伊東忠太[いとうちゅうた] ⇨辰野金吾[たつのきんご]
伊藤伝右衛門[いとうでんえもん] ……………… ①99
伊藤東涯[いとうとうがい] ……………… ①99
⇨青木昆陽[あおきこんよう]
⇨伊藤仁斎[いとうじんさい]
伊藤野枝[いとうのえ] ……………… ①99
⇨甘粕正彦[あまかすまさひこ]
⇨大杉栄[おおすぎさかえ]
⇨平塚らいてう[ひらつからいちょう]
⇨山川菊栄[やまかわきくえ]
伊東彦四郎[いとうひこしろう] ……………… ①99
伊藤博文[いとうひろぶみ] ……………… ①104
⇨安重根[あんじゅうこん(アンジュングン)]
⇨板垣退助[いたがきたいすけ]
⇨伊東巳代治[いとうみよじ] ⇨井上馨[いのうえかおる]
⇨井上毅[いのうえこわし] ⇨井上勝[いのうえまさる]
⇨岩倉具視[いわくらともみ] ⇨上野彦馬[うえのひこま]
⇨大隈重信[おおくましげのぶ]
⇨大山巌[おおやまいわお] ⇨尾崎行雄[おざきゆきお]
⇨桂太郎[かつらたろう] ⇨加藤高明[かとうたかあき]
⇨金子堅太郎[かねこけんたろう]
⇨木戸孝允[きどたかよし] ⇨清浦奎吾[きようらけいご]
⇨グナイスト,ルドルフ・フォン
⇨久米邦武[くめくにたけ] ⇨黒田清隆[くろだきよたか]
⇨高宗(朝鮮王朝)[こうそう(コジョン)]
⇨後藤象二郎[ごとうしょうじろう]
⇨西園寺公望[さいおんじきんもち]
⇨島地黙雷[しまじもくらい]
⇨シュタイン,ローレンツ・フォン
⇨竹越三叉[たけこしさんさ] ⇨谷干城[たにたてき]
⇨津田梅子[つだうめこ] ⇨原敬[はらたかし]
⇨福地源一郎[ふくちげんいちろう] ⇨星亨[ほしとおる]
⇨牧野伸顕[まきののぶあき]
⇨松方正義[まつかたまさよし]
⇨陸奥宗光[むつむねみつ] ⇨モッセ,アルバート
⇨元田永孚[もとだながざね] ⇨森有礼[もりありのり]
⇨矢野竜渓[やのりゅうけい]
⇨山県有朋[やまがたありとも]
⇨山川捨松[やまかわすてまつ]
⇨山口尚芳[やまぐちなおよし]
⇨山田顕義[やまだあきよし]
⇨吉田松陰[よしだしょういん]
⇨ロエスレル,カール・フリードリヒ・ヘルマン
伊藤孫右衛門[いとうまごえもん] ……………… ①100
伊東マンショ[いとう-] ……………… ①100
⇨有馬晴信[ありまはるのぶ]
⇨大友宗麟[おおともそうりん]
⇨千々石ミゲル[ちぢわ-]
⇨中浦ジュリアン[なかうら-] ⇨原マルチノ[はら-]
⇨フェリペ2世[-せい]
伊東巳代治[いとうみよじ] ……………… ①100
⇨金子堅太郎[かねこけんたろう]
井戸平左衛門[いどへいざえもん] ……………… ①101
伊奈忠次[いなただつぐ] ……………… ①101
伊奈忠治[いなただはる] ……………… ①101
⇨井沢弥惣兵衛[いざわやそべえ]
⇨伊奈忠克[いなただかつ]
稲村三伯[いなむらさんぱく] ……………… ①101
⇨大槻玄沢[おおつきげんたく]
いぬいとみこ[いぬいとみこ] ……………… ①101
⇨石井桃子[いしいももこ] ⇨佐藤さとる[さとうさとる]
⇨中川李枝子[なかがわりえこ]
⇨長崎源之助[ながさきげんのすけ]
犬養毅[いぬかいつよし] ……………… ①102
⇨荒木貞夫[あらきさだお] ⇨緒方貞子[おがたさだこ]

⇨尾崎行雄[おざきゆきお] ⇨斎藤実[さいとうまこと]
⇨孫文[そんぶん(スンウェン)]
⇨鳩山一郎[はとやまいちろう]
犬上御田鍬[いぬかみのみたすき] ……………… ①102
⇨薬師恵日[くすしえにち] ⇨聖徳太子[しょうとくたいし]
⇨舒明天皇[じょめいてんのう]
犬伏久助[いぬぶしきゅうすけ] ……………… ①102
井上恵助[いのうえけいすけ] ……………… ①102
井上円了[いのうええんりょう] ……………… ①103
井上馨[いのうえかおる] ……………… ①103
⇨伊藤博文[いとうひろぶみ] ⇨井上勝[いのうえまさる]
⇨小村寿太郎[こむらじゅたろう]
⇨渋沢栄一[しぶさわえいいち] ⇨谷干城[たにたてき]
⇨中上川彦次郎[なかみがわひこじろう]
⇨原敬[はらたかし]
井上清直[いのうえきよなお] ……………… ①103
⇨岩瀬忠震[いわせただなり]
⇨川路聖謨[かわじとしあきら]
井上毅[いのうえこわし] ……………… ①106
⇨伊藤博文[いとうひろぶみ]
⇨伊東巳代治[いとうみよじ]
⇨岩倉具視[いわくらともみ]
⇨金子堅太郎[かねこけんたろう]
⇨穂積八束[ほづみやつか] ⇨モッセ,アルバート
⇨ロエスレル,カール・フリードリヒ・ヘルマン
井上準之助[いのうえじゅんのすけ] ……………… ①106
⇨石橋湛山[いしばしたんざん]
⇨井上日召[いのうえにっしょう]
⇨浜口雄幸[はまぐちおさち]
井上武士[いのうえたけし] ……………… ①106
井上哲次郎[いのうえてつじろう] ……………… ①106
井上伝[いのうえでん] ……………… ①106
⇨小川トク[おがわ-]
井上日召[いのうえにっしょう] ……………… ①107
⇨西田税[にしだみつぎ]
井上ひさし[いのうえひさし] ……………… ①107
井上正鉄[いのうえまさかね] ……………… ①107
井上勝[いのうえまさる] ……………… ①108
井上光晴[いのうえみつはる] ……………… ①108
井上靖[いのうえやすし] ……………… ①108
井上八千代[いのうえやちよ] ……………… ①108
井上洋介[いのうえようすけ] ……………… ①108
井上良馨[いのうえよしか] ……………… ①109
⇨東郷平八郎[とうごうへいはちろう]
稲生若水[いのうじゃくすい] ……………… ①109
⇨野呂元丈[のろげんじょう]
⇨前田綱紀[まえだつなのり]
伊能忠敬[いのうただたか] ……………… ①109
⇨久米栄左衛門[くめえいざえもん]
⇨シーボルト,フィリップ・フランツ・フォン
⇨高橋景保[たかはしかげやす]
⇨高橋至時[たかはしよしとき]
⇨間宮林蔵[まみやりんぞう]
猪俣津南雄[いのまたつなお] ……………… ①110
井真成[いのまなり] ➡井真成[せいしんせい]
⇨野呂栄太郎[のろえいたろう]
伊波普猷[いはふゆう] ……………… ①110
茨木のり子[いばらぎのりこ] ……………… ①110
⇨石垣りん[いしがきりん] ⇨川崎洋[かわさきひろし]
⇨岸田衿子[きしだえりこ] ⇨吉野弘[よしのひろし]
伊原五郎兵衛[いはらごろべえ] ……………… ①110
井原西鶴[いはらさいかく] ……………… ①110
⇨西山宗因[にしやまそういん]
⇨菱川師宣[ひしかわもろのぶ]
⇨宮崎友禅[みやざきゆうぜん]

五十音順索引

い／う

李恢成 [イフェソン（りかいせい）] ……… ①111
井深大 [いぶかまさる] ……… ①111
⇨盛田昭夫 [もりたあきお]
伊福部昭 [いふくべあきら] ……… ①111
⇨芥川也寸志 [あくたがわやすし]
イブ・クライン ➡クライン，イブ
イブ・サン＝ローラン ➡サン＝ローラン，イブ
井伏鱒二 [いぶせますじ] ……… ①112
⇨太宰治 [だざいおさむ]　⇨三浦哲郎 [みうらてつお]
イプセン，ヘンリク ……… ①112
⇨小山内薫 [おさないかおる]　⇨グリーグ，エドバルド
⇨島村抱月 [しまむらほうげつ]　⇨ショー，バーナード
⇨ハウプトマン，ゲルハルト
イブン・アブドゥル・ワッハーブ ……… ①112
イブン・サウード ……… ①112
⇨イブン・アブドゥル・ワッハーブ
⇨フセイン・ブン・アリー
イブン・シーナー ……… ①113
イブン・バットゥータ ……… ①113
⇨マンサ・ムーサ
イブン・ハルドゥーン ……… ①113
イブン・ルシュド ……… ①113
今井宗久 [いまいそうきゅう] ……… ①114
⇨今井宗薫 [いまいそうくん]
⇨武野紹鴎 [たけのじょうおう]
⇨津田宗及 [つだそうぎゅう]
今井宗薫 [いまいそうくん] ……… ①114
今井正 [いまいただし] ……… ①114
⇨渥美清 [あつみきよし]　⇨原節子 [はらせつこ]
今江祥智 [いまえよしとも] ……… ①114
今川氏親 [いまがわうじちか] ……… ①115
⇨今川義元 [いまがわよしもと]　⇨宗長 [そうちょう]
⇨北条早雲 [ほうじょうそううん]
今川貞世 [いまがわさだよ]
➡今川了俊 [いまがわりょうしゅん]
今川義元 [いまがわよしもと] ……… ①115
⇨井伊直虎 [いいなおとら]　⇨織田信長 [おだのぶなが]
⇨織田信秀 [おだのぶひで]　⇨武田信玄 [たけだしんげん]
⇨徳川家康 [とくがわいえやす]
⇨北条氏康 [ほうじょううじやす]
今川了俊 [いまがわりょうしゅん] ……… ①115
⇨大内義弘 [おおうちよしひろ]
⇨懐良親王 [かねよししんのう]
⇨菊池武光 [きくちたけみつ]
⇨二条良基 [にじょうよしもと]
今里伝兵衛 [いまざとでんべえ] ……… ①115
今西錦司 [いまにしきんじ] ……… ①116
今西祐行 [いまにしすけゆき] ……… ①116
今村昌平 [いまむらしょうへい] ……… ①116
李明博 [イミョンパク] ……… ①117
井山憲太郎 [いやまけんたろう] ……… ①117
壱与 [いよ] ……… ①117
⇨卑弥呼 [ひみこ]
伊豫田与八郎 [いよだよはちろう] ……… ①117
⇨岡本兵松 [おかもとひょうまつ]
⇨都築弥厚 [つづきやこう]
イヨネスコ，ウージェーヌ ……… ①117
イリヤ・エレンブルグ ➡エレンブルグ，イリヤ
磐井 [いわい]
➡筑紫国造磐井 [つくしのくにのみやつこいわい]
岩城宏之 [いわきひろゆき] ……… ①118
岩倉具視 [いわくらともみ] ……… ①118
⇨井上毅 [いのうえこわし]　⇨江藤新平 [えとうしんぺい]
⇨木戸孝允 [きどたかよし]　⇨久米邦武 [くめくにたけ]
⇨小松帯刀 [こまつたてわき]

⇨西郷隆盛 [さいごうたかもり]
⇨西郷従道 [さいごうつぐみち]
⇨佐々木高行 [ささきたかゆき]
⇨三条実美 [さんじょうさねとみ]
⇨副島種臣 [そえじまたねおみ]　⇨団琢磨 [だんたくま]
⇨新島襄 [にいじまじょう]　➡フルベッキ，グイド
⇨牧野伸顕 [まきのぶあき]
⇨松尾多勢子 [まつおたせこ]
⇨明治天皇 [めいじてんのう]
⇨山口尚芳 [やまぐちなおよし]
⇨山田顕義 [やまだあきよし]
岩倉六右衛門 [いわくらろくえもん] ……… ①118
岩崎京子 [いわさききょうこ] ……… ①119
⇨与田準一 [よだじゅんいち]
岩崎想左衛門 [いわさきそうざえもん] ……… ①119
いわさきちひろ ……… ①119
⇨井上ひさし [いのうえひさし]
⇨斎藤隆介 [さいとうりゅうすけ]
岩崎弥太郎 [いわさきやたろう] ……… ①119
⇨安積艮斎 [あさかごんさい]
⇨岩崎弥之助 [いわさきやのすけ]
⇨大隈重信 [おおくましげのぶ]
⇨加藤高明 [かとうたかあき]　⇨グラバー，トーマス
⇨ジョン万次郎 [―まんじろう]
⇨吉田東洋 [よしだとうよう]
岩崎弥之助 [いわさきやのすけ] ……… ①120
岩瀬忠震 [いわせただなり] ……… ①120
⇨井上清直 [いのうえきよなお]
⇨川路聖謨 [かわじとしあきら]
岩谷時子 [いわたにときこ] ……… ①121
岩波茂雄 [いわなみしげお] ……… ①121
⇨津田左右吉 [つだそうきち]
岩野泡鳴 [いわのほうめい] ……… ①121
⇨相馬御風 [そうまぎょふう]
岩橋武夫 [いわはしたけお] ……… ①121
岩松助左衛門 [いわまつすけざえもん] ……… ①121
巌谷小波 [いわやさざなみ] ……… ①122
⇨古川緑波 [ふるかわろっぱ]
イワン3世 [―せい] ……… ①122
イワン4世 [―せい] ……… ①122
⇨イェルマーク，チモフェービッチ
イワン・ツルゲーネフ ➡ツルゲーネフ，イワン
イワン・ペトロビッチ・パブロフ
➡パブロフ，イワン・ペトロビッチ
允恭天皇 [いんぎょうてんのう] ……… ①122
⇨安康天皇 [あんこうてんのう]
⇨仁徳天皇 [にんとくてんのう]
⇨反正天皇 [はんぜいてんのう]
⇨雄略天皇 [ゆうりゃくてんのう]
イングリッド・バーグマン ➡バーグマン，イングリッド
隠元隆琦 [いんげんりゅうき] ……… ①123
インディラ・ガンディー ➡ガンディー，インディラ
印南丈作 [いんなみじょうさく] ……… ①123
⇨矢板武 [やいたたけし]
インノケンティウス3世 [―せい] ……… ①123
⇨フランチェスコ
⇨フリードリヒ2世（神聖ローマ帝国皇帝）[―せい]
尹潽善 [いんぷぜん] ➡尹潽善 [ユンボソン]
インマヌエル・カント ➡カント，インマヌエル

う

禹 [う] ……… ①124

⇨契 [せつ]
ウァレリアヌス，ププブリウス・リキニウス ……… ①124
⇨シャープール1世 [―せい]
ウィーダ ……… ①124
⇨村岡花子 [むらおかはなこ]
⇨ルーベンス，ペーテル・パウル
ウィーナー，ノーバート ……… ①124
ウィクリフ，ジョン ……… ①125
⇨サボナローラ，ジロラモ　⇨フス，ヤン
⇨ボール，ジョン
ウィッテ，セルゲイ ……… ①125
⇨ガポン，ゲオルギー　⇨ニコライ2世 [―せい]
ウィトゲンシュタイン，ルートウィヒ ……… ①125
ヴィトン，ルイ ……… ①125
ウィリアム3世 [―せい] ……… ①125
⇨アン女王 [―じょおう]　⇨ジェームズ2世 [―せい]
⇨メアリ2世 [―せい]
ウィリアム・アームストロング
➡アームストロング，ウィリアム
ウィリアム・アダムズ ➡アダムズ，ウィリアム
ウィリアム・エドワード・バーガート・デュボイス
➡デュボイス，ウィリアム・エドワード・バーガート
ウィリアム・オブ・オッカム ……… ①126
ウィリアム・ギルバート ➡ギルバート，ウィリアム
ウィリアム・クラーク ➡クラーク，ウィリアム
ウィリアム・グラッドストン ➡グラッドストン，ウィリアム
ウィリアム・ゴールディング ➡ゴールディング，ウィリアム
ウィリアム・サッカレー ➡サッカレー，ウィリアム
ウィリアム・サマセット・モーム
➡モーム，ウィリアム・サマセット
ウィリアム・サローヤン ➡サローヤン，ウィリアム
ウィリアム・シェークスピア ➡シェークスピア，ウィリアム
ウィリアム・ジェームズ ➡ジェームズ，ウィリアム
ウィリアムズ，テネシー ……… ①126
ウィリアム・テル ……… ①126
ウィリアム・バージェス ⇨コンドル，ジョサイア
⇨辰野金吾 [たつのきんご]
ウィリアム・ハーシェル ➡ハーシェル，ウィリアム
ウィリアム・ハーベー ➡ハーベー，ウィリアム
ウィリアム・バトラー・イェーツ
➡イェーツ，ウィリアム・バトラー
ウィリアム・ピット（父） ➡ピット，ウィリアム（父）
ウィリアム・ピット（子） ➡ピット，ウィリアム（子）
ウィリアム・ピット・アマースト
➡アマースト，ウィリアム・ピット
ウィリアム・フォークナー ➡フォークナー，ウィリアム
ウィリアム・ブラッドフォード・ショックレー
➡ショックレー，ウィリアム・ブラッドフォード
ウィリアム・ブレイク ➡ブレイク，ウィリアム
ウィリアム・ボーイング ➡ボーイング，ウィリアム
ウィリアム・ホルマン・ハント
➡ハント，ウィリアム・ホルマン
ウィリアム・マッキンリー ➡マッキンリー，ウィリアム
ウィリアム・メレル・ボーリズ
➡ボーリズ，ウィリアム・メレル
ウィリアム・モリス ➡モリス，ウィリアム
ウィリアム・ランドルフ・ハースト
➡ハースト，ウィリアム・ランドルフ
ウィリアム・ワーズワース ➡ワーズワース，ウィリアム
ウィリー・ブラント ➡ブラント，ウィリー
ウィル・キース・ケロッグ ➡ケロッグ，ウィル・キース
ウィルキンズ，モーリス ……… ①126
⇨クリック，フランシス　⇨ワトソン，ジェームズ
ウィルソン，ウッドロー ……… ①126
⇨フーバー，ハーバート　⇨ランシング，ロバート

⇨ロイド・ジョージ,デイビッド

ウィルソン, コリン …………… ①127

ウィルソン, ハロルド …………… ①127
⇨キャラハン,ジェームズ

ウィルバート・オードリー　➡オードリー,ウィルバート

ウィルヘルム1世 [－せい] …………… ①127
⇨ビスマルク,オットー・フォン

ウィルヘルム2世 [－せい] …………… ①127
⇨ニコライ2世[－せい]
⇨ビスマルク,オットー・フォン
⇨ヒンデンブルク,パウル・フォン

ウィルヘルム・ハウフ　➡ハウフ,ウィルヘルム

ウィルヘルム・フルトベングラー
　➡フルトベングラー,ウィルヘルム

ウィルヘルム・マイバッハ　⇨ダイムラー,ゴットリープ

ウィルヘルム・レントゲン　➡レントゲン,ウィルヘルム

ウィレム・デ・クーニング　➡デ・クーニング,ウィレム

ウィンストン・チャーチル　➡チャーチル,ウィンストン

ウージェーヌ・イヨネスコ　➡イヨネスコ,ウージェーヌ

呉佩孚[ウーペイフー]　➡呉佩孚[ごはいふ]

ウェイン, ジョン …………… ①128
⇨フォード,ジョン

ウェーバー, カール・マリア・フォン ……… ①128
⇨ジルヒャー,フリードリヒ

ウェーバー, マックス …………… ①128
⇨大塚久雄[おおつかひさお]

ウェーベルン, アントン …………… ①128
⇨シェーンベルク,アルノルト

植木枝盛 [うえきえもり] …………… ①129

ウェゲナー, アルフレッド …………… ①129
⇨ケッペン,ウラディミール

上杉氏憲[うえすぎうじのり]
　➡上杉禅秀[うえすぎぜんしゅう]

上杉景勝 [うえすぎかげかつ] …………… ①130
⇨秋元長朝[あきもとながとも]
⇨上杉憲政[うえすぎのりまさ]
⇨真田昌幸[さなだまさゆき]
⇨柴田勝家[しばたかついえ]
⇨武田勝頼[たけだかつより]
⇨直江兼続[なおえかねつぐ]
⇨最上義光[もがみよしあき]

上杉景虎[うえすぎかげとら]
⇨上杉景勝[うえすぎかげかつ]
⇨上杉憲政[うえすぎのりまさ]

上杉謙信 [うえすぎけんしん] …………… ①131
⇨足利義昭[あしかがよしあき]
⇨上杉景勝[うえすぎかげかつ]
⇨上杉憲政[うえすぎのりまさ]
⇨海音寺潮五郎[かいおんじちょうごろう]
⇨狩野永徳[かのうえいとく]
⇨武田勝頼[たけだかつより]
⇨武田信玄[たけだしんげん]
⇨直江兼続[なおえかねつぐ]
⇨北条氏政[ほうじょううじまさ]
⇨北条氏康[ほうじょううじやす]
⇨毛利輝元[もうりてるもと]
⇨山本勘助[やまもとかんすけ]

上杉慎吉 [うえすぎしんきち] …………… ①130

上杉禅秀 [うえすぎぜんしゅう] …………… ①130
⇨足利満兼[あしかがみつかね]
⇨足利持氏[あしかがもちうじ]
⇨上杉憲実[うえすぎのりざね]

上杉憲実 [うえすぎのりざね] …………… ①130
⇨足利持氏[あしかがもちうじ]
⇨上杉憲忠[うえすぎのりただ]

上杉憲忠 [うえすぎのりただ] …………… ①132
⇨足利成氏[あしかがしげうじ]

上杉憲政 [うえすぎのりまさ] …………… ①132
⇨上杉謙信[うえすぎけんしん]
⇨北条氏康[ほうじょううじやす]

上杉治憲 [うえすぎはるのり] …………… ①132
⇨佐竹義和[さたけよしまさ]
⇨藤沢周平[ふじさわしゅうへい]
⇨細川重賢[ほそかわしげかた]
⇨渡辺伊右衛門[わたなべいえもん]

上杉鷹山[うえすぎようざん]　➡上杉治憲[うえすぎはるのり]

ウェスティングハウス, ジョージ …………… ①132

ウェストン, ウォルター …………… ①133

上田秋成 [うえだあきなり] …………… ①133
⇨大田垣蓮月[おおたがきれんげつ]
⇨本居宣長[もとおりのりなが]

上田万年 [うえだかずとし] …………… ①133
⇨金田一京助[きんだいちきょうすけ]
⇨新村出[しんむらいずる]　⇨高野辰之[たかのたつゆき]

上田敏 [うえだびん] …………… ①133
⇨北村透谷[きたむらとうこく]　⇨ブッセ,カール
⇨ベルレーヌ,ポール

ウェッジウッド, ジョサイア …………… ①133
⇨ダーウィン,チャールズ

ウェッブ夫妻 [－ふさい] …………… ①134

上野紀子 [うえののりこ] …………… ①134

上野彦馬 [うえのひこま] …………… ①134
⇨下岡蓮杖[しもおかれんじょう]

上橋菜穂子 [うえはしなほこ] …………… ①134

上原勇作 [うえはらゆうさく] …………… ①134

ウェブスター, ジーン …………… ①135

ウェブスター, ノーア …………… ①135

上村松園 [うえむらしょうえん] …………… ①135
⇨九条武子[くじょうたけこ]
⇨竹内栖鳳[たけうちせいほう]
⇨宮尾登美子[みやおとみこ]

植村直己 [うえむらなおみ] …………… ①136

植村正久 [うえむらまさひさ] …………… ①136
⇨海老名弾正[えびなだんじょう]
⇨島田三郎[しまださぶろう]

ウェリントン, アーサー・ウェルズリー ……… ①136
⇨オコンネル,ダニエル　⇨ナポレオン1世[－せい]

ウェルギリウス …………… ①136
⇨ホラティウス

ウェルズ, ハーバート・ジョージ …………… ①137
⇨ゴダード,ロバート　⇨ベルヌ,ジュール

ウェルナー・ハイゼンベルク
　➡ハイゼンベルク,ウェルナー

ウェルナー・フォン・ブラウン
　➡フォン・ブラウン,ウェルナー

温家宝[ウェンチアバオ]　➡温家宝[おんかほう]

ウォード, フレデリック …………… ①137
⇨ゴードン,チャールズ・ジョージ

ウォーホル, アンディ …………… ①137
⇨シーガル,ジョージ　⇨リキテンスタイン,ロイ

ウォーレス, アルフレッド・ラッセル ……… ①137
⇨ダーウィン,チャールズ

ウォーレス・ヒューム・カロザース
　➡カロザース,ウォーレス・ヒューム

ウォルター・ウェストン　➡ウェストン,ウォルター

ウォルター・スコット　➡スコット,ウォルター

ウォルト・ディズニー　➡ディズニー,ウォルト

ウォルト・ホイットマン　➡ホイットマン,ウォルト

ウォルフガング・アマデウス・モーツァルト
　➡モーツァルト,ウォルフガング・アマデウス

ウォルポール, ロバート …………… ①138
⇨ジョージ1世[－せい]

ウォレン・ハーディング　➡ハーディング,ウォレン

宇垣一成 [うがきかずしげ] …………… ①138
⇨小磯国昭[こいそくにあき]

宇喜多秀家 [うきたひでいえ] …………… ①138
⇨石田三成[いしだみつなり]
⇨豊臣秀吉[とよとみひでよし]

ウゴ・チャベス　➡チャベス,ウゴ

ウジェーヌ・ドラクロア　➡ドラクロア,ウジェーヌ

宇治加賀掾 [うじかがのじょう]
⇨竹本義太夫[たけもとぎだゆう]
⇨近松門左衛門[ちかまつもんざえもん]

牛若丸[うしわかまる]　➡源義経[みなもとのよしつね]

ウスマーン　⇨アリー　⇨ムアーウィヤ　⇨ムハンマド

歌川国芳 [うたがわくによし] …………… ①138
⇨歌川豊国[うたがわとよくに]
⇨三遊亭円朝[さんゆうていえんちょう]

宇田川玄随 [うだがわげんずい] …………… ①139
⇨稲村三伯[いなむらさんぱく]
⇨大槻玄沢[おおつきげんたく]
⇨佐藤信淵[さとうのぶひろ]

歌川豊国 [うたがわとよくに] …………… ①139
⇨歌川国芳[うたがわくによし]
⇨東洲斎写楽[とうしゅうさいしゃらく]

歌川広重 [うたがわひろしげ] …………… ①139
⇨亜欧堂田善[あおうどうでんぜん]
⇨ロートレック,アンリ・ド・トゥールーズ

宇田川榕庵 [うだがわようあん] …………… ①139

宇多天皇 [うだてんのう] …………… ①140
⇨光孝天皇[こうこうてんのう]
⇨巨勢金岡[こせのかなおか]
⇨菅原道真[すがわらのみちざね]
⇨醍醐天皇[だいごてんのう]
⇨平高望[たいらのたかもち]
⇨橘広相[たちばなのひろみ]
⇨藤原時平[ふじわらのときひら]
⇨藤原敏行[ふじわらのとしゆき]
⇨藤原基経[ふじわらのもとつね]
⇨源雅信[みなもとのまさのぶ]

ウ・タント …………… ①140
⇨潘基文[バンギムン]

内田百閒 [うちだひゃっけん] …………… ①140
⇨夏目漱石[なつめそうせき]

内田魯庵 [うちだろあん] …………… ①141

内中源蔵 [うちなかげんぞう] …………… ①141

内村鑑三 [うちむらかんぞう] …………… ①141
⇨有島武郎[ありしまたけお]
⇨河上肇[かわかみはじめ]
⇨清沢洌[きよさわきよし]　⇨クラーク,ウィリアム
⇨志賀重昂[しがしげたか]　⇨志賀直哉[しがなおや]
⇨新渡戸稲造[にとべいなぞう]
⇨正宗白鳥[まさむねはくちょう]
⇨八木重吉[やぎじゅうきち]
⇨矢内原忠雄[やないはらただお]

ウッドロー・ウィルソン　➡ウィルソン,ウッドロー

宇都宮仙太郎 [うつのみやせんたろう] …………… ①141

宇都宮誠猷 [うつのみやのぶちか] …………… ①141

宇野浩二 [うのこうじ] …………… ①142
⇨水上勉[みずかみつとむ]

宇野宗佑 [うのそうすけ] …………… ①142
⇨竹下登[たけしたのぼる]

宇野千代 [うのちよ] …………… ①142

馬詰親音 [うまづめもとね] …………… ①142

厩戸皇子(厩戸王)[うまやどのおうじ(うまやどのおう)]

五十音順索引　う／え

➡聖徳太子 [しょうとくたいし]
ウマル ……………………… ①142
　⇨ムハンマド
梅謙次郎 [うめけんじろう] ……………… ①143
梅棹忠夫 [うめさおただお] ……………… ①143
梅崎春生 [うめさきはるお] ……………… ①143
梅田雲浜 [うめだうんぴん] ……………… ①143
　⇨有馬新七 [ありましんしち]
　⇨井伊直弼 [いいなおすけ]
　⇨頼三樹三郎 [らいみきさぶろう]
梅津美治郎 [うめづよしじろう] ………… ①144
梅原猛 [うめはらたけし] ………………… ①144
梅原龍三郎 [うめはらりゅうざぶろう] … ①144
　⇨浅井忠 [あさいちゅう]　⇨香月泰男 [かづきやすお]
　⇨安井曽太郎 [やすいそうたろう]
梅屋庄吉 [うめやしょうきち] …………… ①144
梅若万三郎 [うめわかまんざぶろう] …… ①145
ウラービー・パシャ　➡アラービー・パシャ
浦上玉堂 [うらがみぎょくどう] ………… ①145
　⇨萬鉄五郎 [よろずてつごろう]
ウラジーミル1世 [－せい] …………… ①145
ウラジミール・イリイッチ・レーニン
　　➡レーニン,ウラジミール・イリイッチ
ウラジミール・プーチン　➡プーチン,ウラジミール
ウラディスラフ・ゴムルカ　➡ゴムルカ,ウラディスラフ
ウラディミール・ケッペン　➡ケッペン,ウラディミール
ウラディミール・ホロビッツ　➡ホロビッツ,ウラディミール
卜部兼方 [うらべかねかた] ……………… ①145
卜部兼好 [うらべかねよし]　➡兼好法師 [けんこうほうし]
ウルグ・ベク ………………………… ①146
ウルバヌス2世 [－せい] ……………… ①146
　⇨ハインリヒ4世 [－せい]
ウルフ, バージニア …………………… ①146
　⇨神谷美恵子 [かみやみえこ]
運慶 [うんけい] ………………………… ①146
　⇨快慶 [かいけい]　⇨康勝 [こうしょう]
　⇨康弁 [こうべん]　⇨定朝 [じょうちょう]
　⇨湛慶 [たんけい]　⇨重源 [ちょうげん]
海野十三 [うんのじゅうざ] ……………… ①147
ウンベルト・エーコ　➡エーコ,ウンベルト

え

エアハルト, ルートウィヒ …………… ①147
栄西 [えいさい]　➡栄西 [ようさい]
エイサ・キャンドラー　➡キャンドラー,エイサ
衛青 [えいせい] ………………………… ①147
　⇨冒頓単于 [ぼくとつぜんう]
エイゼンシュタイン, セルゲイ
　⇨キューブリック,スタンリー
叡尊 [えいぞん] ………………………… ①148
　⇨金沢実時 [かねざわさねとき]　➡俊芿 [しゅんじょう]
　⇨忍性 [にんしょう]
エイブラハム・マズロー　➡マズロー,エイブラハム
エイブラハム・リンカン　➡リンカン,エイブラハム
衛満 [えいまん] ………………………… ①148
永楽帝 [えいらくてい] ………………… ①148
　⇨建文帝 [けんぶんてい]　⇨尚巴志 [しょうはし]
　⇨宣徳帝 [せんとくてい]　⇨鄭和 [ていわ]
永六輔 [えいろくすけ] ………………… ①148
　⇨中村八大 [なかむらはちだい]
エウクレイデス　➡ユークリッド
エウセビオス ………………………… ①149

エウリピデス …………………………… ①149
　⇨アイスキュロス　⇨アリストファネス
　⇨ソフォクレス
エーコ, ウンベルト …………………… ①149
エーベルト, フリードリヒ …………… ①149
　⇨ヒンデンブルク,パウル・フォン
エーリッヒ・フロム　➡フロム,エーリッヒ
エーリッヒ・マリア・レマルク
　　➡レマルク,エーリッヒ・マリア
エーリヒ・ケストナー　➡ケストナー,エーリヒ
エーリヒ・ホーネッカー　➡ホーネッカー,エーリヒ
エールリヒ, パウル …………………… ①150
　⇨志賀潔 [しがきよし]　⇨秦佐八郎 [はたさはちろう]
エカチェリーナ2世 [－せい] ……… ①150
　⇨アレクサンドル1世 [－せい]
　⇨大黒屋光太夫 [だいこくやこうだゆう]
　⇨プガチョフ,エメリヤン・イワノビッチ
　⇨ラクスマン,アダム・キリロビッチ
江川太郎左衛門 [えがわたろうざえもん] … ①151
　⇨大山巌 [おおやまいわお]
　⇨佐久間象山 [さくましょうざん]
　⇨高島秋帆 [たかしましゅうはん]
　⇨原清兵衛 [はらせいべえ]
　⇨渡辺崋山 [わたなべかざん]
エクトール・ベルリオーズ　➡ベルリオーズ,エクトール
エクトール・マロ　➡マロ,エクトール
江國香織 [えくにかおり] ……………… ①151
エグバート …………………………… ①151
　⇨アルフレッド大王 [－だいおう]
エゴン・シーレ　➡シーレ,エゴン
江崎善左衛門 [えざきぜんざえもん] …… ①151
江崎玲於奈 [えさきれおな] …………… ①152
慧慈 [えじ] ……………………………… ①152
エジソン, トーマス・アルバ ………… ①153
　⇨テスラ,ニコラ　⇨フォード,ヘンリー
江尻喜多右衛門 [えじりきたえもん] …… ①152
　⇨藤江監物 [ふじえけんもつ]
恵心僧都 [えしんそうず]　➡源信 [げんしん]
エストラーダ, ジョセフ ……………… ①152
　⇨アロヨ,グロリア
エズラ・ジャック・キーツ　➡キーツ,エズラ・ジャック
エセン・ハン ………………………… ①154
　⇨正統帝 [せいとうてい]
枝権兵衛 [えだごんべえ] ……………… ①154
エッシャー, マウリッツ ……………… ①154
　⇨安野光雅 [あんのみつまさ]
エッツ, マリー ………………………… ①154
エッフィミー・ワシリエビッチ・プチャーチン
　　➡プチャーチン,エッフィミー・ワシリエビッチ
エッフェル, ギュスターブ …………… ①154
エディソン,トーマス・アルバ
　　➡エジソン,トーマス・アルバ
エドアルド・キヨソーネ　➡キヨソーネ,エドアルド
エドゥアール・ダラディエ　➡ダラディエ,エドゥアール
エドゥアルト・ベルンシュタイン
　　➡ベルンシュタイン,エドゥアルト
エドウィン・ダン　➡ダン,エドウィン
エドウィン・ハッブル　➡ハッブル,エドウィン
エドウィン・ライシャワー　➡ライシャワー,エドウィン
江藤淳 [えとうじゅん] ………………… ①155
江藤新平 [えとうしんぺい] …………… ①155
　⇨大木喬任 [おおきたかとう]
　⇨大久保利通 [おおくぼとしみち]
　⇨大隈重信 [おおくましげのぶ]
　⇨副島種臣 [そえじまたねおみ]　⇨谷干城 [たにたてき]

江藤俊哉 [えとうとしや] ……………… ①155
エドガー・アラン・ポー　➡ポー,エドガー・アラン
エドガー・スノー　➡スノー,エドガー
エドガー・ドガ　➡ドガ,エドガー
江戸川乱歩 [えどがわらんぽ] ………… ①155
　⇨筒井康隆 [つついやすたか]
エドバルド・グリーグ　➡グリーグ,エドバルド
エドバルド・ムンク　➡ムンク,エドバルド
エドマンド・ハレー　➡ハレー,エドマンド
エドムンド・カートライト　➡カートライト,エドムンド
エドムント・ナウマン　➡ナウマン,エドムント
エドムント・フッサール　➡フッサール,エドムント
エドモンド・デ・アミーチス　➡デ・アミーチス,エドモンド
エドモンド・ヒラリー　➡ヒラリー,エドモンド
エドモンド・リンチ　⇨メリル,チャールズ
江戸家猫八 [えどやねこはち] ………… ①156
エドワード1世 [－せい] ……………… ①156
　⇨エドワード3世 [－せい]　⇨フィリップ4世 [－せい]
　⇨モンフォール,シモン・ド
エドワード3世 [－せい] ……………… ①156
　⇨エドワード黒太子 [－こくたいし]　⇨ジャンヌ・ダルク
エドワード4世 [－せい]　➡ヘンリー7世 [－せい]
　⇨リチャード3世 [－せい]
エドワード・エルガー　➡エルガー,エドワード
エドワード・ケネディ・エリントン
　　➡エリントン,エドワード・ケネディ
エドワード黒太子 [－こくたいし] …… ①157
　⇨エドワード3世 [－せい]
エドワード・サイード　➡サイード,エドワード
エドワード・ジェンナー　➡ジェンナー,エドワード
エドワード・ヒース　➡ヒース,エドワード
エドワード・モース　➡モース,エドワード
エドワール・マネ　➡マネ,エドワール
榎本其角 [えのもときかく] …………… ①157
　⇨服部嵐雪 [はっとりらんせつ]
　⇨英一蝶 [はなぶさいっちょう]
　⇨松尾芭蕉 [まつおばしょう]
　⇨向井去来 [むかいきょらい]
榎本健一 [えのもとけんいち] ………… ①157
　⇨菊田一夫 [きくたかずお]
　⇨古川緑波 [ふるかわろっぱ]
榎本武揚 [えのもとたけあき] ………… ①157
　⇨黒田清隆 [くろだきよたか]
　⇨清水次郎長 [しみずのじろちょう]
　⇨津田真道 [つだまみち]
　⇨永井尚志 [ながいなおゆき]
　⇨土方歳三 [ひじかたとしぞう]
江原素六 [えばらそろく] ……………… ①158
エバリスト・ガロア　➡ガロア,エバリスト
エバンジェリスタ・トリチェリ
　　➡トリチェリ,エバンジェリスタ
エバンズ, アーサー …………………… ①158
　⇨ベントリス,マイケル
エバンス, ビル ………………………… ①158
　⇨デイビス,マイルス
エピクテトス …………………………… ①158
エピクロス ……………………………… ①159
　⇨デモクリトス
海老名弾正 [えびなだんじょう] ……… ①159
　⇨ジェーンズ,リロイ　⇨鈴木文治 [すずきぶんじ]
エベール, ジャック＝ルネ …………… ①159
　⇨サン＝ジュスト,ルイ・アントワーヌ・ド
　⇨ロベスピエール,マクシミリアン
エマ・ゴールドマン　⇨伊藤野枝 [いとうのえ]
江間章子 [えましょうこ] ……………… ①159

エマニュエル・ジョゼフ・シェイエス
　➡シェイエス，エマニュエル・ジョゼフ
エミール=アントワーヌ・ブールデル
　➡ブールデル，エミール=アントワーヌ
エミール・ガレ　➡ガレ，エミール
エミール・クレペリン　➡クレペリン，エミール
エミール・ゾラ　➡ゾラ，エミール
エミール・ベルナール
　⇨ロートレック，アンリ・ド・トゥールーズ
恵美押勝［えみのおしかつ］
　➡藤原仲麻呂［ふじわらのなかまろ］
エミリアーノ・サパタ　➡サパタ，エミリアーノ
エミリオ・アギナルド　➡アギナルド，エミリオ
エメリヤン・イワノビッチ・プガチョフ
　➡プガチョフ，エメリヤン・イワノビッチ
エラスムス，デシデリウス ………………… ①159
　⇨ツウィングリ，フルドライヒ　⇨ホルバイン，ハンス
　⇨モア，トマス
エラトステネス ………………………………… ①160
　⇨アレクサンドロス大王［－だいおう］
エラリー・クイーン　➡クイーン，エラリー
エリアス・ハウ　➡ハウ，エリアス
エリオット，トーマス・スターンズ ………… ①160
　⇨鮎川信夫［あゆかわのぶお］　⇨ミラー，ヘンリー
エリザベス1世［－せい］ ……………………… ①160
　⇨ギルバート，ウィリアム　⇨グレゴリウス13世［－せい］
　⇨グレシャム，トーマス　⇨シェークスピア，ウィリアム
　⇨ジェームズ1世［－せい］　⇨ドレーク，フランシス
　⇨ヘンリー8世［－せい］　⇨メアリ1世［－せい］
　⇨メアリ・スチュアート
エリザベス2世［－せい］ ……………………… ①161
　⇨明仁（今上天皇）［あきひと（きんじょうてんのう）］
　⇨キャメロン，デービッド
エリザベス・テーラー　➡テーラー，エリザベス
エリツィン，ボリス …………………………… ①161
　⇨プーチン，ウラジミール
エリック・カール　➡カール，エリック
エリック・サティ　➡サティ，エリック
エリナー・ファージョン　➡ファージョン，エリナー
エリントン，エドワード・ケネディ ………… ①161
エルウィン・シュレーディンガー
　➡シュレーディンガー，エルウィン
エルウィン・フォン・ベルツ　➡ベルツ，エルウィン・フォン
エルウィン・ロンメル　➡ロンメル，エルウィン
エルガー，エドワード ………………………… ①161
エル・グレコ …………………………………… ①162
エルステッド，ハンス・クリスティアン ……… ①162
エルテール・イレネー・デュポン
　➡デュポン，エルテール・イレネー
エルトン・ジョン　⇨ベルサーチ，ジャンニ
エルナン・コルテス　➡コルテス，エルナン
エルネスト・チェ・ゲバラ　➡ゲバラ，エルネスト・チェ
エルビス・プレスリー　➡プレスリー，エルビス
エルメス，ティエリー …………………………… ①162
エルンスト，マックス …………………………… ①162
　⇨岡本太郎［おかもとたろう］　⇨ピカソ，パブロ
エルンスト・ウェルナー・フォン・ジーメンス
　➡ジーメンス，エルンスト・ウェルナー・フォン
エルンスト・エンゲル　➡エンゲル，エルンスト
エルンスト・クレッチマー　➡クレッチマー，エルンスト
エレン・ジョンソン・サーリーフ
　➡サーリーフ，エレン・ジョンソン
エレンブルグ，イリヤ …………………………… ①163
円伊［えんい］ …………………………………… ①163
円空［えんくう］ ………………………………… ①163

エングラー，アドルフ ………………………… ①163
エンクルマ，クワメ …………………………… ①163
　⇨デュボイス，ウィリアム・エドワード・バーガート
エンゲル，エルンスト ………………………… ①164
エンゲルス，フリードリヒ …………………… ①164
　⇨カウツキー，カール
　⇨フォイエルバッハ，ルートウィヒ
　⇨ベルンシュタイン，エドゥアルト
　⇨マルクス，カール
エンゲルベルト・ケンペル　➡ケンペル，エンゲルベルト
袁世凱［えんせいがい（ユワンシーカイ）］ ………… ①164
　⇨梅屋庄吉［うめやしょうきち］
　⇨加藤高明［かとうたかあき］
　⇨黄興［こうこう（ホワンシン）］
　⇨呉佩孚［ごはいふ（ウーペイフー）］
　⇨朱徳［しゅとく（チュートー）］
　⇨宋教仁［そうきょうじん（ソンチャンレン）］
　⇨孫文［そんぶん（スンウェン）］
　⇨段祺瑞［だんきずい（トワンチールイ）］
　⇨張作霖［ちょうさくりん（チャンツオリン）］
　⇨溥儀［ふぎ（プーイー）］　⇨吉野作造［よしのさくぞう］
　⇨李鴻章［りこうしょう］
　⇨李大釗［りたいしょう（リターチャオ）］
　⇨梁啓超［りょうけいちょう（リヤンチーチャオ）］
円珍［えんちん］ ………………………………… ①164
　⇨最澄［さいちょう］　⇨遍昭［へんじょう］
エンデ，ミヒャエル …………………………… ①165
遠藤周作［えんどうしゅうさく］ ……………… ①165
　⇨阿川弘之［あがわひろゆき］
　⇨安岡章太郎［やすおかしょうたろう］
　⇨吉行淳之介［よしゆきじゅんのすけ］
遠藤実［えんどうみのる］ ……………………… ①165
円仁［えんにん］ ………………………………… ①165
　⇨最澄［さいちょう］　⇨藤原基衡［ふじわらのもとひら］
　⇨遍昭［へんじょう］
役小角［えんのおづの］ ………………………… ①166
円融天皇［えんゆうてんのう］ ………………… ①166
　⇨一条天皇［いちじょうてんのう］
　⇨為平親王［ためひらしんのう］
　⇨藤原兼家［ふじわらのかねいえ］
　⇨藤原兼通［ふじわらのかねみち］
　⇨藤原実資［ふじわらのさねすけ］
　⇨藤原実頼［ふじわらのさねより］
　⇨藤原佐理［ふじわらのすけまさ］
　⇨藤原道隆［ふじわらのみちたか］
　⇨藤原師輔［ふじわらのもろすけ］
　⇨冷泉天皇［れいぜいてんのう］
エンリケ航海王子［－こうかいおうじ］ ………… ①166
　⇨ジョアン2世［－せい］　⇨ディアス，バルトロメウ
エンリコ・フェルミ　➡フェルミ，エンリコ

お

お市の方［おいちのかた］ ……………………… ①167
　⇨浅井長政［あざいながまさ］
　⇨柴田勝家［しばたかついえ］　⇨崇源院［すうげんいん］
　⇨淀殿［よどどの］
オイラー，レオンハルト ……………………… ①167
王安石［おうあんせき］ ………………………… ①167
　⇨欧陽脩［おうようしゅう］　⇨司馬光［しばこう］
　⇨神宗［しんそう］　⇨蘇東坡［そとうば］
王維［おうい］ …………………………………… ①167
　⇨阿倍仲麻呂［あべのなかまろ］

　⇨孟浩然［もうこうねん］
オウィディウス ………………………………… ①168
王羲之［おうぎし］ ……………………………… ①168
　⇨欧陽詢［おうようじゅん］
　⇨小野道風［おののみちかぜ］
　⇨褚遂良［ちょすいりょう］　⇨董其昌［とうきしょう］
王建［おうけん］ ………………………………… ①168
王貞治［おうさだはる］ ………………………… ①168
　⇨イチロー　⇨川上哲治［かわかみてつはる］
　⇨衣笠祥雄［きぬがささちお］　⇨古賀政男［こがまさお］
　⇨長嶋茂雄［ながしましげお］
王重陽［おうじゅうよう］ ……………………… ①169
王守仁［おうしゅじん］ ………………………… ①169
　⇨中江藤樹［なかえとうじゅ］　⇨陸九淵［りくきゅうえん］
王昭君［おうしょうくん］ ……………………… ①169
　⇨楊貴妃［ようきひ］
応神天皇［おうじんてんのう］ ………………… ①170
　⇨阿知使主［あちのおみ］
　⇨継体天皇［けいたいてんのう］
　⇨仁徳天皇［にんとくてんのう］　⇨弓月君［ゆづきのきみ］
　⇨王仁［わに］
汪精衛［おうせいえい］　➡汪兆銘［おうちょうめい］
王仙芝［おうせんし］ …………………………… ①170
　⇨黄巣［こうそう］
汪兆銘［おうちょうめい（ワンチャオミン）］ ……… ①170
　⇨宋慶齢［そうけいれい（ソンチンリン）］
王直［おうちょく］ ……………………………… ①170
淡海三船［おうみのみふね］ …………………… ①170
　⇨石上宅嗣［いそのかみのやかつぐ］
　⇨聖徳太子［しょうとくたいし］
　⇨良岑安世［よしみねのやすよ］
近江屋甚兵衛［おうみやじんべえ］ …………… ①171
王莽［おうもう］ ………………………………… ①171
　⇨光武帝［こうぶてい］
欧陽脩［おうようしゅう］ ……………………… ①171
欧陽詢［おうようじゅん］ ……………………… ①171
　⇨顔真卿［がんしんけい］　⇨褚遂良［ちょすいりょう］
王陽明［おうようめい］　➡王守仁［おうしゅじん］
お江与の方［おえよのかた］　➡崇源院［すうげんいん］
大海人皇子［おおあまのおうじ］
　➡天武天皇［てんむてんのう］
大井憲太郎［おおいけんたろう］ ……………… ①172
　⇨板垣退助［いたがきたいすけ］
　⇨井上伝蔵［いのうえでんぞう］
　⇨福田英子［ふくだひでこ］
大石内蔵助［おおいしくらのすけ］
　➡大石良雄［おおいしよしお］
大石真［おおいしまこと］ ……………………… ①172
大石良雄［おおいしよしお］ …………………… ①172
　⇨伊藤仁斎［いとうじんさい］　⇨吉良義央［きらよしなか］
　⇨松本白鸚［まつもとはくおう］
オーウェル，ジョージ ………………………… ①172
　⇨ミラー，ヘンリー
オーウェン，ロバート ………………………… ①173
大内兵衛［おおうちひょうえ］ ………………… ①173
　⇨美濃部亮吉［みのべりょうきち］
大内義隆［おおうちよしたか］ ………………… ①173
　⇨ザビエル，フランシスコ　⇨陶晴賢［すえはるかた］
　⇨南村梅軒［みなみむらばいけん］
　⇨毛利元就［もうりもとなり］
大内義弘［おおうちよしひろ］ ………………… ①173
　⇨足利満兼［あしかがみつかね］
　⇨二条良基［にじょうよしもと］
　⇨畠山満家［はたけやまみついえ］
大江健三郎［おおえけんざぶろう］ …………… ①174

303

五十音順索引

お

大江広元 [おおえのひろもと] ……………… ①174
　⇨三善康信 [みよしやすのぶ]
大江匡衡 [おおえのまさひら]　⇨赤染衛門 [あかぞめえもん]
　⇨大江匡房 [おおえのまさふさ]
大江匡房 [おおえのまさふさ] ……………… ①174
　⇨大江広元 [おおえのひろもと]
　⇨平維衡 [たいらのこれひら]
　⇨堀河天皇 [ほりかわてんのう]
　⇨源義家 [みなもとのよしいえ]
大岡昇平 [おおおかしょうへい] ………… ①175
　⇨小林秀雄 [こばやしひでお]
大岡忠相 [おおおかただすけ] …………… ①175
　⇨青木昆陽 [あおきこんよう]
　⇨川崎平右衛門 [かわさきへいえもん]
　⇨遠山景元 [とおやまかげもと]
　⇨徳川吉宗 [とくがわよしむね]
大岡信 [おおおかまこと] …………………… ①175
　⇨茨木のり子 [いばらぎのりこ]　⇨川崎洋 [かわさきひろし]
大梶七兵衛 [おおかじしちべえ] ………… ①175
大川周明 [おおかわしゅうめい] ………… ①176
　⇨北一輝 [きたいっき]　⇨西田税 [にしだみつぎ]
大木喬任 [おおきたかとう] ……………… ①176
　⇨副島種臣 [そえじまたねおみ]
正親町天皇 [おおぎまちてんのう] ……… ①176
　⇨後陽成天皇 [ごようぜいてんのう]
　⇨千利休 [せんのりきゅう]
オーギュスト・コント　➡コント,オーギュスト
オーギュスト・ピカール　➡ピカール,オーギュスト
オーギュスト・ロダン　➡ロダン,オーギュスト
大久保忠教 [おおくぼただたか]
　➡大久保彦左衛門 [おおくぼひこざえもん]
大久保長安 [おおくぼちょうあん]
　➡大久保長安 [おおくぼながやす]
大久保利通 [おおくぼとしみち] ………… ①176
　⇨板垣退助 [いたがきたいすけ]
　⇨伊藤博文 [いとうひろぶみ]　⇨井上毅 [いのうえこわし]
　⇨岩倉具視 [いわくらともみ]
　⇨江藤新平 [えとうしんぺい]
　⇨大隈重信 [おおくましげのぶ]
　⇨木戸孝允 [きどたかよし]　⇨キヨソーネ,エドアルド
　⇨金原明善 [きんばらめいぜん]
　⇨久米邦武 [くめくにたけ]　⇨五代友厚 [ごだいともあつ]
　⇨後藤象二郎 [ごとうしょうじろう]
　⇨小松帯刀 [こまつたてわき]
　⇨西郷隆盛 [さいごうたかもり]
　⇨西郷従道 [さいごうつぐみち]
　⇨佐々木高行 [ささきたかゆき]
　⇨三条実美 [さんじょうさねとみ]
　⇨島津久光 [しまづひさみつ]
　⇨副島種臣 [そえじまたねおみ]
　⇨中條政恒 [なかじょうまさつね]
　⇨前島密 [まえじまひそか]　⇨牧野伸顕 [まきののぶあき]
　⇨明治天皇 [めいじてんのう]
　⇨山口尚芳 [やまぐちなおよし]
大久保長安 [おおくぼながやす] ………… ①177
大久保彦左衛門 [おおくぼひこざえもん] … ①177
大隈重信 [おおくましげのぶ] …………… ①179
　⇨石井菊次郎 [いしいきくじろう]
　⇨板垣退助 [いたがきたいすけ]
　⇨一木喜徳郎 [いちききとくろう]
　⇨伊藤博文 [いとうひろぶみ]　⇨犬養毅 [いぬかいつよし]
　⇨岩倉具視 [いわくらともみ]
　⇨岩崎弥太郎 [いわさきやたろう]
　⇨尾崎行雄 [おざきゆきお]　⇨小野梓 [おのあずさ]
　⇨加藤高明 [かとうたかあき]

　⇨加藤友三郎 [かとうともさぶろう]
　⇨久米邦武 [くめくにたけり]　⇨河野広中 [こうのひろなか]
　⇨小村寿太郎 [こむらじゅたろう]
　⇨副島種臣 [そえじまたねおみ]
　⇨浜口雄幸 [はまぐちおさち]　⇨ファン・ボイ・チャウ
　⇨フルベッキ,グイド　⇨前島密 [まえじまひそか]
　⇨矢野竜渓 [やのりゅうけい]　⇨ランシング,ロバート
　⇨若槻礼次郎 [わかつきれいじろう]
大倉喜八郎 [おおくらきはちろう] ……… ①178
大蔵永常 [おおくらながつね] …………… ①178
　⇨宮崎安貞 [みやざきやすさだ]
　⇨渡辺崋山 [わたなべかざん]
大河内正敏 [おおこうちまさとし] ……… ①180
大塩平八郎 [おおしおへいはちろう] …… ①180
　⇨生田万 [いくたよろず]
凡河内躬恒 [おおしこうちのみつね] …… ①180
　⇨小野小町 [おののこまち]　⇨紀友則 [きのとものり]
　⇨壬生忠岑 [みぶのただみね]
大下弘 [おおしたひろし] ………………… ①180
　⇨川上哲治 [かわかみてつはる]
大島高任 [おおしまたかとう] …………… ①180
大島渚 [おおしまなぎさ] ………………… ①181
　⇨ボウイ,デビッド
大杉栄 [おおすぎさかえ] ………………… ①181
　⇨甘粕正彦 [あまかすまさひこ]
　⇨荒畑寒村 [あらはたかんそん]
　⇨伊藤野枝 [いとうのえ]
　⇨山川菊栄 [やまかわきくえ]
大隅良典 [おおすみよしのり] …………… ①182
大田垣蓮月 [おおたがきれんげつ] ……… ①182
　⇨富岡鉄斎 [とみおかてっさい]
太田大八 [おおただいはち] ……………… ①182
太田辰五郎 [おおたたつごろう] ………… ①182
太田道灌 [おおたどうかん] ……………… ①182
大田南畝 [おおたなんぽ] ………………… ①183
　⇨朱楽菅江 [あけらかんこう]
　⇨石川雅望 [いしかわまさもち]
大谷光瑞 [おおたにこうずい] …………… ①183
大谷竹次郎 [おおたにたけじろう] ……… ①183
大谷吉継 [おおたによしつぐ]
　⇨片桐且元 [かたぎりかつもと]
　⇨真田幸村 [さなだゆきむら]
大田洋子 [おおたようこ] ………………… ①183
大塚楠緒子 [おおつかくすおこ] ………… ①184
大塚啓三郎 [おおつかけいさぶろう] …… ①184
大塚久雄 [おおつかひさお] ……………… ①184
大槻玄沢 [おおつきげんたく] …………… ①184
　⇨稲村三伯 [いなむらさんぱく]
　⇨宇田川玄随 [うだがわげんずい]
　⇨大槻文彦 [おおつきふみひこ]
　⇨工藤平助 [くどうへいすけ]
　⇨司馬江漢 [しばこうかん]
　⇨杉田玄白 [すぎたげんぱく]
　⇨大黒屋光太夫 [だいこくやこうだゆう]
　⇨林子平 [はやししへい]
　⇨前野良沢 [まえのりょうたく]
大槻文彦 [おおつきふみひこ] …………… ①184
大津皇子 [おおつのおうじ] ……………… ①185
　⇨草壁皇子 [くさかべのおうじ]
　⇨持統天皇 [じとうてんのう]
　⇨高市皇子 [たけちのおうじ]
　⇨天武天皇 [てんむてんのう]
大友克洋 [おおともかつひろ] …………… ①185
大友亀太郎 [おおともかめたろう] ……… ①185
大友宗麟 [おおともそうりん] …………… ①185

　⇨足利義昭 [あしかがよしあき]
　⇨有馬晴信 [ありまはるのぶ]
　⇨伊東マンショ [いとう−]
　⇨大村純忠 [おおむらすみただ]
　⇨カブラル,フランシスコ　⇨ザビエル,フランシスコ
　⇨島井宗室 [しまいそうしつ]　⇨陶晴賢 [すえはるかた]
　⇨原マルチノ [はら−]
　⇨バリニャーノ,アレッサンドロ
　⇨龍造寺隆信 [りゅうぞうじたかのぶ]
大友皇子 [おおとものおうじ] …………… ①186
　⇨淡海三船 [おうみのみふね]
　⇨大津皇子 [おおつのおうじ]
　⇨持統天皇 [じとうてんのう]
　⇨高市皇子 [たけちのおうじ]
　⇨天智天皇 [てんじてんのう]
　⇨天武天皇 [てんむてんのう]
　⇨徳川光圀 [とくがわみつくに]
　⇨額田王 [ぬかたのおおきみ]
　⇨藤原鎌足 [ふじわらのかまたり]
大伴金村 [おおとものかなむら] ………… ①186
　⇨欽明天皇 [きんめいてんのう]
　⇨継体天皇 [けいたいてんのう]
　⇨蘇我稲目 [そがのいなめ]　⇨武烈天皇 [ぶれつてんのう]
　⇨物部尾輿 [もののべのおこし]
大友黒主 [おおとものくろぬし] ………… ①186
大伴健岑 [おおとものこわみね]　➡伴健岑 [とものこわみね]
大伴坂上郎女 [おおとものさかのうえのいらつめ] …… ①186
　⇨大伴家持 [おおとものやかもち]
大伴旅人 [おおとものたびと] …………… ①186
　⇨大伴坂上郎女 [おおとものさかのうえのいらつめ]
　⇨大伴家持 [おおとものやかもち]
　⇨山上憶良 [やまのうえのおくら]
大伴家持 [おおとものやかもち] ………… ①187
　⇨大伴坂上郎女 [おおとものさかのうえのいらつめ]
　⇨大伴旅人 [おおとものたびと]
　⇨藤原種継 [ふじわらのたねつぐ]
大友義鎮 [おおともよししげ]　➡大友宗麟 [おおともそうりん]
オードリー, ウィルバート ……………… ①187
オードリー・ヘップバーン　➡ヘップバーン,オードリー
大中恩 [おおなかめぐみ] ………………… ①187
大西卓哉 [おおにしたくや] ……………… ①188
大野治長 [おおのはるなが] ……………… ①188
太安万侶 [おおのやすまろ] ……………… ①188
　⇨元明天皇 [げんめいてんのう]
　⇨稗田阿礼 [ひえだのあれ]
大庭源之丞 [おおばげんのじょう] ……… ①188
　⇨友野与右衛門 [とものよえもん]
大橋源太郎 [おおはしげんたろう] ……… ①188
大橋鎮子 [おおはししずこ] ……………… ①189
　⇨花森安治 [はなもりやすじ]
大橋新太郎 [おおはししんたろう] ……… ①189
大畑才蔵 [おおはたさいぞう] …………… ①189
大庭みな子 [おおばみなこ] ……………… ①189
大原重徳 [おおはらしげとみ] …………… ①190
　⇨島津久光 [しまづひさみつ]
大原孫三郎 [おおはらまごさぶろう] …… ①190
　⇨小山益太 [こやまますた]
大原幽学 [おおはらゆうがく] …………… ①190
大平正芳 [おおひらまさよし] …………… ①190
　⇨小渕恵三 [おぶちけいぞう]
　⇨鈴木善幸 [すずきぜんこう]
　⇨橋本龍太郎 [はしもとりゅうたろう]
　⇨福田赳夫 [ふくだたけお]
オー・ヘンリー ……………………………… ①191
オーム, ゲオルク・ジーモン …………… ①191

⇨フーリエ,ジャン・バプティスト

大村智 [おおむらさとし] ……… ①191

大村純忠 [おおむらすみただ] ……… ①191
⇨有馬晴信 [ありまはるのぶ]
⇨大友宗麟 [おおともそうりん]
⇨千々石ミゲル [ちぢわ一]
⇨中浦ジュリアン [なかうら一]
⇨松浦隆信 [まつらたかのぶ]

大村益次郎 [おおむらますじろう] ……… ①192
⇨緒方洪庵 [おがたこうあん]　⇨キヨソーネ,エドアルド
⇨広瀬淡窓 [ひろせたんそう]　⇨ヘボン,ジェームス

大森房吉 [おおもりふさきち] ……… ①192

大宅壮一 [おおやそういち] ……… ①192

大山郁夫 [おおやまいくお] ……… ①193
⇨長谷川如是閑 [はせがわにょぜかん]

大山巌 [おおやまいわお] ……… ①193
⇨児玉源太郎 [こだまげんたろう]　⇨フルベッキ,グイド
⇨山川捨松 [やまかわすてまつ]

大山捨松 [おおやますてまつ]　➡山川捨松 [やまかわすてまつ]

大山康晴 [おおやまやすはる] ……… ①193
⇨木村義雄 [きむらよしお]　⇨中原誠 [なかはらまこと]
⇨升田幸三 [ますだこうぞう]
⇨森内俊之 [もりうちとしゆき]

オールコック,ラザフォード ……… ①193
⇨伊藤博文 [いとうひろぶみ]
⇨ワーグマン,チャールズ

岡潔 [おかきよし] ……… ①194

岡倉天心 [おかくらてんしん] ……… ①194
⇨オキーフ,ジョージア　⇨狩野芳崖 [かのうほうがい]
⇨下村観山 [しもむらかんざん]
⇨高村光雲 [たかむらこううん]
⇨坪内逍遙 [つぼうちしょうよう]
⇨橋本雅邦 [はしもとがほう]
⇨菱田春草 [ひしだしゅんそう]
⇨平櫛田中 [ひらくしでんちゅう]
⇨フェノロサ,アーネスト　⇨前田青邨 [まえだせいそん]
⇨安田靫彦 [やすだゆきひこ]
⇨横山大観 [よこやまたいかん]

岡崎正宗 [おかざきまさむね]　➡正宗 [まさむね]

岡田寒泉 [おかだかんせん] ……… ①194
⇨柴野栗山 [しばのりつざん]

岡田啓介 [おかだけいすけ] ……… ①194
⇨林銑十郎 [はやしせんじゅうろう]
⇨広田弘毅 [ひろたこうき]

尾形乾山 [おがたけんざん] ……… ①195
⇨尾形光琳 [おがたこうりん]
⇨沼波弄山 [ぬなみろうざん]
⇨本阿弥光悦 [ほんあみこうえつ]　⇨リーチ,バーナード

緒方洪庵 [おがたこうあん] ……… ①195
⇨大村益次郎 [おおむらますじろう]
⇨佐野常民 [さのつねたみ]
⇨橋本左内 [はしもとさない]
⇨福沢諭吉 [ふくざわゆきち]

尾形光琳 [おがたこうりん] ……… ①195
⇨池大雅 [いけのたいが]
⇨伊藤若冲 [いとうじゃくちゅう]
⇨尾形乾山 [おがたけんざん]
⇨葛飾北斎 [かつしかほくさい]　⇨クリムト,グスタフ
⇨酒井抱一 [さかいほういつ]
⇨俵屋宗達 [たわらやそうたつ]
⇨速水御舟 [はやみぎょしゅう]
⇨本阿弥光悦 [ほんあみこうえつ]

緒方貞子 [おがたさだこ] ……… ①196

岡田三郎助 [おかだぶろうすけ] ……… ①196

緒方春朔 [おがたしゅんさく] ……… ①196

緒方竹虎 [おがたたけとら] ……… ①196

岡田普理衛 [おかだふりえ] ……… ①197

岡野薫子 [おかのかおるこ] ……… ①197

岡野貞一 [おかのていいち] ……… ①197

岡上景能 [おかのぼりかげよし] ……… ①197

岡本かの子 [おかもとかのこ] ……… ①197
⇨岡本太郎 [おかもとたろう]
⇨川端康成 [かわばたやすなり]

岡本綺堂 [おかもときどう] ……… ①198
⇨市川左団次 [いちかわさだんじ]

岡本太郎 [おかもとたろう] ……… ①198
⇨岡本かの子 [おかもとかのこ]

岡本兵松 [おかもとひょうまつ] ……… ①198
⇨伊豫田与八郎 [いよだよはちろう]
⇨都築弥厚 [つづきやこう]

小川国夫 [おがわくにお] ……… ①198

小川トク [おがわ一] ……… ①199

小川未明 [おがわみめい] ……… ①199
⇨杉みき子 [すぎみきこ]
⇨鈴木三重吉 [すずきみえきち]
⇨坪田譲治 [つぼたじょうじ]　⇨古田足日 [ふるたたるひ]

小川洋子 [おがわようこ] ……… ①199

オキーフ,ジョージア ……… ①199

沖田総司 [おきたそうじ] ……… ①199
⇨近藤勇 [こんどういさみ]

荻野吟子 [おぎのぎんこ] ……… ①200

荻生徂徠 [おぎゅうそらい] ……… ①200
⇨安積澹泊 [あさかたんぱく]
⇨伊藤東涯 [いとうとうがい]
⇨海保青陵 [かいほせいりょう]
⇨太宰春台 [だざいしゅんだい]
⇨富永仲基 [とみながなかもと]
⇨中井竹山 [なかいちくざん]
⇨服部南郭 [はっとりなんかく]
⇨広瀬淡窓 [ひろせたんそう]
⇨丸山真男 [まるやままさお]
⇨柳沢吉保 [やなぎさわよしやす]

荻原重秀 [おぎわらしげひで] ……… ①200
⇨徳川綱吉 [とくがわつなよし]

荻原守衛 [おぎわらもりえ] ……… ①200
⇨相馬黒光 [そうまこっこう]
⇨中原悌二郎 [なかはらていじろう]

オクタウィアヌス帝 [一てい] ……… ①201
⇨アントニウス,マルクス　⇨ウェルギリウス
⇨オウィディウス　⇨キケロ,マルクス・トゥリウス
⇨クレオパトラ　⇨ブルートゥス,マルクス・ユニウス
⇨ホラティウス　⇨リウィウス
⇨レピドゥス,マルクス・アエミリウス

奥田助七郎 [おくだすけしちろう] ……… ①201

阿国 [おくに] ……… ①201

奥むめお [おくむめお] ……… ①201
⇨平塚らいてう [ひらつからいちょう]

奥村土牛 [おくむらとぎゅう] ……… ①202

奥村政信 [おくむらまさのぶ] ……… ①202
⇨鈴木春信 [すずきはるのぶ]

小倉遊亀 [おぐらゆき] ……… ①202

小栗忠順 [おぐりただまさ] ……… ①202
⇨安積艮斎 [あさかごんさい]
⇨新見正興 [しんみまさおき]

オゴタイ・ハン ……… ①203
⇨チンギス・ハン　⇨ハイドゥ　⇨バトゥ
⇨フビライ・ハン　⇨モンケ・ハン
⇨耶律楚材 [やりつそざい]

小此木啓吾 [おこのぎけいご] ……… ①203

オコンネル,ダニエル ……… ①203

刑部親王 [おさかべしんのう] ……… ①203
⇨持統天皇 [じとうてんのう]
⇨藤原不比等 [ふじわらのふひと]
⇨文武天皇 [もんむてんのう]

尾崎一雄 [おざきかずお] ……… ①204

尾崎紅葉 [おざきこうよう] ……… ①204
⇨泉鏡花 [いずみきょうか]　⇨巌谷小波 [いわやさざなみ]
⇨幸田露伴 [こうだろはん]　⇨田山花袋 [たやまかたい]
⇨徳田秋声 [とくだしゅうせい]
⇨広津柳浪 [ひろつりゅうろう]
⇨前田青邨 [まえだせいそん]
⇨山田美妙 [やまだびみょう]

尾崎士郎 [おざきしろう] ……… ①204

尾崎放哉 [おざきほうさい] ……… ①204

尾崎秀実 [おざきほつみ] ……… ①204
⇨木下順二 [きのしたじゅんじ]　⇨ゾルゲ,リヒャルト

尾崎行雄 [おざきゆきお] ……… ①205
⇨犬養毅 [いぬかいつよし]

長田円右衛門 [おさだえんえもん] ……… ①205

長田弘 [おさだひろし] ……… ①205

小山内薫 [おさないかおる] ……… ①205
⇨石井漠 [いしいばく]　⇨市川左団次 [いちかわさだんじ]
⇨川口松太郎 [かわぐちまつたろう]
⇨谷崎潤一郎 [たにざきじゅんいちろう]
⇨土方与志 [ひじかたよし]

長船長光 [おさふねながみつ] ……… ①206

オサマ・ビンラディン ……… ①206

大佛次郎 [おさらぎじろう] ……… ①206

小澤征爾 [おざわせいじ] ……… ①206

小沢正 [おざわただし] ……… ①207

オスカー・ハマースタイン2世
　➡ハマースタイン2世,オスカー [一せい一]

オスカー・ワイルド　➡ワイルド,オスカー

オスマン,ジョルジュ＝ユージェーヌ ……… ①207

小平浪平 [おだいらなみへい] ……… ①207

織田有楽斎 [おだうらくさい] ……… ①207

織田作之助 [おださくのすけ] ……… ①207
⇨坂口安吾 [さかぐちあんご]　⇨太宰治 [だざいおさむ]

小田野直武 [おだのなおたけ] ……… ①208
⇨司馬江漢 [しばこうかん]
⇨平賀源内 [ひらがげんない]

織田信雄 [おだのぶかつ] ……… ①208
⇨織田信孝 [おだのぶたか]
⇨豊臣秀吉 [とよとみひでよし]
⇨前田玄以 [まえだげんい]

織田信孝 [おだのぶたか] ……… ①208
⇨お市の方 [おいちのかた]　⇨織田信雄 [おだのぶかつ]
⇨柴田勝家 [しばたかついえ]
⇨豊臣秀吉 [とよとみひでよし]

織田信忠 [おだのぶただ] ……… ①208
⇨明智光秀 [あけちみつひで]
⇨織田信長 [おだのぶなが]
⇨柴田勝家 [しばたかついえ]
⇨豊臣秀吉 [とよとみひでよし]
⇨細川忠興 [ほそかわただおき]
⇨前田玄以 [まえだげんい]

織田信長 [おだのぶなが] ……… ①210
⇨明智光秀 [あけちみつひで]
⇨浅井長政 [あざいながまさ]
⇨朝倉義景 [あさくらよしかげ]
⇨浅野長政 [あさのながまさ]
⇨足利義昭 [あしかがよしあき]
⇨足利義輝 [あしかがよしてる]
⇨足利義栄 [あしかがよしひで]
⇨尼子勝久 [あまごかつひさ]

五十音順索引

お／か

⇨荒木村重[あらきむらしげ]
⇨安国寺恵瓊[あんこくじえけい]
⇨池田輝政[いけだてるまさ]
⇨今井宗久[いまいそうきゅう]
⇨今川義元[いまがわよしもと]
⇨上杉景勝[うえすぎかげかつ]
⇨上杉謙信[うえすぎけんしん]
⇨お市の方[おいちのかた]
⇨正親町天皇[おおぎまちてんのう]
⇨織田有楽斎[おだうらくさい]
⇨織田信雄[おだのぶかつ]　⇨織田信孝[おだのぶたか]
⇨織田信忠[おだのぶただ]　⇨織田信秀[おだのぶひで]
⇨オルガンチノ　⇨海北友松[かいほうゆうしょう]
⇨狩野永徳[かのうえいとく]
⇨狩野山楽[かのうさんらく]
⇨狩野宗秀[かのうそうしゅう]
⇨カブラル,フランシスコ　⇨蒲生氏郷[がもううじさと]
⇨黒田長政[くろだながまさ]
⇨黒田孝高[くろだよしたか]　⇨顕如[けんにょ]
⇨後藤祐乗[ごとうゆうじょう]
⇨小西隆佐[こにしりゅうさ]
⇨小早川隆景[こばやかわたかかげ]
⇨斎藤竜興[さいとうたつおき]
⇨斎藤道三[さいとうどうさん]
⇨真田信之[さなだのぶゆき]
⇨真田昌幸[さなだまさゆき]
⇨柴田勝家[しばたかついえ]
⇨司馬遼太郎[しばりょうたろう]
⇨崇源院[すうげんいん]　⇨千利休[せんのりきゅう]
⇨高山右近[たかやまうこん]
⇨滝川一益[たきがわかずます]
⇨武田勝頼[たけだかつより]
⇨武田信玄[たけだしんげん]
⇨竹中半兵衛[たけなかはんべえ]　⇨辻邦生[つじくにお]
⇨津田宗及[つだそうぎゅう]
⇨筒井順慶[つついじゅんけい]
⇨寺沢広高[てらさわひろたか]
⇨徳川家康[とくがわいえやす]
⇨豊臣秀吉[とよとみひでよし]
⇨長束正家[なつかまさいえ]
⇨蜂須賀正勝[はちすかまさかつ]
⇨バリニャーノ,アレッサンドロ
⇨古田織部[ふるたおりべ]　⇨フロイス,ルイス
⇨北条氏政[ほうじょううじまさ]
⇨細川ガラシャ[ほそかわー]
⇨細川忠興[ほそかわただおき]
⇨細川幽斎[ほそかわゆうさい]
⇨前田玄以[まえだげんい]　⇨前田利家[まえだとしいえ]
⇨松永久秀[まつながひさひで]
⇨毛利輝元[もうりてるもと]
⇨山内一豊[やまうちかずとよ]
⇨山中鹿之介[やまなかしかのすけ]　⇨淀殿[よどどの]
⇨六角義賢[ろっかくよしかた]

織田信秀[おだのぶひで] ……… ①208
　⇨お市の方[おいちのかた]　⇨織田信長[おだのぶなが]
　⇨斎藤道三[さいとうどうさん]　⇨崇源院[すうげんいん]
小田実[おだまこと] ……… ①209
織田幹雄[おだみきお] ……… ①209
落合直文[おちあいなおぶみ] ……… ①209
　⇨与謝野鉄幹[よさのてっかん]
オッカム　➡ウィリアム・オブ・オッカム
オットー,ニコラウス ……… ①209
　⇨ダイムラー,ゴットリープ
オットー1世[ーせい] ……… ①212
オットー・フォン・ゲーリケ　➡ゲーリケ,オットー・フォン

オットー・フォン・ビスマルク
　➡ビスマルク,オットー・フォン
オットー・リリエンタール　➡リリエンタール,オットー
オットリーノ・レスピーギ　➡レスピーギ,オットリーノ
オッフェンバック,ジャック ……… ①212
　⇨ズッペ,フランツ・フォン
オッペンハイマー,ジョン ……… ①212
小津安二郎[おづやすじろう] ……… ①212
　⇨今村昌平[いまむらしょうへい]　⇨里見弴[さとみとん]
　⇨杉村春子[すぎむらはるこ]　⇨原節子[はらせつこ]
　⇨山田五十鈴[やまだいすず]
オディロン・ルドン　➡ルドン,オディロン
オドアケル ……… ①212
　⇨テオドリック大王[ーだいおう]
小野梓[おのあずさ] ……… ①213
　⇨馬場辰猪[ばばたつい]
尾上菊五郎[おのえきくごろう] ……… ①213
　⇨市川左団次[いちかわさだんじ]
　⇨市川団十郎[いちかわだんじゅうろう]
　⇨尾上松緑[おのえしょうろく]
　⇨河竹黙阿弥[かわたけもくあみ]
　⇨鶴屋南北[つるやなんぼく]
　⇨中村吉右衛門[なかむらきちえもん]
尾上松緑[おのえしょうろく] ……… ①213
　⇨松本白鸚[まつもとはくおう]
小野忠明[おのただあき]
　⇨伊藤一刀斎[いとういっとうさい]
　⇨千葉周作[ちばしゅうさく]
小野妹子[おののいもこ] ……… ①213
　⇨聖徳太子[しょうとくたいし]
　⇨推古天皇[すいことうのう]
　⇨高向玄理[たかむこのくろまろ]
　⇨裴世清[はいせいせい]
　⇨南淵請安[みなぶちのしょうあん]　⇨旻[みん]
　⇨煬帝[ようだい]
小野小町[おののこまち] ……… ①214
小野篁[おののたかむら] ……… ①214
　⇨小野道風[おののみちかぜ]
　⇨小野岑守[おののみねもり]
　⇨小野好古[おののよしふる]　⇨紀夏井[きのなつい]
小野道風[おののとうふう]　➡小野道風[おののみちかぜ]
小野道風[おののみちかぜ] ……… ①214
　⇨小野好古[おののよしふる]
　⇨藤原佐理[ふじわらのすけまさ]
　⇨藤原行成[ふじわらのゆきなり]
小野岑守[おののみねもり] ……… ①214
　⇨小野篁[おののたかむら]
小野好古[おののよしふる] ……… ①215
　⇨小野道風[おののみちかぜ]
　⇨藤原純友[ふじわらのすみとも]
オノ・ヨーコ　⇨レノン,ジョン
小野蘭山[おのらんざん] ……… ①215
オノレ・ガブリエル・リケティ・ミラボー
　➡ミラボー,オノレ・ガブリエル・リケティ
オノレ・ドーミエ　➡ドーミエ,オノレ
オノレ・ド・バルザック　➡バルザック,オノレ・ド
オパーリン,アレクサンドル ……… ①215
小幡高政[おばたたかまさ] ……… ①215
オバマ,バラク ……… ①215
小渕恵三[おぶちけいぞう] ……… ①216
　⇨竹下登[たけしたのぼる]
　⇨宮沢喜一[みやざわきいち]
　⇨森喜朗[もりよしろう]
小渕志ち[おぶちしち] ……… ①216
オマル　➡ウマル

オマル・ハイヤーム ……… ①216
小山朝政[おやまともまさ] ……… ①216
オラニエ公ウィレム[ーこう] ……… ①217
オランド,フランソワ ……… ①217
オリオール,バンサン ……… ①217
折口信夫[おりくちしのぶ] ……… ①217
　⇨伊波普猷[いはふゆう]
オリバー・クロムウェル　➡クロムウェル,オリバー
オリバー・サックス　➡サックス,オリバー
オリビエ・メシアン　➡メシアン,オリビエ
折本良平[おりもとりょうへい] ……… ①218
オルガンチノ ……… ①218
　⇨カブラル,フランシスコ
　⇨高山右近[たかやまうこん]
　⇨バリニャーノ,アレッサンドロ
オルコット,ルイーザ・メイ ……… ①218
オルフ,カール ……… ①218
温家宝[おんかほう(ウェンチアバオ)] ……… ①218

か

ガーシュイン,ジョージ ……… ①219
　⇨グローフェ,ファーデ　⇨ケリー,ジーン
カーソン,レイチェル ……… ①219
カーター,ジミー ……… ①219
　⇨サダト,アンワル　⇨フォード,ジェラルド・ルドルフ
　⇨レーガン,ロナルド
カーター,ハワード ……… ①220
　⇨ツタンカーメン王[ーおう]
カート・ボネガット　⇨アービング,ジョン
カートライト,エドムンド ……… ①220
カーネギー,アンドリュー ……… ①220
カーネル・サンダース ……… ①221
カーメルリング・オンネス,ヘイケ ……… ①221
カーリダーサ ……… ①221
　⇨チャンドラグプタ2世[ーせい]
カール,エリック ……… ①221
カール4世[ーせい] ……… ①222
　⇨カジミェシュ大王[ーだいおう]
　⇨ホルティ・ミクローシュ
カール5世[ーせい] ……… ①222
　⇨オラニエ公ウィレム[ーこう]
　⇨スレイマン1世[ーせい]　⇨フェリペ2世[ーせい]
　⇨フランソワ1世[ーせい]　⇨フリードリヒ3世[ーせい]
　⇨マゼラン,フェルディナンド
　⇨ラス・カサス,バルトロメ・デ　⇨ルター,マルティン
カール12世[ーせい] ……… ①222
カール・シャウプ　➡シャウプ,カール
カール・シュタイン　➡シュタイン,カール
カール・セーガン　➡セーガン,カール
カール・アウグスト・ハルデンベルク
　➡ハルデンベルク,カール・アウグスト
カール・アドルフ・アイヒマン
　➡アイヒマン,カール・アドルフ
カール・オルフ　➡オルフ,カール
カール・カウツキー　➡カウツキー,カール
カール・グスタフ・ユング　➡ユング,カール・グスタフ
カール大帝[ーたいてい] ……… ①222
　⇨アルクイン　⇨アルフレッド大王[ーだいおう]
　⇨エグバート　⇨ハールーン・アッラシード
　⇨ピピン　⇨ルートウィヒ1世[ーせい]
　⇨レオ3世[ーせい]　⇨ロタール1世[ーせい]
カール・チェルニー　➡チェルニー,カール

カール・ツンベルグ　➡ツンベルグ,カール

カール・デビット・アンダーソン
　➡アンダーソン,カール・デビット

カールハインツ・シュトックハウゼン
　➡シュトックハウゼン,カールハインツ

カール・バルト　➡バルト,カール

カール・ヒルティ　➡ヒルティ,カール

カール・フェルディナント・ブラウン
　➡ブラウン,カール・フェルディナント

カール・フォン・クラウゼヴィッツ
　➡クラウゼヴィッツ,カール・フォン

カール・フォン・フリッシュ　➡フリッシュ,カール・フォン

カール・フォン・リンネ　➡リンネ,カール・フォン

カール・ブッセ　➡ブッセ,カール

カール・フリードリヒ・ガウス
　➡ガウス,カール・フリードリヒ

カール・フリードリヒ・ヘルマン・ロエスレル
　➡ロエスレル,カール・フリードリヒ・ヘルマン

カール・ベーム　➡ベーム,カール

カール・ベンツ　➡ベンツ,カール

カール・マリア・フォン・ウェーバー
　➡ウェーバー,カール・マリア・フォン

カール・マルクス　➡マルクス,カール

カール・マルテル ……………… ①223
　⇨ピピン

カール・ヤスパース　➡ヤスパース,カール

カール・リープクネヒト　➡リープクネヒト,カール

カール・ルイス　➡ルイス,カール

カーロ, フリーダ ……… ①223

ガイウス・コルネリウス・タキトゥス
　➡タキトゥス,ガイウス・コルネリウス

ガイウス・マリウス　➡マリウス,ガイウス

海音寺潮五郎［かいおんじちょうごろう］………… ①223

ガイガー, ハンス ……………… ①223
　⇨チャドウィック,ジェームズ
　⇨ラザフォード,アーネスト

快慶［かいけい］………………… ①224
　⇨運慶［うんけい］　⇨定朝［じょうちょう］
　⇨重源［ちょうげん］

開高健［かいこうたけし］…………… ①224
　⇨小田実［おだまこと］

貝原益軒［かいばらえきけん］…… ①224
　⇨宋応星［そうおうせい］
　⇨宮崎安貞［みやざきやすさだ］

海部俊樹［かいふとしき］………… ①224
　⇨竹下登［たけしたのぼる］
　⇨村山富市［むらやまとみいち］

海部ハナ［かいふ―］………… ①225

海北友松［かいほうゆうしょう］…… ①225

海保青陵［かいほせいりょう］……… ①225
　⇨太宰春台［だざいしゅんだい］

ガウス, カール・フリードリヒ …… ①225

ガウタマ・シッダールタ　➡シャカ

カウツキー, カール …………… ①226
　⇨ルクセンブルク,ローザ

ガウディ, アントニ …………… ①226

臥雲辰致［がうんたっち］………… ①226

カエサル, ユリウス …………… ①226
　⇨アントニウス,マルクス
　⇨オクタウィアヌス帝［―てい］
　⇨キケロ,マルクス・トゥリウス
　⇨クラッスス,マルクス・リキニウス　⇨クレオパトラ
　⇨ブルートゥス,マルクス・ユニウス　⇨プルタルコス
　⇨ホラティウス　⇨ポンペイウス
　⇨レピドゥス,マルクス・アエミリウス

ガエターノ・ドニゼッティ　➡グリンカ,ミハイル
　⇨スコット,ウォルター

ガガーリン, ユーリ ………………………… ①227

加賀乙彦［かがおとひこ］………………… ①227

加賀千代女［かがのちよじょ］…………… ①228

香川景樹［かがわかげき］………………… ①228

賀川豊彦［かがわとよひこ］……………… ①228
　⇨杉山元治郎［すぎやまもとじろう］

蠣崎信広［かきざきのぶひろ］　➡武田信広［たけだのぶひろ］

垣田幾馬［かきたいくま］………………… ①228

柿本人麻呂［かきのもとのひとまろ］……… ①228
　⇨梅原猛［うめはらたけし］
　⇨源実朝［みなもとのさねとも］
　⇨山部赤人［やまべのあかひと］

鍵谷カナ［かぎや―］………………… ①229

郭守敬［かくしゅけい］…………………… ①229

岳飛［がくひ］……………………………… ①229
　⇨高宗（南宋）［こうそう］　⇨秦檜［しんかい］

覚猷［かくゆう］　➡鳥羽僧正［とばそうじょう］

景山英子［かげやまひでこ］　➡福田英子［ふくだひでこ］

華国鋒［かこくほう（ホワクオフォン）］…………… ①229
　⇨江青［こうせい（チヤンチン）］
　⇨胡耀邦［こようほう（フーヤオバン）］

かこさとし ……………………………… ①230

笠井順八［かさいじゅんぱち］…………… ①230

葛西善蔵［かさいぜんぞう］……………… ①230
　⇨広津和郎［ひろつかずお］

笠置シヅ子［かさぎ―こ］………………… ①230
　⇨服部良一［はっとりりょういち］
　⇨美空ひばり［みそらひばり］

笠原白翁［かさはらはくおう］…………… ①231

笠松左太夫［かさまつさだゆう］………… ①231

カザルス, パブロ ……………………… ①231

ガザン・ハン …………………………… ①231
　⇨マルコ・ポーロ　⇨ラシード・アッディーン

梶井基次郎［かじいもとじろう］………… ①232
　⇨三好達治［みよしたつじ］

樫尾忠雄［かしおただお］………………… ①232

梶田隆章［かじたたかあき］……………… ①232
　⇨小柴昌俊［こしばまさとし］

カジミール・マレービチ　➡マレービチ,カジミール

カジミェシュ大王［―だいおう］………… ①232

加地茂治郎［かじもじろう］……………… ①233

賀集珉平［かしゅうみんぺい］…………… ①233

柏有度［かしわゆうと］…………………… ①233

梶原一騎［かじわらいっき］……………… ①233
　⇨ちばてつや

梶原景時［かじわらかげとき］…………… ①234
　⇨和田義盛［わだよしもり］

カズオ・イシグロ　➡イシグロ,カズオ

春日局［かすがのつぼね］………………… ①234
　⇨徳川家光［とくがわいえみつ］
　⇨堀田正俊［ほったまさとし］

春日八郎［かすがはちろう］……………… ①234
　⇨三橋美智也［みはしみちや］
　⇨村田英雄［むらたひでお］

カスティリオーネ, ジュゼッペ ………… ①234

カストロ, フィデル …………………… ①235
　⇨ゲバラ,エルネスト・チェ

和宮［かずのみや］……………………… ①235
　⇨浅田宗伯［あさだそうはく］
　⇨安藤信正［あんどうのぶまさ］
　⇨岩倉具視［いわくらともみ］
　⇨久世広周［くぜひろちか］

　⇨孝明天皇［こうめいてんのう］
　⇨天璋院［てんしょういん］
　⇨徳川家茂［とくがわいえもち］

ガスパル・ビレラ　➡ビレラ,ガスパル

片岡健吉［かたおかけんきち］…………… ①235
　⇨河野広中［こうのひろなか］

片岡球子［かたおかたまこ］……………… ①236

片岡直温［かたおかなおはる］…………… ①236

片桐且元［かたぎりかつもと］…………… ①236

荷田春満［かだのあずままろ］…………… ①236
　⇨賀茂真淵［かものまぶち］

片平観平［かたひらかんぺい］…………… ①237

カダフィ, ムアマル …………………… ①237

片山潜［かたやません］………………… ①237
　⇨河上清［かわかみきよし］
　⇨幸徳秋水［こうとくしゅうすい］
　⇨高野房太郎［たかのふさたろう］
　⇨西川光二郎［にしかわみつじろう］
　⇨横山源之助［よこやまげんのすけ］

片山哲［かたやまてつ］………………… ①237
　⇨斎藤隆夫［さいとうたかお］　⇨鈴木文治［すずきぶんじ］
　⇨西尾末広［にしおすえひろ］　⇨三木武夫［みきたけお］
　⇨村山富市［むらやまとみいち］
　⇨森戸辰男［もりとたつお］　⇨山川菊栄［やまかわきくえ］

片山東熊［かたやまとうくま］…………… ①238
　⇨コンドル,ジョサイア　⇨辰野金吾［たつのきんご］

片寄平蔵［かたよせへいぞう］…………… ①238

勝海舟［かつかいしゅう］………………… ①238
　⇨阿部正弘［あべまさひろ］
　⇨榎本武揚［えのもとたけあき］
　⇨川上善兵衛［かわかみぜんべえ］
　⇨五代友厚［ごだいともあつ］
　⇨西郷隆盛［さいごうたかもり］
　⇨坂本龍馬［さかもとりょうま］
　⇨佐久間象山［さくましょうざん］
　⇨ジョン万次郎［―まんじろう］
　⇨広沢真臣［ひろさわさねおみ］
　⇨陸奥宗光［むつむねみつ］
　⇨山岡鉄舟［やまおかてっしゅう］
　⇨山本権兵衛［やまもとごんべえ］
　⇨横井小楠［よこいしょうなん］

香月泰男［かづきやすお］………………… ①239

葛飾北斎［かつしかほくさい］…………… ①240
　⇨亜欧堂田善［あおうどうでんぜん］
　⇨歌川広重［うたがわひろしげ］
　⇨ゴンクール兄弟［―きょうだい］
　⇨東洲斎写楽［とうしゅうさいしゃらく］
　⇨ドビュッシー,クロード

ガッバーナ, ステファノ ……………… ①239
　⇨ドルチェ,ドメニコ

桂川甫周［かつらがわほしゅう］………… ①239
　⇨稲村三伯［いなむらさんぱく］
　⇨宇田川玄随［うだがわげんずい］
　⇨海保青陵［かいほせいりょう］
　⇨大黒屋光太夫［だいこくやこうだゆう］
　⇨ツンベルグ,カール

桂小五郎［かつらこごろう］　➡木戸孝允［きどたかよし］

桂太郎［かつらたろう］…………………… ①241
　⇨尾崎行雄［おざきゆきお］
　⇨加藤高明［かとうたかあき］
　⇨河野広中［こうのひろなか］
　⇨後藤新平［ごとうしんぺい］
　⇨小村寿太郎［こむらじゅたろう］
　⇨西園寺公望［さいおんじきんもち］
　⇨寺内正毅［てらうちまさたけ］

⇨浜口雄幸[はまぐちおさち]　⇨原敬[はらたかし]

⇨山県有朋[やまがたありとも]

⇨若槻礼次郎[わかつきれいじろう]

桂文楽[かつらぶんらく] ……………………… ①241

⇨古今亭志ん生[ここんていしんしょう]

桂米朝[かつらべいちょう] ………………… ①241

加藤景延[かとうかげのぶ] ………………… ①241

加藤景正[かとうかげまさ] ………………… ①242

加藤勘十[かとうかんじゅう] ……………… ①242

加藤清正[かとうきよまさ] ………………… ①242

⇨高台院[こうだいいん]　⇨小西行長[こにしゆきなが]

⇨松浦隆信[まつうらたかのぶ]

加藤九蔵[かとうくぞう] …………………… ①242

加藤周一[かとうしゅういち] ……………… ①242

⇨中村真一郎[なかむらしんいちろう]

⇨福永武彦[ふくながたけひこ]

加藤楸邨[かとうしゅうそん] ……………… ①243

⇨石田波郷[いしだはきょう]　⇨金子兜太[かねことうた]

⇨水原秋桜子[みずはらしゅうおうし]

加藤高明[かとうたかあき] ………………… ①243

⇨犬養毅[いぬかいつよし]　⇨宇垣一成[うがきかずしげ]

⇨片岡直温[かたおかなおはる]

⇨財部彪[たからべたけし]　⇨浜口雄幸[はまぐちおさち]

⇨広田弘毅[ひろたこうき]

⇨若槻礼次郎[わかつきれいじろう]

加藤辰之助[かとうたつのすけ] …………… ①243

加藤民吉[かとうたみきち] ………………… ①243

加藤唐九郎[かとうとうくろう] …………… ①243

加藤友三郎[かとうともさぶろう] ………… ①244

⇨財部彪[たからべたけし]

加藤一二三[かとうひふみ]　⇨羽生善治[はぶよしはる]

加藤弘之[かとうひろゆき] ………………… ①244

⇨馬場辰猪[ばばたつい]

⇨穂積陳重[ほづみのぶしげ]

角野栄子[かどのえいこ] …………………… ①244

カトリーヌ・ド・メディシス ……………… ①245

⇨シャルル9世[－せい]

金井繁之丞[かないしげのじょう] ………… ①245

金井俊行[かないとしゆき] ………………… ①245

金井宣茂[かないのりしげ] ………………… ①246

仮名垣魯文[かながきろぶん] ……………… ①246

金栗四三[かなぐりしぞう] ………………… ①246

金森吉次郎[かなもりきちじろう] ………… ①246

金谷総蔵[かなやそうぞう] ………………… ①246

カニシカ王[－おう] ………………………… ①247

カニング, ジョージ ………………………… ①247

カヌート　➡クヌート

金子鷗亭[かねこおうてい] ………………… ①247

金子堅太郎[かねこけんたろう] …………… ①247

⇨伊藤博文[いとうひろぶみ]

⇨伊東巳代治[いとうみよじ]

金子兜太[かねことうた] …………………… ①248

⇨加藤楸邨[かとうしゅうそん]

金子直吉[かねこなおきち] ………………… ①248

金子みすゞ[かねこみすず] ………………… ①248

金子光晴[かねこみつはる] ………………… ①248

金沢実時[かねざわさねとき] ……………… ①248

⇨上杉憲実[うえすぎのりざね]　⇨忍性[にんしょう]

ガネット, ルース・スタイルス …………… ①249

懐良親王[かねよししんのう] ……………… ①249

⇨菊池武光[きくちたけみつ]

狩野永徳[かのうえいとく] ………………… ①249

⇨狩野山楽[かのうさんらく]

⇨狩野宗秀[かのうそうしゅう]

⇨狩野探幽[かのうたんゆう]

⇨狩野内膳[かのうないぜん]

⇨狩野長信[かのうながのぶ]

⇨狩野秀頼[かのうひでより]

⇨長谷川等伯[はせがわとうはく]

狩野山楽[かのうさんらく] ………………… ①250

嘉納治五郎[かのうじごろう] ……………… ①250

⇨金栗四三[かなぐりしぞう]

狩野宗秀[かのうそうしゅう] ……………… ①250

狩野探幽[かのうたんゆう] ………………… ①250

⇨久隅守景[くすみもりかげ]

⇨西山宗因[にしやまそういん]

⇨英一蝶[はなぶさいっちょう]

狩野内膳[かのうないぜん] ………………… ①251

加納直盛[かのうなおもり] ………………… ①251

狩野長信[かのうながのぶ] ………………… ①251

⇨狩野吉信[かのうよしのぶ]

狩野秀頼[かのうひでより] ………………… ①251

狩野芳崖[かのうほうがい] ………………… ①251

⇨下村観山[しもむらかんざん]

⇨橋本雅邦[はしもとがほう]

⇨フェノロサ, アーネスト

狩野正信[かのうまさのぶ] ………………… ①252

⇨伊藤若冲[いとうじゃくちゅう]

⇨尾形光琳[おがたこうりん]

⇨葛飾北斎[かつしかほくさい]

⇨狩野探幽[かのうたんゆう]

⇨狩野元信[かのうもとのぶ]

⇨酒井抱一[さかいほういつ]

⇨司馬江漢[しばこうかん]

⇨住吉具慶[すみよしぐけい]

⇨谷文晁[たにぶんちょう]

⇨土佐光起[とさみつおき]

⇨菱川師宣[ひしかわもろのぶ]

⇨円山応挙[まるやまおうきょ]

狩野元信[かのうもとのぶ] ………………… ①252

⇨伊藤若冲[いとうじゃくちゅう]

⇨尾形光琳[おがたこうりん]

⇨葛飾北斎[かつしかほくさい]

⇨狩野永徳[かのうえいとく]

⇨狩野探幽[かのうたんゆう]

⇨狩野秀頼[かのうひでより]

⇨狩野吉信[かのうよしのぶ]

⇨酒井抱一[さかいほういつ]

⇨司馬江漢[しばこうかん]

⇨住吉具慶[すみよしぐけい]

⇨谷文晁[たにぶんちょう]

⇨土佐光起[とさみつおき]

⇨菱川師宣[ひしかわもろのぶ]

⇨円山応挙[まるやまおうきょ]

狩野元秀[かのうもとひで]　➡狩野宗秀[かのうそうしゅう]

狩野吉信[かのうよしのぶ] ………………… ①252

樺山資紀[かばやますけのり] ……………… ①252

⇨白洲正子[しらすまさこ]

カバレフスキー, ドミトリー ……………… ①253

カビール ……………………………………… ①253

⇨ナーナク

カブール, カミーロ・ベンソ ……………… ①253

⇨ガリバルディ, ジュゼッペ

⇨ビットーリオ・エマヌエーレ2世[－せい]

⇨マッツィーニ, ジュゼッペ

カフカ, フランツ …………………………… ①253

⇨ディケンズ, チャールズ

鏑木清方[かぶらききよかた] ……………… ①253

⇨伊東深水[いとうしんすい]

⇨上村松園[うえむらしょうえん]

⇨平福百穂[ひらふくひゃくすい]

カブラル, フランシスコ …………………… ①254

⇨オルガンチノ

カブラル, ペドロ・アルバレス …………… ①254

⇨ディアス, バルトロメウ

ガブリエル・ガルシア・マルケス

　　　➡ガルシア・マルケス, ガブリエル

ガブリエル・シャネル　➡シャネル, ガブリエル

ガブリエル・ファーレンハイト

　　　➡ファーレンハイト, ガブリエル

ガブリエル・フォーレ　➡フォーレ, ガブリエル

カポーティ, トルーマン　⇨村上春樹[むらかみはるき]

カボート父子[－ふし] ……………………… ①254

カボット父子[－ふし]　➡カボート父子[－ふし]

ガポン, ゲオルギー ………………………… ①254

鎌田三之助[かまださんのすけ] …………… ①255

鎌津田甚六[かまつだじんろく] …………… ①255

釜本邦茂[かまもとくにしげ] ……………… ①255

ガマル・アブドゥール・ナセル

　　　➡ナセル, ガマル・アブドゥール

カミユ・クローデル　➡クローデル, カミユ

カミーユ・コロー　➡コロー, カミーユ

カミーユ・サン＝サーンス　➡サン＝サーンス, カミーユ

カミーユ・ピサロ　➡ピサロ, カミーユ

カミーロ・ベンソ・カブール　➡カブール, カミーロ・ベンソ

神野金之助[かみのきんのすけ] …………… ①255

神屋寿禎[かみやじゅてい] ………………… ①256

⇨神屋宗湛[かみやそうたん]

神屋宗湛[かみやそうたん] ………………… ①256

⇨神屋寿禎[かみやじゅてい]

⇨島井宗室[しまいそうしつ]

神谷美恵子[かみやみえこ] ………………… ①256

カミュ, アルベール ………………………… ①256

亀井勝一郎[かめいかついちろう] ………… ①256

⇨保田与重郎[やすだよじゅうろう]

亀倉雄策[かめくらゆうさく] ……………… ①257

亀山天皇[かめやまてんのう] ……………… ①257

⇨叡尊[えいぞん]　⇨後宇多天皇[ごうだてんのう]

⇨後嵯峨天皇[ごさがてんのう]

⇨後深草天皇[ごふかくさてんのう]

⇨八条院暲子[はちじょういんしょうし]

蒲生氏郷[がもううじさと] ………………… ①257

⇨蒲生君平[がもうくんぺい]

蒲生君平[がもうくんぺい] ………………… ①257

⇨高山彦九郎[たかやまひこくろう]

⇨林子平[はやししへい]

加守田章二[かもだしょうじ] ……………… ①257

鴨長明[かものちょうめい] ………………… ①258

⇨兼好法師[けんこうほうし]

⇨慶滋保胤[よししげのやすたね]

賀茂真淵[かものまぶち] …………………… ①258

⇨上田秋成[うえだあきなり]

⇨荷田春満[かだのあずままろ]

⇨菅江真澄[すがえますみ]

⇨田安宗武[たやすむねたけ]

⇨塙保己一[はなわほきいち]

⇨源実朝[みなもとのさねとも]

⇨本居宣長[もとおりのりなが]

ガモフ, ジョージ …………………………… ①258

萱野茂[かやのしげる] ……………………… ①259

加山又造[かやままたぞう] ………………… ①259

柄井川柳[からいせんりゅう] ……………… ①259

カラカラ帝[－てい] ………………………… ①260

からくり儀右衛門[からくりぎえもん]

　　　➡田中久重[たなかひさしげ]

唐十郎 [からじゅうろう] …………… ①260
⇨横尾忠則 [よこおただのり]

カラス, マリア …………………… ①260

カラバッジョ …………………… ①260
⇨レンブラント・ファン・レイン

カラヤン, ヘルベルト・フォン …… ①261
⇨小澤征爾 [おざわせいじ]
⇨トスカニーニ, アルトゥーロ

カランサ, ベヌスティアーノ …… ①261
⇨サパタ, エミリアーノ　⇨ビリャ, パンチョ

ガリバルディ, ジュゼッペ …… ①261
⇨カブール, カミーロ・ベンソ
⇨ビットーリオ・エマヌエーレ2世 [ーせい]
⇨マッツィーニ, ジュゼッペ

ガリレイ, ガリレオ …………… ①264
⇨ウルグ・ベク
⇨トリチェリ, エバンジェリスタ
⇨ホイヘンス, クリスティアーン　⇨ボイル, ロバート
⇨ホッブズ, トーマス
ガリレオ・ガリレイ　➡ガリレイ, ガリレオ
カルザイ, ハミド　➡ハミド・カルザイ

ガルシア・マルケス, ガブリエル … ①262

ガルシン, フセボロド …………… ①262

カルダーノ, ジロラモ …………… ①262

カルダン, ピエール ……………… ①262

カルティエ, ルイ＝フランソワ …… ①263

カルティエ＝ブレッソン, アンリ … ①263
⇨キャパ, ロバート

カルティニ, ラデン・アジェン …… ①263

カルデナス, ラサロ ……………… ①263
軽皇子 [かるのおうじ]　➡孝徳天皇 [こうとくてんのう]
　➡文武天皇 [もんむてんのう]

カルノー, サディ ………………… ①263
⇨ケルビン

カルバン, ジャン ………………… ①266

カルピニ, ジョバンニ・ダ・ピアン・デル … ①266
カルビン・クーリッジ　➡クーリッジ, カルビン
ガルブレイス, ロバート
　➡ローリング, ジョアン・キャスリーン
カルロ・コッローディ　➡コッローディ, カルロ
カルロス1世 [ーせい]　➡カール5世 [ーせい]

ガレ, エミール …………………… ①266
ガレスピー, ディジー　⇨パーカー, チャーリー
カレル・チャペック　➡チャペック, カレル

ガロア, エバリスト ……………… ①266

カロザース, ウォーレス・ヒューム …… ①267

カロッサ, ハンス ………………… ①267

河合栄治郎 [かわいえいじろう] …… ①267
⇨森戸辰男 [もりとたつお]

河合喜三郎 [かわいきさぶろう] …… ①267

川合玉堂 [かわいぎょくどう] …… ①267

河井継之助 [かわいつぎのすけ] …… ①268
⇨小林虎三郎 [こばやしとらさぶろう]
河合隼雄 [かわいはやお]　⇨梨木香歩 [なしきかほ]

川上音二郎 [かわかみおとじろう] … ①268

河上清 [かわかみきよし] ………… ①268

川上善兵衛 [かわかみぜんべえ] …… ①268
河上徹太郎 [かわかみてつたろう]
⇨小林秀雄 [こばやしひでお]
⇨中原中也 [なかはらちゅうや]

川上哲治 [かわかみてつはる] …… ①269
⇨大下弘 [おおしたひろし]

河上肇 [かわかみはじめ] ………… ①269
⇨難波大助 [なんばだいすけ]
⇨福田徳三 [ふくだとくぞう]

川上弘美 [かわかみひろみ] ……… ①269

河口慧海 [かわぐちえかい] ……… ①270

川口松太郎 [かわぐちまつたろう] … ①270

川崎正蔵 [かわさきしょうぞう] …… ①270

川崎洋 [かわさきひろし] ………… ①270
⇨茨木のり子 [いばらぎのりこ]
⇨岸田衿子 [きしだえりこ]

川崎平右衛門 [かわさきへいえもん] … ①270

川路聖謨 [かわじとしあきら] …… ①271
⇨井上清直 [いのうえきよなお]
⇨江川太郎左衛門 [えがわたろうざえもん]

川島武宜 [かわしまたけよし] …… ①271

河竹黙阿弥 [かわたけもくあみ] …… ①271
⇨市川左団次 [いちかわさだんじ]
⇨鶴屋南北 [つるやなんぼく]

川田龍吉 [かわだりょうきち] …… ①271

川手文治郎 [かわてぶんじろう] …… ①272

川端玉章 [かわばたぎょくしょう] … ①272
⇨平福百穂 [ひらふくひゃくすい]
⇨藤島武二 [ふじしまたけじ]

川端康成 [かわばたやすなり] …… ①272
⇨大江健三郎 [おおえけんざぶろう]
⇨岡本かの子 [おかもとかのこ]
⇨尾崎士郎 [おざきしろう]　⇨キーン, ドナルド
⇨久米正雄 [くめまさお]　⇨古賀春江 [こがはるえ]
⇨深田久弥 [ふかだきゅうや]
⇨横光利一 [よこみつりいち]

川端龍子 [かわばたりゅうし] …… ①272
⇨丸木位里 [まるきいり]

河東碧梧桐 [かわひがしへきごとう] … ①273
⇨飯田蛇笏 [いいだだこつ]　⇨久米正雄 [くめまさお]
⇨高浜虚子 [たかはまきょし]

河村瑞賢 [かわむらずいけん] …… ①273

川村たかし [かわむらたかし] …… ①273

川村孫兵衛 [かわむらまごべえ] …… ①273

観阿弥 [かんあみ] ………………… ①273
⇨金春禅竹 [こんぱるぜんちく]　⇨世阿弥 [ぜあみ]

関羽 [かんう] ……………………… ①274
⇨孫権 [そんけん]　⇨張飛 [ちょうひ]　⇨陳寿 [ちんじゅ]
⇨劉備 [りゅうび]

甘英 [かんえい] …………………… ①274
⇨班超 [はんちょう]

神尾春央 [かんおはるひで] ……… ①274

完顔阿骨打 [かんがんあくだ]
　➡完顔阿骨打 [ワンヤンアクダ]

桓公 [かんこう] …………………… ①274

神沢利子 [かんざわとしこ] ……… ①275
⇨井上洋介 [いのうえようすけ]

鑑真 [がんじん] …………………… ①276
⇨王羲之 [おうぎし]　⇨淡海三船 [おうみのみふね]
⇨吉備真備 [きびのまきび]
⇨藤原清河 [ふじわらのきよかわ]

顔真卿 [がんしんけい] …………… ①275
⇨董其昌 [とうきしょう]

ガンディー ………………………… ①275
⇨エンクルマ, クワメ　⇨カビール
⇨キング, マーティン・ルーサー・ジュニア
⇨ジンナー, ムハンマド・アリー
⇨タゴール, ラビンドラナート　⇨チャンドラ・ボース
⇨ネルー, ジャワハルラール

ガンディー, インディラ ………… ①278
⇨ガンディー, ラジブ　⇨ネルー, ジャワハルラール

ガンディー, ラジブ ……………… ①278
⇨ガンディー, インディラ　⇨ネルー, ジャワハルラール

カンディンスキー, ワシリー …… ①278

⇨クレー, パウル　⇨デ・クーニング, ウィレム

カント, インマヌエル …………… ①278
⇨井上円了 [いのうええんりょう]
⇨サン＝ピエール, シャルル・イルネ・カステル・ド
⇨ショーペンハウアー, アルトゥール
⇨戸坂潤 [とさかじゅん]　⇨ヒューム, デビッド
⇨フィヒテ, ヨハン・ゴットリーブ
⇨ベーコン, フランシス

菅直人 [かんなおと] ……………… ①279
⇨野田佳彦 [のだよしひこ]
⇨鳩山由紀夫 [はとやまゆきお]

管野すが [かんのすが] …………… ①279
⇨藤原惺窩 [ふじわらせいか]

姜沆 [カンハン (きょうこう)] …… ①279
⇨藤原惺窩 [ふじわらせいか]

韓非 [かんぴ] ……………………… ①279
⇨荀子 [じゅんし]

咸豊帝 [かんぽうてい] …………… ①279
⇨西太后 [せいたいこう]　⇨同治帝 [どうちてい]

桓武天皇 [かんむてんのう] ……… ①280
⇨阿弖流為 [あてるい]　⇨在原業平 [ありわらのなりひら]
⇨清原夏野 [きよはらのなつの]
⇨光仁天皇 [こうにんてんのう]
⇨伊治呰麻呂 [これはりのあざまろ]　⇨最澄 [さいちょう]
⇨嵯峨天皇 [さがてんのう]
⇨坂上田村麻呂 [さかのうえのたむらまろ]
⇨早良親王 [さわらしんのう]
⇨淳和天皇 [じゅんなてんのう]
⇨菅野真道 [すがののみみち]
⇨平清盛 [たいらのきよもり]　⇨平高望 [たいらのたかもち]
⇨平時忠 [たいらのときただ]　⇨平将門 [たいらのまさかど]
⇨平正盛 [たいらのまさもり]
⇨高野新笠 [たかののにいがさ]
⇨千葉常胤 [ちばつねたね]
⇨藤原緒嗣 [ふじわらのおつぐ]
⇨藤原薬子 [ふじわらのくすこ]
⇨藤原種継 [ふじわらのたねつぐ]
⇨藤原百川 [ふじわらのももかわ]
⇨平城天皇 [へいぜいてんのう]　⇨遍昭 [へんじょう]
⇨良岑安世 [よしみねのやすよ]
⇨和気清麻呂 [わけのきよまろ]
⇨和気広虫 [わけのひろむし]

韓愈 [かんゆ] ……………………… ①280
⇨欧陽脩 [おうようしゅう]　⇨柳宗元 [りゅうそうげん]
康有為 [カンユーウェイ]　➡康有為 [こうゆうい]

観勒 [かんろく] …………………… ①281

き

キージンガー, クルト・ゲオルク ……… ①281

キイス, ダニエル ………………… ①281
キース・ヘリング　➡ヘリング, キース
キース・リチャーズ　⇨ジャガー, ミック

キーツ, エズラ・ジャック ……… ①281

キーツ, ジョン …………………… ①282
⇨シェリー, パーシー・ビッシュ
⇨薄田泣菫 [すすきだきゅうきん]
ギード・モーパッサン　➡モーパッサン, ギード

キーファー, アンセルム ………… ①282

キーン, ドナルド ………………… ①282

菊田一夫 [きくたかずお] ………… ①282
⇨三遊亭円生 [さんゆうていえんしょう]

菊池寛 [きくちかん] ……………… ①283
⇨芥川龍之介 [あくたがわりゅうのすけ]

309

⇨川端康成[かわばたやすなり]
⇨久米幸太郎[くめこうたろう]　⇨久米正雄[くめまさお]
⇨禅海[ぜんかい]　⇨広津和郎[ひろつかずお]
⇨古川緑波[ふるかわろっぱ]
⇨横光利一[よこみつりいち]
菊池武夫[きくちたけお] ……………………… ①283
菊池武時[きくちたけとき] …………………… ①283
⇨菊池武光[きくちたけみつ]
菊池武光[きくちたけみつ] …………………… ①283
菊池楯衛[きくちたてえ] ……………………… ①283
⇨外崎嘉七[とのさきかしち]
菊池藤五郎[きくちとうごろう] ……………… ①284
菊屋新助[きくやしんすけ] …………………… ①284
キケロ, マルクス・トゥリウス …………… ①284
⇨オクタウィアヌス帝[ーてい]　⇨ペトラルカ
⇨ヘロドトス　⇨レピドゥス,マルクス・アエミリウス
岸田衿子[きしだえりこ] ……………………… ①284
⇨岸田国士[きしだくにお]
岸田国士[きしだくにお] ……………………… ①284
⇨岸田衿子[きしだえりこ]　⇨獅子文六[ししぶんろく]
⇨杉村春子[すぎむらはるこ]
⇨田中千禾夫[たなかちかお]
岸田俊子[きしだとしこ] ……………………… ①285
⇨中島信行[なかじまのぶゆき]
⇨福田英子[ふくだひでこ]
岸田劉生[きしだりゅうせい] ………………… ①285
⇨梅原龍三郎[うめはらりゅうざぶろう]
⇨高村光太郎[たかむらこうたろう]
⇨中川一政[なかがわかずまさ]
⇨萬鉄五郎[よろずてつごろう]
鬼室福信[きしつふくしん] …………………… ①285
岸信介[きしのぶすけ] ………………………… ①285
⇨鮎川義介[あいかわよしすけ]
⇨安倍晋三[あべしんぞう]　⇨池田勇人[いけだはやと]
⇨佐藤栄作[さとうえいさく]
⇨正力松太郎[しょうりきまつたろう]
⇨高碕達之助[たかさきたつのすけ]
⇨田中角栄[たなかかくえい]
⇨三木武夫[みきたけお]
⇨森喜朗[もりよしろう]
義浄[ぎじょう] ………………………………… ①286
喜撰[きせん] …………………………………… ①286
徽宗[きそう] …………………………………… ①286
⇨欽宗[きんそう]　⇨高宗(南宋)[こうそう]
喜早伊右衛門[きそういえもん] ……………… ①287
木曽義仲[きそよしなか]　➡源義仲
北一輝[きたいっき] …………………………… ①287
⇨大川周明[おおかわしゅうめい]
⇨西田税[にしだみつぎ]
北大路魯山人[きたおおじろさんじん] ……… ①287
北垣国道[きたがきくにみち] ………………… ①287
⇨田辺朔郎[たなべさくろう]
喜多川歌麿[きたがわうたまろ] ……………… ①288
⇨ゴンクール兄弟[ーきょうだい]
⇨鈴木春信[すずきはるのぶ]
⇨蔦屋重三郎[つたやじゅうざぶろう]
⇨東洲斎写楽[とうしゅうさいしゃらく]
喜田吉右衛門[きだきちえもん] ……………… ①288
喜田貞吉[きだだきち] ………………………… ①288
北里柴三郎[きたさとしばさぶろう] ………… ①288
⇨コッホ,ロベルト　⇨後藤新平[ごとうしんぺい]
⇨志賀潔[しがきよし]　⇨野口英世[のぐちひでよ]
⇨秦佐八郎[はたさはちろう]
北館大学助利長[きただてだいがくのすけとしなが]
…………………………………………………… ①289

北政所[きたのまんどころ]　➡高台院[こうだいいん]
北畠顕家[きたばたけあきいえ] ……………… ①289
⇨足利尊氏[あしかがたかうじ]
⇨北畠親房[きたばたけちかふさ]
⇨楠木正成[くすのきまさしげ]
⇨高師直[こうのもろなお]
⇨後醍醐天皇[ごだいごてんのう]
⇨後村上天皇[ごむらかみてんのう]
⇨新田義貞[にったよしさだ]
⇨北条時行[ほうじょうときゆき]
北畠親房[きたばたけちかふさ] ……………… ①290
⇨北畠顕家[きたばたけあきいえ]
⇨度会家行[わたらいいえゆき]
北原白秋[きたはらはくしゅう] ……………… ①290
⇨西条八十[さいじょうやそ]
⇨鈴木三重吉[すずきみえきち]
⇨砂田弘[すなだひろし]
⇨高村光太郎[たかむらこうたろう]
⇨巽聖歌[たつみせいか]　⇨中西悟堂[なかにしごどう]
⇨野口雨情[のぐちうじょう]
⇨萩原朔太郎[はぎわらさくたろう]
⇨前田夕暮[まえだゆうぐれ]　⇨まど・みちお
⇨三木露風[みきろふう]　⇨宮柊二[みやしゅうじ]
⇨室生犀星[むろうさいせい]
⇨山田耕筰[やまだこうさく]　⇨吉井勇[よしいいさむ]
⇨与田準一[よだじゅんいち]
北村季吟[きたむらきぎん] …………………… ①290
⇨松尾芭蕉[まつおばしょう]
⇨松永貞徳[まつながていとく]
北村西望[きたむらせいぼう] ………………… ①290
北村透谷[きたむらとうこく] ………………… ①291
⇨上田敏[うえだびん]　⇨島崎藤村[しまざきとうそん]
⇨トルストイ,レフ
北杜夫[きたもりお] …………………………… ①291
⇨斎藤茂吉[さいとうもきち]
⇨佐藤愛子[さとうあいこ]
⇨辻邦生[つじくにお]
喜多六平太[きたろっぺいた] ………………… ①291
北脇永治[きたわきえいじ] …………………… ①291
⇨松戸覚之助[まつどかくのすけ]
吉川広嘉[きっかわひろよし] ………………… ①292
吉川元春[きっかわもとはる] ………………… ①292
⇨小早川隆景[こばやかわたかかげ]
⇨毛利輝元[もうりてるもと]
⇨毛利元就[もうりもとなり]
木津勘助[きづかんすけ] ……………………… ①292
キッシンジャー, ヘンリー ………………… ①292
キップリング, ラドヤード ………………… ①293
義堂周信[ぎどうしゅうしん] ………………… ①293
⇨絶海中津[ぜっかいちゅうしん]
木戸幸一[きどこういち] ……………………… ①293
木戸孝允[きどたかよし] ……………………… ①293
⇨伊藤博文[いとうひろぶみ]
⇨岩倉具視[いわくらともみ]
⇨上野彦馬[うえのひこま]
⇨大久保利通[おおくぼとしみち]
⇨木戸幸一[きどこういち]　⇨久米邦武[くめくにたけ]
⇨小松帯刀[こまつたてわき]
⇨西郷隆盛[さいごうたかもり]
⇨坂本龍馬[さかもとりょうま]
⇨島地黙雷[しまじもくらい]
⇨中岡慎太郎[なかおかしんたろう]
⇨新島襄[にいじまじょう]
⇨広沢真臣[ひろさわさねおみ]
⇨藤田小四郎[ふじたこしろう]

⇨村田清風[むらたせいふう]
⇨山口尚芳[やまぐちなおよし]
衣笠祥雄[きぬがささちお] …………………… ①294
⇨ゲーリッグ,ルー
絹屋佐平治[きぬやさへいじ] ………………… ①294
稀音家浄観[きねやじょうかん] ……………… ①294
⇨吉住小三郎[よしずみこさぶろう]
杵屋六三郎[きねやろくさぶろう] …………… ①295
紀伊国屋文左衛門[きのくにやぶんざえもん] … ①295
⇨奈良屋茂左衛門[ならやもざえもん]
木下惠介[きのしたけいすけ] ………………… ①295
木下順庵[きのしたじゅんあん] ……………… ①295
⇨雨森芳洲[あめのもりほうしゅう]
⇨新井白石[あらいはくせき]
⇨貝原益軒[かいばらえきけん]
⇨陶山訥庵[すやまとつあん]
⇨前田綱紀[まえだつなのり]
⇨室鳩巣[むろきゅうそう]
木下順二[きのしたじゅんじ] ………………… ①296
⇨團伊玖磨[だんいくま]
木下藤吉郎[きのしたとうきちろう]
　➡豊臣秀吉[とよとみひでよし]
木下尚江[きのしたなおえ] …………………… ①296
⇨石川三四郎[いしかわさんしろう]
⇨河上肇[かわかみはじめ]　⇨管野すが[かんのすが]
⇨幸徳秋水[こうとくしゅうすい]
紀貫之[きのつらゆき] ………………………… ①296
⇨在原業平[ありわらのなりひら]
⇨凡河内躬恒[おおしこうちのみつね]
⇨大友黒主[おおとものくろぬし]
⇨小野小町[おののこまち]　⇨喜撰[きせん]
⇨紀友則[きのとものり]　⇨醍醐天皇[だいごてんのう]
⇨文屋康秀[ふんやのやすひで]　⇨遍昭[へんじょう]
⇨壬生忠岑[みぶのただみね]
⇨山部赤人[やまべのあかひと]
紀友則[きのとものり] ………………………… ①296
⇨紀貫之[きのつらゆき]
紀夏井[きのなつい] …………………………… ①297
木原均[きはらひとし] ………………………… ①297
吉備内親王[きびないしんのう] ……………… ①297
⇨草壁皇子[くさかべのおうじ]
⇨元明天皇[げんめいてんのう]　⇨長屋王[ながやおう]
吉備真備[きびのまきび] ……………………… ①297
⇨阿倍仲麻呂[あべのなかまろ]
⇨石上宅嗣[いそのかみのやかつぐ]
⇨元正天皇[げんしょうてんのう]　⇨玄昉[げんぼう]
⇨孝謙天皇[こうけんてんのう]
⇨聖武天皇[しょうむてんのう]　⇨井真成[せいしんせい]
⇨橘諸兄[たちばなのもろえ]
⇨藤原宇合[ふじわらのうまかい]
⇨藤原清河[ふじわらのきよかわ]
⇨藤原広嗣[ふじわらのひろつぐ]
ギベルティ, ロレンツォ …………………… ①298
儀間真常[ぎましんじょう] …………………… ①298
⇨野國總管[のぐにそうかん]
金日成[キムイルソン(きんにっせい)] ……… ①298
⇨金正日[キムジョンイル]　⇨金正恩[キムジョンウン]
金玉均[キムオッキュン]　➡金玉均[きんぎょくきん]
金正日[キムジョンイル] ……………………… ①299
⇨金日成[キムイルソン(きんにっせい)]
⇨金正恩[キムジョンウン]
⇨金大中[キムデジュン(きんだいちゅう)]
⇨小泉純一郎[こいずみじゅんいちろう]
金正恩[キムジョンウン] ……………………… ①299
金達寿[キムダルス(きんたつじゅ)] ………… ①299

金大中 [キムデジュン（きんだいちゅう）] …………… ①299
　⇨金正日 [キムジョンイル]　⇨金泳三 [キムヨンサム]
　⇨盧武鉉 [ノムヒョン]　⇨尹潽善 [ユンボソン（いんふぜん）]
金泳三 [キムヨンサム] ………………………… ①300
　⇨盧武鉉 [ノムヒョン]
木村伊兵衛 [きむらいへえ] …………………… ①300
　⇨田沼武能 [たぬまたけよし]
木村栄 [きむらひさし] ………………………… ①300
　⇨田中館愛橘 [たなかだてあいきつ]
木村義雄 [きむらよしお] ……………………… ①300
　⇨大山康晴 [おおやまやすはる]
　⇨坂田三吉 [さかたさんきち]
　⇨塚田正夫 [つかだまさお]
　⇨升田幸三 [ますだこうぞう]
キャパ, ロバート ……………………………… ①301
　⇨カルティエ＝ブレッソン, アンリ
キャプテン・クック　➡クック, ジェームス
キャベンディッシュ, ヘンリー ……………… ①301
　⇨シャルル, ジャック＝アレクサンドル＝セザール
キャメロン, デービッド ……………………… ①301
　⇨メイ, テリーザ
キャラハン, ジェームズ ……………………… ①301
キャロル, ルイス ……………………………… ①301
　⇨ジョーンズ, ダイアナ・ウィン　⇨ローランサン, マリー
キャンドラー, エイサ ………………………… ①302
キュイ, ツェザーリ …………………………… ①302
　⇨バラキレフ, ミリ・アレクセイビチ
仇英 [きゅうえい] ……………………………… ①302
キューブリック, スタンリー ………………… ①302
　⇨レオポルド2世 [−せい]
ギュスターブ・エッフェル　➡エッフェル, ギュスターブ
ギュスターブ・エミール・ボアソナード
　　➡ボアソナード, ギュスターブ・エミール
ギュスターブ・クールベ　➡クールベ, ギュスターブ
ギュスターブ・フローベール
　　➡フローベール, ギュスターブ
ギュスターブ・モロー　➡モロー, ギュスターブ
キュニョー, ニコラ・ジョセフ ……………… ①302
キュリー, ピエール …………………………… ①303
　⇨キュリー, マリー
　⇨ベクレル, アントワーヌ・アンリ
キュリー, マリー ……………………………… ①304
　⇨キュリー, ピエール
　⇨ベクレル, アントワーヌ・アンリ
キュリロス ……………………………………… ①303
キュロス2世 [−せい] ………………………… ①303
ギュンター・グラス　➡グラス, ギュンター
堯 [ぎょう] ……………………………………… ①303
　⇨禹 [う]　⇨舜 [しゅん]　⇨契 [せつ]
景戒 [きょうかい]　➡景戒 [けいかい]
行基 [ぎょうき] ………………………………… ①305
　⇨空也 [くうや]　⇨景戒 [けいかい]
　⇨聖武天皇 [しょうむてんのう]　⇨忍性 [にんしょう]
姜沆 [きょうこう]　➡姜沆 [カンハン]
京極高次 [きょうごくたかつぐ]　⇨浅井長政 [あざいながまさ]
　⇨お市の方 [おいちのかた]
　⇨松木庄左衛門 [まつきしょうざえもん]
清浦奎吾 [きようらけいご] …………………… ①305
　⇨宇垣一成 [うがきかずしげ]
清岡卓行 [きよおかたかゆき] ………………… ①305
ギョーム・アポリネール　➡アポリネール, ギョーム
ギョーム・ド・リュブリュキ　➡リュブリュキ, ギョーム・ド
曲亭馬琴 [きょくていばきん]　➡滝沢馬琴 [たきざわばきん]
清沢洌 [きよさわきよし] ……………………… ①306
清沢満之 [きよざわまんし] …………………… ①306

キヨソーネ, エドアルド ……………………… ①306
清原家衡 [きよはらのいえひら] ……………… ①306
　⇨清原真衡 [きよはらのさねひら]
　⇨藤原清衡 [ふじわらのきよひら]
清原清衡 [きよはらのきよひら]
　　➡藤原清衡 [ふじわらのきよひら]
清原真衡 [きよはらのさねひら] ……………… ①307
　⇨清原家衡 [きよはらのいえひら]
清原武則 [きよはらのたけのり] ……………… ①307
　⇨安倍貞任 [あべのさだとう]
　⇨清原家衡 [きよはらのいえひら]
　⇨清原真衡 [きよはらのさねひら]
清原夏野 [きよはらのなつの] ………………… ①307
　⇨小野篁 [おののたかむら]
　⇨淳和天皇 [じゅんなてんのう]
清水六兵衛 [きよみずろくべえ] ……………… ①307
吉良上野介 [きらこうずけのすけ]　➡吉良義央 [きらよしなか]
吉良義央 [きらよしなか] ……………………… ①308
　⇨浅野長矩 [あさのながのり]
　⇨大石良雄 [おおいしよしお]
　⇨徳川綱吉 [とくがわつなよし]
　⇨東山天皇 [ひがしやまてんのう]
キリコ, ジョルジョ・デ ……………………… ①308
　⇨エルンスト, マックス　⇨ダリ, サルバドール
　⇨デルボー, ポール　⇨マグリット, ルネ
桐生悠々 [きりゅうゆうゆう] ………………… ①308
　⇨徳田秋声 [とくだしゅうせい]
キリル・ラクスマン　⇨大黒屋光太夫 [だいこくやこうだゆう]
　⇨ラクスマン, アダム・キリロビッチ
キルケゴール, セーレン ……………………… ①308
　⇨和辻哲郎 [わつじてつろう]
ギルバート, ウィリアム ……………………… ①309
金玉均 [きんぎょくきん（キムオッキュン）] …… ①309
　⇨高宗（朝鮮王朝） [こうそう（コジョン）]
　⇨頭山満 [とうやまみつる]
　⇨朴泳孝 [ぼくえいこう（パクヨンヒョ）]
キング, スティーブン ………………………… ①309
キング, ビリー・ジーン ……………………… ①309
　⇨コート, マーガレット・スミス
キング, マーティン・ルーサー・ジュニア … ①309
金城清松 [きんじょうきよまつ] ……………… ①310
欽宗 [きんそう] ………………………………… ①310
　⇨徽宗 [きそう]　⇨高宗（南宋） [こうそう]
金田一京助 [きんだいちきょうすけ] ………… ①310
　⇨石川啄木 [いしかわたくぼく]
　⇨金田一春彦 [きんだいちはるひこ]
　⇨知里幸恵 [ちりゆきえ]
金田一春彦 [きんだいちはるひこ] …………… ①311
　⇨金田一京助 [きんだいちきょうすけ]
金大中 [きんだいちゅう]　➡金大中 [キムデジュン]
金達寿 [きんたつじゅ]　➡金達寿 [キムダルス]
金日成 [きんにっせい]　➡金日成 [キムイルソン]
金原明善 [きんばらめいぜん] ………………… ①311
　⇨金森吉次郎 [かなもりきちじろう]
　⇨望月与三郎 [もちづきよさぶろう]
欽明天皇 [きんめいてんのう] ………………… ①311
　⇨大伴金村 [おおとものかなむら]
　⇨継体天皇 [けいたいてんのう]
　⇨聖徳太子 [しょうとくたいし]
　⇨推古天皇 [すいこてんのう]
　⇨崇峻天皇 [すしゅんてんのう]
　⇨蘇我稲目 [そがのいなめ]　⇨蘇我馬子 [そがのうまこ]
　⇨敏達天皇 [びだつてんのう]
　⇨物部尾輿 [もののべのおこし]
　⇨物部守屋 [もののべのもりや]

　⇨用明天皇 [ようめいてんのう]

く

クイーン, エラリー …………………………… ②9
　⇨鮎川信夫 [あゆかわのぶお]
　⇨田村隆一 [たむらりゅういち]
ガイド・フルベッキ　➡フルベッキ, ガイド
空海 [くうかい] ………………………………… ②10
　⇨叡尊 [えいぞん]　⇨円珍 [えんちん]
　⇨金沢実時 [かねざわさねとき]　⇨西行 [さいぎょう]
　⇨最澄 [さいちょう]　⇨嵯峨天皇 [さがてんのう]
　⇨橘逸勢 [たちばなのはやなり]
　⇨北条重時 [ほうじょうしげとき]
　⇨良岑安世 [よしみねのやすよ]
グーテンベルク, ヨハネス …………………… ②9
クーデンホーフ＝カレルギー, リヒャルト …… ②9
　⇨クーデンホーフ＝カレルギー光子 [−みつこ]
クーデンホーフ＝カレルギー光子 [−みつこ]
　………………………………………………… ②11
　⇨クーデンホーフ＝カレルギー, リヒャルト
クープラン, フランソワ ……………………… ②11
クーベルタン, ピエール・ド ………………… ②11
空也 [くうや] …………………………………… ②11
クーリッジ, カルビン ………………………… ②12
　⇨ケロッグ, フランク　⇨フーバー, ハーバート
グールド, スティーブン・ジェイ …………… ②12
クールベ, ギュスターブ ……………………… ②12
　⇨セザンヌ, ポール　⇨ピサロ, カミーユ
クーロン, シャルル・オーギュスタン・ド … ②12
陸羯南 [くがかつなん] ………………………… ②13
　⇨長谷川如是閑 [はせがわにょぜかん]
　⇨三宅雪嶺 [みやけせつれい]
虞姫 [ぐき]　➡虞美人 [ぐびじん]
公暁 [くぎょう] ………………………………… ②13
　⇨藤原頼経 [ふじわらのよりつね]
　⇨北条政子 [ほうじょうまさこ]
　⇨北条義時 [ほうじょうよしとき]
　⇨源実朝 [みなもとのさねとも]
久坂玄瑞 [くさかげんずい] …………………… ②13
　⇨伊藤博文 [いとうひろぶみ]
　⇨木戸孝允 [きどたかよし]
　⇨坂本龍馬 [さかもとりょうま]
　⇨品川弥二郎 [しながわやじろう]
　⇨高杉晋作 [たかすぎしんさく]
　⇨中山忠光 [なかやまただみつ]
　⇨藤田小四郎 [ふじたこしろう]
　⇨吉田松陰 [よしだしょういん]
草壁皇子 [くさかべのおうじ] ………………… ②13
　⇨大津皇子 [おおつのおうじ]
　⇨吉備内親王 [きびないしんのう]
　⇨元正天皇 [げんしょうてんのう]
　⇨元明天皇 [げんめいてんのう]
　⇨持統天皇 [じとうてんのう]
　⇨高市皇子 [たけちのおうじ]
　⇨天武天皇 [てんむてんのう]　⇨長屋王 [ながやおう]
　⇨文武天皇 [もんむてんのう]
草川信 [くさかわしん] ………………………… ②13
　⇨中村雨紅 [なかむらうこう]
草野心平 [くさのしんぺい] …………………… ②14
　⇨吉原幸子 [よしはらさちこ]
草間彌生 [くさまやよい] ……………………… ②14
串田孫一 [くしだまごいち] …………………… ②14

九条兼実 [くじょうかねざね] ………… ②14
⇨後鳥羽天皇[ごとばてんのう]
⇨橘成季[たちばなのなりすえ] ⇨法然[ほうねん]
⇨源範頼[みなもとののりより]
九条武子 [くじょうたけこ] ………… ②15
九条道家 [くじょうみちいえ]
➡藤原道家[ふじわらのみちいえ]
九条頼嗣 [くじょうよりつぐ] ➡藤原頼嗣[ふじわらのよりつぐ]
九条頼経 [くじょうよりつね]
➡藤原頼経[ふじわらのよりつね]
城間正安 [ぐすくませいあん] ………… ②15
薬師恵日 [くすしえにち] ………… ②15
グスタフ2世 [－せい] ………… ②15
⇨ワレンシュタイン、アルブレヒト・フォン
グスタフ・クリムト ➡クリムト、グスタフ
グスタフ・シュトレーゼマン
➡シュトレーゼマン、グスタフ
グスタフ・ホルスト ➡ホルスト、グスタブ
グスタフ・マーラー ➡マーラー、グスタフ
クストー、ジャック＝イブ ………… ②16
楠木正成 [くすのきまさしげ] ………… ②16
⇨赤松則村[あかまつのりむら]
⇨足利尊氏[あしかがたかうじ]
⇨楠木正行[くすのきまさつら]
⇨後醍醐天皇[ごだいごてんのう]
⇨名和長年[なわながとし]
⇨新田義貞[にったよしさだ]
⇨和気清麻呂[わけのきよまろ]
楠木正行 [くすのきまさつら] ………… ②16
⇨高師直[こうのもろなお] ⇨高師泰[こうのもろやす]
⇨度会家行[わたらいいえゆき]
葛原しげる [くずはらしげる] ………… ②16
⇨宮城道雄[みやぎみちお] ⇨梁田貞[やなだただし]
久隅守景 [くすみもりかげ] ………… ②17
楠本イネ [くすもとー] ………… ②17
⇨シーボルト、フィリップ・フランツ・フォン
久世広周 [くぜひろちか] ………… ②17
⇨安藤信正[あんどうのぶまさ]
クセルクセス1世 [－せい] ………… ②17
九谷庄三 [くたにしょうざ] ………… ②17
クック、ジェームス ………… ②18
屈原 [くつげん] ………… ②18
⇨浅見絅斎[あさみけいさい]
⇨横山大観[よこやまたいかん]
グッチ、グッチオ ………… ②18
グッチオ・グッチ ➡グッチ、グッチオ
グッドイヤー、チャールズ ………… ②19
グッドマン、ベニー ………… ②19
グテレス、アントニオ ………… ②19
工藤吉郎兵衛 [くどうきちろべえ] ………… ②19
工藤鉄郎 [くどうてつろう] ………… ②19
工藤直子 [くどうなおこ] ………… ②20
クトゥブッディーン・アイバク ………… ②20
工藤平助 [くどうへいすけ] ………… ②20
⇨田沼意次[たぬまおきつぐ] ⇨林子平[はやししへい]
グドール、ジェーン ………… ②20
グナイスト、ルドルフ・フォン ………… ②21
国木田独歩 [くにきだどっぽ] ………… ②21
⇨田山花袋[たやまかたい]
⇨二葉亭四迷[ふたばていしめい]
国東治兵衛 [くにさきじへえ] ………… ②21
国定忠次 [くにさだちゅうじ] ………… ②21
国中公麻呂 [くになかのきみまろ] ………… ②21
国吉康雄 [くによしやすお] ………… ②22
⇨ブラウン、マーシャ

クヌート ………… ②22
グノー、シャルル ………… ②22
久原房之助 [くはらふさのすけ] ………… ②22
⇨鮎川義介[あいかわよしすけ]
虞美人 [ぐびじん] ………… ②23
⇨項羽[こうう]
クフ王 [－おう] ………… ②23
窪添慶吉 [くぼぞえけいきち] ………… ②23
窪田空穂 [くぼたうつぼ] ………… ②23
久保田万太郎 [くぼたまんたろう]
⇨川口松太郎[かわぐちまつたろう]
⇨岸田国士[きしだくにお]
⇨杉村春子[すぎむらはるこ]
久保太郎右衛門 [くぼたろうえもん] ………… ②23
久保山愛吉 [くぼやまあいきち] ………… ②24
熊谷直実 [くまがいなおざね] ………… ②24
⇨平敦盛[たいらのあつもり]
熊谷直孝 [くまがいなおたか] ………… ②24
熊沢蕃山 [くまざわばんざん] ………… ②24
⇨池田光政[いけだみつまさ]
⇨中江藤樹[なかえとうじゅ]
熊田千佳慕 [くまだちかぼ] ………… ②25
鳩摩羅什 [くまらじゅう] ………… ②25
⇨竜樹[りゅうじゅ]
久米栄左衛門 [くめえいざえもん] ………… ②25
久米邦武 [くめくにたけ] ………… ②25
⇨久米桂一郎[くめけいいちろう]
⇨田口卯吉[たぐちうきち]
久米桂一郎 [くめけいいちろう] ………… ②26
⇨岡田三郎助[おかださぶろうすけ]
⇨黒田清輝[くろだせいき] ⇨和田英作[わだえいさく]
久米幸太郎 [くめこうたろう] ………… ②26
久米正雄 [くめまさお] ………… ②26
⇨芥川龍之介[あくたがわりゅうのすけ]
⇨菊池寛[きくちかん]
グユク・ハン ⇨カルピニ、ジョバンニ・ダ・ピアン・デル
⇨ハイドゥ ⇨バトゥ ⇨モンケ・ハン
孔穎達 [くようだつ] ………… ②26
クラーク、アーサー・チャールズ ………… ②26
クラーク、ウィリアム ………… ②27
⇨内村鑑三[うちむらかんぞう]
⇨新渡戸稲造[にとべいなぞう]
クライブ・ステープルズ・ルイス
➡ルイス、クライブ・ステープルズ
クライブ、ヨハン ………… ②27
クライブ、ロバート ………… ②27
クライン、イブ ………… ②27
⇨ティンゲリー、ジャン
クラウゼヴィッツ、カール・フォン ………… ②28
クラウディオス・プトレマイオス
➡プトレマイオス、クラウディオス
クラウディオ・モンテベルディ
➡モンテベルディ、クラウディオ
工楽松右衛門 [くらくまつえもん] ………… ②28
グラス、ギュンター ………… ②28
倉田次郎右衛門 [くらたじろうえもん] ………… ②28
倉田百三 [くらたひゃくぞう] ………… ②29
グラックス兄弟 [－きょうだい] ………… ②29
鞍作鳥 [くらつくりのとり] ………… ②29
⇨司馬達等[しばたっと]
クラッスス、マルクス・リキニウス ………… ②29
⇨カエサル、ユリウス ⇨スパルタクス
⇨ポンペイウス
グラッドストン、ウィリアム ………… ②30
⇨チェンバレン、ジョセフ

⇨ディズレーリ、ベンジャミン ⇨ブライト、ジョン
クラナハ、ルーカス ………… ②30
グラバー、トーマス ………… ②30
⇨岩崎弥太郎[いわさきやたろう]
⇨五代友厚[ごだいともあつ]
倉橋由美子 [くらはしゆみこ] ………… ②30
⇨カフカ、フランツ ⇨シルバースタイン、シェル
グラハム・ベル ➡ベル、グラハム
グラフ、シュテフィ ………… ②31
倉本聰 [くらもとそう] ………… ②31
クララ・シューマン ➡シューマン、クララ
グラント、ユリシーズ ………… ②31
グリーグ、エドバルド ………… ②31
グリーン、グレアム ………… ②31
グリエルモ・マルコーニ ➡マルコーニ、グリエルモ
クリスチャン・ディオール ➡ディオール、クリスチャン
クリスティ、アガサ ………… ②31
⇨田村隆一[たむらりゅういち] ⇨ドイル、コナン
⇨堀田善衛[ほったよしえ]
クリスティアーン・ホイヘンス
➡ホイヘンス、クリスティアーン
クリスト ………… ②32
クリストファー・コロンブス ➡コロンブス、クリストファー
栗田定之丞 [くりただのじょう] ………… ②32
クリック、フランシス ………… ②32
⇨ウィルキンズ、モーリス ⇨ワトソン、ジェームズ
栗林次兵衛 [くりばやしじへえ] ………… ②33
グリフィス＝ジョイナー、フローレンス ………… ②33
グリム兄弟 [－きょうだい] ………… ②33
クリムト、グスタフ ………… ②33
⇨シーレ、エゴン
グリューネワルト、マティアス ………… ②34
久里洋二 [くりようじ] ………… ②34
⇨古川タク[ふるかわタク]
グリルパルツァー、フランツ ………… ②34
グリンカ、ミハイル ………… ②34
⇨バラキレフ、ミリ・アレクセイビチ
クリントン、ヒラリー ………… ②34
⇨クリントン、ビル ⇨トランプ、ドナルド
クリントン、ビル ………… ②35
⇨アロヨ、グロリア ⇨クリントン、ヒラリー
⇨ゴア、アル ⇨ブッシュ、ジョージ（父）
グルーバー、フランツ・クサーファー ………… ②35
来栖三郎 [くるすさぶろう] ………… ②35
⇨寺崎英成[てらさきひでなり]
クルップ、アルフレート ………… ②35
クルト・ゲオルク・キージンガー
➡キージンガー、クルト・ゲオルク
グレアム、ケネス ………… ②36
グレアム・グリーン ➡グリーン、グレアム
クレイステネス ………… ②36
⇨ペリクレス
クレー、パウル ………… ②36
⇨グロピウス、ワルター ⇨古賀春江[こがはるえ]
クレージュ、アンドレ ………… ②36
⇨グロピウス、ワルター ⇨古賀春江[こがはるえ]
グレース・ケリー ➡ケリー、グレース
クレオパトラ ………… ②36
⇨アントニウス、マルクス ⇨カエサル、ユリウス
グレゴール・メンデル ➡メンデル、グレゴール
グレゴリー・ラスプーチン ➡ラスプーチン、グレゴリー
グレゴリウス1世 [－せい] ………… ②37
グレゴリウス7世 [－せい] ………… ②37
⇨アンセルムス ⇨ウルバヌス2世[－せい]
⇨ハインリヒ4世[－せい]

グレゴリウス13世[ーせい] …………… ②38
　⇨伊東マンショ[いとうマンショ]
　⇨千々石ミゲル[ちぢわミゲル]
　⇨中浦ジュリアン[なかうらジュリアン]
　⇨原マルチノ[はらマルチノ]
グレシャム, トーマス …………………… ②38
　⇨エリザベス1世[ーせい]
クレッチマー, エルンスト ……………… ②38
クレペリン, エミール ……………………… ②38
　⇨アルツハイマー, アロイス
クレマン, ルネ ……………………………… ②38
クレマンソー, ジョルジュ ……………… ②39
　⇨ロイド・ジョージ, デイビッド
クレメンス・メッテルニヒ ➡メッテルニヒ, クレメンス
クレメント・アトリー ➡アトリー, クレメント
黒岩涙香[くろいわるいこう] ……………… ②39
　⇨ユゴー, ビクトール
グローテフェント, ゲオルク …………… ②39
　⇨ローリンソン, ヘンリー・クレジック
クローデル, カミーユ …………………… ②39
　⇨クローデル, ポール　　⇨ロダン, オーギュスト
クローデル, ポール ……………………… ②40
　⇨クローデル, カミーユ　⇨渋沢栄一[しぶさわえいいち]
　⇨マラルメ, ステファヌ　⇨ロダン, オーギュスト
クロード・アンリ・ド・サン＝シモン
　　➡サン＝シモン, クロード・アンリ・ド
クロード・ドビュッシー　➡ドビュッシー, クロード
クロード・モネ　➡モネ, クロード
クロード・レビ＝ストロース　➡レビ＝ストロース, クロード
クロービス ………………………………… ②40
グローフェ, ファーデ …………………… ②40
黒川紀章[くろかわきしょう]　⇨丹下健三[たんげけんぞう]
黒川三郎左衛門[くろかわさぶろうざえもん] …… ②40
黒澤明[くろさわあきら] …………………… ②40
　⇨今村昌平[いまむらしょうへい]
　⇨杉村春子[すぎむらはるこ]　⇨原節子[はらせつこ]
　⇨山田五十鈴[やまだいすず]
クロスビー, ビング ……………………… ②41
　⇨ケリー, グレース　⇨シナトラ, フランク
黒住宗忠[くろずみむねただ] ……………… ②41
黒田官兵衛[くろだかんべえ]　➡黒田孝高[くろだよしたか]
黒田清隆[くろだきよたか] ………………… ②42
　⇨榎本武揚[えのもとたけあき]
　⇨大隈重信[おおくましげのぶ]　⇨ケプロン, ホーレス
　⇨後藤象二郎[ごとうしょうじろう]
　⇨三条実美[さんじょうさねとみ]
黒田如水[くろだじょすい]　➡黒田孝高[くろだよしたか]
黒田清輝[くろだせいき] …………………… ②42
　⇨青木繁[あおきしげる]
　⇨岡田三郎助[おかださぶろうすけ]
　⇨岸田劉生[きしだりゅうせい]
　⇨久米桂一郎[くめけいいちろう]
　⇨藤島武二[ふじしまたけじ]
　⇨和田英作[わだえいさく]
　⇨和田三造[わださんぞう]
黒田長政[くろだながまさ] ………………… ②42
　⇨黒田孝高[くろだよしたか]
　⇨後藤又兵衛[ごとうまたべえ]
黒田斉隆[くろだなりたか] ………………… ②43
黒田孝高[くろだよしたか] ………………… ②43
　⇨黒田長政[くろだながまさ]
　⇨後藤又兵衛[ごとうまたべえ]
　⇨竹中半兵衛[たけなかはんべえ]
　⇨蜂須賀正勝[はちすかまさかつ]
黒田了一[くろだりょういち]

⇨美濃部亮吉[みのべりょうきち]
クロック, レイ …………………………… ②43
グロティウス, フーゴ …………………… ②43
黒野猪吉郎[くろのいきちろう] …………… ②43
グロピウス, ワルター …………………… ②44
グロフ, スタニスラフ …………………… ②44
クロポトキン, ピョートル ……………… ②44
　⇨幸徳秋水[こうとくしゅうすい]
クロムウェル, オリバー ………………… ②44
　⇨ジェームズ2世[ーせい]　⇨チャールズ1世[ーせい]
　⇨チャールズ2世[ーせい]　⇨ミルトン, ジョン
黒柳徹子[くろやなぎてつこ] ……………… ②45
　⇨飯沢匡[いいざわただす]
グロリア・アロヨ　➡アロヨ, グロリア
クロンプトン, サミュエル ……………… ②45
　⇨ハーグリーブス, ジェームズ
桑原久右衛門[くわばらきゅうえもん] …… ②45
クワメ・エンクルマ　➡エンクルマ, クワメ
郡司成忠[ぐんじしげただ] ………………… ②46
　⇨白瀬矗[しらせのぶ]

け

ケイ, ジョン ……………………………… ②46
桂庵玄樹[けいあんげんじゅ] ……………… ②46
景戒[けいかい] ……………………………… ②47
景行天皇[けいこうてんのう] ……………… ②47
　⇨日本武尊[やまとたけるのみこと]
継体天皇[けいたいてんのう] ……………… ②47
　⇨大伴金村[おおとものかなむら]
　⇨欽明天皇[きんめいてんのう]
　⇨筑紫国造磐井[つくしのくにのみやつこいわい]
　⇨武烈天皇[ぶれつてんのう]
契沖[けいちゅう] …………………………… ②47
　⇨戸田茂睡[とだもすい]
　⇨本居宣長[もとおりのりなが]
ゲイツ, ビル ……………………………… ②48
ケインズ, ジョン ………………………… ②48
　⇨マルサス, トーマス
ケージ, ジョン …………………………… ②48
　⇨黛敏郎[まゆずみとしろう]
ゲーテ, ヨハン・ウォルフガング・フォン …… ②48
　⇨カーリダーサ　　⇨シューベルト, フランツ
　⇨ショーペンハウアー, アルトゥール
　⇨シラー, フリードリヒ・フォン　⇨スピノザ, バルク・ド
　⇨バイロン, ジョージ　⇨フローベール, ギュスターブ
　⇨ベートーベン, ルートウィヒ・ファン
　⇨ベルリオーズ, エクトール　⇨ポー, エドガー・アラン
　⇨ワーグナー, リヒャルト
ケーベル, ラファエル …………………… ②49
　⇨滝廉太郎[たきれんたろう]
ゲーリケ, オットー・フォン …………… ②49
　⇨ボイル, ロバート
ゲーリッグ, ルー ………………………… ②49
　⇨衣笠祥雄[きぬがささちお]
　⇨沢村栄治[さわむらえいじ]
ゲーリング, ヘルマン …………………… ②49
ゲオルギー・ガポン　➡ガポン, ゲオルギー
ゲオルギー・プレハーノフ　➡プレハーノフ, ゲオルギー
ゲオルギー・マレンコフ　➡マレンコフ, ゲオルギー
ゲオルク・ウィルヘルム・ヘーゲル
　　➡ヘーゲル, ゲオルク・ウィルヘルム
ゲオルク・グローテフェント

➡グローテフェント, ゲオルク
ゲオルク・ジーモン・オーム
　　➡オーム, ゲオルク・ジーモン
ゲオルク・ヘンデル　➡ヘンデル, ゲオルク
ケストナー, エーリヒ …………………… ②50
ゲッベルス, ヨゼフ ……………………… ②50
ケッペン, ウラディミール ……………… ②50
　⇨ウェゲナー, アルフレッド
ケニヤッタ, ジョモ ……………………… ②50
ケネー, フランソワ ……………………… ②51
　⇨スミス, アダム
　⇨チュルゴー, アンヌ・ロベール・ジャック
ケネス・グレアム　➡グレアム, ケネス
ケネディ, ジョン・フィッツジェラルド …… ②51
　⇨カーソン, レイチェル　⇨クリントン, ビル
　⇨ジョンソン, リンドン　⇨ニクソン, リチャード
　⇨フルシチョフ, ニキータ　⇨ライシャワー, エドウィン
ゲバラ, エルネスト・チェ ……………… ②51
　⇨カストロ, フィデル
ケプラー, ヨハネス ……………………… ②52
　⇨志筑忠雄[しづきただお]　⇨ブラーエ, ティコ
　⇨ホッブズ, トーマス
ケプロン, ホーレス ……………………… ②52
　⇨黒田清隆[くろだきよたか]
ケマル・アタチュルク …………………… ②52
　⇨橋本欣五郎[はしもときんごろう]
ケラー, ヘレン …………………………… ②53
　⇨岩橋武夫[いわはしたけお]　⇨津田梅子[つだうめこ]
　⇨ベル, グラハム
ゲラルドゥス・メルカトル　➡メルカトル, ゲラルドゥス
ケリー, グレース ………………………… ②53
　⇨クロスビー, ビング
ケリー, ジーン …………………………… ②54
ゲルツェン, アレクサンドル …………… ②54
ゲルハルト・シュレーダー　➡シュレーダー, ゲルハルト
ゲルハルト・ハウプトマン　➡ハウプトマン, ゲルハルト
ケルビン …………………………………… ②54
　⇨ジュール, ジェームズ
　⇨田中館愛橘[たなかだてあいきつ]
ケレンスキー, アレクサンドル・フョードロビッチ
………………………………………………… ②54
ケロッグ, ウィル・キース ……………… ②55
ケロッグ, フランク ……………………… ②55
厳家淦[げんかかん(イェンジャアガン)] …… ②55
源空[げんくう]　➡法然[ほうねん]
兼好法師[けんこうほうし] ………………… ②55
　⇨鴨長明[かものちょうめい]
　⇨信濃前司行長[しなののぜんじゆきなが]
玄奘[げんじょう] …………………………… ②55
　⇨義浄[ぎじょう]　⇨鳩摩羅什[くまらじゅう]
　⇨呉承恩[ごしょうおん]　⇨スタイン, マーク・オーレル
　⇨ハルシャ・バルダナ　⇨李世民[りせいみん]
元正天皇[げんしょうてんのう] …………… ②56
　⇨草壁皇子[くさかべのおうじ]
　⇨元明天皇[げんめいてんのう]
　⇨持統天皇[じとうてんのう]
　⇨聖武天皇[しょうむてんのう]
　⇨藤原房前[ふじわらのふささき]
　⇨明正天皇[めいしょうてんのう]
源信[げんしん] …………………………… ②56
　⇨法然[ほうねん]
玄宗[げんそう] …………………………… ②57
　⇨阿倍仲麻呂[あべのなかまろ]
　⇨安禄山[あんろくざん]
　⇨韋后[いこう]　⇨顔真卿[がんしんけい]

313

五十音順索引（ごじゅうおんじゅんさくいん）

け／こ

⇒玄昉[げんぼう]　⇒呉道玄[ごどうげん]
⇒史思明[ししめい]　⇒井真成[せいしんせい]
⇒大祚栄[だいそえい]　⇒白居易[はくきょい]
⇒藤原清河[ふじわらのきよかわ]　⇒楊貴妃[ようきひ]
⇒李白[りはく]
顕如[けんにょ] ……………………… ②57
　⇒織田信長[おだのぶなが]
阮福暎[げんふくえい] ……………………… ②57
建文帝[けんぶんてい] ……………………… ②57
　⇒永楽帝[えいらくてい]　⇒朱元璋[しゅげんしょう]
ケンペル, エンゲルベルト ……………… ②58
　⇒志筑忠雄[しづきただお]　⇒ツンベルグ, カール
玄昉[げんぼう] ……………………… ②58
　⇒阿倍仲麻呂[あべのなかまろ]
　⇒吉備真備[きびのまきび]
　⇒元正天皇[げんしょうてんのう]
　⇒聖武天皇[しょうむてんのう]
　⇒橘諸兄[たちばなのもろえ]
　⇒藤原宇合[ふじわらのうまかい]
　⇒藤原広嗣[ふじわらのひろつぐ]
　⇒藤原宮子[ふじわらのみやこ]
元明天皇[げんめいてんのう] …………… ②58
　⇒太安万侶[おおのやすまろ]
　⇒吉備内親王[きびないしんのう]
　⇒草壁皇子[くさかべのおうじ]
　⇒元正天皇[げんしょうてんのう]
　⇒聖武天皇[しょうむてんのう]　⇒長屋王[ながやおう]
　⇒稗田阿礼[ひえだのあれ]
　⇒藤原房前[ふじわらのふささき]
　⇒明正天皇[めいしょうてんのう]
　⇒文武天皇[もんむてんのう]
乾隆帝[けんりゅうてい] …………………… ②58
　⇒カスティリオーネ, ジュゼッペ
　⇒マカートニー, ジョージ
建礼門院[けんれいもんいん] …………… ②58
　⇒安徳天皇[あんとくてんのう]
　⇒平重衡[たいらのしげひら]
　⇒平重盛[たいらのしげもり]
　⇒平知盛[たいらのとももり]
　⇒平宗盛[たいらのむねもり]
　⇒高倉天皇[たかくらてんのう]

こ

ゴア, アル ……………………………… ②59
　⇒ブッシュ, ジョージ（子）
恋川春町[こいかわはるまち] …………… ②59
小泉純一郎[こいずみじゅんいちろう] …… ②59
　⇒麻生太郎[あそうたろう]　⇒安倍晋三[あべしんぞう]
　⇒小渕恵三[おぶちけいぞう]
　⇒温家宝[おんかほう（ウェンチアパオ）]
　⇒金正日[キムジョンイル]
　⇒橋本龍太郎[はしもとりゅうたろう]
　⇒福田康夫[ふくだやすお]
　⇒細川護熙[ほそかわもりひろ]
　⇒宮沢喜一[みやざわきいち]
小泉八雲[こいずみやくも] ……………… ②59
　⇒上田敏[うえだびん]　⇒小川未明[おがわみめい]
小磯国昭[こいそくにあき] ……………… ②60
　⇒大谷光瑞[おおたにこうずい]
　⇒緒方竹虎[おがたたけとら]
　⇒重光葵[しげみつまもる]
　⇒米内光政[よないみつまさ]

小磯良平[こいそりょうへい] …………… ②60
後一条天皇[ごいちじょうてんのう] …… ②60
　⇒後朱雀天皇[ごすざくてんのう]
　⇒藤原道長[ふじわらのみちなが]
　⇒藤原頼通[ふじわらのよりみち]
　⇒源師房[みなもとのもろふさ]
　⇒源倫子[みなもとのりんし]
肥富[こいつみ] ……………………… ②60
　⇒祖阿[そあ]
肥富[こいとみ] ➡肥富[こいつみ]
小出楢重[こいでならしげ] ……………… ②61
興[こう] ➡安康天皇[あんこうてんのう]
江[ごう] ➡崇源院[すうげんいん]
項羽[こう] ……………………… ②61
　⇒虞美人[ぐびじん]　⇒劉邦[りゅうほう]
孔穎達[こうえいたつ] ➡孔穎達[くようだつ]
広開土王[こうかいどおう] ……………… ②61
光格天皇[こうかくてんのう] …………… ②61
　⇒後桜町天皇[ごさくらまちてんのう]
　⇒後桃園天皇[ごももぞのてんのう]
康熙帝[こうきてい] ……………………… ②62
　⇒カスティリオーネ, ジュゼッペ
　⇒呉三桂[ごさんけい]
　⇒ブーベ, ジョアシャン
　⇒フェルビースト, フェルディナント
　⇒雍正帝[ようせいてい]
　⇒レジス, ジャン＝バプティスト
皇極天皇[こうぎょくてんのう] ………… ②62
　⇒孝徳天皇[こうとくてんのう]
　⇒舒明天皇[じょめいてんのう]
　⇒蘇我入鹿[そがのいるか]　⇒蘇我蝦夷[そがのえみし]
　⇒天智天皇[てんじてんのう]
　⇒天武天皇[てんむてんのう]
　⇒額田王[ぬかたのおおきみ]
　⇒藤原鎌足[ふじわらのかまたり]
　⇒古人大兄皇子[ふるひとのおおえのおうじ]
　⇒山背大兄王[やましろのおおえのおう]
洪景来[こうけいらい（ホンギョンネ）] …… ②62
寇謙之[こうけんし] ……………………… ②62
　⇒太武帝[たいぶてい]
孝謙天皇[こうけんてんのう] …………… ②63
　⇒石上宅嗣[いそのかみのやかつぐ]
　⇒淡海三船[おうみのみふね]　⇒鑑真[がんじん]
　⇒吉備真備[きびのまきび]
　⇒光仁天皇[こうにんてんのう]
　⇒光明皇后[こうみょうこうごう]
　⇒淳仁天皇[じゅんにんてんのう]
　⇒聖武天皇[しょうむてんのう]　⇒道鏡[どうきょう]
　⇒藤原仲麻呂[ふじわらのなかまろ]
　⇒和気清麻呂[わけのきよまろ]
　⇒和気広虫[わけのひろむし]
黄興[こうこう（ホワンシン）] …………… ②63
　⇒宋教仁[そうきょうじん（ソンチャンレン）]
光孝天皇[こうこうてんのう] …………… ②63
　⇒宇多天皇[うだてんのう]
　⇒藤原時平[ふじわらのときひら]
　⇒藤原基経[ふじわらのもとつね]
　⇒陽成天皇[ようぜいてんのう]
光厳天皇[こうごんてんのう] …………… ②63
　⇒北畠顕家[きたばたけあきいえ]
　⇒光明天皇[こうみょうてんのう]
　⇒後醍醐天皇[ごだいごてんのう]
光佐[こうさ] ➡顕如[けんにょ]
孔子[こうし] ……………………… ②64
　⇒安積艮斎[あさかごんさい]

　⇒安積澹泊[あさかたんぱく]
　⇒池田勇人[いけだはやと]
　⇒伊藤仁斎[いとうじんさい]
　⇒井上円了[いのうええんりょう]
　⇒荻生徂徠[おぎゅうそらい]
　⇒康有為[こうゆうい（カンユーウェイ）]　⇒荀子[じゅんし]
　⇒聖徳太子[しょうとくたいし]
　⇒竹内式部[たけのうちしきぶ]　⇒曇徴[どんちょう]
　⇒中江藤樹[なかえとうじゅ]　⇒墨子[ぼくし]
　⇒三浦梅園[みうらばいえん]　⇒孟子[もうし]
　⇒元田永孚[もとだながざね]
　⇒山鹿素行[やまがそこう]
　⇒良寛[りょうかん]　⇒王仁[わに]
洪秀全[こうしゅうぜん] …………………… ②64
　⇒林則徐[りんそくじょ]
香淳皇后[こうじゅんこうごう] ………… ②64
　⇒明仁（今上天皇）[あきひと（きんじょうてんのう）]
　⇒昭和天皇[しょうわてんのう]
康勝[こうしょう] ……………………… ②65
　⇒運慶[うんけい]　⇒康弁[こうべん]　⇒湛慶[たんけい]
光緒帝[こうしょてい] …………………… ②65
　⇒袁世凱[えんせいがい（ユワンシーカイ）]
　⇒康有為[こうゆうい（カンユーウェイ）]
　⇒西太后[せいたいこう]　⇒溥儀[ふぎ（プーイー）]
江青[こうせい（チャンチン）] …………… ②65
　⇒胡耀邦[こようほう（フーヤオバン）]
高宗（唐）[こうそう] ……………………… ②65
　⇒則天武后[そくてんぶこう]
　⇒褚遂良[ちょすいりょう]
高宗（南宋）[こうそう] …………………… ②65
　⇒岳飛[がくひ]　⇒欽宗[きんそう]　⇒秦檜[しんかい]
高宗（清）[こうそう] ➡乾隆帝[けんりゅうてい]
高宗（朝鮮王朝）[こうそう（コジョン）] … ②66
　⇒安重根[あんじゅうこん（アンジュングン）]
　⇒伊藤博文[いとうひろぶみ]
　⇒大院君[たいいんくん（テウォングン）]
　⇒閔妃[びんひ（ミンピ）]
黄巣[こうそう] ……………………… ②66
　⇒王仙芝[おうせんし]　⇒朱全忠[しゅぜんちゅう]
黄宗羲[こうそうぎ] ……………………… ②66
公孫竜[こうそんりゅう] …………………… ②66
幸田文[こうだあや] ……………………… ②66
　⇒幸田露伴[こうだろはん]
高台院[こうだいいん] …………………… ②66
　⇒浅野長政[あさのながまさ]
　⇒小早川秀秋[こばやかわひであき]
好太王[こうたいおう] ➡広開土王[こうかいどおう]
江沢民[こうたくみん（チアンツォーミン）] … ②67
　⇒温家宝[おんかほう（ウェンチアパオ）]
　⇒胡錦濤[こきんとう（フーチンタオ）]
後宇多天皇[ごうだてんのう] …………… ②67
　⇒一山一寧[いっさんいちねい]
　⇒亀山天皇[かめやまてんのう]
　⇒後嵯峨天皇[ごさがてんのう]
　⇒後醍醐天皇[ごだいごてんのう]
　⇒後深草天皇[ごふかくさてんのう]
　⇒伏見天皇[ふしみてんのう]
　⇒度会家行[わたらいいえゆき]
幸田露伴[こうだろはん] …………………… ②67
　⇒尾崎紅葉[おざきこうよう]
　⇒郡司成忠[ぐんじしげただ]　⇒幸田文[こうだあや]
　⇒田村俊子[たむらとしこ]
幸徳秋水[こうとくしゅうすい] ………… ②68
　⇒安部磯雄[あべいそお]
　⇒荒畑寒村[あらはたかんそん]

⇨石川三四郎[いしかわさんしろう]
⇨大杉栄[おおすぎさかえ] ⇨片山潜[かたやません]
⇨管野すが[かんのすが] ⇨木下尚江[きのしたなおえ]
⇨堺利彦[さかいとしひこ] ⇨中江兆民[なかえちょうみん]
⇨西川光二郎[にしかわみつじろう]
⇨山川均[やまかわひとし]

孝徳天皇[こうとくてんのう] ②68
⇨有間皇子[ありまのおうじ]
⇨皇極天皇[こうぎょくてんのう]
⇨蘇我倉山田石川麻呂[そがのくらやまだのいしかわまろ]
⇨天智天皇[てんじてんのう]
⇨藤原鎌足[ふじわらのかまたり]
⇨古人大兄皇子[ふるひとのおおえのおうじ]
⇨南淵請安[みなぶちのしょうあん] ⇨旻[みん]

光仁天皇[こうにんてんのう] ②68
⇨石上宅嗣[いそのかみのやかつぐ]
⇨桓武天皇[かんむてんのう]
⇨早良親王[さわらしんのう]
⇨志貴皇子[しきのおうじ]
⇨高野新笠[たかののにいがさ]
⇨藤原永手[ふじわらのながて]
⇨藤原百川[ふじわらのももかわ]
⇨和気清麻呂[わけのきよまろ]
⇨和気広虫[わけのひろむし]

鴻池善右衛門宗利[こうのいけぜんえもんむねとし] ②68

河野広中[こうのひろなか] ②69
⇨板垣退助[いたがきたいすけ]

高師直[こうのもろなお] ②69
⇨足利直冬[あしかがただふゆ]
⇨足利直義[あしかがただよし]
⇨足利義詮[あしかがよしあきら]
⇨楠木正行[くすのきまさつら]
⇨高師泰[こうのもろやす]

高師泰[こうのもろやす] ②69

光武帝[こうぶてい] ②69
⇨チュン・チャク

洪武帝[こうぶてい] ➡朱元璋[しゅげんしょう]

孝文帝[こうぶんてい] ②70
弘文天皇[こうぶんてんのう] ➡大友皇子[おおとものおうじ]

康弁[こうべん] ②70
⇨運慶[うんけい] ⇨康勝[こうしょう]
⇨湛慶[たんけい]

高弁[こうべん] ➡明恵[みょうえ]
弘法大師[こうぼうだいし] ➡空海[くうかい]

光明皇后[こうみょうこうごう] ②70
⇨鑑真[がんじん] ⇨玄昉[げんぼう]
⇨孝謙天皇[こうけんてんのう]
⇨聖武天皇[しょうむてんのう] ⇨長屋王[ながやおう]
⇨藤原仲麻呂[ふじわらのなかまろ]

光明子[こうみょうし] ➡光明皇后[こうみょうこうごう]

光明天皇[こうみょうてんのう] ②71
⇨赤松則村[あかまつのりむら]
⇨足利尊氏[あしかがたかうじ]
⇨光厳天皇[こうごんてんのう]
⇨後醍醐天皇[ごだいごてんのう]
⇨二条良基[にじょうよしもと]

孝明天皇[こうめいてんのう] ②71
⇨安藤信正[あんどうのぶまさ]
⇨井伊直弼[いいなおすけ] ⇨岩倉具視[いわくらともみ]
⇨大原重徳[おおはらしげとみ] ⇨和宮[かずのみや]
⇨黒住宗忠[くろずみむねただ]
⇨三条実美[さんじょうさねとみ]
⇨島津久光[しまづひさみつ]
⇨徳川家茂[とくがわいえもち]

⇨中山忠光[なかやまただみつ]
⇨平野国臣[ひらのくにおみ]
⇨堀田正睦[ほったまさよし]
⇨松平容保[まつだいらかたもり]
⇨明治天皇[めいじてんのう]
⇨吉村寅太郎[よしむらとらたろう]

河本大作[こうもとだいさく] ②71
空也[こうや] ➡空也[くうや]
康有為[コウユウイ（カンユーウェイ）] ②72
⇨袁世凱[えんせいがい（ユワンシーカイ）]
⇨光緒帝[こうしょてい] ⇨西太后[せいたいこう]
⇨溥儀[ふぎ（プーイー）]
⇨梁啓超[りょうけいちょう（リヤンチーチャオ）]

顧炎武[こえんぶ] ②72
ゴーガン, ポール ②72
⇨ゴッホ,ビンセント・ファン ⇨セザンヌ,ポール
⇨土田麦僊[つちだばくせん] ⇨ピカソ,パブロ
⇨ピサロ,カミーユ ⇨ボナール,ピエール
⇨マイヨール,アリスティード ⇨ムンク,エドバルド
⇨モーム,ウィリアム・サマセット

ゴーゴリ, ニコライ ②72
ゴーチエ, テオフィル ②72
コート, マーガレット・スミス ②73
⇨キング,ビリー・ジーン ⇨グラフ,シュテフィ

ゴードン, チャールズ・ジョージ ②73
ゴードン, ベアテ・シロタ ②73
ゴードン・ブラウン ➡ブラウン,ゴードン
コーネリアス・バンダービルト
➡バンダービルト,コーネリアス

ゴーリキー, マクシム ②73
⇨スタニスラフスキー,コンスタンチン
⇨チェーホフ,アントン ⇨マルシャーク,サムイル

コール, ヘルムート ②73
⇨シュレーダー,ゲルハルト ⇨メルケル,アンゲラ
⇨ワイツゼッカー,リヒャルト・フォン

ゴールディング, ウィリアム ②74
ゴールドマン, エマ ⇨伊藤野枝[いとうのえ]
ゴールドマン, マーカス ②74
顧愷之[こがいし] ②74
古賀春江[こがはるえ] ②74
古賀百工[こがひゃっこう] ②75
古賀政男[こがまさお] ②75
⇨藤山一郎[ふじやまいちろう]
⇨美空ひばり[みそらひばり] ⇨村田英雄[むらたひでお]

後亀山天皇[ごかめやまてんのう] ②75
⇨足利義満[あしかがよしみつ]
⇨後小松天皇[ごこまつてんのう]
⇨長慶天皇[ちょうけいてんのう]

虎関師錬[こかんしれん] ②75
⇨一山一寧[いっさんいちねい]

呉起[ごき] ②76
胡錦濤[こきんとう（フーチンタオ）] ②76
⇨温家宝[おんかほう（ウェンチアパオ）]
⇨習近平[しゅうきんぺい（シーチンピン）]
⇨李克強[りこくきょう（リークォーチャン）]

コクトー, ジャン ②76
⇨カルダン,ピエール ⇨シャネル,ガブリエル
⇨ピカソ,パブロ ⇨堀口大学[ほりぐちだいがく]
⇨堀辰雄[ほりたつお] ⇨ラディゲ,レーモン

国分一太郎[こくぶんいちたろう] ②76
顧憲成[こけんせい] ②77
呉広[ごこう] ②77
⇨項羽[こうう] ⇨陳勝[ちんしょう]
⇨劉邦[りゅうほう]

ココ・シャネル ➡シャネル,ガブリエル

九重親方[ここのえおやかた] ➡千代の富士[ちよのふじ]
後小松天皇[ごこまつてんのう] ②77
⇨足利義満[あしかがよしみつ]
⇨一休宗純[いっきゅうそうじゅん]
⇨後亀山天皇[ごかめやまてんのう]
⇨徳川光圀[とくがわみつくに]
⇨二条良基[にじょうよしもと]

古今亭志ん生[ここんていしんしょう] ②77
⇨桂文楽[かつらぶんらく]

後嵯峨天皇[ごさがてんのう] ②77
⇨叡尊[えいぞん] ⇨亀山天皇[かめやまてんのう]
⇨後深草天皇[ごふかくさてんのう] ⇨仙覚[せんがく]
⇨藤原道家[ふじわらのみちいえ]
⇨藤原頼嗣[ふじわらのよりつぐ]
⇨北条時頼[ほうじょうときより]
⇨宗尊親王[むねたかしんのう]
⇨蘭渓道隆[らんけいどうりゅう]

小崎弘道[こざきひろみち] ②78
後桜町天皇[ごさくらまちてんのう] ②78
⇨後桃園天皇[ごももぞのてんのう]
⇨桃園天皇[ももぞのてんのう]

呉三桂[ごさんけい] ②78
⇨康熙帝[こうきてい] ⇨順治帝[じゅんちてい]
⇨李自成[りじせい]

後三条天皇[ごさんじょうてんのう] ②78
⇨大江匡房[おおえのまさふさ]
⇨後朱雀天皇[ごすざくてんのう]
⇨後冷泉天皇[ごれいぜいてんのう]
⇨白河天皇[しらかわてんのう]
⇨藤原妍子[ふじわらのけんし]
⇨藤原頼通[ふじわらのよりみち]
⇨源師房[みなもとのもろふさ]

呉子[ごし] ➡呉起[ごき]
越路吹雪[こしじふぶき] ⇨岩谷時子[いわたにときこ]
コシチューシコ, タデウシュ ②79
小柴昌俊[こしばまさとし] ②79
⇨梶田隆章[かじたたかあき]

児島惟謙[こじまいけん] ②79
コジモ・デ・メディチ ➡メディチ,コジモ・デ
コシャマイン ②79
⇨武田信広[たけだのぶひろ]

コシュート・ラヨシュ ②80
呉春[ごしゅん] ②80
呉承恩[ごしょうおん] ②80
⇨施耐庵[したいあん]

古城弥二郎[こじょうやじろう] ②80
高宗[コジョン]
➡高宗（朝鮮王朝）[こうそう（ちょうせんおうちょう）]

後白河天皇[ごしらかわてんのう] ②81
⇨九条兼実[くじょうかねざね]
⇨建礼門院[けんれいもんいん]
⇨後鳥羽天皇[ごとばてんのう] ⇨西行[さいぎょう]
⇨西光[さいこう] ⇨俊寛[しゅんかん]
⇨式子内親王[しょくしないしんのう]
⇨崇徳天皇[すとくてんのう]
⇨平清盛[たいらのきよもり]
⇨平重盛[たいらのしげもり]
⇨平教盛[たいらののりもり]
⇨平宗盛[たいらのむねもり]
⇨平頼盛[たいらのよりもり]
⇨高倉天皇[たかくらてんのう]
⇨常磐光長[ときわみつなが]
⇨鳥羽天皇[とばてんのう]
⇨中山忠親[なかやまただちか]
⇨二条天皇[にじょうてんのう]

⇒藤原隆能[ふじわらのたかよし]
⇒藤原忠実[ふじわらのただざね]
⇒藤原忠通[ふじわらのただみち]
⇒藤原成親[ふじわらのなりちか]
⇒藤原信頼[ふじわらののぶより]
⇒藤原通憲[ふじわらのみちのり]
⇒藤原頼長[ふじわらのよりなが] ⇒法然[ほうねん]
⇒源為義[みなもとのためよし]
⇒源義経[みなもとのよしつね]
⇒源義朝[みなもとのよしとも]
⇒源義仲[みなもとのよしなか]
⇒源頼朝[みなもとのよりとも]
⇒源頼政[みなもとのよりまさ] ⇒以仁王[もちひとおう]

こ

後朱雀天皇[ごすざくてんのう] ②81
⇒後一条天皇[ごいちじょうてんのう]
⇒後三条天皇[ごさんじょうてんのう]
⇒後冷泉天皇[ごれいぜいてんのう]
⇒菅原孝標女[すがわらのたかすえのむすめ]
⇒藤原妍子[ふじわらのけんし]
⇒藤原頼通[ふじわらのよりみち]

巨勢金岡[こせのかなおか] ②81
コダーイ・ゾルターン ②82
⇒バルトーク・ベラ
ゴダード、ロバート ②82
ゴダール、ジャン=リュック ②82
後醍醐天皇[ごだいごてんのう] ②83
⇒赤松則村[あかまつのりむら]
⇒足利尊氏[あしかがたかうじ]
⇒足利直義[あしかがただよし]
⇒足利義満[あしかがよしみつ]
⇒懐良親王[かねよししんのう]
⇒菊池武時[きくちたけとき]
⇒菊池武光[きくちたけみつ]
⇒北畠顕家[きたばたけあきいえ]
⇒北畠親房[きたばたけちかふさ]
⇒楠木正成[くすのきまさしげ]
⇒楠木正行[くすのきまさつら]
⇒光厳天皇[こうごんてんのう]
⇒後宇多天皇[ごうだてんのう]
⇒高師直[こうのもろなお]
⇒光明天皇[こうみょうてんのう]
⇒後亀山天皇[ごかめやまてんのう]
⇒後村上天皇[ごむらかみてんのう]
⇒名和長年[なわながとし]
⇒二条良基[にじょうよしもと]
⇒新田義貞[にったよしさだ] ⇒忍性[にんしょう]
⇒日野資朝[ひのすけとも] ⇒日野俊基[ひのとしもと]
⇒北条高時[ほうじょうたかとき]
⇒北条時行[ほうじょうときゆき]
⇒夢窓疎石[むそうそせき]
⇒宗良親王[むねよししんのう]
⇒護良親王[もりよししんのう]
⇒度会家行[わたらいいえゆき]

五代友厚[ごだいともあつ] ②82
⇒黒田清隆[くろだきよたか]
⇒島津忠義[しまづただよし]
⇒寺島宗則[てらしまむねのり] ⇒森有礼[もりありのり]
小平邦彦[こだいらくにひこ] ②84
児玉久右衛門[こだまきゅうえもん] ②84
児玉源太郎[こだまげんたろう] ②84
⇒後藤新平[ごとうしんぺい]
ゴットフリート・ライプニッツ
➡ライプニッツ、ゴットフリート
ゴットリープ・ダイムラー ➡ダイムラー、ゴットリープ
コッホ、ロベルト ②84

⇒エールリヒ、パウル ⇒後藤新平[ごとうしんぺい]
⇒パスツール、ルイ
ゴッホ、ビンセント・ファン ②87
⇒いせひでこ ⇒ウィルソン、コリン
⇒歌川広重[うたがわひろしげ] ⇒ゴーガン、ポール
⇒セザンヌ、ポール ⇒ピカソ、パブロ
⇒ピサロ、カミーユ ⇒ミレー、ジャン=フランソワ
⇒棟方志功[むなかたしこう] ⇒ムンク、エドバルド
⇒萬鉄五郎[よろずてつごろう]
⇒ロートレック、アンリ・ド・トゥールーズ
コッポラ、フランシス・フォード ②85
⇒ルーカス、ジョージ
コッローディ、カルロ ②85
コティ、ルネ ②85
ゴ・ディン・ジェム ②85
⇒バオダイ
胡適[こてき(フーシー)] ②86
⇒陳独秀[ちんどくしゅう(チェントゥーシウ)]
⇒魯迅[ろじん(ルーシュン)]
五島慶太[ごとうけいた] ②86
⇒堤康次郎[つつみやすじろう]
呉道玄[ごどうげん] ②86
後藤寿庵[ごとうじゅあん] ②86
後藤庄三郎[ごとうしょうざぶろう] ②88
後藤象二郎[ごとうしょうじろう] ②88
⇒板垣退助[いたがきたいすけ]
⇒岩崎弥太郎[いわさきやたろう]
⇒江藤新平[えとうしんぺい]
⇒金玉均[きんぎょくきん(キムオッキュン)]
⇒小松帯刀[こまつたてわき]
⇒坂本龍馬[さかもとりょうま]
⇒佐々木高行[ささきたかゆき]
⇒ジョン万次郎[-まんじろう]
⇒福岡孝弟[ふくおかたかちか]
⇒山内豊信[やまうちとよしげ]
⇒吉田東洋[よしだとうよう]
後藤新平[ごとうしんぺい] ②88
⇒正力松太郎[しょうりきまつたろう]
⇒浜口雄幸[はまぐちおさち]
⇒早川徳次[はやかわのりつぐ]
⇒松岡洋右[まつおかようすけ]
後藤又兵衛[ごとうまたべえ] ②89
後藤光次[ごとうみつじ]
➡後藤庄三郎[ごとうしょうざぶろう]
後藤祐乗[ごとうゆうじょう] ②89
後藤竜二[ごとうりゅうじ] ②89
後鳥羽天皇[ごとばてんのう] ②89
⇒大江広元[おおえのひろもと]
⇒鴨長明[かものちょうめい]
⇒九条兼実[くじょうかねざね] ⇒慈円[じえん]
⇒信濃前司行長[しなののぜんじゆきなが]
⇒寂蓮[じゃくれん] ⇒俊芿[しゅんじょう]
⇒順徳天皇[じゅんとくてんのう]
⇒仲恭天皇[ちゅうきょうてんのう]
⇒土御門天皇[つちみかどてんのう]
⇒八条院暲子[はちじょういんしょうし]
⇒藤原家隆[ふじわらのいえたか]
⇒藤原家隆[ふじわらのいえたか]
⇒藤原定家[ふじわらのさだいえ]
⇒北条時房[ほうじょうときふさ]
⇒北条政子[ほうじょうまさこ]
⇒北条泰時[ほうじょうやすとき]
⇒北条義時[ほうじょうよしとき]
⇒三浦泰村[みうらやすむら]
⇒源頼朝[みなもとのよりとも] ⇒明恵[みょうえ]

コナン・ドイル ➡ドイル、コナン
小西屋五郎八[こにしやごろはち] ②90
小西行長[こにしゆきなが] ②90
⇒天草四郎[あまくさしろう]
⇒小西隆佐[こにしりゅうさ] ⇒沈惟敬[しんいけい]
⇒宗義智[そうよしとし] ⇒李如松[りじょしょう]
小西隆佐[こにしりゅうさ] ②90
⇒小西行長[こにしゆきなが]
近衛秀麿[このえひでまろ] ②91
近衛文麿[このえふみまろ] ②91
⇒赤松克麿[あかまつかつまろ]
⇒荒木貞夫[あらきさだお] ⇒有田八郎[ありたはちろう]
⇒板垣征四郎[いたがきせいしろう]
⇒井上日召[いのうえにっしょう]
⇒大谷光瑞[おおたにこうずい]
⇒尾崎秀実[おざきほつみ] ⇒木戸幸一[きどこういち]
⇒来栖三郎[くるすさぶろう]
⇒近衛秀麿[このえひでまろ]
⇒佐々木惣一[ささきそういち]
⇒東条英機[とうじょうひでき]
⇒平沼騏一郎[ひらぬまきいちろう]
⇒広田弘毅[ひろたこうき]
⇒細川護煕[ほそかわもりひろ]
⇒松岡洋右[まつおかようすけ]
⇒米内光政[よないみつまさ]
呉佩孚[ごはいふ(ウーペイフー)] ②91
⇒張作霖[ちょうさくりん(チャンツオリン)]
小早川隆景[こばやかわたかかげ] ②91
⇒吉川元春[きっかわもとはる]
⇒小早川秀秋[こばやかわひであき]
⇒豊臣秀吉[とよとみひでよし]
⇒毛利輝元[もうりてるもと]
⇒毛利元就[もうりもとなり] ⇒李如松[りじょしょう]
小早川秀秋[こばやかわひであき] ②92
⇒石田三成[いしだみつなり] ⇒高台院[こうだいいん]
⇒小早川隆景[こばやかわたかかげ]
⇒藤堂高虎[とうどうたかとら]
小林一三[こばやしいちぞう] ②92
⇒五島慶太[ごとうけいた]
小林一茶[こばやしいっさ] ②92
⇒加藤楸邨[かとうしゅうそん]
小林清親[こばやしきよちか] ②93
小林粂左衛門[こばやしくめざえもん] ②93
小林古径[こばやしこけい] ②93
⇒奥村土牛[おくむらとぎゅう]
⇒原富太郎[はらとみたろう]
⇒前田青邨[まえだせいそん]
⇒安田靫彦[やすだゆきひこ]
小林多喜二[こばやしたきじ] ②93
⇒徳永直[とくながすなお] ⇒土方与志[ひじかたよし]
小林虎三郎[こばやしとらさぶろう] ②94
小林秀雄[こばやしひでお] ②94
⇒大岡昇平[おおおかしょうへい]
⇒白洲正子[しらすまさこ] ⇒田河水泡[たがわすいほう]
⇒中原中也[なかはらちゅうや]
⇒深田久弥[ふかだきゅうや]
⇒正宗白鳥[まさむねはくちょう]
小林誠[こばやしまこと] ②94
⇒益川敏英[ますかわとしひで]
コフィ・アナン ➡アナン、コフィ
後深草天皇[ごふかくさてんのう] ②94
⇒叡尊[えいぞん] ⇒亀山天皇[かめやまてんのう]
⇒後宇多天皇[こうだてんのう]
⇒後嵯峨天皇[ごさがてんのう]
⇒伏見天皇[ふしみてんのう]

コブデン, リチャード ……………… ②95
⇨ブライト, ジョン

コペルニクス, ニコラウス ………… ②95
⇨ウルグ・ベク
⇨ガリレイ, ガリレオ

小堀遠州 [こぼりえんしゅう] ………… ②95
⇨古田織部 [ふるたおりべ]

後堀河天皇 [ごほりかわてんのう] … ②96
⇨仲恭天皇 [ちゅうきょうてんのう]
⇨藤原定家 [ふじわらのさだいえ]
⇨藤原道家 [ふじわらのみちいえ]

高麗王若光 [こまおうじゃっこう] …… ②96

小松左京 [こまつさきょう] ………… ②96
⇨星新一 [ほししんいち]

小松帯刀 [こまつたてわき] ………… ②96
⇨木戸孝允 [きどたかよし]
⇨山口尚芳 [やまぐちなおよし]

小松弥右衛門 [こまつやえもん] …… ②97

五味川純平 [ごみかわじゅんぺい] … ②97

後水尾天皇 [ごみずのおてんのう] … ②97
⇨池坊専好 [いけのぼうせんこう]
⇨隠元隆琦 [いんげんりゅうき]
⇨春日局 [かすがのつぼね]
⇨沢庵宗彭 [たくあんそうほう]
⇨俵屋宗達 [たわらやそうたつ]
⇨徳川和子 [とくがわかずこ]
⇨徳川秀忠 [とくがわひでただ]
⇨明正天皇 [めいしょうてんのう]
⇨霊元天皇 [れいげんてんのう]

五味太郎 [ごみたろう] ……………… ②97

小宮豊隆 [こみやとよたか] ………… ②97

後村上天皇 [ごむらかみてんのう] … ②98
⇨北畠顕家 [きたばたけあきいえ]
⇨北畠親房 [きたばたけちかふさ]
⇨高師直 [こうのもろなお]
⇨後亀山天皇 [ごかめやまてんのう]
⇨長慶天皇 [ちょうけいてんのう]

小村寿太郎 [こむらじゅたろう] …… ②98
⇨ウィッテ, セルゲイ　⇨菊池武夫 [きくちたけお]

ゴムルカ, ウラディスラフ ………… ②98
⇨カエサル, ユリウス
⇨クラッスス, マルクス・リキニウス　⇨ポンペイウス
⇨マリウス, ガイウス

小室信夫 [こむろしのぶ] …………… ②99

後桃園天皇 [ごももぞのてんのう] … ②99
⇨光格天皇 [こうかくてんのう]
⇨後桜町天皇 [ごさくらまちてんのう]
⇨桃園天皇 [ももぞのてんのう]

ゴヤ, フランシスコ・ホセ・デ …… ②99
⇨エル・グレコ

小山益太 [こやますた] ……………… ②99

後陽成天皇 [ごようぜいてんのう] … ②100
⇨正親町天皇 [おおぎまちてんのう]
⇨小堀遠州 [こぼりえんしゅう]
⇨後水尾天皇 [ごみずのおてんのう]
⇨豊臣秀吉 [とよとみひでよし]
⇨細川幽斎 [ほそかわゆうさい]
⇨前田玄以 [まえだげんい]

胡耀邦 [こようほう(フーヤオバン)] … ②100
⇨温家宝 [おんかほう(ウェンチアバオ)]
⇨胡錦濤 [こきんとう(フーチンタオ)]

コラソン・アキノ　➡アキノ, コラソン

コラン, ラファエル　➡岡田三郎助 [おかださぶろうすけ]
⇨久米桂一郎 [くめけいいちろう]
⇨黒田清輝 [くろだせいき]　⇨和田英作 [わだえいさく]

コリン・ウィルソン　➡ウィルソン, コリン

コルチャック, ヤヌシュ …………… ②100

コルデコット, ランドルフ ………… ②100

コルテス, エルナン ………………… ②101

コルトレーン, ジョン ……………… ②101
⇨デイビス, マイルス

コルネイユ, ピエール ……………… ②101

コルネリス・ファン・ドーレン
　➡ファン・ドーレン, コルネリス

ゴルバチョフ, ミハイル …………… ②101
⇨エリツィン, ボリス　⇨サッチャー, マーガレット
⇨ブッシュ, ジョージ(父)　⇨レーガン, ロナルド

コルベール, ジャン＝バティスト … ②102
⇨ペロー, シャルル　⇨ルイ14世 [-せい]

コルボーン, シーア ………………… ②102

後冷泉天皇 [ごれいぜいてんのう] … ②102
⇨後三条天皇 [ごさんじょうてんのう]
⇨後朱雀天皇 [ごすざくてんのう]
⇨藤原頼通 [ふじわらのよりみち]
⇨源倫子 [みなもとのりんし]

コレッジョ …………………………… ②102

コレット, シドニー＝ガブリエル … ②103

伊治呰麻呂 [これはりのあざまろ] … ②103

コロー, カミーユ …………………… ②103
⇨スーラ, ジョルジュ　⇨竹内栖鳳 [たけうちせいほう]
⇨ピサロ, カミーユ　⇨ミレー, ジャン＝フランソワ

コローディ, カルロ　➡コッローディ, カルロ

ゴロブニン, バシリイ ……………… ②103
⇨高田屋嘉兵衛 [たかだやかへえ]

コロンブス, クリストファー ……… ②106
⇨イサベル1世 [-せい]　⇨ジョアン2世 [-せい]
⇨トスカネッリ, パオロ・ダル・ポッツォ
⇨バルボア, バスコ・デ　⇨ベスプッチ, アメリゴ
⇨マルコ・ポーロ

ゴンクール兄弟 [-きょうだい] …… ②105
⇨ゾラ, エミール

コンスタブル, ジョン ……………… ②105

コンスタンチン・スタニスラフスキー
　➡スタニスラフスキー, コンスタンチン

コンスタンティヌス帝 [-てい] …… ②105
⇨アタナシウス　⇨アリウス　⇨エウセビオス
⇨ユリアヌス帝 [-てい]

コンスタンティン・チェルネンコ
　➡チェルネンコ, コンスタンティン

コンスタンティン・ツィオルコフスキー
　➡ツィオルコフスキー, コンスタンティン

コンスタンティン・ブランクーシ
　➡ブランクーシ, コンスタンティン

金地院崇伝 [こんちいんすうでん] … ②105
⇨天海 [てんかい]　⇨徳川家康 [とくがわいえやす]

コント, オーギュスト ……………… ②106
⇨サン＝シモン, クロード・アンリ・ド

近藤勇 [こんどういさみ] …………… ②106
⇨沖田総司 [おきたそうじ]
⇨土方歳三 [ひじかたとしぞう]

近藤勝由 [こんどうかつよし] ……… ②106

近藤寿市郎 [こんどうじゅいちろう] … ②106

近藤重蔵 [こんどうじゅうぞう] …… ②107
⇨高田屋嘉兵衛 [たかだやかへえ]
⇨最上徳内 [もがみとくない]

近藤芳美 [こんどうよしみ] ………… ②107

コンドル, ジョサイア ……………… ②107
⇨片山東熊 [かたやまとうくま]
⇨辰野金吾 [たつのきんご]

金春禅竹 [こんぱるぜんちく] ……… ②107

⇨世阿弥 [ぜあみ]

コンラート・アデナウアー　➡アデナウアー, コンラート

コンラート・ローレンツ　➡ローレンツ, コンラート

さ

サーリーフ, エレン・ジョンソン … ②108
⇨ライシャワー, エドウィン

サイイド・アリー・ムハンマド …… ②108

サイード, エドワード ……………… ②108

蔡英文 [さいえいぶん(ツァインウェン)] … ②108

蔡温 [さいおん] ……………………… ②109

西園寺公望 [さいおんじきんもち] … ②109
⇨一木喜徳郎 [いちききとくろう]
⇨上原勇作 [うえはらゆうさく]
⇨尾崎行雄 [おざきゆきお]　⇨桂太郎 [かつらたろう]
⇨木戸幸一 [きどこういち]　⇨近衛文麿 [このえふみまろ]
⇨斎藤実 [さいとうまこと]　⇨竹越三叉 [たけこしさんさ]
⇨床次竹二郎 [とこなみたけじろう]
⇨中江兆民 [なかえちょうみん]
⇨成瀬仁蔵 [なるせじんぞう]　⇨原敬 [はらたかし]
⇨平沼騏一郎 [ひらぬまきいちろう]
⇨牧野伸顕 [まきののぶあき]

西行 [さいぎょう] …………………… ②109
⇨慈円 [じえん]　⇨藤原俊成 [ふじわらのとしなり]
⇨松尾芭蕉 [まつおばしょう]

崔圭夏 [さいけいか]　➡崔圭夏 [チェギュハ]

西光 [さいこう] ……………………… ②110
⇨俊寛 [しゅんかん]　⇨藤原成親 [ふじわらのなりちか]

西郷隆盛 [さいごうたかもり] ……… ②112
⇨板垣退助 [いたがきたいすけ]
⇨伊藤博文 [いとうひろぶみ]
⇨岩倉具視 [いわくらともみ]
⇨江藤新平 [えとうしんぺい]
⇨大久保利通 [おおくぼとしみち]
⇨大山巌 [おおやまいわお]
⇨海音寺潮五郎 [かいおんじちょうごろう]
⇨勝海舟 [かつかいしゅう]　⇨木戸孝允 [きどたかよし]
⇨キヨソーネ, エドアルド
⇨後藤象二郎 [ごとうしょうじろう]
⇨小松帯刀 [こまつたてわき]
⇨西郷従道 [さいごうつぐみち]
⇨坂本龍馬 [さかもとりょうま]
⇨相楽総三 [さがらそうぞう]
⇨佐々木高行 [ささきたかゆき]
⇨三条実美 [さんじょうさねとみ]
⇨島津久光 [しまづひさみつ]
⇨副島種臣 [そえじまたねおみ]
⇨高山彦九郎 [たかやまひこくろう]
⇨中岡慎太郎 [なかおかしんたろう]
⇨乃木希典 [のぎまれすけ]
⇨平野国臣 [ひらのくにおみ]
⇨明治天皇 [めいじてんのう]
⇨山岡鉄舟 [やまおかてっしゅう]
⇨吉井勇 [よしいいさむ]

西郷従道 [さいごうつぐみち] ……… ②110
⇨谷干城 [たにたてき]　⇨山本権兵衛 [やまもとごんべえ]

西光万吉 [さいこうまんきち] ……… ②110

西条八十 [さいじょうやそ] ………… ②110
⇨金子みすゞ [かねこみすず]
⇨新川和江 [しんかわかずえ]
⇨中田喜直 [なかたよしなお]
⇨成田為三 [なりたためぞう]

崔済愚[さいせいぐ（チェジェウ）]……②111
最澄[さいちょう]……②116
⇒円仁[えんにん] ⇒空海[くうかい] ⇒慈円[じえん]
⇒橘逸勢[たちばなのはやなり]
斎藤宇一郎[さいとうういちろう]……②111
斎藤隆夫[さいとうたかお]……②111
⇒安部磯雄[あべいそお] ⇒鈴木文治[すずきぶんじ]
⇒西尾末広[にしおすえひろ]
斎藤竜興[さいとうたつおき]……②115
⇒織田信長[おだのぶなが]
⇒竹中半兵衛[たけなかはんべえ]
斎藤道三[さいとうどうさん]……②115
⇒織田信長[おだのぶなが] ⇒織田信秀[おだのぶひで]
⇒斎藤竜興[さいとうたつおき]
⇒司馬遼太郎[しばりょうたろう]
⇒蜂須賀正勝[はちすかまさかつ]
斎藤実[さいとうまこと]……②115
⇒荒木貞夫[あらきさだお]
⇒岡田啓介[おかだけいすけ]
⇒鳩山一郎[はとやまいちろう]
⇒林銑十郎[はやしせんじゅうろう]
⇒広田弘毅[ひろたこうき]
斎藤茂吉[さいとうもきち]……②116
⇒伊藤左千夫[いとうさちお] ⇒北杜夫[きたもりお]
⇒佐藤佐太郎[さとうさたろう]
⇒島木赤彦[しまきあかひこ]
斎藤隆介[さいとうりゅうすけ]……②116
斉明天皇[さいめいてんのう]
➡皇極天皇[こうぎょくてんのう]
蔡倫[さいりん]……②116
佐伯祐三[さえきゆうぞう]……②116
⇒赤松麟作[あかまつりんさく]
早乙女勝元[さおとめかつもと]……②117
酒井田柿右衛門[さかいだかきえもん]……②117
酒井忠清[さかいただきよ]……②117
⇒徳川家綱[とくがわいえつな]
⇒徳川綱吉[とくがわつなよし]
⇒堀田正俊[ほったまさとし]
堺利彦[さかいとしひこ]……②117
⇒荒畑寒村[あらはたかんそん]
⇒石川三四郎[いしかわさんしろう]
⇒大杉栄[おおすぎさかえ]
⇒木下尚江[きのしたなおえ]
⇒幸徳秋水[こうとくしゅうすい]
⇒山川均[やまかわひとし]
酒井抱一[さかいほういつ]……②118
⇒池大雅[いけのたいが] ⇒伊藤若冲[いとうじゃくちゅう]
⇒葛飾北斎[かつしかほくさい]
坂口安吾[さかぐちあんご]……②118
⇒石川淳[いしかわじゅん]
⇒織田作之助[おださくのすけ]
⇒太宰治[だざいおさむ]
⇒林忠彦[はやしただひこ]
坂田栄男[さかたえいお]……②118
坂田三吉[さかたさんきち]……②118
坂田藤十郎[さかたとうじゅうろう]……②119
⇒近松門左衛門[ちかまつもんざえもん]
阪田寛夫[さかたひろお]……②119
⇒有吉佐和子[ありよしさわこ]
⇒大中恩[おおなかめぐみ]
嵯峨天皇[さがてんのう]……②119
⇒小野篁[おののたかむら]
⇒小野岑守[おののみねもり]
⇒空海[くうかい]
⇒坂上田村麻呂[さかのうえのたむらまろ]

⇒淳和天皇[じゅんなてんのう]
⇒橘逸勢[たちばなのはやなり]
⇒恒貞親王[つねさだしんのう]
⇒伴健岑[とものこわみね] ⇒伴善男[とものよしお]
⇒仁明天皇[にんみょうてんのう]
⇒藤原薬子[ふじわらのくすこ]
⇒藤原仲成[ふじわらのなかなり]
⇒藤原冬嗣[ふじわらのふゆつぐ]
⇒藤原良房[ふじわらのよしふさ]
⇒平城天皇[へいぜいてんのう]
⇒源順[みなもとのしたごう] ⇒源信[みなもとのまこと]
⇒紫式部[むらさきしきぶ]
⇒良岑安世[よしみねのやすよ]
坂上田村麻呂[さかのうえのたむらまろ]……②120
⇒阿弖流為[あてるい] ⇒桓武天皇[かんむてんのう]
⇒嵯峨天皇[さがてんのう]
坂本九[さかもときゅう] ⇒永六輔[えいろくすけ]
⇒中村八大[なかむらはちだい]
坂本繁二郎[さかもとはんじろう]……②120
⇒青木繁[あおきしげる]
坂本養川[さかもとようせん]……②120
坂本龍馬[さかもとりょうま]……②123
⇒岩崎弥太郎[いわさきやたろう]
⇒上野彦馬[うえのひこま]
⇒大久保利通[おおくぼとしみち]
⇒勝海舟[かつかいしゅう] ⇒木戸孝允[きどたかよし]
⇒児島惟謙[こじまいけん]
⇒後藤象二郎[ごとうしょうじろう]
⇒小松帯刀[こまつたてわき]
⇒西郷隆盛[さいごうたかもり]
⇒佐久間象山[さくましょうざん]
⇒司馬遼太郎[しばりょうたろう]
⇒高杉晋作[たかすぎしんさく]
⇒千葉周作[ちばしゅうさく]
⇒中江兆民[なかえちょうみん]
⇒中岡慎太郎[なかおかしんたろう]
⇒中島信行[なかじまのぶゆき]
⇒陸奥宗光[むつむねみつ]
⇒横井小楠[よこいしょうなん]
相楽総三[さがらそうぞう]……②121
サカリアス・トペリウス ➡トペリウス、サカリアス
サガン、フランソワーズ……②121
佐久間象山[さくましょうざん]……②121
⇒安積艮斎[あさかごんさい]
⇒江川太郎左衛門[えがわたろうざえもん]
⇒加藤弘之[かとうひろゆき]
⇒河井継之助[かわいつぎのすけ]
⇒小林虎三郎[こばやしとらさぶろう]
⇒津田真道[つだまみち]
⇒中岡慎太郎[なかおかしんたろう]
⇒西村茂樹[にしむらしげき]
⇒濱口梧陵[はまぐちごりょう]
⇒吉田松陰[よしだしょういん]
佐倉惣五郎[さくらそうごろう]……②122
佐々木五三郎[ささきごさぶろう]……②122
佐々木小次郎[ささきこじろう]……②122
⇒宮本武蔵[みやもとむさし]
佐々木惣一[ささきそういち]……②122
佐々木高氏[ささきたかうじ] ➡佐々木導誉[ささきどうよ]
佐々木高行[ささきたかゆき]……②124
佐々木導誉[ささきどうよ]……②124
佐佐木信綱[ささきのぶつな]……②124
⇒大塚楠緒子[おおつかくすおこ]
⇒九条武子[くじょうたけこ]
⇒佐佐木幸綱[ささきゆきつな]

⇒村岡花子[むらおかはなこ]
佐佐木幸綱[ささきゆきつな]……②124
⇒佐佐木信綱[ささきのぶつな] ⇒俵万智[たわらまち]
笹沼清左衛門[さぬませいざえもん]……②125
佐治一成[さじかずなり] ⇒崇源院[すうげんいん]
左宗棠[さそうとう]……②125
⇒曾国藩[そうこくはん] ⇒同治帝[どうちてい]
⇒ヤークーブ・ベク
佐多稲子[さたいねこ]……②125
⇒壺井栄[つぼいさかえ]
佐竹義和[さたけよしまさ]……②125
⇒高橋武左衛門[たかはしぶざえもん]
⇒細川重賢[ほそかわしげかた]
サダト、アンワル……②125
⇒カーター、ジミー ⇒ムバラク、ホスニ
サダム・フセイン ➡フセイン、サダム
サッカレー、ウィリアム……②126
サックス、オリバー……②126
サッコ、ニコラ……②126
⇒バンゼッティ、バルトロメオ
サッチモ ➡アームストロング、ルイ
サッチャー、マーガレット……②126
⇒キャメロン、デービッド ⇒キャラハン、ジェームズ
⇒ヒース、エドワード ⇒メージャー、ジョン
⇒メルケル、アンゲラ
サッフォー……②127
サティ、エリック……②127
⇒コクトー、ジャン ⇒ドビュッシー、クロード
⇒ラベル、モーリス
サディ・カルノー ➡カルノー、サディ
サド、マルキ・ド ➡マルキ・ド・サド
サトウ、アーネスト……②127
佐藤愛子[さとうあいこ]……②127
⇒サトウハチロー
佐藤栄作[さとうえいさく]……②127
⇒池田勇人[いけだはやと] ⇒岸信介[きしのぶすけ]
⇒竹下登[たけしたのぼる]
⇒朴正熙[パクチョンヒ（ぼくせいき）]
⇒三木武夫[みきたけお]
⇒屋良朝苗[やらちょうびょう]
⇒吉田茂[よしだしげる]
佐藤栄助[さとうえいすけ]……②128
佐藤佐太郎[さとうさたろう]……②128
佐藤さとる[さとうさとる]……②128
⇒いぬいとみこ ⇒長崎源之助[ながさきげんのすけ]
佐藤泰然[さとうたいぜん]……②128
佐藤多佳子[さとうたかこ]……②129
佐藤忠次郎[さとうちゅうじろう]……②129
佐藤藤左衛門[さとうとうざえもん]……②129
佐藤信淵[さとうのぶひろ]……②129
⇒宮崎安貞[みやざきやすさだ]
佐藤義清[さとうのりきよ] ➡西行[さいぎょう]
サトウハチロー……②129
⇒菊田一夫[きくたかずお] ⇒佐藤愛子[さとうあいこ]
⇒並木路子[なみきみちこ]
佐藤春夫[さとうはるお]……②130
⇒太宰治[だざいおさむ] ⇒檀一雄[だんかずお]
里見弴[さとみとん]……②130
⇒有島武郎[ありしまたけお]
真田信之[さなだのぶゆき]……②130
⇒真田昌幸[さなだまさゆき]
⇒真田幸村[さなだゆきむら]
真田昌幸[さなだまさゆき]……②130
⇒真田信之[さなだのぶゆき]
⇒真田幸村[さなだゆきむら]

⇨徳川秀忠[とくがわひでただ]

真田幸村[さなだゆきむら] ………… ②130
　⇨後藤又兵衛[ごとうまたべえ]
　⇨真田信之[さなだのぶゆき]
　⇨真田昌幸[さなだまさゆき]
　⇨徳川秀忠[とくがわひでただ]
　⇨豊臣秀頼[とよとみひでより]
　⇨松平忠直[まつだいらただなお]

佐野常民[さのつねたみ] ………… ②131
佐野政言[さのまさこと] ………… ②131
　⇨山東京伝[さんとうきょうでん]
　⇨田沼意知[たぬまおきとも]
佐野増蔵[さのますぞう] ………… ②131
佐野学[さのまなぶ] ………… ②131
　⇨鍋山貞親[なべやまさだちか]
佐野洋子[さのようこ] ………… ②132
サパタ, エミリアーノ ………… ②132
　⇨カランサ, ベヌスティアーノ　⇨ビリャ, パンチョ
サハロフ, アンドレイ ………… ②132
ザビエル, フランシスコ ………… ②133
　⇨アンジロー　⇨大内義隆[おおうちよしたか]
　⇨小西隆佐[こにしりゅうさ]
　⇨島津貴久[しまづたかひさ]　⇨フロイス, ルイス
　⇨ロヨラ, イグナティウス・デ
サビニー, フリードリヒ・カール・フォン …… ②132
サビニアン・シラノ・ド・ベルジュラック
　➡シラノ・ド・ベルジュラック, サビニアン
サボナローラ, ジロラモ ………… ②134
サミュエル・クロンプトン　➡クロンプトン, サミュエル
サミュエル・ベケット　➡ベケット, サミュエル
サミュエル・モース　➡モース, サミュエル
サムイル・マルシャーク　➡マルシャーク, サムイル
ザメンホフ, ラザロ ………… ②134
サモリ・トゥーレ ………… ②134
　⇨トゥーレ, セク
サヤ・サン ………… ②134
サラサーテ, パブロ・デ ………… ②134
サラザール, アントニオ・デ・オリベイラ …… ②135
サラディン ………… ②135
　⇨バイバルス　⇨リチャード1世[ーせい]
サリエリ, アントニオ　⇨シューベルト, フランツ
　⇨リスト, フランツ
サリンジャー, ジェローム・デービッド …… ②135
サルコジ, ニコラ ………… ②135
　⇨オランド, フランソワ
サルゴン1世[ーせい] ………… ②136
サルトル, ジャン＝ポール ………… ②136
　⇨サガン, フランソワーズ　⇨フッサール, エドムント
　⇨ボーボワール, シモーヌ・ド
　⇨ラッセル, バートランド
猿橋勝子[さるはしかつこ] ………… ②136
サルバドール・アジェンデ　➡アジェンデ, サルバドール
サルバドール・ダリ　➡ダリ, サルバドール
サルバトーレ・フェラガモ　➡フェラガモ, サルバトーレ
サローヤン, ウィリアム ………… ②136
　⇨今江祥智[いまえよしとも]
沢田教一[さわだきょういち] ………… ②136
沢田正二郎[さわだしょうじろう] ………… ②137
沢田清兵衛[さわだせいべえ] ………… ②137
澤野利正[さわのとしまさ] ………… ②137
澤穂希[さわほまれ] ………… ②137
沢村栄治[さわむらえいじ] ………… ②138
沢村勘兵衛[さわむらかんべえ] ………… ②138
沢柳政太郎[さわやなぎまさたろう] ………… ②138
早良親王[さわらしんのう] ………… ②139

⇨桓武天皇[かんむてんのう]
　⇨高野新笠[たかののにいがさ]
　⇨藤原種継[ふじわらのたねつぐ]
讃[さん]　➡応神天皇[おうじんてんのう]
　➡仁徳天皇[にんとくてんのう]
　➡履中天皇[りちゅうてんのう]
サンガー, マーガレット ………… ②139
　⇨山本宣治[やまもとせんじ]
サン＝サーンス, カミーユ ………… ②139
　⇨カザルス, パブロ　⇨サラサーテ, パブロ・デ
　⇨フォーレ, ガブリエル
サン＝シモン, クロード・アンリ・ド ………… ②139
　⇨ゲルツェン, アレクサンドル　⇨コント, オーギュスト
サン＝ジュスト, ルイ・アントワーヌ・ド …… ②140
三条実美[さんじょうさねとみ] ………… ②140
　⇨大久保利通[おおくぼとしみち]
　⇨木戸孝允[きどたかよし]
　⇨孝明天皇[こうめいてんのう]
　⇨平野国臣[ひらのくにおみ]
　⇨前原一誠[まえばらいっせい]
　⇨真木和泉[まきいずみ]
　⇨松平容保[まつだいらかたもり]
三条西実隆[さんじょうにしさねたか] ………… ②140
　⇨武野紹鷗[たけのじょうおう]
三蔵法師[さんぞうほうし]　➡玄奘[げんじょう]
サンダース, カーネル　➡カーネル・サンダース
サン＝テグジュペリ, アントワーヌ・ド ……… ②141
　⇨倉橋由美子[くらはしゆみこ]
　⇨堀口大学[ほりぐちだいがく]
サンド, ジョルジュ ………… ②141
　⇨ショパン, フレデリック
山東京伝[さんとうきょうでん] ………… ②141
　⇨喜多川歌麿[きたがわうたまろ]
　⇨十返舎一九[じっぺんしゃいっく]
　⇨鈴木牧之[すずきぼくし]
　⇨滝沢馬琴[たきざわばきん]
　⇨蔦屋重三郎[つたやじゅうざぶろう]
　⇨東洲斎写楽[とうしゅうさいしゃらく]
サンドロ・ボッティチェリ　➡ボッティチェリ, サンドロ
サン＝ピエール, シャルル・イルネ・カステル・ド
………… ②141
サン・マルティン, ホセ・デ ………… ②142
三遊亭円生[さんゆうていえんしょう] ………… ②142
　⇨古今亭志ん生[ここんていしんしょう]
三遊亭円朝[さんゆうていえんちょう] ………… ②142
サン＝ローラン, イブ ………… ②142

し

シーア・コルボーン　➡コルボーン, シーア
シーガル, ジョージ ………… ②143
ジーコ ………… ②143
シーザー・ジュリアス　➡カエサル, ユリウス
習近平[シーチンピン]　➡習近平[しゅうきんぺい]
シートン, アーネスト ………… ②143
椎名道三[しいなどうさん] ………… ②144
シーボルト, フィリップ・フランツ・フォン …… ②144
　⇨宇田川榕庵[うだがわようあん]
　⇨大村益次郎[おおむらますじろう]
　⇨楠本イネ[くすもとイネ]　⇨島津重豪[しまづしげひで]
　⇨高野長英[たかのちょうえい]
　⇨高橋景保[たかはしかげやす]　⇨ツンベルク, カール
　⇨間宮林蔵[まみやりんぞう]

⇨最上徳内[もがみとくない]
ジーメンス, エルンスト・ウェルナー・フォン ②144
シーレ, エゴン ………… ②145
　⇨クリムト, グスタフ
ジーン・ウェブスター　➡ウェブスター, ジーン
ジーン・ケリー　➡ケリー, ジーン
シェイエス, エマニュエル・ジョゼフ ……… ②145
　⇨ナポレオン1世[ーせい]
ジェイムズ・ジョイス　➡ジョイス, ジェイムズ
シェークスピア, ウィリアム ………… ②145
　⇨エリザベス1世[ーせい]
　⇨木下順二[きのしたじゅんじ]　⇨クレオパトラ
　⇨クローデル, ポール
　⇨ゲーテ, ヨハン・ウォルフガング・フォン
　⇨ショー, バーナード　⇨坪内逍遥[つぼうちしょうよう]
　⇨ディケンズ, チャールズ　⇨デュマ, アレクサンドル
　⇨蜷川幸雄[にながわゆきお]
　⇨ビショップ, ヘンリー・ローリー
　⇨福田恆存[ふくだつねあり]　⇨プルタルコス
　⇨ベルリオーズ, エクトール　⇨ミルトン, ジョン
　⇨ミレイ, ジョン・エバレット　⇨ワーグナー, リヒャルト
ジェームズ, ウィリアム ………… ②146
ジェームズ1世[ーせい] ………… ②146
　⇨エリザベス1世[ーせい]　⇨ジョージ1世[ーせい]
　⇨チャールズ1世[ーせい]　⇨ハーベー, ウィリアム
ジェームズ2世[ーせい] ………… ②146
　⇨アン女王[ーじょおう]　⇨ウィリアム3世[ーせい]
　⇨チャールズ2世[ーせい]　⇨メアリ2世[ーせい]
ジェームズ・キャラハン　➡キャラハン, ジェームズ
ジェームス・クック　➡クック, ジェームス
ジェームズ・ジュール　➡ジュール, ジェームズ
ジェームス・スミッソン　➡スミッソン, ジェームス
ジェームズ・チャドウィック　➡チャドウィック, ジェームズ
ジェームス・ディーン　➡ディーン, ジェームス
ジェームズ・ハーグリーブス
　➡ハーグリーブス, ジェームズ
ジェームズ・バリー　➡バリー, ジェームズ
ジェームズ・ヒルトン　➡ヒルトン, ジェームズ
ジェームス・ヘボン　➡ヘボン, ジェームス
ジェームズ・マクスウェル　➡マクスウェル, ジェームズ
ジェームス・モンロー　➡モンロー, ジェームス
ジェームズ・ロス　➡ロス, ジェームズ
ジェームス・ワット　➡ワット, ジェームス
ジェームズ・ワトソン　➡ワトソン, ジェームズ
ジェーン・アダムズ　➡アダムズ, ジェーン
ジェーン・グドール　➡グドール, ジェーン
ジェーンズ, リロイ ………… ②146
シェーンベルク, アルノルト ………… ②147
　⇨ウェーベルン, アントン　⇨ケージ, ジョン
　⇨ストラビンスキー, イーゴリ
ジェトゥリオ・バルガス　➡バルガス, ジェトゥリオ
ジェファーソン, トーマス ………… ②147
　⇨モンロー, ジェームズ　⇨ワシントン, ジョージ
ジェファーソン・デービス　➡デービス, ジェファーソン
ジェフリー・チョーサー　➡チョーサー, ジェフリー
ジェラルド・ルドルフ・フォード
　➡フォード, ジェラルド・ルドルフ
シェリー, パーシー・ビッシュ ………… ②147
ジェリコー, テオドル ………… ②147
シェル・シルバースタイン　➡シルバースタイン, シェル
ジェレミー・ベンサム　➡ベンサム, ジェレミー
ジェローム・デービッド・サリンジャー
　➡サリンジャー, ジェローム・デービッド
思円[しえん]　➡叡尊[えいそん]
慈円[じえん] ………… ②148

319

⇨西行[さいぎょう]
⇨信濃前司行長[しなののぜんじゆきなが]

シェンキェビッチ, ヘンリク ②148
ジェンナー, エドワード ②148
⇨緒方洪庵[おがたこうあん]
ジオノ, ジャン ②148
志賀潔[しがきよし] ②149
⇨北里柴三郎[きたさとしばさぶろう]
慈覚大師[じかくだいし] ➡円仁[えんにん]
志賀重昂[しがしげたか] ②149
志賀直哉[しがなおや] ②149
⇨阿川弘之[あがわひろゆき]
⇨有島武郎[ありしまたけお]
⇨尾崎一雄[おざきかずお]
⇨小林多喜二[こばやしたきじ] ⇨里見弴[さとみとん]
⇨広津和郎[ひろつかずお]
⇨武者小路実篤[むしゃのこうじさねあつ]
⇨柳宗悦[やなぎむねよし]
式子内親王[しきしないてんのう]
➡式子内親王[しょくしないしんのう]
式亭三馬[しきていさんば] ②150
⇨為永春水[ためながしゅんすい]
志貴皇子[しきのおうじ] ②150
ジグムント・フロイト ➡フロイト, ジグムント
シケイロス, ダビド・アルファロ ②150
重松清[しげまつきよし] ②151
重光葵[しげみつまもる] ②151
⇨梅津美治郎[うめづよしじろう]
茂山千作[しげやませんさく] ②151
始皇帝[しこうてい] ②152
⇨韓非[かんぴ] ⇨商鞅[しょうおう] ⇨徐福[じょふく]
⇨弓月君[ゆづきのきみ] ⇨李斯[りし]
⇨劉邦[りゅうほう]
獅子心王[しししんおう] ➡リチャード1世[-せい]
獅子文六[ししぶんろく] ②151
⇨杉村春子[すぎむらはるこ]
史思明[ししめい] ②153
⇨安禄山[あんろくざん] ⇨王維[おうい]
⇨玄宗[げんそう] ⇨楊貴妃[ようきひ]
ジスカール・デスタン, バレリー ②153
⇨シラク, ジャック ⇨ド・ゴール, シャルル
⇨ポンピドゥー, ジョルジュ ⇨ミッテラン, フランソワ
施耐庵[したいあん] ②153
⇨羅貫中[らかんちゅう]
志筑忠雄[しづきただお] ②153
⇨ケンペル, エンゲルベルト
ジッド, アンドレ ②154
⇨石川淳[いしかわじゅん] ⇨サガン, フランソワーズ
⇨バレリー, ポール ⇨マイヨール, アリスティード
十返舎一九[じっぺんしゃいっく] ②154
⇨仮名垣魯文[かながきろぶん]
⇨鈴木牧之[すずきぼくし]
⇨蔦屋重三郎[つたやじゅうざぶろう]
⇨東洲斎写楽[とうしゅうさいしゃらく]
幣原喜重郎[しではらきじゅうろう] ②154
⇨芦田均[あしだひとし] ⇨安倍能成[あべよししげ]
⇨渋沢敬三[しぶさわけいぞう]
⇨浜口雄幸[はまぐちおさち]
⇨松岡洋右[まつおかようすけ]
⇨松本烝治[まつもとじょうじ]
⇨米内光政[よないみつまさ]
持統天皇[じとうてんのう] ②154
⇨大津皇子[おおつのおうじ]
⇨刑部親王[おさかべのしんのう]
⇨柿本人麻呂[かきのもとのひとまろ]

⇨草壁皇子[くさかべのおうじ]
⇨高市皇子[たけちのおうじ]
⇨天武天皇[てんむてんのう]
⇨藤原不比等[ふじわらのふひと]
⇨文武天皇[もんむてんのう]
シドッチ, ジョバンニ ②155
⇨新井白石[あらいはくせき]
シドニー=ガブリエル・コレット
➡コレット, シドニー=ガブリエル
品川弥二郎[しながわやじろう] ②155
シナトラ, フランク ②156
信濃前司行長[しなののぜんじゆきなが] ②156
シバージー ②156
司馬睿[しばえい] ②156
司馬炎[しばえん] ②157
⇨司馬睿[しばえい]
司馬光[しばこう] ②157
⇨王安石[おうあんせき]
司馬江漢[しばこうかん] ②157
⇨亜欧堂田善[あおうどうでんぜん]
⇨小田野直武[おだのなおたけ]
⇨鈴木春信[すずきはるのぶ]
司馬遷[しばせん] ②158
⇨司馬光[しばこう] ⇨司馬遼太郎[しばりょうたろう]
⇨班固[はんこ]
柴田勝家[しばたかついえ] ②158
⇨お市の方[おいちのかた] ⇨織田信孝[おだのぶたか]
⇨崇源院[すうげんいん] ⇨滝川一益[たきがわかずます]
⇨豊臣秀吉[とよとみひでよし]
⇨前田利家[まえだとしいえ]
⇨毛利輝元[もうりてるもと] ⇨淀殿[よどどの]
芝田吉之丞[しばたきちのじょう] ②158
司馬達等[しばたっと] ②159
⇨鞍作鳥[くらつくりのとり]
柴田錬三郎[しばたれんざぶろう] ②159
シハヌーク, ノロドム ②159
柴野栗山[しばのりつざん] ②159
⇨岡田寒泉[おかだかんせん]
斯波義廉[しばよしかど] ②159
⇨朝倉孝景[あさくらたかかげ]
⇨斯波義敏[しばよしとし] ⇨山名持豊[やまなもちとよ]
斯波義敏[しばよしとし] ②160
⇨斯波義廉[しばよしかど] ⇨山名持豊[やまなもちとよ]
司馬遼太郎[しばりょうたろう] ②160
⇨安野光雅[あんのみつまさ]
渋川春海[しぶかわしゅんかい] ②160
渋沢栄一[しぶさわえいいち] ②161
⇨浅野総一郎[あさのそういちろう]
⇨大橋新太郎[おおはししんたろう]
⇨クローデル, ポール ⇨渋沢敬三[しぶさわけいぞう]
⇨城山三郎[しろやまさぶろう]
⇨高峰譲吉[たかみねじょうきち]
⇨成瀬仁蔵[なるせじんぞう]
⇨浜田彦蔵[はまだひこぞう]
⇨古河市兵衛[ふるかわいちべえ]
渋沢敬三[しぶさわけいぞう] ②161
⇨宮本常一[みやもとつねいち]
シベリウス, ジャン ②162
⇨朝比奈隆[あさひなたかし]
島井宗室[しまいそうしつ] ②162
⇨神屋宗湛[かみやそうたん]
島尾敏雄[しまおとしお] ②162
⇨小川国夫[おがわくにお]
⇨庄野潤三[しょうのじゅんぞう]
島木赤彦[しまぎあかひこ] ②162

⇨斎藤茂吉[さいとうもきち]
島木健作[しまきけんさく] ②162
島崎藤村[しまざきとうそん] ②162
⇨岩野泡鳴[いわのほうめい] ⇨上田敏[うえだびん]
⇨大中恩[おおなかめぐみ] ⇨北村透谷[きたむらとうこく]
⇨坂口安吾[さかぐちあんご]
⇨薄田泣菫[すすきだきゅうきん]
⇨鈴木三重吉[すずきみえきち]
⇨田山花袋[たやまかたい] ⇨土井晩翠[どいばんすい]
⇨徳田秋声[とくだしゅうせい] ⇨杜甫[とほ]
⇨トルストイ, レフ ⇨二葉亭四迷[ふたばていしめい]
⇨柳田国男[やなぎたくにお]
島地黙雷[しまじもくらい] ②163
島田叡[しまだあきら] ②163
島田三郎[しまださぶろう] ②163
島津家久[しまづいえひさ] ②164
⇨島津義弘[しまづよしひろ] ⇨尚寧王[しょうねいおう]
島津源蔵[しまづげんぞう] ②164
島津茂久[しまづしげひさ] ➡島津忠義[しまづただよし]
島津重豪[しまづしげひで] ②164
⇨島津斉彬[しまづなりあきら]
⇨調所広郷[ずしょひろさと]
島津貴久[しまづたかひさ] ②165
⇨ザビエル, フランシスコ
⇨島津義久[しまづよしひさ]
⇨島津義弘[しまづよしひろ]
⇨種子島時堯[たねがしまときたか]
島津忠義[しまづただよし] ②165
⇨有馬新七[ありましんしち]
⇨小松帯刀[こまつたてわき]
⇨島津久光[しまづひさみつ]
⇨山本権兵衛[やまもとごんべえ]
島津斉彬[しまづなりあきら] ②165
⇨阿部正弘[あべまさひろ] ⇨井伊直弼[いいなおすけ]
⇨大久保利通[おおくぼとしみち]
⇨西郷隆盛[さいごうたかもり]
⇨島津重豪[しまづしげひで]
⇨島津忠義[しまづただよし]
⇨島津久光[しまづひさみつ]
⇨調所広郷[ずしょひろさと]
⇨伊達宗城[だてむねなり]
⇨天璋院[てんしょういん]
⇨徳川家定[とくがわいえさだ]
⇨徳川斉昭[とくがわなりあき]
⇨徳川慶勝[とくがわよしかつ]
島津久光[しまづひさみつ] ②166
⇨有馬新七[ありましんしち]
⇨井上清直[いのうえきよなお]
⇨大久保利通[おおくぼとしみち]
⇨大原重徳[おおはらしげとみ]
⇨小松帯刀[こまつたてわき]
⇨西郷隆盛[さいごうたかもり]
⇨島津忠義[しまづただよし]
⇨島津斉彬[しまづなりあきら]
⇨伊達宗城[だてむねなり]
⇨平野国臣[ひらのくにおみ]
⇨松平容保[まつだいらかたもり]
⇨吉村寅太郎[よしむらとらたろう]
島津義久[しまづよしひさ] ②167
⇨島津義弘[しまづよしひろ]
⇨種子島時堯[たねがしまときたか]
⇨豊臣秀吉[とよとみひでよし]
⇨山内四郎左衛門[やまのうちしろうざえもん]
島津義弘[しまづよしひろ] ②167
⇨島津家久[しまづいえひさ]

⇨島津義久 [しまづよしひさ]

島村抱月 [しまむらほうげつ] ……②167
　⇨秋田雨雀 [あきたうじゃく]
　⇨小川未明 [おがわみめい]
　⇨沢田正二郎 [さわだしょうじろう]
　⇨相馬御風 [そうまぎょふう]
　⇨中山晋平 [なかやましんぺい]
　⇨正宗白鳥 [まさむねはくちょう]
　⇨松井須磨子 [まついすまこ]

ジミー・カーター　➡カーター, ジミー

清水重好 [しみずしげよし] ……②167
　⇨田安宗武 [たやすむねたけ]

清水次郎長 [しみずのじろちょう] ……②168
清水義範 [しみずよしのり] ……②168
下岡蓮杖 [しもおかれんじょう] ……②168
下總皖一 [しもおさかんいち] ……②168

シモーヌ・ド・ボーボワール
　➡ボーボワール, シモーヌ・ド

下城弥一郎 [しもじょうやいちろう] ……②168
下田歌子 [しもだうたこ] ……②169
下村脩 [しもむらおさむ] ……②169
下村観山 [しもむらかんざん] ……②169
　⇨岡倉天心 [おかくらてんしん]
　⇨橋本雅邦 [はしもとがほう]
　⇨菱田春草 [ひしだしゅんそう]
　⇨安田靫彦 [やすだゆきひこ]
　⇨横山大観 [よこやまたいかん]

下村湖人 [しもむらこじん] ……②169
下山定則 [しもやまさだのり] ……②169

シモン・ステビン　➡ステビン, シモン
シモン・ド・モンフォール　➡モンフォール, シモン・ド
シモン・ペレス　➡ペレス, シモン
シモン・ボリバル　➡ボリバル, シモン

シャー・ジャハーン ……②170
　⇨アウラングゼーブ

シャープール1世 [－せい] ……②170
　⇨アルダシール1世 [－せい]　⇨マニ

ジャイアント馬場 [－ばば]　➡力道山 [りきどうざん]

シャウプ, カール ……②170

シャカ ……②172
　⇨伊藤若冲 [いとうじゃくちゅう]
　⇨井上円了 [いのうええんりょう]
　⇨チャンドラグプタ1世 [－せい]
　⇨富永仲基 [とみながなかもと]　⇨バルダマーナ
　⇨明恵 [みょうえ]

ジャガー, ミック ……②171
シャガール, マルク ……②171
　⇨モディリアーニ, アメデオ

ジャガタラお春 [－おはる] ……②171

シャクシャイン ……②174
　⇨松前矩広 [まつまえのりひろ]

ジャクソン, アンドリュー ……②174
ジャクソン・ポロック　➡ポロック, ジャクソン
ジャクソン, マイケル ……②174
　⇨シナトラ, フランク　⇨マルソー, マルセル
　⇨ワンダー, スティービー

釈迢空 [しゃくちょうくう]　➡折口信夫 [おりくちしのぶ]
寂蓮 [じゃくれん] ……②174
ジャコーモ・プッチーニ　➡プッチーニ, ジャコーモ
ジャコメッティ, アルベルト ……②175
ジャスパー・ジョーンズ　➡ジョーンズ, ジャスパー
ジャック＝アレクサンドル＝セザール・シャルル
　➡シャルル, ジャック＝アレクサンドル＝セザール
ジャック・アンリ・ベルナルダン・ド・サン=ピエール
　➡ベルナルダン・ド・サン=ピエール, ジャック＝アンリ

ジャック＝イブ・クストー　➡クストー, ジャック＝イブ
ジャック・オッフェンバック　➡オッフェンバック, ジャック
ジャック・シラク　➡シラク, ジャック
ジャック・ニクラウス　➡ニクラウス, ジャック
ジャック・ネッケル　➡ネッケル, ジャック
ジャック・ルイ・ダビッド　➡ダビッド, ジャック・ルイ
ジャック・ルネ・エベール　➡エベール, ジャック＝ルネ
ジャック・ロンドン　➡ロンドン, ジャック

シャネル, ガブリエル ……②176
謝花昇 [じゃはなのぼる] ……②175
ジャマール・アッディーン・アフガーニー ……②175
　⇨ムハンマド・アブドゥフ

シャルダン, ジャン＝バティスト ……②175
　⇨フラゴナール, ジャン

シャルル・イルネ・カステル・ド・サン=ピエール
　➡サン=ピエール, シャルル・イルネ・カステル・ド
シャルル・オーギュスタン・ド・クーロン
　➡クーロン, シャルル・オーギュスタン・ド

シャルル2世 [－せい] ……②177
　⇨ルートウィヒ1世 [－せい]
　⇨ルートウィヒ2世 [－せい]
　⇨ロタール1世 [－せい]

シャルル7世 [－せい] ……②177
　⇨ジャンヌ・ダルク

シャルル9世 [－せい] ……②177
　⇨カトリーヌ・ド・メディシス

シャルル10世 [－せい] ……②177
　⇨ティエール, アドルフ　⇨マラー, ジャン＝ポール
　⇨ルイ18世 [－せい]

シャルル・グノー　➡グノー, シャルル
シャルル, ジャック＝アレクサンドル＝セザール
　　　　　　　　　　　　　　　　　　　　　　　　　……②177
　⇨ショパン, フレデリック

シャルル・ド・ゴール　➡ド・ゴール, シャルル
シャルル・バルビ　⇨ブライユ, ルイ
シャルル・フーリエ　➡フーリエ, シャルル
シャルル・ペロー　➡ペロー, シャルル
シャルル・ボードレール　➡ボードレール, シャルル
シャルル・ミシェル・ド・レペ　➡ド・レペ, シャルル・ミシェル
シャルル・モーリス・ド・タレーラン
　➡タレーラン, シャルル・モーリス・ド
シャルル＝ルイ・ド・モンテスキュー
　➡モンテスキュー, シャルル＝ルイ・ド

謝霊運 [しゃれいうん] ……②178
シャロン, アリエル ……②178
　⇨ペレス, シモン

ジャワハルラール・ネルー　➡ネルー, ジャワハルラール
ジャン・アンリ・ファーブル　➡ファーブル, ジャン・アンリ
ジャン・オーギュスト・アングル
　➡アングル, ジャン・オーギュスト
ジャン・カルバン　➡カルバン, ジャン
ジャン・コクトー　➡コクトー, ジャン
ジャン・ジオノ　➡ジオノ, ジャン
ジャン・シベリウス　➡シベリウス, ジャン
ジャン＝ジャック・ルソー　➡ルソー, ジャン＝ジャック
ジャン・ジュネ　⇨堀口大学 [ほりぐちだいがく]
ジャン・ティンゲリー　➡ティンゲリー, ジャン
ジャン・ド・ラ・フォンテーヌ　➡ラ・フォンテーヌ, ジャン・ド
ジャンニ・ベルサーチ　➡ベルサーチ, ジャンニ

ジャンヌ・ダルク ……②180
　⇨シャルル7世 [－せい]　⇨福田英子 [ふくだひでこ]

ジャン・バティスト・コルベール
　➡コルベール, ジャン＝バティスト
ジャン・バティスト・シャルダン
　➡シャルダン, ジャン＝バティスト

ジャン＝バティスト・ラマルク
　➡ラマルク, ジャン＝バティスト
ジャン・バプティスト・フーリエ
　➡フーリエ, ジャン・バプティスト
ジャン・バプティスト・レジス
　➡レジス, ジャン＝バプティスト
ジャン・フラゴナール　➡フラゴナール, ジャン
ジャン・フランソワ・シャンポリオン
　➡シャンポリオン, ジャン・フランソワ
ジャン＝フランソワ・ミレー　➡ミレー, ジャン＝フランソワ
ジャン・ベルナール・フーコー
　➡フーコー, ジャン・ベルナール
ジャン・ボーダン　➡ボーダン, ジャン
ジャン＝ポール・サルトル　➡サルトル, ジャン＝ポール
ジャン＝ポール・マラー　➡マラー, ジャン＝ポール

シャンポリオン, ジャン・フランソワ ……②178
　⇨ナポレオン1世 [－せい]

ジャン・ラシーヌ　➡ラシーヌ, ジャン
ジャン＝リュック・ゴダール　➡ゴダール, ジャン＝リュック
ジャン・ル・ロン・ダランベール
　➡ダランベール, ジャン・ル・ロン

周恩来 [しゅうおんらい (チョウエンライ)] ……②178
　⇨華国鋒 [かこくほう (ホワクオフォン)]
　⇨江青 [こうせい (チヤンチン)]
　⇨朱徳 [しゅとく (チュートー)]
　⇨宋美齢 [そうびれい (ソンメイリン)]
　⇨李鵬 [りほう (リーポン)]
　⇨劉少奇 [りゅうしょうき (リウシャオチー)]

習近平 [しゅうきんぺい (シーチンピン)] ……②179
　⇨李克強 [りこくきょう (リークォーチャン)]

周敦頤 [しゅうとんい] ……②179
　⇨朱熹 [しゅき]

周文 [しゅうぶん] ……②179
　⇨如拙 [じょせつ]　⇨雪舟 [せっしゅう]

シューベルト, フランツ ……②182
　⇨パガニーニ, ニコロ

シューマッハ, ミヒャエル ……②182
シューマン, クララ ……②182
　⇨グリーグ, エドバルド　⇨シューマン, ロベルト
　⇨ブラームス, ヨハネス
　⇨ホロビッツ, ウラディミール

シューマン, ロベール ……②182
シューマン, ロベルト ……②182
　⇨グリーグ, エドバルド　⇨シューマン, クララ
　⇨シューマン, ロベルト　⇨ブラームス, ヨハネス
　⇨ブラームス, ヨハネス　⇨ホロビッツ, ウラディミール

ジュール, ジェームズ ……②183
　⇨ケルビン　⇨ドルトン, ジョン
　⇨ヘルムホルツ, ヘルマン・フォン

ジュール・アンリ・ポアンカレ
　➡ポアンカレ, ジュール・アンリ
ジュール・ベルヌ　➡ベルヌ, ジュール
ジュール・マザラン　➡マザラン, ジュール
ジュール・マスネー　➡マスネー, ジュール
ジュール・ルナール　➡ルナール, ジュール

朱熹 [しゅき] ……②183
　⇨周敦頤 [しゅうとんい]　⇨陸九淵 [りくきゅうえん]

朱元璋 [しゅげんしょう] ……②183
　⇨永楽帝 [えいらくてい]　⇨建文帝 [けんぶんてい]
　⇨絶海中津 [ぜっかいちゅうしん]
　⇨室鳩巣 [むろきゅうそう]
　⇨李成桂 [りせいけい (イソンゲ)]

朱子 [しゅし]　➡朱熹 [しゅき]
ジュゼッペ・カスティリオーネ
　➡カスティリオーネ, ジュゼッペ

ジュゼッペ・ガリバルディ　➡ガリバルディ,ジュゼッペ
ジュゼッペ・ベルディ　➡ベルディ,ジュゼッペ
ジュゼッペ・マッツィーニ　➡マッツィーニ,ジュゼッペ
朱全忠[しゅぜんちゅう] ……………………②184
　⇨黄巣[こうそう]
シュタイナー,ルドルフ ………………②184
シュタイフ,マルガレーテ ……………②184
シュタイン,カール …………………②184
　⇨アレクサンドル1世[-せい]
　⇨ナポレオン1世[-せい]
シュタイン,ローレンツ・フォン ………②185
　⇨伊藤博文[いとうひろぶみ]
　⇨明治天皇[めいじてんのう]
シュテフィ・グラフ　➡グラフ,シュテフィ
朱徳[しゅとく(チュートー)] …………②185
　⇨劉少奇[りゅうしょうき(リウシャオチー)]
シュトックハウゼン,カールハインツ ………②185
　⇨メシアン,オリビエ
シュトラウス,ヨハン(父) ……………②185
　⇨シュトラウス,ヨハン(子)
シュトラウス,ヨハン(子) ……………②186
　⇨シュトラウス,ヨハン(父)　⇨ズッペ,フランツ・フォン
シュトラウス,リヒャルト ………………②186
シュトルム,テオドル …………………②186
シュトレーゼマン,グスタフ …………②186
　⇨ブリアン,アリスティド
ジュネ,ジャン　⇨堀口大学[ほりぐちだいがく]
シュバイツァー,アルバート …………②186
シュピリ,ヨハンナ ……………………②187
シュミット,ヘルムート ………………②187
　⇨コール,ヘルムート
朱鎔基[しゅようき(チューロンチー)] ………②187
ジュリー・アンドリュース　⇨トラバース,パメラ
シュリーマン,ハインリヒ ……………②188
　⇨エバンズ,アーサー
シュルツ,チャールズ・モンロー ………②188
　⇨谷川俊太郎[たにかわしゅんたろう]
シュレーダー,ゲルハルト ……………②188
　⇨メルケル,アンゲラ
シュレーディンガー,エルウィン ………②189
舜[しゅん] ……………………………②189
　⇨禹[う]　⇨堯[ぎょう]　⇨契[せつ]
春屋妙葩[しゅんおくみょうは] ………②189
　⇨夢窓疎石[むそうそせき]
俊寛[しゅんかん] ……………………②189
　⇨西光[さいこう]　⇨藤原成親[ふじわらのなりちか]
荀子[じゅんし] ………………………②190
　⇨韓非[かんぴ]　⇨李斯[りし]
俊芿[しゅんじょう] ……………………②190
順治帝[じゅんちてい] …………………②190
　⇨アダム・シャール　⇨康熙帝[こうきてい]
　⇨フェルビースト,フェルディナント
順徳天皇[じゅんとくてんのう] ………②190
　⇨後嵯峨天皇[ごさがてんのう]
　⇨後鳥羽天皇[ごとばてんのう]
　⇨後堀河天皇[ごほりかわてんのう]
　⇨仲恭天皇[ちゅうきょうてんのう]
　⇨土御門天皇[つちみかどてんのう]
　⇨藤原道家[ふじわらのみちいえ]
淳和天皇[じゅんなてんのう] …………②191
　⇨清原夏野[きよはらのなつの]
　⇨嵯峨天皇[さがてんのう]
　⇨恒貞親王[つねさだしんのう]
　⇨仁明天皇[にんみょうてんのう]
　⇨藤原百川[ふじわらのももかわ]

　⇨藤原良房[ふじわらのよしふさ]
　⇨平城天皇[へいぜいてんのう]
　⇨良岑安世[よしみねのやすよ]
淳仁天皇[じゅんにんてんのう] ………②191
　⇨孝謙天皇[こうけんてんのう]
　⇨橘奈良麻呂[たちばなのならまろ]
　⇨道鏡[どうきょう]
　⇨舎人親王[とねりしんのう]
　⇨藤原仲麻呂[ふじわらのなかまろ]
ジョアシャン・ブーベ　➡ブーベ,ジョアシャン
ジョアッキーノ・ロッシーニ　➡ロッシーニ,ジョアッキーノ
ジョアン2世[-せい] …………………②191
　⇨コロンブス,クリストファー　⇨ディアス,バルトロメウ
ジョアン・キャスリーン・ローリング
　➡ローリング,ジョアン・キャスリーン
ジョアン・ジルベルト　➡ジルベルト,ジョアン
ジョアン・ミロ　➡ミロ,ジョアン
ジョイ・アダムソン　➡アダムソン,ジョイ
ジョイス,ジェイムズ …………………②191
　⇨セルバンテス,ミゲル・デ　⇨ベケット,サミュエル
　⇨丸谷才一[まるやさいいち]
商鞅[しょうおう] ……………………②191
　⇨韓非[かんぴ]
蒋介石[しょうかいせき(チャンチエシー)] ………②192
　⇨汪兆銘[おうちょうめい(ワンチャオミン)]
　⇨厳家淦[げんかかん(イエンジアガン)]
　⇨胡適[こてき(フーシー)]
　⇨呉佩孚[ごはいふ(ウーペイフー)]
　⇨周恩来[しゅうおんらい(チョウエンライ)]
　⇨蒋経国[しょうけいこく(チャンチンクオ)]
　⇨宋慶齢[そうけいれい(ソンチンリン)]
　⇨張学良[ちょうがくりょう(チャンシュエリャン)]
　⇨陳独秀[ちんどくしゅう(チェントゥーシウ)]
　⇨松井石根[まついいわね]
　⇨毛沢東[もうたくとう(マオツォトン)]
蒋経国[しょうけいこく(チャンチンクオ)] ………②192
　⇨厳家淦[げんかかん(イエンジアガン)]
　⇨馬英九[ばえいきゅう(マーインチウ)]
　⇨李登輝[りとうき(リートンホイ)]
鄭玄[じょうげん] ……………………②192
常高院[じょうこういん]　⇨お市の方[おいちのかた]
松寿院[しょうじゅいん] ………………②192
尚真王[しょうしんおう] ………………②192
尚泰王[しょうたいおう] ………………②193
勝田主計[しょうだかずえ]　⇨西原亀三[にしはらかめぞう]
定朝[じょうちょう] ……………………②193
聖徳太子[しょうとくたいし] …………②196
　⇨阿倍内麻呂[あべのうちまろ]
　⇨池坊専応[いけのぼうせんのう]
　⇨梅原猛[うめはらたけし]　⇨慧慈[えじ]
　⇨小野妹子[おののいもこ]　⇨行基[ぎょうき]
　⇨鞍作鳥[くらつくりのとり]　⇨孔子[こうし]
　⇨親鸞[しんらん]　⇨推古天皇[すいこてんのう]
　⇨蘇我入鹿[そがのいるか]　⇨蘇我馬子[そがのうまこ]
　⇨蘇我蝦夷[そがのえみし]
　⇨橘大郎女[たちばなのおおいらつめ]　⇨達磨[だるま]
　⇨天智天皇[てんじてんのう]　⇨曇徴[どんちょう]
　⇨裴世清[はいせいせい]　⇨秦河勝[はたのかわかつ]
　⇨安田靫彦[やすだゆきひこ]
　⇨山背大兄王[やましろのおおえのおう]
　⇨煬帝[ようだい]　⇨用明天皇[ようめいてんのう]
称徳天皇[しょうとくてんのう]　➡孝謙天皇[こうけんてんのう]
尚寧王[しょうねいおう] ………………②194
　⇨儀間真常[ぎましんじょう]
庄野英二[しょうのえいじ] ……………②194

　⇨庄野潤三[しょうのじゅんぞう]
庄野潤三[しょうのじゅんぞう] …………②194
　⇨庄野英二[しょうのえいじ]
尚巴志[しょうはし] ……………………②194
小ピット[しょうピット]　➡ウィリアム・ピット(子)
小ピピン[しょうピピン]　➡ピピン
聖武天皇[しょうむてんのう] …………②198
　⇨鑑真[がんじん]　⇨吉備内親王[きびないしんのう]
　⇨吉備真備[きびのまきび]　⇨行基[ぎょうき]
　⇨元正天皇[げんしょうてんのう]　⇨玄昉[げんぼう]
　⇨元明天皇[げんめいてんのう]
　⇨孝謙天皇[こうけんてんのう]
　⇨光仁天皇[こうにんてんのう]
　⇨光明皇后[こうみょうこうごう]
　⇨則天武后[そくてんぶこう]
　⇨橘諸兄[たちばなのもろえ]
　⇨舎人親王[とねりしんのう]　⇨長屋王[ながやおう]
　⇨藤原広嗣[ふじわらのひろつぐ]
　⇨藤原不比等[ふじわらのふひと]
　⇨藤原麻呂[ふじわらのまろ]
　⇨藤原宮子[ふじわらのみやこ]
　⇨藤原武智麻呂[ふじわらのむちまろ]
　⇨藤原百川[ふじわらのももかわ]
　⇨文武天皇[もんむてんのう]
　⇨山上憶良[やまのうえのおくら]
　⇨山部赤人[やまべのあかひと]
昭明太子[しょうめいたいし] …………②195
正力松太郎[しょうりきまつたろう] ………②195
昭和天皇[しょうわてんのう] …………②199
　⇨明仁(今上天皇)[あきひと(きんじょうてんのう)]
　⇨木戸幸一[きどこういち]
　⇨香淳皇后[こうじゅんこうごう]
　⇨正力松太郎[しょうりきまつたろう]
　⇨白鳥庫吉[しらとりくらきち]
　⇨杉浦重剛[すぎうらじゅうごう]
　⇨鈴木貫太郎[すずきかんたろう]
　⇨大正天皇[たいしょうてんのう]
　⇨団藤重光[だんどうしげみつ]
　⇨寺崎英成[てらさきひでなり]
　⇨東郷平八郎[とうごうへいはちろう]
　⇨徳仁親王(皇太子)[なるひとしんのう(こうたいし)]
　⇨難波大助[なんばだいすけ]
　⇨丹羽保次郎[にわやすじろう]
　⇨乃木希典[のぎまれすけ]　⇨朴烈[パクヨル(ぼくれつ)]
　⇨パル,ラダビノード
　⇨平沼騏一郎[ひらぬまきいちろう]
　⇨牧野伸顕[まきののぶあき]
　⇨南方熊楠[みなかたくまぐす]
ショー,バーナード ……………………②195
　⇨ウェッブ夫妻[-ふさい]　⇨クレオパトラ
ジョージ1世[-せい] …………………②200
　⇨アン女王[-じょおう]　⇨ウォルポール,ロバート
　⇨フリードリヒ2世(プロイセン王)[-にせい]
ジョージ5世[-せい] …………………②200
ジョージア・オキーフ　➡オキーフ,ジョージア
ジョージ・イーストマン　➡イーストマン,ジョージ
ジョージ・ウェスティングハウス
　➡ウェスティングハウス,ジョージ
ジョージ・オーウェル　➡オーウェル,ジョージ
ジョージ・ガーシュイン　➡ガーシュイン,ジョージ
ジョージ・カニング　➡カニング,ジョージ
ジョージ・ガモフ　➡ガモフ,ジョージ
ジョージ・シーガル　➡シーガル,ジョージ
ジョージ・スティーブンソン
　➡スティーブンソン,ジョージ

ジョージ・バイロン　➡バイロン，ジョージ
ジョージ・ハリソン　⇨レノン，ジョン
ジョージ・フォアマン　⇨アリ，モハメド
ジョージ・ブッシュ（父）　➡ブッシュ，ジョージ（父）
ジョージ・ブッシュ（子）　➡ブッシュ，ジョージ（子）
ジョージ・マーシャル　➡マーシャル，ジョージ
ジョージ・マカートニー　➡マカートニー，ジョージ
ジョージ・マロリー　➡マロリー，ジョージ
ジョージ・ルーカス　➡ルーカス，ジョージ
ジョージ・ワシントン　➡ワシントン，ジョージ
ジョーダン，マイケル ……………… ②200
ショーペンハウアー，アルトゥール ………… ②200
　⇨キリコ，ジョルジョ・デ　⇨ニーチェ，フリードリヒ
ショーロホフ，ミハイル ……………… ②200
ジョーンズ，ジャスパー ……………… ②201
　⇨ウォーホル，アンディ　⇨リキテンスタイン，ロイ
ジョーンズ，ダイアナ・ウィン ……………… ②201
諸葛亮［しょかつりょう］ ……………… ②201
　⇨張飛［ちょうひ］　⇨陳寿［ちんじゅ］　⇨劉備［りゅうび］
蜀山人［しょくさんじん］　⇨大田南畝［おおたなんぽ］
式子内親王［しょくしないしんのう］ ……………… ②202
徐光啓［じょこうけい］ ……………… ②202
　⇨アダム・シャール　⇨崇禎帝［すうていてい］
　⇨マテオ・リッチ
ジョサイア・ウェッジウッド　➡ウェッジウッド，ジョサイア
ジョサイア・コンドル　➡コンドル，ジョサイア
ショスタコービッチ，ドミトリイ ……………… ②202
如拙［じょせつ］ ……………… ②202
　⇨周文［しゅうぶん］　⇨雪舟［せっしゅう］
ジョゼフィーヌ，マリー・ローズ ……………… ②202
ジョゼフ・エストラーダ　➡エストラーダ，ジョゼフ
ジョゼフ・ターナー　➡ターナー，ジョゼフ
ジョゼフ・チェンバレン　➡チェンバレン，ジョゼフ
ジョゼフ・ヒコ　➡浜田彦蔵［はまだひこぞう］
ジョゼフ・ピュリッツァー　➡ピュリッツァー，ジョゼフ
ジョゼフ・フランソワ・デュプレクス
　➡デュプレクス，ジョゼフ・フランソワ
ジョゼフ・プリーストリー　➡プリーストリー，ジョゼフ
ジョゼフ・ヘンリー　➡ヘンリー，ジョゼフ
ジョゼフ・マッカーシー　➡マッカーシー，ジョゼフ
ジョゼフ・モレル・ドッジ　➡ドッジ，ジョゼフ・モレル
ジョゼフ・ルイ・ラグランジュ
　➡ラグランジュ，ジョゼフ・ルイ
ショックレー，ウィリアム・ブラッドフォード
　……………… ②203
ジョット・ディ・ボンドーネ ……………… ②203
　⇨前田青邨［まえだせいそん］
ジョナサン・スウィフト　➡スウィフト，ジョナサン
ショパン，フレデリック ……………… ②203
　⇨サンド，ジョルジュ　⇨パガニーニ，ニコロ
　⇨ホロビッツ，ウラディミール　⇨リスト，フランツ
ジョバンニ・シドッチ　⇨シドッチ，ジョバンニ
ジョバンニ・ダ・ピアン・デル・カルピニ
　➡カルピニ，ジョバンニ・ダ・ピアン・デル
ジョバンニ・ピエルルイジ・ダ・パレストリーナ
　➡パレストリーナ，ジョバンニ・ピエルルイジ・ダ
ジョバンニ・ベッリーニ　⇨ティツィアーノ・ベチェリオ
　⇨デューラー，アルブレヒト
ジョバンニ・ボッカチオ　➡ボッカチオ，ジョバンニ
ジョビン，アントニオ・カルロス ……………… ②203
　⇨ジルベルト，ジョアン
徐福［じょふく］ ……………… ②204
ジョブズ，スティーブ ……………… ②204
舒明天皇［じょめいてんのう］ ……………… ②204
　⇨犬上御田鍬［いぬかみのみたすき］

　⇨皇極天皇［こうぎょくてんのう］
　⇨蘇我馬子［そがのうまこ］　⇨蘇我蝦夷［そがのえみし］
　⇨天智天皇［てんじてんのう］
　⇨天武天皇［てんむてんのう］
　⇨古人大兄皇子［ふるひとのおおえのおうじ］
　⇨山背大兄王［やましろのおおえのおう］
ジョモ・ケニヤッタ　➡ケニヤッタ，ジョモ
ジョルジオ・アルマーニ　➡アルマーニ，ジョルジオ
ジョルジュ・クレマンソー　➡クレマンソー，ジョルジュ
ジョルジュ・サンド　➡サンド，ジョルジュ
ジョルジュ＝ジャック・ダントン
　➡ダントン，ジョルジュ＝ジャック
ジョルジュ・スーラ　➡スーラ，ジョルジュ
ジョルジュ・バタイユ　➡岡本太郎［おかもとたろう］
ジョルジュ・ビゴー　➡ビゴー，ジョルジュ
ジョルジュ・ビゼー　➡ビゼー，ジョルジュ
ジョルジュ・ブーランジェ　➡ブーランジェ，ジョルジュ
ジョルジュ・ブラック　➡ブラック，ジョルジュ
ジョルジュ・ポンピドゥー　➡ポンピドゥー，ジョルジュ
ジョルジュ＝ユージェーヌ・オスマン
　➡オスマン，ジョルジュ＝ユージェーヌ
ジョルジュ＝ルイ・ビュフォン
　➡ビュフォン，ジョルジュ＝ルイ
ジョルジュ・ルオー　➡ルオー，ジョルジュ
ジョルジュ・ルメートル　➡ガモフ，ジョージ
ジョルジョ・デ・キリコ　➡キリコ，ジョルジョ・デ
ジョルダーノ・ブルーノ　➡ブルーノ，ジョルダーノ
ジョン・エルトン　➡ベルサーチ，ジャンニ
ジョン・アービング　➡アービング，ジョン
ジョン・アップダイク　➡アップダイク，ジョン
ジョン・アンブローズ・フレミング
　➡フレミング，ジョン・アンブローズ
ジョン・ウィクリフ　➡ウィクリフ，ジョン
ジョン・ウェイン　➡ウェイン，ジョン
ジョン・エバレット・ミレイ　➡ミレイ，ジョン・エバレット
ジョン王［－おう］ ……………… ②204
　⇨フィリップ2世［－せい］　⇨ヘンリー2世［－せい］
　⇨ヘンリー3世［－せい］　⇨リチャード1世［－せい］
　⇨ロビン・フッド
ジョン・オッペンハイマー　➡オッペンハイマー，ジョン
ジョン・キーツ　➡キーツ，ジョン
ジョン・ケイ　➡ケイ，ジョン
ジョン・ケインズ　➡ケインズ，ジョン
ジョン・ケージ　➡ケージ，ジョン
ジョン・コルトレーン　➡コルトレーン，ジョン
ジョン・コンスタブル　➡コンスタブル，ジョン
ジョン・スタインベック　➡スタインベック，ジョン
ジョン・スチュアート・ミル　➡ミル，ジョン・スチュアート
ジョンソン，リンドン ……………… ②204
　⇨ケネディ，エジョン・フィッツジェラルド
ジョン・デューイ　➡デューイ，ジョン
ジョン・ドルトン　➡ドルトン，ジョン
ジョン・ナッシュ　➡ナッシュ，ジョン
ジョン・ネーピア　➡ネーピア，ジョン
ジョン・ピアポント・モルガン
　➡モルガン，ジョン・ピアポント
ジョン・フィッツジェラルド・ケネディ
　➡ケネディ，ジョン・フィッツジェラルド
ジョン・フィリップ・スーザ　➡スーザ，ジョン・フィリップ
ジョン・フォード　➡フォード，ジョン
ジョン・フォン・ノイマン　➡ノイマン，ジョン・フォン
ジョン・ブライト　➡ブライト，ジョン
ジョン・ヘイ　➡ヘイ，ジョン
ジョン・ボイド・ダンロップ　➡ダンロップ，ジョン・ボイド
ジョン・ホーキンズ　➡ホーキンズ，ジョン

ジョン・ボール　➡ボール，ジョン
ジョン万次郎［－まんじろう］ ……………… ②205
　⇨榎本武揚［えのもとたけあき］
　⇨勝海舟［かつかいしゅう］
ジョン・ミルトン　➡ミルトン，ジョン
ジョン・ミルン　➡ミルン，ジョン
ジョン・メージャー　➡メージャー，ジョン
ジョン・レノン　➡レノン，ジョン
ジョン・ロック　➡ロック，ジョン
ジョン・ロックフェラー　➡ロックフェラー，ジョン
ジョン・ロナルド・ロウェル・トールキン
　➡トールキン，ジョン・ロナルド・ロウェル
シラー，フリードリヒ・フォン ……………… ②205
　⇨ウィリアム・テル
　⇨ゲーテ，ヨハン・ウォルフガング・フォン
　⇨ジャンヌ・ダルク
　⇨シューベルト，フランツ
　⇨ベートーベン，ルートウィヒ・ファン
　⇨ワレンシュタイン，アルブレヒト・フォン
白井義男［しらいよしお］ ……………… ②205
白川静［しらかわしずか］ ……………… ②206
白河天皇［しらかわてんのう］ ……………… ②206
　⇨大江匡房［おおえのまさふさ］
　⇨後三条天皇［ごさんじょうてんのう］
　⇨崇徳天皇［すとくてんのう］
　⇨平清盛［たいらのきよもり］
　⇨平忠盛［たいらのただもり］
　⇨平正盛［たいらのまさもり］
　⇨鳥羽天皇［とばてんのう］
　⇨藤原忠実［ふじわらのただざね］
　⇨藤原忠通［ふじわらのただみち］
　⇨堀河天皇［ほりかわてんのう］
　⇨源師房［みなもとのもろふさ］
　⇨源義家［みなもとのよしいえ］
白川英樹［しらかわひでき］ ……………… ②206
シラク，ジャック ……………… ②207
　⇨ミッテラン，フランソワ
白洲次郎［しらすじろう］ ……………… ②207
　⇨白洲正子［しらすまさこ］
白洲正子［しらすまさこ］ ……………… ②207
　⇨白洲次郎［しらすじろう］
白瀬矗［しらせのぶ］ ……………… ②207
　⇨梅屋庄吉［うめやしょうきち］
　⇨郡司成忠［ぐんじしげただ］
白土三平［しらとさんぺい］　⇨つげ義春［つげよしはる］
白鳥庫吉［しらとりくらきち］ ……………… ②208
　⇨津田左右吉［つだそうきち］
シラノ・ド・ベルジュラック，サビニアン …… ②208
シルバースタイン，シェル ……………… ②208
　⇨倉橋由美子［くらはしゆみこ］
シルビオ・ベルルスコーニ　➡ベルルスコーニ，シルビオ
ジルヒャー，フリードリヒ ……………… ②208
　⇨ハイネ，ハインリヒ
ジルベルト，ジョアン ……………… ②209
　⇨ジョビン，アントニオ・カルロス
城山三郎［しろやまさぶろう］ ……………… ②209
ジロラモ・カルダーノ　➡カルダーノ，ジロラモ
ジロラモ・サボナローラ　➡サボナローラ，ジロラモ
沈惟敬［しんけい］ ……………… ②209
シンガー，アイザック・メリット ……………… ②209
秦檜［しんかい］ ……………… ②209
　⇨岳飛［がくひ］　⇨高宗（南宋）［こうそう］
新海竹太郎［しんかいたけたろう］ ……………… ②209
　⇨中原悌二郎［なかはらていじろう］
新川和江［しんかわかずえ］ ……………… ②210

323

五十音順索引

し／す

➡吉原幸子[よしはらさちこ]
ジンギスカン　➡チンギス・ハン
神宮輝夫[じんぐうてるお] ……………… ②210
信西[しんぜい]　➡藤原通憲[ふじわらのみちのり]
神宗[しんそう] ………………………………… ②210
➡王安石[おうあんせき]　➡徽宗[きそう]
新藤兼人[しんどうかねと] …………………… ②210
➡杉村春子[すぎむらはるこ]
ジンナー, ムハンマド・アリー …………… ②211
新見正興[しんみまさおき] …………………… ②211
神武天皇[じんむてんのう] …………………… ②211
➡神武天皇[じんむてんのう]
➡徳川光圀[とくがわみつくに]
➡中山忠親[なかやまただちか]
新村出[しんむらいずる] ……………………… ②211
親鸞[しんらん] ………………………………… ②212
➡倉田百三[くらたひゃくぞう]　➡最澄[さいちょう]
➡聖徳太子[しょうとくたいし]　➡法然[ほうねん]
➡唯円[ゆいえん]　➡蓮如[れんにょ]

す

推古天皇[すいこてんのう] …………………… ②213
➡犬上御田鍬[いぬかみのみたすき]　➡観勒[かんろく]
➡欽明天皇[きんめいてんのう]
➡薬師恵日[くすしのえにち]
➡聖徳太子[しょうとくたいし]
➡舒明天皇[じょめいてんのう]
➡蘇我稲目[そがのいなめ]　➡蘇我馬子[そがのうまこ]
➡蘇我蝦夷[そがのえみし]
➡橘大郎女[たちばなのおおいらつめ]
➡裴世清[はいせいせい]　➡敏達天皇[びだつてんのう]
➡山背大兄王[やましろのおおえのおう]
➡用明天皇[ようめいてんのう]
スウィフト, ジョナサン ……………………… ②213
➡ボルテール
鄒衍[すうえん] ………………………………… ②213
➡公孫竜[こうそんりゅう]
崇源院[すうげんいん] ………………………… ②214
➡浅井長政[あざいながまさ]　➡お市の方[おいちのかた]
➡千姫[せんひめ]　➡徳川家光[とくがわいえみつ]
➡徳川和子[とくがわかずこ]
➡徳川秀忠[とくがわひでただ]
➡保科正之[ほしなまさゆき]
スーザ, ジョン・フィリップ ………………… ②214
崇禎帝[すうていてい] ………………………… ②214
➡アダム・シャール　➡李自成[りじせい]
スーラ, ジョルジュ …………………………… ②214
スールヤバルマン2世[－せい] ……………… ②214
末次平蔵[すえつぐへいぞう] ………………… ②215
陶晴賢[すえはるかた] ………………………… ②215
➡大内義隆[おおうちよしたか]
➡毛利元就[もうりもとなり]
末広鉄腸[すえひろてっちょう] ……………… ②215
末吉孫左衛門[すえよしまござえもん] ……… ②215
菅江真澄[すがえますみ] ……………………… ②216
菅野真道[すがののまみち] …………………… ②216
➡藤原緒嗣[ふじわらのおつぐ]
スカルノ, アフマド …………………………… ②216
スカルラッティ, アレッサンドロ ………… ②216
➡スカルラッティ, ドメニコ
スカルラッティ, ドメニコ ………………… ②216
➡スカルラッティ, アレッサンドロ

菅原孝標女[すがわらのたかすえのむすめ] ……… ②217
➡藤原道綱母[ふじわらのみちつなのはは]
菅原道真[すがわらのみちざね] ……………… ②217
➡宇多天皇[うだてんのう]　➡紀夏井[きのなつい]
➡巨勢金岡[こせのかなおか]
➡菅原孝標女[すがわらのたかすえのむすめ]
➡醍醐天皇[だいごてんのう]
➡橘広相[たちばなのひろみ]
➡藤原時平[ふじわらのときひら]
➡三善清行[みよしのきよゆき]
杉浦健造[すぎうらけんぞう] ………………… ②217
杉浦重剛[すぎうらじゅうごう] ……………… ②218
➡岩波茂雄[いわなみしげお]
➡巌谷小波[いわやさざなみ]
杉江善右衛門[すぎえぜんえもん] …………… ②218
杉岡華邨[すぎおかかそん] …………………… ②218
杉田玄白[すぎたげんぱく] …………………… ②218
➡宇田川玄随[うだがわげんずい]
➡大槻玄沢[おおつきげんたく]
➡小田野直武[おだのなおたけ]
➡小野蘭山[おののらんざん]
➡桂川甫周[かつらがわほしゅう]
➡田沼意次[たぬまおきつぐ]
➡平賀源内[ひらがげんない]
➡前野良沢[まえのりょうたく]
➡山脇東洋[やまわきとうよう]
杉野丈助[すぎのじょうすけ] ………………… ②219
杉原千畝[すぎはらちうね] …………………… ②219
➡樋口季一郎[ひぐちきいちろう]
スキピオ ……………………………………… ②219
➡グラックス兄弟[－きょうだい]　➡ハンニバル
➡ポリビオス
杉みき子[すぎみきこ] ………………………… ②220
杉村春子[すぎむらはるこ] …………………… ②220
➡山田五十鈴[やまだいすず]
杉本京太[すぎもときょうた] ………………… ②220
杉本武助[すぎもとぶすけ] …………………… ②220
杉山彦三郎[すぎやまひこさぶろう] ………… ②221
杉山元治郎[すぎやまもとじろう] …………… ②221
➡賀川豊彦[かがわとよひこ]
スクリャービン, アレクサンドル
➡ホロビッツ, ウラディミール
スコット, ウォルター ………………………… ②221
スコット, ロバート …………………………… ②221
➡アムンゼン, ロアルド　➡ロス, ジェームズ
スコット・フィッツジェラルド　➡フィッツジェラルド, スコット
朱雀天皇[すざくてんのう] …………………… ②222
➡小野道風[おののみちかぜ]
➡平将門[たいらのまさかど]
➡藤原忠平[ふじわらのただひら]
➡村上天皇[むらかみてんのう]
崇峻天皇[すしゅんてんのう] ………………… ②222
➡欽明天皇[きんめいてんのう]
➡聖徳太子[しょうとくたいし]
➡推古天皇[すいこてんのう]
➡蘇我稲目[そがのいなめ]
➡蘇我馬子[そがのうまこ]
調所広郷[ずしょひろさと] …………………… ②222
➡島津重豪[しまづしげひで]
崇神天皇[すじんてんのう] …………………… ②222
鈴木章[すずきあきら] ………………………… ②223
鈴木一朗[すずきいちろう]　➡イチロー
鈴木梅太郎[すずきうめたろう] ……………… ②223
鈴木貫太郎[すずきかんたろう] ……………… ②223
➡阿南惟幾[あなみこれちか]

➡米内光政[よないみつまさ]
鈴木善幸[すずきぜんこう] …………………… ②223
鈴木大拙[すずきだいせつ] …………………… ②224
➡ケージ, ジョン　➡西田幾多郎[にしだきたろう]
薄田泣菫[すすきだきゅうきん] ……………… ②224
鈴木春信[すずきはるのぶ] …………………… ②224
➡司馬江漢[しばこうかん]
➡鳥居清長[とりいきよなが]
鈴木文治[すずきぶんじ] ……………………… ②225
鈴木牧之[すずきぼくし] ……………………… ②225
鈴木三重吉[すずきみえきち] ………………… ②225
➡小川未明[おがわみめい]
➡北原白秋[きたはらはくしゅう]
➡坪田譲治[つぼたじょうじ]
➡夏目漱石[なつめそうせき]
➡成田為三[なりたためぞう]
➡新美南吉[にいみなんきち]
➡平塚武二[ひらつかたけじ]
➡与田準一[よだじゅんいち]
鈴木茂三郎[すずきもさぶろう] ……………… ②225
鈴木安蔵[すずきやすぞう] …………………… ②226
鈴木与兵衛[すずきよへえ] …………………… ②226
スターリン, ヨシフ …………………………… ②226
➡ゴムルカ, ウラディスラフ
➡ソルジェニーツィン, アレクサンドル
➡チャーチル, ウィンストン　➡トルーマン, ハリー
➡トロツキー, レフ　➡西尾末広[にしおすえひろ]
➡ブハーリン, ニコライ・イワノビッチ
➡フルシチョフ, ニキータ　➡ブレジネフ, レオニード
➡マレンコフ, ゲオルギー　➡モロトフ, ビャチェスラフ
スタイン, マーク・オーレル ………………… ②226
スタインベック, ジョン ……………………… ②227
スタニスラフ・グロフ　➡グロフ, スタニスラフ
スタニスラフスキー, コンスタンチン …… ②227
スタンダール ………………………………… ②227
➡大岡昇平[おおおかしょうへい]
➡織田作之助[おださくのすけ]　➡メリメ, プロスペル
スタンリー, ヘンリー ………………………… ②227
➡リビングストン, デイビッド
➡レオポルド2世[－せい]
スタンリー・キューブリック　➡キューブリック, スタンリー
ズッペ, フランツ・フォン …………………… ②228
スティービー・ワンダー　➡ワンダー, スティービー
スティーブ・ジョブズ　➡ジョブズ, スティーブ
スティーブン・キング　➡キング, スティーブン
スティーブン・ジェイ・グールド
　➡グールド, スティーブン・ジェイ
スティーブン・スピルバーグ
　➡スピルバーグ, スティーブン
スティーブンソン, ジョージ ………………… ②229
スティーブンソン, ロバート・ルイス …… ②228
スティーブン・フォスター　➡フォスター, スティーブン
スティーブン・ホーキング　➡ホーキング, スティーブン
ステビン, シモン ……………………………… ②228
ステファヌ・マラルメ　➡マラルメ, ステファヌ
ステファノ・ガッバーナ　➡ガッバーナ, ステファノ
ステンカ・ラージン …………………………… ②228
ストウ, ハリエット・ビーチャー ………… ②230
崇徳天皇[すとくてんのう] …………………… ②230
➡後白河天皇[ごしらかわてんのう]
➡白河天皇[しらかわてんのう]
➡平清盛[たいらのきよもり]
➡平忠正[たいらのただまさ]
➡鳥羽天皇[とばてんのう]
➡藤原忠実[ふじわらのただざね]

⇨藤原忠通[ふじわらのただみち]
⇨藤原通憲[ふじわらのみちのり]
⇨藤原頼長[ふじわらのよりなが]
⇨源為朝[みなもとのためとも]
⇨源為義[みなもとのためよし]

ストラウス, リーバイ ②230
ストラディバリ, アントニオ ②230
ストラビンスキー, イーゴル ②231
⇨シャネル, ガブリエル　⇨黛敏郎[まゆずみとしろう]
⇨リムスキー＝コルサコフ, ニコライ
ストラボン ②231
ストリンドベリ, アウグスト ②231
ストルイピン, ピョートル ②231
⇨ニコライ2世[－せい]
直川智[すなおかわち] ②231
砂田弘[すなだひろし] ②232
砂村新左衛門[すなむらしんざえもん] ②232
スノー, エドガー ②232
スパルタクス ②232
⇨クラックスス, マルクス・リキニウス　⇨ポンペイウス
スハルト ②232
⇨スカルノ, アフマド
スバンテ・アレニウス　➡アレニウス, スバンテ
スピノザ, バルク・ド ②233
⇨ライプニッツ, ゴットフリート
スピルバーグ, スティーブン ②233
⇨黒澤明[くろさわあきら]　⇨ルーカス, ジョージ
スペンサー, ハーバート ②233
⇨ウェッブ夫妻[－ふさい]　⇨コント, オーギュスト
スベン・ヘディン　➡ヘディン, スベン
住井すゑ[すみいすゑ] ②233
スミス, アダム ②234
⇨コブデン, リチャード
⇨チュルゴー, アンヌ・ロベール・ジャック
⇨ヒューム, デビッド　⇨リカード, デビッド
スミス, ポール ②234
スミス, ユージン ②234
スミッソン, ジェームス ②234
住友吉左衛門[すみともきちざえもん] ②235
⇨住友友芳[すみともともよし]
住友友芳[すみともともよし] ②235
角倉了以[すみのくらりょうい] ②235
⇨本阿弥光悦[ほんあみこうえつ]
⇨吉田光由[よしだみつよし]
住吉具慶[すみよしぐけい] ②235
⇨住吉如慶[すみよしじょけい]
住吉如慶[すみよしじょけい] ②236
⇨住吉具慶[すみよしぐけい]
スメタナ, ベルジフ ②236
⇨ドボルザーク, アントニン
陶山訥庵[すやまとつあん] ②236
スラ ②236
⇨カエサル, ユリウス
⇨クラックスス, マルクス・リキニウス　⇨ポンペイウス
⇨マリウス, ガイウス
スレイマン1世[－せい] ②236
⇨カール5世[－せい]　⇨セリム2世[－せい]
⇨ミマール・シナン
スロボダン・ミロシェビッチ　➡ミロシェビッチ, スロボダン
孫文[スンウェン]　➡孫文[そんぶん]

せ

世阿弥[ぜあみ] ②238
⇨梅若万三郎[うめわかまんざぶろう]
⇨観阿弥[かんあみ]　⇨金春禅竹[こんぱるぜんちく]
⇨俊寛[しゅんかん]　⇨立原正秋[たちはらまさあき]
済[せい]　➡允恭天皇[いんぎょうてんのう]
清少納言[せいしょうなごん] ②240
⇨赤染衛門[あかぞめえもん]
⇨和泉式部[いずみしきぶ]
⇨一条天皇[いちじょうてんのう]
⇨鴨長明[かものちょうめい]
⇨兼好法師[けんこうほうし]
⇨藤原公任[ふじわらのきんとう]
⇨藤原道隆[ふじわらのみちたか]
⇨藤原行成[ふじわらのゆきなり]
⇨紫式部[むらさきしきぶ]
井真成[せいしんせい] ②238
⇨藤原宇合[ふじわらのうまかい]
世宗(朝鮮王朝)[せいそう(セジョン)] ②238
世宗(清)[せいそう]　➡雍正帝[ようせいてい]
西太后[せいたいこう] ②239
⇨袁世凱[えんせいがい(ユワンシーカイ)]
⇨光緒帝[こうしょてい]　⇨同治帝[どうちてい]
正統帝[せいとうてい] ②239
⇨エセン・ハン
征服王[せいふくおう]　➡メフメト2世[－せい]
聖明王[せいめいおう] ②239
⇨欽明天皇[きんめいてんのう]
⇨蘇我稲目[そがのいなめ]
⇨物部尾輿[もののべのおこし]
清和天皇[せいわてんのう] ②239
⇨藤原時平[ふじわらのときひら]
⇨藤原良房[ふじわらのよしふさ]
⇨源経基[みなもとのつねもと]　⇨源信[みなもとのまこと]
⇨文徳天皇[もんとくてんのう]
⇨陽成天皇[ようぜいてんのう]
セーガン, カール ②241
セーレン・キルケゴール　➡キルケゴール, セーレン
セオドア・ローズベルト　➡ローズベルト, セオドア
瀬川康男[せがわやすお] ②241
関口長左衛門[せきぐちちょうざえもん] ②241
関孝和[せきたかかず] ②241
⇨吉田光由[よしだみつよし]
関根正二[せきねしょうじ] ②241
関孫六[せきのまごろく]　➡孫六兼元[まごろくかねもと]
セクスティウス, ルキウス ②242
⇨リキニウス
セク・トゥーレ　➡トゥーレ, セク
セザンヌ, ポール ②242
⇨アングル, ジャン・オーギュスト
⇨奥村土牛[おくむらとぎゅう]
⇨シャルダン, ジャン＝バティスト　⇨ドガ, エドガー
⇨林武[はやしたけし]　⇨ピカソ, パブロ
⇨ピサロ, カミーユ　⇨ブラック, ジョルジュ
⇨安井曽太郎[やすいそうたろう]　⇨レジェ, フェルナン
世宗(朝鮮王朝)[セジョン]
　➡世宗(朝鮮王朝)[せいそう]
セシル・ローズ　➡ローズ, セシル
契[せつ] ②242
絶海中津[ぜっかいちゅうしん] ②242
⇨義堂周信[ぎどうしゅうしん]　⇨如拙[じょせつ]
⇨夢窓疎石[むそうそせき]

雪舟[せっしゅう] ②243
⇨周文[しゅうぶん]　⇨長谷川等伯[はせがわとうはく]
瀬戸内寂聴[せとうちじゃくちょう] ②243
⇨丹羽文雄[にわふみお]
セナ, アイルトン ②243
⇨シューマッハ, ミヒャエル　⇨プロスト, アラン
せなけいこ ②244
銭屋五兵衛[ぜにやごへえ] ②244
セネカ, ルキウス・アンナエウス ②244
ゼノン ②244
芹沢鴨[せりざわかも]　⇨近藤勇[こんどういさみ]
⇨土方歳三[ひじかたとしぞう]
芹沢銈介[せりざわけいすけ] ②245
セリム1世[－せい] ②245
⇨イスマーイール　⇨スレイマン1世[－せい]
セリム2世[－せい] ②245
セリム3世[－せい] ②245
⇨マフムト2世[－せい]
セルゲイ・ウィッテ　➡ウィッテ, セルゲイ
セルゲイ・エイゼンシュテイン
⇨キューブリック, スタンリー
セルゲイ・ディアギレフ　⇨シャネル, ガブリエル
⇨ストラビンスキー, イーゴル
⇨ニジンスキー, バツラフ　⇨パブロワ, アンナ
⇨ローランサン, マリー
セルゲイ・プロコフィエフ　➡プロコフィエフ, セルゲイ
セルゲイ・ラフマニノフ　➡ラフマニノフ, セルゲイ
セルシウス, アンダース ②245
セルバンテス, ミゲル・デ ②246
セルマ・ラーゲルレーブ　➡ラーゲルレーブ, セルマ
セルマン・ワクスマン　➡ワクスマン, セルマン
善阿弥[ぜんあみ] ②246
禅海[ぜんかい] ②246
仙覚[せんがく] ②246
銭大昕[せんたいきん] ②247
千田貞暁[せんださだあき] ②247
センダック, モーリス ②247
全斗煥[ぜんとかん]　➡全斗煥[チョンドファン]
宣徳帝[せんとくてい] ②247
⇨正統帝[せいとうてい]　⇨鄭和[ていわ]
千利休[せんのりきゅう] ②247
⇨今井宗久[いまいそうきゅう]
⇨織田有楽斎[おだうらくさい]
⇨神屋宗湛[かみやそうたん]
⇨小堀遠州[こぼりえんしゅう]
⇨島井宗室[しまいそうしつ]
⇨高山右近[たかやまうこん]
⇨武野紹鷗[たけのじょうおう]
⇨津田宗及[つだそうぎゅう]
⇨古田織部[ふるたおりべ]
⇨細川忠興[ほそかわただおき]
⇨細川幽斎[ほそかわゆうさい]
⇨村田珠光[むらたじゅこう]　⇨牧谿[もっけい]
千姫[せんひめ] ②248
⇨大野治長[おおのはるなが]　⇨崇源院[すうげんいん]
⇨豊臣秀頼[とよとみひでより]
全琫準[ぜんほうじゅん(チョンボンジュン)] ②248

そ

祖阿[そあ] ②249
⇨肥富[こいづみ]
宋応星[そうおうせい] ②249

五十音順索引
す／せ／そ

五十音順索引

そ／た

左側列

宗祇 [そうぎ] ………………………… ②249
　⇨荒木田守武 [あらきだもりたけ]　　⇨西行 [さいぎょう]
　⇨三条西実隆 [さんじょうにしさねたか]
　⇨宗長 [そうちょう]　　⇨東常縁 [とうのつねより]
　⇨土佐光信 [とさみつのぶ]
　⇨山崎宗鑑 [やまざきそうかん]

宋教仁 [そうきょうじん (ソンチャンレン)] ………… ②249
　⇨北一輝 [きたいっき]　　⇨黄興 [こうこう (ホワンシン)]

宋慶齢 [そうけいれい (ソンチンリン)] ……………… ②250
　⇨梅屋庄吉 [うめやしょうきち]
　⇨宋美齢 [そうびれい (ソンメイリン)]

曾国藩 [そうこくはん] ……………………… ②250
　⇨洪秀全 [こうしゅうぜん]　　⇨左宗棠 [さそうとう]
　⇨西太后 [せいたいこう]　　⇨同治帝 [どうちてい]

宗貞茂 [そうさだしげ] ……………………… ②250

荘子 [そうし] ……………………………… ②250
　⇨司馬江漢 [しばこうかん]　　⇨老子 [ろうし]

宗助国 [そうすけくに] ……………………… ②251

曹雪芹 [そうせっきん] ……………………… ②251

曹操 [そうそう] ……………………………… ②251
　⇨関羽 [かんう]　　⇨諸葛亮 [しょかつりょう]
　⇨曹丕 [そうひ]　　⇨孫権 [そんけん]　　⇨張飛 [ちょうひ]
　⇨劉備 [りゅうび]

宗長 [そうちょう] …………………………… ②251
　⇨宗祇 [そうぎ]　　⇨山崎宗鑑 [やまざきそうかん]

曹丕 [そうひ] ………………………………… ②252
　⇨諸葛亮 [しょかつりょう]　　⇨曹操 [そうそう]
　⇨孫権 [そんけん]

宋美齢 [そうびれい (ソンメイリン)] ………………… ②252
　⇨宋慶齢 [そうけいれい (ソンチンリン)]

相馬御風 [そうまぎょふう] ………………… ②252
　⇨宮柊二 [みやしゅうじ]

相馬黒光 [そうまこっこう] ………………… ②252
　⇨荻原守衛 [おぎわらもりえ]　　⇨中村彝 [なかむらつね]

宗義智 [そうよしとし] ……………………… ②252

副島種臣 [そえじまたねおみ] ……………… ②252
　⇨大隈重信 [おおくましげのぶ]　　⇨フルベッキ, グイド

曽我兄弟 [そがきょうだい] ………………… ②253
　⇨荒木又右衛門 [あらきまたえもん]
　⇨源範頼 [みなもとののりより]

蘇我稲目 [そがのいなめ] …………………… ②253
　⇨欽明天皇 [きんめいてんのう]
　⇨推古天皇 [すいこてんのう]　　⇨蘇我馬子 [そがのうまこ]
　⇨物部尾輿 [もののべのおこし]
　⇨用明天皇 [ようめいてんのう]

蘇我入鹿 [そがのいるか] …………………… ②253
　⇨阿倍内麻呂 [あべのうちまろ]
　⇨舒明天皇 [じょめいてんのう]
　⇨蘇我蝦夷 [そがのえみし]
　⇨蘇我倉山田石川麻呂 [そがのくらやまだのいしかわまろ]
　⇨高向玄理 [たかむこのくろまろ]
　⇨天智天皇 [てんじてんのう]
　⇨藤原鎌足 [ふじわらのかまたり]
　⇨古人大兄皇子 [ふるひとのおおえのおうじ]
　⇨南淵請安 [みなぶちのしょうあん]　　⇨旻 [みん]
　⇨山背大兄王 [やましろのおおえのおう]

蘇我馬子 [そがのうまこ] …………………… ②254
　⇨慧慈 [えじ]　　⇨観勒 [かんろく]
　⇨鞍作鳥 [くらつくりのとり]　　⇨司馬達等 [しばたっと]
　⇨聖徳太子 [しょうとくたいし]
　⇨舒明天皇 [じょめいてんのう]
　⇨推古天皇 [すいこてんのう]
　⇨崇峻天皇 [すしゅんてんのう]
　⇨蘇我稲目 [そがのいなめ]　　⇨蘇我入鹿 [そがのいるか]
　⇨蘇我蝦夷 [そがのえみし]

中央列

⇨蘇我倉山田石川麻呂 [そがのくらやまだのいしかわまろ]
　⇨天智天皇 [てんじてんのう]
　⇨秦河勝 [はたのかわかつ]
　⇨敏達天皇 [びだつてんのう]
　⇨古人大兄皇子 [ふるひとのおおえのおうじ]
　⇨物部守屋 [もののべのもりや]
　⇨山背大兄王 [やましろのおおえのおう]
　⇨用明天皇 [ようめいてんのう]

蘇我蝦夷 [そがのえみし] …………………… ②254
　⇨舒明天皇 [じょめいてんのう]
　⇨蘇我入鹿 [そがのいるか]　　⇨蘇我馬子 [そがのうまこ]
　⇨蘇我倉山田石川麻呂 [そがのくらやまだのいしかわまろ]
　⇨高向玄理 [たかむこのくろまろ]
　⇨天智天皇 [てんじてんのう]
　⇨藤原鎌足 [ふじわらのかまたり]
　⇨古人大兄皇子 [ふるひとのおおえのおうじ]
　⇨南淵請安 [みなぶちのしょうあん]
　⇨山背大兄王 [やましろのおおえのおう]

蘇我倉山田石川麻呂 [そがのくらやまだのいしかわまろ]
……………………………………………… ②255
　⇨阿倍内麻呂 [あべのうちまろ]
　⇨蘇我入鹿 [そがのいるか]
　⇨藤原鎌足 [ふじわらのかまたり]

曽我廼家五郎 [そがのやごろう]
　⇨古川緑波 [ふるかわろっぱ]

則天武后 [そくてんぶこう] ………………… ②255
　⇨韋后 [いこう]　　⇨義浄 [ぎじょう]　　⇨玄宗 [げんそう]
　⇨高宗 (唐) [こうそう]　　⇨褚遂良 [ちょすいりょう]

ソクラテス ………………………………… ②255
　⇨アリストテレス　　⇨アリストファネス
　⇨井上円了 [いのうええんりょう]　　⇨プラトン

ソシュール, フェルディナン・ド ………… ②255

蘇軾 [そしょく]　　⇨蘇東坡 [そとうば]

蘇秦 [そしん] ……………………………… ②256
　⇨張儀 [ちょうぎ]

ソティリオ・ブルガリ　　⇨ブルガリ, ソティリオ

蘇東坡 [そとうば] ………………………… ②256
　⇨王安石 [おうあんせき]　　⇨杜甫 [とほ]

曽根権太夫 [そねごんだゆう] ……………… ②256

曽野綾子 [そのあやこ] ……………………… ②256

園田道閑 [そのだどうかん] ………………… ②256

ソフォクレス ……………………………… ②257
　⇨アイスキュロス　　⇨エウリピデス　　⇨ソフォクレス

染谷源右衛門 [そめやげんえもん] ………… ②257

ゾラ, エミール …………………………… ②257
　⇨クレマンソー, ジョルジュ　　⇨ドレフュス, アルフレッド
　⇨永井荷風 [ながいかふう]　　⇨ビゴー, ジョルジュ
　⇨フランス, アナトール
　⇨フローベール, ギュスターブ　　⇨マネ, エドワール

ゾルゲ, リヒャルト ……………………… ②257
　⇨尾崎秀実 [おざきほつみ]

ソルジェニーツィン, アレクサンドル ……… ②258

ゾロアスター ……………………………… ②258

ソロー, ヘンリー ………………………… ②258

ソロモン王 [－おう] ……………………… ②258
　⇨ダビデ王 [－おう]

曽呂利新左衛門 [そろりしんざえもん] …… ②259

ソロン ……………………………………… ②259
　⇨ドラコン

尊円入道親王 [そんえんにゅうどうしんのう] …… ②259

孫権 [そんけん] …………………………… ②259
　⇨関羽 [かんう]　　⇨諸葛亮 [しょかつりょう]
　⇨曹操 [そうそう]　　⇨曹丕 [そうひ]　　⇨劉備 [りゅうび]

孫子 [そんし] ……………………………… ②260

宋教仁 [ソンチャンレン]　　⇨宋教仁 [そうきょうじん]

宋慶齢 [ソンチンリン]　　⇨宋慶齢 [そうけいれい]

ソンツェン・ガンポ ……………………… ②260

孫武 [そんぶ]　　⇨孫子 [そんし]

孫文 [そんぶん (スンウェン)] ……………… ②261
　⇨犬養毅 [いぬかいつよし]
　⇨梅屋庄吉 [うめやしょうきち]
　⇨袁世凱 [えんせいがい (ユワンシーカイ)]
　⇨汪兆銘 [おうちょうめい (ワンチャオミン)]
　⇨黄興 [こうこう (ホワンシン)]
　⇨朱徳 [しゅとく (チュートー)]
　⇨蒋介石 [しょうかいせき (チャンチエシー)]
　⇨宋教仁 [そうきょうじん (ソンチャンレン)]
　⇨宋慶齢 [そうけいれい (ソンチンリン)]
　⇨宋美齢 [そうびれい (ソンメイリン)]
　⇨頭山満 [とうやまみつる]
　⇨松井石根 [まついいわね]
　⇨宮崎滔天 [みやざきとうてん]
　⇨毛沢東 [もうたくとう (マオツォトン)]
　⇨李大釗 [りたいしょう (リターチャオ)]

宋美齢 [ソンメイリン]　　⇨宋美齢 [そうびれい]

た

ダーウィン, チャールズ ………………… ②262
　⇨ウェッジウッド, ジョサイア
　⇨ウェルズ, ハーバート・ジョージ
　⇨ウォーレス, アルフレッド・ラッセル
　⇨スペンサー, ハーバート　　⇨バーバンク, ルーサー
　⇨ファーブル, ジャン・アンリ
　⇨リンネ, カール・フォン

ターシャ・テューダー　　⇨テューダー, ターシャ

ターナー, ジョゼフ ……………………… ②262
　⇨コンスタブル, ジョン　　⇨竹内栖鳳 [たけうちせいほう]

ターナー, テッド ………………………… ②262

ダール, ロアルド ………………………… ②263

ダイアナ・ウィン・ジョーンズ
　　⇨ジョーンズ, ダイアナ・ウィン

ダイアナ妃 [－ひ] ………………………… ②263
　⇨エリザベス2世 [－せい]

大院君 [たいいんくん (テウォングン)] …………… ②263
　⇨高宗 (朝鮮王朝) [こうそう (コジョン)]
　⇨閔妃 [びんひ (ミンビ)]

タイガー・ウッズ ………………………… ②263

太公望 [たいこうぼう] …………………… ②264
　⇨武王 [ぶおう]

大黒屋光太夫 [だいこくやこうだゆう] …………… ②264
　⇨桂川甫周 [かつらがわほしゅう]
　⇨ラクスマン, アダム・キリロビッチ

醍醐天皇 [だいごてんのう] ………………… ②264
　⇨宇多天皇 [うだてんのう]
　⇨小野道風 [おののみちかぜ]　　⇨空也 [くうや]
　⇨菅原道真 [すがわらのみちざね]
　⇨朱雀天皇 [すざくてんのう]
　⇨為平親王 [ためひらしんのう]
　⇨藤原忠平 [ふじわらのただひら]
　⇨藤原時平 [ふじわらのときひら]
　⇨源高明 [みなもとのたかあきら]
　⇨壬生忠岑 [みぶのただみね]
　⇨三善清行 [みよしのきよゆき]
　⇨村上天皇 [むらかみてんのう]
　⇨紫式部 [むらさきしきぶ]
　⇨山部赤人 [やまべのあかひと]

大正天皇 [たいしょうてんのう] …………… ②265

⇨浅田宗伯[あさだそうはく]

⇨大谷光瑞[おおたにこうずい]

⇨昭和天皇[しょうわてんのう]

⇨朴烈[バクヨル(ぼくれつ)]

太祖(後梁)[たいそ] ➡朱全忠[しゅぜんちゅう]

太祖(高麗)[たいそ] ➡王建[おうけん]

太祖(宋)[たいそ] ➡趙匡胤[ちょうきょういん]

太祖(清)[たいそ] ➡ヌルハチ

太宗(唐)[たいそう] ➡李世民[りせいみん]

太宗(北宋)[たいそう] ………… ②265

　⇨世宗(朝鮮王朝)[せいそう(セジョン)]

太宗(清)[たいそう] ➡ホンタイジ

大祚栄[だいそえい] ………… ②265

大道[だいどう] ………… ②266

大ピット[だいピット] ➡ウィリアム・ピット(父)

太武帝[たいぶてい] ………… ②266

　⇨寇謙之[こうけんし]

大鵬[たいほう] ………… ②266

ダイムラー, ゴットリープ ………… ②266

　⇨オットー, ニコラウス　⇨ベンツ, カール

太陽王[たいようおう] ➡ルイ14世[-せい]

タイラー, ワット ………… ②267

　⇨ボール, ジョン

平教盛[たいらのあつもり] ………… ②267

　⇨熊谷直実[くまがいなおざね]

平清盛[たいらのきよもり] ………… ②269

　⇨安徳天皇[あんとくてんのう]

　⇨建礼門院[けんれいもんいん]

　⇨後白河天皇[ごしらかわてんのう]

　⇨崇徳天皇[すとくてんのう]　⇨平敦盛[たいらのあつもり]

　⇨平維盛[たいらのこれもり]　⇨平重衡[たいらのしげひら]

　⇨平重盛[たいらのしげもり]　⇨平忠正[たいらのただまさ]

　⇨平忠盛[たいらのただもり]　⇨平時忠[たいらのときただ]

　⇨平知盛[たいらのとももり]　⇨平教盛[たいらののりもり]

　⇨平正盛[たいらのまさもり]　⇨平宗盛[たいらのむねもり]

　⇨平頼盛[たいらのよりもり]

　⇨高倉天皇[たかくらてんのう]

　⇨二条天皇[にじょうてんのう]

　⇨藤原成親[ふじわらのなりちか]

　⇨藤原信頼[ふじわらののぶより]

　⇨藤原通憲[ふじわらのみちのり]

　⇨本阿弥光悦[ほんあみこうえつ]

　⇨源義朝[みなもとのよしとも]

　⇨源義平[みなもとのよしひら]

　⇨源頼朝[みなもとのよりとも]

　⇨源頼政[みなもとのよりまさ]　⇨以仁王[もちひとおう]

平国香[たいらのくにか] ………… ②267

　⇨平貞盛[たいらのさだもり]　⇨平高望[たいらのたかもち]

　⇨平将門[たいらのまさかど]

平維衡[たいらのこれひら] ………… ②267

　⇨平貞盛[たいらのさだもり]

平維盛[たいらのこれもり] ………… ②267

平貞盛[たいらのさだもり] ………… ②268

　⇨平国香[たいらのくにか]　⇨平維衡[たいらのこれひら]

　⇨平将門[たいらのまさかど]

　⇨藤原秀郷[ふじわらのひでさと]

　⇨源経基[みなもとのつねもと]

平重衡[たいらのしげひら] ………… ②268

　⇨運慶[うんけい]　⇨平重盛[たいらのしげもり]

　⇨平宗盛[たいらのむねもり]　⇨重源[ちょうげん]

　⇨陳和卿[ちんわけい]

平重盛[たいらのしげもり] ………… ②268

　⇨後白河天皇[ごしらかわてんのう]

　⇨平維盛[たいらのこれもり]

　⇨平重衡[たいらのしげひら]

⇨平知盛[たいらのとももり]

⇨平宗盛[たいらのむねもり]

平高望[たいらのたかもち] ………… ②268

　⇨平国香[たいらのくにか]　⇨平将門[たいらのまさかど]

　⇨平正盛[たいらのまさもり]　⇨千葉常胤[ちばつねたね]

平忠常[たいらのただつね] ………… ②270

　⇨藤原頼通[ふじわらのよりみち]

　⇨源頼信[みなもとのよりのぶ]

　⇨源頼義[みなもとのよりよし]

平忠正[たいらのただまさ] ………… ②270

平忠盛[たいらのただもり] ………… ②270

　⇨平敦盛[たいらのあつもり]

　⇨平清盛[たいらのきよもり]

　⇨平忠正[たいらのただまさ]

　⇨平教盛[たいらののりもり]

　⇨平正盛[たいらのまさもり]

　⇨平頼盛[たいらのよりもり]

平時忠[たいらのときただ] ………… ②270

　⇨平教盛[たいらののりもり]

平徳子[たいらのとくこ] ➡建礼門院[けんれいもんいん]

平知盛[たいらのとももり] ………… ②270

　⇨熊谷直実[くまがいなおざね]

　⇨平重衡[たいらのしげひら]

　⇨平重盛[たいらのしげもり]

　⇨平宗盛[たいらのむねもり]

平教盛[たいらののりもり] ………… ②271

平将門[たいらのまさかど] ………… ②271

　⇨朱雀天皇[すざくてんのう]　⇨平国香[たいらのくにか]

　⇨平貞盛[たいらのさだもり]

　⇨平高望[たいらのたかもち]

　⇨藤原純友[ふじわらのすみとも]

　⇨藤原忠平[ふじわらのただひら]

　⇨藤原秀郷[ふじわらのひでさと]

　⇨源経基[みなもとのつねもと]

　⇨村上天皇[むらかみてんのう]

平正盛[たいらのまさもり] ………… ②271

　⇨平清盛[たいらのきよもり]

　⇨平忠正[たいらのただまさ]

　⇨平忠盛[たいらのただもり]

　⇨源為義[みなもとのためよし]

　⇨源義親[みなもとのよしちか]

平宗盛[たいらのむねもり] ………… ②272

　⇨平重衡[たいらのしげひら]　⇨平重盛[たいらのしげもり]

平頼綱[たいらのよりつな] ………… ②272

　⇨安達泰盛[あだちやすもり]　⇨日蓮[にちれん]

　⇨北条貞時[ほうじょうさだとき]

平頼盛[たいらのよりもり] ………… ②272

タウト, ブルーノ ………… ②272

タウンゼント・ハリス ➡ハリス, タウンゼント

高岳親王[たかおかしんのう]　⇨嵯峨天皇[さがてんのう]

　⇨淳和天皇[じゅんなてんのう]

　⇨平城天皇[へいぜいてんのう]

高垣眸[たかがきひとみ] ………… ②273

高川格[たかがわかく] ………… ②273

高木聖鶴[たかぎせいかく] ………… ②273

高木貞治[たかぎていじ] ………… ②273

高木敏子[たかぎとしこ] ………… ②274

高倉健[たかくらけん] ………… ②274

　⇨山口瞳[やまぐちひとみ]

高倉天皇[たかくらてんのう] ………… ②274

　⇨阿仏尼[あぶつに]　⇨安徳天皇[あんとくてんのう]

　⇨建礼門院[けんれいもんいん]

　⇨後鳥羽天皇[ごとばてんのう]

　⇨後堀河天皇[ごほりかわてんのう]

　⇨平清盛[たいらのきよもり]

⇨平時忠[たいらのときただ]

⇨平教盛[たいらののりもり]

高碕達之助[たかさきたつのすけ] ………… ②274

　⇨廖承志[りょうしょうし(リアオチョンチー)]

高三隆達[たかさぶりゅうたつ] ………… ②274

高階隆兼[たかしなたかかね] ………… ②275

高島嘉右衛門[たかしまかえもん] ………… ②275

高島秋帆[たかしましゅうはん] ………… ②275

　⇨江川太郎左衛門[えがわたろうざえもん]

高杉晋作[たかすぎしんさく] ………… ②275

　⇨安積艮斎[あさかごんさい]

　⇨伊藤博文[いとうひろぶみ]　⇨井上馨[いのうえかおる]

　⇨上野彦馬[うえのひこま]　⇨木戸孝允[きどたかよし]

　⇨久坂玄瑞[くさかげんずい]

　⇨五代友厚[ごだいともあつ]

　⇨品川弥二郎[しながわやじろう]

　⇨司馬遼太郎[しばりょうたろう]

　⇨高山彦九郎[たかやまひこくろう]

　⇨野村望東尼[のむらもとに]

　⇨藤田伝三郎[ふじたでんざぶろう]

　⇨前原一誠[まえばらいっせい]

　⇨三浦梧楼[みうらごろう]　⇨村田清風[むらたせいふう]

　⇨毛利敬親[もうりたかちか]

　⇨山県有朋[やまがたありとも]

　⇨吉田松陰[よしだしょういん]

高田敏子[たかだとしこ] ………… ②276

高田屋嘉兵衛[たかだやかへえ] ………… ②276

　⇨ゴロブニン, バシリイ

高野岩三郎[たかのいわさぶろう] ………… ②277

高野辰之[たかのたつゆき] ………… ②277

　⇨岡野貞一[おかのていいち]

高野長英[たかのちょうえい] ………… ②277

　⇨シーボルト, フィリップ・フランツ・フォン

　⇨島津斉彬[しまづなりあきら]

　⇨広瀬淡窓[ひろせたんそう]

　⇨渡辺崋山[わたなべかざん]

高野新笠[たかののにいがさ] ………… ②277

　⇨桓武天皇[かんむてんのう]

　⇨光仁天皇[こうにんてんのう]

　⇨早良親王[さわらしんのう]

貴乃花[たかのはな]　⇨千代の富士[ちよのふじ]

　⇨若乃花[わかのはな]

高野房太郎[たかのふさたろう] ………… ②278

　⇨高野岩三郎[たかのいわさぶろう]

高野正誠[たかのまさなり] ………… ②278

　⇨土屋助次郎[つちやすけじろう]

高橋景保[たかはしかげやす] ………… ②278

　⇨大槻玄沢[おおつきげんたく]

　⇨シーボルト, フィリップ・フランツ・フォン

　⇨高橋至時[たかはしよしとき]

高橋和巳[たかはしかずみ] ………… ②278

高橋是清[たかはしこれきよ] ………… ②278

　⇨岡田啓介[おかだけいすけ]

　⇨加藤友三郎[かとうともさぶろう]

　⇨昭和天皇[しょうわてんのう]

　⇨辰野金吾[たつのきんご]　⇨田中義一[たなかぎいち]

　⇨床次竹二郎[とこなみたけじろう]

　⇨ヘボン, ジェームス

高橋尚子[たかはしなおこ] ………… ②279

高橋武左衛門[たかはしぶざえもん] ………… ②279

高橋政重[たかはしまさしげ] ………… ②280

高橋由一[たかはしゆいち] ………… ②280

　⇨川端玉章[かわばたぎょくしょう]

　⇨ワーグマン, チャールズ

高橋至時[たかはしよしとき] ………… ②280

327

五十音順索引

た

⇨麻田剛立[あさだごうりゅう]
⇨伊能忠敬[いのうただたか]
⇨高橋景保[たかはしかげやす]
高畑勲[たかはたいさお]　⇨宮崎駿[みやざきはやお]
高浜虚子[たかはまきょし] …………………… ②280
⇨飯田蛇笏[いいだだこつ]
⇨尾崎放哉[おざきほうさい]
⇨河東碧梧桐[かわひがしへきごとう]
⇨中村汀女[なかむらていじょ]
⇨夏目漱石[なつめそうせき]
⇨水原秋桜子[みずはらしゅうおうし]
⇨山口誓子[やまぐちせいし]
高林謙三[たかばやしけんぞう] …………………… ②281
高松喜六[たかまつきろく] …………………… ②281
高見順[たかみじゅん] …………………… ②281
高峰譲吉[たかみねじょうきち] …………………… ②281
高向玄理[たかむこのくろまろ] …………………… ②282
⇨小野妹子[おののいもこ]　⇨薬師恵日[くすしえにち]
⇨天智天皇[てんじてんのう]　⇨裴世清[はいせいせい]
⇨南淵請安[みなぶちのしょうあん]　⇨旻[みん]
高村光雲[たかむらこううん] …………………… ②282
⇨高村光太郎[たかむらこうたろう]
⇨平櫛田中[ひらくしでんちゅう]
高村光太郎[たかむらこうたろう] …………………… ②282
⇨岸田劉生[きしだりゅうせい]
⇨草野心平[くさのしんぺい]
⇨高村光雲[たかむらこううん]
⇨吉本隆明[よしもとたかあき]
⇨萬鉄五郎[よろずてつごろう]
高群逸枝[たかむれいつえ] …………………… ②282
高望王[たかもちおう]　➡平高望[たいらのたかもち]
高柳健次郎[たかやなぎけんじろう] …………………… ②283
高山右近[たかやまうこん] …………………… ②283
⇨ビレラ,ガスパル　⇨細川ガラシャ[ほそかわ－]
高山長五郎[たかやまちょうごろう] …………………… ②283
高山樗牛[たかやまちょぎゅう] …………………… ②284
⇨井上準之助[いのうえじゅんのすけ]
高山彦九郎[たかやまひこくろう] …………………… ②284
⇨蒲生君平[がもうくんぺい]　⇨林子平[はやししへい]
高山六右衛門[たかやまろくえもん] …………………… ②284
宝井其角[たからいきかく]　➡榎本其角[えのもときかく]
財部彪[たからべたけし] …………………… ②284
田河水泡[たがわすいほう] …………………… ②285
⇨長谷川町子[はせがわまちこ]
滝川一益[たきがわかずます] …………………… ②285
⇨柴田勝家[しばたかついえ]
滝川幸辰[たきがわゆきとき] …………………… ②285
⇨鳩山一郎[はとやまいちろう]
滝沢馬琴[たきざわばきん] …………………… ②286
⇨葛飾北斎[かつしかほくさい]
⇨幸田露伴[こうだろはん]
⇨山東京伝[さんとうきょうでん]
⇨十返舎一九[じっぺんしゃいっく]
⇨鈴木牧之[すずきぼくし]
⇨蔦屋重三郎[つたやじゅうざぶろう]
⇨源為朝[みなもとのためとも]
タキトゥス, ガイウス・コルネリウス …………………… ②286
滝廉太郎[たきれんたろう] …………………… ②286
⇨竹島羽衣[たけしまはごろも]
⇨土井晩翠[どいばんすい]
沢庵宗彭[たくあんそうほう] …………………… ②287
⇨後水尾天皇[ごみずのおてんのう]
⇨柳生宗矩[やぎゅうむねのり]
田口卯吉[たぐちうきち] …………………… ②287
田口慶郷[たぐちよしさと] …………………… ②287

ダグ・ハマーショルド　➡ハマーショルド,ダグ
ダグラス＝ヒューム, アレック …………………… ②288
ダグラス・マッカーサー　➡マッカーサー,ダグラス
武井武雄[たけいたけお] …………………… ②288
⇨せなけいこ　⇨初山滋[はつやましげる]
竹内栖鳳[たけうちせいほう] …………………… ②288
⇨上村松園[うえむらしょうえん]
⇨土田麦僊[つちだばくせん]
竹内均[たけうちひとし] …………………… ②288
ダゲール, ルイ・ジャック …………………… ②289
竹越三叉[たけこしさんさ] …………………… ②289
竹越与三郎[たけこしよさぶろう]
　➡竹越三叉[たけこしさんさ]
竹崎季長[たけざきすえなが] …………………… ②289
竹下登[たけしたのぼる] …………………… ②290
⇨小渕恵三[おぶちけいぞう]　⇨羽田孜[はたつとむ]
⇨宮沢喜一[みやざわきいち]
竹島羽衣[たけしまはごろも] …………………… ②290
竹田出雲[たけだいずも] …………………… ②290
⇨近松半二[ちかまつはんじ]
⇨近松門左衛門[ちかまつもんざえもん]
武田勝頼[たけだかつより] …………………… ②290
⇨織田信忠[おだのぶただ]　⇨織田信長[おだのぶなが]
⇨滝川一益[たきがわかずます]
武田耕雲斎[たけだこううんさい] …………………… ②291
⇨徳川斉昭[とくがわなりあき]
⇨藤田小四郎[ふじたこしろう]
武田信玄[たけだしんげん] …………………… ②292
⇨足利義昭[あしかがよしあき]
⇨市川五郎兵衛[いちかわごろべえ]
⇨今川義元[いまがわよしもと]
⇨上杉謙信[うえすぎけんしん]
⇨上杉憲政[うえすぎのりまさ]
⇨大久保長安[おおくぼながやす]
⇨織田信長[おだのぶなが]
⇨真田昌幸[さなだまさゆき]
⇨武田勝頼[たけだかつより]　⇨天海[てんかい]
⇨徳川家康[とくがわいえやす]
⇨古郡重政[ふるごおりしげまさ]
⇨北条氏政[ほうじょううじまさ]
⇨北条氏康[ほうじょううじやす]
⇨本多忠勝[ほんだただかつ]
⇨孫六兼元[まごろくかねもと]
⇨山本勘助[やまもとかんすけ]
武田泰淳[たけだたいじゅん] …………………… ②291
武田信広[たけだのぶひろ] …………………… ②291
⇨コシャマイン
武市瑞山[たけちずいざん]　⇨坂本龍馬[さかもとりょうま]
⇨中岡慎太郎[なかおかしんたろう]
⇨吉田東洋[よしだとうよう]
⇨吉村寅太郎[よしむらとらたろう]
高市皇子[たけちのおうじ] …………………… ②291
⇨刑部親王[おさかべしんのう]
⇨天武天皇[てんむてんのう]　⇨長屋王[ながやおう]
竹鶴政孝[たけつるまさたか] …………………… ②293
⇨鳥井信治郎[とりいしんじろう]
竹中半兵衛[たけなかはんべえ] …………………… ②293
竹内式部[たけのうちしきぶ] …………………… ②293
⇨桃園天皇[ももぞのてんのう]
武野紹鷗[たけのじょうおう] …………………… ②293
⇨今井宗久[いまいそうきゅう]
⇨千利休[せんのりきゅう]　⇨津田宗及[つだそうぎゅう]
⇨村田珠光[むらたじゅこう]
竹久夢二[たけひさゆめじ] …………………… ②294
竹前小八郎[たけまえこはちろう] …………………… ②294

⇨竹前権兵衛[たけまえごんべえ]
竹前権兵衛[たけまえごんべえ] …………………… ②294
⇨竹前小八郎[たけまえこはちろう]
武満徹[たけみつとおる] …………………… ②294
⇨ストラビンスキー,イーゴル
竹宮惠子[たけみやけいこ] …………………… ②295
⇨萩尾望都[はぎおもと]
竹本義太夫[たけもとぎだゆう] …………………… ②295
⇨大石良雄[おおいしよしお]
⇨竹田出雲[たけだいずも]
⇨辰松八郎兵衛[たつまつはちろべえ]
⇨近松半二[ちかまつはんじ]
⇨近松門左衛門[ちかまつもんざえもん]
竹本住大夫[たけもとすみたゆう] …………………… ②295
竹山道雄[たけやまみちお] …………………… ②295
タゴール, ラビンドラナート …………………… ②296
⇨岡倉天心[おかくらてんしん]
太宰治[だざいおさむ] …………………… ②296
⇨石川淳[いしかわじゅん]
⇨織田作之助[おださくのすけ]
⇨亀井勝一郎[かめいかついちろう]
⇨坂口安吾[さかぐちあんご]
⇨津島佑子[つしまゆうこ]
⇨林忠彦[はやしただひこ]
太宰春台[だざいしゅんだい] …………………… ②296
⇨服部南郭[はっとりなんかく]
田尻惣馬[たじりそうま] …………………… ②296
田代栄助[たしろえいすけ] …………………… ②297
タスマン, アーベル …………………… ②297
ダスラー, アドルフ …………………… ②297
多田嘉助[ただかすけ] …………………… ②297
立花隆[たちばなたかし] …………………… ②298
橘大郎女[たちばなのおおいらつめ] …………………… ②298
橘奈良麻呂[たちばなのならまろ] …………………… ②298
⇨橘逸勢[たちばなのはやなり]
⇨橘諸兄[たちばなのもろえ]
⇨藤原仲麻呂[ふじわらのなかまろ]
橘成季[たちばなのなりすえ] …………………… ②298
橘逸勢[たちばなのはやなり] …………………… ②298
⇨空海[くうかい]　⇨嵯峨天皇[さがてんのう]
⇨淳和天皇[じゅんなてんのう]
⇨恒貞親王[つねさだしんのう]
⇨伴健岑[とものこわみね]　⇨文徳天皇[もんとくてんのう]
橘広相[たちばなのひろみ] …………………… ②299
橘諸兄[たちばなのもろえ] …………………… ②299
⇨吉備真備[きびのまきび]　⇨玄昉[げんぼう]
⇨聖武天皇[しょうむてんのう]
⇨橘奈良麻呂[たちばなのならまろ]
⇨橘成季[たちばなのなりすえ]
⇨藤原仲麻呂[ふじわらのなかまろ]
⇨藤原広嗣[ふじわらのひろつぐ]
立原正秋[たちはらまさあき] …………………… ②299
立原道造[たちはらみちぞう] …………………… ②299
辰野金吾[たつのきんご] …………………… ②300
⇨片山東熊[かたやまとうくま]　⇨コンドル,ジョサイア
辰松八郎兵衛[たつまつはちろべえ] …………………… ②300
巽聖歌[たつみせいか] …………………… ②300
⇨鈴木三重吉[すずきみえきち]
タデウシュ・コシチューシコ
　➡コシチューシコ,タデウシュ
伊達邦成[だてくにしげ] …………………… ②300
伊達政宗[だてまさむね] …………………… ②301
⇨今井宗薫[いまいそうくん]
⇨川村孫兵衛[かわむらまごべえ]
⇨後藤寿庵[ごとうじゅあん]

⇨真田幸村[さなだゆきむら]
⇨豊臣秀吉[とよとみひでよし]
⇨支倉常長[はせくらつねなが]
⇨最上義光[もがみよしあき]

伊達宗城[だてむねなり] ……………… ②301
⇨大村益次郎[おおむらますじろう]
⇨島津斉彬[しまづなりあきら]
⇨松平容保[まつだいらかたもり]

田中一光[たなかいっこう] ……………… ②301
⇨横尾忠則[よこおただのり]

田中角栄[たなかかくえい] ……………… ②302
⇨宇野宗佑[うのそうすけ]
⇨大平正芳[おおひらまさよし]
⇨竹下登[たけしたのぼる]
⇨中曽根康弘[なかそねやすひろ]
⇨福田赳夫[ふくだたけお]　➡三木武夫[みきたけお]

田中義一[たなかぎいち] ……………… ②302
⇨岡田啓介[おかだけいすけ]
⇨松岡洋右[まつおかようすけ]

田中丘隅[たなかきゅうぐ] ……………… ②302
⇨大岡忠相[おおおかただすけ]

田中玄蕃[たなかげんば] ……………… ②303
田中耕一[たなかこういち] ……………… ②303
田中勝介[たなかしょうすけ] ……………… ②303
田中正造[たなかしょうぞう] ……………… ②303
⇨荒畑寒村[あらはたかんそん]
⇨石川三四郎[いしかわさんしろう]
⇨幸徳秋水[こうとくしゅうすい]
⇨城山三郎[しろやままさぶろう]
⇨古河市兵衛[ふるかわいちべえ]

田中舘愛橘[たなかだてあいきつ] ……………… ②304
田中千代夫[たなかちかお] ……………… ②304
田中友三郎[たなかともさぶろう] ……………… ②304
田中久重[たなかひさしげ] ……………… ②305
⇨井上伝[いのうえでん]

棚田嘉十郎[たなだかじゅうろう] ……………… ②305
田辺朔郎[たなべさくろう] ……………… ②305
⇨北垣国道[きたがきくにみち]

田辺聖子[たなべせいこ] ……………… ②305
田辺元[たなべはじめ] ……………… ②306
ダニエル・オコンネル　➡オコンネル,ダニエル
ダニエル・キイス　➡キイス,ダニエル
ダニエル・デフォー　➡デフォー,ダニエル
谷風[たにかぜ] ……………… ②306
⇨雷電[らいでん]

谷川浩司[たにがわこうじ] ……………… ②306
⇨羽生善治[はぶよしはる]

谷川俊太郎[たにかわしゅんたろう] ……………… ②306
⇨茨木のり子[いばらぎのりこ]
⇨大岡信[おおおかまこと]
⇨川崎洋[かわさきひろし]
⇨シュルツ,チャールズ・モンロー
⇨瀬川康男[せがわやすお]
⇨寺山修司[てらやましゅうじ]
⇨堀内誠一[ほりうちせいいち]

谷干城[たにかんじょう]　➡谷干城[たにたてき]
谷崎潤一郎[たにざきじゅんいちろう] ……………… ②307
⇨岡本かの子[おかもとかのこ]　⇨キーン,ドナルド
⇨蜷川幸雄[にながわゆきお]
⇨和辻哲郎[わつじてつろう]

谷時中[たにじちゅう] ……………… ②307
⇨野中兼山[のなかけんざん]
⇨南村梅軒[みなみむらばいけん]
⇨山崎闇斎[やまざきあんさい]

谷干城[たにたてき] ……………… ②307

谷文晁[たにぶんちょう] ……………… ②307
⇨亜欧堂田善[あおうどうでんぜん]
⇨田能村竹田[たのむらちくでん]
⇨渡辺崋山[わたなべかざん]

谷亮子[たにりょうこ] ……………… ②308
田沼意次[たぬまおきつぐ] ……………… ②308
⇨工藤平助[くどうへいすけ]
⇨佐野政言[さのまさこと]
⇨島津重豪[しまづしげひで]
⇨田沼意知[たぬまおきとも]
⇨徳川家治[とくがわいえはる]
⇨松平定信[まつだいらさだのぶ]
⇨最上徳内[もがみとくない]

田沼意知[たぬまおきとも] ……………… ②308
⇨佐野政言[さのまさこと]
⇨山東京伝[さんとうきょうでん]
⇨田沼意次[たぬまおきつぐ]

田沼武能[たぬまたけよし] ……………… ②309
種子島時堯[たねがしまときたか] ……………… ②309
⇨島津貴久[しまづたかひさ]

種田山頭火[たねださんとうか] ……………… ②309
田能村竹田[たのむらちくでん] ……………… ②309
⇨谷文晁[たにぶんちょう]

ダビッド,ジャック・ルイ ……………… ②310
ダビデ王[-おう] ……………… ②310
⇨ソロモン王[-おう]

ダビド・アルファロ・シケイロス
　➡シケイロス,ダビド・アルファロ

タフト,ロバート ……………… ②310
田部井淳子[たべいじゅんこ] ……………… ②310
玉楮象谷[たまかじぞうこく] ……………… ②310
玉川兄弟[たまがわきょうだい] ……………… ②311
玉川庄右衛門[たまがわしょうえもん]
　➡玉川兄弟[たまがわきょうだい]
玉川清右衛門[たまがわせいえもん]
　➡玉川兄弟[たまがわきょうだい]

玉木文之進[たまきぶんのしん] ……………… ②311
⇨吉田松陰[よしだしょういん]

玉城朝薫[たまぐすくちょうくん] ……………… ②312
田村清兵衛[たむらせいべえ] ……………… ②312
田村俊子[たむらとしこ] ……………… ②312
田村隆一[たむらりゅういち] ……………… ②312
⇨鮎川信夫[あゆかわのぶお]

為永春水[ためながしゅんすい] ……………… ②312
為平親王[ためひらしんのう] ……………… ②313
⇨源高明[みなもとのたかあきら]
⇨源師房[みなもとのもろふさ]
⇨冷泉天皇[れいぜいてんのう]

田安宗武[たやすむねたけ] ……………… ②313
⇨賀茂真淵[かものまぶち]
⇨清水重好[しみずしげよし]
⇨徳川家重[とくがわいえしげ]
⇨松平定信[まつだいらさだのぶ]

田山花袋[たやまかたい] ……………… ②313
⇨国木田独歩[くにきだどっぽ]
⇨柳田国男[やなぎたくにお]

ダライ・ラマ ……………… ②313
⇨ツォンカパ

ダラディエ,エドゥアール ……………… ②314
ダランベール,ジャン・ル・ロン ……………… ②314
⇨サン=シモン,クロード・アンリ・ド　⇨ディドロ,ドニ

ダリ,サルバドール ……………… ②314
⇨ピカソ,パブロ　⇨ロルカ,フェデリコ・ガルシア

タルコフスキー,アンドレイ ……………… ②314
達磨[だるま] ……………… ②315

⇨雪舟[せっしゅう]　⇨夢窓疎石[むそうそせき]

ダレイオス1世[-せい] ……………… ②315
⇨クセルクセス1世[-せい]
⇨ローリンソン,ヘンリー・クレジック

ダレイオス3世[-せい] ……………… ②315
⇨アレクサンドロス大王[-だいおう]

タレーラン,シャルル・モーリス・ド ……………… ②315
タレス ……………… ②315
俵藤太[たわらとうた]　➡藤原秀郷[ふじわらのひでさと]
俵万智[たわらまち] ……………… ②316
⇨佐佐木幸綱[ささきゆきつな]

俵屋宗達[たわらやそうたつ] ……………… ②316
⇨池大雅[いけのたいが]
⇨伊藤若冲[いとうじゃくちゅう]
⇨尾形光琳[おがたこうりん]
⇨葛飾北斎[かつしかほくさい]
⇨酒井抱一[さかいほういつ]
⇨速水御舟[はやみぎょしゅう]
⇨本阿弥光悦[ほんあみこうえつ]

ダン,エドウィン ……………… ②316
團伊玖磨[だんいくま] ……………… ②317
⇨芥川也寸志[あくたがわやすし]
⇨江間章子[えましょうこ]
⇨下総皖一[しもおさかんいち]
⇨黛敏郎[まゆずみとしろう]

檀一雄[だんかずお] ……………… ②317
ダンカン,イサドラ ……………… ②317
段祺瑞[だんきずい(トワンチールイ)] ……………… ②317
⇨呉佩孚[ごはいふ(ウーペイフー)]
⇨張作霖[ちょうさくりん(チャンツオリン)]
⇨西原亀三[にしはらかめぞう]

湛慶[たんけい] ……………… ②317
⇨運慶[うんけい]　⇨康勝[こうしょう]

丹下健三[たんげけんぞう] ……………… ②318
⇨岡本太郎[おかもとたろう]

団琢磨[だんたくま] ……………… ②318
⇨井上日召[いのうえにっしょう]

ダンテ・アリギエリ ……………… ②318
⇨ウェルギリウス　⇨グレゴリウス1世[-せい]
⇨クローデル,ポール　⇨ブレイク,ウィリアム
⇨ペトラルカ　⇨ボッカチオ,ジョバンニ
⇨ボッティチェリ,サンドロ　⇨リウィウス

ダンテ・ガブリエル・ロセッティ
　➡ロセッティ,ダンテ・ガブリエル

団藤重光[だんどうしげみつ] ……………… ②318
ダントン,ジョルジュ=ジャック ……………… ②319
⇨サン=ジュスト,ルイ・アントワーヌ・ド
⇨ラ・ファイエット,マリー・ジョゼフ
⇨ロベスピエール,マクシミリアン

ダンロップ,ジョン・ボイド ……………… ②319

ち

江沢民[チアンツォーミン]　➡江沢民[こうたくみん]
チェーザレ・ボルジア　➡ボルジア,チェーザレ
チェーホフ,アントン ……………… ③9
⇨ゴーリキー,マクシム
⇨スタニスラフスキー,コンスタンチン
⇨広津和郎[ひろつかずお]

崔圭夏[チェギュハ(さいけいか)] ……………… ③9
崔済愚[チェジェウ]　➡崔済愚[さいせいぐ]
チェルニー,カール ……………… ③9
⇨リスト,フランツ

五十音順索引　ち／つ

チェルネンコ, コンスタンティン ……………… ③9
⇨ゴルバチョフ, ミハイル
陳水扁[チェンシュイビェン] ➡陳水扁[ちんすいへん]
陳独秀[チェントゥーシウ] ➡陳独秀[ちんどくしゅう]
チェンバレン, ジョセフ ……………… ③10
　⇨イーデン, アンソニー　⇨チェンバレン, ネビル
　⇨バルフォア, アーサー・ジェームズ
　⇨ロイド・ジョージ, デイビッド
チェンバレン, ネビル ……………… ③10
　⇨イーデン, アンソニー
　⇨ダグラス=ヒューム, アレック
　⇨チェンバレン, ジョセフ
　⇨チャーチル, ウィンストン
千蒲善五郎[ちがまぜんごろう] ……………… ③10
近松半二[ちかまつはんじ] ……………… ③10
近松門左衛門[ちかまつもんざえもん] ……………… ③10
　⇨坂田藤十郎[さかたとうじゅうろう]
　⇨竹田出雲[たけだいずも]
　⇨竹本義太夫[たけもとぎだゆう]
　⇨辰松八郎兵衛[たつまつはちろべえ]
　⇨近松半二[ちかまつはんじ]
　⇨鄭成功[ていせいこう]
　⇨蜷川幸雄[にながわゆきお]
　⇨山本勘助[やまもとかんすけ]
千々石ミゲル[ちぢわー] ……………… ③11
　⇨有馬晴信[ありまはるのぶ]　⇨伊東マンショ[いとう－]
　⇨大友宗麟[おおともそうりん]
　⇨中浦ジュリアン[なかうら－]　⇨原マルチノ[はら－]
チトー ……………… ③11
　⇨ミロシェビッチ, スロボダン
千葉周作[ちばしゅうさく] ……………… ③11
　⇨伊藤一刀斎[いとういっとうさい]
　⇨坂本龍馬[さかもとりょうま]
千葉省三[ちばしょうぞう] ……………… ③12
千葉卓三郎[ちばたくさぶろう] ……………… ③12
千葉常胤[ちばつねたね] ……………… ③12
ちばてつや ……………… ③12
チモフェービッチ・イェルマーク
　➡イェルマーク, チモフェービッチ
チャーチル, ウィンストン ……………… ③13
　⇨イーデン, アンソニー　⇨キャメロン, デービッド
　⇨チェンバレン, ネビル　⇨トルーマン, ハリー
　⇨ロレンス, トーマス・エドワード
チャーリー・チャップリン　➡チャップリン, チャーリー
チャーリー・パーカー　➡パーカー, チャーリー
チャールズ, レイ ……………… ③13
　⇨ワンダー, スティービー
チャールズ1世[－せい] ……………… ③13
　⇨クロムウェル, オリバー　⇨ジェームズ2世[－せい]
　⇨チャールズ2世[－せい]　⇨ハーベー, ウィリアム
　⇨ファン・ダイク, アントーン　⇨ミルトン, ジョン
チャールズ2世[－せい] ……………… ③14
　⇨クロムウェル, オリバー　⇨ジェームズ2世[－せい]
　⇨ミルトン, ジョン
チャールズ・グッドイヤー　➡グッドイヤー, チャールズ
チャールズ・ジョージ・ゴードン
　　➡ゴードン, チャールズ・ジョージ
チャールズ・ダーウィン　➡ダーウィン, チャールズ
チャールズ・ディケンズ　➡ディケンズ, チャールズ
チャールズ・バベッジ　➡バベッジ, チャールズ
チャールズ・メリル　➡メリル, チャールズ
チャールズ・モンロー・シュルツ
　　➡シュルツ, チャールズ・モンロー
チャールズ・リンドバーグ　➡リンドバーグ, チャールズ
チャールズ・ルイス・ティファニー

　➡ティファニー, チャールズ・ルイス
チャールズ・リーグマン　➡リーグマン, チャールズ
チャイコフスキー, ピョートル・イリイッチ ……… ③14
　⇨岩城宏之[いわきひろゆき]　⇨グリンカ, ミハイル
チャウシェスク, ニコラエ ……………… ③14
趙紫陽[チャオズーヤン] ➡趙紫陽[ちょうしよう]
茶々[ちゃちゃ] ➡淀殿[よどどの]
チャップリン, チャーリー ……………… ③15
　⇨キューブリック, スタンリー
　⇨古川緑波[ふるかわろっぱ]　⇨マルソー, マルセル
チャドウィック, ジェームズ ……………… ③15
チャベス, ウゴ ……………… ③15
チャペック, カレル ……………… ③16
茶屋四郎次郎[ちゃやしろうじろう] ……………… ③16
　⇨本阿弥光悦[ほんあみこうえつ]
張学良[チャンシュエリャン] ➡張学良[ちょうがくりょう]
蒋介石[チャンチエシー] ➡蒋介石[しょうかいせき]
江青[チャンチン] ➡江青[こうせい]
蒋経国[チャンチンクオ] ➡蒋経国[しょうけいこく]
張作霖[チャンツオリン] ➡張作霖[ちょうさくりん]
チャンドラー, レイモンド ……………… ③16
　⇨村上春樹[むらかみはるき]
チャンドラグプタ ……………… ③17
　⇨アショカ王[－おう]
チャンドラグプタ1世[－せい] ……………… ③17
チャンドラグプタ2世[－せい] ……………… ③17
　⇨アショカ王[－おう]
チャンドラ・ボース ……………… ③17
仲恭天皇[ちゅうきょうてんのう] ……………… ③17
　⇨後鳥羽天皇[ごとばてんのう]
　⇨後堀河天皇[ごほりかわてんのう]
　⇨順徳天皇[じゅんとくてんのう]
　⇨藤原道家[ふじわらのみちいえ]
朱徳[チュートー] ➡朱徳[しゅとく]
朱鎔基[チューロンチー] ➡朱鎔基[しゅようき]
チュラロンコン大王[－だいおう] ➡ラーマ5世[－せい]
チュルゴー, アンヌ・ロベール・ジャック ……………… ③18
　⇨ルイ16世[－せい]
チュン・チャク ……………… ③18
　⇨光武帝[こうぶてい]
チョイバルサン, ホルローギーン ……………… ③18
周恩来[チョウエンライ] ➡周恩来[しゅうおんらい]
張角[ちょうかく] ……………… ③18
　⇨曹操[そうそう]　⇨劉備[りゅうび]
張学良[ちょうがくりょう(チャンシュエリャン)] ……………… ③19
　⇨周恩来[しゅうおんらい(チョウエンライ)]
　⇨蒋介石[しょうかいせき(チャンチエシー)]
　⇨宋美齢[そうびれい(ソンメイリン)]
張儀[ちょうぎ] ……………… ③19
　⇨蘇秦[そしん]
趙匡胤[ちょうきょういん] ……………… ③19
　⇨太宗(北宋)[たいそう]
張居正[ちょうきょせい] ……………… ③19
　⇨顧憲成[こけんせい]　⇨万暦帝[ばんれきてい]
長慶天皇[ちょうけいてんのう] ……………… ③19
　⇨後亀山天皇[ごかめやまてんのう]
　⇨長慶天皇[ちょうけいてんのう]
張騫[ちょうけん] ……………… ③20
重源[ちょうげん] ……………… ③20
　⇨快慶[かいけい]　⇨陳和卿[ちんわけい]
　⇨法然[ほうねん]　⇨栄西[ようさい]
張衡[ちょうこう] ……………… ③20
張作霖[ちょうさくりん(チャンツオリン)] ……………… ③20
　⇨呉佩孚[ごはいふ(ウーペイフー)]
　⇨段祺瑞[だんきずい(トワンチールイ)]

　⇨張学良[ちょうがくりょう(チャンシュエリャン)]
　⇨李大釗[りたいしょう(リターチャオ)]
趙紫陽[ちょうしよう(チャオズーヤン)] ……………… ③20
　⇨温家宝[おんかほう(ウェンチアバオ)]
　⇨江沢民[こうたくみん(チアンツォーミン)]
長新太[ちょうしんた] ……………… ③21
　⇨寺村輝夫[てらむらてるお]
長宗我部元親[ちょうそかべもとちか] ……………… ③21
　⇨豊臣秀吉[とよとみひでよし]
徴側[ちょうそく] ➡チュン・チャク
趙治勲[ちょうちくん] ➡趙治勲[チョチフン]
張飛[ちょうひ] ……………… ③21
　⇨関羽[かんう]　⇨陳寿[ちんじゅ]　⇨劉備[りゅうび]
張陵[ちょうりょう] ……………… ③21
チョーサー, ジェフリー ……………… ③22
褚遂良[ちょすいりょう] ……………… ③22
　⇨欧陽詢[おうようじゅん]
趙治勲[チョチフン(ちょうちくん)] ……………… ③22
千代の富士[ちよのふじ] ……………… ③22
全斗煥[チョンドファン(ぜんとかん)] ……………… ③22
　⇨崔圭夏[チェギュハ(さいけいか)]　⇨盧泰愚[ノテウ]
　⇨盧武鉉[ノムヒョン]　⇨尹潽善[ユンボソン(いんふぜん)]
全琫準[チョンボンジュン] ➡全琫準[ぜんほうじゅん]
知里幸恵[ちりゆきえ] ……………… ③23
　⇨金田一京助[きんだいちきょうすけ]
珍[ちん] ➡仁徳天皇[にんとくてんのう]
　　➡反正天皇[はんぜいてんのう]
沈惟敬[ちんけい] ➡沈惟敬[しんけい]
チンギス・ハン ……………… ③23
　⇨エセン・ハン　⇨オゴタイ・ハン　⇨ガザン・ハン
　⇨ティムール　⇨バトゥ　⇨フビライ・ハン　⇨フラグ
　⇨北条時宗[ほうじょうときむね]
　⇨源義経[みなもとのよしつね]　⇨モンケ・ハン
　⇨耶律楚材[やりつそざい]
陳寿[ちんじゅ] ……………… ③23
陳舜臣[ちんしゅんしん] ……………… ③24
陳勝[ちんしょう] ……………… ③24
　⇨項羽[こうう]　⇨呉広[ごこう]　⇨劉邦[りゅうほう]
陳水扁[ちんすいへん(チェンシュイビェン)] ……………… ③24
陳独秀[ちんどくしゅう(チェントゥーシウ)] ……………… ③24
　⇨胡適[こてき(フーシー)]　⇨魯迅[ろじん(ルーシュン)]
陳和卿[ちんわけい] ……………… ③25
　⇨重源[ちょうげん]　⇨源実朝[みなもとのさねとも]

つ

蔡英文[ツァインウェン] ➡蔡英文[さいえいぶん]
ツィオルコフスキー, コンスタンティン ……… ③25
ツウィングリ, フルドライヒ ……………… ③25
ツェザーリ・キュイ ➡キュイ, ツェザーリ
ツェッペリン, フェルディナント・フォン ……… ③26
ツォンカパ ……………… ③26
つかこうへい ……………… ③26
塚田正夫[つかだまさお] ……………… ③26
　⇨木村義雄[きむらよしお]
塚原卜伝[つかはらぼくでん] ……………… ③27
　⇨足利義輝[あしかがよしてる]
塚本邦雄[つかもとくにお] ……………… ③27
月岡芳年[つきおかよしとし]
　⇨歌川国芳[うたがわくによし]
筑紫国造磐井[つくしのくにのみやつこいわい] ……… ③27
　⇨大伴金村[おおとものかなむら]
　⇨継体天皇[けいたいてんのう]

つげ義春 [つげよしはる] ……… ③27
辻邦生 [つじくにお] ……… ③28
津島佑子 [つしまゆうこ] ……… ③28
津田梅子 [つだうめこ] ……… ③28
　⇨山川捨松 [やまかわすてまつ]
　⇨吉岡彌生 [よしおかやよい]
津田恭介 [つだきょうすけ] ……… ③28
津田三蔵 [つださんぞう] ……… ③29
　⇨児島惟謙 [こじまいけん]　⇨ニコライ2世 [-せい]
津田真一郎 [つだしんいちろう] ➡津田真道 [つだまみち]
津田左右吉 [つだそうきち] ……… ③29
津田宗及 [つだそうぎゅう] ……… ③29
　⇨今井宗久 [いまいそうきゅう]
　⇨武野紹鷗 [たけのじょうおう]
津田永忠 [つだながただ] ……… ③29
津田真道 [つだまみち] ……… ③30
蔦屋重三郎 [つたやじゅうざぶろう] ……… ③30
　⇨喜多川歌麿 [きたがわうたまろ]
　⇨十返舎一九 [じっぺんしゃいっく]
　⇨滝沢馬琴 [たきざわばきん]
　⇨東洲斎写楽 [とうしゅうさいしゃらく]
津田米次郎 [つだよねじろう] ……… ③30
ツタンカーメン王 [-おう] ……… ③31
　⇨アメンホテプ4世 [-せい]　⇨カーター, ハワード
　⇨ネフェルティティ
土川平兵衛 [つちかわへいべえ] ……… ③31
土田麦僊 [つちだばくせん] ……… ③31
　⇨竹内栖鳳 [たけうちせいほう]
土御門天皇 [つちみかどてんのう] ……… ③31
　⇨九条兼実 [くじょうかねざね]
　⇨後嵯峨天皇 [ごさがてんのう]
　⇨後鳥羽天皇 [ごとばてんのう]
　⇨順徳天皇 [じゅんとくてんのう]
土屋助次郎 [つちやすけじろう] ……… ③32
　⇨高野正誠 [たかのまさなり]
土屋文明 [つちやぶんめい] ……… ③32
　⇨伊藤左千夫 [いとうさちお]
　⇨近藤芳美 [こんどうよしみ]
筒井順慶 [つついじゅんけい] ……… ③32
　⇨松倉重政 [まつくらしげまさ]
筒井康隆 [つついやすたか] ……… ③32
　⇨星新一 [ほししんいち]
都築弥厚 [つづきやこう] ……… ③32
　⇨伊豫田与八郎 [いよだよはちろう]
　⇨岡本兵松 [おかもとひょうまつ]
堤康次郎 [つつみやすじろう] ……… ③33
恒貞親王 [つねさだしんのう] ……… ③33
　⇨淳和天皇 [じゅんなてんのう]
　⇨橘逸勢 [たちばなのはやなり]
　⇨伴健岑 [とものこわみね]
　⇨仁明天皇 [にんみょうてんのう]
　⇨藤原良房 [ふじわらのよしふさ]
円谷英二 [つぶらやえいじ] ……… ③33
壺井栄 [つぼいさかえ] ……… ③33
坪内逍遥 [つぼうちしょうよう] ……… ③34
　⇨会津八一 [あいづやいち]　⇨小川未明 [おがわみめい]
　⇨沢田正二郎 [さわだしょうじろう]
　⇨島村抱月 [しまむらほうげつ]
　⇨二葉亭四迷 [ふたばていしめい]
　⇨松井須磨子 [まついすまこ]
　⇨山田耕筰 [やまだこうさく]
　⇨山田美妙 [やまだびみょう]
坪田譲治 [つぼたじょうじ] ……… ③34
　⇨あまんきみこ　⇨今西祐行 [いまにしすけゆき]
　⇨江國香織 [えくにかおり]　⇨庄野英二 [しょうのえいじ]

　⇨鈴木三重吉 [すずきみえきち]
　⇨松谷みよ子 [まつたにみよこ]
ツルゲーネフ, イワン ……… ③34
　⇨二葉亭四迷 [ふたばていしめい]
　⇨吉井勇 [よしいいさむ]
鶴見俊輔 [つるみしゅんすけ] ……… ③35
　⇨大江健三郎 [おおえけんざぶろう]
　⇨小田実 [おだまこと]
鶴屋南北 [つるやなんぼく] ……… ③35
　⇨河竹黙阿弥 [かわたけもくあみ]
ツンベルク, カール ……… ③35
　⇨桂川甫周 [かつらがわほしゅう]

て

デ・アミーチス, エドモンド ……… ③36
ディアギレフ, セルゲイ　⇨シャネル, ガブリエル
　⇨ストラビンスキー, イーゴル
　⇨ニジンスキー, バツラフ　⇨パブロワ, アンナ
　⇨ローランサン, マリー
ディアス, バルトロメウ ……… ③36
　⇨カランサ, ベヌスティアーノ
　⇨ジョアン2世 [-せい]
　⇨バスコ・ダ・ガマ
ディアス, ポルフィリオ ……… ③36
　⇨サパタ, エミリアーノ　⇨ビリャ, パンチョ
　⇨フアレス, ベニト　⇨マデロ, フランシスコ
ディーゼル, ルドルフ ……… ③36
ディーン, ジェームス ……… ③37
ティエール, アドルフ ……… ③37
ディエゴ・デ・ベラスケス　➡ベラスケス, ディエゴ・デ
ディエゴ・マラドーナ　➡マラドーナ, ディエゴ
ティエリー・エルメス　➡エルメス, ティエリー
ディオール, クリスチャン ……… ③37
　⇨カルダン, ピエール　➡サン=ローラン, イブ
ディオクレティアヌス帝 [-てい] ……… ③37
　⇨コンスタンティヌス帝 [-てい]
鄭玄 [ていげん]　➡鄭玄 [じょうげん]
ディケンズ, チャールズ ……… ③37
　⇨アービング, ジョン　⇨サッカレー, ウィリアム
　⇨セルバンテス, ミゲル・デ
ティコ・ブラーエ　➡ブラーエ, ティコ
ディジー・ガレスピー　⇨パーカー, チャーリー
程順則 [ていじゅんそく] ……… ③38
鄭芝竜 [ていしりゅう] ……… ③38
　⇨鄭成功 [ていせいこう]
ディズニー, ウォルト ……… ③38
　⇨スピルバーグ, スティーブン
　⇨フォン・ブラウン, ウェルナー
ディズレーリ, ベンジャミン ……… ③38
　⇨グラッドストン, ウィリアム
　⇨ビクトリア女王 [-じょおう]
鄭成功 [ていせいこう] ……… ③39
　⇨鄭芝竜 [ていしりゅう]
ティツィアーノ・ベチェリオ ……… ③39
　⇨エル・グレコ　⇨ファン・ダイク, アントーン
　⇨マネ, エドワール
ディック・ブルーナ　➡ブルーナ, ディック
ティトー　➡チトー
ディドロ, ドニ ……… ③39
　⇨ダランベール, ジャン・ル・ロン
　⇨チュルゴー, アンヌ・ロベール・ジャック
デイビス, マイルス ……… ③39

　⇨コルトレーン, ジョン　⇨パーカー, チャーリー
デイビッド・ホックニー　➡ホックニー, デイビッド
デイビッド・リビングストン　➡リビングストン, デイビッド
デイビッド・ロイド・ジョージ　➡ロイド・ジョージ, デイビッド
ティファニー, チャールズ・ルイス ……… ③40
ティムール ……… ③40
　⇨イブン・ハルドゥーン　⇨バヤジット1世 [-せい]
ディラン, ボブ ……… ③40
鄭和 [ていわ] ……… ③40
　⇨永楽帝 [えいらくてい]
ティンゲリー, ジャン ……… ③40
大院君 [テウォングン]　➡大院君 [たいいんくん]
デービス, ジェファーソン ……… ③41
　⇨リー, ロバート　⇨リンカン, エイブラハム
デービッド・キャメロン　➡キャメロン, デービッド
テーラー, エリザベス ……… ③41
テオドール・エドゥアルト・ホフマン
　➡ホフマン, テオドール・エドゥアルト
テオドール・ヘルツル　➡ヘルツル, テオドール
テオドシウス帝 [-てい] ……… ③41
テオドラ ……… ③41
　⇨ユスティニアヌス帝 [-てい]
テオドリック大王 [-だいおう] ……… ③42
　⇨オドアケル
テオドル・ジェリコー　➡ジェリコー, テオドル
テオドル・シュトルム　➡シュトルム, テオドル
テオフィル・ゴーチエ　➡ゴーチエ, テオフィル
デカルト, ルネ ……… ③42
　⇨スピノザ, バルク・ド　⇨ハーベー, ウィリアム
　⇨ベーコン, フランシス　⇨ホッブズ, トーマス
　⇨ロック, ジョン
デ・クーニング, ウィレム ……… ③42
出口王仁三郎 [でぐちおにさぶろう] ……… ③42
デクラーク, フレデリック・ウィレム ……… ③43
　⇨マンデラ, ネルソン
出崎統 [でざきおさむ] ……… ③43
デシデリウス・エラスムス　➡エラスムス, デシデリウス
手島堵庵 [てじまとあん] ……… ③43
　⇨石田梅岩 [いしだばいがん]
　⇨中沢道二 [なかざわどうに]
テスラ, ニコラ ……… ③43
手塚治虫 [てづかおさむ] ……… ③44
　⇨赤塚不二夫 [あかつかふじお]　⇨アシモフ, アイザック
　⇨石ノ森章太郎 [いしのもりしょうたろう]
　⇨海野十三 [うんのじゅうざ]　⇨出崎統 [でざきおさむ]
　⇨冨田勲 [とみたいさお]
　⇨藤子・F・不二雄 [ふじこエフふじお]
　⇨藤子不二雄Ⓐ [ふじこふじおエイ]
　⇨古川タク [ふるかわタク]
　⇨前川かずお [まえかわかずお]
　⇨横山光輝 [よこやまみつてる]
鉄牛道機 [てつぎゅうどうき] ……… ③44
テッド・ターナー　➡ターナー, テッド
テニソン, アルフレッド ……… ③44
　⇨ブラウニング, ロバート
テネシー・ウィリアムズ　➡ウィリアムズ, テネシー
デビッド・ハーバート・ロレンス
　➡ロレンス, デビッド・ハーバート
デビッド・ヒューム　➡ヒューム, デビッド
デビッド・ボウイ　➡ボウイ, デビッド
デビッド・マレー　➡マレー, デビッド
デビッド・リカード　➡リカード, デビッド
デフォー, ダニエル ……… ③45
テミストクレス ……… ③45
デモクリトス ……… ③45

五十音順索引
つ／て

五十音順索引

て／と

第1列

⇨エピクロス
デューイ, ジョン …………………… ③45
⇨胡適[こてき(フーシー)]
デューク・エリントン ➡エリントン, エドワード・ケネディ
テューダー, ターシャ …………………… ③45
デューラー, アルブレヒト …………………… ③46
⇨岸田劉生[きしだりゅうせい]
デュシャン, マルセル …………………… ③46
⇨レイ, マン
デュナン, アンリ …………………… ③46
デュフィ, ラウル …………………… ③46
デュプレクス, ジョゼフ・フランソワ …………………… ③47
デュボイス, ウィリアム・エドワード・バーガート
…………………… ③47
デュボワ, ユージェーヌ …………………… ③47
デュポン, エルテール・イレネー …………………… ③47
デュマ, アレクサンドル …………………… ③47
⇨黒岩涙香[くろいわるいこう]　⇨サンド, ジョルジュ
⇨ベルヌ, ジュール
寺内正毅[てらうちまさたけ] …………………… ③48
⇨犬養毅[いぬかいつよし]　⇨後藤新平[ごとうしんぺい]
⇨西原亀三[にしはらかめぞう]
⇨松岡洋右[まつおかようすけ]
⇨山県有朋[やまがたありとも]
寺崎英成[てらさきひでなり] …………………… ③48
寺沢広高[てらざわひろたか] …………………… ③48
寺島宗則[てらしまむねのり] …………………… ③48
寺田寅彦[てらだとらひこ] …………………… ③49
⇨小宮豊隆[こみやとよたか]　⇨竹内均[たけうちひとし]
⇨中谷宇吉郎[なかやうきちろう]
⇨夏目漱石[なつめそうせき]
寺村輝夫[てらむらてるお] …………………… ③49
⇨長新太[ちょうしんた]
寺山修司[てらやましゅうじ] …………………… ③49
⇨塚本邦雄[つかもとくにお]
⇨湯本香樹実[ゆもとかずみ]
⇨横尾忠則[よこおただのり]
テリーザ・メイ ➡メイ, テリーザ
デルボー, ポール …………………… ③50
デ・レーケ, ヨハネス …………………… ③50
テレシコワ, バレンティナ …………………… ③50
天海[てんかい] …………………… ③50
⇨住吉如慶[すみよしじょけい]
伝教大師[でんぎょうだいし] ➡最澄[さいちょう]
天智天皇[てんじてんのう] …………………… ③52
⇨阿倍内麻呂[あべのうちまろ]
⇨阿倍比羅夫[あべのひらふ]
⇨有間皇子[ありまのおうじ]
⇨淡海三船[おうみのみふね]
⇨大津皇子[おおつのおうじ]
⇨大友皇子[おおとものおうじ]
⇨桓武天皇[かんむてんのう]
⇨鬼室福信[きしつふくしん]
⇨元正天皇[げんしょうてんのう]
⇨元明天皇[げんめいてんのう]
⇨皇極天皇[こうぎょくてんのう]
⇨孝徳天皇[こうとくてんのう]
⇨光仁天皇[こうにんてんのう]
⇨志貴皇子[しきのおうじ]　⇨持統天皇[じとうてんのう]
⇨舒明天皇[じょめいてんのう]
⇨蘇我入鹿[そがのいるか]　⇨蘇我蝦夷[そがのえみし]
⇨蘇我倉山田石川麻呂[そがのくらやまだのいしかわまろ]
⇨高向玄理[たかむこのくろまろ]
⇨高市皇子[たけちのおうじ]
⇨天武天皇[てんむてんのう]

第2列

⇨舎人親王[とねりしんのう]
⇨額田王[ぬかたのおおきみ]
⇨藤原鎌足[ふじわらのかまたり]
⇨藤原百川[ふじわらのももかわ]
⇨古人大兄皇子[ふるひとのおおえのおうじ]
⇨南淵請安[みなぶちのしょうあん]　⇨旻[みん]
⇨文武天皇[もんむてんのう]
天順帝[てんじゅんてい] ➡正統帝[せいとうてい]
天璋院[てんしょういん] …………………… ③51
⇨島津斉彬[しまづなりあきら]
⇨徳川家定[とくがわいえさだ]
天武天皇[てんむてんのう] …………………… ③51
⇨粟田真人[あわたのまひと]
⇨大津皇子[おおつのおうじ]
⇨大友皇子[おおとものおうじ]
⇨太安万侶[おおのやすまろ]
⇨刑部親王[おさかべしんのう]
⇨柿本人麻呂[かきのもとのひとまろ]　⇨鑑真[がんじん]
⇨吉備内親王[きびないしんのう]
⇨草壁皇子[くさかべのおうじ]
⇨元正天皇[げんしょうてんのう]
⇨皇極天皇[こうぎょくてんのう]
⇨光仁天皇[こうにんてんのう]
⇨志貴皇子[しきのおうじ]　⇨持統天皇[じとうてんのう]
⇨淳仁天皇[じゅんにんてんのう]
⇨聖武天皇[しょうむてんのう]
⇨舒明天皇[じょめいてんのう]
⇨高市皇子[たけちのおうじ]
⇨天智天皇[てんじてんのう]
⇨舎人親王[とねりしんのう]　⇨長屋王[ながやおう]
⇨額田王[ぬかたのおおきみ]　⇨稗田阿礼[ひえだのあれ]
⇨藤原鎌足[ふじわらのかまたり]

と

土井隆雄[どいたかお] …………………… ③53
⇨毛利衛[もうりまもる]
土井たか子[どいたかこ] …………………… ③53
土井晩翠[どいばんすい] …………………… ③53
⇨薄田泣菫[すすきだきゅうきん]
⇨滝廉太郎[たきれんたろう]
ドイル, コナン …………………… ③53
⇨阿部知二[あべともじ]
トインビー, アーノルド・ジョセフ …………………… ③54
トゥーレ, セク …………………… ③54
⇨サモリ・トゥーレ
トウェイン, マーク …………………… ③54
⇨ウェブスター, ジーン　⇨村岡花子[むらおかはなこ]
⇨吉田甲子太郎[よしだきねたろう]
陶淵明[とうえんめい] …………………… ③54
⇨孟浩然[もうこうねん]
東海散士[とうかいさんし] …………………… ③55
董其昌[とうきしょう] …………………… ③55
トゥキディデス …………………… ③55
道鏡[どうきょう] …………………… ③55
⇨孝謙天皇[こうけんてんのう]
⇨光仁天皇[こうにんてんのう]
⇨淳仁天皇[じゅんにんてんのう]
⇨藤原永手[ふじわらのながて]
⇨藤原仲麻呂[ふじわらのなかまろ]
⇨藤原百川[ふじわらのももかわ]
⇨和気清麻呂[わけのきよまろ]
トゥグリル・ベク …………………… ③56

第3列

⇨ニザーム・アルムルク
峠三吉[とうげさんきち] …………………… ③56
道元[どうげん] …………………… ③56
⇨加藤景正[かとうかげまさ]　⇨最澄[さいちょう]
道光帝[どうこうてい] …………………… ③57
⇨咸豊帝[かんぽうてい]　⇨光緒帝[こうしょてい]
東郷平八郎[とうごうへいはちろう] …………………… ③57
⇨秋山真之[あきやまさねゆき]
トゥサン・ルベルチュール …………………… ③57
東洲斎写楽[とうしゅうさいしゃらく] …………………… ③58
⇨蔦屋重三郎[つたやじゅうざぶろう]
東条九郎右衛門[とうじょうくろうえもん] …………………… ③58
東条英機[とうじょうひでき] …………………… ③58
⇨石原莞爾[いしはらかんじ]
⇨岡田啓介[おかだけいすけ]　⇨岸信介[きしのぶすけ]
⇨木戸幸一[きどこういち]　⇨小磯国昭[こいそくにあき]
⇨五島慶太[ごとうけいた]　⇨重光葵[しげみつまもる]
⇨永田鉄山[ながたてつざん]
⇨正木ひろし[まさきひろし]
⇨米内光政[よないみつまさ]
鄧小平[とうしょうへい(トゥンシャオピン)] …………………… ③59
⇨華国鋒[かこくほう(ホワクオフォン)]
⇨江青[こうせい(チャンチン)]
⇨江沢民[こうたくみん(チアンツォーミン)]
⇨胡錦濤[こきんとう(フーチンタオ)]
⇨胡耀邦[こようほう(フーヤオパン)]
⇨朱鎔基[しゅようき(チューロンチー)]
⇨趙紫陽[ちょうしよう(チャオズーヤン)]
⇨毛沢東[もうたくとう(マオツォトン)]
藤四郎吉光[とうしろうよしみつ] ➡吉光[よしみつ]
トゥスク, ドナルド …………………… ③59
同治帝[どうちてい] …………………… ③59
⇨光緒帝[こうしょてい]　⇨西太后[せいたいこう]
董仲舒[とうちゅうじょ] …………………… ③59
ドゥテルテ, ロドリゴ …………………… ③60
藤堂高虎[とうどうたかとら] …………………… ③60
⇨荒木又右衛門[あらきまたえもん]
⇨加納直盛[かのうなおもり]
⇨姜沆[カンハン(きょうこう)]
⇨西嶋八兵衛[にしじまはちべえ]
トトメス3世[ーせい] …………………… ③60
東常縁[とうのつねより] …………………… ③60
⇨宗祇[そうぎ]
頭山満[とうやまみつる] …………………… ③61
⇨梅屋庄吉[うめやしょうきち]
鄧小平[トゥンシャオピン] ➡鄧小平[とうしょうへい]
ドーデ, アルフォンス …………………… ③61
トーベ・ヤンソン ➡ヤンソン, トーベ
トーマス・アルバ・エジソン ➡エジソン, トーマス・アルバ
トーマス・エドワード・ロレンス
➡ロレンス, トーマス・エドワード
トーマス・グラバー ➡グラバー, トーマス
トーマス・グレシャム ➡グレシャム, トーマス
トーマス・ジェファーソン ➡ジェファーソン, トーマス
トーマス・スターンズ・エリオット
➡エリオット, トーマス・スターンズ
トーマス・ニューコメン ➡ニューコメン, トーマス
トーマス・バーバリー ➡バーバリー, トーマス
トーマス・ホッブズ ➡ホッブズ, トーマス
トーマス・マルサス ➡マルサス, トーマス
トーマス・マン ➡マン, トーマス
トーマス・ミュンツァー ➡ミュンツァー, トーマス
トーマス・ワトソン・ジュニア
➡ワトソン, トーマス・ジュニア
ドーミエ, オノレ …………………… ③61

遠山景元[とおやまかげもと] ……………… ③61
遠山金四郎[とおやまきんしろう]
　➡遠山景元[とおやまかげもと]
トールキン, ジョン・ロナルド・ロウェル ……… ③62
　⇨ジョーンズ,ダイアナ・ウィン
トール・ヘイエルダール　➡ヘイエルダール,トール
ドガ, エドガー …………………………… ③62
　⇨歌川広重[うたがわひろしげ]　⇨ドーミエ,オノレ
　⇨マネ,エドワール
　⇨ロートレック,アンリ・ド・トゥールーズ
富樫政親[とがしまさちか] ……………… ③62
　⇨富樫泰高[とがしやすたか]
富樫泰高[とがしやすたか] ……………… ③62
戸川幸夫[とがわゆきお] ………………… ③63
土岐康行[ときやすゆき] ………………… ③63
常磐津文字太夫[ときわずもじたゆう] ……… ③63
常磐光長[ときわみつなが] ……………… ③63
　⇨藤原隆信[ふじわらのたかのぶ]
徳川昭武[とくがわあきたけ] …………… ③63
　⇨ナポレオン3世[-せい]
徳川家定[とくがわいえさだ] …………… ③64
　⇨井伊直弼[いいなおすけ]
　⇨西郷隆盛[さいごうたかもり]
　⇨島津斉彬[しまづなりあきら]
　⇨伊達宗城[だてむねなり]　⇨天璋院[てんしょういん]
　⇨徳川家茂[とくがわいえもち]
　⇨徳川斉昭[とくがわなりあき]
　⇨徳川慶勝[とくがわよしかつ]
　⇨徳川慶喜[とくがわよしのぶ]　⇨ハリス,タウンゼント
徳川家達[とくがわいえさと] …………… ③64
　⇨天璋院[てんしょういん]
徳川家重[とくがわいえしげ] …………… ③64
　⇨島津重豪[しまづしげひで]
　⇨清水重好[しみずしげよし]
　⇨田沼意次[たぬまおきつぐ]
　⇨田安宗武[たやすむねたけ]
　⇨徳川家治[とくがわいえはる]
　⇨室鳩巣[むろきゅうそう]　⇨山県大弐[やまがただいに]
徳川家継[とくがわいえつぐ] …………… ③65
　⇨新井白石[あらいはくせき]
　⇨徳川吉宗[とくがわよしむね]
　⇨間部詮房[まなべあきふさ]
　⇨霊元天皇[れいげんてんのう]
徳川家綱[とくがわいえつな] …………… ③65
　⇨隠元隆琦[いんげんりゅうき]
　⇨酒井忠清[さかいただきよ]
　⇨佐倉惣五郎[さくらそうごろう]
　⇨真田信之[さなだのぶゆき]
　⇨玉川兄弟[たまがわきょうだい]
　⇨徳川綱吉[とくがわつなよし]　⇨林鵞峰[はやしがほう]
　⇨林鳳岡[はやしほうこう]　⇨林羅山[はやしらざん]
　⇨保科正之[ほしなまさゆき]
　⇨堀田正俊[ほったまさとし]
　⇨松平信綱[まつだいらのぶつな]
　⇨山崎闇斎[やまざきあんさい]
　⇨由井正雪[ゆいしょうせつ]
　⇨吉田勘兵衛[よしだかんべえ]
徳川家斉[とくがわいえなり] …………… ③65
　⇨喜多川歌麿[きたがわうたまろ]
　⇨黒田斉隆[くろだなりたか]
　⇨島津重豪[しまづしげひで]
　⇨大黒屋光太夫[だいこくやこうだゆう]
　⇨谷風[たにかぜ]　⇨遠山景元[とおやまかげもと]
　⇨徳川家治[とくがわいえはる]
　⇨徳川家慶[とくがわいえよし]

⇨水野忠邦[みずのただくに]
⇨柳亭種彦[りゅうていたねひこ]
徳川家宣[とくがわいえのぶ] …………… ③65
　⇨新井白石[あらいはくせき]
　⇨荻原重秀[おぎわらしげひで]
　⇨紀伊国屋文左衛門[きのくにやぶんざえもん]
　⇨シドッチ,ジョバンニ　⇨関孝和[せきたかかず]
　⇨徳川家継[とくがわいえつぐ]
　⇨徳川綱吉[とくがわつなよし]
　⇨奈良屋茂左衛門[ならやもざえもん]
　⇨林鳳岡[はやしほうこう]　⇨間部詮房[まなべあきふさ]
徳川家治[とくがわいえはる] …………… ③65
　⇨島津重豪[しまづしげひで]
　⇨清水重好[しみずしげよし]
　⇨田沼意次[たぬまおきつぐ]
　⇨田沼意知[たぬまおきとも]　⇨ツンベルグ,カール
　⇨徳川家重[とくがわいえしげ]
　⇨徳川家斉[とくがわいえなり]
徳川家光[とくがわいえみつ] …………… ③66
　⇨板倉重昌[いたくらしげまさ]
　⇨伊奈忠克[いなただかつ]
　⇨大久保彦左衛門[おおくぼひこざえもん]
　⇨春日局[かすがのつぼね]　⇨狩野探幽[かのうたんゆう]
　⇨小堀遠州[こぼりえんしゅう]
　⇨酒井忠清[さかいただきよ]　⇨崇源院[すうげんいん]
　⇨千姫[せんひめ]　⇨沢庵宗彭[たくあんそうほう]
　⇨伊達政宗[だてまさむね]　⇨天海[てんかい]
　⇨徳川家継[とくがわいえつぐ]
　⇨徳川家綱[とくがわいえつな]
　⇨徳川家宣[とくがわいえのぶ]
　⇨徳川和子[とくがわかずこ]
　⇨徳川綱吉[とくがわつなよし]
　⇨徳川秀忠[とくがわひでただ]
　⇨徳川光圀[とくがわみつくに]　⇨林鵞峰[はやしがほう]
　⇨林羅山[はやしらざん]　⇨保科正之[ほしなまさゆき]
　⇨堀田正俊[ほったまさとし]
　⇨松平信綱[まつだいらのぶつな]
　⇨柳生宗矩[やぎゅうむねのり]
　⇨由井正雪[ゆいしょうせつ]
徳川家茂[とくがわいえもち] …………… ③66
　⇨浅田宗伯[あさだそうはく]
　⇨網屋吉兵衛[あみやきちべえ]
　⇨有馬新七[ありましんしち]
　⇨安藤信正[あんどうのぶまさ]
　⇨井伊直弼[いいなおすけ]　⇨岩倉具視[いわくらともみ]
　⇨大原重徳[おおはらしげとみ]
　⇨沖田総司[おきたそうじ]　⇨和宮[かずのみや]
　⇨川路聖謨[かわじとしあきら]
　⇨久世広周[くぜひろちか]
　⇨孝明天皇[こうめいてんのう]　⇨近藤勇[こんどういさみ]
　⇨三条実美[さんじょうさねとみ]
　⇨島津斉彬[しまづなりあきら]　⇨天璋院[てんしょういん]
　⇨徳川家定[とくがわいえさだ]
　⇨徳川斉昭[とくがわなりあき]
　⇨徳川慶喜[とくがわよしのぶ]
　⇨橋本左内[はしもとさない]
　⇨土方歳三[ひじかたとしぞう]
　⇨堀田正睦[ほったまさよし]
　⇨松平容保[まつだいらかたもり]
　⇨松平慶永[まつだいらよしなが]
徳川家康[とくがわいえやす] …………… ③70
　⇨秋元長朝[あきもとながとも]
　⇨浅井長政[あざいながまさ]
　⇨浅野長政[あさのながまさ]　⇨アダムズ,ウィリアム
　⇨有馬晴信[ありまはるのぶ]　⇨井伊直虎[いいなおとら]

⇨池田輝政[いけだてるまさ]
⇨石田三成[いしだみつなり]
⇨板倉重昌[いたくらしげまさ]
⇨伊奈忠治[いなただはる]　⇨今井宗薫[いまいそうくん]
⇨今川義元[いまがわよしもと]
⇨上杉景勝[うえすぎかげかつ]
⇨宇喜多秀家[うきたひでいえ]
⇨大久保長安[おおくぼながやす]
⇨大久保彦左衛門[おおくぼひこざえもん]
⇨大野治長[おおのはるなが]　⇨阿国[おくに]
⇨織田有楽斎[おだうらくさい]
⇨織田信雄[おだのぶかつ]　⇨織田信長[おだのぶなが]
⇨春日局[かすがのつぼね]
⇨片桐且元[かたぎりかつもと]
⇨加藤清正[かとうきよまさ]
⇨狩野長信[かのうながのぶ]
⇨神屋宗湛[かみやそうたん]
⇨黒田長政[くろだながまさ]
⇨黒田孝高[くろだよしたか]　⇨顕如[けんにょ]
⇨高台院[こうだいいん]
⇨後藤庄三郎[ごとうしょうざぶろう]
⇨後藤祐乗[ごとうゆうじょう]
⇨小西行長[こにしゆきなが]
⇨小早川秀秋[こばやかわひであき]
⇨小堀遠州[こぼりえんしゅう]
⇨後陽成天皇[ごようぜいてんのう]
⇨金地院崇伝[こんちいんすうでん]
⇨酒井忠清[さかいただきよ]
⇨真田信之[さなだのぶゆき]
⇨真田昌幸[さなだまさゆき]
⇨真田幸村[さなだゆきむら]
⇨島津家久[しまづいえひさ]
⇨島津義久[しまづよしひさ]
⇨島津義弘[しまづよしひろ]
⇨清水重好[しみずしげよし]　⇨尚寧王[しょうねいおう]
⇨崇源院[すうげんいん]
⇨末吉孫左衛門[すえよしまござえもん]
⇨宗義智[そうよしとし]　⇨高山右近[たかやまうこん]
⇨滝川一益[たきがわかずます]
⇨武田勝頼[たけだかつより]
⇨武田信玄[たけだしんげん]　⇨伊達政宗[だてまさむね]
⇨田中勝介[たなかしょうすけ]
⇨寺沢広高[てらさわひろたか]　⇨天海[てんかい]
⇨藤堂高虎[とうどうたかとら]
⇨徳川家光[とくがわいえみつ]
⇨徳川和子[とくがわかずこ]
⇨徳川秀忠[とくがわひでただ]
⇨徳川光圀[とくがわみつくに]
⇨徳川吉宗[とくがわよしむね]
⇨豊臣秀次[とよとみひでつぐ]
⇨豊臣秀吉[とよとみひでよし]
⇨豊臣秀頼[とよとみひでより]
⇨中井竹山[なかいちくざん]
⇨中井正清[なかいまさきよ]
⇨長谷川等伯[はせがわとうはく]
⇨服部半蔵[はっとりはんぞう]　⇨林羅山[はやしらざん]
⇨福島正則[ふくしままさのり]
⇨藤原惺窩[ふじわらせいか]
⇨古郡重政[ふるごおりしげまさ]
⇨古田織部[ふるたおりべ]　⇨細川ガラシャ[ほそかわ-]
⇨細川忠興[ほそかわただおき]
⇨細川幽斎[ほそかわゆうさい]
⇨本阿弥光悦[ほんあみこうえつ]
⇨本多忠勝[ほんだただかつ]
⇨本多正純[ほんだまさずみ]

五十音順索引

と

⇨本多正信[ほんだまさのぶ]　⇨前田玄以[まえだげんい]
⇨増田長盛[ましたながもり]
⇨松平忠直[まつだいらただなお]
⇨松平信綱[まつだいらのぶつな]
⇨松前慶広[まつまえよしひろ]
⇨松浦鎮信[まつらしげのぶ]　⇨村正[むらまさ]
⇨毛利輝元[もうりてるもと]
⇨最上義光[もがみよしあき]
⇨柳生宗矩[やぎゅうむねのり]
⇨安井道頓[やすいどうとん]
⇨山内一豊[やまうちかずとよ]
⇨由井正雪[ゆいしょうせつ]　⇨ヨーステン,ヤン
⇨淀殿[よどどの]　⇨淀屋常安[よどやじょうあん]

徳川家慶[とくがわいえよし] ……… ③67
⇨徳川家定[とくがわいえさだ]
⇨水野忠邦[みずのただくに]

徳川和子[とくがわかずこ] ……… ③67
⇨狩野探幽[かのうたんゆう]
⇨後水尾天皇[ごみずのおてんのう]
⇨徳川秀忠[とくがわひでただ]
⇨明正天皇[めいしょうてんのう]
徳川綱豊[とくがわつなとよ]　➡徳川家宣[とくがわいえのぶ]
徳川綱吉[とくがわつなよし] ……… ③67
⇨新井白石[あらいはくせき]
⇨荻生徂徠[おぎゅうそらい]
⇨荻原重秀[おぎわらしげひで]
⇨北村季吟[きたむらきぎん]
⇨紀伊国屋文左衛門[きのくにやぶんざえもん]
⇨木下順庵[きのしたじゅんあん]
⇨ケンペル,エンゲルベルト
⇨酒井忠清[さかいただきよ]
⇨陶山訥庵[すやまとつあん]　⇨関孝和[せきたかかず]
⇨曽根権太夫[そねごんだゆう]
⇨徳川家綱[とくがわいえつな]
⇨徳川家宣[とくがわいえのぶ]
⇨徳川光圀[とくがわみつくに]
⇨徳川吉宗[とくがわよしむね]
⇨奈良屋茂左衛門[ならやもざえもん]
⇨服部南郭[はっとりなんかく]　⇨林鳳岡[はやしほうこう]
⇨礫茂左衛門[はりつけもざえもん]
⇨東山天皇[ひがしやまてんのう]
⇨堀田正俊[ほったまさとし]
⇨柳沢吉保[やなぎさわよしやす]
⇨吉川惟足[よしかわこれたり]

徳川斉昭[とくがわなりあき] ……… ③68
⇨会沢正志斎[あいざわせいしさい]
⇨阿部正弘[あべまさひろ]　⇨井伊直弼[いいなおすけ]
⇨大島高任[おおしまたかとう]
⇨大原重徳[おおはらしげとみ]
⇨久世広周[くぜひろちか]
⇨島津斉彬[しまづなりあきら]
⇨武田耕雲斎[たけだこううんさい]
⇨千葉周作[ちばしゅうさく]　⇨天璋院[てんしょういん]
⇨徳川昭武[とくがわあきたけ]
⇨徳川慶勝[とくがわよしかつ]
⇨徳川慶喜[とくがわよしのぶ]
⇨藤田東湖[ふじたとうこ]　⇨藤田幽谷[ふじたゆうこく]
⇨松平慶永[まつだいらよしなが]

徳川秀忠[とくがわひでただ] ……… ③68
⇨浅井長政[あざいながまさ]
⇨板倉重昌[いたくらしげまさ]
⇨伊藤一刀斎[いとういっとうさい]
⇨お市の方[おいちのかた]　⇨春日局[かすがのつぼね]
⇨狩野探幽[かのうたんゆう]
⇨黒田長政[くろだながまさ]

⇨後水尾天皇[ごみずのおてんのう]
⇨酒井忠清[さかいただきよ]
⇨真田昌幸[さなだまさゆき]
⇨真田幸村[さなだゆきむら]　⇨尚寧王[しょうねいおう]
⇨崇源院[すうげんいん]
⇨末吉孫左衛門[すえよしまござえもん]
⇨千姫[せんひめ]　⇨天海[てんかい]
⇨徳川家光[とくがわいえみつ]
⇨徳川家康[とくがわいえやす]
⇨徳川和子[とくがわかずこ]　⇨戸田茂睡[とだもすい]
⇨豊臣秀頼[とよとみひでより]　⇨林羅山[はやしらざん]
⇨古田織部[ふるたおりべ]　⇨保科正之[ほしなまさゆき]
⇨本多正純[ほんだまさずみ]
⇨本多正信[ほんだまさのぶ]
⇨明正天皇[めいしょうてんのう]
⇨柳生宗矩[やぎゅうむねのり]
⇨由井正雪[ゆいしょうせつ]

徳川光圀[とくがわみつくに] ……… ③69
⇨会沢正志斎[あいざわせいしさい]
⇨安積澹泊[あさかたんぱく]
⇨池田光政[いけだみつまさ]　⇨契沖[けいちゅう]
⇨望月恒隆[もちづきつねたか]

徳川慶勝[とくがわよしかつ] ……… ③69
徳川慶福[とくがわよしとみ]　➡徳川家茂[とくがわいえもち]

徳川慶喜[とくがわよしのぶ] ……… ③72
⇨有馬新七[ありましんしち]
⇨井伊直弼[いいなおすけ]
⇨岩倉具視[いわくらともみ]
⇨岩瀬忠震[いわせただなり]
⇨梅田雲浜[うめだうんぴん]
⇨江原素六[えばらそろく]
⇨大久保利通[おおくぼとしみち]
⇨大隈重信[おおくましげのぶ]
⇨小栗忠順[おぐりただまさ]　⇨勝海舟[かつかいしゅう]
⇨河井継之助[かわいつぎのすけ]
⇨川路聖謨[かわじとしあきら]
⇨小松帯刀[こまつたてわき]
⇨西郷隆盛[さいごうたかもり]
⇨坂本龍馬[さかもとりょうま]
⇨佐久間象山[さくましょうざん]
⇨佐々木高行[ささきたかゆき]
⇨渋沢栄一[しぶさわえいいち]
⇨島津斉彬[しまづなりあきら]
⇨島津久光[しまづひさみつ]
⇨武田耕雲斎[たけだこううんさい]
⇨伊達宗城[だてむねなり]
⇨天璋院[てんしょういん]
⇨徳川昭武[とくがわあきたけ]
⇨徳川家定[とくがわいえさだ]
⇨徳川家達[とくがわいえさと]
⇨徳川家茂[とくがわいえもち]
⇨徳川斉昭[とくがわなりあき]
⇨徳川慶勝[とくがわよしかつ]
⇨永井尚志[ながいなおゆき]
⇨中岡慎太郎[なかおかしんたろう]
⇨橋本左内[はしもとさない]
⇨福岡孝弟[ふくおかたかちか]
⇨堀田正睦[ほったまさよし]
⇨松平容保[まつだいらかたもり]
⇨松平慶永[まつだいらよしなが]
⇨明治天皇[めいじてんのう]
⇨山内豊信[やまうちとよしげ]

徳川吉宗[とくがわよしむね] ……… ③73
⇨青木昆陽[あおきこんよう]
⇨新井白石[あらいはくせき]

⇨井沢弥惣兵衛[いざわやそべえ]
⇨稲生若水[いのうじゃくすい]
⇨大岡忠相[おおおかただすけ]
⇨荻生徂徠[おぎゅうそらい]
⇨荷田春満[かだのあずままろ]
⇨賀茂真淵[かものまぶち]
⇨川崎平右衛門[かわさきへいえもん]
⇨神尾春央[かんおはるひで]
⇨清水重好[しみずしげよし]
⇨田中丘隅[たなかきゅうぐ]
⇨田沼意次[たぬまおきつぐ]
⇨田安宗武[たやすむねたけ]
⇨程順則[ていじゅんそく]
⇨徳川家重[とくがわいえしげ]
⇨徳川家継[とくがわいえつぐ]
⇨徳川家治[とくがわいえはる]
⇨中井甃庵[なかいしゅうあん]
⇨西川如見[にしかわじょけん]
⇨野呂元丈[のろげんじょう]　⇨林鳳岡[はやしほうこう]
⇨松平定信[まつだいらさだのぶ]
⇨間部詮房[まなべあきふさ]
⇨宮崎安貞[みやざきやすさだ]
⇨室鳩巣[むろきゅうそう]

徳島兵左衛門[とくしまひょうざえもん] ……… ③74
徳田球一[とくだきゅういち] ……… ③74
⇨野坂参三[のさかさんぞう]
徳田秋声[とくだしゅうせい] ……… ③74
⇨尾崎紅葉[おざきこうよう]
禿頭王[とくとうおう]　➡シャルル2世[－せい]
徳富蘇峰[とくとみそほう] ……… ③74
⇨陸羯南[くがかつなん]　⇨ジェーンズ,リロイ
⇨徳冨蘆花[とくとみろか]　⇨新島襄[にいじまじょう]
⇨宮崎滔天[みやざきとうてん]
⇨矢嶋楫子[やじまかじこ]

徳冨蘆花[とくとみろか] ……… ③74
⇨芥川龍之介[あくたがわりゅうのすけ]
⇨徳富蘇峰[とくとみそほう]　⇨トルストイ,レフ
⇨新島襄[にいじまじょう]　⇨矢嶋楫子[やじまかじこ]

徳永直[とくながすなお] ……… ③75
土倉庄三郎[どぐらしょうざぶろう] ……… ③75
土光敏夫[どこうとしお] ……… ③75
⇨鈴木善幸[すずきぜんこう]

ド・ゴール,シャルル ……… ③75
⇨オリオール,バンサン　⇨コティ,ルネ
⇨ジスカール・デスタン,バレリー
⇨ポンピドゥー,ジョルジュ　⇨マルロー,アンドレ
⇨ミッテラン,フランソワ

床次竹二郎[とこなみたけじろう] ……… ③76
戸坂潤[とさかじゅん] ……… ③76
土佐光起[とさみつおき] ……… ③76
土佐光信[とさみつのぶ] ……… ③77
⇨土佐光起[とさみつおき]

トスカニーニ,アルトゥーロ ……… ③77
⇨アンダーソン,マリアン　⇨グローフェ,ファーデ
⇨近衛秀麿[このえひでまろ]
⇨ホロビッツ,ウラディミール
⇨レスピーギ,オットリーノ

トスカネッリ,パオロ・ダル・ポッツォ ……… ③77
⇨コロンブス,クリストファー

ドストエフスキー,フョードル ……… ③77
⇨内田魯庵[うちだろあん]　⇨小泉八雲[こいずみやくも]
⇨セルバンテス,ミゲル・デ　⇨埴谷雄高[はにやゆたか]
⇨広津和郎[ひろつかずお]

杜世忠[とせいちゅう] ……… ③78
戸田茂睡[とだもすい] ……… ③78

ドッジ, ジョセフ・モレル ………………… ③78
ドップラー, ヨハン・クリスティアン ……… ③78
等々力孫一郎 [とどろきまごいちろう] ③79
　⇨中島輪兵衛[なかじまわへえ]
ドナート・ブラマンテ ➡ブラマンテ, ドナート
ドナテッロ ……………………………… ③79
ドナルド・キーン ➡キーン, ドナルド
ドナルド・トゥスク ➡トゥスク, ドナルド
ドナルド・トランプ ➡トランプ, ドナルド
トニー・ブレア ➡ブレア, トニー
ドニゼッティ, ガエターノ ⇨グリンカ, ミハイル
　⇨スコット, ウォルター
ドニ・ディドロ ➡ディドロ, ドニ
利根川進 [とねがわすすむ] ………………… ③79
舎人親王 [とねりしんのう] ………………… ③79
　⇨太安万侶[おおのやすまろ]
　⇨清原夏野[きよはらのなつの]
　⇨元正天皇[げんしょうてんのう]
　⇨淳仁天皇[じゅんにんてんのう]
外崎嘉七 [とのさきかしち] ………………… ③80
鳥羽僧正 [とばそうじょう] ………………… ③80
鳥羽天皇 [とばてんのう] …………………… ③80
　⇨亀山天皇[かめやまてんのう]
　⇨後白河天皇[ごしらかわてんのう]　⇨西行[さいぎょう]
　⇨白河天皇[しらかわてんのう]
　⇨崇徳天皇[すとくてんのう]
　⇨平清盛[たいらのきよもり]
　⇨平忠盛[たいらのただもり]
　⇨鳥羽僧正[とばそうじょう]
　⇨八条院暲子[はちじょういんしょうし]
　⇨藤原隆能[ふじわらのたかよし]
　⇨藤原忠実[ふじわらのただざね]
　⇨藤原忠通[ふじわらのただみち]
　⇨藤原成親[ふじわらのなりちか]
　⇨藤原信頼[ふじわらののぶより]
　⇨藤原通憲[ふじわらのみちのり]
　⇨藤原頼長[ふじわらのよりなが]
ドビュッシー, クロード ……………………… ③80
　⇨冨田勲[とみたいさお]　⇨ベルレーヌ, ポール
　⇨マラルメ, ステファヌ　⇨ムソルグスキー, モデスト
　⇨メーテルリンク, モーリス　⇨ラベル, モーリス
　⇨ワトー, アントワーヌ
ドプチェク, アレクサンデル ………………… ③81
ド・フリース, ユーゴ ………………………… ③81
　⇨メンデル, グレゴール
トペリウス, サカリアス ……………………… ③81
杜甫 [とほ] …………………………………… ③81
　⇨安禄山[あんろくざん]　⇨王維[おうい]
　⇨孟浩然[もうこうねん]　⇨李白[りはく]
ドボルザーク, アントニン …………………… ③81
トマス・アクィナス …………………………… ③82
　⇨ウィリアム・オブ・オッカム
トマス・スタンフォード・ラッフルズ
　➡ラッフルズ, トマス・スタンフォード
トマス・ハーディ ➡ハーディ, トマス
トマス・ペイン ➡ペイン, トマス
トマス・モア ➡モア, トマス
富岡多恵子 [とみおかたえこ] ……………… ③82
富岡鉄斎 [とみおかてっさい] ……………… ③82
　⇨大田垣蓮月[おおたがきれんげつ]
冨田勲 [とみたいさお] ……………………… ③82
富田久三郎 [とみたきゅうざぶろう] ……… ③83
ドミトリー・カバレフスキー ➡カバレフスキー, ドミトリー
ドミトリイ・ショスタコービッチ
　➡ショスタコービッチ, ドミトリイ

ドミトリー・メドベージェフ ➡メドベージェフ, ドミトリー
ドミトリー・メンデレーエフ ➡メンデレーエフ, ドミトリー
富永太郎 [とみながたろう] ⇨小林秀雄[こばやしひでお]
　⇨中原中也[なかはらちゅうや]
富永仲基 [とみながなかもと] ……………… ③83
　⇨中井甃庵[なかいしゅうあん]
ドミニクス …………………………………… ③83
富山和子 [とみやまかずこ] ………………… ③83
留岡幸助 [とめおかこうすけ] ……………… ③84
ドメニコ・スカルラッティ ➡スカルラッティ, ドメニコ
ドメニコ・ドルチェ ➡ドルチェ, ドメニコ
朝永振一郎 [ともながしんいちろう] ……… ③84
　⇨小柴昌俊[こしばまさとし]
　⇨小平邦彦[こだいらくにひこ]
　⇨南部陽一郎[なんぶよういちろう]
　⇨仁科芳雄[にしなよしお]　⇨ファインマン, リチャード
　⇨湯川秀樹[ゆかわひでき]
伴健岑 [とものこわみね] …………………… ③84
　⇨淳和天皇[じゅんなてんのう]
　⇨橘逸勢[たちばなのはやなり]
　⇨恒貞親王[つねさだしんのう]
　⇨文徳天皇[もんとくてんのう]
友野与右衛門 [とものよえもん] …………… ③84
　⇨大庭源之丞[おおばげんのじょう]
伴善男 [とものよしお] ……………………… ③84
　⇨清和天皇[せいわてんのう]
　⇨藤原良房[ふじわらのよしふさ]
　⇨源信[みなもとのまこと]
土門拳 [どもんけん] ………………………… ③85
　⇨熊田千佳慕[くまだちかぼ]
台与 [とよ] ➡壱与[いよ]
豊田喜一郎 [とよだきいちろう] …………… ③85
　⇨豊田佐吉[とよださきち]
豊田佐吉 [とよださきち] …………………… ③85
　⇨豊田喜一郎[とよだきいちろう]
豊臣秀勝 [とよとみひでかつ]　⇨崇源院[すうげんいん]
豊臣秀次 [とよとみひでつぐ] ……………… ③86
　⇨曽呂利新左衛門[そろりしんざえもん]
　⇨豊臣秀吉[とよとみひでよし]
　⇨豊臣秀頼[とよとみひでより]
豊臣秀長 [とよとみひでなが] ……………… ③86
　⇨小堀遠州[こぼりえんしゅう]
　⇨藤堂高虎[とうどうたかとら]
豊臣秀吉 [とよとみひでよし] ……………… ③88
　⇨秋元長朝[あきもとながとも]
　⇨明智光秀[あけちみつひで]
　⇨浅野長政[あさのながまさ]
　⇨足利義昭[あしかがよしあき]
　⇨尼子勝久[あまごかつひさ]
　⇨荒木宗太郎[あらきそうたろう]
　⇨荒木村重[あらきむらしげ]
　⇨有馬晴信[ありまはるのぶ]
　⇨安国寺恵瓊[あんこくじえけい]
　⇨池田輝政[いけだてるまさ]
　⇨石川五右衛門[いしかわごえもん]
　⇨石田三成[いしだみつなり]
　⇨伊東マンショ[いとうマンショ]
　⇨今井宗久[いまいそうきゅう]
　⇨今井宗薫[いまいそうくん]
　⇨上杉景勝[うえすぎかげかつ]
　⇨宇喜多秀家[うきたひでいえ]
　⇨お市の方[おいちのかた]
　⇨正親町天皇[おおぎまちてんのう]
　⇨大友宗麟[おおともそうりん]
　⇨大野治長[おおのはるなが]

　⇨織田有楽斎[おだうらくさい]
　⇨織田信雄[おだのぶかつ]　⇨織田信孝[おだのぶたか]
　⇨織田信長[おだのぶなが]　⇨オルガンチノ
　⇨海北友松[かいほうゆうしょう]
　⇨春日局[かすがのつぼね]
　⇨片桐且元[かたぎりかつもと]
　⇨加藤清正[かとうきよまさ]
　⇨狩野永徳[かのうえいとく]
　⇨狩野山楽[かのうさんらく]
　⇨狩野内膳[かのうないぜん]
　⇨神屋宗湛[かみやそうたん]
　⇨蒲生氏郷[がもううじさと]
　⇨姜沆[カンハン(きょうこう)]
　⇨喜多川歌麿[きたがわうたまろ]
　⇨吉川元春[きっかわもとはる]
　⇨木津勘助[きづかんすけ]　⇨黒田長政[くろだながまさ]
　⇨黒田孝高[くろだよしたか]　⇨顕如[けんにょ]
　⇨高台院[こうだいいん]　⇨後藤寿庵[ごとうじゅあん]
　⇨後藤庄三郎[ごとうしょうさぶろう]
　⇨後藤又兵衛[ごとうまたべえ]
　⇨後藤祐乗[ごとうゆうじょう]
　⇨小西行長[こにしゆきなが]
　⇨小西隆佐[こにしりゅうさ]
　⇨小早川隆景[こばやかわたかかげ]
　⇨小早川秀秋[こばやかわひであき]
　⇨小堀遠州[こぼりえんしゅう]
　⇨後陽成天皇[こうようぜいてんのう]
　⇨斎藤竜興[さいとうたつおき]
　⇨酒井田柿右衛門[さかいだかきえもん]
　⇨真田信之[さなだのぶゆき]
　⇨真田昌幸[さなだまさゆき]
　⇨真田幸村[さなだゆきむら]
　⇨柴田勝家[しばたかついえ]
　⇨島井宗室[しまいそうしつ]
　⇨島津家久[しまづいえひさ]
　⇨島津義久[しまづよしひさ]
　⇨島津義弘[しまづよしひろ]　⇨沈惟敬[しんいけい]
　⇨崇源院[すうげんいん]　⇨末次平蔵[すえつぐへいぞう]
　⇨千利休[せんのりきゅう]　⇨宗義智[そうよしとし]
　⇨曽呂利新左衛門[そろりしんざえもん]
　⇨高三隆達[たかさぶりゅうたつ]
　⇨高山右近[たかやまうこん]
　⇨滝川一益[たきがわかずます]
　⇨竹中半兵衛[たけなかはんべえ]
　⇨伊達政宗[だてまさむね]　⇨田中角栄[たなかかくえい]
　⇨千々石ミゲル[ちぢわー]
　⇨長宗我部元親[ちょうそかべもとちか]
　⇨津田宗及[つだそうぎゅう]
　⇨筒井順慶[つついじゅんけい]
　⇨寺沢広高[てらさわひろたか]　⇨天海[てんかい]
　⇨藤堂高虎[とうどうたかとら]
　⇨徳川家康[とくがわいえやす]
　⇨徳川秀忠[とくがわひでただ]
　⇨豊臣秀次[とよとみひでつぐ]
　⇨豊臣秀長[とよとみひでなが]
　⇨豊臣秀頼[とよとみひでより]
　⇨直江兼続[なおえかねつぐ]
　⇨中井正清[なかいまさきよ]
　⇨中浦ジュリアン[なかうらー]
　⇨長束正家[なつかまさいえ]
　⇨長谷川等伯[はせがわとうはく]
　⇨支倉常長[はせくらつねなが]
　⇨蜂須賀正勝[はちすかまさかつ]
　⇨原マルチノ[はらー]　⇨万暦帝[ばんれきてい]
　⇨福島正則[ふくしままさのり]

五十音順索引

と／な

⇨藤原惺窩［ふじわらせいか］　⇨古田織部［ふるたおりべ］
⇨フロイス, ルイス　⇨北条氏政［ほうじょううじまさ］
⇨細川ガラシャ［ほそかわー］
⇨細川忠興［ほそかわただおき］
⇨細川幽斎［ほそかわゆうさい］
⇨本阿弥光悦［ほんあみこうえつ］
⇨前田玄以［まえだげんい］　⇨前田利家［まえだとしいえ］
⇨孫六兼元［まごろくかねもと］　⇨正宗［まさむね］
⇨増田長盛［ましたながもり］
⇨松永貞徳［まつながていとく］
⇨松前慶広［まつまえよしひろ］
⇨松浦鎮信［まつらしげのぶ］
⇨松浦隆信［まつらたかのぶ］
⇨毛利輝元［もうりてるもと］
⇨安井道頓［やすいどうとん］
⇨山内一豊［やまうちかずとよ］
⇨山中鹿之介［やまなかしかのすけ］　⇨淀殿［よどどの］
⇨淀屋常安［よどやじょうあん］
⇨李参平［りさんぺい（イサムビョン）］
⇨李舜臣［りしゅんしん（イスンシン）］
⇨李如松［りじょしょう］
⇨呂宋助左衛門［るそんすけざえもん］

豊臣秀頼［とよとみひでより］ ‥‥‥‥‥‥‥‥ ③86
⇨今井宗薫［いまいそうくん］
⇨大野治長［おおのはるなが］
⇨織田有楽斎［おだうらくさい］
⇨片桐且元［かたぎりかつもと］
⇨狩野内膳［かのうないぜん］　⇨高台院［こうだいいん］
⇨後藤又兵衛［ごとうまたべえ］
⇨小早川秀秋［こばやかわひであき］
⇨金地院崇伝［こんちいんすうでん］
⇨真田幸村［さなだゆきむら］　⇨千姫［せんひめ］
⇨徳川家康［とくがわいえやす］
⇨豊臣秀次［とよとみひでつぐ］
⇨豊臣秀吉［とよとみひでよし］
⇨前田利家［まえだとしいえ］
⇨増田長盛［ましたながもり］
⇨毛利輝元［もうりてるもと］　⇨淀殿［よどどの］

ドラクロア, ウジェーヌ ‥‥‥‥‥‥‥‥ ③87
⇨サンド, ジョルジュ　⇨ジェリコー, テオドル
⇨スーラ, ジョルジュ　⇨セザンヌ, ポール
⇨ボードレール, シャルル　⇨モロー, ギュスターヴ

ドラコン ‥‥‥‥‥‥‥‥‥‥‥‥‥‥‥ ③87
ドラッカー, ピーター ‥‥‥‥‥‥‥‥‥ ③87
トラバース, パメラ ‥‥‥‥‥‥‥‥‥‥ ③87
トラヤヌス帝［－てい］ ‥‥‥‥‥‥‥‥‥ ③90
⇨タキトゥス, ガイウス・コルネリウス
⇨ネルウァ, マルクス・コッケイウス
⇨ハドリアヌス帝［－てい］

トランプ, ドナルド ‥‥‥‥‥‥‥‥‥‥ ③90
⇨クリントン, ヒラリー　⇨ドゥテルテ, ロドリゴ

鳥居清忠［とりいきよただ］ ‥‥‥‥‥‥‥ ③90
鳥居清長［とりいきよなが］ ‥‥‥‥‥‥‥ ③90
⇨喜多川歌麿［きたがわうたまろ］
⇨鈴木春信［すずきはるのぶ］

鳥井信治郎［とりいしんじろう］ ‥‥‥‥‥ ③90
鳥居龍蔵［とりいりゅうぞう］ ‥‥‥‥‥‥ ③91
トリチェリ, エバンジェリスタ ‥‥‥‥‥ ③91
⇨ガリレイ, ガリレオ

鳥原ツル［とりはらツル］ ‥‥‥‥‥‥‥‥ ③91
止利仏師［とりぶっし］　➡鞍作鳥［くらつくりのとり］
トリボニアヌス ‥‥‥‥‥‥‥‥‥‥‥‥ ③91
⇨ユスティニアヌス帝［－てい］

トリュフォー, フランソワ ‥‥‥‥‥‥‥ ③91
⇨ゴダール, ジャン＝リュック

トルーマン, ハリー ‥‥‥‥‥‥‥‥‥‥ ③92
⇨アインシュタイン, アルバート
⇨マーシャル, ジョージ　⇨マッカーサー, ダグラス

トルーマン・カポーティー　⇨村上春樹［むらかみはるき］
トルストイ, レフ ‥‥‥‥‥‥‥‥‥‥‥ ③92
⇨ゴーリキー, マクシム　⇨島村抱月［しまむらほうげつ］
⇨ディケンズ, チャールズ　⇨徳冨蘆花［とくとみろか］
⇨マルタン・デュ・ガール, ロジェ
⇨武者小路実篤［むしゃのこうじさねあつ］
⇨ロラン, ロマン

ドルチェ, ドメニコ ‥‥‥‥‥‥‥‥‥‥ ③92
⇨ガッバーナ, ステファノ

ドルトン, ジョン ‥‥‥‥‥‥‥‥‥‥‥ ③92
ドレーク, フランシス ‥‥‥‥‥‥‥‥‥ ③93
⇨エリザベス1世［－せい］　⇨ホーキンズ, ジョン

トレビシック, リチャード ‥‥‥‥‥‥‥ ③93
⇨スティーブンソン, ジョージ

ドレフュス, アルフレッド ‥‥‥‥‥‥‥ ③93
⇨フランス, アナトール

ド・レペ, シャルル・ミシェル ‥‥‥‥‥ ③93
トロツキー, レフ ‥‥‥‥‥‥‥‥‥‥‥ ③94
⇨スターリン, ヨシフ
⇨陳独秀［ちんどくしゅう（チェントゥーシウ）］
⇨ブハーリン, ニコライ・イワノビッチ

ドワイト・アイゼンハワー　➡アイゼンハワー, ドワイト
段祺瑞［トワンチールイ］　➡段祺瑞［だんきずい］
曇徴［どんちょう］ ‥‥‥‥‥‥‥‥‥‥‥ ③94

な

ナーガールジュナ　➡竜樹［りゅうじゅ］
ナーナク ‥‥‥‥‥‥‥‥‥‥‥‥‥‥‥ ③95
⇨カビール

ナイチンゲール, フローレンス ‥‥‥‥‥ ③95
⇨津田梅子［つだうめこ］　⇨デュナン, アンリ

ナウマン, エドムント ‥‥‥‥‥‥‥‥‥ ③95
直江兼続［なおえかねつぐ］ ‥‥‥‥‥‥‥ ③96
⇨最上義光［もがみよしあき］

直木三十五［なおきさんじゅうご］ ‥‥‥‥ ③96
直良信夫［なおらのぶお］ ‥‥‥‥‥‥‥‥ ③96
永井いと［ながいいと］ ‥‥‥‥‥‥‥‥‥ ③96
永井荷風［ながいかふう］ ‥‥‥‥‥‥‥‥ ③97
⇨谷崎潤一郎［たにざきじゅんいちろう］

中井甃庵［なかいしゅうあん］ ‥‥‥‥‥‥ ③97
⇨中井竹山［なかいちくざん］

永井隆［ながいたかし］ ‥‥‥‥‥‥‥‥‥ ③97
中井竹山［なかいちくざん］ ‥‥‥‥‥‥‥ ③97
⇨中井甃庵［なかいしゅうあん］
⇨山片蟠桃［やまがたばんとう］

永井尚志［ながいなおゆき］ ‥‥‥‥‥‥‥ ③98
中井正清［なかいまさきよ］ ‥‥‥‥‥‥‥ ③98
中井履軒［なかいりけん］　⇨中井甃庵［なかいしゅうあん］
⇨中井竹山［なかいちくざん］
⇨三浦梅園［みうらばいえん］
⇨山片蟠桃［やまがたばんとう］

中浦ジュリアン［なかうらー］ ‥‥‥‥‥‥ ③98
⇨有馬晴信［ありまはるのぶ］　⇨伊東マンショ［いとうー］
⇨大友宗麟［おおともそうりん］　⇨原マルチノ［はらー］

中江兆民［なかえちょうみん］ ‥‥‥‥‥‥ ③99
⇨幸徳秋水［こうとくしゅうすい］
⇨西園寺公望［さいおんじきんもち］　⇨原敬［はらたかし］
⇨ビゴー, ジョルジュ

中江藤樹［なかえとうじゅ］ ‥‥‥‥‥‥‥ ③99

⇨熊沢蕃山［くまざわばんざん］
中岡慎太郎［なかおかしんたろう］ ‥‥‥‥ ③100
⇨坂本龍馬［さかもとりょうま］

長岡半太郎［ながおかはんたろう］ ‥‥‥‥ ③100
長尾四郎右衛門［ながおしろうえもん］ ‥‥ ③100
中上健次［なかがみけんじ］ ‥‥‥‥‥‥‥ ③100
⇨重松清［しげまつきよし］

中川一政［なかがわかずまさ］ ‥‥‥‥‥‥ ③101
中川金治［なかがわきんじ］ ‥‥‥‥‥‥‥ ③101
中川源吾［なかがわげんご］ ‥‥‥‥‥‥‥ ③101
中川淳庵［なかがわじゅんあん］
⇨杉田玄白［すぎたげんぱく］
⇨ツンベルグ, カール　⇨前野良沢［まえのりょうたく］

中川李枝子［なかがわりえこ］ ‥‥‥‥‥‥ ③101
中勘助［なかかんすけ］ ‥‥‥‥‥‥‥‥‥ ③101
長崎源之助［ながさきげんのすけ］ ‥‥‥‥ ③102
⇨いぬいとみこ

長崎高資［ながさきたかすけ］ ‥‥‥‥‥‥ ③102
⇨北条高時［ほうじょうたかとき］

中里介山［なかざとかいざん］ ‥‥‥‥‥‥ ③102
中沢道二［なかざわどうに］ ‥‥‥‥‥‥‥ ③102
⇨手島堵庵［てじまとあん］

中島敦［なかじまあつし］ ‥‥‥‥‥‥‥‥ ③103
永島安竜［ながしまあんりゅう］ ‥‥‥‥‥ ③103
長嶋茂雄［ながしましげお］ ‥‥‥‥‥‥‥ ③103
⇨王貞治［おうさだはる］
⇨川上哲治［かわかみてつはる］
⇨松井秀喜［まついひでき］

中島湘烟［なかじましょうえん］　➡岸田俊子［きしだとしこ］
中島知久平［なかじまちくへい］ ‥‥‥‥‥ ③103
中島藤右衛門［なかじまとうえもん］ ‥‥‥ ③104
中島信行［なかじまのぶゆき］ ‥‥‥‥‥‥ ③104
⇨岸田俊子［きしだとしこ］

中島林蔵［なかじまりんぞう］ ‥‥‥‥‥‥ ③104
中島輪兵衛［なかじまわへえ］ ‥‥‥‥‥‥ ③104
⇨等々力孫一郎［とどろきまごいちろう］

中條政恒［なかじょうまさつね］ ‥‥‥‥‥ ③104
⇨ファン・ドールン, コルネリス

中甚兵衛［なかじんべえ］ ‥‥‥‥‥‥‥‥ ③105
中曽根康弘［なかそねやすひろ］ ‥‥‥‥‥ ③105
⇨海部俊樹［かいふとしき］
⇨橋本龍太郎［はしもとりゅうたろう］
⇨羽田孜［はたつとむ］

中田章［なかだあきら］ ‥‥‥‥‥‥‥‥‥ ③105
⇨中田喜直［なかだよしなお］
⇨吉丸一昌［よしまるかずまさ］

永田鉄山［ながたてつざん］ ‥‥‥‥‥‥‥ ③105
⇨相沢三郎［あいざわさぶろう］
⇨東条英機［とうじょうひでき］
⇨林銑十郎［はやしせんじゅうろう］

永田茂衛門［ながたもえもん］ ‥‥‥‥‥‥ ③106
⇨望月恒隆［もちづきつねたか］

中田喜直［なかだよしなお］ ‥‥‥‥‥‥‥ ③106
⇨江間章子［えましょうこ］　⇨大中恩［おおなかめぐみ］
⇨中田章［なかだあきら］

長塚節［ながつかたかし］ ‥‥‥‥‥‥‥‥ ③106
中臣鎌足［なかとみのかまたり］
　➡藤原鎌足［ふじわらのかまたり］
中西悟堂［なかにしごどう］ ‥‥‥‥‥‥‥ ③106
⇨山階芳麿［やましなよしまろ］

なかにし礼［なかにしれい］ ‥‥‥‥‥‥‥ ③107
中大兄皇子［なかのおおえのおうじ］
　➡天智天皇［てんじてんのう］
中野重治［なかのしげはる］ ‥‥‥‥‥‥‥ ③107
⇨佐多稲子［さたいねこ］　⇨堀辰雄［ほりたつお］

中野友礼 [なかのとものり] ……… ③107
中浜万次郎 [なかはままんじろう]
　➡ジョン万次郎 [−まんじろう]
中原菊次郎 [なかはらきくじろう] ……… ③108
中原中也 [なかはらちゅうや] ……… ③108
　⇨大岡昇平 [おおおかしょうへい]
　⇨小林秀雄 [こばやしひでお]
中原悌二郎 [なかはらていじろう] ……… ③108
中原誠 [なかはらまこと] ……… ③108
中上川彦次郎 [なかみがわひこじろう] ……… ③109
　⇨池田成彬 [いけだしげあき]
　⇨藤原銀次郎 [ふじわらぎんじろう]
長光 [ながみつ]　➡長船長光 [おさふねながみつ]
中村雨紅 [なかむらうこう] ……… ③109
　⇨草川信 [くさかわしん]
中村歌右衛門 [なかむらうたえもん] ……… ③109
中村勘三郎 [なかむらかんざぶろう] ……… ③109
　⇨中村吉右衛門 [なかむらきちえもん]
中村吉右衛門 [なかむらきちえもん] ……… ③109
　⇨尾上菊五郎 [おのえきくごろう]
　⇨松本白鸚 [まつもとはくおう]
中村草田男 [なかむらくさたお] ……… ③110
　⇨石田波郷 [いしだはきょう]
　⇨加藤楸邨 [かとうしゅうそん]
中村雀右衛門 [なかむらじゃくえもん] ……… ③110
中村修二 [なかむらしゅうじ] ……… ③110
　⇨赤﨑勇 [あかさきいさむ]　⇨天野浩 [あまのひろし]
中村真一郎 [なかむらしんいちろう] ……… ③110
　⇨加藤周一 [かとうしゅういち]
　⇨福永武彦 [ふくながたけひこ]
中村善右衛門 [なかむらぜんえもん] ……… ③111
中村彝 [なかむらつね] ……… ③111
　⇨相馬黒光 [そうまこっこう]
　⇨中原悌二郎 [なかはらていじろう]
中村汀女 [なかむらていじょ] ……… ③111
中村直三 [なかむらなおぞう] ……… ③111
中村元 [なかむらはじめ] ……… ③111
中村八大 [なかむらはちだい] ……… ③112
　⇨永六輔 [えいろくすけ]
中村正直 [なかむらまさなお] ……… ③112
中村林助 [なかむらりんすけ] ……… ③112
中谷宇吉郎 [なかやうきちろう] ……… ③112
長屋王 [ながやおう] ……… ③113
　⇨元正天皇 [げんしょうてんのう]
　⇨光明皇后 [こうみょうこうごう]
　⇨聖武天皇 [しょうむてんのう]
　⇨高市皇子 [たけちのおうじ]
　⇨舎人親王 [とねりしんのう]
　⇨藤原宇合 [ふじわらのうまかい]
　⇨藤原房前 [ふじわらのふささき]
　⇨藤原宮子 [ふじわらのみやこ]
　⇨藤原武智麻呂 [ふじわらのむちまろ]
中山久蔵 [なかやまきゅうぞう] ……… ③113
中山晋平 [なかやましんぺい] ……… ③114
　⇨野口雨情 [のぐちうじょう]
中山忠親 [なかやまただちか] ……… ③114
中山忠光 [なかやまただみつ] ……… ③114
中山みき [なかやまみき] ……… ③114
仲村渠致元 [なかんだかりちげん] ……… ③115
ナギブ, ムハンマド ……… ③115
　⇨ナセル, ガマル・アブドゥール
ナサニエル・ホーソーン　➡ホーソーン, ナサニエル
ナジ・イムレ ……… ③115
梨木香歩 [なしきかほ] ……… ③115
那須与一 [なすのよいち] ……… ③115

那須正幹 [なすまさもと] ……… ③116
　⇨川村たかし [かわむらたかし]
　⇨前川かずお [まえかわかずお]
ナセル, ガマル・アブドゥール ……… ③116
　⇨カダフィ, ムアマル　⇨サダト, アンワル
　⇨ナギブ, ムハンマド
長束正家 [なつかまさいえ] ……… ③116
　⇨豊臣秀吉 [とよとみひでよし]
　⇨増田長盛 [ましたながもり]
ナッシュ, ジョン ……… ③116
夏目漱石 [なつめそうせき] ……… ③117
　⇨芥川龍之介 [あくたがわりゅうのすけ]
　⇨阿部次郎 [あべじろう]　⇨池田菊苗 [いけだきくなえ]
　⇨石川淳 [いしかわじゅん]　⇨岩波茂雄 [いわなみしげお]
　⇨岩野泡鳴 [いわのほうめい]
　⇨内田百間 [うちだひゃっけん]
　⇨大塚楠緒子 [おおつかくすおこ]
　⇨久米正雄 [くめまさお]　⇨ケーベル, ラファエル
　⇨小宮豊隆 [こみやとよたか]
　⇨坂本繁二郎 [さかもとはんじろう]
　⇨鈴木三重吉 [すずきみえきち]
　⇨高浜虚子 [たかはまきょし]
　⇨寺田寅彦 [てらだとらひこ]　⇨中勘助 [なかかんすけ]
　⇨長塚節 [ながつかたかし]
　⇨野上弥生子 [のがみやえこ]　⇨ホイットマン, ウォルト
　⇨正岡子規 [まさおかしき]
ナブラチロワ, マルチナ ……… ③118
鍋島直正 [なべしまなおまさ] ……… ③118
鍋山貞親 [なべやままさちか] ……… ③118
　⇨佐野学 [さのまなぶ]
ナポレオン1世 [−せい] ……… ③120
　⇨アレクサンドル1世 [−せい]　⇨イダルゴ, ミゲル
　⇨ウィルヘルム1世 [−せい]
　⇨ウェリントン, アーサー・ウェルズリー
　⇨クラウゼヴィッツ, カール・フォン
　⇨グリム兄弟 [−きょうだい]
　⇨ゴヤ, フランシスコ・ホセ・デ　⇨コント, オーギュスト
　⇨サビニー, フリードリヒ・カール・フォン
　⇨サン・マルティン, ホセ・デ
　⇨シェイエス, エマニュエル・ジョゼフ
　⇨シャルル10世 [−せい]
　⇨シャンポリオン, ジャン・フランソワ
　⇨シュタイン, カール　⇨ジョゼフィーヌ, マリー・ローズ
　⇨スタンダール　⇨ダビッド, ジャック・ルイ
　⇨タレーラン, シャルル・モーリス・ド
　⇨デュマ, アレクサンドル
　⇨トゥサン・ルベルチュール　⇨ナポレオン3世 [−せい]
　⇨ネルソン, ホレーショ
　⇨ハルデンベルク, カール・アウグスト
　⇨ピット, ウィリアム　⇨フィヒテ, ヨハン・ゴットリープ
　⇨フーリエ, ジャン・バプティスト　⇨ブラン, ルイ
　⇨フルトン, ロバート
　⇨ベートーベン, ルートウィヒ・ファン
　⇨ベルナルダン・ド・サン＝ピエール, ジャック＝アンリ
　⇨ムハンマド・アリー　⇨メッテルニヒ, クレメンス
　⇨モンロー, ジェームス　⇨ユーグ・カペー
　⇨ユゴー, ビクトール　⇨ルイ18世 [−せい]
　⇨ルイ＝フィリップ
　⇨レセップス, フェルディナン・マリー・ド
ナポレオン3世 [−せい] ……… ③119
　⇨ヴィトン, ルイ　⇨エルメス, ティエリー
　⇨オスマン, ジョルジュ＝ユージェーヌ
　⇨カブール, カミーロ・ベンソ
　⇨カルティエ, ルイ＝フランソワ　⇨ゴーガン, ポール
　⇨ジョゼフィーヌ, マリー・ローズ

　⇨ティエール, アドルフ　⇨デュナン, アンリ
　⇨徳川昭武 [とくがわあきたけ]
　⇨ビットーリオ・エマヌエーレ2世 [−せい]
　⇨フアレス, ベニト　⇨マクシミリアン, フェルディナンド
　⇨ユゴー, ビクトール
並木路子 [なみきみちこ] ……… ③119
行方久兵衛 [なめかたきゅうべえ] ……… ③119
納屋助左衛門 [なやすけざえもん]
　➡呂宋助左衛門 [るそんすけざえもん]
奈良屋茂左衛門 [ならやもざえもん] ……… ③122
成田為三 [なりたためぞう] ……… ③122
　⇨草川信 [くさかわしん]
成富兵庫茂安 [なりとみひょうごしげやす] ……… ③122
成瀬仁蔵 [なるせじんぞう] ……… ③122
　⇨広岡浅子 [ひろおかあさこ]
徳仁親王(皇太子) [なるひとしんのう(こうたいし)]
　……… ③122
　⇨明仁(今上天皇) [あきひと(きんじょうてんのう)]
名和長年 [なわながとし] ……… ③123
　⇨後醍醐天皇 [ごだいごてんのう]
南懐仁 [なんかいじん]　➡フェルビースト, フェルディナント
ナンセン, フリチョフ ……… ③123
　⇨アムンゼン, ロアルド
楠藤吉左衛門 [なんとうきちざえもん] ……… ③123
難波大助 [なんばだいすけ] ……… ③123
　⇨正力松太郎 [しょうりきまつたろう]
　⇨平沼騏一郎 [ひらぬまきいちろう]
南部陽一郎 [なんぶよういちろう] ……… ③124

に

新島襄 [にいじまじょう] ……… ③124
　⇨安部磯雄 [あべいそお]
　⇨海老名弾正 [えびなだんじょう]
　⇨小崎弘道 [こざきひろみち]
　⇨留岡幸助 [とめおかこうすけ]
　⇨山室軍平 [やまむろぐんぺい]
新島八重 [にいじまやえ]　⇨新島襄 [にいじまじょう]
仁井田一郎 [にいたいちろう] ……… ③125
ニーチェ, フリードリヒ ……… ③125
　⇨ウィルソン, コリン　⇨キリコ, ジョルジョ・デ
　⇨ショーペンハウアー, アルトゥール
　⇨高山樗牛 [たかやまちょぎゅう]
　⇨竹山道雄 [たけやまみちお]
　⇨和辻哲郎 [わつじてつろう]
新美南吉 [にいみなんきち] ……… ③125
　⇨鈴木三重吉 [すずきみえきち]
　⇨巽聖歌 [たつみせいか]
ニール・アームストロング　➡アームストロング, ニール
ニールス・ボーア　➡ボーア, ニールス
ニキータ・フルシチョフ　➡フルシチョフ, ニキータ
ニクソン, リチャード ……… ③125
　⇨キッシンジャー, ヘンリー
　⇨ケネディ, ジョン・フィッツジェラルド
　⇨フォード, ジェラルド・ルドルフ
ニクラウス, ジャック ……… ③126
ニコライ1世 [−せい] ……… ③126
　⇨アレクサンドル2世 [−せい]
　⇨クロポトキン, ピョートル　⇨コシュート・ラヨシュ
　⇨バクーニン, ミハイル
　⇨ムラビヨフ・アムールスキー, ニコライ
ニコライ2世 [−せい] ……… ③126
　⇨青木周蔵 [あおきしゅうぞう]　⇨ガポン, ゲオルギー

337

五十音順索引　に／ぬ／ね／の

⇨児島惟謙[こじまいけん]　⇨ストルイピン,ピョートル
⇨津田三蔵[つださんぞう]
⇨ラスプーチン,グレゴリー
ニコライ・イワノビッチ・ブハーリン
　➡ブハーリン,ニコライ・イワノビッチ
ニコライ・ゴーゴリ　➡ゴーゴリ,ニコライ
ニコライ・ムラビヨフ・アムールスキー
　➡ムラビヨフ・アムールスキー,ニコライ
ニコライ・リムスキー＝コルサコフ
　➡リムスキー＝コルサコフ,ニコライ
ニコライ・レザノフ　➡レザノフ,ニコライ
ニコラウス・オットー　➡オットー,ニコラウス
ニコラウス・コペルニクス　➡コペルニクス,ニコラウス
ニコラエ・チャウシェスク　➡チャウシェスク,ニコラエ
ニコラ・サッコ　➡サッコ,ニコラ
ニコラ・サルコジ　➡サルコジ,ニコラ
ニコラ・ジョセフ・キュニョー
　➡キュニョー,ニコラ・ジョセフ
ニコラ・テスラ　➡テスラ,ニコラ
ニコロ・パガニーニ　➡パガニーニ,ニコロ
ニコロ・マキアベリ　➡マキアベリ,ニコロ
ニザーム・アルムルク ……………… ③126
　⇨オマル・ハイヤーム
西周[にしあまね] …………………… ③127
　⇨津田真道[つだまみち]　⇨西村茂樹[にしむらしげき]
西尾末広[にしおすえひろ] ………… ③127
　⇨鈴木茂三郎[すずきもさぶろう]
西川如見[にしかわじょけん] ……… ③127
　⇨ジャガタラお春[-おはる]
西川光二郎[にしかわみつじろう] … ③127
西嶋八兵衛[にしじまはちべえ] …… ③128
西田幾多郎[にしだきたろう] ……… ③128
　⇨倉田百三[くらたひゃくぞう]　⇨田辺元[たなべはじめ]
　⇨ベーコン,フランシス　⇨三木清[みききよし]
西田税[にしだみつぎ] ……………… ③128
　⇨北一輝[きたいっき]
仁科芳雄[にしなよしお] …………… ③128
　⇨朝永振一郎[ともながしんいちろう]
　⇨ボーア,ニールス
西野恵荘[にしのえしょう] ………… ③129
西原亀三[にしはらかめぞう] ……… ③129
西村茂樹[にしむらしげき] ………… ③129
西村彦左衛門[にしむらひこざえもん] … ③129
西本鶏介[にしもとけいすけ] ……… ③130
西山宗因[にしやまそういん] ……… ③130
　⇨井原西鶴[いはらさいかく]
　⇨柄井川柳[からいせんりゅう]
　⇨松尾芭蕉[まつおばしょう]
二条天皇[にじょうてんのう] ……… ③130
　⇨後白河天皇[ごしらかわてんのう]
　⇨崇徳天皇[すとくてんのう]
　⇨八条院暲子[はちじょういんしょうし]
　⇨源義朝[みなもとのよしとも]
二条良基[にじょうよしもと] ……… ③130
　⇨一条兼良[いちじょうかねよし]　⇨世阿弥[ぜあみ]
ニジンスキー,バツラフ …………… ③131
　⇨パブロワ,アンナ
日蓮[にちれん] ……………………… ③131
　⇨最澄[さいちょう]　⇨平頼綱[たいらのよりつな]
日親[にっしん] ……………………… ③131
新田次郎[にったじろう] …………… ③132
　⇨丹羽文雄[にわふみお]　⇨野中到[のなかいたる]
新田義貞[にったよしさだ] ………… ③132
　⇨赤松則村[あかまつのりむら]
　⇨足利尊氏[あしかがたかうじ]

⇨足利義詮[あしかがよしあきら]
⇨楠木正成[くすのきまさしげ]　⇨高師泰[こうのもろやす]
⇨後醍醐天皇[ごだいごてんのう]
⇨高山彦九郎[たかやまひこくろう]
⇨長崎高資[ながさきたかすけ]
⇨北条高時[ほうじょうたかとき]
⇨北条守時[ほうじょうもりとき]
新渡戸稲造[にとべいなぞう] ……… ③132
　⇨赤木正雄[あかぎまさお]　⇨クラーク,ウィリアム
　⇨新渡戸傳[にとべつとう]　⇨森戸辰男[もりとたつお]
　⇨矢内原忠雄[やないはらただお]
新渡戸傳[にとべつとう] …………… ③133
　⇨美濃部亮吉[みのべりょうきち]
蜷川幸雄[にながわゆきお] ………… ③133
　⇨イシグロ,カズオ
二宮尊徳[にのみやそんとく] ……… ③134
　⇨江川太郎左衛門[えがわたろうざえもん]
　⇨大友亀太郎[おおどもかめたろう]
二宮忠八[にのみやちゅうはち] …… ③134
ニューコメン,トーマス …………… ③135
ニュートン,アイザック …………… ③135
　⇨カント,インマヌエル　⇨ケプラー,ヨハネス
　⇨志筑忠雄[しづきただお]　⇨セルシウス,アンダース
　⇨ハレー,エドマンド　⇨ビュフォン,ジョルジュ＝ルイ
　⇨フーリエ,シャルル　⇨フック,ロバート
　⇨ライプニッツ,ゴットフリート
丹羽文雄[にわふみお] ……………… ③135
丹羽保次郎[にわやすじろう] ……… ③135
忍性[にんしょう] …………………… ③136
　⇨叡尊[えいぞん]
仁徳天皇[にんとくてんのう] ……… ③136
　⇨阿知使主[あちのおみ]
　⇨允恭天皇[いんぎょうてんのう]
　⇨応神天皇[おうじんてんのう]
　⇨反正天皇[はんぜいてんのう]
　⇨武烈天皇[ぶれつてんのう]
　⇨履中天皇[りちゅうてんのう]
仁明天皇[にんみょうてんのう] …… ③137
　⇨清原夏野[きよはらのなつの]　⇨空也[くうや]
　⇨光孝天皇[こうこうてんのう]
　⇨淳和天皇[じゅんなてんのう]
　⇨清和天皇[せいわてんのう]
　⇨恒貞親王[つねさだしんのう]
　⇨伴健岑[とものこわみね]　⇨伴善男[とものよしお]
　⇨中山忠親[なかやまただちか]
　⇨藤原冬嗣[ふじわらのふゆつぐ]
　⇨藤原良房[ふじわらのよしふさ]　⇨遍昭[へんじょう]
　⇨文徳天皇[もんとくてんのう]

ぬ

額田王[ぬかたのおおきみ] ………… ③137
額田部皇女[ぬかたべのおうじょ]
　➡推古天皇[すいこてんのう]
沼波弄山[ぬなみろうざん] ………… ③137
沼沢伊勢[ぬまざわいせ] …………… ③138
ヌルハチ ……………………………… ③138
　⇨ホンタイジ

ね

ネ・ウィン …………………………… ③139
ネーピア,ジョン …………………… ③139
　⇨ステビン,シモン
根岸英一[ねぎしえいいち] ………… ③139
ねじめ正一[ねじめしょういち] …… ③139
ネストリウス ………………………… ③139
根津嘉一郎[ねづかいちろう] ……… ③140
ネッケル,ジャック ………………… ③140
　⇨ルイ16世[-せい]
ネビル・チェンバレン　➡チェンバレン,ネビル
ネフェルティティ …………………… ③140
　⇨アメンホテプ4世[-せい]
ネブカドネザル2世[-せい] ………… ③140
ネルー,ジャワハルラール ………… ③140
　⇨ガンディー,インディラ　⇨ガンディー,ラジブ
ネルウァ,マルクス・コッケイウス … ③141
　⇨トラヤヌス帝[-てい]
ネルソン,ホレーショ ……………… ③141
　⇨東郷平八郎[とうごうへいはちろう]
ネルソン・マンデラ　➡マンデラ,ネルソン
ネロ・クラウディウス・カエサル … ③141
　⇨シェンキェビッチ,ヘンリク
　⇨セネカ,ルキウス・アンナエウス　⇨パウロ
　⇨プリニウス　⇨ペテロ

の

野網和三郎[のあみわさぶろう] …… ③142
野井倉甚兵衛[のいくらじんべえ] … ③142
ノイマン,ジョン・フォン ………… ③143
能因[のういん] ……………………… ③143
ノーア・ウェブスター　➡ウェブスター,ノーア
ノートン,メアリー ………………… ③143
ノーバート・ウィーナー　➡ウィーナー,ノーバート
ノーベル,アルフレッド …………… ③143
ノーマン・メイラー　➡メイラー,ノーマン
ノーラン・ライアン　➡ライアン,ノーラン
野上弥生子[のがみやえこ] ………… ③144
乃木希典[のぎまれすけ] …………… ③144
　⇨桐生悠々[きりゅうゆうゆう]
　⇨昭和天皇[しょうわてんのう]
　⇨東郷平八郎[とうごうへいはちろう]
ノグチ,イサム ……………………… ③145
野口雨情[のぐちうじょう] ………… ③145
　⇨新川和江[しんかわかずえ]
　⇨相馬御風[そうまぎょふう]
　⇨中村雨紅[なかむらうこう]
　⇨中山晋平[なかやましんぺい]
　⇨三木露風[みきろふう]
野口遵[のぐちしたがう] …………… ③145
　⇨森矗昶[もりのぶてる]
野口聡一[のぐちそういち] ………… ③145
野口英世[のぐちひでよ] …………… ③146
　⇨北里柴三郎[きたさとしばさぶろう]
野國總管[のぐにそうかん] ………… ③146
　⇨儀間真常[ぎましんじょう]
野坂昭如[のさかあきゆき] ………… ③146
野坂参三[のさかさんぞう] ………… ③147
野沢凡兆[のざわぼんちょう]　➡凡兆[ぼんちょう]

ノストラダムス ………………………… ③147
野田佳彦 [のだよしひこ] ……………… ③147
盧泰愚 [ノテウ] ………………………… ③147
　⇨金泳三 [キムヨンサム]
野中到 [のなかいたる] ………………… ③148
野中金右衛門 [のなかきんえもん] …… ③148
野中兼山 [のなかけんざん] …………… ③148
　⇨一木権兵衛 [いちきごんべえ]　⇨谷時中 [たにじちゅう]
　⇨南村梅軒 [みなみむらばいけん]
　⇨山崎闇斎 [やまざきあんさい]
野々村仁清 [ののむらにんせい] ……… ③148
　⇨尾形乾山 [おがたけんざん]
ノバーリス ……………………………… ③149
　⇨保田与重郎 [やすだよじゅうろう]
野間宏 [のまひろし] …………………… ③149
盧武鉉 [ノムヒョン] …………………… ③149
　⇨潘基文 [パンギムン]
野村吉三郎 [のむらきちさぶろう] …… ③149
　⇨来栖三郎 [くるすさぶろう]
　⇨寺崎英成 [てらさきひでなり]
野村忠宏 [のむらただひろ] …………… ③150
野村万作 [のむらまんさく] …………… ③150
野村望東尼 [のむらぼとに] …………… ③150
　⇨大田垣蓮月 [おおたがきれんげつ]
野茂英雄 [のもひでお] ………………… ③150
野依良治 [のよりりょうじ] …………… ③150
ノルマンディー公ウィリアム [ーこうー] ③151
野呂栄太郎 [のろえいたろう] ………… ③151
野呂元丈 [のろげんじょう] …………… ③151
　⇨青木昆陽 [あおきこんよう]
　⇨稲生若水 [いのうじゃくすい]
ノロドム・シハヌーク　➡シハヌーク, ノロドム
野呂理左衛門 [のろりざえもん] ……… ③151

は

パーカー, チャーリー …………………… ③152
　⇨デイビス, マイルス
パークス, ハリー ………………………… ③152
　⇨サトウ, アーネスト　⇨ロッシュ, レオン
パークス, ローザ ………………………… ③153
バーグマン, イングリッド ……………… ③153
　⇨フェラガモ, サルバトーレ
ハーグリーブス, ジェームズ …………… ③153
　⇨クロンプトン, サミュエル
パーシー・ビッシュ・シェリー
　➡シェリー, パーシー・ビッシュ
バージェス, ウィリアム　⇨コンドル, ジョサイア
　⇨辰野金吾 [たつのきんご]
ハーシェル, ウィリアム ………………… ③153
バージニア・ウルフ　➡ウルフ, バージニア
バージニア・リー・バートン　➡バートン, バージニア・リー
ハースト, ウィリアム・ランドルフ …… ③154
バーツラフ・ハベル　➡ハベル, バーツラフ
ハーディ, トマス ………………………… ③154
ハーディング, ウォレン ………………… ③154
　⇨クーリッジ, カルビン　➡フーバー, ハーバート
バード, イザベラ ………………………… ③154
バートランド・ラッセル　➡ラッセル, バートランド
バートン, バージニア・リー …………… ③154
バーナード・ショー　➡ショー, バーナード
バーナード・リーチ　➡リーチ, バーナード
バーナビー・ロス　➡クイーン, エラリー

バーネット, フランシス・ホジソン …… ③155
　⇨若松賤子 [わかまつしずこ]
ハーバート・ジョージ・ウェルズ
　➡ウェルズ, ハーバート・ジョージ
ハーバート・スペンサー　➡スペンサー, ハーバート
ハーバート・フーバー　➡フーバー, ハーバート
バーバリー, トーマス …………………… ③155
バーバンク, ルーサー …………………… ③155
バーブ　➡サイイド・アリー・ムハンマド
バーブル ………………………………… ③155
　⇨アクバル
ハーベー, ウィリアム …………………… ③155
パーマー, ヘンリー ……………………… ③156
ハーマン・メルビル　➡メルビル, ハーマン
ハールーン・アッラシード ……………… ③156
　⇨マームーン
バール・ガンガダール・ティラク ……… ③156
パール・バック　➡バック, パール
ハーン, ラフカディオ　➡小泉八雲 [こいずみやくも]
バーンスタイン, レナード ……………… ③156
　⇨小澤征爾 [おざわせいじ]
裴世清 [はいせいせい] ………………… ③157
　⇨小野妹子 [おののいもこ]
　⇨聖徳太子 [しょうとくたいし]　⇨煬帝 [ようだい]
ハイゼンベルク, ウェルナー …………… ③157
　⇨朝永振一郎 [ともながしんいちろう]
　⇨ボーア, ニールス
灰谷健次郎 [はいたにけんじろう] …… ③157
ハイデッガー, マルティン ……………… ③157
　⇨キルケゴール, セーレン　⇨フッサール, エドムント
　⇨三木清 [みききよし]　⇨ヤスパース, カール
ハイドゥ ………………………………… ③158
　⇨フビライ・ハン
ハイドン, フランツ・ヨーゼフ ………… ③158
　⇨ウェーバー, カール・マリア・フォン
　⇨ベートーベン, ルートウィヒ・ファン
　⇨モーツァルト, ウォルフガング・アマデウス
ハイネ, ハインリヒ ……………………… ③158
　⇨シューベルト, フランツ　⇨ジルヒャー, フリードリヒ
バイバルス ……………………………… ③158
ハイレ・セラシエ ………………………… ③158
バイロン, ジョージ ……………………… ③159
　⇨シェリー, パーシー・ビッシュ
　⇨フローベール, ギュスターブ
ハインライン, ロバート・アンソン …… ③159
　⇨クラーク, アーサー・チャールズ
ハインリヒ4世 [ーせい] ……………… ③159
　⇨ウルバヌス2世 [ーせい]
ハインリヒ・シュリーマン　➡シュリーマン, ハインリヒ
ハインリヒ・ハイネ　➡ハイネ, ハインリヒ
ハインリヒ・ヒムラー　➡ヒムラー, ハインリヒ
ハインリヒ・ルドルフ・ヘルツ
　➡ヘルツ, ハインリヒ・ルドルフ
ハウ, エリアス …………………………… ③159
ハウフ, ウィルヘルム …………………… ③160
ハウプトマン, ゲルハルト ……………… ③160
パウル・エールリヒ　➡エールリヒ, パウル
パウル・クレー　➡クレー, パウル
パウル・フォン・ヒンデンブルク
　➡ヒンデンブルク, パウル・フォン
パウロ …………………………………… ③160
馬英九 [ばえいきゅう(マーインチウ)] … ③160
バオダイ ………………………………… ③160
　⇨ゴ・ディン・ジェム
パオロ・ダル・ポッツォ・トスカネッリ

　➡トスカネッリ, パオロ・ダル・ポッツォ
パガニーニ, ニコロ ……………………… ③161
　⇨サラサーテ, パブロ・デ　⇨シューマン, ロベルト
　⇨リスト, フランツ
萩尾望都 [はぎおもと] ………………… ③161
　⇨竹宮惠子 [たけみやけいこ]
萩原朔太郎 [はぎわらさくたろう] …… ③161
　⇨伊東静雄 [いとうしずお]　⇨菊田一夫 [きくたかずお]
　⇨三好達治 [みよしたつじ]
　⇨室生犀星 [むろうさいせい]
　⇨山村暮鳥 [やまむらぼちょう]
萩原タケ [はぎわらー] ………………… ③161
バクーニン, ミハイル …………………… ③162
　⇨マッツィーニ, ジュゼッペ
白居易 [はくきょい] …………………… ③162
　⇨韓愈 [かんゆ]　⇨玄宗 [げんそう]　⇨杜甫 [とほ]
　⇨紫式部 [むらさきしきぶ]　⇨楊貴妃 [ようきひ]
朴槿恵 [パククネ] ……………………… ③162
　⇨李明博 [イミョンバク]
朴正熙 [パクチョンヒ(ぼくせいき)] … ③162
　⇨金大中 [キムデジュン(きんだいちゅう)]
　⇨金泳三 [キムヨンサム]
　⇨崔圭夏 [チェギュハ(さいけいか)]
　⇨全斗煥 [チョンドファン(ぜんとかん)]　⇨盧泰愚 [ノテウ]
　⇨朴槿恵 [パククネ]　⇨尹潽善 [ユンボソン(いんふぜん)]
朴烈 [パクヨル(ぼくれつ)] …………… ③163
朴泳孝 [パクヨンヒョ]　➡朴泳孝 [ぼくえいこう]
白楽天 [はくらくてん]　➡白居易 [はくきょい]
羽柴秀長 [はしばひでなが]　➡豊臣秀長 [とよとみひでなが]
羽柴秀吉 [はしばひでよし]　➡豊臣秀吉 [とよとみひでよし]
橋本雅邦 [はしもとがほう] …………… ③163
　⇨大塚楠緒子 [おおつかくすおこ]
　⇨岡倉天心 [おかくらてんしん]
　⇨狩野芳崖 [かのうほうがい]
　⇨川合玉堂 [かわいぎょくどう]
　⇨下村観山 [しもむらかんざん]
　⇨菱田春草 [ひしだしゅんそう]
　⇨フェノロサ, アーネスト
　⇨松岡映丘 [まつおかえいきゅう]
　⇨横山大観 [よこやまたいかん]
橋本欣五郎 [はしもときんごろう] …… ③163
　⇨宇垣一成 [うがきかずしげ]
　⇨小磯国昭 [こいそくにあき]
橋本左内 [はしもとさない] …………… ③164
　⇨井伊直弼 [いいなおすけ]
　⇨緒方洪庵 [おがたこうあん]
　⇨佐久間象山 [さくましょうざん]
　⇨由利公正 [ゆりきみまさ]
橋本龍太郎 [はしもとりゅうたろう] … ③164
　⇨麻生太郎 [あそうたろう]
　⇨小渕恵三 [おぶちけいぞう]
　⇨菅直人 [かんなおと]
　⇨小泉純一郎 [こいずみじゅんいちろう]
　⇨竹下登 [たけしたのぼる]
バシリイ・ゴロブニン　➡ゴロブニン, バシリイ
パスカル, ブレーズ ……………………… ③164
　⇨串田孫一 [くしだまごいち]
　⇨フェルマー, ピエール・ド
バスコ・ダ・ガマ ………………………… ③165
　⇨カブラル, ペドロ・アルバレス
　⇨ディアス, バルトロメウ
バスコ・デ・バルボア　➡バルボア, バスコ・デ
パスツール, ルイ ………………………… ③165
　⇨コッホ, ロベルト
パステルナーク, ボリス ………………… ③165

五十音順索引

は

パスパ ……… ③166
長谷川一夫 [はせがわかずお] ……… ③166
⇨山田五十鈴 [やまだいすず]
長谷川等伯 [はせがわとうはく] ……… ③166
長谷川如是閑 [はせがわにょぜかん] ……… ③166
長谷川町子 [はせがわまちこ] ……… ③167
⇨田河水泡 [たがわすいほう]
支倉常長 [はせくらつねなが] ……… ③167
⇨伊達政宗 [だてまさむね]
バタイユ, ジョルジュ ⇨岡本太郎 [おかもとたろう]
畠山重忠 [はたけやましげただ] ……… ③168
⇨平賀朝雅 [ひらがともまさ]
⇨北条時政 [ほうじょうときまさ]
畠山政長 [はたけやままさなが] ……… ③168
⇨足利義政 [あしかがよしまさ]
⇨畠山持富 [はたけやまもちとみ]
⇨畠山義就 [はたけやまよしなり]
⇨細川政元 [ほそかわまさもと]
⇨山名持豊 [やまなもちとよ]
畠山満家 [はたけやまみついえ] ……… ③168
⇨畠山持国 [はたけやまもちくに]
⇨畠山持富 [はたけやまもちとみ]
畠山持国 [はたけやまもちくに] ……… ③168
⇨富樫泰高 [とがしやすたか]
⇨畠山政長 [はたけやままさなが]
⇨畠山満家 [はたけやまみついえ]
⇨畠山持富 [はたけやまもちとみ]
⇨畠山義就 [はたけやまよしなり]
畠山持富 [はたけやまもちとみ] ……… ③169
⇨畠山政長 [はたけやままさなが]
⇨畠山満家 [はたけやまみついえ]
⇨畠山持国 [はたけやまもちくに]
⇨畠山義就 [はたけやまよしなり]
畠山義就 [はたけやまよしなり] ……… ③169
⇨足利義政 [あしかがよしまさ]
⇨畠山政長 [はたけやままさなが]
⇨畠山持国 [はたけやまもちくに]
⇨畠山持富 [はたけやまもちとみ]
⇨山名持豊 [やまなもちとよ]
秦佐八郎 [はたさはちろう] ……… ③169
⇨エールリヒ, パウル
羽田孜 [はたつとむ] ……… ③169
⇨竹下登 [たけしたのぼる]
⇨村山富市 [むらやまとみいち]
畑中権内 [はたなかごんない] ……… ③170
秦河勝 [はたのかわかつ] ……… ③170
羽田野敬雄 [はだのたかお] ……… ③170
ハタミ, モハンマド ……… ③170
⇨アフマディネジャド, マフムード
八条院暲子 [はちじょういんしょうし] ……… ③170
蜂須賀小六 [はちすかころく]
➡蜂須賀正勝 [はちすかまさかつ]
蜂須賀正勝 [はちすかまさかつ] ……… ③171
ハチャトゥリアン, アラム ……… ③171
⇨レールモントフ, ミハイル・ユリエビチ
バック, パール ……… ③171
八田與一 [はったよいち] ……… ③171
服部南郭 [はっとりなんかく] ……… ③171
服部半蔵 [はっとりはんぞう] ……… ③172
服部嵐雪 [はっとりらんせつ] ……… ③172
⇨榎本其角 [えのもときかく]
⇨松尾芭蕉 [まつおばしょう]
服部良一 [はっとりりょういち] ……… ③172
⇨笠置シヅ子 [かさぎシヅこ]
バッハ, ヨハン・セバスチャン ……… ③172

⇨カザルス, パブロ ⇨グノー, シャルル
⇨シュバイツァー, アルバート
⇨滝廉太郎 [たきれんたろう] ⇨パッヘルベル, ヨハン
⇨ビバルディ, アントニオ
⇨フリードリヒ2世 (プロイセン王) [-せい]
⇨ベートーベン, ルートウィヒ・ファン
⇨ヘンデル, ゲオルク
⇨メンデルスゾーン, フェリックス
⇨モーツァルト, ウォルフガング・アマデウス
ハッブル, エドウィン ……… ③173
パッヘルベル, ヨハン ……… ③173
初山滋 [はつやましげる] ……… ③173
バツラフ・ニジンスキー ➡ニジンスキー, バツラフ
バトゥ ……… ③173
⇨オゴタイ・ハン
⇨カルピニ, ジョバンニ・ダ・ピアン・デル
⇨モンケ・ハン
鳩山一郎 [はとやまいちろう] ……… ③174
⇨芦田均 [あしだひとし] ⇨石橋湛山 [いしばしたんざん]
⇨重光葵 [しげみつまもる]
⇨正力松太郎 [しょうりきまつたろう]
⇨高碕達之助 [たかさきたつのすけ]
⇨鳩山由紀夫 [はとやまゆきお]
⇨三木武夫 [みきたけお] ⇨吉田茂 [よしだしげる]
鳩山由紀夫 [はとやまゆきお] ……… ③174
⇨菅直人 [かんなおと] ⇨鳩山一郎 [はとやまいちろう]
ハドリアヌス帝 [-てい] ……… ③174
⇨アントニヌス・ピウス帝 [-てい]
⇨マルクス・アウレリウス・アントニヌス帝 [-てい]
パトリス・ルムンバ ➡ルムンバ, パトリス
華岡青洲 [はなおかせいしゅう] ……… ③175
花岡大学 [はなおかだいがく] ……… ③175
⇨川村たかし [かわむらたかし]
花田清輝 [はなだきよてる] ⇨岡本太郎 [おかもとたろう]
花登筺 [はなとこばこ] ⇨前川かずお [まえかわかずお]
英一蝶 [はなぶさいっちょう] ……… ③175
花森安治 [はなもりやすじ] ……… ③175
⇨大橋鎭子 [おおはししずこ]
花柳章太郎 [はなやぎしょうたろう] ……… ③176
塙保己一 [はなわほきいち] ……… ③176
⇨賀茂真淵 [かものまぶち] ⇨ケラー, ヘレン
埴谷雄高 [はにやゆたか] ……… ③176
⇨岡本太郎 [おかもとたろう]
⇨高橋和巳 [たかはしかずみ] ⇨野間宏 [のまひろし]
馬場あき子 [ばばあきこ] ……… ③176
馬場辰猪 [ばばたつい] ……… ③177
馬場のぼる [ばばのぼる] ……… ③177
⇨前川かずお [まえかわかずお]
バブーフ, フランソワ・ノエル ……… ③177
羽生善治 [はぶよしはる] ……… ③177
⇨谷川浩司 [たにがわこうじ]
⇨森内俊之 [もりうちとしゆき]
パフレビー ➡モハンマド・レザー・パフレビー
パブロ・カザルス ➡カザルス, パブロ
パブロ・デ・サラサーテ ➡サラサーテ, パブロ・デ
パブロ・ピカソ ➡ピカソ, パブロ
パブロフ, イワン・ペトロビッチ ……… ③178
パブロワ, アンナ ……… ③178
⇨プリセツカヤ, マイヤ
バベッジ, チャールズ ……… ③178
ハベル, バーツラフ ……… ③178
ハマーショルド, ダグ ……… ③179
⇨ウ・タント
ハマースタイン2世, オスカー [-せい-] ……… ③179
⇨ロジャース, リチャード

浜口雄幸 [はまぐちおさち] ……… ③179
⇨犬養毅 [いぬかいつよし]
⇨井上準之助 [いのうえじゅんのすけ]
⇨宇垣一成 [うがきかずしげ] ⇨財部彪 [たからべたけし]
⇨若槻礼次郎 [わかつきれいじろう]
濱口梧陵 [はまぐちごりょう] ……… ③180
浜田庄司 [はまだしょうじ] ……… ③180
⇨大塚啓三郎 [おおつかけいざぶろう]
⇨棟方志功 [むなかたしこう]
⇨柳宗悦 [やなぎむねよし]
⇨リーチ, バーナード
浜田彦蔵 [はまだひこぞう] ……… ③180
浜田広介 [はまだひろすけ] ……… ③181
ハミド・カルザイ ……… ③181
ハミルトン, アレグザンダー ……… ③181
⇨ワシントン, ジョージ
パメラ・トラバース ➡トラバース, パメラ
早川徳次 [はやかわとくじ] ……… ③181
早川徳次 [はやかわのりつぐ] ……… ③182
林鵞峰 [はやしがほう] ……… ③182
⇨林鳳岡 [はやしほうこう]
林子平 [はやしへい] ……… ③182
⇨蒲生君平 [がもうくんぺい]
⇨高山彦九郎 [たかやまひこくろう]
林銑十郎 [はやしせんじゅうろう] ……… ③182
⇨永田鉄山 [ながたてつざん]
⇨真崎甚三郎 [まさきじんざぶろう]
⇨米内光政 [よないみつまさ]
林武 [はやしたけし] ……… ③183
⇨萬鉄五郎 [よろずてつごろう]
林忠彦 [はやしただひこ] ……… ③183
バヤジット1世 [-せい] ……… ③183
林芙美子 [はやしふみこ] ……… ③183
⇨平林たい子 [ひらばやしたいこ]
⇨森光子 [もりみつこ]
林鳳岡 [はやしほうこう] ……… ③184
⇨木下順庵 [きのしたじゅんあん]
林正盛 [はやしまさもり] ……… ③184
林家正蔵 [はやしやしょうぞう] ……… ③184
⇨古今亭志ん生 [こきんていしんしょう]
林家彦六 [はやしやひころく]
➡林家正蔵 [はやしやしょうぞう]
林羅山 [はやしらざん] ……… ③184
⇨孔子 [こうし] ⇨柴野栗山 [しばのりつざん]
⇨徳川綱吉 [とくがわつなよし] ⇨林鵞峰 [はやしがほう]
⇨林鳳岡 [はやしほうこう] ⇨藤原惺窩 [ふじわらせいか]
⇨山鹿素行 [やまがそこう]
葉山嘉樹 [はやまよしき] ……… ③185
速水御舟 [はやみぎょしゅう] ……… ③185
バラキレフ, ミリ・アレクセイビチ ……… ③185
⇨キュイ, ツェザーリ ⇨グリンカ, ミハイル
⇨チャイコフスキー, ピョートル・イリイッチ
⇨ボロディン, アレクサンドル
⇨ムソルグスキー, モデスト
⇨リムスキー＝コルサコフ, ニコライ
バラク・オバマ ➡オバマ, バラク
パラケルスス ……… ③185
原耕 [はらこう] ……… ③186
原清兵衛 [はらせいべえ] ……… ③186
原節子 [はらせつこ] ……… ③186
⇨小津安二郎 [おづやすじろう]
原善三郎 [はらぜんざぶろう] ……… ③186
⇨原富太郎 [はらとみたろう]
原敬 [はらたかし] ……… ③186
⇨陸羯南 [くがかつなん] ⇨田中義一 [たなかぎいち]

⇨床次竹二郎[とこなみたけじろう]

原田泰治[はらだたいじ] ……………………… ③187
原民喜[はらたみき] ……………………………… ③187
原富太郎[はらとみたろう] ……………………… ③187
原マルチノ[はら−] ……………………………… ③188
　⇨有馬晴信[ありまはるのぶ]
　⇨伊東マンショ[いとう−]
　⇨大友宗麟[おおともそうりん]
　⇨中浦ジュリアン[なかうら−]
原ゆたか[はらゆたか] …………………………… ③188
バリー, ジェームズ ……………………………… ③188
ハリー・トルーマン　➡トルーマン, ハリー
ハリー・パークス　➡パークス, ハリー
ハリー・ベラフォンテ　➡ベラフォンテ, ハリー
ハリエット・ビーチャー・ストウ
　　➡ストウ, ハリエット・ビーチャー
ハリス, タウンゼント …………………………… ③189
　⇨井上清直[いのうえきよなお]
　⇨岩瀬忠震[いわせただなり]
　⇨下岡蓮杖[しもおかれんじょう]
　⇨徳川家定[とくがわいえさだ]
　⇨ヒュースケン, ヘンリー
　⇨堀田正睦[ほったまさよし]
ハリソン, ジョージ　⇨レノン, ジョン
磔茂左衛門[はりつけもざえもん] ……………… ③189
バリニャーノ, アレッサンドロ ………………… ③189
　⇨有馬晴信[ありまはるのぶ]　⇨伊東マンショ[いとう−]
　⇨カブラル, フランシスコ　⇨千々石ミゲル[ちぢわ−]
　⇨中浦ジュリアン[なかうら−]　⇨原マルチノ[はら−]
　⇨フロイス, ルイス
パル, ラダビノード ……………………………… ③190
バルガス, ジェトゥリオ ………………………… ③190
バルク・ド・スピノザ　➡スピノザ, バルク・ド
バルザック, オノレ・ド ………………………… ③190
　⇨ゾラ, エミール
ハルシャ・バルダナ ……………………………… ③190
ハルス, フランス ………………………………… ③191
　⇨クールベ, ギュスターブ
バルダマーナ ……………………………………… ③191
ハルデンベルク, カール・アウグスト ………… ③191
バルト, カール …………………………………… ③191
バルトーク・ベラ ………………………………… ③192
　⇨コダーイ・ゾルターン
　⇨チャイコフスキー, ピョートル・イリイッチ
バルトロメウ・ディアス　➡ディアス, バルトロメウ
バルトロメ・エステバン・ムリーリョ
　　➡ムリーリョ, バルトロメ・エステバン
バルトロメオ・バンゼッティ　➡バンゼッティ, バルトロメオ
バルトロメ・デ・ラス・カサス
　　➡ラス・カサス, バルトロメ・デ
バルビ, シャルル　⇨ブライユ, ルイ
バルビュス, アンリ ……………………………… ③192
バルフォア, アーサー・ジェームズ …………… ③192
バルボア, バスコ・デ …………………………… ③192
　⇨ピサロ, フランシスコ
ハレー, エドマンド ……………………………… ③193
パレストリーナ, ジョバンニ・ピエルルイジ・ダ
………………………………………………… ③193
　⇨グノー, シャルル
バレリー, ポール ………………………………… ③193
　⇨キリコ, ジョルジョ・デ　⇨マラルメ, ステファヌ
バレリー・ジスカール・デスタン
　　➡ジスカール・デスタン, バレリー
バレンティナ・テレシコワ　➡テレシコワ, バレンティナ
ハロルド・ウィルソン　➡ウィルソン, ハロルド

ハロルド・マクミラン　➡マクミラン, ハロルド
ハワード・カーター　➡カーター, ハワード
ハワード・ヒューズ　➡ヒューズ, ハワード
潘基文[パンギムン] ……………………………… ③193
　⇨グテレス, アントニオ
ハンク・アーロン　⇨ベーブ・ルース
　⇨王貞治[おうさだはる]
班固[はんこ] ……………………………………… ③193
バンサン・オリオール　➡オリオール, バンサン
ハンス・ガイガー　➡ガイガー, ハンス
ハンス・カロッサ　➡カロッサ, ハンス
ハンス・クリスチャン・アンデルセン
　　➡アンデルセン, ハンス・クリスチャン
ハンス・クリスティアン・エルステッド
　　➡エルステッド, ハンス・クリスティアン
ハンス・ペーター・リヒター　➡リヒター, ハンス・ペーター
ハンス・ホルバイン　➡ホルバイン, ハンス
反正天皇[はんぜいてんのう] …………………… ③194
　⇨仁徳天皇[にんとくてんのう]
　⇨履中天皇[りちゅうてんのう]
バンゼッティ, バルトロメオ …………………… ③194
バンダービルト, コーネリアス ………………… ③194
班超[はんちょう] ………………………………… ③194
　⇨甘英[かんえい]　⇨班固[はんこ]
パンチョ・ビリャ　➡ビリャ, パンチョ
ハント, ウィリアム・ホルマン ………………… ③195
　⇨ミレイ, ジョン・エバレット
ハンニバル ………………………………………… ③195
　⇨スキピオ
伴信友[ばんのぶとも] …………………………… ③195
ハンフリー・ボガート　➡ボガート, ハンフリー
ハンムラビ王[−おう] …………………………… ③195
播隆上人[ばんりゅうしょうにん] ……………… ③196
万暦帝[ばんれきてい] …………………………… ③196
　⇨顧憲成[こけんせい]　⇨沈惟敬[しんいけい]
　⇨張居正[ちょうきょせい]　⇨マテオ・リッチ
　⇨李時珍[りじちん]

ひ

ピアス, フィリパ ………………………………… ③196
ビアトリクス・ポター　➡ポター, ビアトリクス
ピアリー, ロバート ……………………………… ③196
　⇨アムンゼン, ロアルド　⇨白瀬矗[しらせのぶ]
ビアンキ, ビタリイ ……………………………… ③197
ヒース, エドワード ……………………………… ③197
　⇨サッチャー, マーガレット
　⇨ダグラス=ヒューム, アレック
ピーター・ドラッカー　➡ドラッカー, ピーター
ピーテル・ブリューゲル　➡ブリューゲル, ピーテル
ピート・モンドリアン　➡モンドリアン, ピート
ピート・ローズ　➡ローズ, ピート
ピウスツキ, ユゼフ ……………………………… ③197
ピエール・アベラール　➡アベラール, ピエール
ピエール・オーギュスト・ルノアール
　　➡ルノアール, ピエール・オーギュスト
ピエール・カルダン　➡カルダン, ピエール
ピエール・キュリー　➡キュリー, ピエール
ピエール・コルネイユ　➡コルネイユ, ピエール
ピエール・シモン・ラプラス　➡ラプラス, ピエール・シモン
ピエール・ジョゼフ・プルードン
　　➡プルードン, ピエール・ジョゼフ

ピエール・ド・クーベルタン　➡クーベルタン, ピエール・ド
ピエール・ド・フェルマー　➡フェルマー, ピエール・ド
ピエール・ボーマルシェ　➡ボーマルシェ, ピエール
ピエール・ボナール　➡ボナール, ピエール
稗田阿礼[ひえだのあれ] ………………………… ③197
　⇨太安万侶[おおのやすまろ]
ピカール, オーギュスト ………………………… ③197
東久邇宮稔彦王[ひがしくにのみやなるひこおう] … ③198
　⇨米内光政[よないみつまさ]
東山魁夷[ひがしやまかいい] …………………… ③198
東山天皇[ひがしやまてんのう] ………………… ③198
　⇨霊元天皇[れいげんてんのう]
ピカソ, パブロ …………………………………… ③200
　⇨エルンスト, マックス　⇨岡本太郎[おかもとたろう]
　⇨コクトー, ジャン　⇨ゴダール, ジャン＝リュック
　⇨ゴヤ, フランシスコ・ホセ・デ
　⇨シャネル, ガブリエル　⇨セザンヌ, ポール
　⇨ダリ, サルバドール　➡藤田嗣治[ふじたつぐはる]
　⇨ブラック, ジョルジュ　⇨ベーコン, フランシス
　⇨モディリアーニ, アメデオ
　⇨横尾忠則[よこおただのり]　⇨ローランサン, マリー
比企能員[ひきよしかず] ………………………… ③199
　⇨大江広元[おおえのひろもと]
　⇨平賀朝雅[ひらがともまさ]
　⇨北条時政[ほうじょうときまさ]
　⇨北条政子[ほうじょうまさこ]
　⇨源実朝[みなもとのさねとも]
　⇨源頼家[みなもとのよりいえ]
　⇨和田義盛[わだよしもり]
ビクター・アレグザンダー・リットン
　　➡リットン, ビクター・アレグザンダー
樋口一葉[ひぐちいちよう] ……………………… ③199
　⇨北村透谷[きたむらとうこく]
　⇨広津柳浪[ひろつりゅうろう]
樋口季一郎[ひぐちきいちろう] ………………… ③199
ビクトール・フランクル　➡フランクル, ビクトール
ビクトール・ユゴー　➡ユゴー, ビクトール
ビクトリア女王[−じょおう] …………………… ③202
　⇨ウィルヘルム2世[−せい]
　⇨ディズレーリ, ベンジャミン
　⇨ブラウニング, ロバート　⇨ラッセル, バートランド
ビゴー, ジョルジュ ……………………………… ③202
ピサロ, カミーユ ………………………………… ③203
　⇨ゴッホ, ビンセント・ファン　⇨スーラ, ジョルジュ
　⇨セザンヌ, ポール　⇨モネ, クロード
ピサロ, フランシスコ …………………………… ③203
　⇨バルボア, バスコ・デ
土方歳三[ひじかたとしぞう] …………………… ③203
　⇨沖田総司[おきたそうじ]　⇨近藤勇[こんどういさみ]
土方与志[ひじかたよし] ………………………… ③203
　⇨小山内薫[おさないかおる]
菱川師宣[ひしかわもろのぶ] …………………… ③204
　⇨井原西鶴[いはらさいかく]
　⇨奥村政信[おくむらまさのぶ]
菱田春草[ひしだしゅんそう] …………………… ③204
　⇨岡倉天心[おかくらてんしん]
　⇨橋本雅邦[はしもとがほう]
　⇨安田靫彦[やすだゆきひこ]
　⇨横山大観[よこやまたいかん]
ビショップ, ヘンリー・ローリー ……………… ③205
ビスマルク, オットー・フォン ………………… ③205
　⇨ウィルヘルム1世[−せい]
　⇨ウィルヘルム2世[−せい]　⇨ベーベル, アウグスト
　⇨モルトケ, ヘルムート・フォン
　⇨レオポルド2世[−せい]

341

五十音順索引

ひ／ふ

ビゼー, ジョルジュ …………………… ③205
　⇨スコット, ウォルター　⇨ドーデ, アルフォンス
　⇨メリメ, プロスペル
ピタゴラス ……………………………… ③205
　⇨ユークリッド
敏達天皇［びだつてんのう］ ………… ③206
　⇨欽明天皇［きんめいてんのう］
　⇨皇極天皇［こうぎょくてんのう］
　⇨孝徳天皇［こうとくてんのう］
　⇨舒明天皇［じょめいてんのう］
　⇨推古天皇［すいこてんのう］
　⇨蘇我馬子［そがのうまこ］
　⇨橘大郎女［たちばなのおおいらつめ］
　⇨橘諸兄［たちばなのもろえ］
　⇨物部守屋［もののべのもりや］
　⇨用明天皇［ようめいてんのう］
飛田安兵衛［ひだやすべえ］ ………… ③206
ビタリイ・ビアンキ　➡ビアンキ, ビタリイ
左甚五郎［ひだりじんごろう］ ……… ③206
ヒッチコック, アルフレッド ………… ③206
　⇨ケリー, グレース
ピット, ウィリアム（父） …………… ③207
ピット, ウィリアム（子） …………… ③207
　⇨カニング, ジョージ　⇨キャメロン, デービッド
ビットーリオ・エマヌエーレ2世［-せい］ …… ③207
　⇨カブール, カミーロ・ベンソ
　⇨ガリバルディ, ジュゼッペ
ヒッポクラテス　➡ヒポクラテス
尾藤二洲［びとうじしゅう］　⇨岡田寒泉［おかだかんせん］
　⇨柴野栗山［しばののりつざん］　⇨頼山陽［らいさんよう］
ビトゥス・ベーリング　➡ベーリング, ビトゥス
一橋慶喜［ひとつばしよしのぶ］
　➡徳川慶喜［とくがわよしのぶ］
人見絹枝［ひとみきぬえ］ …………… ③208
ヒトラー, アドルフ …………………… ③208
　⇨石井菊次郎［いしいきくじろう］
　⇨キッシンジャー, ヘンリー　⇨クレー, パウル
　⇨ゲーリング, ヘルマン　⇨ゲッベルス, ヨゼフ
　⇨シュレーディンガー, エルウィン　⇨タウト, ブルーノ
　⇨チェンバレン, ネビル　⇨ヒムラー, ハインリヒ
　⇨ヒンデンブルク, パウル・フォン　⇨プランク, マックス
　⇨フランコ, フランシスコ　⇨フロイト, ジグムント
　⇨ペタン, フィリップ　⇨ポルシェ, フェルディナント
　⇨リッベントロープ, ヨアヒム・フォン
　⇨ロンメル, エルウィン
ピニョー・ド・ベーヌ ………………… ③208
火野葦平［ひのあしへい］ …………… ③209
日野資朝［ひのすけとも］ …………… ③209
　⇨日野俊基［ひのとしもと］
ピノチェト, アウグスト ……………… ③209
日野俊基［ひのとしもと］ …………… ③209
　⇨後醍醐天皇［ごだいごてんのう］
　⇨日野資朝［ひのすけとも］
日野富子［ひのとみこ］ ……………… ③210
　⇨足利義植［あしかがよしたね］
　⇨足利義尚［あしかがよしひさ］
　⇨足利義政［あしかがよしまさ］
　⇨足利義視［あしかがよしみ］
　⇨一条兼良［いちじょうかねよし］
　⇨狩野正信［かのうまさのぶ］
　⇨細川政元［ほそかわまさもと］
　⇨山名持豊［やまなもちとよ］
　⇨吉田兼倶［よしだかねとも］
日野原重明［ひのはらしげあき］ …… ③210
ビバルディ, アントーニオ …………… ③210

ピピン ………………………………… ③211
　⇨カール大帝［-たいてい］　⇨カール・マルテル
　⇨ルートウィヒ1世［-せい］
ヒポクラテス ………………………… ③211
卑弥呼［ひみこ］ ……………………… ③211
　⇨壱与［いよ］
ヒムラー, ハインリヒ ………………… ③212
　⇨ゲーリング, ヘルマン
ビャチェスラフ・モロトフ　➡モロトフ, ビャチェスラフ
ヒューズ, ハワード …………………… ③212
ヒュースケン, ヘンリー ……………… ③212
　⇨下岡蓮杖［しもおかれんじょう］
ヒューム　➡ダグラス=ヒューム, アレック
ヒューム, デビッド …………………… ③212
　⇨カント, インマヌエル
ヒュー・ロフティング　➡ロフティング, ヒュー
ビュッフェ, ベルナール ……………… ③213
ビュフォン, ジョルジュ=ルイ ……… ③213
　⇨ラマルク, ジャン=バティスト
ピュリッツァー, ジョゼフ …………… ③213
ピョートル1世［-せい］ ……………… ③213
ピョートル・イリイッチ・チャイコフスキー
　➡チャイコフスキー, ピョートル・イリイッチ
ピョートル・クロポトキン　➡クロポトキン, ピョートル
ピョートル・ストルイピン　➡ストルイピン, ピョートル
ビョルン・ボルグ　➡ボルグ, ビョルン
平岩幸吉［ひらいわこうきち］ ……… ③214
平賀源内［ひらがげんない］ ………… ③218
　⇨小田野直武［おだのなおたけ］
　⇨司馬江漢［しばこうかん］
平賀朝雅［ひらがともまさ］ ………… ③214
　⇨畠山重忠［はたけやましげただ］
　⇨北条時政［ほうじょうときまさ］
　⇨北条政子［ほうじょうまさこ］
　⇨北条義時［ほうじょうよしとき］
平櫛田中［ひらくしでんちゅう］ …… ③214
　⇨高村光雲［たかむらこううん］
平田篤胤［ひらたあつたね］ ………… ③215
　⇨生田万［いくたよろず］　⇨佐藤信淵［さとうのぶひろ］
　⇨富岡鉄斎［とみおかてっさい］
　⇨富永仲基［とみながなかもと］
　⇨羽田野敬雄［はだのたかお］　⇨伴信友［ばんのぶとも］
　⇨松尾多勢子［まつおたせこ］
　⇨本居宣長［もとおりのりなが］
平田靫負［ひらたゆきえ］ …………… ③215
　⇨金森吉次郎［かなもりきちじろう］
平塚武二［ひらつかたけじ］ ………… ③215
平塚らいてう［ひらつからいちょう］ … ③215
　⇨市川房枝［いちかわふさえ］　⇨伊藤野枝［いとうのえ］
　⇨岡本かの子［おかもとかのこ］　⇨奥むめお［おくむめお］
　⇨高群逸枝［たかむれいつえ］
　⇨山川菊栄［やまかわきくえ］
ピラト ………………………………… ③216
　⇨イエス・キリスト
平沼騏一郎［ひらぬまきいちろう］ … ③216
　⇨荒木貞夫［あらきさだお］　⇨有田八郎［ありたはちろう］
　⇨板垣征四郎［いたがきせいしろう］
　⇨木戸幸一［きどこういち］　⇨小磯国昭［こいそくにあき］
　⇨米内光政［よないみつまさ］
平野国臣［ひらのくにおみ］ ………… ③216
　⇨北垣国道［きたがきくにみち］
　⇨野村望東尼［のむらもとに］
平野長靖［ひらのちょうせい］ ……… ③217
平林たい子［ひらばやしたいこ］ …… ③217
平福百穂［ひらふくひゃくすい］ …… ③217

　⇨川端玉章［かわばたぎょくしょう］
　⇨川端龍子［かわばたりゅうし］
　⇨松岡映丘［まつおかえいきゅう］
平山郁夫［ひらやまいくお］ ………… ③217
ヒラリー, エドモンド ………………… ③219
ヒラリー・クリントン　➡クリントン, ヒラリー
ビリー・ジーン・キング　➡キング, ビリー・ジーン
ビリャ, パンチョ ……………………… ③219
　⇨カランサ, ベヌスティアーノ
ビル・エバンス　➡エバンス, ビル
ビル・クリントン　➡クリントン, ビル
ビル・ゲイツ　➡ゲイツ, ビル
ヒルティ, カール ……………………… ③219
ヒルトン, ジェームズ ………………… ③219
ビレラ, ガスパル ……………………… ③219
　⇨松浦隆信［まつらたかのぶ］
広岡浅子［ひろおかあさこ］ ………… ③220
　⇨成瀬仁蔵［なるせじんぞう］
広沢真臣［ひろさわさねおみ］ ……… ③220
広瀬淡窓［ひろせたんそう］ ………… ③220
　⇨大村益次郎［おおむらますじろう］
　⇨清浦奎吾［きようらけいご］
広田亀治［ひろたかめじ］ …………… ③220
広田弘毅［ひろたこうき］ …………… ③221
　⇨有田八郎［ありたはちろう］
　⇨宇垣一成［うがきかずしげ］
広津和郎［ひろつかずお］ …………… ③221
　⇨宇野浩二［うのこうじ］　⇨葛西善蔵［かさいぜんぞう］
　⇨広津柳浪［ひろつりゅうろう］
広津柳浪［ひろつりゅうろう］ ……… ③221
　⇨広津和郎［ひろつかずお］
広中平祐［ひろなかへいすけ］ ……… ③221
ビング・クロスビー　➡クロスビー, ビング
ビンセント・ファン・ゴッホ　➡ゴッホ, ビンセント・ファン
裕仁［ひろひと］　➡昭和天皇［しょうわてんのう］
ピンダロス ……………………………… ③222
ビンチェンツォ・ラグーザ　➡ラグーザ, ビンチェンツォ
ヒンデンブルク, パウル・フォン …… ③222
　⇨ヒトラー, アドルフ
閔妃［びんひ（ミンピ）］ ……………… ③222
　⇨金玉均［きんぎょくきん（キムオッキュン）］
　⇨高宗（朝鮮王朝）［こうそう（コジョン）］
　⇨大院君［たいいんくん（テウォングン）］
　⇨三浦梧楼［みうらごろう］
ビンラディン　➡オサマ・ビンラディン

ふ

武［ぶ］　➡雄略天皇［ゆうりゃくてんのう］
ファージョン, エリナー ……………… ③223
ファーデ・グローフェ　➡グローフェ, ファーデ
ファーブル, ジャン・アンリ ………… ③228
　⇨熊田千佳慕［くまだちかぼ］
　⇨三好達治［みよしたつじ］
ファーレンハイト, ガブリエル ……… ③223
ファインマン, リチャード …………… ③223
　⇨朝永振一郎［ともながしんいちろう］
ファラデー, マイケル ………………… ③223
　⇨ヘンリー, ジョセフ　⇨マクスウェル, ジェームズ
ファリャ, マヌエル・デ　➡ロルカ, フェデリコ・ガルシア
フアレス, ベニト ……………………… ③223
　⇨ディアス, ポルフィリオ
　⇨マクシミリアン, フェルディナンド

ファン・アイク兄弟 [-きょうだい] ……………… ③224
  ⇨岸田劉生 [きしだりゅうせい]
フアン・カルロス ……………………………… ③224
ファン・ダイク, アントーン ………………… ③224
  ⇨ムリーリョ,バルトロメ・エステバン
  ⇨ルーベンス,ペーテル・パウル
ファン・チュー・チン ………………………… ③225
  ⇨ファン・ボイ・チャウ
ファン・デン・ボス, ヨハネス ……………… ③225
ファン・ドールン, コルネリス ……………… ③225
  ⇨中條政恒 [なかじょうまさつね]
フアン・ペロン　➡ペロン,フアン
ファン・ボイ・チャウ ………………………… ③225
  ⇨ファン・チュー・チン
ファン・ロンパイ, ヘルマン ………………… ③225
フィッツジェラルド, スコット ……………… ③226
  ⇨村上春樹 [むらかみはるき]
フィデル・カストロ　➡カストロ,フィデル
フィヒテ, ヨハン・ゴットリープ …………… ③226
  ⇨カント,インマヌエル　⇨バクーニン,ミハイル
フィリップ2世 [-せい] ………………………… ③226
  ⇨リチャード1世 [-せい]
フィリップ4世 [-せい] ………………………… ③226
  ⇨エドワード3世 [-せい]
  ⇨ボニファティウス8世 [-せい]
フィリップ6世 [-せい]　⇨エドワード3世 [-せい]
フィリップ・フランツ・フォン・シーボルト
  ➡シーボルト,フィリップ・フランツ・フォン
フィリップ・ペタン　➡ペタン,フィリップ
フィリッポス2世 [-せい] ……………………… ③227
  ⇨アレクサンドロス大王 [-だいおう]
フィリッポ・ブルネレスキ　➡ブルネレスキ,フィリッポ
フィリパ・ピアス　➡ピアス,フィリパ
フィルドゥーシー ……………………………… ③227
溥儀 [プーイー]　➡溥儀 [ふぎ]
フーコー, ジャン・ベルナール ……………… ③227
フーゴ・グロティウス　➡グロティウス,フーゴ
胡適 [フーシー]　➡胡適 [こてき]
ブーシェ, フランソワ ………………………… ③229
  ⇨フラゴナール,ジャン
プーシキン, アレクサンドル ………………… ③229
  ⇨グリンカ,ミハイル　⇨ゴーゴリ,ニコライ
  ⇨ピョートル1世 [-せい]
  ⇨レールモントフ,ミハイル・ユリエビチ
プーチン, ウラジミール ……………………… ③229
  ⇨メドベージェフ,ドミトリー
胡錦濤 [フーチンタオ]　➡胡錦濤 [こきんとう]
フーバー, ハーバート ………………………… ③229
ブーベ, ジョアシャン ………………………… ③230
  ⇨レジス,ジャン=バプティスト
胡耀邦 [フーヤオバン]　➡胡耀邦 [こようほう]
ブーランジェ, ジョルジュ …………………… ③230
フーリエ, シャルル …………………………… ③230
フーリエ, ジャン・バプティスト …………… ③230
  ⇨ゲルツェン,アレクサンドル
  ⇨プルードン,ピエール・ジョゼフ
ブールデル, エミール=アントワーヌ ……… ③231
フェイディアス ………………………………… ③231
フェデリコ・ガルシア・ロルカ
  ➡ロルカ,フェデリコ・ガルシア
フェデリコ・フェリーニ　➡フェリーニ,フェデリコ
フェノロサ, アーネスト ……………………… ③231
  ⇨岡倉天心 [おかくらてんしん]
  ⇨狩野芳崖 [かのうほうがい]
  ⇨竹内栖鳳 [たけうちせいほう]

⇨橋本雅邦 [はしもとがほう]
⇨三宅雪嶺 [みやけせつれい]
フェラガモ, サルバトーレ …………………… ③231
フェリーニ, フェデリコ ……………………… ③232
フェリックス・メンデルスゾーン
  ➡メンデルスゾーン,フェリックス
フェリペ2世 [-せい] …………………………… ③232
  ⇨伊東マンショ [いとう-]　⇨エリザベス1世 [-せい]
  ⇨オラニエ公ウィレム [-こう-]
  ⇨中浦ジュリアン [なかうら-]　⇨原マルチノ [はら-]
  ⇨メアリ1世 [-せい]
フェリペ5世 [-せい] …………………………… ③232
フェルディナン・ド・ソシュール
  ➡ソシュール,フェルディナン・ド
フェルディナント・フェルビースト
  ➡フェルビースト,フェルディナント
フェルディナント・フォン・ツェッペリン
  ➡ツェッペリン,フェルディナント・フォン
フェルディナント・フォン・リヒトホーフェン
  ➡リヒトホーフェン,フェルディナント・フォン
フェルディナント・ポルシェ　➡ポルシェ,フェルディナント
フェルディナント・マクシミリアン
  ➡マクシミリアン,フェルディナント
フェルディナンド・マゼラン　➡マゼラン,フェルディナンド
フェルディナンド・マルコス
  ➡マルコス,フェルディナンド
フェルディナント・ラサール
  ➡ラサール,フェルディナント
フェルディナン・マリー・ド・レセップス
  ➡レセップス,フェルディナン・マリー・ド
フェルナンド ………………………………… ③232
  ⇨イサベル1世 [-せい]　⇨カール5世 [-せい]
  ⇨ベスプッチ,アメリゴ
フェルナン・ブローデル　➡ブローデル,フェルナン
フェルナン・レジェ　➡レジェ,フェルナン
フェルビースト, フェルディナント ………… ③233
フェルマー, ピエール・ド ……………………… ③233
フェルミ, エンリコ …………………………… ③233
フェルメール, ヤン …………………………… ③234
フェンディ, アデーレ ………………………… ③234
フォアマン, ジョージ　⇨アリ,モハメド
フォイエルバッハ, ルートウィヒ …………… ③234
  ⇨マルクス,カール
武王 [ぶおう] …………………………………… ③234
  ⇨鬼室福信 [きしつふくしん]
フォークナー, ウィリアム …………………… ③234
  ⇨ガルシア・マルケス,ガブリエル
フォード, ジェラルド・ルドルフ …………… ③235
  ⇨カーター,ジミー
フォード, ジョン ……………………………… ③235
  ⇨ウェイン,ジョン
フォード, ヘンリー …………………………… ③235
フォーレ, ガブリエル ………………………… ③236
  ⇨サン=サーンス,カミーユ　⇨ラベル,モーリス
フォスター, スティーブン …………………… ③236
フォンタネージ, アントニオ ………………… ③236
  ⇨浅井忠 [あさいちゅう]
フォン・ブラウン, ウェルナー ……………… ③236
深沢儀太夫 [ふかざわぎだゆう] ……………… ③237
深沢七郎 [ふかざわしちろう] ………………… ③237
深田久弥 [ふかだきゅうや] …………………… ③237
  ⇨中島敦 [なかじまあつし]
プガチョフ, エメリヤン・イワノビッチ …… ③238
溥儀 [ふぎ (プーイー)] ………………………… ③238
  ⇨袁世凱 [えんせいがい (ユワンシーカイ)]

⇨段祺瑞 [だんきずい (トワンチールイ)]
福井謙一 [ふくいけんいち] …………………… ③238
福岡孝弟 [ふくおかたかちか] ………………… ③238
  ⇨副島種臣 [そえじまたねおみ]
  ⇨吉田東洋 [よしだとうよう]
福沢諭吉 [ふくざわゆきち] …………………… ③239
  ⇨緒方洪庵 [おがたこうあん]　⇨尾崎行雄 [おざきゆきお]
  ⇨勝海舟 [かつかいしゅう]
  ⇨北里柴三郎 [きたさとしばさぶろう]
  ⇨金玉均 [きんぎょくきん (キムオッキュン)]
  ⇨楠本イネ [くすもと-]　⇨ジョン万次郎 [-まんじろう]
  ⇨津田真道 [つだまみち]　⇨寺島宗則 [てらしまむねのり]
  ⇨中上川彦次郎 [なかみがわひこじろう]
  ⇨中村正直 [なかむらまさなお]
  ⇨新島襄 [にいじまじょう]　⇨西村茂樹 [にしむらしげき]
  ⇨朴泳孝 [ぼくえいこう (パクヨンヒョ)]
  ⇨矢野竜渓 [やのりゅうけい]
福島邦成 [ふくしまくになり] ………………… ③240
福島正則 [ふくしままさのり] ………………… ③240
  ⇨高台院 [こうだいいん]
  ⇨俵屋宗達 [たわらやそうたつ]
  ⇨本阿弥光悦 [ほんあみこうえつ]
福田赳夫 [ふくだたけお] ……………………… ③240
  ⇨海部俊樹 [かいふとしき]
  ⇨小泉純一郎 [こいずみじゅんいちろう]
  ⇨田中角栄 [たなかかくえい]
  ⇨福田康夫 [ふくだやすお]
福田恆存 [ふくだつねあり] …………………… ③240
福田徳三 [ふくだとくぞう] …………………… ③241
福田英子 [ふくだひでこ] ……………………… ③241
  ⇨岸田俊子 [きしだとしこ]
福田平八郎 [ふくだへいはちろう] …………… ③241
福田康夫 [ふくだやすお] ……………………… ③241
  ⇨麻生太郎 [あそうたろう]　⇨福田赳夫 [ふくだたけお]
福地源一郎 [ふくちげんいちろう] …………… ③241
福永武彦 [ふくながたけひこ] ………………… ③242
  ⇨池澤夏樹 [いけざわなつき]
  ⇨加藤周一 [かとうしゅういち]
  ⇨串田孫一 [くしだまごいち]
  ⇨中村真一郎 [なかむらしんいちろう]
藤井能三 [ふじいのうぞう] …………………… ③242
藤江監物 [ふじえけんもつ] …………………… ③242
  ⇨江尻喜多右衛門 [えじりきたえもん]
藤尾太郎 [ふじおたろう] ……………………… ③242
藤子・F・不二雄 [ふじこエフふじお] ……… ③243
  ⇨赤塚不二夫 [あかつかふじお]
  ⇨石ノ森章太郎 [いしのもりしょうたろう]
  ⇨手塚治虫 [てづかおさむ]
  ⇨藤子不二雄Ⓐ [ふじこふじおエイ]
藤子不二雄Ⓐ [ふじこふじおエイ] ………… ③243
  ⇨赤塚不二夫 [あかつかふじお]
  ⇨石ノ森章太郎 [いしのもりしょうたろう]
  ⇨手塚治虫 [てづかおさむ]
  ⇨藤子・F・不二雄 [ふじこエフふじお]
藤沢周平 [ふじさわしゅうへい] ……………… ③244
藤沢秀行 [ふじさわひでゆき] ………………… ③244
藤島武二 [ふじしまたけじ] …………………… ③244
  ⇨香月泰男 [かづきやすお]
  ⇨小磯良平 [こいそりょうへい]
  ⇨佐伯祐三 [さえきゆうぞう]
  ⇨宮本三郎 [みやもとさぶろう]
藤田小四郎 [ふじたこしろう] ………………… ③245
  ⇨武田耕雲斎 [たけだこううんさい]
藤田嗣治 [ふじたつぐはる] …………………… ③245
  ⇨小山内薫 [おさないかおる]

五十音順索引

ふ

343

五十音順索引

ふ

藤田哲也[ふじたてつや] ……………… ③245
藤田伝三郎[ふじたでんざぶろう] ……… ③245
　⇨久原房之助[くはらふさのすけ]
藤田東湖[ふじたとうこ] ……………… ③246
　⇨会沢正志斎[あいざわせいしさい]
　⇨武田耕雲斎[たけだこううんさい]
　⇨徳川斉昭[とくがわなりあき]
　⇨橋本左内[はしもとさない]
　⇨藤田小四郎[ふじたこしろう]
　⇨藤田幽谷[ふじたゆうこく]
　⇨横井小楠[よこいしょうなん]
藤田幽谷[ふじたゆうこく] …………… ③246
　⇨会沢正志斎[あいざわせいしさい]
　⇨蒲生君平[がもうくんぺい]
　⇨藤田東湖[ふじたとうこ]
藤間勘十郎[ふじまかんじゅうろう] ……… ③246
伏見天皇[ふしみてんのう] …………… ③246
　⇨後宇多天皇[ごうだてんのう]
　⇨後深草天皇[ごふかくさてんのう]
　⇨尊円入道親王[そんえんにゅうどうしんのう]
藤山一郎[ふじやまいちろう] ………… ③247
　⇨古賀政男[こがまさお]
藤原銀次郎[ふじわらぎんじろう] …… ③247
藤原惺窩[ふじわらせいか] …………… ③247
　⇨姜沆[カンハン（きょうこう）]
　⇨木下順庵[きのしたじゅんあん]
　⇨林羅山[はやしらざん]
藤原家隆[ふじわらのいえたか] ……… ③247
藤原宇合[ふじわらのうまかい] ……… ③248
　⇨嵯峨天皇[さがてんのう]
　⇨藤原鎌足[ふじわらのかまたり]
　⇨藤原種継[ふじわらのたねつぐ]
　⇨藤原広嗣[ふじわらのひろつぐ]
　⇨藤原不比等[ふじわらのふひと]
　⇨藤原百川[ふじわらのももかわ]
藤原緒嗣[ふじわらのおつぐ] ………… ③248
　⇨坂上田村麻呂[さかのうえのたむらまろ]
　⇨菅野真道[すがののまみち]
藤原兼家[ふじわらのかねいえ] ……… ③248
　⇨安倍晴明[あべのせいめい]
　⇨一条天皇[いちじょうてんのう]
　⇨円融天皇[えんゆうてんのう]
　⇨藤原兼通[ふじわらのかねみち]
　⇨藤原道隆[ふじわらのみちたか]
　⇨藤原道綱[ふじわらのみちつな]
　⇨藤原道綱母[ふじわらのみちつなのはは]
　⇨藤原道長[ふじわらのみちなが]
　⇨藤原師輔[ふじわらのもろすけ]
　⇨源頼光[みなもとのよりみつ]
藤原兼通[ふじわらのかねみち] ……… ③248
　⇨藤原兼家[ふじわらのかねいえ]
　⇨藤原師輔[ふじわらのもろすけ]
藤原鎌足[ふじわらのかまたり] ……… ③248
　⇨阿倍内麻呂[あべのうちまろ]
　⇨蘇我入鹿[そがのいるか]
　⇨蘇我倉山田石川麻呂[そがのくらやまだのいしかわまろ]
　⇨高向玄理[たかむこのくろまろ]
　⇨天智天皇[てんじてんのう]
　⇨藤原不比等[ふじわらのふひと]
　⇨南淵請安[みなぶちのしょうあん]　⇨旻[みん]
藤原清河[ふじわらのきよかわ] ……… ③249
　⇨阿倍仲麻呂[あべのなかまろ]　⇨鑑真[がんじん]
藤原清衡[ふじわらのきよひら] ……… ③249
　⇨清原家衡[きよはらのいえひら]
　⇨清原真衡[きよはらのさねひら]

　⇨藤原基衡[ふじわらのもとひら]
　⇨源義家[みなもとのよしいえ]
藤原公任[ふじわらのきんとう] ……… ③250
　⇨在原業平[ありわらのなりひら]
　⇨凡河内躬恒[おおしこうちのみつね]
　⇨大伴家持[おおとものやかもち]
　⇨小野小町[おののこまち]
　⇨柿本人麻呂[かきのもとのひとまろ]
　⇨紀友則[きのとものり]　⇨能因[のういん]
　⇨藤原敏行[ふじわらのとしゆき]
　⇨藤原信実[ふじわらののぶざね]
　⇨藤原行成[ふじわらのゆきなり]　⇨遍昭[へんじょう]
　⇨源順[みなもとのしたごう]　⇨壬生忠岑[みぶのただみね]
　⇨都良香[みやこのよしか]
　⇨山部赤人[やまべのあかひと]
藤原薬子[ふじわらのくすこ] ………… ③250
　⇨嵯峨天皇[さがてんのう]
　⇨藤原仲成[ふじわらのなかなり]
　⇨平城天皇[へいぜいてんのう]
藤原妍子[ふじわらのけんし] ………… ③250
　⇨源倫子[みなもとのりんし]　⇨紫式部[むらさきしきぶ]
藤原伊周[ふじわらのこれちか] ……… ③250
　⇨清少納言[せいしょうなごん]
　⇨藤原隆家[ふじわらのたかいえ]
　⇨藤原道隆[ふじわらのみちたか]
　⇨藤原道長[ふじわらのみちなが]
藤原定家[ふじわらのさだいえ] ……… ③250
　⇨阿仏尼[あぶつに]　⇨和泉式部[いずみしきぶ]
　⇨小野小町[おののこまち]　⇨喜撰[きせん]
　⇨紀貫之[きのつらゆき]　⇨紀友則[きのとものり]
　⇨後鳥羽天皇[ごとばてんのう]　⇨西行[さいぎょう]
　⇨慈円[じえん]　⇨持統天皇[じとうてんのう]
　⇨寂蓮[じゃくれん]　⇨式子内親王[しょくしないしんのう]
　⇨菅原孝標女[すがわらのたかすえのむすめ]
　⇨武野紹鷗[たけのじょうおう]　⇨能因[のういん]
　⇨藤原惺窩[ふじわらせいか]
　⇨藤原家隆[ふじわらのいえたか]
　⇨藤原隆信[ふじわらのたかのぶ]
　⇨藤原俊成[ふじわらのとしなり]
　⇨藤原敏行[ふじわらのとしゆき]
　⇨藤原道綱母[ふじわらのみちつなのはは]
　⇨文屋康秀[ふんやのやすひで]　⇨遍昭[へんじょう]
　⇨源実朝[みなもとのさねとも]
　⇨源親行[みなもとのちかゆき]
藤原実資[ふじわらのさねすけ] ……… ③251
　⇨藤原実頼[ふじわらのさねより]
　⇨紫式部[むらさきしきぶ]
藤原実頼[ふじわらのさねより] ……… ③251
　⇨藤原実資[ふじわらのさねすけ]
　⇨藤原佐理[ふじわらのすけまさ]
　⇨冷泉天皇[れいぜいてんのう]
藤原順子[ふじわらのじゅんし]
　⇨藤原冬嗣[ふじわらのふゆつぐ]
　⇨藤原良房[ふじわらのよしふさ]
　⇨文徳天皇[もんとくてんのう]
藤原俊成[ふじわらのしゅんぜい]
　➡藤原俊成[ふじわらのとしなり]
藤原佐理[ふじわらのすけまさ] ……… ③251
　⇨小野道風[おののみちかぜ]
　⇨藤原公任[ふじわらのきんとう]
　⇨藤原行成[ふじわらのゆきなり]
藤原純友[ふじわらのすみとも] ……… ③252
　⇨小野好古[おののよしふる]
　⇨朱雀天皇[すざくてんのう]
　⇨平将門[たいらのまさかど]

　⇨藤原忠平[ふじわらのただひら]
　⇨源経基[みなもとのつねもと]
　⇨村上天皇[むらかみてんのう]
藤原隆家[ふじわらのたかいえ] ……… ③252
　⇨清少納言[せいしょうなごん]
　⇨藤原伊周[ふじわらのこれちか]
　⇨藤原道長[ふじわらのみちなが]
藤原隆信[ふじわらのたかのぶ] ……… ③252
　⇨西行[さいぎょう]　⇨常磐光長[ときわみつなが]
　⇨藤原信実[ふじわらののぶざね]
藤原隆能[ふじわらのたかよし] ……… ③252
藤原忠実[ふじわらのただざね] ……… ③253
　⇨藤原隆能[ふじわらのたかよし]
　⇨藤原忠通[ふじわらのただみち]
　⇨藤原頼長[ふじわらのよりなが]
藤原忠平[ふじわらのただひら] ……… ③253
　⇨朱雀天皇[すざくてんのう]
　⇨醍醐天皇[だいごてんのう]
　⇨平将門[たいらのまさかど]
　⇨藤原実頼[ふじわらのさねより]
　⇨藤原時平[ふじわらのときひら]
　⇨藤原基経[ふじわらのもとつね]
　⇨藤原師輔[ふじわらのもろすけ]
　⇨村上天皇[むらかみてんのう]　⇨良源[りょうげん]
藤原忠通[ふじわらのただみち] ……… ③253
　⇨九条兼実[くじょうかねざね]　⇨慈円[じえん]
　⇨橘成季[たちばなのなりすえ]
　⇨藤原忠実[ふじわらのただざね]
　⇨藤原頼長[ふじわらのよりなが]
藤原種継[ふじわらのたねつぐ] ……… ③253
　⇨大伴家持[おおとものやかもち]
　⇨桓武天皇[かんむてんのう]
　⇨早良親王[さわらしんのう]
　⇨藤原薬子[ふじわらのくすこ]
　⇨藤原仲成[ふじわらのなかなり]
　⇨和気清麻呂[わけのきよまろ]
藤原定家[ふじわらのていか]
　➡藤原定家[ふじわらのさだいえ]
藤原時平[ふじわらのときひら] ……… ③254
　⇨宇多天皇[うだてんのう]
　⇨菅原道真[すがわらのみちざね]
　⇨醍醐天皇[だいごてんのう]
　⇨藤原忠平[ふじわらのただひら]
　⇨藤原基経[ふじわらのもとつね]
　⇨源雅信[みなもとのまさのぶ]
　⇨三善清行[みよしのきよゆき]
藤原俊成[ふじわらのとしなり] ……… ③254
　⇨西行[さいぎょう]　⇨寂蓮[じゃくれん]
　⇨式子内親王[しょくしないしんのう]
　⇨藤原家隆[ふじわらのいえたか]
　⇨藤原定家[ふじわらのさだいえ]
　⇨源頼政[みなもとのよりまさ]
藤原敏行[ふじわらのとしゆき] ……… ③254
藤原永手[ふじわらのながて] ………… ③254
　⇨石上宅嗣[いそのかみのやかつぐ]
　⇨藤原房前[ふじわらのふささき]
藤原仲成[ふじわらのなかなり] ……… ③254
　⇨嵯峨天皇[さがてんのう]
　⇨藤原薬子[ふじわらのくすこ]
　⇨平城天皇[へいぜいてんのう]
藤原仲麻呂[ふじわらのなかまろ] …… ③255
　⇨淡海三船[おうみのみふね]
　⇨吉備真備[きびのまきび]　⇨玄昉[げんぼう]
　⇨孝謙天皇[こうけんてんのう]
　⇨淳仁天皇[じゅんにんてんのう]

344

⇨橘奈良麻呂[たちばなのならまろ]
⇨橘諸兄[たちばなのもろえ]　⇨道鏡[どうきょう]
⇨和気清麻呂[わけのきよまろ]
⇨和気広虫[わけのひろむし]

藤原成親[ふじわらのなりちか] ……………… ③255
⇨西光[さいこう]　⇨俊寛[しゅんかん]

藤原信実[ふじわらののぶざね] ……………… ③255

藤原陳忠[ふじわらののぶただ] ……………… ③256

藤原信頼[ふじわらののぶより] ……………… ③256
⇨藤原通憲[ふじわらのみちのり]
⇨源義朝[みなもとのよしとも]
⇨源頼朝[みなもとのよりとも]
⇨源頼政[みなもとのよりまさ]

藤原秀郷[ふじわらのひでさと] ……………… ③256
⇨平国香[たいらのくにか]　⇨平貞盛[たいらのさだもり]
⇨平将門[たいらのまさかど]

藤原秀衡[ふじわらのひでひら] ……………… ③256
⇨藤原清衡[ふじわらのきよひら]
⇨藤原基衡[ふじわらのもとひら]
⇨藤原泰衡[ふじわらのやすひら]
⇨源義経[みなもとのよしつね]
⇨源頼朝[みなもとのよりとも]

藤原広嗣[ふじわらのひろつぐ] ……………… ③257
⇨玄昉[げんぼう]　⇨聖武天皇[しょうむてんのう]
⇨橘諸兄[たちばなのもろえ]
⇨藤原仲麻呂[ふじわらのなかまろ]

藤原房前[ふじわらのふささき] ……………… ③257
⇨嵯峨天皇[さがてんのう]
⇨清和天皇[せいわてんのう]
⇨藤原鎌足[ふじわらのかまたり]
⇨藤原清河[ふじわらのきよかわ]
⇨藤原永手[ふじわらのながて]
⇨藤原不比等[ふじわらのふひと]
⇨藤原冬嗣[ふじわらのふゆつぐ]

藤原不比等[ふじわらのふひと] ……………… ③257
⇨大伴坂上郎女[おおとものさかのうえのいらつめ]
⇨吉備内親王[きびないしんのう]
⇨元正天皇[げんしょうてんのう]
⇨元明天皇[げんめいてんのう]
⇨光明皇后[こうみょうこうごう]
⇨持統天皇[じとうてんのう]
⇨聖武天皇[しょうむてんのう]
⇨舎人親王[とねりしんのう]　⇨長屋王[ながやおう]
⇨藤原宇合[ふじわらのうまかい]
⇨藤原鎌足[ふじわらのかまたり]
⇨藤原房前[ふじわらのふささき]
⇨藤原麻呂[ふじわらのまろ]
⇨藤原宮子[ふじわらのみやこ]
⇨藤原宮子[ふじわらのみやこ]
⇨藤原武智麻呂[ふじわらのむちまろ]
⇨文武天皇[もんむてんのう]

藤原冬嗣[ふじわらのふゆつぐ] ……………… ③258
⇨嵯峨天皇[さがてんのう]
⇨藤原良房[ふじわらのよしふさ]
⇨良岑安世[よしみねのやすよ]

藤原麻呂[ふじわらのまろ] ……………… ③258
⇨大伴坂上郎女[おおとものさかのうえのいらつめ]
⇨藤原鎌足[ふじわらのかまたり]
⇨藤原不比等[ふじわらのふひと]

藤原道家[ふじわらのみちいえ] ……………… ③258
⇨藤原頼経[ふじわらのよりつね]

藤原道隆[ふじわらのみちたか] ……………… ③258
⇨一条天皇[いちじょうてんのう]
⇨清少納言[せいしょうなごん]
⇨藤原兼家[ふじわらのかねいえ]

⇨藤原伊周[ふじわらのこれちか]
⇨藤原隆家[ふじわらのたかいえ]
⇨藤原道長[ふじわらのみちなが]

藤原道綱[ふじわらのみちつな] ……………… ③259
⇨藤原道綱母[ふじわらのみちつなのはは]

藤原道綱母[ふじわらのみちつなのはは] ……………… ③259
⇨菅原孝標女[すがわらのたかすえのむすめ]
⇨藤原道綱[ふじわらのみちつな]
⇨紫式部[むらさきしきぶ]

藤原道長[ふじわらのみちなが] ……………… ③260
⇨赤染衛門[あかぞめえもん]
⇨安倍晴明[あべのせいめい]
⇨和泉式部[いずみしきぶ]
⇨一条天皇[いちじょうてんのう]　⇨源信[げんしん]
⇨後一条天皇[ごいちじょうてんのう]
⇨後朱雀天皇[ごすざくてんのう]
⇨後冷泉天皇[ごれいぜいてんのう]　⇨定朝[じょうちょう]
⇨平維衡[たいらのこれひら]
⇨藤原兼家[ふじわらのかねいえ]
⇨藤原妍子[ふじわらのけんし]
⇨藤原伊周[ふじわらのこれちか]
⇨藤原実資[ふじわらのさねすけ]
⇨藤原隆家[ふじわらのたかいえ]
⇨藤原道隆[ふじわらのみちたか]
⇨藤原道綱[ふじわらのみちつな]
⇨藤原道綱母[ふじわらのみちつなのはは]
⇨藤原行成[ふじわらのゆきなり]
⇨藤原頼通[ふじわらのよりみち]
⇨源雅信[みなもとのまさのぶ]
⇨源頼信[みなもとのよりのぶ]
⇨源頼光[みなもとのよりみつ]
⇨源倫子[みなもとのりんし]　⇨紫式部[むらさきしきぶ]

藤原通憲[ふじわらのみちのり] ……………… ③259
⇨西光[さいこう]　⇨藤原信頼[ふじわらののぶより]
⇨源義朝[みなもとのよしとも]

藤原宮子[ふじわらのみやこ] ……………… ③259
⇨長屋王[ながやおう]
⇨藤原不比等[ふじわらのふひと]

藤原武智麻呂[ふじわらのむちまろ] ……………… ③261
⇨長屋王[ながやおう]　⇨藤原鎌足[ふじわらのかまたり]
⇨藤原仲麻呂[ふじわらのなかまろ]
⇨藤原房前[ふじわらのふささき]
⇨藤原不比等[ふじわらのふひと]

藤原明子[ふじわらのめいし]　⇨清和天皇[せいわてんのう]
⇨藤原良房[ふじわらのよしふさ]
⇨文徳天皇[もんとくてんのう]

藤原基経[ふじわらのもとつね] ……………… ③261
⇨宇多天皇[うだてんのう]
⇨光孝天皇[こうこうてんのう]
⇨巨勢金岡[こせのかなおか]
⇨朱雀天皇[すざくてんのう]
⇨清和天皇[せいわてんのう]
⇨橘広相[たちばなのひろみ]
⇨恒貞親王[つねさだしんのう]
⇨藤原忠平[ふじわらのただひら]
⇨藤原時平[ふじわらのときひら]
⇨村上天皇[むらかみてんのう]
⇨陽成天皇[ようぜいてんのう]

藤原元命[ふじわらのもとなが] ……………… ③261

藤原基衡[ふじわらのもとひら] ……………… ③261
⇨藤原清衡[ふじわらのきよひら]
⇨藤原秀衡[ふじわらのひでひら]

藤原百川[ふじわらのももかわ] ……………… ③262
⇨石上宅嗣[いそのかみのやかつぐ]
⇨桓武天皇[かんむてんのう]

⇨淳和天皇[じゅんなてんのう]
⇨藤原緒嗣[ふじわらのおつぐ]
⇨藤原永手[ふじわらのながて]
⇨藤原広嗣[ふじわらのひろつぐ]

藤原師輔[ふじわらのもろすけ] ……………… ③262
⇨円融天皇[えんゆうてんのう]
⇨藤原兼家[ふじわらのかねいえ]
⇨藤原兼通[ふじわらのかねみち]
⇨藤原実頼[ふじわらのさねより]
⇨村上天皇[むらかみてんのう]　⇨良源[りょうげん]
⇨冷泉天皇[れいぜいてんのう]

藤原泰衡[ふじわらのやすひら] ……………… ③262
⇨藤原秀衡[ふじわらのひでひら]
⇨源義経[みなもとのよしつね]
⇨源頼朝[みなもとのよりとも]
⇨武蔵坊弁慶[むさしぼうべんけい]

藤原行成[ふじわらのゆきなり] ……………… ③262
⇨一条天皇[いちじょうてんのう]
⇨小野道風[おののみちかぜ]
⇨藤原佐理[ふじわらのすけまさ]

藤原良房[ふじわらのよしふさ] ……………… ③263
⇨清和天皇[せいわてんのう]
⇨橘逸勢[たちばなのはやなり]
⇨伴健岑[とものこわみね]
⇨伴善男[とものよしお]
⇨藤原冬嗣[ふじわらのふゆつぐ]
⇨藤原基経[ふじわらのもとつね]
⇨源信[みなもとのまこと]　⇨文徳天皇[もんとくてんのう]

藤原頼嗣[ふじわらのよりつぐ] ……………… ③263
⇨藤原道家[ふじわらのみちいえ]
⇨藤原頼経[ふじわらのよりつね]
⇨北条時頼[ほうじょうときより]
⇨宗尊親王[むねたかしんのう]

藤原頼経[ふじわらのよりつね] ……………… ③263
⇨仙覚[せんがく]　⇨藤原道家[ふじわらのみちいえ]
⇨藤原頼嗣[ふじわらのよりつぐ]
⇨北条時頼[ほうじょうときより]
⇨北条政子[ほうじょうまさこ]
⇨宗尊親王[むねたかしんのう]

藤原頼長[ふじわらのよりなが] ……………… ③263
⇨崇徳天皇[すとくてんのう]
⇨平忠正[たいらのただまさ]
⇨藤原忠実[ふじわらのただざね]
⇨藤原忠通[ふじわらのただみち]
⇨藤原通憲[ふじわらのみちのり]
⇨藤原基衡[ふじわらのもとひら]
⇨源為義[みなもとのためよし]

藤原頼通[ふじわらのよりみち] ……………… ③264
⇨後一条天皇[ごいちじょうてんのう]
⇨後三条天皇[ごさんじょうてんのう]
⇨後朱雀天皇[ごすざくてんのう]
⇨後冷泉天皇[ごれいぜいてんのう]
⇨定朝[じょうちょう]
⇨源雅信[みなもとのまさのぶ]
⇨源頼信[みなもとのよりのぶ]
⇨源倫子[みなもとのりんし]

フス, ヤン ……………… ③264
⇨ウィクリフ, ジョン　⇨サボナローラ, ジロラモ

フセイン, サダム ……………… ③264
⇨ブッシュ, ジョージ(子)

フセイン・イブン・タラル ……………… ③265

フセイン・ブン・アリー ……………… ③265
⇨イブン・サウード

フセボロド・ガルシン　➡ガルシン, フセボロド

二上達也[ふたかみたつや]　⇨羽生善治[はぶよしはる]

二葉亭四迷［ふたばていしめい］ …………… ③265
　⇨横山源之助［よこやまげんのすけ］
双葉山［ふたばやま］ ……………………………… ③265
布田保之助［ふたやすのすけ］ ……………………… ③266
プチャーチン, エッフィミー・ワシリエビッチ
　………………………………………………… ③266
　⇨川路聖謨［かわじとしあきら］
　⇨本木昌造［もときしょうぞう］
フック, ロバート ………………………………… ③266
　⇨ボイル, ロバート
フッサール, エドムント …………………………… ③266
　⇨サルトル, ジャン＝ポール
　⇨ハイデッガー, マルティン
ブッシュ, ジョージ(父) ………………………… ③267
　⇨クリントン, ビル　⇨ゴルバチョフ, ミハイル
　⇨フセイン, サダム　⇨ブッシュ, ジョージ(子)
ブッシュ, ジョージ(子) ………………………… ③267
　⇨ゴア, アル　⇨フセイン, サダム
　⇨ブッシュ, ジョージ(父)　⇨ブレア, トニー
ブッセ, カール …………………………………… ③267
　⇨上田敏［うえだびん］
ブッダ　➡シャカ
プッチーニ, ジャコーモ ………………………… ③267
　⇨カラス, マリア　⇨三浦環［みうらたまき］
仏哲［ぶってつ］ …………………………………… ③268
　⇨菩提僊那［ぼだいせんな］
ブット, ベナジール ……………………………… ③268
仏図澄［ぶっとちょう］ …………………………… ③268
武帝［ぶてい］ ……………………………………… ③268
　⇨衛青［えいせい］　⇨衛満［えいまん］
　⇨司馬遷［しばせん］　⇨張騫［ちょうけん］
　⇨董仲舒［とうちゅうじょ］　⇨班固［はんこ］
　⇨冒頓単于［ぼくとつぜんう］　⇨李淵［りえん］
武帝(晋)［ぶてい］　➡司馬炎［しばえん］
武帝(宋)［ぶてい］　➡劉裕［りゅうゆう］
プトレマイオス, クラウディオス ……………… ③269
　⇨ガリレイ, ガリレオ　⇨コペルニクス, ニコラウス
　⇨フワーリズミー
船越作左衛門［ふなこしさくざえもん］ ……………… ③269
舟崎克彦［ふなざきよしひこ］ ……………………… ③269
船津伝次平［ふなつでんじべい］ …………………… ③269
ブニュエル, ルイス　➡ダリ, サルバドール
ブノワ・マンデルブロー　➡マンデルブロー, ブノワ
ブハーリン, ニコライ・イワノビッチ ……… ③270
フビライ・ハン ………………………………… ③272
　⇨郭守敬［かくしゅけい］　⇨杜世忠［とせいちゅう］
　⇨ハイドゥ　⇨パスパ　⇨フラグ
　⇨北条時宗［ほうじょうときむね］　⇨マルコ・ポーロ
　⇨モンケ・ハン　⇨モンテ・コルビノ
　⇨耶律楚材［やりつそざい］
　⇨リュブリュキ, ギヨーム・ド
ププリウス・リキニウス・ウァレリアヌス
　➡ウァレリアヌス, ププリウス・リキニウス
フョードル・ドストエフスキー
　➡ドストエフスキー, フョードル
ブラーエ, ティコ ………………………………… ③270
　⇨ケプラー, ヨハネス
ブラームス, ヨハネス …………………………… ③270
　⇨朝比奈隆［あさひなたかし］　⇨シューマン, クララ
　⇨シューマン, ロベルト　⇨ドボルザーク, アントニン
　⇨ベーム, カール
フラ・アンジェリコ ……………………………… ③270
ブライト, ジョン ………………………………… ③271
　⇨コブデン, リチャード
ブライユ, ルイ …………………………………… ③271

⇨石川倉次［いしかわくらじ］
ブラウニング, ロバート ………………………… ③271
ブラウン, カール・フェルディナント ………… ③271
ブラウン, ゴードン ……………………………… ③273
　⇨キャメロン, デービッド
ブラウン, マーシャ ……………………………… ③273
ブラウン, ロバート ……………………………… ③273
フラグ ……………………………………………… ③273
　⇨ガザン・ハン　➡モンケ・ハン
プラクシテレス …………………………………… ③273
フラゴナール, ジャン …………………………… ③274
プラダ, マリオ …………………………………… ③274
ブラック, ジョルジュ …………………………… ③274
　⇨ピカソ, パブロ　⇨ローランサン, マリー
プラティニ, ミシェル …………………………… ③274
プラトン …………………………………………… ③275
　⇨アリストテレス　⇨エラトステネス
　⇨ショーペンハウアー, アルトゥール　⇨ソクラテス
　⇨ホスロー1世［ーせい］
ブラマンテ, ドナート …………………………… ③275
ブラン, ルイ ……………………………………… ③275
フランク, アンネ ………………………………… ③275
プランク, マックス ……………………………… ③276
ブランクーシ, コンスタンティン ……………… ③276
　⇨ノグチ, イサム　⇨モディリアーニ, アメデオ
フランク・ケロッグ　➡ケロッグ, フランク
フランク・シナトラ　➡シナトラ, フランク
フランクリン, アレサ …………………………… ③276
フランクリン, ベンジャミン …………………… ③276
　⇨ヒューム, デビッド　⇨プリーストリー, ジョセフ
　⇨ペイン, トマス　⇨山本五十六［やまもといそろく］
フランクリン・ローズベルト　➡ローズベルト, フランクリン
フランクル, ビクトール ………………………… ③277
フランク・ロイド・ライト　➡ライト, フランク・ロイド
フランコ, フランシスコ ………………………… ③277
　⇨アサーニャ, マヌエル　⇨ピカソ, パブロ
　⇨フアン・カルロス
フランシス・クリック　➡クリック, フランシス
フランシスコ・カブラル　➡カブラル, フランシスコ
フランシスコ・ザビエル　➡ザビエル, フランシスコ
フランシスコ・ピサロ　➡ピサロ, フランシスコ
フランシスコ・フランコ　➡フランコ, フランシスコ
フランシスコ・ホセ・デ・ゴヤ
　➡ゴヤ, フランシスコ・ホセ・デ
フランシスコ・マデロ　➡マデロ, フランシスコ
フランシス・ドレーク　➡ドレーク, フランシス
フランシス・フォード・コッポラ
　➡コッポラ, フランシス・フォード
フランシス・ベーコン(哲学者)
　➡ベーコン, フランシス(哲学者)
フランシス・ベーコン(画家)
　➡ベーコン, フランシス(画家)
フランシス・ホジソン・バーネット
　➡バーネット, フランシス・ホジソン
フランス, アナトール …………………………… ③277
　⇨石川淳［いしかわじゅん］
フランス・ハルス　➡ハルス, フランス
フランソワーズ・サガン　➡サガン, フランソワーズ
フランソワ1世［ーせい］ ………………………… ③277
　⇨カール5世［ーせい］　⇨カトリーヌ・ド・メディシス
　⇨スレイマン1世［ーせい］　⇨レオナルド・ダ・ビンチ
フランソワ・オランド　➡オランド, フランソワ
フランソワ・クープラン　➡クープラン, フランソワ
フランソワ・ケネー　➡ケネー, フランソワ
フランソワ・トリュフォー　➡トリュフォー, フランソワ

フランソワ・ノエル・バブーフ
　➡バブーフ, フランソワ・ノエル
フランソワ・ブーシェ　➡ブーシェ, フランソワ
フランソワ・ミッテラン　➡ミッテラン, フランソワ
フランソワ・ラブレー　➡ラブレー, フランソワ
ブランソン, リチャード ………………………… ③278
フランチェスコ ………………………………… ③278
フランチェスコ・ペトラルカ　➡ペトラルカ
フランツ1世［ーせい］ …………………………… ③278
　⇨マリア・テレジア　⇨マリー・アントワネット
　⇨ヨーゼフ2世［ーせい］
フランツ・カフカ　➡カフカ, フランツ
フランツ・クサーファー・グルーバー
　➡グルーバー, フランツ・クサーファー
フランツ・グリルパルツァー
　➡グリルパルツァー, フランツ
フランツ・シューベルト　➡シューベルト, フランツ
フランツ・フェルディナント ………………… ③278
フランツ・フォン・ズッペ　➡ズッペ, フランツ・フォン
フランツ・ベッケンバウアー
　➡ベッケンバウアー, フランツ
フランツ・ヨーゼフ1世［ーせい］ ……………… ③278
　⇨フランツ・フェルディナント
　⇨マクシミリアン, フェルディナンド
フランツ・ヨーゼフ・ハイドン
　➡ハイドン, フランツ・ヨーゼフ
フランツ・リスト　➡リスト, フランツ
ブラント, ウィリー ……………………………… ③279
　⇨シュミット, ヘルムート
ブラントン, リチャード ………………………… ③279
ブリアン, アリスティド ………………………… ③279
　⇨ケロッグ, フランク　⇨シュトレーゼマン, グスタフ
プリーストリー, ジョセフ ……………………… ③279
　⇨キャベンディッシュ, ヘンリー
フリーダ・カーロ　➡カーロ, フリーダ
フリードリヒ1世［ーせい］ ……………………… ③279
　⇨フリードリヒ2世(神聖ローマ帝国皇帝)［ーせい］
フリードリヒ2世(神聖ローマ帝国皇帝)［ーせい］
　………………………………………………… ③280
　⇨インノケンティウス3世［ーせい］
　⇨バッハ, ヨハン・セバスチャン
フリードリヒ2世(プロイセン王)［ーせい］ …… ③280
　⇨インノケンティウス3世［ーせい］
フリードリヒ3世［ーせい］ ……………………… ③280
　⇨クラナハ, ルーカス　⇨ビクトリア女王［ーじょおう］
　⇨ルター, マルティン
フリードリヒ・ウィルヘルム1世［ーせい］ …… ③281
　⇨フリードリヒ2世(プロイセン王)［ーにせい］
フリードリヒ・エーベルト　➡エーベルト, フリードリヒ
フリードリヒ・エンゲルス　➡エンゲルス, フリードリヒ
フリードリヒ・カール・フォン・サビニー
　➡サビニー, フリードリヒ・カール・フォン
フリードリヒ・ジルヒャー　➡ジルヒャー, フリードリヒ
フリードリヒ・ニーチェ　➡ニーチェ, フリードリヒ
フリードリヒ・フォン・シラー　➡シラー, フリードリヒ・フォン
フリードリヒ・フレーベル　➡フレーベル, フリードリヒ
フリードリヒ・ヘルダーリン　➡ヘルダーリン, フリードリヒ
プリセツカヤ, マイヤ …………………………… ③281
フリチョフ・ナンセン　➡ナンセン, フリチョフ
フリッシュ, カール・フォン …………………… ③281
　⇨ローレンツ, コンラート
ブリテン, ベンジャミン ………………………… ③281
プリニウス ……………………………………… ③281
ブリューゲル, ピーテル ………………………… ③282
プルースト, マルセル …………………………… ③282

⇨ジョイス, ジェイムズ

ブルートゥス, マルクス・ユニウス ………… ③282
⇨アントニウス, マルクス
⇨オクタウィアヌス帝 [−てい]　⇨カエサル, ユリウス
⇨ホラティウス　⇨レピドゥス, マルクス・アエミリウス

プルードン, ピエール・ジョゼフ ………… ③283
⇨ゲルツェン, アレクサンドル
⇨バクーニン, ミハイル
⇨フーリエ, シャルル

ブルーナ, ディック ………… ③283
ブルーノ, ジョルダーノ ………… ③283
ブルーノ・タウト　➡タウト, ブルーノ
ブルガリ, ソティリオ ………… ③283
古河市兵衛 [ふるかわいちべえ] ………… ③283
古川聡 [ふるかわさとし] ………… ③284
古川善兵衛 [ふるかわぜんべえ] ………… ③284
古川タク [ふるかわ−] ………… ③284
古河太四郎 [ふるかわたしろう] ………… ③285
古川緑波 [ふるかわろっぱ] ………… ③285
⇨江戸家猫八 [えどやねこはち]
⇨榎本健一 [えのもとけんいち]
⇨菊田一夫 [きくたかずお]　⇨森繁久彌 [もりしげひさや]
古郡重政 [ふるごおりしげまさ] ………… ③285
フルシチョフ, ニキータ ………… ③285
⇨アイゼンハワー, ドワイト
⇨ケネディ, ジョン・フィッツジェラルド
⇨ブレジネフ, レオニード　⇨マレンコフ, ゲオルギー
⇨モロトフ, ビャチェスラフ
古田織部 [ふるたおりべ] ………… ③286
⇨小堀遠州 [こぼりえんしゅう]　⇨千利休 [せんのりきゅう]
古田足日 [ふるたたるひ] ………… ③286
⇨砂田弘 [すなだひろし]　⇨山中恒 [やまなかひさし]
プルタルコス ………… ③286
⇨リュクルゴス
ブルックナー, アントン ………… ③287
⇨朝比奈隆 [あさひなたかし]
⇨フルトベングラー, ウィルヘルム
フルトベングラー, ウィルヘルム ………… ③287
⇨近衛秀麿 [このえひでまろ]
フルドライヒ・ツウィングリ　➡ツウィングリ, フルドライヒ
ブルトン, アンドレ ………… ③287
⇨岡本太郎 [おかもとたろう]　⇨ピカソ, パブロ
フルトン, ロバート ………… ③287
ブルネレスキ, フィリッポ ………… ③288
⇨ギベルティ, ロレンツォ　⇨ドナテッロ
古橋廣之進 [ふるはしひろのしん] ………… ③288
古人大兄皇子 [ふるひとのおおえのおうじ] ………… ③288
⇨舒明天皇 [じょめいてんのう]
⇨蘇我入鹿 [そがのいるか]
⇨山背大兄王 [やましろのおおえのおう]
フルベッキ, グイド ………… ③288
⇨大隈重信 [おおくましげのぶ]
⇨ジェーンズ, リロイ　⇨副島種臣 [そえじまたねおみ]
ブルム, レオン ………… ③289
⇨オリオール, バンサン　⇨ダラディエ, エドゥアール
ブレア, トニー ………… ③289
⇨ブラウン, ゴードン
ブレイク, ウィリアム ………… ③289
⇨柳宗悦 [やなぎむねよし]
ブレーズ・パスカル　➡パスカル, ブレーズ
フレーベル, フリードリヒ ………… ③289
ブレジネフ, レオニード ………… ③290
⇨アンドロポフ, ユーリ
⇨チェルネンコ, コンスタンティン
⇨ドプチェク, アレクサンデル

プレスリー, エルビス ………… ③290
⇨シナトラ, フランク　⇨レノン, ジョン
ブレッソン　➡カルティエ＝ブレッソン, アンリ
武烈天皇 [ぶれつてんのう] ………… ③290
⇨大伴金村 [おおとものかなむら]
⇨継体天皇 [けいたいてんのう]
フレッド・アステア　➡アステア, フレッド
フレデリック・ウィレム・デクラーク
　➡デクラーク, フレデリック・ウィレム
フレデリック・ウォード　➡ウォード, フレデリック
フレデリック・ショパン　➡ショパン, フレデリック
プレハーノフ, ゲオルギー ………… ③290
ブレヒト, ベルトルト ………… ③291
フレミング, アレクサンダー ………… ③291
フレミング, ジョン・アンブローズ ………… ③291
フロイス, ルイス ………… ③291
⇨オルガンチノ　⇨小西隆佐 [こにしりゅうさ]
フロイト, ジグムント ………… ③292
⇨グロフ, スタニスラフ　⇨ダリ, サルバドール
⇨フランクル, ビクトール　⇨フロム, エーリッヒ
⇨ユング, カール・グスタフ
ブローディ, ロマーノ ………… ③292
ブローデル, フェルナン ………… ③293
フローベール, ギュスターブ ………… ③293
⇨ゴーチエ, テオフィル　⇨サンド, ジョルジュ
⇨セルバンテス, ミゲル・デ　⇨モーパッサン, ギー・ド
フローレンス・グリフィス＝ジョイナー
　➡グリフィス＝ジョイナー, フローレンス
フローレンス・ナイチンゲール
　➡ナイチンゲール, フローレンス
プロコフィエフ, セルゲイ ………… ③293
⇨ボウイ, デビッド
⇨リムスキー＝コルサコフ, ニコライ
プロスト, アラン ………… ③293
⇨シューマッハ, ミヒャエル　⇨セナ, アイルトン
プロスペル・メリメ　➡メリメ, プロスペル
プロタゴラス ………… ③294
フロム, エーリッヒ ………… ③294
ブロンテ姉妹 [−しまい] ………… ③294
⇨阿部知二 [あべともじ]
フワーリズミー ………… ③294
文公 [ぶんこう] ………… ③295
文帝 (魏) [ぶんてい] ➡曹丕 [そうひ]
文帝 (隋) [ぶんてい] ………… ③295
⇨煬帝 [ようだい]　⇨李淵 [りえん]
フンボルト, アレクサンダー・フォン ………… ③295
文屋康秀 [ふんやのやすひで] ………… ③295
⇨小野小町 [おののこまち]

へ

ベアテ・シロタ・ゴードン　➡ゴードン, ベアテ・シロタ
ベアトリーチェ　⇨ダンテ・アリギエリ
ヘイ, ジョン ………… ④9
ヘイエルダール, トール ………… ④9
ヘイケ・カーメルリング・オンネス
　➡カーメルリング・オンネス, ヘイケ
ペイシストラトス ………… ④9
平城天皇 [へいぜいてんのう] ………… ④9
⇨在原業平 [ありわらのなりひら]
⇨嵯峨天皇 [さがてんのう]
⇨淳和天皇 [じゅんなてんのう]
⇨菅野真道 [すがののまみち]

⇨藤原薬子 [ふじわらのくすこ]
⇨藤原仲成 [ふじわらのなかなり]
⇨藤原冬嗣 [ふじわらのふゆつぐ]
ペイン, トマス ………… ④9
ヘーゲル, ゲオルク・ウィルヘルム ………… ④10
⇨カント, インマヌエル
⇨ショーペンハウアー, アルトゥール
⇨バクーニン, ミハイル
⇨フィヒテ, ヨハン・ゴットリープ
⇨フォイエルバッハ, ルートウィヒ
⇨ヘルダーリン, フリードリヒ　⇨マルクス, カール
ベーコン, フランシス (哲学者) ………… ④10
ベーコン, フランシス (画家) ………… ④10
ベーコン, ロジャー ………… ④10
ヘーシンク, アントン ………… ④10
ペーター・ヘルトリング　➡ヘルトリング, ペーター
ペーテル・パウル・ルーベンス
　➡ルーベンス, ペーテル・パウル
ベートーベン, ルートウィヒ・ファン ………… ④12
⇨朝比奈隆 [あさひなたかし]
⇨近衛秀麿 [このえひでまろ]　⇨シューベルト, フランツ
⇨シラー, フリードリヒ・フォン　⇨チェルニー, カール
⇨なかにし礼 [なかにしれい]
⇨バッハ, ヨハン・セバスチャン
⇨ブールデル, エミール＝アントワーヌ
⇨ブラームス, ヨハネス
⇨フルトベングラー, ウィルヘルム
⇨黛敏郎 [まゆずみとしろう]
⇨モーツァルト, ウォルフガング・アマデウス
⇨ロラン, ロマン　⇨ワーグナー, リヒャルト
ベーブ・ルース ………… ④11
⇨ゲーリッグ, ルー　⇨沢村栄治 [さわむらえいじ]
ベーベル, アウグスト ………… ④11
⇨山川菊栄 [やまかわきくえ]
ベーム, カール ………… ④11
ベーリング, ビトゥス ………… ④11
⇨ピョートル1世 [−せい]
ベクレル, アントワーヌ・アンリ ………… ④13
⇨キュリー, マリー
ベケット, サミュエル ………… ④13
⇨イヨネスコ, ウージェーヌ
⇨別役実 [べつやくみのる]
ベサリウス, アンドレアス ………… ④13
ヘシオドス ………… ④13
ペスタロッチ, ヨハン・ハインリヒ ………… ④13
⇨ジルヒャー, フリードリヒ
⇨フレーベル, フリードリヒ
ベスプッチ, アメリゴ ………… ④14
⇨フランソワ1世 [−せい]
ペタン, フィリップ ………… ④14
⇨オリオール, バンサン　⇨ブルム, レオン
ベッケンバウアー, フランツ ………… ④14
ヘッセ, ヘルマン ………… ④14
⇨ブッセ, カール
ベッセマー, ヘンリー ………… ④15
ヘップバーン, オードリー ………… ④15
別役実 [べつやくみのる] ………… ④15
ベッリーニ, ジョバンニ　⇨ティツィアーノ・ベチェリオ
⇨デューラー, アルブレヒト
ヘディン, スベン ………… ④15
ペテロ ………… ④16
⇨イエス・キリスト
ペトラルカ ………… ④16
⇨ダンテ・アリギエリ　⇨チョーサー, ジェフリー
⇨ボッカチオ, ジョバンニ

五十音順索引

へ／ほ

ペドロ・アルバレス・カブラル
➡カブラル、ペドロ・アルバレス
ベナジール・ブット ➡ブット、ベナジール
ベニー・グッドマン ➡グッドマン、ベニー
ベニート・ムッソリーニ ➡ムッソリーニ、ベニート
ベニグノ・アキノ ⇨アキノ、コラソン
ベニト・フアレス ➡フアレス、ベニト
ベヌスティアーノ・カランサ
➡カランサ、ベヌスティアーノ
ベネディクトゥス ……………………… ④16
ヘボン、ジェームス ……………………… ④16
　⇨大村益次郎[おおむらますじろう]
　⇨高橋是清[たかはしこれきよ]
ヘミングウェイ、アーネスト ………… ④17
ヘラクレイオス1世[ーせい] ………… ④17
ヘラクレイトス ………………………… ④17
ベラスケス、ディエゴ・デ …………… ④17
　⇨エル・グレコ ⇨ティツィアーノ・ベチェリオ
　⇨東洲斎写楽[とうしゅうさいしゃらく]
　⇨ピカソ、パブロ ⇨マネ、エドワール
　⇨ムリーリョ、バルトロメ・エステバン
ベラフォンテ、ハリー ………………… ④17
ベリー、マシュー・カルブレイス …… ④18
　⇨安積艮斎[あさかごんさい] ⇨阿部正弘[あべまさひろ]
　⇨井伊直弼[いいなおすけ] ⇨伊藤博文[いとうひろぶみ]
　⇨梅田雲浜[うめだうんぴん]
　⇨江川太郎左衛門[えがわたろうざえもん]
　⇨江藤新平[えとうしんぺい]
　⇨大原重徳[おおはらしげとみ]
　⇨片寄平蔵[かたよせへいぞう]
　⇨勝海舟[かつかいしゅう]
　⇨川路聖謨[かわじとしあきら]
　⇨木戸孝允[きどたかよし]
　⇨孝明天皇[こうめいてんのう]
　⇨シーボルト、フィリップ・フランツ・フォン
　⇨島津斉彬[しまづなりあきら] ⇨尚泰王[しょうたいおう]
　⇨ジョン万次郎[ーまんじろう]
　⇨高島秋帆[たかしましゅうはん]
　⇨徳川家定[とくがわいえさだ]
　⇨徳川家慶[とくがわいえよし]
　⇨徳川斉昭[とくがわなりあき]
　⇨徳川慶喜[とくがわよしのぶ]
　⇨中山忠光[なかやまただみつ]
　⇨鍋島直正[なべしまなおまさ] ⇨西周[にしあまね]
　⇨藤田東湖[ふじたとうこ] ⇨前島密[まえじまひそか]
　⇨松平容保[まつだいらかたもり]
　⇨松平慶永[まつだいらよしなが]
　⇨山内豊信[やまうちとよしげ]
　⇨横井小楠[よこいしょうなん]
　⇨吉田松陰[よしだしょういん]
　⇨頼三樹三郎[らいみきさぶろう]
ペリクレス ……………………………… ④18
ヘリト・トーマス・リートフェルト
　➡リートフェルト、ヘリト・トーマス
ヘリング、キース ……………………… ④19
ベル、グラハム ………………………… ④19
　⇨エジソン、トーマス・アルバ
ベルクソン、アンリ …………………… ④19
ベルサーチ、ジャンニ ………………… ④19
ベルジフ・スメタナ ➡スメタナ、ベルジフ
ベルセリウス、ヨンス・ヤーコブ …… ④19
ヘルダーリン、フリードリヒ ………… ④20
　⇨伊東静雄[いとうしずお]
　⇨保田与重郎[やすだよじゅうろう]
ベルツ、エルウィン・フォン ………… ④20

ヘルツ、ハインリヒ・ルドルフ ……… ④20
　⇨ヘルムホルツ、ヘルマン・フォン
ヘルツル、テオドール ………………… ④20
ベルディ、ジュゼッペ ………………… ④20
　⇨ジャンヌ・ダルク ⇨デュマ、アレクサンドル
　⇨プッチーニ、ジャコモ
ヘルトリング、ペーター ……………… ④21
ベルトルト・ブレヒト ➡ブレヒト、ベルトルト
ベルナール、エミール
　⇨ロートレック、アンリ・ド・トゥールーズ
ベルナール・ビュッフェ ➡ビュッフェ、ベルナール
ベルナルダン・ド・サン=ピエール、ジャック=アンリ ④21
ベルナルドゥス ………………………… ④21
ベルヌ、ジュール ……………………… ④21
　⇨ゴールディング、ウィリアム
ヘルベルト・フォン・カラヤン
　➡カラヤン、ヘルベルト・フォン
ヘルマン・ゲーリング ➡ゲーリング、ヘルマン
ヘルマン・ファン・ロンパイ ➡ファン・ロンパイ、ヘルマン
ヘルマン・フォン・ヘルムホルツ
　➡ヘルムホルツ、ヘルマン・フォン
ヘルマン・ヘッセ ➡ヘッセ、ヘルマン
ヘルムート・コール ➡コール、ヘルムート
ヘルムート・シュミット ➡シュミット、ヘルムート
ヘルムート・フォン・モルトケ
　➡モルトケ、ヘルムート・フォン
ヘルムホルツ、ヘルマン・フォン …… ④21
　⇨スーラ、ジョルジュ ⇨プランク、マックス
　⇨ベル、グラハム ⇨ヘルツ、ハインリヒ・ルドルフ
　⇨マイヤー、ユリウス・ロベルト・フォン
ベルリオーズ、エクトール …………… ④22
　⇨ショパン、フレデリック ⇨リスト、フランツ
ベルルスコーニ、シルビオ …………… ④22
　⇨ブローディ、ロマーノ ⇨モンティ、マリオ
ベルレーヌ、ポール …………………… ④22
　⇨ドビュッシー、クロード
　⇨中原中也[なかはらちゅうや]
　⇨ランボー、アルチュール
ベルンシュタイン、エドゥアルト …… ④23
　⇨カウツキー、カール ⇨ルクセンブルク、ローザ
ベルンハルト・リーマン ➡リーマン、ベルンハルト
ペレ ……………………………………… ④23
ペレス、シモン ………………………… ④23
　⇨ラビン、イツハーク
ヘレン・ケラー ➡ケラー、ヘレン
ペロー、シャルル ……………………… ④23
ヘロデ王[ーおう] ……………………… ④23
　⇨イエス・キリスト
ヘロドトス ……………………………… ④24
　⇨イソップ ⇨クフ王[ーおう] ⇨トゥキディデス
　⇨リュクルゴス
ヘロン …………………………………… ④24
ペロン、フアン ………………………… ④24
弁慶[べんけい] ➡武蔵坊弁慶[むさしぼうべんけい]
ベンサム、ジェレミー ………………… ④24
　⇨ミル、ジョン・スチュアート
　⇨陸奥宗光[むつむねみつ]
ヘン・サムリン ………………………… ④25
　⇨シハヌーク、ノロドム
ベンジャミン・ディズレーリ ➡ディズレーリ、ベンジャミン
ベンジャミン・フランクリン ➡フランクリン、ベンジャミン
ベンジャミン・ブリテン ➡ブリテン、ベンジャミン
遍昭[へんじょう] ……………………… ④25
　⇨小野小町[おののこまち]

ベンツ、カール ………………………… ④25
ヘンデル、ゲオルク …………………… ④26
ベントリス、マイケル ………………… ④26
　⇨エバンズ、アーサー
辺見庸[へんみよう] …………………… ④26
ヘンリー、ジョセフ …………………… ④26
ヘンリー2世[ーせい] ………………… ④26
　⇨リチャード1世[ーせい]
ヘンリー3世[ーせい] ………………… ④27
　⇨エドワード1世[ーせい]
　⇨モンフォール、シモン・ド
ヘンリー6世[ーせい] ⇨シャルル7世[ーせい]
　⇨ヘンリー7世[ーせい] ⇨リチャード3世[ーせい]
ヘンリー7世[ーせい] ………………… ④27
　⇨カボット父子[ーふし] ⇨ヘンリー8世[ーせい]
　⇨リチャード3世[ーせい]
ヘンリー8世[ーせい] ………………… ④27
　⇨エリザベス1世[ーせい] ⇨カボット父子[ーふし]
　⇨ホルバイン、ハンス ⇨メアリ1世[ーせい]
　⇨モア、トマス
ヘンリー・キッシンジャー ➡キッシンジャー、ヘンリー
ヘンリー・キャベンディッシュ
　➡キャベンディッシュ、ヘンリー
ヘンリー・クレジック・ローリンソン
　➡ローリンソン、ヘンリー・クレジック
ヘンリー・スタンリー ➡スタンリー、ヘンリー
ヘンリー・ソロー ➡ソロー、ヘンリー
ヘンリー・パーマー ➡パーマー、ヘンリー
ヘンリー・ヒュースケン ➡ヒュースケン、ヘンリー
ヘンリー・フォード ➡フォード、ヘンリー
ヘンリー・ベッセマー ➡ベッセマー、ヘンリー
ヘンリー・ミラー ➡ミラー、ヘンリー
ヘンリー・ムーア ➡ムーア、ヘンリー
ヘンリー・ローリー・ビショップ
　➡ビショップ、ヘンリー・ローリー
ヘンリク・イプセン ➡イプセン、ヘンリク
ヘンリク・シェンケビッチ ➡シェンケビッチ、ヘンリク

ほ

ホアキン・ロドリーゴ ➡ロドリーゴ、ホアキン
ボアソナード、ギュスターブ・エミール ……… ④28
　⇨穂積八束[ほづみやつか]
ポアンカレ、ジュール・アンリ ……… ④28
ホイットニー、イーライ ……………… ④28
ホイットマン、ウォルト ……………… ④28
ホイヘンス、クリスティアーン ……… ④29
　⇨ライプニッツ、ゴットフリート
ボイル、ロバート ……………………… ④29
　⇨フック、ロバート
ボウイ、デビッド ……………………… ④29
　⇨大島渚[おおしまなぎさ]
北条氏綱[ほうじょううじつな] ……… ④29
　⇨北条氏康[ほうじょううじやす]
　⇨北条早雲[ほうじょうそううん]
北条氏政[ほうじょううじまさ] ……… ④30
　⇨上杉謙信[うえすぎけんしん]
　⇨滝川一益[たきがわかずます]
　⇨武田勝頼[たけだかつより]
北条氏康[ほうじょううじやす] ……… ④30
　⇨今川義元[いまがわよしもと]
　⇨上杉謙信[うえすぎけんしん]
　⇨上杉憲政[うえすぎのりまさ]

⇨武田信玄[たけだしんげん]
⇨北条氏綱[ほうじょううじつな]
⇨北条氏政[ほうじょううじまさ]
⇨北条早雲[ほうじょうそううん]

北条貞時[ほうじょうさだとき] …… ④30
⇨安達泰盛[あだちやすもり]
⇨一山一寧[いっさんいちねい]
⇨平頼綱[たいらのよりつな]
⇨北条高時[ほうじょうたかとき]

北条実時[ほうじょうさねとき]
➡金沢実時[かねざわさねとき]

北条重時[ほうじょうしげとき] …… ④30
⇨北条長時[ほうじょうながとき]
⇨北条泰時[ほうじょうやすとき]

北条早雲[ほうじょうそううん] …… ④31
⇨足利茶々丸[あしかがちゃちゃまる]
⇨今川氏親[いまがわうじちか]
⇨斎藤道三[さいとうどうさん]
⇨北条氏綱[ほうじょううじつな]

北条高時[ほうじょうたかとき] …… ④31
⇨佐々木導誉[ささきどうよ]
⇨長崎高資[ながさきたかすけ]
⇨新田義貞[にったよしさだ]
⇨北条貞時[ほうじょうさだとき]
⇨北条時行[ほうじょうときゆき]
⇨北条守時[ほうじょうもりとき]
⇨夢窓疎石[むそうそせき]

北条時房[ほうじょうときふさ] …… ④32
⇨北条政子[ほうじょうまさこ]
⇨北条泰時[ほうじょうやすとき]
⇨北条義時[ほうじょうよしとき]

北条時政[ほうじょうときまさ] …… ④32
⇨運慶[うんけい] ⇨曽我兄弟[そがきょうだい]
⇨畠山重忠[はたけやましげただ]
⇨比企能員[ひきよしかず] ⇨平賀朝雅[ひらがともまさ]
⇨北条時房[ほうじょうときふさ]
⇨北条政子[ほうじょうまさこ]
⇨北条義時[ほうじょうよしとき]
⇨源実朝[みなもとのさねとも]
⇨源頼家[みなもとのよりいえ]
⇨源頼朝[みなもとのよりとも]
⇨和田義盛[わだよしもり]

北条時宗[ほうじょうときむね] …… ④34
⇨安達泰盛[あだちやすもり]
⇨平頼綱[たいらのよりつな] ⇨杜世忠[とせいちゅう]
⇨忍性[にんしょう] ⇨フビライ・ハン
⇨北条貞時[ほうじょうさだとき]
⇨北条時頼[ほうじょうときより]
⇨無学祖元[むがくそげん]

北条時行[ほうじょうときゆき] …… ④32
⇨護良親王[もりよししんのう]

北条時頼[ほうじょうときより] …… ④32
⇨安達泰盛[あだちやすもり]
⇨金沢実時[かねざわさねとき] ⇨道元[どうげん]
⇨日蓮[にちれん] ⇨忍性[にんしょう]
⇨藤原道家[ふじわらのみちいえ]
⇨藤原頼経[ふじわらのよりつね]
⇨北条重時[ほうじょうしげとき]
⇨北条時宗[ほうじょうときむね]
⇨北条長時[ほうじょうながとき]
⇨北条泰時[ほうじょうやすとき]
⇨三浦泰村[みうらやすむら]
⇨宗尊親王[むねたかしんのう]
⇨蘭渓道隆[らんけいどうりゅう]

北条長時[ほうじょうながとき] …… ④33

⇨北条時宗[ほうじょうときむね]
⇨北条時頼[ほうじょうときより]

北条政子[ほうじょうまさこ] …… ④33
⇨運慶[うんけい] ⇨大江広元[おおえのひろもと]
⇨比企能員[ひきよしかず]
⇨北条時房[ほうじょうときふさ]
⇨北条時政[ほうじょうときまさ]
⇨北条時政[ほうじょうときまさ]
⇨北条泰時[ほうじょうやすとき]
⇨北条義時[ほうじょうよしとき]
⇨源実朝[みなもとのさねとも]
⇨源範頼[みなもとののりより]
⇨源頼家[みなもとのよりいえ]
⇨源頼朝[みなもとのよりとも] ⇨栄西[ようさい]

北条守時[ほうじょうもりとき] …… ④35

北条泰時[ほうじょうやすとき] …… ④35
⇨大江広元[おおえのひろもと]
⇨北条重時[ほうじょうしげとき]
⇨北条時房[ほうじょうときふさ]
⇨北条義時[ほうじょうよしとき]
⇨三浦泰村[みうらやすむら]

北条義時[ほうじょうよしとき] …… ④35
⇨運慶[うんけい] ⇨大江広元[おおえのひろもと]
⇨金沢実時[かねざわさねとき] ⇨公暁[くぎょう]
⇨後鳥羽天皇[ごとばてんのう] ⇨俊芿[しゅんじょう]
⇨畠山重忠[はたけやましげただ]
⇨平賀朝雅[ひらがともまさ]
⇨北条重時[ほうじょうしげとき]
⇨北条時房[ほうじょうときふさ]
⇨北条時政[ほうじょうときまさ]
⇨北条政子[ほうじょうまさこ]
⇨北条泰時[ほうじょうやすとき]
⇨源実朝[みなもとのさねとも]
⇨和田義盛[わだよしもり]

法然[ほうねん] …… ④36
⇨九条兼実[くじょうかねざね]
⇨熊谷直実[くまがいなおざね] ⇨最澄[さいちょう]
⇨親鸞[しんらん] ⇨重源[ちょうげん]
⇨明恵[みょうえ]

ポー, エドガー・アラン …… ④36
⇨江戸川乱歩[えどがわらんぽ] ⇨ドイル,コナン
⇨マラルメ,ステファヌ

ボーア, ニールス …… ④36
⇨オッペンハイマー,ジョン
⇨仁科芳雄[にしなよしお]
⇨ハイゼンベルク,ウェルナー

ボーイング, ウィリアム …… ④37
ホーキング, スティーブン …… ④37
ホーキンズ, ジョン …… ④37
ホーソーン, ナサニエル …… ④37
ボーダン, ジャン …… ④37
ホー・チ・ミン …… ④38
⇨バオダイ

ボードレール, シャルル …… ④38
⇨清岡卓行[きよおかたかゆき] ⇨ゴーチエ,テオフィル
⇨ポー,エドガー・アラン ⇨マネ,エドワール
⇨マラルメ,ステファヌ ⇨三好達治[みよしたつじ]

ホーネッカー, エーリヒ …… ④38
ボーボワール, シモーヌ・ド …… ④39
⇨サルトル,ジャン=ポール

ボーマルシェ, ピエール …… ④39
ボーリズ, ウィリアム・メレル …… ④39
ポール, ジョン …… ④39
⇨ウィクリフ,ジョン

ポール・クローデル ➡クローデル,ポール

ポール・ゴーガン ➡ゴーガン,ポール
ポール・スミス ➡スミス,ポール
ポール・セザンヌ ➡セザンヌ,ポール
ポール・デルボー ➡デルボー,ポール
ポール・バレリー ➡バレリー,ポール
ポール・ベルレーヌ ➡ベルレーヌ,ポール
ポール・ホワイトマン ⇨グローフェ,ファーデ
⇨クロスビー,ビング
ポール・マッカートニー ⇨レノン,ジョン
⇨ワンダー,スティービー
ホーレス・ケプロン ➡ケプロン,ホーレス

ボガート, ハンフリー …… ④40
牧庵鞭牛[ぼくあんべんぎゅう] …… ④40
朴泳孝[ぼくえいこう(パクヨンヒョ)] …… ④40
⇨金玉均[きんぎょくきん(キムオッキュン)]

墨子[ぼくし] …… ④40
朴正煕[ぼくせいき] ➡朴正煕[パクチョンヒ]
冒頓単于[ぼくとつぜんう] …… ④40
朴烈[ぼくれつ] ➡朴烈[パクヨル]
星新一[ほししんいち] …… ④41
星出彰彦[ほしであきひこ] …… ④41
星亨[ほしとおる] …… ④41
保科正之[ほしなまさゆき] …… ④41
⇨池田光政[いけだみつまさ]
⇨徳川家綱[とくがわいえつな]
⇨前田綱紀[まえだつなのり]
⇨松平容頌[まつだいらかたのぶ]
⇨水野源左衛門[みずのげんざえもん]
⇨山崎闇斎[やまざきあんさい]
⇨吉川惟足[よしかわこれたり]

星野哲郎[ほしのてつろう] …… ④42
星野道夫[ほしのみちお] …… ④42
ボシュエ …… ④42
ホスニ・ムバラク ➡ムバラク,ホスニ
ホスロー1世[―せい] …… ④43
ホセ・デ・サン・マルティン ➡サン・マルティン,ホセ・デ
ホセ・リサール ➡リサール,ホセ
細井順子[ほそいじゅんこ] …… ④43
細井和喜蔵[ほそいわきぞう] …… ④43
細川勝元[ほそかわかつもと] …… ④43
⇨朝倉孝景[あさくらたかかげ]
⇨足利義尚[あしかがよしひさ]
⇨足利義政[あしかがよしまさ]
⇨足利義視[あしかがよしみ]
⇨斯波義廉[しばよしかど]
⇨斯波義敏[しばよしとし]
⇨富樫政親[とがしまさちか]
⇨畠山政長[はたけやままさなが]
⇨日野富子[ひのとみこ]
⇨細川政元[ほそかわまさもと]
⇨山名持豊[やまなもちとよ]

細川ガラシャ[ほそかわ―] …… ④44
⇨細川忠興[ほそかわただおき]

細川重賢[ほそかわしげかた] …… ④44
⇨佐竹義和[さたけよしまさ]

細川忠興[ほそかわただおき] …… ④44
⇨佐々木小次郎[ささきこじろう]
⇨千利休[せんのりきゅう]
⇨細川ガラシャ[ほそかわ―]
⇨細川護熙[ほそかわもりひろ]
⇨細川幽斎[ほそかわゆうさい]
⇨細川行孝[ほそかわゆきたか]

細川晴元[ほそかわはるもと] …… ④44
⇨足利義輝[あしかがよしてる]
⇨足利義晴[あしかがよしはる]

五十音順索引

ほ

五十音順索引（ごじゅうおんじゅんさくいん）　ほ／ま

⇨三好長慶[みよしながよし]
⇨六角義賢[ろっかくよしかた]
細川藤孝[ほそかわふじたか]
　➡細川幽斎[ほそかわゆうさい]
細川政元[ほそかわまさもと] ……………… ④45
⇨足利義澄[あしかがよしずみ]
⇨足利義稙[あしかがよしたね]
⇨畠山政長[はたけやままさなが]
⇨日野富子[ひのとみこ]
細川護熙[ほそかわもりひろ] ……………… ④45
⇨羽田孜[はたつとむ]
⇨村山富市[むらやまとみいち]
細川幽斎[ほそかわゆうさい] ……………… ④45
⇨高三隆達[たかさぶりゅうたつ]
⇨細川忠興[ほそかわただおき]
⇨松永貞徳[まつながていとく]
細川行孝[ほそかわゆきたか] ……………… ④45
細川頼之[ほそかわよりゆき] ……………… ④46
⇨足利義満[あしかがよしみつ]
⇨春屋妙葩[しゅんおくみょうは]
ポター, ビアトリクス ……………………… ④46
菩提僊那[ぼだいせんな] …………………… ④46
⇨仏哲[ぶってつ]
ボッカチオ, ジョバンニ …………………… ④46
⇨ダンテ・アリギエリ　⇨チョーサー, ジェフリー
⇨ペトラルカ
ホックニー, デイビッド …………………… ④47
法顕[ほっけん] ……………………………… ④47
⇨義浄[ぎじょう]
堀田正俊[ほったまさとし] ………………… ④47
⇨酒井忠清[さかいただきよ]
⇨徳川綱吉[とくがわつなよし]
⇨松平信綱[まつだいらのぶつな]
堀田正睦[ほったまさよし] ………………… ④47
⇨岩瀬忠震[いわせただなり]
⇨川路聖謨[かわじとしあきら]
⇨孝明天皇[こうめいてんのう]
⇨佐藤泰然[さとうたいぜん]
⇨徳川斉昭[とくがわなりあき]
⇨西村茂樹[にしむらしげき]
堀田善衛[ほったよしえ] …………………… ④48
ボッティチェリ, サンドロ ………………… ④48
⇨メディチ, ロレンツォ・デ
ホッブズ, トーマス ………………………… ④48
穂積陳重[ほづみのぶしげ] ………………… ④48
⇨穂積八束[ほづみやつか]
穂積八束[ほづみやつか] …………………… ④48
⇨穂積陳重[ほづみのぶしげ]
⇨美濃部達吉[みのべたつきち]
布袋[ほてい] ………………………………… ④49
ボナール, ピエール ………………………… ④49
⇨ルオー, ジョルジュ
ボナパルト, ナポレオン　➡ナポレオン1世
ボニファティウス8世[-せい] ……………… ④49
⇨フィリップ4世[-せい]　⇨ルイ9世[-せい]
ボネガット, カート　⇨アービング, ジョン
ボブ・ディラン　➡ディラン, ボブ
ボブ・マーリー　➡マーリー, ボブ
ホフマン, テオドール・エドゥアルト ……… ④49
ホメイニ, ルーハッラー …………………… ④50
⇨アフマディネジャド, マフムード
⇨ハタミ, モハンマド
ホメロス ……………………………………… ④50
⇨アレクサンドロス大王[-だいおう]
⇨ゲーテ, ヨハン・ヴォルフガング・フォン

⇨シュリーマン, ハインリヒ　⇨ジョイス, ジェイムズ
⇨土井晩翠[どいばんすい]　⇨ヘシオドス
⇨ボッカチオ, ジョバンニ
ホラティウス ………………………………… ④50
堀内誠一[ほりうちせいいち] ……………… ④50
堀江謙一[ほりえけんいち] ………………… ④50
堀河天皇[ほりかわてんのう] ……………… ④51
⇨大江匡房[おおえのまさふさ]
⇨白河天皇[しらかわてんのう]
⇨鳥羽天皇[とばてんのう]
⇨藤原忠実[ふじわらのただざね]
堀口大学[ほりぐちだいがく] ……………… ④51
⇨西条八十[さいじょうやそ]
ボリス・エリツィン　➡エリツィン, ボリス
ボリス・パステルナーク　➡パステルナーク, ボリス
堀辰雄[ほりたつお] ………………………… ④51
⇨川端康成[かわばたやすなり]
⇨佐多稲子[さたいねこ]　⇨立原道造[たちはらみちぞう]
⇨中野重治[なかのしげはる]　⇨三好達治[みよしたつじ]
ボリバル, シモン …………………………… ④51
⇨サン・マルティン, ホセ・デ
ポリビオス …………………………………… ④52
ボルグ, ビョルン …………………………… ④52
⇨レーバー, ロッド
ホルクハイマー, マックス　⇨フロム, エーリッヒ
ボルジア, チェーザレ ……………………… ④52
ポルシェ, フェルディナント ……………… ④52
ホルスト, グスタブ ………………………… ④52
ボルタ, アレッサンドロ …………………… ④53
⇨ショパン, フレデリック
ボルツマン, ルートウィッヒ
⇨長岡半太郎[ながおかはんたろう]
ホルティ・ミクローシュ …………………… ④53
ボルテール …………………………………… ④53
⇨エカチェリーナ2世[-せい]
⇨チュルゴー, アンヌ・ロベール・ジャック
⇨ディドロ, ドニ　⇨バーンスタイン, レナード
⇨フリードリヒ2世(プロイセン王)[-せい]
ホルバイン, ハンス ………………………… ④53
ポルフィリオ・ディアス　➡ディアス, ポルフィリオ
ボルヘス, ホルヘ・ルイス ………………… ④54
ホルヘ・ルイス・ボルヘス　➡ボルヘス, ホルヘ・ルイス
ポル・ポト …………………………………… ④54
⇨シハヌーク, ノロドム　⇨ヘン・サムリン
ホルローギーン・チョイバルサン
　➡チョイバルサン, ホルローギーン
ホレーショ・ネルソン　➡ネルソン, ホレーショ
ポロック, ジャクソン ……………………… ④54
ボロディン, アレクサンドル ……………… ④54
⇨バラキレフ, ミリ・アレクセイビチ
⇨ムソルグスキー, モデスト
ホロビッツ, ウラディミール ……………… ④54
ホワイトヘッド, アルフレッド・ノース
⇨ラッセル, バートランド
ホワイトマン, ポール　⇨グローフェ, ファーデ
⇨クロスビー, ビング
華国鋒[ホワクオフォン]　➡華国鋒[かこくほう]
黄興[ホワンシン]　➡黄興[こうこう]
本阿弥光悦[ほんあみこうえつ] …………… ④55
⇨尾形乾山[おがたけんざん]
⇨俵屋宗達[たわらやそうたつ]
本因坊道策[ほんいんぼうどうさく]
⇨渋川春海[しぶかわしゅんかい]
洪景来[ホンギョンネ]　➡洪景来[こうけいらい]
ホンタイジ …………………………………… ④55

⇨順治帝[じゅんちてい]　⇨ヌルハチ
本多光太郎[ほんだこうたろう] …………… ④55
本田宗一郎[ほんだそういちろう] ………… ④56
本多忠勝[ほんだただかつ] ………………… ④56
⇨真田信之[さなだのぶゆき]
本多利明[ほんだとしあき] ………………… ④56
⇨神尾春央[かんおはるひで]
⇨最上徳内[もがみとくない]
本多正純[ほんだまさずみ] ………………… ④57
⇨有馬晴信[ありまはるのぶ]
⇨本多正信[ほんだまさのぶ]
本多正信[ほんだまさのぶ] ………………… ④57
⇨本多正純[ほんだまさずみ]
凡兆[ぼんちょう] …………………………… ④57
⇨向井去来[むかいきょらい]
ポンピドゥー, ジョルジュ ………………… ④57
⇨ジスカール・デスタン, バレリー　⇨シラク, ジャック
ポンペイウス ………………………………… ④57
⇨カエサル, ユリウス　⇨キケロ, マルクス・トゥリウス
⇨クラッスス, マルクス・リキニウス　⇨クレオパトラ
⇨ブルートゥス, マルクス・ユニウス
本間光丘[ほんまみつおか] ………………… ④58

ま

馬英九[マーインチウ]　➡馬英九[ばえいきゅう]
マーカス・ゴールドマン　➡ゴールドマン, マーカス
マーガレット・サッチャー　➡サッチャー, マーガレット
マーガレット・サンガー　➡サンガー, マーガレット
マーガレット・スミス・コート　➡コート, マーガレット・スミス
マーガレット・ミッチェル　➡ミッチェル, マーガレット
マーク・オーレル・スタイン　➡スタイン, マーク・オーレル
マーク・トウェイン　➡トウェイン, マーク
マーク・ロスコ　➡ロスコ, マーク
マーシャ・ブラウン　➡ブラウン, マーシャ
マーシャル, ジョージ ……………………… ④58
マージョリ・キナン・ローリングズ
　➡ローリングズ, マージョリ・キナン
マータイ, ワンガリ ………………………… ④58
マーティン・ルーサー・キング・ジュニア
　➡キング, マーティン・ルーサー・ジュニア
マードック, ルパート ……………………… ④59
マームーン …………………………………… ④59
⇨フワーリズミー
マーラー, グスタフ ………………………… ④59
⇨近衛秀麿[このえひでまろ]
⇨チャイコフスキー, ピョートル・イリイッチ
マーリー, ボブ ……………………………… ④59
マイアー・ロスチャイルド　➡ロスチャイルド, マイアー
マイケル・ジャクソン　➡ジャクソン, マイケル
マイケル・ジョーダン　➡ジョーダン, マイケル
マイケル・ファラデー　➡ファラデー, マイケル
マイケル・ベントリス　➡ベントリス, マイケル
マイバッハ, ウィルヘルム　➡ダイムラー, ゴットリーブ
マイヤー, ユリウス・ロベルト・フォン ……… ④60
マイヤ・プリセツカヤ　➡プリセツカヤ, マイヤ
マイヨール, アリスティード ……………… ④60
マイルス・デイビス　➡デイビス, マイルス
マウリッツ・エッシャー　➡エッシャー, マウリッツ
前川かずお[まえかわかずお] ……………… ④60
前川定五郎[まえかわさだごろう] ………… ④60
前川文太郎[まえかわぶんたろう] ………… ④61
前島密[まえじまひそか] …………………… ④61

前大峰 [まえたいほう] ……………… ④61
前田玄以 [まえだげんい] ……………… ④62
　⇨豊臣秀吉 [とよとみひでよし]
前田青邨 [まえだせいそん] ……………… ④62
　⇨小林古径 [こばやしこけい]
　⇨原富太郎 [はらとみたろう]
　⇨平山郁夫 [ひらやまいくお]
　⇨安田靫彦 [やすだゆきひこ]
前田綱紀 [まえだつなのり] ……………… ④62
　⇨稲生若水 [いのうじゃくすい]
　⇨室鳩巣 [むろきゅうそう]
前田利家 [まえだとしいえ] ……………… ④63
　⇨宇喜多秀家 [うきたひでいえ]
　⇨柴田勝家 [しばたかついえ]
　⇨千利休 [せんのりきゅう]
　⇨高山右近 [たかやまうこん]
　⇨豊臣秀吉 [とよとみひでよし]
　⇨豊臣秀頼 [とよとみひでより]
　⇨毛利輝元 [もうりてるもと]
前田伸右衛門 [まえだのぶえもん] …… ④63
前田正甫 [まえだまさとし] ……………… ④63
前田夕暮 [まえだゆうぐれ] ……………… ④64
　⇨立原道造 [たちはらみちぞう]
　⇨三木露風 [みきろふう]
　⇨若山牧水 [わかやまぼくすい]
前野良沢 [まえのりょうたく] …………… ④64
　⇨青木昆陽 [あおきこんよう]
　⇨大槻玄沢 [おおつきげんたく]
　⇨桂川甫周 [かつらがわほしゅう]
　⇨工藤平助 [くどうへいすけ]
　⇨司馬江漢 [しばこうかん]
　⇨杉田玄白 [すぎたげんぱく]
　⇨田沼意次 [たぬまおきつぐ]
前畑秀子 [まえはたひでこ] ……………… ④64
前原一誠 [まえばらいっせい] …………… ④64
　⇨玉木文之進 [たまきぶんのしん]
　⇨吉田松陰 [よしだしょういん]
毛沢東 [マオツォトン] ➡毛沢東 [もうたくとう]
マカートニー, ジョージ ……………… ④65
　⇨アマースト, ウィリアム・ピット
マキアベリ, ニコロ ………………… ④65
　⇨ボルジア, チェーザレ
真木和泉 [まきいずみ] ………………… ④65
　⇨中山忠光 [なかやまただみつ]
　⇨平野国臣 [ひらのくにおみ]
牧野富太郎 [まきのとみたろう] ………… ④65
牧野伸顕 [まきののぶあき] ……………… ④66
槇文彦 [まきふみひこ]　⇨丹下健三 [たんげけんぞう]
マクシミリアン, フェルディナンド ……… ④66
　⇨フアレス, ベニト
マクシミリアン・ロベスピエール
　➡ロベスピエール, マクシミリアン
マクシム・ゴーリキー　➡ゴーリキー, マクシム
マクスウェル, ジェームズ ……………… ④66
　⇨ヘルツ, ハインリヒ・ルドルフ
マクドナルド, ラムジー ……………… ④66
　⇨ジョージ5世 [-せい]　⇨チェンバレン, ネビル
マクミラン, ハロルド ……………… ④67
　⇨ダグラス=ヒューム, アレック　⇨ヒース, エドワード
マグリット, ルネ ………………… ④67
　⇨デルボー, ポール
孫六兼元 [まごろくかねもと] …………… ④67
マザー・テレサ ………………… ④67
正岡子規 [まさおかしき] ………………… ④68
　⇨会津八一 [あいづやいち]

⇨秋山真之 [あきやまさねゆき]
⇨伊藤左千夫 [いとうさちお]
⇨河東碧梧桐 [かわひがしへきごとう]
⇨陸羯南 [くがかつなん]　⇨島木赤彦 [しまきあかひこ]
⇨高橋是清 [たかはしこれきよ]
⇨高浜虚子 [たかはまきょし]
⇨寺田寅彦 [てらだとらひこ]　⇨長塚節 [ながつかたかし]
⇨夏目漱石 [なつめそうせき]　⇨与謝蕪村 [よさぶそん]
真崎甚三郎 [まさきじんざぶろう] ……… ④68
　⇨永田鉄山 [ながたてつざん]
　⇨林銑十郎 [はやしせんじゅうろう]
　⇨渡辺錠太郎 [わたなべじょうたろう]
正木ひろし [まさきひろし] ……………… ④68
正宗 [まさむね] ………………… ④69
　⇨長船長光 [おさふねながみつ]　⇨吉光 [よしみつ]
正宗白鳥 [まさむねはくちょう] ………… ④69
　⇨広津和郎 [ひろつかずお]
マザラン, ジュール ………………… ④69
　⇨ルイ14世 [-せい]
増田長盛 [ましたながもり] ……………… ④69
　⇨豊臣秀吉 [とよとみひでよし]
マシュー・カルブレイス・ペリー
　➡ペリー, マシュー・カルブレイス
増井光子 [ますいみつこ] ………………… ④70
益川敏英 [ますかわとしひで] …………… ④70
　⇨小林誠 [こばやしまこと]
升田幸三 [ますだこうぞう] ……………… ④70
　⇨大山康晴 [おおやまやすはる]
　⇨森内俊之 [もりうちとしゆき]
桝田新蔵 [ますだしんぞう] ……………… ④70
益田時貞 [ますだときさだ]　➡天草四郎 [あまくさしろう]
益富又左衛門 [ますとみまたざえもん] … ④71
増永五左衛門 [ますながござえもん] …… ④71
マスネー, ジュール ………………… ④71
マズロー, エイブラハム ……………… ④71
　⇨グロフ, スタニスラフ
マゼラン, フェルディナンド …………… ④72
松井石根 [まついいわね] ………………… ④72
松井五郎兵衛 [まついごろべえ] ………… ④72
松井須磨子 [まついすまこ] ……………… ④72
　⇨沢田正二郎 [さわだしょうじろう]
　⇨島村抱月 [しまむらほうげつ]
　⇨中山晋平 [なかやましんぺい]
松井道珍 [まついどうちん] ……………… ④73
松井秀喜 [まついひでき] ………………… ④73
　⇨長嶋茂雄 [ながしましげお]
松井屋源右衛門 [まついやげんえもん]
　⇨前田正甫 [まえだまさとし]
松浦武四郎 [まつうらたけしろう] ……… ④73
松岡映丘 [まつおかえいきゅう] ………… ④73
松岡洋右 [まつおかようすけ] …………… ④74
　⇨鮎川義介 [あいかわよしすけ]
松岡好忠 [まつおかよしただ] …………… ④74
松尾多勢子 [まつおたせこ] ……………… ④74
松尾芭蕉 [まつおばしょう] ……………… ④76
　⇨石田波郷 [いしだはきょう]
　⇨榎本其角 [えのもときかく]
　⇨加賀千代女 [かがのちよじょ]
　⇨加藤楸邨 [かとうしゅうそん]
　⇨北村季吟 [きたむらきぎん]　⇨西行 [さいぎょう]
　⇨杜甫 [とほ]　⇨西山宗因 [にしやまそういん]
　⇨服部嵐雪 [はっとりらんせつ]
　⇨英一蝶 [はなぶさいっちょう]　⇨凡兆 [ぼんちょう]
　⇨松永貞徳 [まつながていとく]
　⇨向井去来 [むかいきょらい]　⇨与謝蕪村 [よさぶそん]

マッカーサー, ダグラス ……………… ④75
　⇨シャウプ, カール　⇨寺崎英成 [てらさきひでなり]
　⇨徳田球一 [とくだきゅういち]
　⇨ドッジ, ジョセフ・モレル　⇨トルーマン, ハリー
マッカーシー, ジョゼフ ……………… ④75
マッカートニー, ポール　⇨レノン, ジョン
　⇨ワンダー, スティービー
松方正義 [まつかたまさよし] …………… ④75
　⇨青木周蔵 [あおきしゅうぞう]
　⇨榎本武揚 [えのもとたけあき]
　⇨大木喬任 [おおきたかとう]
　⇨大隈重信 [おおくましげのぶ]
　⇨尾崎行雄 [おざきゆきお]
　⇨樺山資紀 [かばやますけのり]
　⇨品川弥二郎 [しながわやじろう]
　⇨副島種臣 [そえじまたねおみ]
　⇨田代栄助 [たしろえいすけ]
松木庄左衛門 [まつきしょうざえもん] … ④77
マッキンリー, ウィリアム ……………… ④77
　⇨ヘイ, ジョン　⇨ローズベルト, セオドア
マックス・ウェーバー ➡ウェーバー, マックス
マックス・エルンスト ➡エルンスト, マックス
マックス・プランク ➡プランク, マックス
マックス・ホルクハイマー ⇨フロム, エーリッヒ
松倉勝家 [まつくらかついえ] …………… ④77
松倉重政 [まつくらしげまさ] …………… ④77
　⇨松倉勝家 [まつくらかついえ]
マッケンロー, ジョン⇨ボルグ, ビョルン
松下幸之助 [まつしたこうのすけ] ……… ④77
松平容頌 [まつだいらかたのぶ] ………… ④78
松平容保 [まつだいらかたもり] ………… ④78
　⇨徳川慶勝 [とくがわよしかつ]
　⇨土方歳三 [ひじかたとしぞう]
　⇨保科正之 [ほしなまさゆき]
松平定信 [まつだいらさだのぶ] ………… ④79
　⇨亜欧堂田善 [あおうどうでんぜん]
　⇨大田南畝 [おおたなんぽ]
　⇨岡田寒泉 [おかだかんせん]
　⇨喜多川歌麿 [きたがわうたまろ]
　⇨恋川春町 [こいかわはるまち]
　⇨光格天皇 [こうかくてんのう]
　⇨山東京伝 [さんとうきょうでん]
　⇨柴野栗山 [しばのりつざん]
　⇨大黒屋光太夫 [だいこくやこうだゆう]
　⇨谷文晁 [たにぶんちょう]
　⇨蔦屋重三郎 [つたやじゅうざぶろう]
　⇨徳川家斉 [とくがわいえなり]
　⇨中井竹山 [なかいちくざん]
　⇨中沢道二 [なかざわどうに]
松平春嶽 [まつだいらしゅんがく]
　➡松平慶永 [まつだいらよしなが]
松平忠直 [まつだいらただなお] ………… ④79
　⇨真田幸村 [さなだゆきむら]
松平信綱 [まつだいらのぶつな] ………… ④79
　⇨天草四郎 [あまくさしろう]
　⇨板倉重昌 [いたくらしげまさ]
　⇨隠元隆琦 [いんげんりゅうき]
　⇨酒井忠清 [さかいただきよ]
　⇨徳川家綱 [とくがわいえつな]
　⇨徳川家光 [とくがわいえみつ]
　⇨安松金右衛門 [やすまつきんえもん]
松平康英 [まつだいらやすひで] ………… ④80
松平慶永 [まつだいらよしなが] ………… ④80
　⇨井伊直弼 [いいなおすけ]
　⇨笠原白翁 [かさはらはくおう]

351

五十音順索引

ま

⇨久世広周[くぜひろちか]
⇨島津斉彬[しまづなりあきら]
⇨島津久光[しまづひさみつ]
⇨伊達宗城[だてむねなり]
⇨天璋院[てんしょういん]
⇨徳川斉昭[とくがわなりあき]
⇨徳川慶喜[とくがわよしのぶ]
⇨橋本左内[はしもとさない]
⇨松平容保[まつだいらかたもり]
⇨山内豊信[やまうちとよしげ]
⇨横井小楠[よこいしょうなん]

松谷みよ子[まつたにみよこ] ……………… ④80
⇨大石真[おおいしまこと]　⇨瀬川康男[せがわやすお]
マッツィーニ, ジュゼッペ ……………… ④80
⇨カブール, カミーロ・ベンソ
松戸覚之助[まつどかくのすけ] ……………… ④81
⇨北脇永治[きたわきえいじ]
松永貞徳[まつながていとく] ……………… ④81
⇨北村季吟[きたむらきぎん]
⇨木下順庵[きのしたじゅんあん]
⇨西山宗因[にしやまそういん]
⇨松尾芭蕉[まつおばしょう]
松永久秀[まつながひさひで] ……………… ④81
⇨朝倉義景[あさくらよしかげ]
⇨足利義昭[あしかがよしあき]
⇨足利義輝[あしかがよしてる]
⇨足利義栄[あしかがよしひで]
⇨織田信長[おだのぶなが]
⇨筒井順慶[つついじゅんけい]
⇨三好長慶[みよしながよし]
松前矩広[まつまえのりひろ] ……………… ④82
松前慶広[まつまえよしひろ] ……………… ④82
松村月溪[まつむらげっけい] ➡呉春[ごしゅん]
松村理兵衛[まつむらりへえ] ……………… ④82
松本治一郎[まつもとじいちろう] ……………… ④82
松本竣介[まつもとしゅんすけ] ……………… ④82
松本烝治[まつもとじょうじ] ……………… ④82
松本清張[まつもとせいちょう] ……………… ④83
松本白鸚[まつもとはくおう] ……………… ④83
⇨尾上松緑[おのえしょうろく]
松本零士[まつもとれいじ] ……………… ④83
松浦鎮信[まつらしげのぶ] ……………… ④84
⇨山鹿素行[やまがそこう]
松浦隆信[まつらたかのぶ] ……………… ④84
⇨松浦鎮信[まつらしげのぶ]
マティアス・グリューネワルト
　➡グリューネワルト, マティアス
マティス, アンリ ……………… ④84
⇨シャルダン, ジャン=バティスト　⇨セザンヌ, ポール
⇨デュフィ, ラウル　⇨林武[はやしたけし]
⇨モロー, ギュスターブ　⇨モンドリアン, ピート
⇨萬鉄五郎[よろずてつごろう]　⇨ルオー, ジョルジュ
マテオ・リッチ ……………… ④84
⇨徐光啓[じょこうけい]　⇨モンテ・コルビノ
マデロ, フランシスコ ……………… ④85
⇨カランサ, ベヌスティアーノ　⇨サパタ, エミリアーノ
⇨ビリャ, パンチョ
まど・みちお ……………… ④85
マドンナ　➡ガッバーナ, ステファノ
⇨ベルサーチ, ジャンニ
間部詮房[まなべあきふさ] ……………… ④85
⇨徳川家継[とくがわいえつぐ]
⇨徳川家宣[とくがわいえのぶ]
マニ ……………… ④85
⇨シャープール1世[－せい]

マヌエル・アサーニャ　➡アサーニャ, マヌエル
マヌエル・デ・ファリャ　⇨ロルカ, フェデリコ・ガルシア
マネ, エドワール ……………… ④85
⇨ゴヤ, フランシスコ・ホセ・デ　⇨セザンヌ, ポール
⇨ドガ, エドガー　⇨ピカソ, パブロ
⇨ロートレック, アンリ・ド・トゥールーズ
マハービーラ　➡バルダマーナ
マハティール・モハマド ……………… ④86
マフディー　➡ムハンマド・アフマド
マフムード ……………… ④86
⇨フィルドゥーシー
マフムード・アフマディネジャド
　➡アフマディネジャド, マフムード
マフムト2世[－せい] ……………… ④87
⇨アブデュルメジト1世[－せい]
⇨ムスタファ・レシト・パシャ
マホメット　➡ムハンマド
間宮林蔵[まみやりんぞう] ……………… ④87
⇨ゴロブニン, バシリイ
黛敏郎[まゆずみとしろう] ……………… ④87
⇨芥川也寸志[あくたがわやすし]
⇨伊福部昭[いふくべあきら]　⇨團伊玖磨[だんいくま]
眉村卓[まゆむらたく] ……………… ④87
マラー, ジャン=ポール ……………… ④87
⇨ダントン, ジョルジュ=ジャック
マラドーナ, ディエゴ ……………… ④88
マララ　➡ユスフザイ, マララ
マララ・ユスフザイ　➡ユスフザイ, マララ
マラルメ, ステファヌ ……………… ④88
⇨西条八十[さいじょうやそ]　⇨ドビュッシー, クロード
⇨ランボー, アルチュール
マリア ……………… ④88
⇨イエス・キリスト　⇨ネストリウス
⇨ラファエロ・サンティ　⇨レオナルド・ダ・ビンチ
マリア・カラス　➡カラス, マリア
マリア・テレジア ……………… ④88
⇨フランツ1世[－せい]
⇨フリードリヒ2世(プロイセン王)[－にせい]
⇨マリー・アントワネット
⇨モーツァルト, ウォルフガング・アマデウス
⇨ヨーゼフ2世[－せい]
マリア・モンテッソーリ　➡モンテッソーリ, マリア
マリアン・アンダーソン　➡アンダーソン, マリアン
マリー・アントワネット ……………… ④89
⇨池田理代子[いけだりよこ]　⇨フランツ1世[－せい]
⇨マリア・テレジア　⇨ルイ16世[－せい]
マリー・エッツ　➡エッツ, マリー
マリー・キュリー　➡キュリー, マリー
マリー・ジョゼフ・ラ・ファイエット
　➡ラ・ファイエット, マリー・ジョゼフ
マリーニ, マリノ ……………… ④89
マリー・ローズ・ジョゼフィーヌ
　➡ジョゼフィーヌ, マリー・ローズ
マリー・ローランサン　➡ローランサン, マリー
マリウス, ガイウス ……………… ④89
⇨カエサル, ユリウス　⇨スラ
マリオ・プラダ　➡プラダ, マリオ
マリオ・モンティ　➡モンティ, マリオ
マリノ・マリーニ　➡マリーニ, マリノ
マリリン・モンロー　➡モンロー, マリリン
丸尾文六[まるおぶんろく] ……………… ④89
マルガレーテ・シュタイフ　➡シュタイフ, マルガレーテ
丸木位里[まるきいり] ……………… ④90
⇨丸木俊[まるきとし]
マルキ・ド・サド ……………… ④90

丸木俊[まるきとし] ……………… ④90
⇨丸木位里[まるきいり]
マルク・シャガール　➡シャガール, マルク
マルクス, カール ……………… ④90
⇨エンゲルス, フリードリヒ
⇨大塚久雄[おおつかひさお]
⇨サン=シモン, クロード・アンリ・ド
⇨バクーニン, ミハイル
⇨バブーフ, フランソワ・ノエル
⇨フォイエルバッハ, ルートヴィヒ　⇨ブラン, ルイ
⇨プルードン, ピエール・ジョゼフ
⇨ヘーゲル, ゲオルク・ウィルヘルム
⇨ベルンシュタイン, エドゥアルト
⇨マッツィーニ, ジュゼッペ　⇨三木清[みききよし]
⇨毛沢東[もうたくとう(マオツォトン)]
⇨ラサール, フェルディナント
⇨レーニン, ウラジーミル・イリイッチ
マルクス・アウレリウス・アントニヌス帝[－てい]
……………… ④91
⇨エピクテトス
マルクス・アエミリウス・レピドゥス
　➡レピドゥス, マルクス・アエミリウス
マルクス・アントニウス　➡アントニウス, マルクス
マルクス・コッケイウス・ネルウァ
　➡ネルウァ, マルクス・コッケイウス
マルクス・トゥリウス・キケロ
　➡キケロ, マルクス・トゥリウス
マルクス・ユニウス・ブルートゥス
　➡ブルートゥス, マルクス・ユニウス
マルクス・リキニウス・クラッスス
　➡クラッスス, マルクス・リキニウス
マルグレーテ ……………… ④91
マルコーニ, グリエルモ ……………… ④91
⇨ブラウン, カール・フェルディナント
マルコス, フェルディナンド ……………… ④92
⇨アキノ, コラソン
マルコ・ポーロ ……………… ④93
⇨イブン・バットゥータ　⇨コロンブス, クリストファー
⇨フビライ・ハン
マルコ・マリー・ド・ロ ……………… ④92
マルサス, トーマス ……………… ④92
⇨ウォーレス, アルフレッド・ラッセル
マルシャーク, サムイル ……………… ④92
マルセル・デュシャン　➡デュシャン, マルセル
マルセル・プルースト　➡プルースト, マルセル
マルセル・マルソー　➡マルソー, マルセル
マルソー, マルセル ……………… ④94
マルタン・デュ・ガール, ロジェ ……………… ④94
マルチェロ・マルピーギ　➡マルピーギ, マルチェロ
マルチナ・ナブラチロワ　➡ナブラチロワ, マルチナ
マルティン・ハイデッガー　➡ハイデッガー, マルティン
マルティン・ルター　➡ルター, マルティン
マルピーギ, マルチェロ ……………… ④94
丸谷才一[まるやさいいち] ……………… ④94
円山応挙[まるやまおうきょ] ……………… ④94
⇨呉春[ごしゅん]　⇨酒井抱一[さかいほういつ]
⇨谷文晁[たにぶんちょう]
丸山徳弥[まるやまとくや] ……………… ④95
丸山真男[まるやままさお] ……………… ④95
マルレー, デビッド　➡マレー, デビッド
マルロー, アンドレ ……………… ④95
マレー, デビッド ……………… ④95
マレービチ, カジミール ……………… ④96
マレンコフ, ゲオルギー ……………… ④96
⇨モロトフ, ビャチェスラフ

352

マロ, エクトール ················ ④96
マロリー, ジョージ ················ ④96
マン, トーマス ················ ④96
　マン・レイ　➡レイ, マン
マンサ・ムーサ ················ ④97
マンスール ················ ④97
マンデラ, ネルソン ················ ④97
　⇨デクラーク, フレデリック・ウィレム
マンデルブロー, ブノワ ················ ④97

み

ミース・ファン・デル・ローエ, ルートウィヒ ··· ④98
三浦綾子[みうらあやこ] ················ ④98
三浦按針[みうらあんじん]　➡アダムズ, ウィリアム
三浦梧楼[みうらごろう] ················ ④98
　⇨閔妃[びんひ(ミンビ)]
三浦朱門[みうらしゅもん]　➡阪田寛夫[さかたひろお]
　⇨曽野綾子[そのあやこ]
　⇨吉行淳之介[よしゆきじゅんのすけ]
三浦仙三郎[みうらせんざぶろう] ················ ④98
三浦環[みうらたまき] ················ ④99
　⇨石井漠[いしいばく]
三浦哲郎[みうらてつお] ················ ④99
三浦梅園[みうらばいえん] ················ ④99
三浦泰村[みうらやすむら] ················ ④99
　⇨北条時頼[ほうじょうときより]
三浦義澄[みうらよしずみ] ················ ④100
　⇨三浦泰村[みうらやすむら]　⇨和田義盛[わだよしもり]
三木清[みききよし] ················ ④100
三木卓[みきたく] ················ ④100
三木武夫[みきたけお] ················ ④100
御木本幸吉[みきもとこうきち] ················ ④100
三木露風[みきろふう] ················ ④101
　⇨西条八十[さいじょうやそ]
　⇨相馬御風[そうまぎょふう]
ミケランジェロ・ブオナローティ ········ ④101
　⇨エル・グレコ　⇨ギベルティ, ロレンツォ
　⇨コレッジョ　⇨ブラマンテ, ドナート
　⇨メディチ, ロレンツォ・デ　⇨モロー, ギュスターブ
　⇨ラファエロ・サンティ　⇨レオ10世[ーせい]
　⇨レオナルド・ダ・ビンチ　⇨ロダン, オーギュスト
ミゲル・イダルゴ　➡イダルゴ, ミゲル
ミゲル・デ・セルバンテス　➡セルバンテス, ミゲル・デ
ミシェル・ド・モンテーニュ　➡モンテーニュ, ミシェル・ド
ミシェル・プラティニ　➡プラティニ, ミシェル
三島徳七[みしまとくしち] ················ ④102
三島通庸[みしまみちつね] ················ ④102
　⇨河野広中[こうのひろなか]
　⇨南崎常右衛門[みなみざきつねえもん]
三島由紀夫[みしまゆきお] ················ ④102
　⇨有田八郎[ありたはちろう]
　⇨川端康成[かわばたやすなり]　➡キーン, ドナルド
　⇨塚本邦雄[つかもとくにお]
　⇨野坂昭如[のさかあきゆき]
　⇨黛敏郎[まゆずみとしろう]
水上助三郎[みずかみすけさぶろう] ················ ④103
水上勉[みずかみつとむ] ················ ④103
水木しげる[みずきしげる] ················ ④103
　⇨つげ義春[つげよしはる]
水原源左衛門[みずのげんざえもん] ················ ④104
水野忠邦[みずのただくに] ················ ④104
　⇨阿部正弘[あべまさひろ]

⇨大蔵永常[おおくらながつね]
⇨葛飾北斎[かつしかほくさい]
⇨為永春水[ためながしゅんすい]
⇨遠山景元[とおやまかげもと]
⇨徳川家慶[とくがわいえよし]
⇨堀田正睦[ほったまさよし]
⇨柳亭種彦[りゅうていたねひこ]
水野豊造[みずのぶんぞう] ················ ④104
水原秋桜子[みずはらしゅうおうし] ················ ④105
　⇨石田波郷[いしだはきょう]
　⇨加藤楸邨[かとうしゅうそん]
　⇨中村草田男[なかむらくさたお]
　⇨山口誓子[やまぐちせいし]
溝口健二[みぞぐちけんじ] ················ ④105
　⇨新藤兼人[しんどうかねと]
　⇨山田五十鈴[やまだいすず]
美空ひばり[みそらひばり] ················ ④105
　⇨古賀政男[こがまさお]
三井高利[みついたかとし] ················ ④105
ミック・ジャガー　➡ジャガー, ミック
ミッチェル, マーガレット ················ ④106
ミッテラン, フランソワ ················ ④106
　⇨オランド, フランソワ
　⇨ジスカール・デスタン, バレリー　➡シラク, ジャック
ミドハト・パシャ ················ ④107
　⇨アブデュルハミト2世[ーせい]
南方熊楠[みなかたくまぐす] ················ ④107
　⇨昭和天皇[しょうわてんのう]
南淵請安[みなぶちのしょうあん] ················ ④107
　⇨小野妹子[おののいもこ]
　⇨高向玄理[たかむこのくろまろ]
　⇨裴世清[はいせいせい]
　⇨藤原鎌足[ふじわらのかまたり]　⇨旻[みん]
南崎常右衛門[みなみざきつねえもん] ················ ④107
三波春夫[みなみはるお] ················ ④108
南村梅軒[みなみむらばいけん] ················ ④108
　⇨谷時中[たにじちゅう]
南洋一郎[みなみよういちろう] ················ ④108
源実朝[みなもとのさねとも] ················ ④108
　⇨運慶[うんけい]　⇨大江広元[おおえのひろもと]
　⇨鴨長明[かものちょうめい]　⇨公暁[くぎょう]
　⇨後鳥羽天皇[ごとばてんのう]
　⇨順徳天皇[じゅんとくてんのう]　⇨陳和卿[ちんわけい]
　⇨比企能員[ひきよしかず]　⇨平賀朝雅[ひらがともまさ]
　⇨藤原頼経[ふじわらのよりつね]
　⇨北条時政[ほうじょうときまさ]
　⇨北条政子[ほうじょうまさこ]
　⇨北条義時[ほうじょうよしとき]
　⇨源親行[みなもとのちかゆき]
　⇨源頼家[みなもとのよりいえ]　⇨栄西[ようさい]
　⇨和田義盛[わだよしもり]
源順[みなもとのしたごう] ················ ④109
　⇨村上天皇[むらかみてんのう]
源高明[みなもとのたかあきら] ················ ④109
　⇨為平親王[ためひらしんのう]
　⇨藤原実頼[ふじわらのさねより]
　⇨源満仲[みなもとのみつなか]
　⇨紫式部[むらさきしきぶ]
　⇨冷泉天皇[れいぜいてんのう]
源為朝[みなもとのためとも] ················ ④109
　⇨源為義[みなもとのためよし]
　⇨源義朝[みなもとのよしとも]
源為義[みなもとのためよし] ················ ④110
　⇨崇徳天皇[すとくてんのう]
　⇨平清盛[たいらのきよもり]

⇨源為朝[みなもとのためとも]
⇨源義親[みなもとのよしちか]
⇨源義朝[みなもとのよしとも]
源親行[みなもとのちかゆき] ················ ④110
源経基[みなもとのつねもと] ················ ④110
　⇨平将門[たいらのまさかど]
　⇨藤原純友[ふじわらのすみとも]
　⇨源満仲[みなもとのみつなか]
源範頼[みなもとののりより] ················ ④111
　⇨小山朝政[おやまともまさ]
　⇨千葉常胤[ちばつねたね]
　⇨比企能員[ひきよしかず]
　⇨三浦義澄[みうらよしずみ]
　⇨源義経[みなもとのよしつね]
　⇨源義仲[みなもとのよしなか]
　⇨源頼朝[みなもとのよりとも]
源信[みなもとのまこと] ················ ④111
　⇨伴善男[とものよしお]
源雅信[みなもとのまさのぶ] ················ ④111
　⇨源倫子[みなもとのりんし]
源満仲[みなもとのみつなか] ················ ④111
　⇨源経基[みなもとのつねもと]
　⇨源頼信[みなもとのよりのぶ]
　⇨源頼光[みなもとのよりみつ]
源師房[みなもとのもろふさ] ················ ④112
源義家[みなもとのよしいえ] ················ ④112
　⇨安倍貞任[あべのさだとう]
　⇨大江匡房[おおえのまさふさ]
　⇨清原家衡[きよはらのいえひら]
　⇨清原真衡[きよはらのさねひら]
　⇨藤原清衡[ふじわらのきよひら]
　⇨源為義[みなもとのためよし]
　⇨源義親[みなもとのよしちか]
　⇨源頼義[みなもとのよりよし]
源義親[みなもとのよしちか] ················ ④112
　⇨平正盛[たいらのまさもり]
　⇨源為義[みなもとのためよし]
　⇨源義家[みなもとのよしいえ]
源義経[みなもとのよしつね] ················ ④112
　⇨安徳天皇[あんとくてんのう]
　⇨梶原景時[かじわらかげとき]
　⇨後白河天皇[ごしらかわてんのう]
　⇨平敦盛[たいらのあつもり]　⇨平清盛[たいらのきよもり]
　⇨平知盛[たいらのとももり]　⇨平宗盛[たいらのむねもり]
　⇨千葉常胤[ちばつねたね]　⇨那須与一[なすのよいち]
　⇨畠山重忠[はたけやましげただ]
　⇨藤原秀衡[ふじわらのひでひら]
　⇨藤原泰衡[ふじわらのやすひら]
　⇨三浦義澄[みうらよしずみ]
　⇨源範頼[みなもとののりより]
　⇨源義朝[みなもとのよしとも]
　⇨源義仲[みなもとのよしなか]
　⇨源頼朝[みなもとのよりとも]
　⇨武蔵坊弁慶[むさしぼうべんけい]
源義朝[みなもとのよしとも] ················ ④113
　⇨熊谷直実[くまがいなおざね]
　⇨崇徳天皇[すとくてんのう]　⇨平清盛[たいらのきよもり]
　⇨千葉常胤[ちばつねたね]
　⇨二条天皇[にじょうてんのう]
　⇨藤原信頼[ふじわらののぶより]
　⇨藤原通憲[ふじわらのみちのり]
　⇨源為朝[みなもとのためとも]
　⇨源為義[みなもとのためよし]
　⇨源範頼[みなもとののりより]
　⇨源義経[みなもとのよしつね]

⇨源義仲[みなもとのよしなか]
⇨源義平[みなもとのよしひら]
⇨源頼朝[みなもとのよりとも]
⇨源頼政[みなもとのよりまさ]

源義仲[みなもとのよしなか] ……………………… ④113
⇨安徳天皇[あんとくてんのう]
⇨建礼門院[けんれいもんいん]
⇨後白河天皇[ごしらかわてんのう]
⇨平維盛[たいらのこれもり]　⇨平知盛[たいらのとももり]
⇨平宗盛[たいらのむねもり]　⇨平頼盛[たいらのよりもり]
⇨畠山重忠[はたけやましげただ]
⇨源範頼[みなもとののりより]
⇨源義経[みなもとのよしつね]
⇨源義平[みなもとのよしひら]
⇨源頼朝[みなもとのよりとも]

源義平[みなもとのよしひら] ……………………… ④114
⇨熊谷直実[くまがいなおざね]
⇨源義仲[みなもとのよしなか]

源頼家[みなもとのよりいえ] ……………………… ④114
⇨公暁[くぎょう]　⇨比企能員[ひきよしかず]
⇨北条時政[ほうじょうときまさ]
⇨北条政子[ほうじょうまさこ]
⇨源実朝[みなもとのさねとも]
⇨源頼朝[みなもとのよりとも]　⇨栄西[ようさい]

源頼朝[みなもとのよりとも] ……………………… ④116
⇨大江広元[おおえのひろもと]
⇨小山朝政[おやまともまさ]
⇨梶原景時[かじわらかげとき]
⇨九条兼実[くじょうかねざね]
⇨熊谷直実[くまがいなおざね]
⇨後白河天皇[ごしらかわてんのう]　⇨西行[さいぎょう]
⇨慈円[じえん]　⇨曽我兄弟[そがきょうだい]
⇨平清盛[たいらのきよもり]　⇨平維盛[たいらのこれもり]
⇨平重衡[たいらのしげひら]　⇨平頼盛[たいらのよりもり]
⇨千葉常胤[ちばつねたね]
⇨中山忠親[なかやまただちか]
⇨畠山重忠[はたけやましげただ]
⇨比企能員[ひきよしかず]　⇨平賀朝雅[ひらがともまさ]
⇨藤原秀衡[ふじわらのひでひら]
⇨藤原泰衡[ふじわらのやすひら]
⇨北条時政[ほうじょうときまさ]
⇨北条政子[ほうじょうまさこ]
⇨北条義時[ほうじょうよしとき]
⇨三浦義澄[みうらよしずみ]
⇨源実朝[みなもとのさねとも]
⇨源為朝[みなもとのためとも]
⇨源為義[みなもとのためよし]
⇨源範頼[みなもとののりより]
⇨源義経[みなもとのよしつね]
⇨源義朝[みなもとのよしとも]
⇨源義仲[みなもとのよしなか]
⇨源頼家[みなもとのよりいえ]
⇨源頼義[みなもとのよりよし]
⇨三善康信[みよしやすのぶ]
⇨和田義盛[わだよしもり]

源頼信[みなもとのよりのぶ] ……………………… ④114
⇨平忠常[たいらのただつね]
⇨源満仲[みなもとのみつなか]
⇨源頼光[みなもとのよりみつ]
⇨源頼義[みなもとのよりよし]

源頼政[みなもとのよりまさ] ……………………… ④114
⇨平重衡[たいらのしげひら]　⇨平知盛[たいらのとももり]
⇨源頼朝[みなもとのよりとも]　⇨以仁王[もちひとおう]

源頼光[みなもとのよりみつ] ……………………… ④115
⇨源満仲[みなもとのみつなか]

⇨源頼信[みなもとのよりのぶ]
⇨源頼政[みなもとのよりまさ]

源頼義[みなもとのよりよし] ……………………… ④115
⇨安倍貞任[あべのさだとう]
⇨安倍頼時[あべのよりとき]
⇨清原武則[きよはらのたけのり]
⇨源義家[みなもとのよしいえ]
⇨源頼信[みなもとのよりのぶ]

源倫子[みなもとのりんし] ……………………… ④115
⇨赤染衛門[あかぞめえもん]
⇨藤原妍子[ふじわらのけんし]
⇨源雅信[みなもとのまさのぶ]

美濃部達吉[みのべたつきち] ……………………… ④118
⇨一木喜徳郎[いちきよしとくろう]
⇨上杉慎吉[うえすぎしんきち]
⇨佐々木惣一[ささきそういち]
⇨穂積八束[ほづみやつか]
⇨美濃部亮吉[みのべりょうきち]

美濃部亮吉[みのべりょうきち] ……………………… ④118
⇨美濃部達吉[みのべたつきち]

ミハイル・グリンカ　➡グリンカ,ミハイル
ミハイル・ゴルバチョフ　➡ゴルバチョフ,ミハイル
ミハイル・ショーロホフ　➡ショーロホフ,ミハイル
ミハイル・バクーニン　➡バクーニン,ミハイル
ミハイル・ユリエビチ・レールモントフ
　➡レールモントフ,ミハイル・ユリエビチ

ミハイル・ロマノフ ……………………… ④118
三橋美智也[みはしみちや] ……………………… ④119
⇨春日八郎[かすがはちろう]　⇨村田英雄[むらたひでお]

ミヒャエル・エンデ　➡エンデ,ミヒャエル
ミヒャエル・シューマッハ　➡シューマッハ,ミヒャエル
壬生忠岑[みぶのただみね] ……………………… ④119
ミマール・シナン ……………………… ④119
宮入慶之助[みやいりけいのすけ]
　⇨杉浦健造[すぎうらけんぞう]
宮尾亀蔵[みやおかめぞう] ……………………… ④119
宮尾登美子[みやおとみこ] ……………………… ④120
宮川ひろ[みやがわひろ]　⇨与田準一[よだじゅんいち]
宮川泰[みやがわひろし] ……………………… ④120
宮城鉄夫[みやぎてつお] ……………………… ④120
宮城まり子[みやぎまりこ] ……………………… ④120
宮城道雄[みやぎみちお] ……………………… ④121
三宅一生[みやけいっせい] ……………………… ④121
三宅石庵[みやけせきあん]　⇨富永仲基[とみながなかもと]
　⇨中井甃庵[なかいしゅうあん]
三宅雪嶺[みやけせつれい] ……………………… ④121
都良香[みやこのよしか] ……………………… ④121
宮崎滔天[みやざきとうてん] ……………………… ④122
　⇨梅屋庄吉[うめやしょうきち]　⇨北一輝[きたいっき]
　⇨孫文[そんぶん(スンウェン)]
宮崎駿[みやざきはやお] ……………………… ④122
　⇨角野栄子[かどのえいこ]　⇨シュピリ,ヨハンナ
　⇨ジョーンズ,ダイアナ・ウィン
宮崎安貞[みやざきやすさだ] ……………………… ④122
　⇨貝原益軒[かいばらえきけん]
宮崎友禅[みやざきゆうぜん] ……………………… ④123
宮沢喜一[みやざわきいち] ……………………… ④123
　⇨竹下登[たけしたのぼる]　⇨羽田孜[はたつとむ]
宮沢賢治[みやざわけんじ] ……………………… ④123
　⇨いせひでこ　⇨いぬいとみこ
　⇨小沢正[おざわただし]　⇨木村栄[きむらひさし]
　⇨草野心平[くさのしんぺい]　⇨冨田勲[とみたいさお]
　⇨吉本隆明[よしもとたかあき]
宮柊二[みやしゅうじ] ……………………… ④124
宮武外骨[みやたけがいこつ] ……………………… ④124

⇨吉野作造[よしのさくぞう]
宮田辰次[みやたたつじ] ……………………… ④124
宮永八百治[みやながやおじ] ……………………… ④125
宮西達也[みやにしたつや] ……………………… ④125
宮部みゆき[みやべみゆき] ……………………… ④125
宮本三郎[みやもとさぶろう] ……………………… ④125
宮本武之輔[みやもとたけのすけ] ……………………… ④125
宮本常一[みやもとつねいち] ……………………… ④126
宮本輝[みやもとてる] ……………………… ④126
宮本武蔵[みやもとむさし] ……………………… ④126
　⇨佐々木小次郎[ささきこじろう]
宮本百合子[みやもとゆりこ] ……………………… ④127
　⇨壺井栄[つぼいさかえ]
ミュエック,ロン ……………………… ④127
ミュシャ,アルフォンス ……………………… ④127
　⇨ダンカン,イサドラ
ミュンツァー,トーマス ……………………… ④127
明恵[みょうえ] ……………………… ④128
三善晃[みよしあきら] ……………………… ④128
　⇨高田敏子[たかだとしこ]
三好達治[みよしたつじ] ……………………… ④128
　⇨立原道造[たちはらみちぞう]
　⇨谷川俊太郎[たにかわしゅんたろう]
三好長慶[みよしながよし] ……………………… ④129
　⇨足利義輝[あしかがよしてる]
　⇨足利義晴[あしかがよしはる]
　⇨足利義栄[あしかがよしひで]
　⇨細川晴元[ほそかわはるもと]
　⇨松永久秀[まつながひさひで]
　⇨六角義賢[ろっかくよしかた]
三善清行[みよしきよゆき] ……………………… ④129
　⇨醍醐天皇[だいごてんのう]
三善為康[みよしのためやす] ……………………… ④129
三善康信[みよしやすのぶ] ……………………… ④129
三好保徳[みよしやすのり] ……………………… ④130
ミラー,アーサー ……………………… ④130
ミラー,ヘンリー ……………………… ④130
ミラボー,オノレ・ガブリエル・リケティ …… ④130
　⇨マリー・アントワネット　⇨ルイ16世[−せい]
　⇨ロベスピエール,マクシミリアン
ミリ・アレクセイビチ・バラキレフ
　➡バラキレフ,ミリ・アレクセイビチ
ミル,ジョン・スチュアート ……………………… ④130
　⇨中村正直[なかむらまさなお]
ミルトン,ジョン ……………………… ④131
ミルン,アラン・アレクサンダー ……………………… ④131
　⇨石井桃子[いしいももこ]　⇨グレアム,ケネス
ミルン,ジョン ……………………… ④131
ミレイ,ジョン・エバレット ……………………… ④132
　⇨ハント,ウィリアム・ホルマン
　⇨ロセッティ,ダンテ・ガブリエル
ミレー,ジャン=フランソワ ……………………… ④132
　⇨ゴッホ,ビンセント・ファン
ミロ,ジョアン ……………………… ④132
　⇨ダリ,サルバドール　⇨ピカソ,パブロ
ミロシェビッチ,スロボダン ……………………… ④132
旻[みん] ……………………… ④133
　⇨犬上御田鍬[いぬかみのみたすき]
　⇨小野妹子[おののいもこ]　⇨蘇我入鹿[そがのいるか]
　⇨高向玄理[たかむこのくろまろ]
　⇨天智天皇[てんじてんのう]　⇨裴世清[はいせいせい]
　⇨藤原鎌足[ふじわらのかまたり]
　⇨南淵請安[みなぶちのしょうあん]
明兆[みんちょう] ……………………… ④133
閔妃[ミンビ]　➡閔妃[びんひ]

む

- ムアーウィヤ ……………………… ④133
  - ⇨アリー
- ムアマル・カダフィ ➡カダフィ,ムアマル
- ムーア,ヘンリー ……………………… ④133
  - ⇨デ・クーニング,ウィレム
- 向井去来[むかいきょらい] ……………………… ④134
  - ⇨凡兆[ぼんちょう]　⇨松尾芭蕉[まつおばしょう]
- 向井千秋[むかいちあき] ……………………… ④134
  - ⇨毛利衛[もうりまもる]
- 無学祖元[むがくそげん] ……………………… ④134
  - ⇨北条時宗[ほうじょうときむね]
- 椋鳩十[むくはとじゅう] ……………………… ④134
- 向田邦子[むこうだくにこ] ……………………… ④135
- 武蔵坊弁慶[むさしぼうべんけい] ……………………… ④135
  - ⇨源義経[みなもとのよしつね]
- 武者小路実篤[むしゃのこうじさねあつ] ……………………… ④135
  - ⇨有島武郎[ありしまたけお]
  - ⇨亀井勝一郎[かめいかついちろう]
  - ⇨志賀直哉[しがなおや]　⇨トルストイ,レフ
  - ⇨柳宗悦[やなぎむねよし]　⇨リーチ,バーナード
- ムスタファー・カーミル ……………………… ④136
- ムスタファ・レシト・パシャ ……………………… ④136
  - ⇨アブデュルメジト1世[-せい]
- 夢窓疎石[むそうそせき] ……………………… ④136
  - ⇨足利尊氏[あしかがたかうじ]
  - ⇨一山一寧[いっさんいちねい]
  - ⇨義堂周信[ぎどうしゅうしん]
  - ⇨光厳天皇[こうごんてんのう]
  - ⇨春屋妙葩[しゅんおくみょうは]　⇨如拙[じょせつ]
  - ⇨絶海中津[ぜっかいちゅうしん]
- ムソルグスキー,モデスト ……………………… ④136
  - ⇨バラキレフ,ミリ・アレクセイビチ　⇨ラベル,モーリス
- ムッソリーニ,ベニート ……………………… ④137
  - ⇨フランコ,フランシスコ　⇨ペロン,フアン
- 陸奥宗光[むつむねみつ] ……………………… ④137
  - ⇨伊藤博文[いとうひろぶみ]
  - ⇨小村寿太郎[こむらじゅたろう]　⇨原敬[はらたかし]
  - ⇨星亨[ほしとおる]
- 棟方志功[むなかたしこう] ……………………… ④137
- 宗尊親王[むねたかしんのう] ……………………… ④138
  - ⇨後嵯峨天皇[ごさがてんのう]
  - ⇨藤原頼嗣[ふじわらのよりつぐ]
  - ⇨北条時頼[ほうじょうときより]
- 宗良親王[むねよししんのう] ……………………… ④138
  - ⇨度会家行[わたらいいえゆき]
- ムバラク,ホスニ ……………………… ④139
- ムハンマド ……………………… ④140
  - ⇨アービング,ワシントン　⇨アブー・バクル
  - ⇨アブド・アッラフマーン3世[-せい]　⇨アリー
  - ⇨アル・アッバース　⇨イブン・ルシュド　⇨ウマル
  - ⇨フセイン・ブン・アリー　⇨ムアーウィヤ
- ムハンマド・アブドゥフ ……………………… ④139
- ムハンマド・アフマド ……………………… ④139
- ムハンマド・アリー ……………………… ④139
  - ⇨アブデュルメジト1世[-せい]
  - ⇨マフムト2世[-せい]
- ムハンマド・アリー・ジンナー
  - ➡ジンナー,ムハンマド・アリー
- ムハンマド・ナギブ　➡ナギブ,ムハンマド
- 村岡花子[むらおかはなこ] ……………………… ④142
- 村上吉五郎[むらかみきちごろう] ……………………… ④142
- 村上天皇[むらかみてんのう] ……………………… ④142
  - ⇨円融天皇[えんゆうてんのう]
  - ⇨小野道風[おののみちかぜ]
  - ⇨朱雀天皇[すざくてんのう]
  - ⇨為平親王[ためひらしんのう]
  - ⇨藤原忠平[ふじわらのただひら]
  - ⇨藤原師輔[ふじわらのもろすけ]
  - ⇨源順[みなもとのしたごう]　⇨源師房[みなもとのもろふさ]
  - ⇨良源[りょうげん]　⇨冷泉天皇[れいぜいてんのう]
- 村上春樹[むらかみはるき] ……………………… ④142
  - ⇨シルバースタイン,シェル
  - ⇨中上健次[なかがみけんじ]
  - ⇨フィッツジェラルド,スコット
- 村上龍[むらかみりゅう] ……………………… ④143
  - ⇨中上健次[なかがみけんじ]
- 紫式部[むらさきしきぶ] ……………………… ④144
  - ⇨赤染衛門[あかぞめえもん]
  - ⇨和泉式部[いずみしきぶ]
  - ⇨一条天皇[いちじょうてんのう]
  - ⇨後一条天皇[ごいちじょうてんのう]
  - ⇨菅原孝標女[すがわらのたかすえのむすめ]
  - ⇨清少納言[せいしょうなごん]
  - ⇨藤原公任[ふじわらのきんとう]
  - ⇨藤原道長[ふじわらのみちなが]
  - ⇨源高明[みなもとのたかあきら]
- 村田珠光[むらたじゅこう] ……………………… ④143
  - ⇨武野紹鷗[たけのじょうおう]
- 村田清風[むらたせいふう] ……………………… ④143
  - ⇨毛利敬親[もうりたかちか]
- 村田蔵六[むらたぞうろく]
  - ➡大村益次郎[おおむらますじろう]
- 村田英雄[むらたひでお] ……………………… ④146
  - ⇨春日八郎[かすがはちろう]
  - ⇨三橋美智也[みはしみちや]
- ムラビヨフ・アムールスキー,ニコライ ……………………… ④146
- 村正[むらまさ] ……………………… ④146
- 村本三五郎[むらもとさんごろう] ……………………… ④146
- 村山槐多[むらやまかいた] ……………………… ④146
- 村山富市[むらやまとみいち] ……………………… ④147
  - ⇨土井たか子[どいたかこ]
  - ⇨橋本龍太郎[はしもとりゅうたろう]
- ムリーリョ,バルトロメ・エステバン ……………………… ④147
- ムルドル,ローエンホルスト ……………………… ④147
  - ⇨藤田伝三郎[ふじたでんざぶろう]
- 室生犀星[むろうさいせい] ……………………… ④148
  - ⇨立原道造[たちはらみちぞう]
  - ⇨中野重治[なかのしげはる]
  - ⇨萩原朔太郎[はぎわらさくたろう]
  - ⇨堀辰雄[ほりたつお]　⇨山村暮鳥[やまむらぼちょう]
- 室鳩巣[むろきゅうそう] ……………………… ④148
  - ⇨安積澹泊[あさかたんぱく]
  - ⇨雨森芳洲[あめのもりほうしゅう]
  - ⇨木下順庵[きのしたじゅんあん]
  - ⇨徳川家重[とくがわいえしげ]
  - ⇨前田綱紀[まえだつなのり]
- ムンク,エドバルド ……………………… ④148

め

- メアリ1世[-せい] ……………………… ④149
  - ⇨エリザベス1世[-せい]　⇨グレシャム,トーマス
  - ⇨フェリペ2世[-せい]　⇨ヘンリー8世[-せい]
- メアリ2世[-せい] ……………………… ④149
  - ⇨アン女王[-じょおう]　⇨ウィリアム3世[-せい]
  - ⇨ジェームズ2世[-せい]
- メアリー・ノートン　➡ノートン,メアリー
- メアリ・スチュアート ……………………… ④149
  - ⇨エリザベス1世[-せい]　⇨ジェームズ1世[-せい]
- メイ,テリーザ ……………………… ④149
- 明治天皇[めいじてんのう] ……………………… ④149
  - ⇨有栖川宮熾仁[ありすがわのみやたるひと]
  - ⇨伊藤博文[いとうひろぶみ]
  - ⇨大友皇女[おおとものおうじ]
  - ⇨片山東熊[かたやまとうくま]　⇨桂太郎[かつらたろう]
  - ⇨管野すが[かんのすが]　⇨キヨソーネ,エドアルド
  - ⇨楠本イネ[くすもと-]　⇨西郷隆盛[さいごうたかもり]
  - ⇨佐々木高行[ささきたかゆき]
  - ⇨シュタイン,ローレンツ・フォン
  - ⇨大正天皇[たいしょうてんのう]
  - ⇨高橋由一[たかはしゆいち]
  - ⇨田中正造[たなかしょうぞう]
  - ⇨徳川昭武[とくがわあきたけ]
  - ⇨乃木希典[のぎまれすけ]　⇨元田永孚[もとだながざね]
  - ⇨山岡鉄舟[やまおかてっしゅう]
- 明正天皇[めいしょうてんのう] ……………………… ④150
  - ⇨後桜町天皇[ごさくらまちてんのう]
  - ⇨後水尾天皇[ごみずのおてんのう]
  - ⇨徳川和子[とくがわかずこ]
  - ⇨徳川秀忠[とくがわひでただ]
- メイラー,ノーマン ……………………… ④150
- メージャー,ジョン ……………………… ④150
  - ⇨キャメロン,デービッド
- メーテルリンク,モーリス ……………………… ④151
  - ⇨西条八十[さいじょうやそ]　⇨ドビュッシー,クロード
  - ⇨堀口大学[ほりぐちだいがく]
- メシアン,オリビエ ……………………… ④151
  - ⇨シュトックハウゼン,カールハインツ
- メッテルニヒ,クレメンス ……………………… ④151
- メディチ,コジモ・デ ……………………… ④151
  - ⇨メディチ,ロレンツォ・デ
- メディチ,ロレンツォ・デ ……………………… ④151
  - ⇨カトリーヌ・ド・メディシス
  - ⇨ミケランジェロ・ブオナローティ
  - ⇨メディチ,コジモ・デ　⇨レオ10世[-せい]
- メドベージェフ,ドミトリー ……………………… ④152
  - ⇨プーチン,ウラジミール
- メフメト2世[-せい] ……………………… ④152
- メリメ,プロスペル ……………………… ④153
  - ⇨ビゼー,ジョルジュ
- メリル,チャールズ ……………………… ④153
- メルカトル,ゲラルドゥス ……………………… ④153
- メルケル,アンゲラ ……………………… ④153
- メルビル,ハーマン ……………………… ④153
  - ⇨阿部知二[あべともじ]
- メンデル,グレゴール ……………………… ④154
  - ⇨ドップラー,ヨハン・クリスティアン
  - ⇨ド・フリース,ユーゴ
- メンデルスゾーン,フェリックス ……………………… ④154
  - ⇨シューマン,ロベルト　⇨滝廉太郎[たきれんたろう]
  - ⇨ハイネ,ハインリヒ　⇨バッハ,ヨハン・セバスチャン
- メンデレーエフ,ドミトリー ……………………… ④154

も

- モア,トマス ……………………… ④155
  - ⇨エラスムス,デシデリウス　⇨ホルバイン,ハンス

孟浩然 [もうこうねん] ……………… ④155
⇨李白 [りはく]

孟子 [もうし] ………………………… ④155
⇨伊藤仁斎 [いとうじんさい]
⇨荻生徂徠 [おぎゅうそらい]　⇨荀子 [じゅんし]
⇨鄒衍 [すうえん]　⇨山鹿素行 [やまがそこう]
⇨吉田松陰 [よしだしょういん]

毛沢東 [もうたくとう(マオツォトン)] ……… ④155
⇨華国鋒 [かこくほう(ホワクォフォン)]
⇨江青 [こうせい(チャンチン)]
⇨胡耀邦 [こようほう(フーヤオパン)]
⇨周恩来 [しゅうおんらい(チョウエンライ)]
⇨朱徳 [しゅとく(チュートー)]　⇨スノー, エドガー
⇨孫文 [そんぶん(スンウェン)]
⇨鄧小平 [とうしょうへい(トゥンシャオピン)]
⇨劉少奇 [りゅうしょうき(リウシャオチー)]
⇨廖承志 [りょうしょうし(リアオチョンチー)]
⇨林彪 [りんぴょう(リンピオ)]

毛利敬親 [もうりたかちか] …………… ④156
⇨井上馨 [いのうえかおる]　⇨村田清風 [むらたせいふう]
⇨吉田松陰 [よしだしょういん]

毛利輝元 [もうりてるもと] …………… ④156
⇨尼子勝久 [あまごかつひさ]
⇨安国寺恵瓊 [あんこくじえけい]
⇨石田三成 [いしだみつなり]
⇨織田信長 [おだのぶなが]
⇨吉川元春 [きっかわもとはる]
⇨豊臣秀吉 [とよとみひでよし]
⇨豊臣秀頼 [とよとみひでより]
⇨毛利元就 [もうりもとなり]

毛利衛 [もうりまもる] ………………… ④157
⇨秋山豊寛 [あきやまとよひろ]

毛利元就 [もうりもとなり] …………… ④157
⇨足利義昭 [あしかがよしあき]
⇨尼子勝久 [あまごかつひさ]
⇨正親町天皇 [おおぎまちてんのう]
⇨吉川元春 [きっかわもとはる]
⇨小早川隆景 [こばやかわたかかげ]
⇨陶晴賢 [すえはるかた]
⇨南村梅軒 [みなみむらばいけん]
⇨毛利輝元 [もうりてるもと]

毛利吉元 [もうりよしもと] …………… ④158
モース, エドワード …………………… ④158
⇨石川千代松 [いしかわちよまつ]
⇨フェノロサ, アーネスト

モース, サミュエル …………………… ④158
⇨ガウス, カール・フリードリヒ　⇨ヘンリー, ジョセフ

モーセ …………………………………… ④159
⇨イエス・キリスト　⇨ボッティチェリ, サンドロ

モーツァルト, ウォルフガング・アマデウス
……………………………………………… ④160
⇨近衛秀麿 [このえひでまろ]
⇨バッハ, ヨハン・セバスチャン
⇨ベートーベン, ルートウィヒ・ファン
⇨ベーム, カール　⇨ボーマルシェ, ピエール

モーパッサン, ギー・ド ……………… ④159
⇨オー・ヘンリー　⇨小泉八雲 [こいずみやくも]
⇨広津和郎 [ひろつかずお]
⇨フローベール, ギュスターブ

モーム, ウィリアム・サマセット …… ④159
モーリス・ウィルキンズ　➡ウィルキンズ, モーリス
モーリス・センダック　➡センダック, モーリス
モーリス・メーテルリンク　➡メーテルリンク, モーリス
モーリス・ユトリロ　➡ユトリロ, モーリス
モーリス・ラベル　➡ラベル, モーリス

モーリス・ルブラン　➡ルブラン, モーリス
最上忠右衛門 [もがみちゅうえもん] ………… ④159
最上徳内 [もがみとくない] …………… ④162
⇨近藤重蔵 [こんどうじゅうぞう]
⇨本多利明 [ほんだとしあき]

最上義光 [もがみよしあき] …………… ④162
⇨北館大学助利長 [きただてだいがくのすけとしなが]

黙庵 [もくあん] ………………………… ④162
モサデク, モハンマド ………………… ④162
⇨モハンマド・レザー・パフレビー

望月太左衛門 [もちづきたざえもん] ……… ④163
望月恒隆 [もちづきつねたか] ………… ④163
⇨永田茂衛門 [ながたもえもん]

望月与三郎 [もちづきよさぶろう] ……… ④163
以仁王 [もちひとおう] ………………… ④163
⇨後白河天皇 [ごしらかわてんのう]
⇨式子内親王 [しょくしないしんのう]
⇨平重衡 [たいらのしげひら]
⇨平知盛 [たいらのとももり]
⇨北条時政 [ほうじょうときまさ]
⇨源義仲 [みなもとのよしなか]
⇨源頼朝 [みなもとのよりとも]
⇨源頼政 [みなもとのよりまさ]

牧谿 [もっけい] ………………………… ④163
⇨黙庵 [もくあん]

モッセ, アルバート …………………… ④164
⇨グナイスト, ルドルフ・フォン

モディリアーニ, アメデオ …………… ④164
⇨シャガール, マルク　⇨藤田嗣治 [ふじたつぐはる]
モデスト・ムソルグスキー　➡ムソルグスキー, モデスト
本居宣長 [もとおりのりなが] …………… ④164
⇨上田秋成 [うえだあきなり]　⇨賀茂真淵 [かものまぶち]
⇨契沖 [けいちゅう]　⇨富永仲基 [とみながなかもと]
⇨羽田野敬雄 [はだののたかお]　⇨伴信友 [ばんのぶとも]
⇨平田篤胤 [ひらたあつたね]
⇨丸山真男 [まるやままさお]

本木昌造 [もときしょうぞう] …………… ④165
元田永孚 [もとだながざね] …………… ④165
モネ, クロード ………………………… ④165
⇨歌川広重 [うたがわひろしげ]
⇨葛飾北斎 [かつしかほくさい]
⇨カンディンスキー, ワシリー　⇨セザンヌ, ポール
⇨ターナー, ジョゼフ　⇨ピサロ, カミーユ
⇨マネ, エドワール
⇨ルノアール, ピエール・オーギュスト

物部尾輿 [もののべのおこし] …………… ④165
⇨大伴金村 [おおとものかなむら]
⇨欽明天皇 [きんめいてんのう]
⇨蘇我稲目 [そがのいなめ]　⇨敏達天皇 [びだつてんのう]
⇨物部守屋 [もののべのもりや]

物部守屋 [もののべのもりや] …………… ④166
⇨聖徳太子 [しょうとくたいし]
⇨崇峻天皇 [すしゅんてんのう]
⇨蘇我馬子 [そがのうまこ]　⇨秦河勝 [はたのかわかつ]
⇨敏達天皇 [びだつてんのう]
⇨物部尾輿 [もののべのおこし]
⇨用明天皇 [ようめいてんのう]

モハメッド　➡ムハンマド
モハメド・アリ　➡アリ, モハメド
モハンマド・ハタミ　➡ハタミ, モハンマド
モハンマド・モサデク　➡モサデク, モハンマド
モハンマド・レザー・パフレビー ……… ④166
⇨ホメイニ, ルーホッラー　⇨モサデク, モハンマド
桃園天皇 [ももぞのてんのう] …………… ④166
⇨後桜町天皇 [ごさくらまちてんのう]

⇨後桃園天皇 [ごももぞのてんのう]
⇨竹内式部 [たけのうちしきぶ]
藻谷行蔵 [もよりこうぞう] …………… ④166
森有礼 [もりありのり] ………………… ④166
⇨高橋是清 [たかはしこれきよ]　⇨西周 [にしあまね]
⇨西村茂樹 [にしむらしげき]　➡マレー, デビッド

森内俊之 [もりうちとしゆき] ………… ④167
モリエール …………………………… ④167
⇨石川淳 [いしかわじゅん]　⇨コルネイユ, ピエール
⇨ラシーヌ, ジャン　⇨ラ=フォンテーヌ, ジャン・ド

森絵都 [もりえと] ……………………… ④167
森鷗外 [もりおうがい] ………………… ④167
⇨生沢クノ [いくさわー]　⇨上田敏 [うえだびん]
⇨小山内薫 [おさないかおる]
⇨久米桂一郎 [くめけいいちろう]
⇨坪内逍遙 [つぼうちしょうよう]
⇨モルナール・フェレンツ　⇨柳田国男 [やなぎたくにお]

森繁久彌 [もりしげひさや] …………… ④168
森重文 [もりしげふみ] ………………… ④168
モリス, ウィリアム …………………… ④168
盛田昭夫 [もりたあきお] ……………… ④169
⇨井深大 [いぶかまさる]

森戸辰男 [もりとたつお] ……………… ④169
護良親王 [もりながしんのう]　➡護良親王 [もりよししんのう]
森轟昶 [もりのぶてる] ………………… ④169
森英恵 [もりはなえ] …………………… ④170
森光子 [もりみつこ] …………………… ④170
⇨林芙美子 [はやしふみこ]

森山京 [もりやまみやこ] ……………… ④170
護良親王 [もりよししんのう] …………… ④170
⇨菊池武時 [きくちたけとき]
⇨新田義貞 [にったよしさだ]

森喜朗 [もりよしろう] ………………… ④171
⇨安倍晋三 [あべしんぞう]　⇨福田康夫 [ふくだやすお]
⇨宮沢喜一 [みやざわきいち]

モルガン, ジョン・ピアポント ……… ④171
モルトケ, ヘルムート・フォン ……… ④171
モルナール・フェレンツ ……………… ④171
モロー, ギュスターブ ………………… ④171
⇨ルオー, ジョルジュ

モロトフ, ビャチェスラフ …………… ④172
諸橋轍次 [もろはしてつじ] …………… ④172
モンケ・ハン …………………………… ④172
⇨ハイドゥ　⇨バトゥ　⇨フビライ・ハン　⇨フラグ
⇨リュブリュキ, ギヨーム・ド

モンゴメリ, ルーシー・モード ……… ④172
⇨村岡花子 [むらおかはなこ]

モンゴルフィエ兄弟 [ーきょうだい] ……… ④173
⇨シャルル, ジャック＝アレクサンドル＝セザール

モンティ, マリオ ……………………… ④173
モンテーニュ, ミシェル・ド ………… ④173
モンテ・コルビノ ……………………… ④173
モンテスキュー, シャルル＝ルイ・ド … ④174
⇨ディドロ, ドニ　⇨ファン・チュー・チン

モンテッソーリ, マリア ……………… ④174
モンテベルディ, クラウディオ ……… ④174
文徳天皇 [もんとくてんのう] …………… ④174
⇨紀夏井 [きのなつい]　⇨清和天皇 [せいわてんのう]
⇨橘逸勢 [たちばなのはやなり]　⇨伴健岑 [とものこわみね]
⇨仁明天皇 [にんみょうてんのう]
⇨藤原冬嗣 [ふじわらのふゆつぐ]
⇨藤原基経 [ふじわらのもとつね]
⇨藤原良房 [ふじわらのよしふさ]
⇨都良香 [みやこのよしか]

モンドリアン, ピート ………………… ④174

モンフォール, シモン・ド ……………… ④175
　⇨エドワード1世[-せい]　⇨ヘンリー3世[-せい]
文武天皇[もんむてんのう] ……………… ④175
　⇨粟田真人[あわたのまひと]
　⇨柿本人麻呂[かきのもとのひとまろ]
　⇨草壁皇子[くさかべのおうじ]
　⇨元正天皇[げんしょうてんのう]
　⇨元明天皇[げんめいてんのう]
　⇨持統天皇[じとうてんのう]
　⇨聖武天皇[しょうむてんのう]
　⇨藤原不比等[ふじわらのふひと]
　⇨藤原宮子[ふじわらのみやこ]
モンロー, ジェームス ……………… ④175
モンロー, マリリン ……………… ④175
　⇨ヘップバーン, オードリー

や

ヤークーブ・ベク ……………… ④176
　⇨左宗棠[さそうとう]
矢板武[やいたたけし] ……………… ④176
　⇨印南丈作[いんなみじょうさく]
八木重吉[やぎじゅうきち] ……………… ④176
八木秀次[やぎひでつぐ] ……………… ④176
柳生宗矩[やぎゅうむねのり] ……………… ④177
　⇨沢庵宗彭[たくあんそうほう]
矢嶋楫子[やじまかじこ] ……………… ④177
矢島義一[やじまぎいち] ……………… ④177
ヤショーバルマン王[-おう] ……………… ④177
　⇨ウェッブ夫妻[-ふさい]　⇨クレオパトラ
弥次郎[ヤジロウ]　➡アンジロー
安井算哲[やすいさんてつ]　➡渋川春海[しぶかわしゅんかい]
安井曽太郎[やすいそうたろう] ……………… ④177
　⇨浅井忠[あさいちゅう]　⇨関根正二[せきねしょうじ]
　⇨宮本三郎[みやもとさぶろう]
安井息軒[やすいそっけん]　⇨谷干城[たにたてき]
　⇨西村茂樹[にしむらしげき]
安井道頓[やすいどうとん] ……………… ④178
安岡章太郎[やすおかしょうたろう] ……………… ④178
　⇨遠藤周作[えんどうしゅうさく]
　⇨庄野潤三[しょうのじゅんぞう]
　⇨吉行淳之介[よしゆきじゅんのすけ]
安田善次郎[やすだぜんじろう] ……………… ④178
　⇨浅野総一郎[あさのそういちろう]
安田靫彦[やすだゆきひこ] ……………… ④179
　⇨小倉遊亀[おぐらゆき]　⇨片岡球子[かたおかたまこ]
　⇨小林古径[こばやしこけい]
　⇨速水御舟[はやみぎょしゅう]
　⇨原富太郎[はらとみたろう]
　⇨前田青邨[まえだせいそん]
保田与重郎[やすだよじゅうろう] ……………… ④179
ヤスパース, カール ……………… ④179
　⇨キルケゴール, セーレン
安松金右衛門[やすまつきんえもん] ④180
ヤセル・アラファト　➡アラファト, ヤセル
八橋検校[やつはしけんぎょう] ……………… ④180
　⇨生田検校[いくたけんぎょう]
宿屋飯盛[やどやのめしもり]　➡石川雅望[いしかわまさもち]
矢内原忠雄[やないはらただお] ……………… ④180
柳沢吉保[やなぎさわよしやす] ……………… ④180
　⇨荻生徂徠[おぎゅうそらい]
　⇨紀伊国屋文左衛門[きのくにやぶんざえもん]
　⇨曽根権太夫[そねごんだゆう]

⇨徳川家宣[とくがわいえのぶ]
⇨徳川綱吉[とくがわつなよし]
⇨服部南郭[はっとりなんかく]
柳田国男[やなぎたくにお] ……………… ④181
　⇨伊波普猷[いはふゆう]　⇨折口信夫[おりくちしのぶ]
　⇨渋沢敬三[しぶさわけいぞう]
　⇨中西悟堂[なかにしごどう]
　⇨松岡映丘[まつおかえいきゅう]
　⇨南方熊楠[みなかたくまぐす]
　⇨宮本常一[みやもとつねいち]
柳宗悦[やなぎむねよし] ……………… ④181
　⇨浅川巧[あさかわたくみ]　⇨志賀直哉[しがなおや]
　⇨芹沢銈介[せりざわけいすけ]
　⇨浜田庄司[はまだしょうじ]
　⇨棟方志功[むなかたしこう]　⇨リーチ, バーナード
柳家小さん[やなぎやこさん] ……………… ④181
　⇨柳家小三治[やなぎやこさんじ]
柳家小三治[やなぎやこさんじ] ……………… ④182
　⇨柳家小さん[やなぎやこさん]
やなせたかし ……………… ④182
　⇨前川かずお[まえかわかずお]
梁田貞[やなだただし] ……………… ④182
　⇨藤山一郎[ふじやまいちろう]
ヤヌシュ・コルチャック　➡コルチャック, ヤヌシュ
矢野七三郎[やのしちさぶろう] ……………… ④182
矢延平六[やのべへいろく] ……………… ④183
矢野竜渓[やのりゅうけい] ……………… ④183
矢部禎吉[やべていきち] ……………… ④183
山内一豊[やまうちかずとよ] ……………… ④183
　⇨野中兼山[のなかけんざん]
山内豊信[やまうちとよしげ] ……………… ④184
　⇨井伊直弼[いいなおすけ]
　⇨板垣退助[いたがきたいすけ]
　⇨後藤象二郎[ごとうしょうじろう]
　⇨島津斉彬[しまづなりあきら]
　⇨伊達宗城[だてむねなり]
　⇨徳川慶喜[とくがわよしのぶ]
　⇨中岡慎太郎[なかおかしんたろう]
　⇨福岡孝弟[ふくおかたかちか]
　⇨松平容保[まつだいらかたもり]
　⇨吉田東洋[よしだとうよう]
山内容堂[やまうちようどう]　➡山内豊信[やまうちとよしげ]
山岡鉄舟[やまおかてっしゅう] ……………… ④184
　⇨小倉遊亀[おぐらゆき]
　⇨清水次郎長[しみずのじろちょう]
山鹿素行[やまがそこう] ……………… ④184
　⇨大石良雄[おおいしよしお]
　⇨吉田松陰[よしだしょういん]
山県有朋[やまがたありとも] ……………… ④185
　⇨青木周蔵[あおきしゅうぞう]
　⇨一木喜徳郎[いちききとくろう]
　⇨伊藤博文[いとうひろぶみ]
　⇨大村益次郎[おおむらますじろう]
　⇨大山巌[おおやまいわお]
　⇨樺山資紀[かばやますけのり]
　⇨清浦奎吾[きようらけいご]
　⇨西郷従道[さいごうつぐみち]　⇨斎藤実[さいとうまこと]
　⇨田中義一[たなかぎいち]　⇨乃木希典[のぎまれすけ]
　⇨陸奥宗光[むつむねみつ]
　⇨山本権兵衛[やまもとごんべえ]
　⇨吉田松陰[よしだしょういん]
　⇨渡辺錠太郎[わたなべじょうたろう]
山県大弐[やまがただいに] ……………… ④185
　⇨竹内式部[たけのうちしきぶ]
山片蟠桃[やまがたばんとう] ……………… ④185

⇨麻田剛立[あさだごうりゅう]
⇨中井甃庵[なかいしゅうあん]
山川菊栄[やまかわきくえ] ……………… ④186
　⇨伊藤野枝[いとうのえ]
山川捨松[やまかわすてまつ] ……………… ④186
　⇨大山巌[おおやまいわお]
山川均[やまかわひとし] ……………… ④187
　⇨猪俣津南雄[いのまたつなお]
　⇨山川菊栄[やまかわきくえ]
山岸涼子[やまぎしりょうこ]　⇨萩尾望都[はぎおもと]
山口華楊[やまぐちかよう] ……………… ④187
山口誓子[やまぐちせいし] ……………… ④187
　⇨寺山修司[てらやましゅうじ]
　⇨水原秋桜子[みずはらしゅうおうし]
山口尚芳[やまぐちなおよし] ……………… ④187
山口瞳[やまぐちひとみ] ……………… ④188
山口百恵[やまぐちももえ] ……………… ④188
山口洋子[やまぐちようこ] ……………… ④188
山崎闇斎[やまざきあんさい] ……………… ④188
　⇨浅見絅斎[あさみけいさい]
　⇨梅田雲浜[うめだうんぴん]
　⇨岡田寒泉[おかだかんせん]
　⇨竹内式部[たけのうちしきぶ]　⇨谷時中[たにじちゅう]
　⇨野中兼山[のなかけんざん]
　⇨吉川惟足[よしかわこれたり]
山崎宗鑑[やまざきそうかん] ……………… ④189
　⇨荒木田守武[あらきだもりたけ]
山崎豊子[やまさきとよこ] ……………… ④189
山崎直子[やまざきなおこ] ……………… ④189
山下明生[やましたはるお] ……………… ④189
山下泰裕[やましたやすひろ] ……………… ④189
山階芳麿[やましなよしまろ] ……………… ④190
山背大兄王[やましろのおおえのおう] ……………… ④190
　⇨舒明天皇[じょめいてんのう]
　⇨蘇我入鹿[そがのいるか]　⇨蘇我蝦夷[そがのえみし]
　⇨天智天皇[てんじてんのう]
山田顕義[やまだあきよし] ……………… ④190
山田五十鈴[やまだいすず] ……………… ④190
山田詠美[やまだえいみ] ……………… ④191
山田耕筰[やまだこうさく] ……………… ④191
　⇨石井漠[いしいばく]　⇨北原白秋[きたはらはくしゅう]
　⇨ゴードン, ベアテ・シロタ
　⇨近衛秀麿[このえひでまろ]
　⇨成田為三[なりたためぞう]
山田孝野次郎[やまだこうのじろう] ……………… ④192
山田昌巌[やまだしょうがん] ……………… ④192
山田太一[やまだたいち] ……………… ④192
山田長政[やまだながまさ] ……………… ④192
山田美妙[やまだびみょう] ……………… ④193
　⇨内田魯庵[うちだろあん]
　⇨尾崎紅葉[おざきこうよう]
　⇨正岡子規[まさおかしき]
山田風太郎[やまだふうたろう] ……………… ④193
山田ミネコ[やまだ-]　⇨萩尾望都[はぎおもと]
山田洋次[やまだようじ] ……………… ④193
　⇨渥美清[あつみきよし]　⇨高倉健[たかくらけん]
日本武尊[やまとたけるのみこと] ……………… ④193
　⇨景行天皇[けいこうてんのう]
山名氏清[やまなうじきよ] ……………… ④194
　⇨土岐康行[ときやすゆき]
山中鹿之介[やまなかしかのすけ] ……………… ④194
山中伸弥[やまなかしんや] ……………… ④194
山中為綱[やまなかためつな] ……………… ④194
山中恒[やまなかひさし] ……………… ④195
　⇨古田足日[ふるたたるひ]

357

五十音順索引　や／ゆ／よ

山中幸盛[やまなかゆきもり]
　➡山中鹿之介[やまなかしかのすけ]
山名宗全[やまなそうぜん]　➡山名持豊[やまなもちとよ]
山名持豊[やまなもちとよ]…………………④195
⇨赤松満祐[あかまつみつすけ]
⇨朝倉孝景[あさくらたかかげ]
⇨足利義勝[あしかがよしかつ]
⇨足利義尚[あしかがよしひさ]
⇨足利義政[あしかがよしまさ]
⇨足利義視[あしかがよしみ]
⇨斯波義廉[しばよしかど]
⇨斯波義敏[しばよしとし]
⇨富樫政親[とがしまさちか]
⇨畠山政長[はたけやままさなが]
⇨畠山義就[はたけやまよしなり]
⇨日野富子[ひのとみこ]
⇨細川勝元[ほそかわかつもと]
山上憶良[やまのうえのおくら]…………④195
⇨粟田真人[あわたのまひと]
⇨大伴旅人[おおとものたびと]
山内四郎左衛門[やまのうちしろうざえもん]………④196
山之口貘[やまのくちばく]…………………④196
山葉寅楠[やまはとらくす]…………………④196
⇨河合喜三郎[かわいきさぶろう]
山部赤人[やまべのあかひと]………………④196
山村暮鳥[やまむらぼちょう]………………④196
⇨萩原朔太郎[はぎわらさくたろう]
⇨室生犀星[むろうさいせい]
山室軍平[やまむろぐんぺい]………………④197
山本浅吉[やまもとあさきち]………………④197
山本五十六[やまもといそろく]……………④197
山本勘助[やまもとかんすけ]………………④198
山本浩二[やまもとこうじ]　⇨衣笠祥雄[きぬがさささちお]
山本権兵衛[やまもとごんべえ]……………④198
⇨犬養毅[いぬかいつよし]
⇨井上準之助[いのうえじゅんのすけ]
⇨清浦奎吾[きようらけいご]
⇨後藤新平[ごとうしんぺい]　⇨斎藤実[さいとうまこと]
⇨財部彪[たからべたけし]　⇨田中義一[たなかぎいち]
⇨徳川家達[とくがわいえさと]
⇨床次竹二郎[とこなみたけじろう]　⇨原敬[はらたかし]
⇨平沼騏一郎[ひらぬまきいちろう]
⇨広田弘毅[ひろたこうき]　⇨牧野伸顕[まきののぶあき]
山本作兵衛[やまもとさくべえ]……………④198
山本実彦[やまもとさねひこ]………………④198
山本周五郎[やまもとしゅうごろう]………④199
山本宣治[やまもとせんじ]…………………④199
山本東次郎[やまもととうじろう]…………④199
山本比呂伎[やまもとひろき]………………④199
山本有三[やまもとゆうぞう]………………④199
⇨芥川龍之介[あくたがわりゅうのすけ]
⇨菊池寛[きくちかん]
⇨沢田正二郎[さわだしょうじろう]
⇨坪田譲治[つぼたじょうじ]
⇨吉田甲子太郎[よしだきねたろう]
山脇東洋[やまわきとうよう]………………④200
⇨杉田玄白[すぎたげんぱく]
屋良朝苗[やらちょうびょう]………………④200
耶律阿保機[やりつあぼき]…………………④200
⇨耶律大石[やりつたいせき]
耶律楚材[やりつそざい]……………………④201
⇨オゴタイ・ハン
耶律大石[やりつたいせき]…………………④201
ヤンソン、トーベ……………………………④201
ヤン・フェルメール　➡フェルメール、ヤン

ヤン・フス　➡フス、ヤン
ヤン・ヨーステン　➡ヨーステン、ヤン

ゆ

唯円[ゆいえん]………………………………④202
油井亀美也[ゆいきみや]……………………④202
由井正雪[ゆいしょうせつ]…………………④202
⇨松平信綱[まつだいらのぶつな]
結城氏朝[ゆうきうじとも]…………………④202
ユーグ・カペー………………………………④203
ユークリッド…………………………………④203
⇨アレクサンドロス大王[-だいおう]
⇨ガリレイ、ガリレオ　⇨徐光啓[じょこうけい]
⇨マテオ・リッチ
ユーゴ・ド・フリース　➡ド・フリース、ユーゴ
ユージェーヌ・デュボワ　➡デュボワ、ユージェーヌ
ユージン・スミス　➡スミス、ユージン
ユーリ・アンドロポフ　➡アンドロポフ、ユーリ
ユーリ・ガガーリン　➡ガガーリン、ユーリ
雄略天皇[ゆうりゃくてんのう]……………④203
⇨安康天皇[あんこうてんのう]
⇨允恭天皇[いんぎょうてんのう]
⇨大伴金村[おおとものかなむら]
⇨武烈天皇[ぶれつてんのう]
湯川秀樹[ゆかわひでき]……………………④204
⇨アインシュタイン、アルバート
⇨朝永振一郎[ともながしんいちろう]
⇨長岡半太郎[ながおかはんたろう]
⇨南部陽一郎[なんぶよういちろう]
⇨仁科芳雄[にしなよしお]
柳寛順[ユガンスン]　➡柳寛順[りゅうかんじゅん]
遊行上人[ゆぎょうしょうにん]　➡一遍[いっぺん]
ユゴー、ビクトール…………………………④204
⇨黒岩涙香[くろいわるいこう]　⇨ゴーチエ、テオフィル
⇨フローベール、ギュスターブ
⇨ボードレール、シャルル
ユスティニアヌス帝[-てい]………………④205
⇨テオドラ　⇨トリボニアヌス
⇨ホスロー1世[-せい]
ユストゥス・フォン・リービヒ　➡リービヒ、ユストゥス・フォン
ユスフザイ、マララ…………………………④205
ユゼフ・ピウスツキ　➡ピウスツキ、ユゼフ
弓月君[ゆづきのきみ]………………………④205
⇨応神天皇[おうじんてんのう]
ユトリロ、モーリス…………………………④206
⇨佐伯祐三[さえきゆうぞう]
湯本香樹実[ゆもとかずみ]…………………④206
湯山弥五右衛門[ゆやまやごえもん]………④206
ユリアヌス帝[-てい]………………………④206
ユリウス・カエサル　➡カエサル、ユリウス
ユリウス・ロベルト・フォン・マイヤー
　➡マイヤー、ユリウス・ロベルト・フォン
由利公正[ゆりきみまさ]……………………④206
ユリシーズ・グラント　➡グラント、ユリシーズ
袁世凱[ユワンシーカイ]　➡袁世凱[えんせいがい]
ユング、カール・グスタフ…………………④207
⇨フロイト、ジグムント
尹潽善[ユンボソン][いんふぜん]…………④207

よ

ヨアヒム・フォン・リッベントロープ
　➡リッベントロープ、ヨアヒム・フォン
楊炎[ようえん]………………………………④207
楊貴妃[ようきひ]……………………………④207
⇨安禄山[あんろくざん]　⇨玄宗[げんそう]
⇨白居易[はくきょい]
楊堅[ようけん]　➡文帝(隋)[ぶんてい]
栄西[ようさい]………………………………④208
⇨最澄[さいちょう]　⇨重源[ちょうげん]
⇨道元[どうげん]
雍正帝[ようせいてい]………………………④208
⇨カスティリオーネ、ジュゼッペ
⇨乾隆帝[けんりゅうてい]
陽成天皇[ようぜいてんのう]………………④208
⇨光孝天皇[こうこうてんのう]
⇨橘広相[たちばなのひろみ]
⇨恒貞親王[つねさだしんのう]
⇨藤原時平[ふじわらのときひら]
⇨藤原基経[ふじわらのもとつね]
煬帝[ようだい]………………………………④208
⇨欧陽詢[おうようじゅん]　⇨小野妹子[おののいもこ]
⇨孔穎達[くようだつ]　⇨聖徳太子[しょうとくたいし]
⇨裴世清[はいせいせい]　⇨文帝(隋)[ぶんてい]
⇨李淵[りえん]　⇨李世民[りせいみん]
用明天皇[ようめいてんのう]………………④209
⇨欽明天皇[きんめいてんのう]
⇨聖徳太子[しょうとくたいし]
⇨推古天皇[すいこてんのう]
⇨崇峻天皇[すしゅんてんのう]
⇨蘇我稲目[そがのいなめ]　⇨蘇我馬子[そがのうまこ]
⇨物部守屋[もののべのもりや]
ヨーコ、オノ　⇨レノン、ジョン
ヨーステン、ヤン……………………………④209
⇨アダムズ、ウィリアム
ヨーゼフ2世[-せい]…………………………④209
⇨フランツ1世[-せい]　⇨マリア・テレジア
横井小楠[よこいしょうなん]………………④209
⇨安積艮斎[あさかごんさい]
⇨元田永孚[もとだながざね]　⇨由利公正[ゆりきみまさ]
横井時敬[よこいときよし]…………………④210
横尾忠則[よこおただのり]…………………④210
横田喜三郎[よこたきさぶろう]……………④210
横田穣[よこたみのる]………………………④211
横光利一[よこみつりいち]…………………④211
⇨川端康成[かわばたやすなり]
横山源之助[よこやまげんのすけ]…………④211
横山大観[よこやまたいかん]………………④211
⇨岡倉天心[おかくらてんしん]
⇨下村観山[しもむらかんざん]
⇨竹内栖鳳[たけうちせいほう]
⇨橋本雅邦[はしもとがほう]
⇨速水御舟[はやみぎょしゅう]
⇨菱田春草[ひしだしゅんそう]
⇨安田靫彦[やすだゆきひこ]
横山光輝[よこやまみつてる]………………④212
横山隆一[よこやまりゅういち]……………④212
与謝野晶子[よさのあきこ]…………………④212
⇨大塚楠緒子[おおつかくすおこ]
⇨岡本かの子[おかもとかのこ]
⇨平塚らいてう[ひらつからいちょう]
⇨藤島武二[ふじしまたけじ]

⇨堀口大学[ほりぐちだいがく]
⇨山川菊栄[やまかわきくえ]
⇨与謝野鉄幹[よさのてっかん]

与謝野鉄幹[よさのてっかん] ……………… ④213
⇨石川啄木[いしかわたくぼく]
⇨落合直文[おちあいなおぶみ]
⇨北原白秋[きたはらはくしゅう]
⇨佐藤春夫[さとうはるお]
⇨堀口大学[ほりぐちだいがく]
⇨前田夕暮[まえだゆうぐれ]
⇨与謝野晶子[よさのあきこ] ⇨吉井勇[よしいいさむ]

与謝蕪村[よさぶそん] ……………… ④213
⇨池大雅[いけのたいが] ⇨加賀千代女[かがのちよじょ]
⇨呉春[ごしゅん]

吉井勇[よしいいさむ] ……………… ④213
⇨北原白秋[きたはらはくしゅう]

吉井源太[よしいげんた] ……………… ④213
吉岡彌生[よしおかやよい] ……………… ④214
吉川英治[よしかわえいじ] ……………… ④214
⇨宮本武蔵[みやもとむさし]

吉川惟足[よしかわこれたり] ……………… ④214
⇨山崎闇斎[やまざきあんさい]

吉川温恭[よしかわよしずみ] ……………… ④215
吉川類次[よしかわるいじ] ……………… ④215
芳沢あやめ[よしざわあやめ] ……………… ④215
慶滋保胤[よししげのやすたね] ……………… ④215
吉住小三郎[よしずみこさぶろう] ……………… ④215
⇨稀音家浄観[きねやじょうかん]

吉田兼倶[よしだかねとも] ……………… ④216
吉田勘兵衛[よしだかんべえ] ……………… ④216
吉田甲子太郎[よしだきねたろう] ……………… ④216
吉田兼好[よしだけんこう] ➡兼好法師[けんこうほうし]
吉田沙保里[よしださおり] ……………… ④216
⇨伊調馨[いちょうかおり]

吉田茂[よしだしげる] ……………… ④217
⇨麻生太郎[あそうたろう]
⇨有沢広巳[ありさわひろみ]
⇨池田勇人[いけだはやと]
⇨石橋湛山[いしばしたんざん]
⇨緒方竹虎[おがたたけとら]
⇨斎藤隆夫[さいとうたかお]
⇨佐藤栄作[さとうえいさく]
⇨幣原喜重郎[しではらきじゅうろう]
⇨白洲次郎[しらすじろう]
⇨鳩山一郎[はとやまいちろう]

吉田松陰[よしだしょういん] ……………… ④219
⇨会沢正志斎[あいざわせいしさい]
⇨安積艮斎[あさかごんさい] ⇨井伊直弼[いいなおすけ]
⇨伊藤博文[いとうひろぶみ] ⇨木戸孝允[きどたかよし]
⇨久坂玄瑞[くさかげんずい]
⇨佐久間象山[さくましょうざん]
⇨品川弥二郎[しながわやじろう]
⇨司馬遼太郎[しばりょうたろう]
⇨高杉晋作[たかすぎしんさく]
⇨高山彦九郎[たかやまひこくろう]
⇨玉木文之進[たまきぶんのしん]
⇨前原一誠[まえばらいっせい]
⇨村田清風[むらたせいふう]
⇨山県有朋[やまがたありとも]
⇨山県大弐[やまがただいに]
⇨山田顕義[やまだあきよし]

吉田正[よしだただし] ……………… ④217
吉田東洋[よしだとうよう] ……………… ④217
⇨岩崎弥太郎[いわさきやたろう]
⇨後藤象二郎[ごとうしょうじろう]

⇨福岡孝弟[ふくおかたかちか]
⇨山内豊信[やまうちとよしげ]

吉田光由[よしだみつよし] ……………… ④218
⇨関孝和[せきたかかず]

吉野源三郎[よしのげんざぶろう] ……………… ④218
吉野作造[よしのさくぞう] ……………… ④218
⇨赤松克麿[あかまつかつまろ]
⇨鈴木文治[すずきぶんじ]
⇨福田徳三[ふくだとくぞう]
⇨宮武外骨[みやたけがいこつ]

吉野弘[よしのひろし] ……………… ④220
吉原幸子[よしはらさちこ] ……………… ④220
⇨新川和江[しんかわかずえ]

ヨシフ・スターリン ➡スターリン,ヨシフ
吉丸一昌[よしまるかずまさ] ……………… ④220
⇨中田章[なかだあきら]

吉光[よしみつ] ……………… ④220
⇨長船長光[おさふねながみつ]

良岑安世[よしみねのやすよ] ……………… ④220
吉村昭[よしむらあきら] ……………… ④220
⇨丹羽文雄[にわふみお]

吉村寅太郎[よしむらとらたろう] ……………… ④221
⇨中山忠光[なかやまただみつ]

吉本隆明[よしもとたかあき] ……………… ④221
⇨江藤淳[えとうじゅん]
⇨吉本ばなな[よしもとばなな]

吉本ばなな[よしもとばなな] ……………… ④221
⇨吉本隆明[よしもとたかあき]

吉屋信子[よしやのぶこ] ……………… ④222
吉行淳之介[よしゆきじゅんのすけ] ……………… ④222
⇨阿川弘之[あがわひろゆき]
⇨遠藤周作[えんどうしゅうさく]
⇨庄野潤三[しょうのじゅんぞう]
⇨村上春樹[むらかみはるき]
⇨安岡章太郎[やすおかしょうたろう]
⇨山口洋子[やまぐちようこ]

ヨゼフ・ゲッベルス ➡ゲッベルス,ヨゼフ
与田凖一[よだじゅんいち] ……………… ④222
⇨岩崎京子[いわさききょうこ] ⇨巽聖歌[たつみせいか]

依田勉三[よだべんぞう] ……………… ④222
淀殿[よどどの] ……………… ④222
⇨浅井長政[あざいながまさ] ⇨お市の方[おいちのかた]
⇨大野治長[おおのはるなが]
⇨片桐且元[かたぎりかつもと] ⇨高台院[こうだいいん]
⇨小早川秀秋[こばやかわひであき]
⇨崇源院[すうげんいん] ⇨千姫[せんひめ]
⇨徳川秀忠[とくがわひでただ]
⇨豊臣秀次[とよとみひでつぐ]
⇨豊臣秀吉[とよとみひでよし]
⇨豊臣秀頼[とよとみひでより]

淀屋个庵[よどやこあん] ……………… ④223
⇨淀屋常安[よどやじょうあん]
⇨淀屋辰五郎[よどやたつごろう]

淀屋常安[よどやじょうあん] ……………… ④223
⇨淀屋个庵[よどやこあん]
⇨淀屋辰五郎[よどやたつごろう]

淀屋辰五郎[よどやたつごろう] ……………… ④223
米内光政[よないみつまさ] ……………… ④224
⇨阿南惟幾[あなみこれちか]
⇨有田八郎[ありたはちろう]
⇨緒方竹虎[おがたたけとら]
⇨小磯国昭[こいそくにあき]
⇨山本五十六[やまもといそろく]

米長邦雄[よねながくにお] ……………… ④224
⇨羽生善治[はぶよしはる]

米村所平[よねむらしょへい] ……………… ④224
ヨハネ ……………… ④224
⇨イエス・キリスト ⇨レオナルド・ダ・ビンチ
ヨハネス・グーテンベルク ➡グーテンベルク,ヨハネス
ヨハネス・ケプラー ➡ケプラー,ヨハネス
ヨハネス・デ・レーケ ➡デ・レーケ,ヨハネス
ヨハネス・ファン・デン・ボス ➡ファン・デン・ボス,ヨハネス
ヨハネス・ブラームス ➡ブラームス,ヨハネス
ヨハネ・パウロ2世[-せい] ……………… ④225
⇨ガリレイ,ガリレオ ⇨フス,ヤン
ヨハン・ウォルフガング・フォン・ゲーテ
➡ゲーテ,ヨハン・ウォルフガング・フォン
ヨハン・クライフ ➡クライフ,ヨハン
ヨハン・クリスティアン・ドップラー
➡ドップラー,ヨハン・クリスティアン
ヨハン・ゴットリープ・フィヒテ
➡フィヒテ,ヨハン・ゴットリープ
ヨハン・シュトラウス（父） ➡シュトラウス,ヨハン（父）
ヨハン・シュトラウス（子） ➡シュトラウス,ヨハン（子）
ヨハン・セバスチャン・バッハ
➡バッハ,ヨハン・セバスチャン
ヨハンナ・シュピリ ➡シュピリ,ヨハンナ
ヨハン・ハインリヒ・ペスタロッチ
➡ペスタロッチ,ヨハン・ハインリヒ
ヨハン・パッヘルベル ➡パッヘルベル,ヨハン
萬鉄五郎[よろずてつごろう] ……………… ④225
ヨンス・ヤーコブ・ベルセリウス
➡ベルセリウス,ヨンス・ヤーコブ

ら

ラーゲルレーブ, セルマ ……………… ④226
ラーマ4世[-せい] ……………… ④226
⇨ラーマ5世[-せい]

ラーマ5世[-せい] ……………… ④226
ラーム・モーハン・ローイ ……………… ④226
ライアン, ノーラン ……………… ④226
頼山陽[らいさんよう] ……………… ④227
⇨田能村竹田[たのむらちくでん]
⇨頼三樹三郎[らいみきさぶろう]

ライシャワー, エドウィン ……………… ④227
雷電[らいでん] ……………… ④227
⇨谷風[たにかぜ]

ライト, フランク・ロイド ……………… ④227
ライト兄弟[-きょうだい] ……………… ④229
⇨二宮忠八[にのみやちゅうはち]
⇨リリエンタール,オットー

ライナー・マリア・リルケ ➡リルケ,ライナー・マリア
ライプニッツ, ゴットフリート ……………… ④228
頼三樹三郎[らいみきさぶろう] ……………… ④228
⇨井伊直弼[いいなおすけ] ⇨梅田雲浜[うめだうんぴん]
⇨頼山陽[らいさんよう]

ラウル・デュフィ ➡デュフィ,ラウル
老舎[ラオショー] ➡老舎[ろうしゃ]
羅貫中[らかんちゅう] ……………… ④228
⇨施耐庵[したいあん]

ラグーザ, ビンチェンツォ ……………… ④228
ラクシュミー・バーイー ……………… ④230
ラクスマン, アダム・キリロビッチ ……………… ④230
⇨エカチェリーナ2世[-せい]
⇨大黒屋光太夫[だいこくやこうだゆう]
⇨林子平[はやしへい] ⇨レザノフ,ニコライ

ラクスマン,キリル ⇨大黒屋光太夫[だいこくやこうだゆう]

五十音順索引

ら／り

⇨ラクスマン，アダム・キリロビッチ

ラグランジュ，ジョゼフ・ルイ ④230

ラサール，フェルディナント ④230

ラザフォード，アーネスト ④230
⇨ガイガー，ハンス　⇨チャドウィック，ジェームズ
⇨長岡半太郎[ながおかはんたろう]
⇨ボーア，ニールス

ラザフォード・オールコック ➡オールコック，ラザフォード
ラサロ・カルデナス ➡カルデナス，ラサロ
ラザロ・ザメンホフ ➡ザメンホフ，ラザロ

ラシード・アッディーン ④231
⇨ガザン・ハン

ラシーヌ，ジャン ④231
⇨コルネイユ，ピエール　⇨ラ＝フォンテーヌ，ジャン・ド

ラジブ・ガンディー ➡ガンディー，ラジブ

ラス・カサス，バルトロメ・デ ④231

ラスプーチン，グレゴリー ④231

ラダビノード・パル ➡パル，ラダビノード

ラックスマン，アダム・キリロビッチ
➡ラクスマン，アダム・キリロビッチ

ラッセル，バートランド ④231
⇨アインシュタイン，アルバート
⇨ウィトゲンシュタイン，ルートウィヒ

ラッフルズ，トマス・スタンフォード ④232

ラディゲ，レーモン ④232

ラデン・アジェン・カルティニ
➡カルティニ，ラデン・アジェン

ラドヤード・キップリング ➡キップリング，ラドヤード

ラビン，イツハーク ④232
⇨アラファト，ヤセル　⇨ペレス，シモン

ラビンドラナート・タゴール ➡タゴール，ラビンドラナート

ラファイエット夫人 [－ふじん] ④232

ラ・ファイエット，マリー・ジョゼフ ④232
⇨サン＝シモン，クロード・アンリ・ド
⇨ダントン，ジョルジュ＝ジャック　⇨ルイ16世[－せい]
⇨ロベスピエール，マクシミリアン

ラファエル・ケーベル ➡ケーベル，ラファエル

ラファエル・コラン ⇨岡田三郎助[おかださぶろうすけ]
⇨久米桂一郎[くめけいいちろう]
⇨黒田清輝[くろだせいき]　⇨和田英作[わだえいさく]

ラファエロ・サンティ ④233
⇨アングル，ジャン・オーギュスト　⇨コレッジョ
⇨ブラマンテ，ドナート
⇨ルノアール，ピエール・オーギュスト
⇨レオ10世[－せい]

ラ＝フォンテーヌ，ジャン・ド ④233

ラフマニノフ，セルゲイ ④233
⇨チャイコフスキー，ピョートル・イリイッチ
⇨ホロビッツ，ウラディミール

ラプラス，ピエール・シモン ④233

ラブレー，フランソワ ④234

ラベル，モーリス ④234
⇨フォーレ，ガブリエル　⇨ムソルグスキー，モデスト

ラボアジエ，アントワーヌ＝ローラン ④234
⇨デュポン，エルテール・イレネー
⇨ベルセリウス，ヨンス・ヤーコブ

ラマルク，ジャン＝バティスト ④234

ラムジー・マクドナルド ➡マクドナルド，ラムジー

ラムセス2世 [－せい] ④234

ラルフ・ローレン ➡ローレン，ラルフ

蘭渓道隆 [らんけいどうりゅう] ④235
⇨北条時頼[ほうじょうときより]
⇨無学祖元[むがくそげん]

ランケ，レオポルト・フォン ④235

ランサム，アーサー ④235

ランシング，ロバート ④235
⇨石井菊次郎[いしいきくじろう]

ランドルフ・コルデコット ➡コルデコット，ランドルフ

ランボー，アルチュール ④236
⇨清岡卓行[きよおかたかゆき]　⇨クローデル，ポール
⇨小林秀雄[こばやしひでお]
⇨西条八十[さいじょうやそ]
⇨中原中也[なかはらちゅうや]　⇨ベルレーヌ，ポール

り

寥承志[リアオチョンチー] ➡寥承志[りょうしょうし]

リー，ロバート ④236

リーキー，ルイス・シーモア・バゼット ④236
⇨グドール，ジェーン

リー・クアンユー ④237

李克強[リークォーチャン] ➡李克強[りこくきょう]

リーチ，バーナード ④237
⇨浜田庄司[はまだしょうじ]　⇨柳宗悦[やなぎむねよし]

リートフェルト，ヘリト・トーマス ④237

李登輝[リートンホイ] ➡李登輝[りとうき]

リーバイ・ストラウス ➡ストラウス，リーバイ

リービヒ，ユストゥス・フォン ④237

リープクネヒト，カール ④238
⇨ベーベル，アウグスト
⇨ラサール，フェルディナント
⇨ルクセンブルク，ローザ

李鵬[リーポン] ➡李鵬[りほう]

リーマン，ベルンハルト ④238

リウィウス ④238

劉少奇[リウシャオチー] ➡劉少奇[りゅうしょうき]

李淵 [りえん] ④238
⇨欧陽詢[おうようじゅん]　⇨煬帝[ようだい]
⇨李世民[りせいみん]

リカード，デビッド ④239

李恢成[りかいせい] ➡李恢成[イフェソン]

リキテンスタイン，ロイ ④239
⇨ウォーホル，アンディ　⇨シーガル，ジョージ

力道山 [りきどうざん] ④239

リキニウス ④240
⇨コンスタンティヌス帝[－てい]
⇨セクスティウス，ルキウス

陸九淵 [りくきゅうえん] ④240

陸象山[りくしょうざん] ➡陸九淵[りくきゅうえん]

李元昊 [りげんこう] ④240

李鴻章 [りこうしょう] ④240
⇨袁世凱[えんせいがい（ユワンシーカイ）]
⇨西太后[せいたいこう]　⇨曾国藩[そうこくはん]
⇨同治帝[どうちてい]

李克強 [りこくきょう（リークォーチャン）] ④240

リサール，ホセ ④241

李参平 [りさんぺい（イサムピョン）] ④241

李斯 [りし] ④241
⇨韓非[かんぴ]　⇨始皇帝[しこうてい]
⇨荀子[じゅんし]

李贄 [りし] ④241

李自成 [りじせい] ④241
⇨呉三桂[ごさんけい]　⇨順治帝[じゅんちてい]
⇨崇禎帝[すうていてい]

李時珍 [りじちん] ④242

リシュリュー，アルマン・ジャン・デュ・プレシ・ド ④242
⇨マザラン，ジュール　⇨ルイ13世[－せい]

李舜臣 [りしゅんしん（イスンシン）] ④242

李承晩[りしょうばん] ➡李承晩[イスンマン]

李如松 [りじょしょう] ④243

リスト，フランツ ④243
⇨サンド，ジョルジュ　⇨シューマン，クララ
⇨シュトラウス，リヒャルト　⇨ショパン，フレデリック
⇨スメタナ，ベルジフ　⇨チェルニー，カール
⇨パガニーニ，ニコロ　⇨ブラームス，ヨハネス

李成桂 [りせいけい（イソンゲ）] ④243

李世民 [りせいみん] ④243
⇨欧陽詢[おうようじゅん]　⇨孔穎達[くようだつ]
⇨玄奘[げんじょう]　⇨高宗（唐）[こうそう]
⇨則天武后[そくてんぶこう]　⇨ソンツェン・ガンポ
⇨褚遂良[ちょすいりょう]　⇨李淵[りえん]

李大釗[リターチャオ] ➡李大釗[りたいしょう]

李大釗 [りたいしょう（リターチャオ）] ④244
⇨胡適[こてき（フーシー）]
⇨陳独秀[ちんどくしゅう（チェントゥーシウ）]

李卓吾[りたくご] ➡李贄[りし]

リチャーズ，キース ⇨ジャガー，ミック

リチャード1世 [－せい] ④244
⇨フィリップ2世[－せい]　⇨ヘンリー2世[－せい]

リチャード3世 [－せい] ④244
⇨ヘンリー7世[－せい]

リチャード・アークライト ➡アークライト，リチャード
リチャード・コブデン ➡コブデン，リチャード
リチャード・トレビシック ➡トレビシック，リチャード
リチャード・ニクソン ➡ニクソン，リチャード
リチャード・ファインマン ➡ファインマン，リチャード
リチャード・ブランソン ➡ブランソン，リチャード
リチャード・ブラントン ➡ブラントン，リチャード
リチャード・ロジャース ➡ロジャース，リチャード

履中天皇 [りちゅうてんのう] ④244
⇨阿知使主[あちのおみ]
⇨応神天皇[おうじんてんのう]
⇨仁徳天皇[にんとくてんのう]
⇨反正天皇[はんぜいてんのう]

リットン，ビクター・アレグザンダー ④245
⇨松岡洋右[まつおかようすけ]

リッベントロープ，ヨアヒム・フォン ④245

李登輝 [りとうき（リートンホイ）] ④245

李白 [りはく] ④245
⇨阿倍仲麻呂[あべのなかまろ]　⇨王維[おうい]
⇨狩野秀頼[かのうひでより]　⇨杜甫[とほ]
⇨孟浩然[もうこうねん]

リヒター，ハンス・ペーター ④246

リヒトホーフェン，フェルディナント・フォン ④246
⇨ヘディン，スベン

リヒャルト・クーデンホーフ＝カレルギー
➡クーデンホーフ＝カレルギー，リヒャルト
リヒャルト・シュトラウス ➡シュトラウス，リヒャルト
リヒャルト・ゾルゲ ➡ゾルゲ，リヒャルト
リヒャルト・フォン・ワイツゼッカー
➡ワイツゼッカー，リヒャルト・フォン
リヒャルト・ワーグナー ➡ワーグナー，リヒャルト

リビングストン，デイビッド ④247
⇨スタンリー，ヘンリー

李鵬 [りほう（リーポン）] ④246

リムスキー＝コルサコフ，ニコライ ④246
⇨キュイ，ツェザーリ　⇨ストラビンスキー，イーゴル
⇨バラキレフ，ミリ・アレクセイビチ
⇨プロコフィエフ，セルゲイ
⇨ボロディン，アレクサンドル
⇨レスピーギ，オットリーノ

梁啓超[リヤンチーチャオ] ➡梁啓超[りょうけいちょう]
立阿弥[りゅうあみ] ……………… ④246
劉永福[りゅうえいふく] …………… ④248
柳寛順[りゅうかんじゅん(ユグァンスン)] ………… ④248
竜樹[りゅうじゅ] ……………… ④248
 ⇨鳩摩羅什[くまらじゅう]
劉秀[りゅうしゅう] ➡光武帝[こうぶてい]
劉少奇[りゅうしょうき(リウシャオチー)] ………… ④248
柳宗元[りゅうそうげん] …………… ④248
龍造寺隆信[りゅうぞうじたかのぶ] ………… ④249
柳亭種彦[りゅうていたねひこ] ………… ④249
劉備[りゅうび] ……………… ④249
 ⇨関羽[かんう] ⇨諸葛亮[しょかつりょう]
 ⇨曹操[そうそう] ⇨孫権[そんけん] ⇨張飛[ちょうひ]
 ⇨陳寿[ちんじゅ]
劉邦[りゅうほう] ……………… ④249
 ⇨衛満[えいまん] ⇨虞美人[ぐびじん]
 ⇨項羽[こう] ⇨冒頓単于[ぼくとつぜんう]
劉裕[りゅうゆう] ……………… ④250
リューリク ……………… ④250
リュクルゴス ……………… ④250
リュブリュキ, ギヨーム・ド ………… ④250
リュミエール兄弟[−きょうだい] ………… ④250
良寛[りょうかん] ……………… ④251
 ⇨会津八一[あいづやいち] ⇨相馬御風[そうまぎょふう]
 ⇨安田靫彦[やすだゆきひこ] ⇨良寛[りょうかん]
良観[りょうかん] ➡忍性[にんしょう]
梁啓超[りょうけいちょう(リヤンチーチャオ)] ………… ④251
 ⇨光緒帝[こうしょてい]
 ⇨康有為[こうゆうい(カンユーウェイ)]
 ⇨ファン・ボイ・チャウ
良源[りょうげん] ……………… ④251
廖承志[りょうしょうし(リアオチョンチー)] ………… ④252
呂尚[りょしょう] ➡太公望[たいこうぼう]
リリウオカラニ ……………… ④252
リリエンタール, オットー ………… ④252
 ⇨ライト兄弟[−きょうだい]
リルケ, ライナー・マリア ………… ④252
 ⇨立原道造[たちはらみちぞう]
リロイ・ジェーンズ ➡ジェーンズ, リロイ
リンカン, エイブラハム ………… ④253
 ⇨キング, マーティン・ルーサー・ジュニア
 ⇨デービス, ジェファーソン ⇨ヘイ, ジョン
リンゴ・スター ➡レノン, ジョン
林則徐[りんそくじょ] …………… ④253
 ⇨道光帝[どうこうてい]
リンチ, エドモンド ➡メリル, チャールズ
リンドグレーン, アストリッド ………… ④253
リンドバーグ, チャールズ ………… ④254
 ⇨ゴダード, ロバート
リンドン・ジョンソン ➡ジョンソン, リンドン
リンネ, カール・フォン ………… ④254
 ⇨ダーウィン, チャールズ ⇨ツンベルグ, カール
林彪[リンピアオ] ➡林彪[りんぴょう]
林彪[りんぴょう(リンピアオ)] ………… ④254
 ⇨江青[こうせい(チヤンチン)]

る

ルイ9世[−せい] ……………… ④255
 ⇨バイバルス ⇨リュブリュキ, ギヨーム・ド
ルイ12世[−せい] ⇨ボルジア, チェーザレ
 ⇨レオナルド・ダ・ビンチ

ルイ13世[−せい] ……………… ④255
 ⇨グロティウス, フーゴ ⇨ボシュエ
 ⇨マザラン, ジュール
 ⇨リシュリュー, アルマン・ジャン・デュ・プレシ・ド
 ⇨ルイ14世[−せい]
ルイ14世[−せい] ……………… ④255
 ⇨クープラン, フランソワ
 ⇨コルベール, ジャン=バティスト
 ⇨サン=ピエール, シャルル・イルネ・カステル・ド
 ⇨ブーベ, ジョアシャン ⇨フェリペ5世[−せい]
 ⇨ペロー, シャルル ⇨ボシュエ
 ⇨マザラン, ジュール ⇨モリエール
 ⇨ラシーヌ, ジャン ⇨ルイ13世[−せい]
 ⇨ルイ15世[−せい]
 ⇨レセップス, フェルディナン・マリー・ド
ルイ15世[−せい] ……………… ④256
 ⇨ケネー, フランソワ ⇨シャルル10世[−せい]
 ⇨ブーシェ, フランソワ ⇨ボーマルシェ, ピエール
 ⇨モーツァルト, ウォルフガング・アマデウス
 ⇨ルイ16世[−せい]
ルイ16世[−せい] ……………… ④256
 ⇨池田理代子[いけだりよこ]
 ⇨サン=ジュスト, ルイ・アントワーヌ・ド
 ⇨シャルル10世[−せい] ⇨セリム3世[−せい]
 ⇨チュルゴー, アンヌ・ロベール・ジャック
 ⇨ド・レペ, シャルル・ミシェル ⇨ネッケル, ジャック
 ⇨ピット, ウィリアム ⇨ビニョー・ド・ベーヌ
 ⇨マリー・アントワネット
 ⇨モンゴルフィエ兄弟[−きょうだい]
 ⇨ユーグ・カペー ⇨ルイ18世[−せい]
 ⇨ロベスピエール, マクシミリアン
ルイ18世[−せい] ……………… ④256
 ⇨シャルル10世[−せい]
 ⇨タレーラン, シャルル・モーリス・ド
 ⇨ナポレオン1世[−せい]
 ⇨フーリエ, ジャン・バプティスト
ルイ・アームストロング ➡アームストロング, ルイ
ルイ・アラゴン ➡アラゴン, ルイ
ルイ・アントワーヌ・ド・サン=ジュスト
 ➡サン=ジュスト, ルイ・アントワーヌ・ド
ルイーザ・メイ・オルコット ➡オルコット, ルイーザ・メイ
ルイ・ヴィトン ➡ヴィトン, ルイ
ルイ・ジャック・ダゲール ➡ダゲール, ルイ・ジャック
ルイス, カール ……………… ④257
ルイス, クライブ・ステープルズ ………… ④257
 ⇨ジョーンズ, ダイアナ・ウィン
ルイス・キャロル ➡キャロル, ルイス
ルイス・シーモア・バゼット・リーキー
 ➡リーキー, ルイス・シーモア・バゼット
ルイス・ブニュエル ⇨ダリ, サルバドール
ルイス・フロイス ➡フロイス, ルイス
ルイ・ナポレオン ➡ナポレオン3世[−せい]
ルイ・パスツール ➡パスツール, ルイ
ルイ=フィリップ ……………… ④257
 ⇨ティエール, アドルフ ⇨ドーミエ, オノレ
ルイ・ブライユ ➡ブライユ, ルイ
ルイ・ブラン ➡ブラン, ルイ
ルイ=フランソワ・カルティエ
 ➡カルティエ, ルイ=フランソワ
ルーカス, ジョージ ……………… ④257
 ⇨黒澤明[くろさわあきら]
 ⇨スピルバーグ, スティーブン
ルーカス・クラナハ ➡クラナハ, ルーカス
ルー・ゲーリッグ ➡ゲーリッグ, ルー
ルーサー・バーバンク ➡バーバンク, ルーサー

ルーシー・モード・モンゴメリ
 ➡モンゴメリ, ルーシー・モード
魯迅[ルーシュン] ➡魯迅[ろじん]
ルース・スタイルス・ガネット
 ➡ガネット, ルース・スタイルス
ルーズベルト, セオドア ➡ローズベルト, セオドア
ルーズベルト, フランクリン ➡ローズベルト, フランクリン
ルートウィヒ1世[−せい] ………… ④258
 ⇨カール大帝[−たいてい] ⇨シャルル2世[−せい]
 ⇨ルートウィヒ2世[−せい] ⇨ロタール1世[−せい]
ルートウィヒ2世[−せい] ………… ④258
 ⇨シャルル2世[−せい] ➡ルートウィヒ1世[−せい]
 ⇨ロタール1世[−せい]
ルートウィヒ・ウィトゲンシュタイン
 ➡ウィトゲンシュタイン, ルートウィヒ
ルートウィヒ・エアハルト ➡エアハルト, ルートウィヒ
ルートウィヒ・ファン・ベートーベン
 ➡ベートーベン, ルートウィヒ・ファン
ルートウィヒ・フォイエルバッハ
 ➡フォイエルバッハ, ルートウィヒ
ルートウィッヒ・ボルツマン
 ⇨長岡半太郎[ながおかはんたろう]
ルートウィヒ・ミース・ファン・デル・ローエ
 ➡ミース・ファン・デル・ローエ, ルートウィヒ
ルーハッラー・ホメイニ ➡ホメイニ, ルーハッラー
ルーベンス, ペーテル・パウル ………… ④258
 ⇨ジェリコー, テオドル
 ⇨ティツィアーノ・ベチェリオ
 ⇨ドラクロア, ウジェーヌ
 ⇨ファン・ダイク, アントーン
 ⇨ベラスケス, ディエゴ・デ
 ⇨ムリーリョ, バルトロメ・エステバン
 ⇨ワトー, アントワーヌ
ルオー, ジョルジュ ……………… ④258
 ⇨マティス, アンリ ⇨モロー, ギュスターブ
ルキウス・アンナエウス・セネカ
 ➡セネカ, ルキウス・アンナエウス
ルキウス・セクスティウス ➡セクスティウス, ルキウス
ルクセンブルク, ローザ ………… ④258
 ⇨リープクネヒト, カール
ル・コルビュジエ ……………… ④259
 ⇨丹下健三[たんげけんぞう]
ルソー, アンリ ……………… ④259
 ⇨原田泰治[はらだたいじ]
ルソー, ジャン=ジャック ………… ④260
 ⇨カント, インマヌエル ⇨黄宗羲[こうそうぎ]
 ⇨サン=ピエール, シャルル・イルネ・カステル・ド
 ⇨シェイエス, エマニュエル・ジョゼフ
 ⇨ディドロ, ドニ ⇨中江兆民[なかえちょうみん]
 ⇨バブーフ, フランソワ・ノエル
 ⇨ヒューム, デビッド
 ⇨ファン・チュー・チン
 ⇨ペスタロッチ, ヨハン・ハインリヒ
 ⇨ベルナルダン・ド・サン=ピエール, ジャック=アンリ
 ⇨ロベスピエール, マクシミリアン
呂宋助左衛門[るそんすけざえもん] ………… ④260
ルター, マルティン ……………… ④260
 ⇨エラスムス, デシデリウス ⇨カルバン, ジャン
 ⇨クラナハ, ルーカス ⇨グリューネワルト, マティアス
 ⇨ツウィングリ, フルドライヒ ⇨パウロ
 ⇨フリードリヒ3世[−せい] ⇨ヘンリー8世[−せい]
 ⇨ホルバイン, ハンス ⇨ミュンツァー, トーマス
 ⇨レオ10世[−せい]
ルッジェーロ2世[−せい] ………… ④261
ルドルフ1世[−せい] ……………… ④261

五十音順索引

る／れ／ろ

ルドルフ・シュタイナー　➡シュタイナー,ルドルフ
ルドルフ・ディーゼル　➡ディーゼル,ルドルフ
ルドルフ・フォン・グナイスト　➡グナイスト,ルドルフ・フォン
ルドン, オディロン ･･････････････ ④261
ルナール, ジュール ･･････････････ ④261
ルネ・クレマン　➡クレマン,ルネ
ルネ・コティ　➡コティ,ルネ
ルネ・デカルト　➡デカルト,ルネ
ルネ・マグリット　➡マグリット,ルネ
ルノアール, ピエール・オーギュスト ･･･････ ④261
　➪アングル,ジャン・オーギュスト
　➪歌川広重[うたがわひろしげ]
　➪梅原龍三郎[うめはらりゅうざぶろう]
　➪セザンヌ,ポール　➪土田麦僊[つちだばくせん]
　➪中村彝[なかむらつね]　➪ピサロ,カミーユ
　➪マネ,エドワール　➪モネ,クロード
ルパート・マードック　➡マードック,ルパート
ルブラン, モーリス ･･････････････ ④262
　➪南洋一郎[みなみよういちろう]
ルブルック　➡リュブリュキ,ギヨーム・ド
ルムンバ, パトリス ･･････････････ ④262
ルメートル,ジョルジュ　➪ガモフ,ジョージ

れ

レイ, マン ･･････････････ ④263
レイ・クロック　➡クロック,レイ
霊元天皇 [れいげんてんのう] ･･････････ ④263
　➪荷田春満[かだのあずままろ]
　➪後水尾天皇[ごみずのおてんのう]
　➪徳川家継[とくがわいえつぐ]
　➪徳川和子[とくがわかずこ]
　➪東山天皇[ひがしやまてんのう]
冷泉天皇 [れいぜいてんのう] ･･････････ ④263
　➪和泉式部[いずみしきぶ]
　➪円融天皇[えんゆうてんのう]
　➪為平親王[ためひらしんのう]
　➪藤原実頼[ふじわらのさねより]
　➪藤原師輔[ふじわらのもろすけ]
　➪源高明[みなもとのたかあきら]
レイチェル・カーソン　➡カーソン,レイチェル
レイ・チャールズ　➡チャールズ,レイ
レイモンド・チャンドラー　➡チャンドラー,レイモンド
レーウェンフック, アントニー・ファン ･･･････ ④263
レーガン, ロナルド ･･････････････ ④264
　➪カーター,ジミー　➪中曽根康弘[なかそねやすひろ]
　➪ブッシュ,ジョージ(父)
レーニン, ウラジーミル・イリイッチ ･･････ ④264
　➪ガポン,ゲオルギー　➪スターリン,ヨシフ
　➪トロツキー,レフ　➪バブーフ,フランソワ・ノエル
　➪ブハーリン,ニコライ・イワノビッチ
　➪プレハーノフ,ゲオルギー
レーバー, ロッド ･･････････････ ④265
　➪ボルグ,ビョルン
レーモン・ラディゲ　➡ラディゲ,レーモン
レールモントフ, ミハイル・ユリエビチ ･････ ④265
レオ3世 [─せい] ･･････････････ ④265
　➪カール大帝[─たいてい]　➪ロタール1世[─せい]
レオ10世 [─せい] ･･････････････ ④265
　➪ヘンリー8世[─せい]　➪メディチ,ロレンツォ・デ
　➪ルター,マルティン
レオーニ, レオ ･･････････････ ④265
　➪谷川俊太郎[たにかわしゅんたろう]

レオナルド・ダ・ビンチ ･･････････ ④266
　➪コレッジョ　➪フランソワ1世[─せい]
　➪ミケランジェロ・ブオナローティ
　➪メディチ,ロレンツォ・デ　➪ラファエロ・サンティ
レオニード・ブレジネフ　➡ブレジネフ,レオニード
レオポルト2世 [─せい] ･･････････ ④268
　➪マリー・アントワネット
レオポルト・フォン・ランケ　➡ランケ,レオポルト・フォン
レオ・レオーニ　➡レオーニ,レオ
レオン3世 [─せい] ･･････････ ④268
　➪レオ3世[─せい]
レオンハルト・オイラー　➡オイラー,レオンハルト
レオン・ブルム　➡ブルム,レオン
レオン・ロッシュ　➡ロッシュ,レオン
レザー・シャー・パフレビー ･･････････ ④268
　➪モサデク,モハンマド
　➪モハンマド・レザー・パフレビー
レザノフ, ニコライ ･･････････ ④268
　➪ラクスマン,アダム・キリロビッチ
レジェ, フェルナン ･･････････ ④269
レジス, ジャン=バプティスト ･･････････ ④269
レスピーギ, オットリーノ ･･････････ ④269
レセップス, フェルディナン・マリー・ド ･･･ ④269
レナード・バーンスタイン　➡バーンスタイン,レナード
レノン, ジョン ･･････････ ④270
レビ=ストロース, クロード ･･････････ ④270
レピドゥス, マルクス・アエミリウス ･･････ ④270
　➪アントニウス,マルクス
　➪オクタウィアヌス帝[─てい]
レフ・トルストイ　➡トルストイ,レフ
レフ・トロツキー　➡トロツキー,レフ
レフ・ワレサ　➡ワレサ,レフ
レマルク, エーリッヒ・マリア ･･････････ ④270
レントゲン, ウィルヘルム ･･････････ ④271
　➪キュリー,マリー　➪ベクレル,アントワーヌ・アンリ
蓮如 [れんにょ] ･･････････ ④271
　➪五木寛之[いつきひろゆき]
　➪富樫政親[とがしまさちか]
レンブラント・ファン・レイン ･･････････ ④271
　➪クールベ,ギュスターブ
　➪ティツィアーノ・ベチェリオ
　➪デューラー,アルブレヒト
　➪東洲斎写楽[とうしゅうさいしゃらく]
　➪中村彝[なかむらつね]

ろ

ロアルド・アムンゼン　➡アムンゼン,ロアルド
ロアルド・ダール　➡ダール,ロアルド
ロイド・ジョージ, デイビッド ･･････････ ④272
　➪チェンバレン,ネビル
　➪バルフォア,アーサー・ジェームズ
ロイ・リキテンスタイン　➡リキテンスタイン,ロイ
老子 [ろうし] ･･････････ ④272
　➪空海[くうかい]　➪司馬江漢[しばこうかん]
　➪荘子[そうし]
老舎 [ろうしゃ(ラオショー)] ･･････････ ④273
ロエスレル, カール・フリードリヒ・ヘルマン
･･････････････････････ ④273
ローエンホルスト・ムルドル
　➡ムルドル,ローエンホルスト
ローザ・パークス　➡パークス,ローザ
ローザ・ルクセンブルク　➡ルクセンブルク,ローザ

ローズ, セシル ･･････････ ④273
ローズ, ピート ･･････････ ④273
　➪イチロー
ローズベルト, セオドア ･･････････ ④274
　➪金子堅太郎[かねこけんたろう]
　➪ケネディ,ジョン・フィッツジェラルド
　➪シュタイフ,マルガレーテ　➪ヘイ,ジョン
　➪矢嶋楫子[やじまかじこ]
　➪ローズベルト,フランクリン
ローズベルト, フランクリン ･･････････ ④274
　➪アインシュタイン,アルバート　➪イブン・サウード
　➪チャーチル,ウィンストン
　➪寺崎英成[てらさきひでなり]　➪トルーマン,ハリー
　➪フーバー,ハーバート
ロートレック, アンリ・ド・トゥールーズ ･･･ ④274
　➪ゴッホ,ビンセント・ファン　➪ドーミエ,オノレ
　➪ピカソ,パブロ
ローベル, アーノルド ･･････････ ④274
　➪三木卓[みきたく]
ローラ・アシュレイ　➡アシュレイ,ローラ
ローラ・インガルス・ワイルダー
　➡ワイルダー,ローラ・インガルス
ローランサン, マリー ･･････････ ④275
ローリング, ジョアン・キャスリーン ･･････ ④275
ローリングズ, マージョリ・キナン ･･････ ④275
ローリンソン, ヘンリー・クレジック ･･････ ④275
ローレン, ラルフ ･･････････ ④276
ローレンツ, コンラート ･･････････ ④276
　➪フリッシュ,カール・フォン
ローレンツ・フォン・シュタイン
　➡シュタイン,ローレンツ・フォン
ロジェール2世[─せい]　➡ルッジェーロ2世[─せい]
ロジェ・マルタン・デュ・ガール
　➡マルタン・デュ・ガール,ロジェ
ロジャース, リチャード ･･････････ ④276
　➪ハマースタイン2世,オスカー[─せい─]
ロジャー・ベーコン　➡ベーコン,ロジャー
魯迅 [ろじん(ルーシュン)] ･･････････ ④276
　➪尾崎秀実[おざきほつみ]
　➪宋慶齢[そうけいれい(ソンチンリン)]
　➪陳独秀[ちんどくしゅう(チェントゥーシウ)]
ロス, ジェームズ ･･････････ ④277
ロスコ, マーク ･･････････ ④277
ロスチャイルド, マイアー ･･････････ ④277
ロセッティ, ダンテ・ガブリエル ･･････････ ④277
　➪ハント,ウィリアム・ホルマン
　➪ミレイ,ジョン・エバレット　➪モリス,ウィリアム
ロタール1世 [─せい] ･･････････ ④278
　➪シャルル2世[─せい]　➪ルートウィヒ1世[─せい]
　➪ルートウィヒ2世[─せい]
ロダン, オーギュスト ･･････････ ④278
　➪荻原守衛[おぎわらもりえ]　➪クローデル,カミーユ
　➪ジャコメッティ,アルベルト
　➪高村光太郎[たかむらこうたろう]
　➪中原悌二郎[なかはらていじろう]
　➪ブールデル,エミール=アントワーヌ
　➪ブランクーシ,コンスタンティン
　➪マイヨール,アリスティード
　➪リルケ,ライナー・マリア
六角義賢 [ろっかくよしかた] ･･････････ ④278
　➪柴田勝家[しばたかついえ]
ロック, ジョン ･･････････ ④278
　➪ヒューム,デイビッド
ロックフェラー, ジョン ･･････････ ④279
ロッシーニ, ジョアッキーノ ･･････････ ④279

⇨ウィリアム・テル　⇨シラー,フリードリヒ・フォン
⇨ボーマルシェ,ピエール

ロッシュ, レオン ………………………… ④279
⇨パークス,ハリー

ロッド・レーバー　➡レーバー,ロッド

ロドリーゴ, ホアキン ………………………… ④279

ロドリゴ・ドゥテルテ　➡ドゥテルテ,ロドリゴ

ロナルド・レーガン　➡レーガン,ロナルド

ロバート・アンソン・ハインライン
　　➡ハインライン,ロバート・アンソン

ロバート・ウォルポール　➡ウォルポール,ロバート

ロバート・オーウェン　➡オーウェン,ロバート

ロバート・キャパ　➡キャパ,ロバート

ロバート・クライブ　➡クライブ,ロバート

ロバート・ゴダード　➡ゴダード,ロバート

ロバート・スコット　➡スコット,ロバート

ロバート・タフト　➡タフト,ロバート

ロバート・ピアリー　➡ピアリー,ロバート

ロバート・フック　➡フック,ロバート

ロバート・ブラウニング　➡ブラウニング,ロバート

ロバート・ブラウン　➡ブラウン,ロバート

ロバート・フルトン　➡フルトン,ロバート

ロバート・ボイル　➡ボイル,ロバート

ロバート・ランシング　➡ランシング,ロバート

ロバート・リー　➡リー,ロバート

ロバート・ルイス・スティーブンソン
　　➡スティーブンソン,ロバート・ルイス

ロビン・フッド ………………………… ④280

ロフティング, ヒュー ………………………… ④280
⇨井伏鱒二[いぶせますじ]

ロベール・シューマン　➡シューマン,ロベール

ロベスピエール, マクシミリアン …………… ④281
⇨エベール,ジャック＝ルネ
⇨サン＝ジュスト,ルイ・アントワーヌ・ド
⇨ジョゼフィーヌ,マリー・ローズ
⇨ダントン,ジョルジュ＝ジャック
⇨ナポレオン1世[－せい]

ロベルト・コッホ　➡コッホ,ロベルト

ロベルト・シューマン　➡シューマン,ロベルト

ロマーノ・プローディ　➡プローディ,ロマーノ

ロマン・ロラン　➡ロラン,ロマン

ロヨラ, イグナティウス・デ …………………… ④280
⇨ザビエル,フランシスコ

ロラン, ロマン ………………………… ④280

ロルカ, フェデリコ・ガルシア …………… ④282

ロレンス, デビッド・ハーバート …………… ④282

ロレンス, トーマス・エドワード …………… ④282

ロレンツォ・ギベルティ　➡ギベルティ,ロレンツォ

ロレンツォ・デ・メディチ　➡メディチ,ロレンツォ・デ

ロロ ………………………… ④282

ロンドン, ジャック ………………………… ④282

ロン・ミュエック　➡ミュエック,ロン

ロンメル, エルウィン ………………………… ④283

わ

ワーグナー, リヒャルト ………………………… ④283
⇨ウェーバー,カール・マリア・フォン
⇨シュトラウス,リヒャルト　⇨ドボルザーク,アントニン
⇨ニーチェ,フリードリヒ　⇨ブルックナー,アントン
⇨ボードレール,シャルル　⇨リスト,フランツ

ワーグマン, チャールズ ………………………… ④283
⇨小林清親[こばやしきよちか]

⇨高橋由一[たかはしゆいち]

ワーズワース, ウィリアム ………………… ④284
⇨国木田独歩[くにきだどっぽ]
⇨スコット,ウォルター
⇨薄田泣菫[すすきだきゅうきん]
⇨テニソン,アルフレッド

ワイエス, アンドリュー ………………… ④284

ワイツゼッカー, リヒャルト・フォン ……… ④284

和井内貞行[わいないさだゆき] ………………… ④284

ワイルダー, ローラ・インガルス ………… ④285

ワイルド, オスカー ………………………… ④285
⇨阿知波知二[あべともじ]

倭王武[わおうぶ]　➡雄略天皇[ゆうりゃくてんのう]

獲加多支鹵大王[わかたけるおおきみ]
　　➡雄略天皇[ゆうりゃくてんのう]

若田光一[わかたこういち] ………………… ④285

若槻礼次郎[わかつきれいじろう] ………………… ④286
⇨宇垣一成[うがきかずしげ]
⇨片岡直温[かたおかなおはる]
⇨幣原喜重郎[しではらきじゅうろう]
⇨財部彪[たからべたけし]　⇨田中義一[たなかぎいち]
⇨浜口雄幸[はまぐちおさち]

我妻栄[わがつままさかえ] ………………… ④286

若乃花[わかのはな] ………………… ④286

若松賤子[わかまつしずこ] ………………… ④286

若山牧水[わかやまぼくすい] ………………… ④287
⇨飯田蛇笏[いいだだこつ]　⇨前田夕暮[まえだゆうぐれ]

ワクスマン, セルマン ………………… ④287

和気清麻呂[わけのきよまろ] ………………… ④287
⇨孝謙天皇[こうけんてんのう]　⇨道鏡[どうきょう]
⇨和気広虫[わけのひろむし]

和気広虫[わけのひろむし] ………………… ④288
⇨和気清麻呂[わけのきよまろ]

ワシリー・カンディンスキー
　　➡カンディンスキー,ワシリー

ワシントン, ジョージ ………………… ④288
⇨アービング,ワシントン　⇨ジェファーソン,トーマス
⇨ハミルトン,アレグザンダー　⇨リー,ロバート

ワシントン・アービング　➡アービング,ワシントン

和田英[わだえい] ………………… ④288

和田英作[わだえいさく] ………………… ④289

和田三造[わださんぞう] ………………… ④289

渡辺伊右衛門[わたなべいえもん] ………………… ④289

渡部斧松[わたなべおのまつ] ………………… ④289

渡辺崋山[わたなべかざん] ………………… ④290
⇨江川太郎左衛門[えがわたろうざえもん]
⇨大蔵永常[おおくらながつね]
⇨高野長英[たかのちょうえい]
⇨谷文晁[たにぶんちょう]

渡辺定賢[わたなべさだかた] ………………… ④290

渡辺錠太郎[わたなべじょうたろう] ………………… ④290

渡辺祐策[わたなべすけさく] ………………… ④290

渡辺泉龍[わたなべせんりゅう] ………………… ④291

和田義盛[わだよしもり] ………………… ④291
⇨運慶[うんけい]　⇨大江広元[おおえのひろもと]
⇨北条時房[ほうじょうときふさ]
⇨北条義時[ほうじょうよしとき]

度会家行[わたらいいえゆき] ………………… ④291

和辻哲郎[わつじてつろう] ………………… ④292
⇨ケーベル,ラファエル　⇨夏目漱石[なつめそうせき]

ワット, ジェームス ………………… ④292
⇨ニューコメン,トーマス

ワット・タイラー　➡タイラー,ワット

ワトー, アントワーヌ ………………… ④292
⇨ブーシェ,フランソワ

ワトソン, ジェームズ ………………… ④292
⇨ウィルキンズ,モーリス　⇨クリック,フランシス

ワトソン, トーマス・ジュニア ………………… ④293

王仁[わに] ………………… ④293
⇨応神天皇[おうじんてんのう]　⇨行基[ぎょうき]

ワルター・グロピウス　➡グロピウス,ワルター

ワレサ, レフ ………………… ④293

ワレンシュタイン, アルブレヒト・フォン …… ④294
⇨グスタフ2世[－せい]

ワンガリ・マータイ　➡マータイ,ワンガリ

ワンダー, スティービー ………………… ④294

汪兆銘[ワンチャオミン]　➡汪兆銘[おうちょうめい]

完顔阿骨打[ワンヤンアクダ（かんがんあくだ）] ……… ④294

五十音順索引

ろ／わ

363

協力者一覧

写真協力

CHANEL
© Lipnitzki / Roger-Viollet（2巻 P.176 ／上／ガブリエル・シャネル）
© Photo Philippe Garnier / Elle-Scoop（2巻 P.176 ／中／女優とモデル）
© Photo Ed Feingersh / Michael Ochs Archives / Getty Images（2巻 P.176 ／下／マリリン・モンロー）
ChinaFotoPress
Gagarin Cosmonauts Training Center (GCTC)
National Aeronautics and Space Administration (NASA)

相澤忠洋記念館
会津若松市
阿吽寺
赤間神宮
安芸市
秋田市総務部文書法制課
秋田市立日新小学校
あきる野市教育委員会
安積疏水土地改良区
浅川伯教・巧兄弟資料館
朝倉市
朝日新聞社
飛鳥園
飛鳥京観光協会
明日香村教育委員会
麻生
安曇野市
安曇野市豊科郷土博物館
アフロ
天草市立天草キリシタン館
アマナイメージズ
奄美市立奄美博物館
有田泰而
有田町
有馬キリシタン遺産記念館
安藤綾信
安養院
斑鳩寺
池田理代子プロダクション
胆沢平野土地改良区
石井記念友愛社

石川県西田幾多郎記念哲学館
石川県立工業高等学校
石川県立歴史博物館
石巻市
石ノ森章太郎ふるさと記念館
石原プロモーション
石山寺
伊豆山神社
伊豆市観光協会修善寺支部
伊豆の国市
伊豆の国市観光協会
出雲市観光交流推進課
一乗寺
嚴島神社
一茶記念館
出光美術館
糸魚川市歴史民俗資料館
伊藤公資料館
伊能忠敬記念館
いの町紙の博物館
茨城県科学技術振興財団
茨城県つくばみらい市立間宮林蔵記念館
茨城県立図書館
茨城県立歴史館
伊原江太郎
今治城
彌高神社
入鹿用水土地改良区
入間市博物館
いわき市教育委員会
いわき市石炭・化石館
岩国市産業振興部観光振興課
岩国美術館
岩戸山歴史資料館
岩の原葡萄園
上杉神社
上田市立博物館
うきは市教育委員会
宇宙航空研究開発機構（JAXA）
宇土市教育委員会
海の見える杜美術館
雲州そろばん伝統産業会館
雲峰寺
叡福寺
永平寺
恵那市教育委員会
家原寺
MOA美術館
円覚寺

延暦寺
大分県中津市
大分市歴史資料館
大阪市科学館
大阪城天守閣
大阪市立美術館
大阪大学適塾記念センター
大阪府弥生文化博物館
大阪歴史博物館
大崎市
太田記念美術館
太田市教育委員会
大原幽学記念館
大村市立史料館
男鹿市教育委員会
岡本太郎記念館
岡山県立美術館
岡山城
岡山大学附属図書館
沖田神社
沖縄県立芸術大学附属図書館芸術資料館
奥殿陣屋
小倉百人一首殿堂　時雨殿
小千谷市教育委員会
お告げのマリア修道会
乙訓寺
帯広百年記念館
御前崎市教育委員会
表千家不審菴
甲斐市教育委員会
開成館
懐徳堂記念会
外務省外交資料館
香川県観光振興課
香川県水産課
角館歴史村青柳家
鹿児島カテドラル・ザビエル記念聖堂
鹿児島県観光連盟
鹿児島県立図書館
鹿児島県歴史資料センター黎明館
鹿児島市
鹿児島市立美術館
葛西用水路土地改良区
笠野原開発資料館
笠間市教育委員会
笠間日動美術館山岡コレクション
鹿島神宮
柏崎市
柏原市立歴史資料館

片品村役場村づくり観光課
鹿妻穴堰土地改良区
華道家元池坊総務所
神奈川県立金沢文庫
神奈川県立歴史博物館
金沢市
金沢ふるさと偉人館
金子みすゞ著作保存会
釜石市観光交流課
鎌倉国宝館
香美市観光協会写真
川上村
川口市
川越市立博物館
岩松院
願成就院
神田明神
木曽川下流河川事務所
北九州市小倉北区
北里研究所
北野天満宮
北広島市教育委員会
切手の博物館
鳩居堂製造株式会社
九州国立博物館
九州農政局
旧白洲邸武相荘
共産党赤旗写真部
共同通信社
京都国立博物館
京都市上京区役所写真
京都市上下水道局
京都市歴史資料館
京都大学附属図書館
京都府誠心院
京都府立総合資料館
玉泉寺
清水寺
葛原岡神社
宮内庁
宮内庁三の丸尚蔵館
宮内庁正倉院事務所
宮内庁書陵部
熊本県
熊本市
熊本県人吉市
熊本市立熊本博物館
くまもと文学・歴史館
暮しの手帖社

久里浜観光協会	西永寺	浄土寺	台東区立一葉記念館
久留米市教育委員会	西大寺	庄内町役場	大同生命保険株式会社
久留米市市民文化部文化財保護課	埼玉県立さきたま史跡の博物館	情妙寺	大徳寺瑞峯院
黒住教本部	斎藤宇一郎記念館	勝楽寺	大日区長古川正明
桑名市博物館	西方寺	勝林寺	太寧寺
慶應義塾	堺市	白河観光物産協会	大悲閣千光寺
慶應義塾図書館	坂出市塩業資料館	しろあと歴史館	大本山池上本門寺
慶應義塾福澤研究センター	さが水ものがたり館	心学明誠舎	高岡市
慶應義塾三田メディアセンター	佐久市五郎兵衛記念館	神宮司庁	高岡市立博物館
華蔵寺	佐々木香輔	心月寺	高砂市
ゲッティイメージズ	佐竹史料館	信玄公宝物館	高田屋顕彰館
建長寺	佐渡市教育委員会	神護寺	高月観音の里歴史民俗資料館
建仁寺両足院	サントリーホールディングス	真正極楽寺	高野長英記念館
光雲寺	山王海土地改良区	瑞泉寺	高松市教育委員会
光悦寺	シー・ピー・シー・フォト	水天宮	高松市美術館
高山寺	滋賀県立近代美術館	水平社博物館	瀧廉太郎記念館
功山寺	慈済院	周防大島文化交流センター	武雄市
耕三寺博物館	慈照寺	須賀川市立博物館	武雄市教育委員会
甲州市観光交流課	静岡県	杉安堰土地改良区	武雄鍋島家資料
高台寺	静岡県茶業会議所	鈴鹿市教育委員会	竹田市観光ツーリズム協会
高知県観光振興部	静岡県深良用水隧道	鈴木商店記念館	竹中幸子
高知県立坂本龍馬記念館	七戸町教育委員会	鈴木牧之記念館	太宰府市
高知県立歴史民族資料館	四天王寺	珠洲市観光交流課	太宰府天満宮
高知市立自由民権記念館	品川区歴史博物館	裾野市	伊達市教育委員会
豪徳寺	柴田勝次郎	住友資料館	伊達西根堰土地改良区
興福寺	司馬遼太郎記念財団	洲本市立淡路文化資料館	田中舘愛橘記念科学館
興福寺奈良市観光協会	斯文会	諏訪堰土地改良区	田原市博物館
神戸市立博物館	自分史図書館	聖徳記念絵画館	玉川大学教育博物館
高野山霊宝館	島田美術館	関市観光協会	知恩院
光楽堂	清水六兵衛	瀬戸蔵ミュージアム	秩父市石間交流学習館
護王神社	持明院	瀬戸市まるっとミュージアム・観光協会	茅野市八ヶ岳総合博物館
國學院大學	下御霊神社	銭屋五兵衛記念館	茅野商工会議所
国上寺	下関市立歴史博物館	芹沢恵子	千葉県旭市秘書広報課
国土交通省信濃川河川事務所	集英社マーガレットコミックス	芹沢銈介美術館	千葉県教育庁
国土地理院	衆議院憲政記念館	泉屋博古館	千葉県立中央博物館大多喜城分館
国文学研究資料館	周南市鹿野総合支所	全国治水砂防協会	中宮寺
国立印刷局　お札と切手の博物館	充満寺	専修寺	中尊寺
国立劇場おきなわ	修禅寺	禅定寺	長興寺
国立公文書館	首都大学東京図書情報センター	仙台市建設局百年の森推進課	長楽寺
国立国会図書館	首里城公園	仙台市博物館	津軽森林管理署金木支署
国立天文台	松陰神社	千日堂	築土神社
国立歴史民俗博物館	祥雲寺	泉涌寺	津市教育委員会
小坂文乃	浄光明寺	草雲美術館	津田塾大学
小坂町立総合博物館郷土館	相国寺	曾代用水土地改良区	鶴岡八幡宮
金刀比羅宮	尚古集成館	大安寺	DNP アートコミュニケーションズ
近江兄弟社	常在寺	大覚寺	手塚プロダクション
金剛峯寺	松竹株式会社	醍醐寺	鉄砲館
金倉寺	上智大学キリシタン文庫	退蔵院	テラヤマ・ワールド
金地院	承天閣美術館	大通寺	天徳寺

天理大学附属天理図書館
天龍寺
東京ガス　ガスミュージアム
東京藝術大学
東京国立近代美術館
東京国立博物館
東京大学医学図書館
東京大学宇宙線研究所
東京大学駒場図書館
東京大学史料編纂所
東京大学総合図書館
東京大学大学院工学系研究科建築学専攻
東京都江戸東京博物館
東京都公園協会
東京都水道局
東京富士美術館
東京メトロ
等持院
同志社大学
同志社大学同志社社史資料センター
洞春寺
道成寺
唐招提寺
東大寺
東北大学史料館
遠山講
東洋大学井上円了研究センター
徳音寺
徳川記念財団
徳川美術館
徳川ミュージアム
徳島市教育委員会
土岐市美濃陶磁歴史館
戸田造船郷土資料博物館
栃木県立図書館
栃木老人ホーム
十津川村
鳥取二十世紀梨記念館
砥部焼伝統産業会館
富山県花卉球根農業協同組合
富山市郷土博物館
豊田市郷土資料館
都立中央図書館特別文庫室
内閣広報室
内閣府北方対策本部
中江藤樹記念館
長尾織合名会社
長岡市立中央図書館
長野市

長崎県観光連盟
長崎市上下水道局
長崎市永井隆記念館
長崎歴史文化博物館
中津川市付知公民館
長野県伊那市教育委員会
中濱京
長浜城歴史博物館
中村直史
名古屋市蓬左文庫
名古屋大学
那須野が原博物館
名張市役所
鍋島報效会
奈良観光協会
奈良県橿原考古学研究所
奈良県立美術館
奈良国立博物館
奈良市観光協会
奈良女子大学学術情報センター
奈良・長谷寺
奈良文化財研究所
新潟市
新潟日報社
新座市教育委員会
西尾市岩瀬文庫
西尾市教育委員会
日光東照宮
日本銀行
日本銀行金融研究所貨幣博物館
新渡戸記念館
日本アセアンセンター
日本近代文学館
日本建築学会図書館
日本ナショナルトラスト
二本松市教育委員会
人形浄瑠璃文楽座むつみ会
仁和寺
練馬区立美術館
野井倉土地改良区
能楽協会
野口遵顕彰会
野口英世記念会
能登印刷出版部
延岡市
能美市九谷焼資料館
萩市観光協会
白山市立博物館
白鶴美術館

博物館明治村
博文館新社三康図書館
函館市中央図書館
長谷川町子美術館
秦神社
パナソニック
塙保己一史料館
土津神社
林原美術館
速水夏彦
播磨町郷土資料館
PPS通信社
東根市教育委員会
東広島市教育委員会
ピクスタ
飛行神社
菱川師宣記念館
美術院
美術著作権協会
「パブロ・ピカソ」
Michel Shima『アンティーブ
にて腕を組むパブロ・ピカソ』
（1946年）By Courtesy of Su
ccession Picasso, Paris &
SPDA, Tokyo2016
『人生』（1903年）『曲芸師
の一家』（1905年）『アビニョ
ンの娘たち』（1907年）『泣
く女』（1937年）『ゲルニカ』
（1937年）© 2016 - Success
ion Pablo Picasso - SPDA(JAP
AN)
美術同人社
日高市観光協会
日田市教育庁
飛騨千光寺
常陸大宮市
常陸大宮市歴史民俗資料館
ひばりプロダクション
日芽貞夫
日比谷松本楼
姫路市立美術館
兵庫県手延素麺協同組合
平等院
平野資料館
平福記念美術館
広川町教育委員会
弘前愛成園
弘前市物産協会

弘前市立弘前図書館
広島県
広島県立歴史博物館
廣瀬資料館
びわこビジターズビューロー
比和自然科学博物館
風土伝承館杉浦醫院
フェリス女学院大学附属図書館
フォッサマグナミュージアム
フォトライブラリー
深谷市
福井県観光連盟
福井市立郷土歴史博物館
福岡市
福岡市博物館
福島県いわき市立美術館
福島県立美術館
福島美術館
福山誠之館同窓会
藤岡市教育員会
藤岡市教育委員会文化財保護課
フジオ・プロダクション
藤子・F・不二雄プロ
富士市
藤田美術館
藤森武
文学座
平安神宮
米山寺
平凡社
平林寺
別府市
伯耆町教育委員会
宝慶寺
宝鏡寺
芳洲会
宝泉寺
報徳博物館
豊稔池土地改良区
法務省法務図書館
法隆寺飛鳥園
ボストン美術館
「曹丕」「孫権」
『歴代帝王圖卷（傳閻立本）』
Denman Waldo　Ross Collec
tion 31.643 Photograph ©
2016 Museum of Fine Arts,
Boston. All　RightsReserved.
c/o DNPartcom

菩提樹院
北海道大学附属図書館
法華寺
本願寺文化興隆財団
本田技研工業株式会社
本徳寺
本間家旧本邸
本妙寺
毎日新聞社
前橋市教育委員会
益子陶芸美術館
増永眼鏡株式会社
松戸市立博物館
松戸雅男
松前町
松浦史料博物館
三笠保存会
水木しげる記念館
三田雅楽研究会
三井文庫
みどり市産業観光部
南足柄市秘書広報課
南アルプス市教育委員会
見沼代用水土地改良区
宮崎県教育委員会
宮崎県日南市
宮島歴史民俗資料館
妙本寺
妙満寺
民芸伊予かすり会館
明治学院歴史資料館
明治大学博物館
明治用水土地改良区
名城大学
明星大学
毛越寺
毛利博物館
望月康
本居宣長記念館
元離宮二条城事務所
盛岡市先人記念館
森下文化センター
森村欣司
八重洲地下街
薬師寺
八鹿酒造株式会社
安田建一
八頭町産業観光課
八代市教育委員会

八代市立博物館
山形県立図書館
山形美術館
山口県教育委員会
山口県萩市役所
山口県立萩美術館・浦上記念館
山口県立山口博物館
山口市教育委員会
山種美術館
山都町
ヤマハ株式会社
郵政博物館
養源院
横浜開港資料館
横浜市教育委員会
吉田事務所
吉田神社
吉水神社
米沢市上杉博物館
萬鉄五郎記念美術館
頼久寺
理化学研究所
立命館大学アート・リサーチセンター
琉球絣事業協同組合
龍福寺
龍安寺
霊山寺
霊山歴史館
臨済寺
麟祥院
冷泉家時雨亭文庫
霊泉寺
鹿苑寺
若狭町歴史文化館
若宮八幡宮社
和歌山県
早稲田大学演劇博物館
早稲田大学図書館

イラスト

中原武士

執筆

青木滋一（KAZ 企画）
阿部　伸（デザインコンビ）
石川祐子
内田直子
小野田襄二
オフィス・ノバ
小宮山みどり
富村悦子
西巻　元
本田順子
（株）メルプランニング
山田佳奈子（そらみつ企画）
山村紳一郎
吉田忠正（オフィス・ゆう）

装丁・デザイン

修水

レイアウト

（有）ねころのーむ

校正

（株）東京出版サービスセンター

編集協力

青木滋一（KAZ 企画）
阿部伸（デザインコンビ）
（株）稲穂堂
斉藤道子（オフィスブルー）
中居惠子
（株）メルプランニング
望月裕美子
吉田忠正（オフィス・ゆう）

編集

（株）アルバ

人物事典
Biographical Dictionary
5
学習資料集・索引[さくいん]

2017年1月　第1刷発行

発行者
長谷川 均

発行所
株式会社ポプラ社
〒160-8565 東京都新宿区大京町22-1

電話
03-3357-2212（営業）
03-3357-2635（編集）

振替
00140-3-149271

ホームページ
http://www.poplar.co.jp/（ポプラ社）
http://www.poplar.co.jp/poplardia/（ポプラディアワールド）

印刷・製本
凸版印刷株式会社

無断転載・複写を禁じます。

©POPLAR2017 Printed in Japan
N.D.C.280／367P／29cm×22cm
ISBN978-4-591-15050-4

落丁本・乱丁本は、送料小社負担でお取り替えいたします。小社製作部宛にご連絡ください（電話0120-666-553）。
受付時間は月～金曜日、9:00～17:00（祝祭日は除く）。
読者の皆様からのお便りをお待ちしております。
いただいたお便りは編集部から監修・執筆・制作者にお渡しいたします。

本書のコピー、スキャン、デジタル化等の無断複製は、著作権法上での例外を除き禁じられています。
本書を代行業者等の第三者に依頼してスキャンやデジタル化することは、
たとえ個人や家庭内での利用であっても、著作権法上認められておりません。